Mao

Contemporánea
Humanidades

PHILIP
SHORT

MAO

Traducción de David Martínez Robles

AUSTRAL

CRÍTICA

Título original: *Mao. A Life*

© 1999 by Philip Short
© por la traducción: David Martínez Robles, 2003
En colaboración con Editorial Planeta, S. A.
© Crítica, S. L., 2003
    Avinguda Diagonal, 662-664. 08034 Barcelona (España)
    editorial@ed-critica.es
    www.ed-critica.es
    www.planetadelibros.com

Diseño de la colección: Compañía
Diseño de la cubierta: Austral / Área Editorial Grupo Planeta
Ilustración de la cubierta: Corbis
Primera edición en esta presentación: abril de 2016

Depósito legal: B. 4.180-2016
ISBN: 978-84-08-15287-3
Impresión y encuadernación: CPI, Barcelona
Printed in Spain - Impreso en España

Biografía

Philip Short comenzó su carrera como periodista en 1967 en *Drum Magazine* en Johannesburgo y Harare. Poco después pasó a colaborar con agencias como Associated Press y con periódicos como *Time Magazine* o *The Financial Times* desde Malawi. En 1973 ingresó en la BBC como reportero enviado a Moscú, Beijing, París, Tokio o Washington D.C. Short ha sido también corresponsal de *The London Times* y de *The Economist*, y profesor invitado en numerosas universidades. Además de *Mao*, entre sus publicaciones cabe destacar *Banda* (1974), biografía del presidente de Malawi, *The Dragon and the Bear* (1982), donde compara la Unión Soviética postestalinista con la China postmaoísta, *Pol Pot* (2005), una biografía sobre el principal líder de los Jemeres Rojos, la guerrilla camboyana, y *François Mitterrand: A Taste for Intrigue* (2014).

A Marion

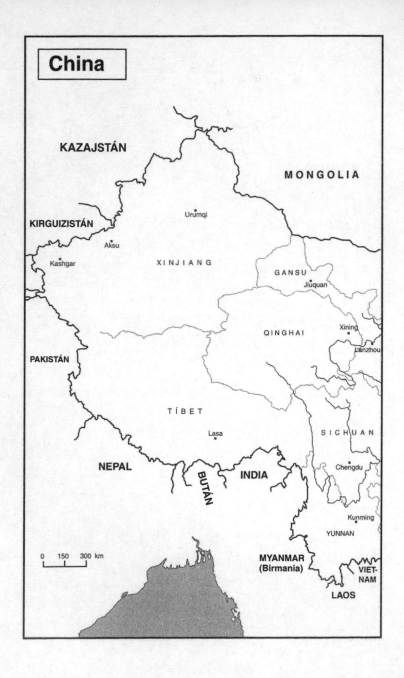

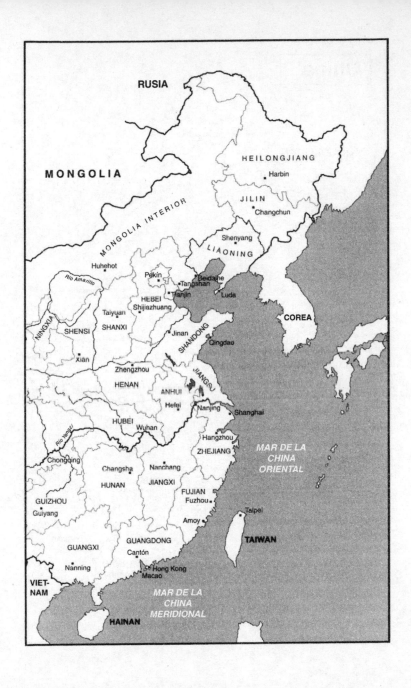

Agradecimientos

Un libro como este representa la culminación de los buenos deseos de muchas personas. A algunas se lo agradezco públicamente aquí, incluyendo a Zhang Yufeng, compañera de Mao durante sus últimos años, Li Rui, ex secretario de Mao, y Wang Ruoshui, antiguo y valiente editor del *Diario del Pueblo*.

Hay muchos a los que no puedo nombrar. China es actualmente un país mucho más tolerante y liberal que en la época en que construí allí mi hogar, hace veinte años, y su pueblo asume como libertades garantizadas lo que en tiempos de Mao era impensable. Pero todavía ha de llegar el día en que sus ciudadanos puedan ser citados abiertamente sobre cuestiones políticas delicadas sin temer la cólera de sus superiores o los interrogatorios de la policía.

Nadie ostenta el monopolio del conocimiento sobre Mao. Los oficiales del Partido Comunista Chino, los historiadores del partido, los académicos chinos y los antiguos miembros de la casa del presidente que compartieron conmigo sus opiniones divergieron en muchos puntos clave. En algunas ocasiones sus ideas me parecieron poco convincentes (como a ellos las mías). Pero, en conjunto, contribuyeron a iluminar áreas de la vida de Mao que, hasta ahora, se han mantenido hábilmente entre visillos, derribando de paso muchos elementos de la mitología convencional. A todos ellos les expreso mi gratitud.

El proceso de escritura de este libro se vio beneficiado por la inestimable ayuda de Karen Chappell y Judy Polumbaum, que me permitieron pasar un año lleno de bendiciones en un retiro intelectual en Iowa; de Yelena Osinsky; y de Dozpoly Ivan, de la Universidad Sophia de Tokio. Debo un especial agradecimiento a mi amiga y compañera, Mary Price, cuyo lápiz azul intentó valientemente (aunque a veces sin éxito) imponer en mis borradores un corsé de brevedad y rigor intelectual. Mis editores, Roland Philipps desde Londres y Jack Macrae desde Nueva York, merecen el reconocimiento de apoyar un proyecto del que, en ocasiones, ni ellos ni yo veíamos el final. Y Jacqueline Korn, que nunca perdió su fe, resultó un salvavidas vivificador.

Mi mujer, Renquan, no sólo ha vivido con este libro durante siete años —lo que de por sí es bastante duro—, sino que ha pasado buena parte de ese tiempo enfrascada con los textos chinos de los discursos de Mao y los documentos del Comité Central, ayudándome a descifrar sus ambigüedades. Para ella, más que nadie, y para nuestro hijo de seis años, Benedict, que se privó de días en la playa y cuentos al pie de la cama para permitirme luchar con «las hojas de papel en blanco», mi más profunda estimación.

Pekín-La Garde-Freinet, junio de 1999

Nota sobre la transcripción y la pronunciación

Los nombres chinos provocan la desesperación de aquellos que no están familiarizados con ellos. Pero es imposible escribir sobre China y sus líderes sin identificar a los protagonistas. Este libro utiliza el sistema de transcripción *pinyin*, adoptado oficialmente por el gobierno de Pekín en 1979, que tiene el mérito de ser más simple y accesible que el antiguo sistema de romanización Wade-Giles. Sin embargo, es necesario hacer notar unas pocas normas básicas.

Las consonantes *c-*, *q-* y *x-* se utilizan para representar sonidos chinos que no tienen equivalencia precisa en español. *c-* se pronuncia de manera similar a como en español sonaría una palabra que comenzase por *ts-* o como una *ch-* más suave; *q-* se pronuncia como *ch-* (*chi*co); y *x-* como *sh* en inglés (*sh*ip) o *x-* en catalán o gallego (*x*icot, *x*itano).

Las vocales son traicioneras. La vocal final *-a* se pronuncia como en casa; *-ai* como en car*ay* o t*ai*fa; *-an* (precedida por consonante, como en *fan*, *tan*, etc.) es igual a caim*án* o alem*án*; pero si va precedida de *-i* o *-y* (*lian*, *xian*, *yan*, etc.) se pronuncia como español *-ien* (*bien* o tamb*ién*). *-ang* corresponde a un sonido más gutural que rima aproximadamente con la primera sílaba de *ang*ustia; y *-ao* rima con cac*ao*.

La *-e* final (como en H*e* Zizhen, Li D*e*) tiene un sonido a medio camino entre la *-a* y la *-e* españolas, similar a la *-e* inglesa, como en h*er*; pero si va precedida de *-i* o *-y* (como en Ran T*ie*, Ye Jianying) suena parecido en español a la terminación del término p*ie*. *-ei* tiene un sonido muy similar al de la primera sílaba de p*ei*ne. *-en* (como en Li W*en*lin, Tiananm*en*) se pronuncia un poco más cerrado que en v*en* o am*én*. *-eng* (como en D*eng*, M*eng*, etc.) se pronuncia como una *-e* mucho más cerrada y oscura, cercana a la *-o* española, y con un cierre gutural al final.

La *-i* final (como en l*i*, q*i*, d*i*, etc.) es idéntica a la *-i* en español, excepto cuando va precedida de *c-*, *ch-*, *r-*, *s-*, *z-*, *sh-* y *zh-* (*ci*, *chi*, *ri*, *si*, *zi*, *shi*, *zhi*), que se pronuncia con una vibración similar a la *-r* y se aproxima ligeramente al sonido final de la palabra inglesa *sir*. La terminación *-iu* se pronuncia como en español la combinación vocálica *-iou*.

La *-o* final (como en w*o*) y *-uo* (como en L*uo*) se pronuncian de manera muy similar a la *-o* final española, como en lis*o*. *-ong* (como d*ong* o l*ong*) mantiene el sonido *-on* pero con un cierre gutural final que lo aproxima al sonido *-ung*.

En unos pocos casos, cuando la transcripción *pinyin* es tan poco conocida que es irreconocible, se han mantenido las formas tradicionales. Éstas son (con la transliteración *pinyin* entre paréntesis): Amoy (Xiamen), Cantón (Guangzhou),* Chiang Kai-shek (Jiang Jieshi), Hong Kong (Xianggang), Sun Yat-sen (Sun Yixian),** Soong Ching-ling (Song Qingling), su hermana Mei-ling y su hermano T. V. Soong, Tíbet (Xizang), y Wampoa (Huangpu).

---

* Hay que distinguir entre la tradicionalmente llamada ciudad de Cantón (Guangzhou), y la provincia de que es capital, generalmente designada con el mismo nombre, pero que en este libro, para evitar confusiones, se translitera como Guangdong, siguiendo el sistema *pinyin*. (*N. del t.*)

** A pesar de que el nombre chino en *pinyin* más habitual de Sun Yat-sen es Sun Zhongshan. (*N. del t.*)

Prólogo

Hoy en día pocos han oído hablar, ni siquiera en China, de la pequeña ciudad comercial de Tongdao. Ésta se extiende algo más de un kilómetro a lo largo de la orilla izquierda del Shuangjiang, encajada en una estrecha franja de terreno entre el anchuroso río de aguas marrones y una cadena de montes en forma de terrazas. Tongdao es el centro de una pequeña área de minoría no Han en la que se funden las provincias de Guangxi, Guizhou y Hunan. Es un lugar descuidado y decadente, con una calle principal larga y embarrada, pocas tiendas y aún menos edificios modernos; los lugareños afirman con resignación que nunca ocurre nada de interés. Pero en una ocasión allí tuvo lugar un suceso digno de mención. El 12 de diciembre de 1934 los líderes del Ejército Rojo se reunieron en Tongdao en un cónclave que había de marcar el inicio de la ascensión de Mao Zedong al poder supremo.[1]

Fue uno de los episodios más oscuros de la historia del Partido Comunista Chino. El único trazo escrito del paso del Ejército Rojo es la vieja fotografía de un descolorido eslogan garabateado por las tropas sobre un muro: «¡Todo el mundo debe tomar las armas y luchar contra los japoneses!».[2] Los participantes, sin excepción alguna, ya han muerto. Nadie sabe exactamente quién estuvo presente o incluso dónde tuvo lugar la reunión. El primer ministro Zhou Enlai recordaba, años después, que había sido en una granja, en algún punto de las afueras de la ciudad, donde se estaba celebrando una boda.[3] Mao, a dos semanas de su cuadragésimo primer aniversario, era un hombre delgado y larguirucho, de mejillas hundidas por el sueño y la falta de alimento, y cuya desmedida chaqueta de algodón gris parecía querer escaparse de sus hombros. Todavía estaba recuperándose de un severo ataque de malaria y, en ocasiones, requería ser llevado en litera. Más alto que la mayoría de los líderes, su rostro era suave, sin marcas, con una mata ingobernable de negros cabellos y la raya en medio.

Agnes Smedley, escritora norteamericana de izquierdas que poco tiempo después coincidió con Mao, lo describió como una figura formidable, de voz aflautada y unas largas y delicadas manos de mujer:

> Su oscuro e inescrutable rostro era alargado, la frente amplia y elevada, su boca, femenina. Por encima de cualquier otra cosa que pudiese ser, era un esteta ... [Pero] a pesar de esa cualidad femenina que había en él, era terco como una mula, y una determinación y un orgullo férreos impregnaban su temperamento. Tuve la impresión de que él esperaría escrutador años y años, hasta que finalmente tomaría su camino ... Su humor era a menudo sardónico y macabro, como si emergiese desde las profundas cavernas de una reclusión espiritual. Tenía la sensación de que existía una puerta a su ser que no había sido abierta a nadie.[4]

Aun para sus camaradas más incondicionales, Mao era difícilmente penetrable. Su espíritu, en palabras de Smedley, «habitaba en sí mismo, aislándole». Su personalidad inspiraba lealtad, no afecto. Combinaba un temperamento agresivo con una paciencia infinita; el discernimiento con una fijación casi pedante por los detalles; una voluntad inflexible con la extrema sutileza; el carisma público con las intrigas privadas.

Los nacionalistas, que habían puesto precio a su cabeza, ejecutado a su esposa y profanado la tumba de sus padres, consideraron que Mao era, a principios de la década de 1930, el jefe político dominante del Ejército Rojo. Pero como tan a menudo ocurría, estaban equivocados.

El poder estaba en manos del llamado «grupo de los tres» o «troika». Bo Gu, líder del partido en funciones (o, como era conocido formalmente, «el camarada con plena responsabilidad para el trabajo de la central del partido»), de veintisiete años, se había licenciado en la Universidad de los Trabajadores del Este, en Moscú. Poseía el rostro de un colegial precoz, ojos saltones y gafas de montura negra, de las que un diplomático británico afirmó, sin tacto pero con tino, que le recordaban un títere grotesco. El Comintern[5] le había lanzado al liderazgo para asegurar la lealtad a la línea soviética. El segundo miembro, Zhou Enlai, comisario político general del Ejército Rojo y poder real tras el trono de Bo Gu, contaba también con la confianza de Moscú. El tercero, Otto Braun, un alemán alto y delgado de nariz prominente, dentadura caballuna y gafas redondas que le hacían destacar, era el consejero militar del Comintern.

Durante los doce meses anteriores, estos tres hombres habían presidido una serie ruinosa de reveses militares para los comunistas. El líder nacionalista, Chiang Kai-shek, había consolidado su dominio sobre la mayor parte de China y estaba decidido a extirpar lo que con razón consideraba un desafío potencial y a largo plazo a su dominio. Con la ayuda de consejeros militares alemanes, comenzó por construir líneas de búnkeres fortificados alrededor de la región controlada por los comunistas. Con irritante lentitud, las líneas avanzaron, el lazo en torno a la zona se estrechó y las fuerzas comunistas fueron cercadas. Muy gradualmente, el Ejército Rojo estaba quedando estrangulado. Era una estrategia para la cual la troika no tenía una respuesta adecuada.

Probablemente Mao no habría tenido más éxito que ellos. Pero Bo Gu le había marginado hacía más de dos años. Mao no estaba en el poder.

En octubre de 1934, tras meses de discusiones agónicas entre la cúpula del partido, los rojos abandonaron su base en una apuesta desesperada por evitar una derrota definitiva, con las fuerzas de Chiang al acecho para la matanza. Su marcha de diez mil kilómetros a través de China sería posteriormente encumbrada como la Larga Marcha, un símbolo épico de coraje ante la adversidad, la disciplina más desinteresada y una voluntad indómita. En aquel momento se la llamó, de manera más prosaica, el «desplazamiento estratégico» y, algo más tarde, la Marcha al Oeste. El plan, en el caso de que existiese alguno, era avanzar hacia el noroeste de Hunan, donde los caciques militares locales se mantenían cautelosos ante las ambiciones de Chiang y reacios a hacer causa común con él, y allí fundirse con otras fuerzas comunistas para crear una nueva base central roja que reemplazase la que acababan de perder.

Todo comenzó bastante bien. El Ejército Rojo se escabulló por entre la primera línea de búnkeres, sin encontrar apenas resistencia. Las dos líneas siguientes también cayeron. Pasaron más de tres semanas hasta que los servicios de información nacionalista fueron conscientes de que su presa había escapado.[6] Pero la cuarta línea de Chiang, en el río Xiang, era distinta.

La batalla duró más de una semana, del 25 de noviembre al 3 de diciembre.[7] A su fin, el Ejército Rojo había perdido entre quince y veinte mil combatientes. Unos cuarenta mil reservistas y porteadores habían desertado. De los ochenta y seis mil hombres y mujeres que habían partido en octubre, poco más de treinta mil perseveraban. La caravana formada por el rastro de los equipajes —que se extendía a lo largo de ochenta kilómetros como un leviatán serpentino que, diría Mao tiempo después, se asemejaba más a la mudanza de una casa que a un ejército en marcha—[8] veía rota su columna al llegar al río Xiang. Esparcidos por el fango y dispersos por las colinas quedaban los muebles de oficina, las prensas de imprimir, los archivos del partido, los generadores —toda la parafernalia que los comunistas habían acumulado en tres años de dominio sobre una región mayor que Bélgica— que habían sido arrastrados dolorosamente sobre los hombros de los porteadores por pasos de montaña y arrozales durante cientos de desoladores kilómetros. Piezas de artillería, pesados morteros, una máquina radiográfica que poseían los comunistas, todo había sido abandonado. Pero no antes de que todo ello hubiese ralentizado tanto el avance del ejército que, abotagado y débil, éste se arrastró hasta caer en la trampa que Chiang Kai-shek había urdido.

Fue un desastre para el que ni los más flemáticos líderes del Ejército Rojo estaban preparados. En octubre, la base a la que habían dedicado tantos años en levantar había sido abandonada; ahora, dos tercios de su ejército también se habían perdido.

Una semana más tarde, habiéndose librado de sus perseguidores, los restos de las fuerzas comunistas avanzaron hasta el sur de Hunan. Se habían reagrupado y estaban organizados. No obstante, entre los líderes veteranos, el motín estaba en el aire. Se aproximaba velozmente la hora en que la troika sería llamada a rendir cuentas.

Pero no todavía. Los ocho o nueve hombres que se reunieron abatidos aquella tarde en Tongdao se enfrentaron a una pregunta más apremiante: ¿hacia dónde dirigirse? Bo Gu y Otto Braun insistían en mantener el plan original y partir hacia el noroeste de Hunan. Los dirigentes militares se opusieron. Chiang Kai-shek bloqueaba la ruta norte con trescientos mil hombres. Intentar forzar un paso era una sentencia de muerte. Debían tomar una decisión rápida. Llegaban noticias de que las tropas de los señores de la guerra de Hunan se acercaban desde el este.

Tras un tenso y apresurado debate se acordó, como medida de urgencia, que el ejército avanzase hacia el oeste, hasta las espesuras de las montañas de Guizhou.[9] Una vez allí se convocaría una reunión plenaria del Politburó para discutir la estrategia futura. La propuesta de compromiso llegó de Mao. Era la primera ocasión desde su destitución de la dirección militar en 1932 en que su opinión era escuchada y aceptada en los círculos internos de poder. Su presencia se debía a la gravedad de la derrota del río Xiang. De hecho, un viaje de diez mil kilómetros, según dicen los chinos, comienza por un único primer paso. Para Mao, Tongdao era aquel paso.

Guizhou es, al igual que hace siglos, una de las provincias más pobres de China. En la década de 1930 las aldeas estaban saturadas de opio, el pueblo era analfabeto y tan pobre que las familias apenas contaban entre sus posesiones con unos simples pantalones. Las niñas eran frecuentemente asesinadas al nacer; los niños se vendían a traficantes de esclavos para revenderlos en las ricas zonas del litoral. Pero era un lugar de exquisita grandiosidad natural: el espectáculo que se abría delante del Ejército Rojo, en su marcha al oeste, parecía inspirarse en los fantásticos paisajes de los rollos de pintura de la dinastía Ming.

Más allá de Tongdao las colinas se alzan abruptamente y las montañas son más vastas y recortadas: grandes montículos cónicos de piedra caliza, de miles de metros de altura; montes como jorobas de camello, como hormigueros gigantes; montañas de pastel de ciruela como túmulos a los ancestros. De los despeñaderos cuelgan los poblados Miao, racimos de techos de paja y paredes ocre, con aleros salientes y ventanas de papel con celosías, oscuros en contraste con la alfombra verde amarillenta de las hierbas marchitas del invierno y los tempranos brotes de la primavera. Los halcones vuelan en círculo a lo alto; abajo, la blanca escarcha descansa sobre el rastrojo del trigo. La gente de Guizhou dice: «No hay tres días sin lluvia, no hay tres *li*** sin montes». En esta parte de la provincia sólo hay montañas, y en diciembre y enero, lloviznas y nieblas perpetuas. Las laderas más altas, envueltas en bruma, se elevan tupidas de bosques de pinos, bambúes dorados y abetos verde oscuro, mientras que abajo, a lo lejos, el fondo de los valles está poblado por brillantes lagos de nubes blancas. Puentes colgantes penden sobre los ríos, y junto a los torrentes que se abalanzan en cascadas se observan terrenos cultivados como pañuelos, donde un campesino labora sobre una cuesta de cincuenta grados para, penosamente, extraer unas escasas y pobres hortalizas del oscuro suelo rojizo.

Los soldados recordaban únicamente los rigores del viaje. «Subíamos una montaña tan escarpada que podía observar las suelas del hombre que había por delante mío», rememoraba un soldado.[10] «Por la línea circulaban las noticias de que nuestras columnas de vanguardia afrontaban un escarpado acantilado, y ... que tendríamos que dormir donde estábamos y continuar escalando al alba ... Las estrellas parecían piedras de jade sobre una cortina negra. Los oscuros picos se alzaban a nuestro alrededor como gigantes amenazadores. Parecía que estábamos en el fondo de un pozo.» El acantilado, conocido en la zona como la Roca del Dios del Trueno, tenía escalones labrados en su superficie de un pie de profundidad. Era demasiado escarpado para usar las camillas: los heridos tenían que ser cargados a cuestas. Muchos caballos encontraron la muerte en las rocas del fondo.[11]

El comandante del Ejército Rojo, Zhu De, recordaba la miseria del lugar.[12] «Los campesinos se llaman a sí mismos "hombres secos"», indicó. «Se les sorbe absolutamente todo hasta secarlos ... La gente escarba el arroz podrido de debajo de lo que había sido el antiguo granero de un terrateniente. Los monjes lo llaman "arroz sagrado", el regalo del Cielo para los pobres.»

Mao vio este mismo escenario. Pero él, en cambio, escribió sobre el poder y la belleza de los campos por los que pasaban:

---

* Medida de longitud empleada en China equivalente aproximadamente a medio kilómetro. (*N. del t.*)

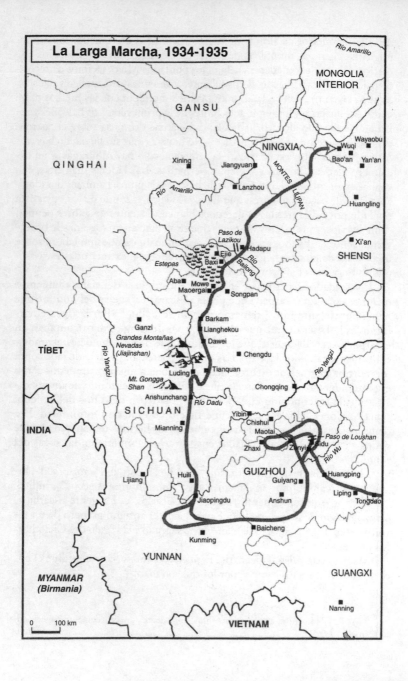

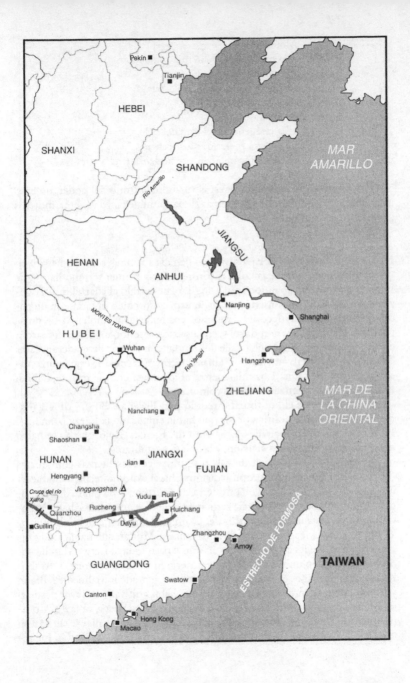

¡Montañas!
Olas que surgen en un mar tumultuoso,
como diez mil sementales
galopando en el fragor de la batalla.

¡Montañas!
Afiladas, penetran el azul del cielo.
Sin vuestra fuerza que los sostiene
los cielos sucumbirían y se abalanzarían.[13]

Estos breves poemas, compuestos ya sobre el trono del poder, no eran una simple celebración de las fuerzas de la naturaleza. Mao tenía motivos para sentirse exultante.

El día 15 de diciembre el Ejército Rojo llegaba a Liping, sede de distrito en un valle rodeado por bajas colinas con terrazas y primer terreno llano que hollaban desde que abandonaron Tongdao. Se instaló el cuartel militar general en la casa de un comerciante, lugar espacioso y bien situado, con un pequeño patio interior, decorado con motivos budistas y emblemas de prosperidad. Había lechos con dosel y, en la parte posterior, un diminuto jardín chino; se abría a una estrecha calle de tiendas con frentes de madera y casas de tejado gris y aleros invertidos. Unas puertas más abajo se erguía una misión luterana alemana. Los misioneros, al igual que el comerciante, habían huido con la aproximación de los comunistas.

Fue aquí donde el Politburó se reunió para llevar a cabo su primera discusión formal sobre política desde que había empezado la Larga Marcha.[14] Había dos puntos principales: el destino del Ejército Rojo, que no se había decidido en la anterior discusión, y las tácticas militares.

Braun y Bo Gu todavía deseaban reunirse con las fuerzas comunistas del norte de Hunan. Mao propuso dirigirse hacia el noroeste, para establecer una nueva base roja cerca de la frontera de Guizhou y Sichuan, donde, según argumentaba, la resistencia sería más débil. Le apoyaron Zhang Wentian, uno de los cuatro miembros del Comité Permanente del Politburó, y Wang Jiaxiang, vicepresidente de la Comisión Militar, que había sido gravemente herido en campaña hacía un año y pasó toda la Larga Marcha sobre una litera con un tubo de caucho emergiendo de su estómago. Ambos habían sido formados en Moscú. Ambos habían apoyado inicialmente a Braun y Bo Gu, pero se tornaron escépticos. Mao había cultivado su favor desde el inicio de la marcha. Ahora ellos hacían oscilar la balanza a su favor. Comprendiendo los derroteros que tomaba la reunión, Zhou Enlai se sumó a su voz, y la mayoría del Politburó cayó tras él. La propuesta de Bo Gu fue rechazada. En su lugar, decidieron establecer una nueva base con centro en Zunyi, la segunda ciudad de Guizhou, o, en caso de encontrar demasiadas dificultades, más al noroeste.

Pero Mao no lo tenía todo controlado. La resolución final sobre cuestiones tácticas fue más equilibrada,[15] y advertía del peligro de «infravalorar las posibles bajas de nuestro bando, lo que podría conducir al pesimismo y el derrotismo», implícita referencia a la derrota en el río Xiang y, por tanto, crítica respecto de las decisiones militares del grupo de los tres, Zhou, Bo Gu y Braun; en el mismo sentido, ordenaba al ejército que se abstuviese de empresas a gran escala hasta que la nueva zona base hubiese sido asegurada. Pero también hablaba del peligro del «guerrillismo», palabra clave para designar la «estrategia de guerrilla flexible» asociada con Mao. Evidentemente, Zhou Enlai no estaba dispuesto a ceder ante Mao sin presentar batalla.

Al día siguiente, 20 de diciembre, el Ejército Rojo retomó la marcha. La posición de Bo Gu y Otto Braun se había debilitado mortalmente. El auténtico conflicto que estaba tomando cuerpo se remitía ahora a Mao y Zhou.

Estos dos hombres tenían muy poco en común: Zhou, hijo de un mandarín, rebelde contra su clase, dúctil y sutil, la quintaesencia del superviviente, que había aprendido las estrecheces de la vida comunista trabajando subterráneamente en Shanghai, donde la muerte dependía del susurro de un delator; y Mao, un campesino de los pies a la cabeza, terrenal y ordinario, con un discurso florido de pícaros aforismos, desdeñoso con los habitantes de la ciudad. Uno era urbano y refinado, el ejecutor infatigable de las ideas de los otros; el otro, un visionario impredecible. Durante cuarenta años formarían una de las alianzas políticas más longevas del mundo. Pero, a finales de 1934, ninguno de los dos podía imaginárselo.

El 31 de diciembre, la cúpula del ejército se detuvo en un pequeño centro de comercio llamado Houchang[16] (aldea del Mono), cuarenta kilómetros al sur del río Wu, la última barrera natural antes de alcanzar Zunyi. El Politburó se reunió de nuevo aquella noche. Otto Braun propuso que el ejército resistiese ante las tropas de tres señores de la guerra que, según se informaba, se cernían sobre ellos. Los jefes militares le recordaron que en Liping habían acordado evitar las grandes batallas y dar prioridad al mantenimiento de la nueva zona base. Después de acaloradas discusiones que se prolongaron hasta la noche, Braun fue destituido como consejero militar. Para subrayar la importancia del cambio, la resolución del Politburó incluyó un sonoro espaldarazo a uno de los principios cardinales de Mao, que había sido ignorado en los dos años anteriores. «No hay que dejar pasar oportunidad alguna», afirmó, «de servirse de la guerra móvil para dispersar y destruir a los enemigos, uno por uno. Así alcanzaremos con toda seguridad la victoria.»

El curso de los acontecimientos había cambiado. La vieja cadena de mando bajo el dominio de la troika se había desintegrado. Como medida transitoria se acordó que todas la decisiones importantes se remitiesen al conjunto de los dirigentes. La vieja estrategia había sido abandonada. Debían elaborar una nueva para reemplazarla. Durante las primeras horas del día de Año Nuevo, el Politburó acordó convocar un congreso de mayores dimensiones en Zunyi. Con tres objetivos: revisar el pasado, determinar qué había ido mal y esbozar un rumbo para el futuro. Se preparaba el escenario para el acto decisivo.

Deng Xiaoping, hombre corpulento, de corta estatura y con la cabeza en forma de bala a medio rapar, contaba entonces treinta años. De joven, en París, había aprendido a realizar un boletín de noticias para la rama local de la Liga de la Juventud Comunista China, cincelando caracteres sobre una hoja de cera con un punzón e imprimiendo copias en tinta china negra, elaborada con hollín y aceite de *tung*. Su reputación como periodista había causado furor. Ahora era el editor del periódico del Ejército Rojo, panfleto de gran formato en una sola hoja mimeografiada de manera igualmente tosca, llamado *Hongxing* (*Estrella Roja*).

La edición del 15 de enero de 1935[17] relataba cómo la gente de Zunyi había recibido a las fuerzas comunistas después de tomar la ciudad sin que se disparase una sola bala: el cuerpo de vanguardia había persuadido a los defensores de las puertas de la ciudad fingiendo ser miembros de las fuerzas de un cacique militar local. Otros artículos describían con términos vívidos «la imagen del Ejército Rojo en los corazones de las masas», y apuntaban el establecimiento de un Comité Revolucionario para la administración de la ciudad.

En ningún lugar aparecía indicio alguno de que el Politburó hubiese celebrado la más importante reunión de su historia, a la que el propio Deng había acudido como secretario; una reunión tan secreta que, durante un mes, los oficiales veteranos del partido fueron mantenidos en la ignorancia de las decisiones allí tomadas, hasta que los líderes se volvieron a reunir para decidir cómo debían serles comunicadas las noticias.

Veinte hombres se congregaron[18] aquella noche en el piso superior de un bello edificio rectangular de dos plantas, construido con ladrillos gris oscuro y rodeado por un porche exterior con columnas.[19] Había sido el hogar de uno de los señores militares menores de la ciudad hasta que Zhou y los mandos militares lo tomaron como cuartel. Bo Gu y Otto Braun fueron alojados muy cerca, a lo largo de una calle que llegaba hasta la catedral católica romana, estructura ornamentada e imponente con un imaginativo tejado de tres estrados —una chinoserie, más que una construcción china—, situada entre jardines de flores, donde el destacamento del Ejército Rojo que escoltaba a los líderes había acampado. Mao y sus dos aliados, Zhang Wentian y Wang Jiaxiang, con seis escoltas, estaban en la casa de otro jefe militar, decorada en madera y con ventanas de vidrios de color, al otro lado de la ciudad. Desde su llegada, una semana antes, Mao había estado procurándose alianzas. Los preparativos ya habían acabado. Ambos bandos estaban preparados para la batalla. En palabras de Otto Braun:

> Era obvio que [Mao] deseaba vengarse ... En 1932 ... su [poder] militar y político había sido aniquilado ... Ahora surgía la posibilidad —los años de lucha partisana habían estado orientados a hacerlo posible— de que, con el uso demagógico de errores organizativos y tácticos aislados, pero sobre todo a través de aserciones inventadas e imputaciones calumniosas, pudiese desacreditar a la cúpula del partido y aislar ... a Bo Gu. Se rehabilitaría completamente a sí mismo [y] tomaría el Ejército en sus manos, subordinando al partido mismo bajo su voluntad.[20]

La pequeña y repleta habitación en que tuvo lugar la reunión dominaba sobre un patio interior. En el centro, un brasero de carbón lanzaba sus débiles ardores al húmedo y crudo frío del invierno de Zunyi. Wang Jiaxiang y otro general herido yacían confortablemente en tumbonas de bambú. Braun y su intérprete permanecían sentados, alejados del grupo principal, junto a la puerta.

Bo Gu, como líder del partido en funciones, presentó el informe central. Justificó que la pérdida de la base roja y los desastres militares que se habían seguido se debían, no a errores políticos, sino a la fuerza abrumadora del enemigo y al apoyo que los nacionalistas habían recibido de las potencias imperialistas.

Zhou Enlai fue el siguiente en hablar. Reconoció haber cometido errores, pero no admitió que la estrategia fuese en sí misma errónea. Zhou todavía tenía la esperanza de salvar algo de las ruinas.

Mao inició entonces su ataque. Braun recordaba, cuarenta años después, que no habló de manera espontánea, como acostumbraba, sino siguiendo un manuscrito «preparado concienzudamente».[21] El problema fundamental, dijo Mao, no era la fuerza del enemigo, sino el hecho de que el partido se había desviado de la «estrategia básica y los principios tácticos con que el Ejército Rojo [en el pasado había] alcanzado las victorias»;[22] o, en otras palabras, de la «dúctil estrategia de guerrilla» que él y Zhu De habían desarrollado. De no haber sido así, declaró, el acoso nacionalista probablemente habría sido vencido. En lugar de ello, se ordenó al Ejército Rojo hacer una guerra defensiva y posicional, construyendo búnkeres para contrarrestar los del enemigo, dispersando sus fuerzas en un intento vano de preservar «cada pulgada de territorio comunista» y abandonando la guerra itinerante. La cesión provisional de territorios era justificable, decía Mao. Pero no lo era comprometer el poder del Ejército Rojo, porque sólo a través del ejército —y sólo el ejército— podía ser recuperado el territorio.

Sin tapujos, Mao atribuyó la responsabilidad de esos errores a Otto Braun. El consejero del Comintern había impuesto tácticas equivocadas al ejército, indicó, y sus «rudos métodos de dirección» habían desembocado en «fenómenos absolutamente anómalos» dentro del Consejo Militar, en alusión a los métodos insolentes y dictatoriales, que habían generado un extendido resentimiento. Bo Gu, declaró Mao, había fracasado en su cometido de desempeñar un correcto liderazgo político, permitiendo que los errores militares continuasen impunemente.

Cuando Mao tomó asiento, Wang Jiaxiang lanzó su propia diatriba en contra de los métodos de Braun. Le siguió Zhang Wentian. Otro líder formado en Moscú, He Kaifeng, salió en defensa de Bo. Algunos de los presentes, como Chen Yun,[23] antiguo trabajador de imprenta muy próximo a Zhou en Shanghai, consideró que el ataque de Mao había sido parcial. A pesar de no desempeñar función militar alguna, Chen era un miembro del Comité Permanente y sus opiniones eran de peso. Pero los comandantes de base, cuyos ejércitos habían pagado el precio de los errores de la troika, no dudaron en absoluto. Peng Dehuai, general tosco y sin pelos en la lengua tan sólo preocupado por dos cosas en la vida, la victoria de la causa comunista y el bienestar de sus hombres, comparó a Braun con «un hijo pródigo que había malgastado los bienes de su padre», en alusión a la pérdida de la zona base a la que Peng, junto a Mao y Zhu, había dedicado tanto tiempo y sangre.

Braun permanecía sentado, inmóvil en un rincón junto a la puerta, fumando furibundo al tiempo que su intérprete, cada vez más nervioso y confundido, intentaba traducir cuanto se había dicho. Cuando finalmente tomó la palabra, rechazó en bloque las acusaciones. Él sólo era un consejero, dijo; los comandantes chinos, no él, eran los responsables de las políticas seguidas.

Aquello era una hipocresía. En los años treinta, bajo Stalin, los representantes del Comintern, incluso los consejeros, tenían poderes extraordinarios. No obstante, había algo de verdad en lo que dijo. Braun no poseía la última palabra en los asuntos militares. La tenía Zhou Enlai.

Mao era consciente de que Zhou era su verdadero adversario. Lo conocía desde que Zhou llegó a la base roja a finales de 1931, cuando le arrinconó sin contemplaciones. Ni el amable Zhang Wentian ni, aún menos, Bo Gu eran serios rivales por el poder máximo. Zhou Enlai sí lo era. Pero atacar a Zhou frontalmente en Zunyi habría significado dividir a los dirigentes en una batalla de la que Mao no podía salir vencedor. De modo que, en un movimiento característico de su estilo político y militar, concentró su ataque en los flancos más débiles de la armadura de Zhou, que eran Braun y Bo Gu, dejando a su principal oponente una salida digna.

Zhou lo comprendió. En el segundo día del congreso intervino de nuevo. Esta vez reconoció que la línea militar había sido «fundamentalmente incorrecta», y realizó una larga autocrítica. Era un tipo de maniobra en la que Zhou destacaba. De ser el oponente de Mao, se transformó en un aliado. Mao, por supuesto, comprendió la estratagema. Y Zhou lo sabía. Pero por el momento habían llegado a una tregua.

La resolución final condenó a los dos compañeros de troika de Zhou por su «pésima dirección». Braun fue acusado de «dirigir la guerra como si fuese un juego», «monopolizar el trabajo del Consejo Militar» y usar el castigo en detrimento de la razón para acabar «por todos los medios posibles» con las opiniones que no coincidían con la suya. Y se alegó que Bo Gu había cometido «serios errores políticos». Pero Zhou escapó ileso, consiguiendo incluso, al menos sobre el papel, un ascenso de breve duración: cuando la troika quedó oficialmente disuelta, él tomó todos sus poderes bajo el incómodo título de «último en tomar decisiones en nombre del Comité Central en relación con los asuntos militares». Su participación en la debacle que había precedido a la conferencia de Zunyi se pasó por alto silenciosamente. La resolución condenaba las «elefantinas» columnas de apoyo que habían ralentizado el avance, pero se obviaba el hecho de que era Zhou quien las había organizado. Se refería a «los líderes de la política de la defensa pura» y, en una ocasión, a «Otto Braun y los otros», pero no decía quiénes eran los otros. A Zhou se le mencionaba de manera explícita en una única ocasión, en tanto que había entregado el «informe complementario» que seguía al de Bo Gu. Incluso así, en todas las copias de la resolución, excepto en las distribuidas entre los dirigentes de más alto rango, el espacio que deberían ocupar los tres caracteres de su nombre fue dejado en blanco.

Mao fue admitido en el Comité Permanente del Politburó y se convirtió en el principal consejero militar de Zhou. Podría parecer poca recompensa para dos años en el desierto. Pero, como ocurre tantas veces en China, el espíritu de este tipo de decisiones contaba mucho más que la letra. Incluso Braun reconoció que «la mayoría de los que había en la reunión» acabaron uniéndose a Mao.[24] En el espíritu, Mao había triunfado. Zhou, a pesar de su nuevo título, quedaba identificado con los dirigentes desacreditados, cuyas políticas habían sido condenadas.

Pero durante los meses siguientes el espíritu se revistió de carne.[25] A principios de febrero, Bo Gu fue sustituido como jefe en funciones del partido por el aliado de Mao, Zhang Wentian. Un mes más tarde se creaba una jefatura del frente, con Zhu De como comandante y Mao como comisario político, adquiriendo efectivamente buena parte del control operativo de Zhou. Poco después, su poder se resintió aún más con la creación de una nueva troika, formada por Zhou, Mao y Wang Jiaxiang. A principios de verano, cuando el Ejército Rojo logró cruzar el río de la Arena Dorada hasta Sichuan, Mao se había posicionado como su incontestable líder.

Otras batallas aguardaban en el futuro. Pasarían ocho años más antes de que Mao se convirtiese de manera formal en presidente, título que mantendría hasta su muerte. Pero el desafío de Zhou había acabado. Lo pagaría con creces. En 1943, su posición era tan precaria que el antiguo jefe del Comintern, Gregory Dimitrov, suplicó a Mao que no le expulsase del partido.[26] Y Mao no lo hizo. No por Dimitrov, sino porque Zhou era demasiado útil para ser desperdiciado. El futuro primer ministro, en lugar de ser expulsado, fue humillado. En el nuevo Comité Central del partido, formado dos años después, Zhou figuraría en el vigésimo tercer lugar.

Veinticinco años después de lo ocurrido en Zunyi, en la primavera de 1961, Mao viajaba por su provincia natal, Hunan, en el sur de China, a bordo de su tren privado.[27]

Los años parecían haberle tratado bien. Adulado y glorificado como el Gran Timonel de China, su envejecida y corpulenta figura, cuya cara oronda observaba serenamente desde la Puerta de la Paz Celestial, se mostraba al resto del mundo como el dirigente indiscutible de la nación más poblada de la tierra y estandarte de una revolución puritana que los advenedizos del revisionismo khruscheviano habían abandonado.

Pero Mao no era como el resto del mundo imaginaba.

Se hacía acompañar en ese viaje, como en otras visitas similares, por un buen número de atractivas jóvenes con las que compartía, por separado o con todas al mismo tiempo, los placeres de una cama desmesurada, instalada especialmente allá donde fuese, no tanto por cuestiones carnales como para alojar los montones de libros que él insistía en tener a su lado.[28] Al igual que Stalin, quien, tras el suicidio de su esposa, fue abastecido de atractivas «amas de casa» por su jefe de seguridad, Lavrentii Beria, también Mao había abandonado su vida familiar algo antes de llegar a la tercera edad. Encontraba en las relaciones con chicas a las que triplicaba en edad una espontaneidad que se le negaba en cualquier otro lugar.

En la década de 1960, Mao estaba totalmente alejado del país que gobernaba, tan aislado en su eminencia que los guardaespaldas y los grupos aventajados le coreografiaban cada movimiento. El sexo era su única libertad, el único momento del día en que podía tratar a los otros seres humanos como a iguales, y ser tratado asimismo como tal. Un siglo antes, el emperador niño, Tongzhi, acostumbraba a escabullirse de incógnito del palacio, acompañado por uno de sus cortesanos, para visitar los burdeles de Pekín. Para Mao eso habría sido imposible. Por ello las mujeres iban a él. Ellas gozaban de su poder. Y él gozaba de sus cuerpos. «Me lavo la polla en sus coños», le dijo a su médico personal, un hombre puritano al que gustaba escandalizar con perverso placer.[29] «Me vinieron náuseas», escribió posteriormente el buen doctor.

Los pequeños pecados de Mao, al igual que en la vida privada de todos los líderes, eran ocultados tras una impenetrable cortina de pureza revolucionaria. Pero en aquel tren, una tarde de febrero, el velo fue repentinamente desgarrado.

Había pasado la noche con una joven profesora y, como era su costumbre, se levantó tarde y después partió para asistir a una reunión. Ella se quedó hablando con otros miembros del grupo de Mao, hasta que un joven técnico se unió a ellos. El médico de Mao relata la historia:[30]

> «Hoy he oído lo que hablabas», indicó repentinamente el joven técnico a la profesora, interrumpiendo nuestra ociosa charla.
>
> «¿Qué quieres decir con que me has oído?», respondió ella. «¿Decir qué?»
>
> «Cuando el presidente se preparaba para verse con [el primer secretario de Hunan] Zhang Pinghua, le dijiste que se diese prisa y se pusiese sus pantalones.»
>
> La joven palideció. «¿Y qué más has oído?», le preguntó calmosamente.
>
> «Lo he oído todo», contestó atormentándola.

Así descubrió Mao que, bajo las órdenes de sus antiguos camaradas y durante los últimos dieciocho meses, todas sus conversaciones, por no decir sus aventuras amorosas, habían sido espiadas y grabadas en secreto.[31] En aquel momento, las únicas cabezas que rodaron, no literalmente, fueron tres oficiales de bajo rango, entre ellos el infortunado técnico. Pero cuatro años después, cuando los primeros temblores políticos que anunciaban la Revolución Cultural comenzaron a enturbiar la superficialmente apacible unidad del partido, los compañeros de liderazgo de Mao habrían hecho bien en mostrar más claramente qué les había impulsado a aprobar esas grabaciones secretas.

En cierto sentido sus propósitos habían sido bastante inocentes. Los seis hombres que, junto a Mao, formaban parte del Comité Permanente del Politburó, en el cenit de un partido que contaba entonces con veinte millones de miembros, eran todos veteranos de Zunyi, parte de la minúscula elite que le había acompañado a lo largo de la larga odisea para conseguir el poder. A principios de la década de 1960, ellos comprendieron que era cada vez más difícil entender al presidente. Deseaban conocer de antemano lo que pensaba, para no ser cogidos con la guardia baja por un cambio político repentino o una observación inesperada ante un visitante extranjero. Yang Shangkun, otro superviviente de Zunyi, que encabezaba la Oficina

General del Comité Central, decidió que la tecnología moderna, en forma de aparatos de grabación, era la solución obvia. Desde este punto de vista, era casi un elogio. Mao había adquirido tal estatus divino que sus palabras debían ser conservadas. Pero ello también muestra la inquietante consciencia, dentro del Politburó, del distanciamiento mental que se estaba fraguando entre el presidente y sus subordinados, que era, de hecho, en lo que se habían convertido ya el resto de líderes.

De este abismo mental emergió una división ideológica y política que, antes de que finalizase la década, convulsionaría a China en un espasmo iconoclasta de terror, destruyendo tanto la camaradería de Zunyi como las ideas a que allí se habían adherido.

La lucha de los años sesenta fue más sutil, más compleja y mucho más sangrienta y despiadada que la de treinta años antes. Un pequeño prodigio: lo que había estado en peligro en Zunyi había sido el liderazgo de un ejército andrajoso de treinta mil hombres desempeñando un papel aparentemente menor en la periferia de la política china; en Pekín la batalla era por el control de una nación que pronto sobrepasaría los mil millones de habitantes. Pero las reglas básicas eran las mismas. En aquella primera ocasión, el propio Mao había relatado:

> Bajo condiciones desfavorables, deberíamos evitar ... la batalla, retirar nuestras fuerzas principales a una distancia conveniente, desplazarlas a la retaguardia o los flancos del enemigo y reunirlas secretamente, inducir al enemigo a cometer errores y a mostrar su flaqueza cansándolo y desgastándolo, y concedernos así la posibilidad de obtener la victoria en una batalla decisiva.[32]

«La guerra es política», escribió más tarde. «La política es la continuación de la guerra por otros medios.»[33]

1

Una infancia confuciana

En invierno, el viento aúlla gélido barriendo los campos desnudos de tierra amarilla y seca de Hunan, levantando un polvo que penetra en los ojos de los caballos y obliga a los hombres a protegerse mientras desafían la glacial ventisca. Sus rostros parecen máscaras de cuero. Es la estación muerta del año. Los campesinos, en sus frías chozas de ladrillo y adobe, se envuelven en capas de algodón acolchado y sucio, escondiendo sus manos bajo las mangas; sólo sus cabezas, como tortugas, asoman con cautela entre los pliegues de ropa azul, aguardando tiempos mejores.

Mao nació en una familia campesina de Hunan, en la aldea de Shaoshan, pocos días después del solsticio de invierno; aquel día, en la lejana Pekín, se llevaba a cabo una gran celebración invernal en la que el emperador Guangxu era conducido en solemne procesión hasta el Templo del Cielo para realizar los rituales sacrificiales y dar gracias por otro año transcurrido bajo su protección.[1] Era el décimo noveno día del décimo primer mes del Año de la Serpiente según el calendario antiguo, el 26 de diciembre de 1896 según el moderno.[2]

La tradición, estrictamente observada en el caso del hijo primogénito, obligaba a que el niño no fuese bañado hasta pasados tres días desde su nacimiento.[3] Se convocaba a un adivino y se elaboraba un horóscopo, que en el caso de Mao mostró de manera preocupante que su familia carecía del elemento acuoso. Por ello, su padre le llamó Zedong: el carácter *ze*, que significa «ungir»,* es utilizado en las tradiciones geománticas de Hunan como

---

* Según el *Hanyu dacidian* (Gran diccionario de la lengua china), el significado de *ze* es el de «aguas estancadas o pantanosas», «marismas», e incluso el de «bálsamo cosmético»; el único significado verbal de este carácter es el de «lavar, limpiar», en el sentido más prosaico, pero en ningún caso el que le atribuye el autor de «ungir» (*Hanyu dacidian*, Hanyu dacidian chubanshe, Shanghai, 1990, vol. VI, pp. 165-167). (*N. del t.*)

remedio para esta carencia.[4] Con ello se daba inicio a un año de ritos populares budistas y taoístas, con que los campesinos de todas las épocas se han consolado ante la dureza de su existencia, añadiendo una nota de color y emoción a las severas enseñanzas confucianas que modelaban sus vidas y sobre las que gravitaba la sociedad. Después de cuatro semanas, se procedía a afeitar la cabeza del bebé, dejando solamente un pequeño penacho en la coronilla con que «agarrarlo a la vida». Unas monedas de cobre o, en ocasiones, un pequeño candado de plata, atado a un cordón rojo, se colgaban alrededor de su cuello con el mismo propósito. Algunas familias mezclaban los cabellos que acababan de cortar con pelos de perro y los cosían en la ropa del niño para que los espíritus malignos le confundiesen con un animal y le dejasen solo. Otras ponían un pendiente al niño varón para que los mismos espíritus creyeran que era una niña que no merecía su atención.

Teniendo en cuenta los parámetros de aquella época, la familia de Mao gozaba de una situación holgada.[5] Su padre, Rensheng, se había alistado a los dieciséis años en el ejército del gobernador de Hunan y Hubei y, en cinco o seis años, había conseguido acumular un pequeño capital con que comprar tierras. Cuando Mao nació, la familia poseía una hectárea de arrozales irrigados, una extensión sustancial en un distrito reconocido como uno de los más ricos y fértiles de una de las provincias de mayor producción arrocera de China.[6] Su padre, un hombre ahorrador que controlaba hasta la última moneda de cobre, añadió posteriormente a sus bienes algo menos de media hectárea y contrató dos trabajadores. Les entregaba una ración diaria de grano y, como gratificación mensual especial, un plato de arroz cocido con huevos, pero nunca carne.

Este afán ahorrativo formó desde una temprana edad la imagen que Mao tenía de su padre. «A mí», recordaba con mordacidad años más tarde, «nunca me dio carne ni huevos». Aun teniendo siempre lo suficiente, la familia se alimentaba con frugalidad. A los ojos del pequeño Mao, esta tacañería tenía su origen en la falta de afecto paterno, deficiencia que se hacía aún más evidente con el afecto y la dulzura, tan contrastados, de su madre. De este modo, los rasgos positivos de su padre eran ignorados: no eran otros que la firmeza, el vigor y la determinación que el propio Mao exhibiría con exceso a lo largo de su vida. Mientras todavía era un niño, comenzó a concebir a su familia como dividida en dos esferas: la de su madre y él mismo por un lado, y la de su padre por otro.

Una combinación de perseverancia e implacable rutina hizo que el padre de Mao se convirtiera pronto en uno de los hombres más prósperos de Shaoshan, un pueblo que entonces contaba con unas trescientas familias, la mayoría de ellas apellidadas Mao, el clan dominante.

Por aquel entonces, una familia campesina de Hunan se consideraba afortunada si poseía algo más de media hectárea de terreno y una casa de tres habitaciones.[7] Pero los padres de Mao gozaban de más del doble de esa extensión, y habían construido una amplia y laberíntica hacienda con tejados grises y aleros invertidos, junto a una cascada de arrozales en terrazas que descendía por un estrecho valle.[8] En la parte posterior se extendían bosques de pinos, mientras que enfrente había una charca repleta de lotos. Mao disfrutaba de una habitación para él solo, un lujo casi desconocido en aquellas tierras; allí, siendo mayor, se levantaba avanzada ya la noche para leer, con su lámpara de aceite oculta tras una tela azul para que su padre no le viese. Años después, tras el nacimiento de sus hermanos, también hubo habitaciones para ellos. El patrimonio de su padre alcanzaba los dos o tres mil dólares chinos de plata,* «una gran fortuna para aquel pequeño pueblo», como reconoció el propio Mao.[9] En lugar de extender los límites de sus tierras, prefirió adquirir derechos sobre las tierras de otros campesinos, convirtiéndose indirectamente en terrateniente.[10] También compró grano a los granjeros pobres del pueblo para revenderlo en la sede del distrito, Xiangtan, a cincuenta kilómetros. Xiangtan, aglomeración de incontrolado crecimiento de algunos cientos de miles de habitantes, era entonces el eje del comercio provincial de té, y un importante cruce de caminos y centro financiero, debido a su posición a orillas del río Xiang, la mayor ruta navegable de Hunan y principal arteria comercial de la provincia.[11] Desde Shaoshan, se requerían dos días de viaje en carro tirado por bueyes por caminos de tierra, aunque los porteadores lo podían hacer en uno solo, cargando ochenta kilos de mercancías sobre sus hombros.

Aunque criticase el talante tacaño de su padre, Mao heredó su sentido del ahorro. A lo largo de su vida, al menos en lo referente a su propia persona, fue famoso por su apatía por comprar nada nuevo si lo antiguo podía ser remendado para prolongar un poco su uso.[12]

También la aspereza de su infancia dejó en él una huella perdurable.[13] La higiene era rudimentaria y el baño tan infrecuente como en la Europa medieval. «Se extiende por todas las clases, de las más altas a la más baja, una total apatía en lo referente a estas cuestiones», escribió un observador contemporáneo.[14] «Las preciosas sedas ocultan una piel mugrienta y, bajo los amplios puños de los oficiales, emergen uñas que no han conocido el jabón ni las tijeras.» Hasta el final de sus días, Mao prefirió que le frotasen con toallas humeantes a lavarse con agua y jabón.[15] Tampoco adquirió el hábito de utilizar el cepillo de dientes.[16] En su lugar, como muchos pueblerinos del sur, se enjuagaba la boca con té.

---

* En el sistema monetario chino convivían las monedas de cobre, usadas en las transacciones cotidianas, y la plata, con la que se pagaban los impuestos. En este caso, el dólar de plata se refiere al *liang* chino (a veces traducido como *tael*, término de origen malayo). En 1882 un *liang* de plata equivalía a 1,20 dólares estadounidenses; en 1902 se había depreciado hasta valer 0,62 dólares estadounidenses. (*N. del t.*)

Los gusanos, habitantes de las alcobas, los piojos y los forúnculos eran inconveniencias propias de la vida campesina. Cuando picaban a Mao, éste simplemente se rascaba: en Bao'an, en la década de 1930, no tenía escrúpulo alguno en bajarse los pantalones mientras estaba recibiendo a un visitante extranjero para buscar un invitado inesperado en su ropa interior.[17] En parte, rechazaba las convenciones; y, en parte, era un hábito inherente a los campesinos. En ningún otro aspecto se hacía ello más evidente que con las necesidades de su propio cuerpo. Los chinos no se han sentido nunca incómodos ante unos procesos naturales que son los mismos que, particularmente en el mundo anglosajón, obligaron a idear extraños ejercicios de disimulo. A los niños pequeños, en un hábito que se mantiene en la mayor parte del país, se los ataviaba con unos pantalones dotados de una abertura en la entrepierna, de manera que podían acuclillarse en el caso de una urgencia apremiante. Por su parte, los adultos frecuentaban las letrinas públicas, donde defecar se convertía en un evento social. Mao nunca se familiarizó con los aseos occidentales, aquellas tazas dotadas de asiento y depósito de agua. Incluso en Zhongnanhai, a principios de los años cincuenta, cuando ya era el jefe del Estado, una de las obligaciones de sus guardaespaldas personales consistía en seguirle hasta el jardín con una pala y escarbar un hoyo para que Mao realizase sus actos intestinales. La costumbre sólo tocó a su fin cuando Zhou Enlai, contando con la aprobación de Mao, preparó una letrina construida especialmente para ser instalada junto a su habitación.[18] Igualmente incómodo se sentía Mao con las camas de estilo occidental, e insistió toda su vida en disponer de unos duros tablones de madera sobre los que dormir.

Cuando Mao tenía seis años comenzó a trabajar en los campos, como los otros niños de su edad;[19] allí se encargaba de las pequeñas tareas que las familias chinas acostumbraban a reservar a los ancianos y a los más jóvenes, como vigilar el ganado o cuidar de los patos. Dos años más tarde, su padre le envió a la escuela del pueblo, una importante decisión, pues costaba al año cuatro o cinco dólares de plata, aproximadamente seis meses de paga de un trabajador.[20]

El sueño de la mayoría de las familias en la China del siglo XIX, a excepción de las más poderosas, era tener un hijo cuya habilidad exponiendo los textos confucianos clásicos le granjease un lugar de honor en los exámenes imperiales, abriendo el camino hacia una carrera oficial con el prestigio y el poder que ello suponía. En palabras de uno de los testimonios occidentales más benévolos de aquel tiempo:

La educación es el camino al cielo de los honores y emolumentos que el Estado ha de conceder, y es en virtud de ello que las ambiciones más salvajes que nunca se han desatado en la mente de los jóvenes pueden llegar a ser satisfechas. En Occidente hay varios medios por los que un hombre puede alcanzar la eminencia y ocupar finalmente algún cargo gubernamental que le otorgará el reconocimiento público. Pero en China todo se reduce a uno solo, el que parte de la escuela ... Se puede asegurar con la confianza de no equivocarse que todos los colegiales cargan en su macuto un posible cargo de virrey que ... sin la censura de las cortes, puede legislar sobre veinte o treinta millones de personas.[21]

Sin embargo, aquel sueño sólo era asequible para unos pocos privilegiados. La mayoría de los habitantes eran demasiado pobres para dar el primer paso: aprender a leer y escribir.[22]

La madre de Mao, Wen Qimei —literalmente «Séptima Hermana», víctima de la costumbre campesina de no dar nombre a las niñas, sino simplemente numerarlas según su orden de nacimiento—, quizá albergaba esperanzas para él. Tres años mayor que su esposo, era una budista devota. Introdujo a su hijo en los misterios del templo del pueblo, con sus fantásticas imágenes de *arhats* y *bodhisattvas*, ennegrecidas por la suciedad y el hollín, y sumidas en una atmósfera cargada de incienso; y más tarde se inquietó cuando, ya en la adolescencia, su fe budista comenzó a resquebrajarse.

El padre de Mao no soñaba. Sus ambiciones, propias del pequeño terrateniente en que se había convertido, eran mucho más realistas. Era un hombre de cultura rudimentaria, que había disfrutado de apenas dos años de escolarización.[23] Quería que su hijo fuese mejor, pero sólo con fines estrictamente prácticos: para poder hacerse cargo de las cuentas de la granja y, más adelante, tras un aprendizaje con algún comerciante de arroz de Xiangtan, ponerse al frente de los negocios familiares y mantener a sus padres en la vejez.[24]

Por mucho que se tratase de un camino hacia el cielo, la escuela de un pueblo, a finales del imperio chino, era un lugar desalentador, pensado para deprimir a los espíritus más poderosos.[25] Consistía en una única estancia de muros de ladrillo desnudos y un suelo de tierra aplanada, gélida en invierno y sofocante en verano, con una puerta central y dos pequeñas aberturas en los extremos que permitían que algunos atisbos de aire y luz profanasen la oscuridad. El año escolar comenzaba en febrero, el décimo séptimo día de la primera luna, dos días después de la Fiesta de los Faroles, que pone punto y final a las celebraciones del Año Nuevo chino. Cada muchacho aguardaba en la entrada de la escuela, con un pequeño escritorio y un taburete que había portado de casa. Normalmente había unos veinte; los más jóvenes, como Mao, de siete u ocho años; los mayores, de diecisiete o dieciocho. Todos llevaban idénticas chaquetas sueltas de algodón áspero y azul, abrochadas en la pechera, y pantalones igualmente sueltos y abombados confeccionados con el mismo tejido. El profesor se sentaba a la mesa con una piedra para moler la tinta y un difusor de agua, una pequeña tetera de barro y una taza, tablillas de madera para controlar la asistencia de cada uno de sus pupilos y una gran vara de bambú a la espalda. La tradición le obligaba a no mostrar el menor signo de interés o simpatía por sus alumnos, pues ello podía poner en peligro su autoridad, que se consideraba absoluta.

El maestro de Mao se había formado según ese molde. Pertenecía a la «escuela del trato riguroso ... duro y severo», recordaba Mao.[26] Aprendieron a temer su vara de bambú, que usaba con frecuencia, y su «tabla del incienso»,[27] un reclinatorio de madera astillada en el que cada pupilo era obligado a arrodillarse durante el tiempo en que una barra de incienso tardaba en consumirse.

Si las condiciones materiales eran deprimentes, los métodos educativos no lo eran menos. No había libros ilustrados que estimulasen la imaginación de Mao y sus compañeros, ni historias sencillas que captasen la atención de sus jóvenes mentes. En lugar de ello, estaban sometidos a un sistema de enseñanza repetitiva, que se había mantenido sin apenas variaciones durante dos mil años y cuyo axioma principal era el de mantener el conocimiento como un coto de las elites, al alcance de una minoría.

El primer libro escolar al que debían enfrentarse los niños de la generación de Mao era el *Clásico de los tres caracteres*, así llamado porque cada uno de sus 356 versos contenía tres caracteres chinos.[28] Escrito en el siglo XI para introducir a los jóvenes en las ideas confucianas, el libro comienza con estas líneas:

> Los hombres son, por naturaleza, esencialmente buenos,
> en ello, todos se asemejan, pero en la práctica divergen profundamente.

A lo que un comentario del siglo XV añadía:

> Éste es el comienzo de la enseñanza y expone los primeros principios ... Lo que el cielo produce se llama «hombre»; lo que confiere se llama «naturaleza»; la posesión de los principios morales correctos se llama «bondad» ... Esto es así desde el momento mismo en que el hombre nace. El sabio y el simple, el justo y el inicuo, todos se asemejan por naturaleza, pareciéndose esencialmente unos a otros, sin ninguna diferencia. Pero cuando el conocimiento se expande, todas sus disposiciones y talentos se diferencian ... pervirtiendo, así, los correctos principios de su naturaleza virtuosa ... Únicamente el hombre superior posee el mérito de mantener la rectitud. No permite que los jóvenes brotes de su naturaleza original lleguen a viciarse.

Esto sobrepasaba en exceso la capacidad de aquellos niños de ocho años, cualesquiera que fueran las circunstancias. Pero a la dificultad de dominar nociones metafísicas tan abstrusas, se añadía otro obstáculo fundamental.

Los libros de texto se imprimían en grandes caracteres sobre papel finísimo, cinco pares de líneas en cada página.[29] El profesor convocaba al alumno a su mesa y le hacía repetir tras él las líneas que debía aprender, hasta que las había memorizado. Entonces se acercaba el siguiente niño, y así hasta que toda la clase había pasado ante el profesor y cada niño había retornado a su escritorio para practicar lo que había aprendido, trazando, en pedazos de papel, las figuras que se correspondían a los caracteres. Pero no en silencio.

Después de [ser] informados de los sonidos que han de pronunciar, cada [alumno] dedica su tiempo a recitar a gritos los caracteres, con su voz más estridente, para mostrar que no se deja llevar por la pereza, así como para permitir que el profesor compruebe si la pronunciación se ha comprendido correctamente. Cuando la lección ha sido «aprendida», es decir, cuando el colegial es capaz de aullar tal como lo ha hecho el maestro, se pone en pie de espaldas al profesor y repite (o «va hacia atrás») la lección en voz sonora y monótona hasta que llega al final de su tarea, o al final de lo que recuerda, momento en que su voz cae súbitamente de su altisonancia, como un escarabajo volador que ha topado con un muro insonoro.[30]

Como todos practicaban a un mismo tiempo, el resultado era una cacofonía incomprensible.[31] Incomprensible no sólo para los demás, sino también para ellos mismos. Pues el significado de los caracteres chinos, en la mayoría de los casos, no se infiere de manera inmediata de su forma. El profesor no explicaba el significado de los versos: simplemente requería a sus alumnos que fuesen capaces de reproducir, aisladamente o en el texto, los caracteres que habían aprendido y los sonidos que representaban.[32]

Un total de seis libros debía ser memorizado de este modo.[33] Tras el *Clásico de los tres caracteres* venían el *Libro de los nombres*, que cataloga una larga y arbitraria secuencia de cuatrocientos cincuenta y cuatro apellidos chinos aceptados; el *Clásico de los mil caracteres*, escrito en el siglo VI y compuesto por mil caracteres, ninguno de los cuales aparece repetido; las *Odas para niños*, sobre la importancia del estudio y las actividades literarias; el *Xiaojing*, o *Clásico de la piedad filial*, atribuido a Confucio y que se remonta como mínimo al siglo IV; y el *Xiaoxue*, o *Enseñanza de la piedad filial*, que establece con exhaustivos detalles las obligaciones de los diferentes miembros de la familia y el Estado confucianos.

Era como requerir a un niño de Gran Bretaña o Estados Unidos, capaz sólo de hablar inglés, que aprendiese de memoria una parte considerable del Antiguo Testamento en lengua griega. El resultado era que muchos chinos completaban su escolarización sin haber aprendido a leer o conociendo el significado de poco más que un puñado de caracteres.[34]

Durante dos años, hasta que cumplió los diez,[35] Mao dedicó sus días, desde el amanecer hasta el anochecer, a la memorización, copiando y recitando adagios moralísticos como «la diligencia es meritoria; el juego no proporciona ningún provecho»,[36] sin tener consciencia de su significado. El único descanso lo constituían los días de fiesta, que llegaban alrededor de una vez al mes, y las vacaciones del Año Nuevo chino, cuando la escuela cerraba durante tres semanas.

Después de este proceso, el maestro finalmente retomaba de nuevo el trabajo con los textos, esta vez explicando su significado.

Para Mao, como para todos los chinos de su generación, la importancia de estas obras y de sus comentarios, junto con los *Cuatro Libros* —las *Analectas* de Confucio, *La gran enseñanza*, *La doctrina del medio* y las obras de Mencio— que estudió a continuación, es imposible de obviar.[37] Las ideas que contienen, la manera en que son formuladas y los valores y conceptos que encierran fijaron la base del pensamiento de Mao para el resto de su vida, de manera tan firme como, en los países occidentales, los parámetros del pensamiento de los ateos, no menos que el de los creyentes, son definidos por los valores y las ideas judeocristianas.

El aprendizaje de los clásicos podía ser un trabajo monótono, pero Mao pronto fue consciente de que era extremadamente útil. El pensamiento confuciano era la moneda de cambio habitual en la vida intelectual china, y las referencias al Maestro eran un arma fundamental en las discusiones y los debates —como incluso el padre de Mao reconoció tras perder un juicio a causa del uso acertado de una cita clásica por parte de su oponente.[38]

Aún más, había fragmentos que Mao, con once o doce años, debió de considerar estimulantes, anunciando la exaltación del poder de la voluntad humana que postuló durante toda su vida:

> Los hombres deben depender de sus propios esfuerzos...
> No hay nada que sea imposible en el mundo,
> sólo se precisa determinación en el corazón del hombre.[39]

Los libros de texto acentuaban también la importancia del estudio del pasado, otro principio confuciano que acompañaría a Mao a lo largo de toda su existencia. Su fascinación por la historia pudo originarse en novelas como *El romance de los Tres Reinos* y *El viaje al oeste*, cuyo héroe, el Rey Mono, había cautivado a miles de generaciones de chinos.[40] No obstante, su interpretación partía del *Clásico de los tres caracteres*:

Memorias del gobierno y el desgobierno, del nacimiento y la caída de las dinastías,
dejemos al estudioso que examine las fidedignas crónicas,
hasta que comprenda los hechos antiguos y modernos como si los viese con
sus ojos.[41]

Mao, de manera más abstracta, tomó del confucianismo tres ideas clave que resultaron fundamentales en todo su pensamiento posterior. En primer lugar, la noción de que todo ser humano, y toda sociedad, debe tener
una guía moral; si no el confucianismo, entonces algo que ocupe su lugar.
En segundo lugar, la primacía del pensamiento justo, lo que Confucio llamaba «virtud»: sólo si los pensamientos de una persona son justos —no
meramente correctos, sino moralmente justos— serán justas sus acciones.
Y en tercer lugar, la idea de la importancia de la educación personal.

Mao afirmaba aborrecer los clásicos,[42] pero su empeño en citarlos le des-
miente. Sus posteriores discursos estaban plagados de alusiones a Confucio, al pensador taoísta Zhuangzi, a los mohístas y a otras escuelas filosóficas
antiguas, sobrepasando en número a las dedicadas a Lenin o Marx.[43] Aqué-
llas eran las ideas con las que había crecido y que mejor conocía.[44] Para Mao,
el legado confuciano ocupaba un lugar, como mínimo, tan importante como el
marxismo y, en los últimos días de su vida, llegó a ejercer un dominio incluso mayor.

Durante el período en que asistió a la escuela de su pueblo, Mao siguió
contribuyendo todavía con trabajos esporádicos en la granja y, ante la insistencia de su padre, aprendió el uso del ábaco para que, al atardecer, cuando
regresaba al hogar, pudiese encargarse de las cuentas diarias.

La familia había aumentado. Cuando tenía dos años y medio, la madre
de Mao dio a luz un segundo niño, Zemin.[45] Cuatro hijos más, dos niños
y dos niñas, fallecieron en el parto,[46] pero en 1903 un tercer hermano, Zetan, consiguió sobrevivir, y poco después los padres de Mao adoptaron una
niña, Zejian, hija de uno de sus tíos paternos. En 1906 había seis bocas que
alimentar, además de los trabajadores contratados. De modo que, poco
después del décimo tercer aniversario de Mao, su padre decidió que debía
trabajar la jornada completa.

Las relaciones de Mao con su padre fueron difíciles, aunque quizá no
peores que las que mantenían la mayoría de los jóvenes chinos de su tiempo. La piedad filial era un bello concepto y Mao, como todos sus compañeros, fue educado con cuentos ejemplares, que se suponían transmitidos desde la antigüedad remota, sobre hijos que habían llevado a cabo extraordinarias
hazañas para mostrar su devoción por sus padres: como Dong Yong de la di-

nastía Han, que se había vendido y convertido en esclavo para poder disponer de dinero con que dedicarle a su padre un entierro digno; o Yu Qianlu, quien comió los excrementos de su padre moribundo con la esperanza de salvar la vida del anciano; u otros muchos aún más asombrosos.[47] En teoría, un padre tenía la potestad de ejecutar a un hijo no filial. Sin embargo, en la práctica, estas reglas honoríficas eran transgredidas con normalidad.

«El término "filial" es confuso y no deberíamos dejarnos engañar por él», escribió un misionero norteamericano a finales del siglo XIX.[48] «De entre todos los pueblos de que tenemos algún conocimiento, los hijos de los chinos son los menos filiales, los más desobedientes a sus padres y pertinaces en seguir su propio camino desde el momento en que son capaces de conocer sus propios deseos.»

Éste fue ciertamente el caso de Mao. A pesar de que acusaba a su padre de tener mal carácter, ser miserable y excesivamente estricto, de golpear con frecuencia a sus hermanos y a él mismo, sus propias descripciones muestran que la culpa no residía en una sola de las partes:

> Mi padre invitó a varios visitantes a su casa y, en presencia de ellos, se originó una disputa entre nosotros dos. Mi padre me acusó delante del grupo, llamándome vago e inútil. Ello me sacó de quicio. Le maldije y me fui de casa. Mi madre me siguió y trató de persuadirme para que volviera. Mi padre también salió a buscarme, insultándome al mismo tiempo que me ordenaba que regresara. Yo llegué al borde de un estanque y amenacé con saltar si se acercaba a mí ... Mi padre insistía en que le pidiese perdón y me postrase como símbolo de sumisión. Acepté doblar una sola rodilla y humillarme si prometía no volver a pegarme.[49]

Mao olvidó mencionar que el hecho de que un niño de trece años discutiese con su padre delante de los invitados transgredía todas las reglas del decoro y que, por consiguiente, la familia debió de perder su honor.

Años después, Mao describió tales experiencias como una lección sobre el valor de la sublevación ante la autoridad: «Aprendí que cuando defendía mis derechos en abierta rebeldía mi padre cedía, pero que cuando yo era débil y sumiso, él simplemente continuaba pegándome».

Sin embargo, lo más sorprendente es la normalidad con que Mao describe la escena. Por un lado, la madre de Mao, a quien él tanto amaba —una mujer amable, generosa, afable y siempre dispuesta a compartir cuanto tenía—, mediando para alcanzar una reconciliación. Por otro, su padre, enfadado y ofendido, buscando el remedio que le permitiese salvar la situación. Y finalmente, el mismo Mao, recalcitrante, pero también en busca de una salida. Difícilmente constituía una relación atípica entre unos padres y un hijo adolescente.

Sin embargo, a medida que se hacía adulto y de manera paulatina, el ambiente en su hogar se fue agriando. Su padre le mortificaba y le criticaba sin cesar,[50] de modo que poco a poco se fueron distanciando el uno del otro. Llegó entonces el fiasco de su boda. Cuando tenía catorce años, siguiendo la tradición, sus padres le prometieron a una muchacha seis años mayor que él, la hija de otro campesino. Ella representaba dos nuevas manos para trabajar en los campos y, en el futuro, aseguraría la posteridad de la familia.[51] Se realizaron los intercambios de regalos, se pagó el precio por la novia —no era un asunto baladí en un tiempo en que el coste de un matrimonio podía llegar a consumir los ingresos anuales de una familia—[52] y la joven, la señorita Luo, se mudó a la nueva casa familiar. Pero Mao rechazó consumar el acuerdo. Según sus propias explicaciones, nunca durmió con ella.[53] Poco tiempo después agravó la ofensa abandonando el hogar para ir a vivir con un amigo, un estudiante de leyes sin trabajo.[54]

Mao era extrañamente reservado cuando se abordaba este episodio. Su padre debió enfurecerse, no sólo por el dinero perdido, sino por la deshonra que semejante burla a las convenciones sociales debió de acarrear a la familia. No obstante, no decía nada de las discusiones y las agrias recriminaciones que se sucedieron. Tampoco se sabe qué ocurrió con la señorita Luo. Algunos informes indican que permaneció en la casa familiar, quizá para convertirse en la concubina del padre.[55] Fuese por ello o por cualquier otra razón, el caso es que su madre abandonó la casa familiar de Shaoshan para irse a vivir con la familia de su hermano en Xiangxiang, su pueblo natal.[56]

Diez años después, cuando ella murió tras una larga enfermedad, Mao dio rienda suelta a su amargura por lo ocurrido en una emotiva oración que pronunció en su funeral, cuya única referencia a su padre fue una frase críptica: «El odio de [mi madre] por la falta de rectitud residía en el último de los tres lazos».[57] El último de los «tres lazos» era el existente entre el marido y la esposa. Que Mao realizase tal acusación en la ceremonia del funeral, ante su padre y todos sus familiares, atestigua la magnitud de su rencor y su falta de voluntad para perdonar. Cuando en los años treinta fue entrevistado en Bao'an por el periodista norteamericano Edgar Snow, dijo sobre su padre: «Aprendí a odiarle», una afirmación de tal rotundidad que cuando el libro de Snow se publicó en China, la frase fue censurada.

La oposición de Mao al matrimonio que sus padres habían concertado se pudo deber, en parte, a la sospecha de que su padre simplemente pretendiese ligarle a las tierras, a la vida de duro trabajo rural que él detestaba. A partir de entonces mostró una creciente determinación por seguir su propio camino. Comenzó una vez más a estudiar, en esta ocasión en una escuela privada del pueblo dirigida por un estudiante de mayor edad, miembro de su mismo clan,[58] y poco tiempo después de su décimo quinto aniversario dijo a su padre que no deseaba continuar con su aprendizaje en Xiangtan. En lugar de ello, quería entrar en una escuela de enseñanza media.

En ello, como en tantas otras cosas, Mao seguía su propio criterio. Pero lo que sucedió entonces evocó una virtud en su padre a la que Mao, años más tarde, concedería muy poco valor.

Aun teniendo en cuenta que el anciano daba repetidas muestras de menosprecio ante la dureza de carácter y la obstinación de su hijo, Mao era incapaz de reconocer que más allá de aquella apariencia mezquina habitaba el orgullo paterno. Implícita en el pensamiento confuciano existe la idea de la continuidad entre las generaciones. Un hombre considera que su vida goza de éxito si su hijo lo alcanza; los logros del hijo, por tanto, reportan la gloria a su padre y a sus ancestros. Quizá el padre de Mao fuese un hombre sin estudios, pero sabía que su hijo era, en sus propias palabras, «el intelectual de la familia»,[59] el único con posibilidades de triunfar más allá de los estrechos confines de su pueblo natal.

Durante más de diez años, aquel padre al que Mao describía como un tirano avaro y miserable, ofuscado por los prejuicios alicortos de su clase, pagó los costes de su escuela y sus gastos personales.[60] E incluso continuó haciéndolo cuando era evidente que su hijo no tenía intención de volver definitivamente al hogar y que él no obtendría con ello ventaja alguna.

Para la generación anterior, estos desafíos a la autoridad paterna habrían sido intolerables, pero China estaba cambiando. Incluso en la remota Shaoshan, los inmutables caminos del pasado se estaban desintegrando.

Los cambios los forjaron la decadencia interna y la presión extranjera. En el siglo y medio que había pasado desde que el emperador Qianlong rechazara las peticiones de concesiones comerciales que hiciera el rey Jorge III con las despectivas palabras «China ... no tiene ninguna necesidad de las manufacturas de los bárbaros extranjeros», el equilibrio de poderes en el mundo se había visto alterado. China se había estancado y su riqueza se había desvanecido en una hemorragia de sangrientas rebeliones y disturbios civiles. Europa, mediante la Revolución industrial, alcanzó un potencial difícil de imaginar, y desarrolló una necesidad imperiosa de expansionarse. El conflicto entre ambos mundos era inevitable. En 1842 llegaba la primera guerra del opio, con la que Gran Bretaña adquiría Hong Kong y se permitía en Shanghai y otros cuatro puertos el asentamiento de extranjeros. Con la segunda guerra del opio, en 1860, los ejércitos británico y francés marcharon sobre Pekín y quemaron hasta los cimientos el palacio de verano del emperador. Los privilegios extranjeros se ampliaron hasta incluir el derecho a la residencia en la capital.

Pero no en Hunan. De todos los súbditos del emperador, las gentes de Hunan eran las más conservadoras y las más virulentamente hostiles a los forasteros. «[Ellos] parecen ser un tipo diferente de raza china [y] ... no muestran confianza ante los de cualquier otra provincia del imperio», afirmaba un viajero mucho antes, «y por lo que veo y oigo, este sentimiento es mutuo.»[61] El regente, el príncipe Gong, calificaba a los hunaneses de «turbulentos y belicosos».[62] Las gentes de Hunan se jactaban de que «ningún manchú *les* había podido conquistar».[63] Para los extranjeros, era «la provincia cerrada».[64] Cuando en 1891 un misionero inglés, Griffith John, llegó a los muros exteriores de la capital, Changsha, fue apedreado por la multitud. «Junto con la Ciudad Prohibida de Pekín y el reino del Tíbet», escribió años después, «éste es uno de los pocos lugares que quedan en el mundo del que ningún extranjero puede presumir haber visitado. Es probablemente la ciudad de China más adversa para los extranjeros, sentimiento que alimentan los letrados con la total aquiescencia de los oficiales.»[65] Sin embargo, los primeros viajeros quedaron también perplejos por «el candor de las gentes» y su «abnegada disposición», en contraste con la «apatía descorazonadora» con que se tropezaban en otras regiones de China.[66]

Ya en el siglo XVIII los jesuitas habían considerado Hunan como la región más impenetrable de China, un lugar «del que hay que temer las persecuciones».[67] En tiempos más recientes, en la época del abuelo de Mao, Hunan se había mantenido firme frente a la rebelión de los Taiping, que devastó ocho provincias y acabó con veinte millones de vidas. Changsha resistió un asedio que se prolongó ochenta días y posteriormente se llamó a sí misma «la ciudad de las puertas de hierro». La resistencia no se debió a su lealtad al trono, sino más bien al hecho de que las elites de Changsha interpretaron las enseñanzas de inspiración cristiana de los Taiping como herejías al confucianismo. Un gobernador de Hunan, Zeng Guofan, uno de los héroes de la infancia de Mao, derrotó las fuerzas Taiping. Otro hunanés, Hong Daquan, fue uno de los dos principales dirigentes Taiping.*

«La independencia y el distanciamiento han sido, de siempre, rasgos comunes entre los hunaneses», anotaba un escritor a principios de siglo.[68] «Algunas capacidades intelectuales han contribuido a hacer de ellos hombres señalados.» En esta provincia ha nacido un número desproporcionado de oficiales imperiales de alto rango y un número igualmente elevado de reformadores y revolucionarios.

* La identidad de Hong Daquan sigue siendo causa de disputa entre los especialistas; sin embargo, a pesar de lo que afirma el autor, de lo que no hay duda es de que de ningún modo fue uno de los líderes más destacados de la rebelión de los Taiping. Véase Jonathan Spence, *God's Chinese Son. The Taiping Heavenly Kingdom of Hong Xiuquan*, Harper Collins Publishers, Londres, 1996, p. 353, n. 31; y Jen Yu-wen [Jian Youwen], *The Taiping Revolutionary Movement*, Yale University Press, New Haven, 1973, pp. 84-86. (*N. del t.*)

Inicialmente, la reacción del imperio chino ante la presencia de extranjeros fue nula. Sin embargo, en la década de 1870, se dio repentinamente comienzo al llamado movimiento de autofortalecimiento. Bajo el eslogan «prácticas extranjeras, esencia china», los reformadores argumentaron que si el país tenía acceso a un armamento moderno, se podría repeler a los invasores al tiempo que se preservaban inmutables las formas de vida confucianas. Pero se comprobó el error cuando China fue nuevamente derrotada de forma humillante en 1895, no por una potencia occidental sino, para convertir la injuria en humillación, por unos vecinos asiáticos, los japoneses, que hasta aquel momento habían sido despectivamente considerados enanos. Tres años después, un intento de reformar el sistema imperial, iniciado por el joven emperador Guangxu, fue aplastado por los conservadores que encabezaba la emperatriz viuda. Todo el mundo asumía que China sería repartida entre las potencias. La cuestión fue debatida en Londres, en la Cámara de los Comunes, y en 1898 la provincia de Hunan, al igual que toda la cuenca del río Yangzi, fue declarada parte de la esfera de influencia británica.[69] Llegó entonces la rebelión de los bóxers, el último espasmo de un régimen moribundo. Tanto para los progresistas chinos como para los extranjeros, el viejo orden había muerto. Sólo faltaba derribarlo.

Poco de todo esto afectó a Shaoshan. Las noticias se intercambiaban en las casas de té, donde había un tablón de anuncios, protegido por un dosel, en el que se colgaban las proclamaciones oficiales.[70] Los comerciantes iban y venían de Cantón, Chongqing en Sichuan y Wuhan en el Yangzi, a través del cercano puerto de Xiangtan, trayendo con ellos, como ocurría en la Europa medieval, las habladurías de los caminos. Aun así, los campesinos apenas oyeron más que vagos rumores sobre los bóxers, y absolutamente nada sobre la amenaza exterior que se cernía sobre China. Incluso la muerte del emperador, acaecida en 1908, no fue conocida en el pueblo hasta casi dos años después.[71]

Cuando tenía catorce años Mao tuvo conocimiento por primera vez de la difícil situación de su país, al leer un libro que tomó de uno de sus primos llamado *Palabras de advertencia para una época opulenta*, escrito poco después de la guerra chino-japonesa por un comerciante de Shanghai llamado Zheng Guanying.[72] Reclamaba la introducción de la tecnología occidental en China. Sus descripciones de los teléfonos, los barcos de vapor y el ferrocarril, que estaban más allá del entendimiento de un pueblo que nada sabía de la electricidad y donde la única fuerza motriz provenía de los animales de tiro y los músculos de los hombres, encendieron la imaginación de Mao.[73] En aquella época se pasaba el día entero trabajando en la granja. El libro, dijo posteriormente, fue el instrumento que le ayudó a inclinarse por el abandono de sus tareas en la granja y su nueva vuelta a los estudios.

Zheng Guanying denunciaba el trato que los occidentales infligían a los chinos en los puertos de los tratados. Apostaba por la democracia parlamentaria, una monarquía constitucional, métodos occidentales de educación y reformas económicas.

Pero esas ideas dejaron en Mao una huella menor que la ocasionada por un panfleto que le llegó a las manos unos meses después, en el que se describía la repartición de China entre las potencias.[74] Casi treinta años después Mao todavía recordaba la frase inicial: «¡China será dominada!». Explicaba cómo Japón había ocupado Corea y la isla china de Taiwan, y la pérdida de soberanía de China en Indochina y Birmania. La reacción de Mao fue la misma que la de millones de jóvenes patriotas chinos. «Cuando lo hube leído», recordaba, «me sentí deprimido ante el futuro de China y comencé a darme cuenta de que era el deber de todos contribuir a su salvación.»

Otra influencia decisiva para Mao en aquel período fue la proliferación del bandidaje y los disturbios internos, síntoma del desmoronamiento del imperio Qing.

Las historias de rebeldes, como los ciento ocho héroes de Liangshanpo, de la novela *A la orilla del agua*, y de historias secretas y hermandades juradas comprometidas con hacer justicia a los agraviados y proteger a los pobres, cautivaron su mente desde que fue capaz de leer.[75] La mayoría de sus compañeros de clase en Shaoshan también devoraban aquellas historias, escondiéndolas bajo las copias de los clásicos cada vez que el maestro se acercaba; las comentaban con los ancianos del pueblo y las leían y releían hasta que se las aprendían de memoria. Mao reconocía haber recibido «una profunda influencia de aquellas obras, leídas a una edad muy impresionable», y nunca perdió su afición por ellas.

Sin embargo, mucho más importante en la formación de sus ideas fueron los disturbios que estallaron en Changsha en la primavera de 1910 por la escasez de alimentos, acontecimiento que, según dijo Mao años más tarde, «influyó decisivamente en mi vida».[76] El año anterior, el Yangzi se había desbordado en dos ocasiones, inundando la mayor parte de los arrozales del norte de Hunan y Hubei, habiendo ocurrido en la segunda ocasión tan repentinamente que «la gente tuvo que huir sin poder rescatar sus vestidos». El cónsul británico en Changsha, aludiendo a las concesiones de los tratados, se negó a aceptar la propuesta del gobernador de limitar las exportaciones de arroz a otras provincias. También lo hizo la aristocracia local, que vio en la hambruna una oportunidad de obtener suculentos dividendos, sumiendo a los mercados en el colapso.[77] A principios de abril el precio del arroz alcanzó las ochenta monedas de cobre por pinta, tres veces más que el precio habitual.[78] Las noticias llegadas del interior de la provincia hablaban de «gente comiéndose las cáscaras y vendiendo a los niños, de cuerpos amontonados a lo largo de los caminos y de canibalismo».[79]

El 11 de abril un porteador de agua y su mujer que vivían cerca de la puerta sur de la ciudad se suicidaron. Según uno de los relatos contemporáneos:

> El hombre cargaba agua todo el día y su mujer y sus hijos mendigaban, y aun así no conseguían lo suficiente para saciar el hambre de los niños, a causa del altísimo precio del arroz. Un día la mujer y los niños regresaron después de mendigar todo el día, pero no había suficiente arroz para la cena de los chiquillos. Encendió un fuego y buscó algo de lodo para hacer unos pastelitos de barro y les dijo a los niños que los cociesen para la cena. Acto seguido se suicidó. Cuando el hombre regresó a casa encontró a su esposa muerta y a los pequeños intentando cocer sus pasteles de barro para la cena. Era más de lo que podía aguantar, de modo que también él se suicidó.[80]

El suicidio dio paso a una revuelta que el cónsul japonés juzgó «en nada distinta de una guerra».[81] La multitud se reunió en la puerta sur, atrapó al comisario de policía y después, instigados —según se dijo después— por los xenófobos ultraconservadores de la elite local de Changsha, comenzó una noche de arrebato y un día de fuego y pillaje dirigidos principalmente contra objetivos extranjeros; entre ellos, las compañías extranjeras de vapores, a las que acusaban de enviar el arroz río abajo y agravar la carestía del grano, el servicio de aduanas controlado por los extranjeros y las escuelas occidentales que difundían las enseñanzas extranjeras. Sólo al día siguiente, cuando se habían congregado hasta alcanzar la cifra de treinta mil, los insurrectos recordaron su ira contra las autoridades chinas y dirigieron su atención contra el *yamen** del gobernador, que entregaron a las llamas.[82] Unos diecisiete edificios, la mayoría ocupados por, o relacionados con, los extranjeros, fueron totalmente destruidos, y muchos otros fueron objeto de vandalismo.[83]

Las potencias reaccionaron de inmediato. A pesar de que ningún extranjero fue herido, Gran Bretaña envió buques armados por el río Xiang para rescatar a sus ciudadanos, y Estados Unidos alertó a su flota asiática, anclada en Amoy. Tiempo después impusieron una importante indemnización.

Pero lo más sintomático fue la respuesta del gobierno Qing. El gobernador y otros funcionarios fueron destituidos. Miembros de la elite local, entre ellos dos letrados de Hanlin,** poseedores de la más elevada distin-

---

* Residencia de un funcionario del Estado; por extensión, se utiliza para designar los juzgados y otros edificios gubernamentales. (*N. del t.*)

** Academia imperial de Pekín donde los funcionarios de alto rango se preparaban para los exámenes de máximo nivel. (*N. del t.*)

ción literaria de China, fueron encausados por fomentar los disturbios y castigados con lo que fue llamada la «pena extrema», que significó poco más que una degradación de rango. Pero dos miserables ciudadanos, «infelices sin fortuna» como les llamó un residente extranjero, un barbero y un marinero, que supuestamente se contaban entre los líderes del levantamiento, fueron expuestos en las calles dentro de jaulas de mimbre hasta que llegaron a la muralla, donde fueron decapitados y sus cabezas colgadas de dos faroles.[84]

Durante algunos días, Mao y sus amigos no hablaron de otra cosa:

> Me produjo una honda impresión. La mayoría de los estudiantes simpatizaban con los «insurrectos», pero sólo como observadores. No comprendían que aquello podía tener relación con sus propias vidas. Se interesaban simplemente porque era un asunto excitante. Yo nunca lo olvidé. Sentía que junto a los rebeldes había gente normal, como mi propia familia, y lamentaba profundamente el injusto trato que habían recibido.[85]

Unas semanas después ocurrió un nuevo incidente en una pequeña localidad llamada Huashi, a unos cuarenta kilómetros de Xiangtan.[86] Estalló una disputa entre un terrateniente local y algunos miembros de la Gelaohui (la Sociedad del Hermano Mayor), hermandad secreta con ramificaciones en Hunan y las provincias contiguas. El terrateniente llevó el caso a los tribunales y, en palabras de Mao, «como era poderoso ... fácilmente compró una decisión favorable». Pero en lugar de aceptarlo, los miembros de la hermandad se retiraron a los frondosos montes de Liushan, donde construyeron un fortín.

Llevaban turbantes amarillos y ondeaban estandartes de tres puntas del mismo color. El gobierno provincial envió tropas y su empalizada fue destruida. Tres hombres fueron capturados, incluido su cabecilla, conocido como «Pang el fabricante de ruedas de molino». Confesaron bajo tortura que habían sido instruidos en los métodos y conjuros empleados por los bóxers, que creían que les harían invulnerables. Pang fue decapitado. Pero a los ojos de los estudiantes, escribió Mao, «él era un héroe, y todos sentíamos simpatía por la revuelta».

La opinión de Mao, sin embargo, no era tan definida como puede parecer. Un tiempo antes, en aquel mismo año, el arroz volvió a escasear, esta vez en Shaoshan. El padre de Mao continuó comprando grano y remitiéndolo para su venta a la ciudad, contribuyendo a agravar la situación. Uno de los envíos fue tomado por los hambrientos aldeanos.[87] Su padre estaba furioso. Pero Mao, aunque no le respaldó, «creía que los métodos de los aldeanos eran igualmente erróneos».

En aquel momento Mao ya había logrado entrar en la Escuela Primaria Superior, después de conseguir engatusar y coaccionar a su padre para que le permitiese asistir a sus clases. Estaba en el cercano distrito de Xiangxiang, donde vivía la familia de su madre, y era un centro «moderno» con métodos educativos de inspiración occidental, abierto algunos años antes como parte de los tardíos esfuerzos impulsados por la corte Qing para aceptar la necesidad de las enseñanzas occidentales tras la derrota de los bóxers. En su primer viaje fuera de su nativa Shaoshan, Mao se sentía intimidado:

> Nunca había visto tantos niños juntos. La mayoría de ellos eran hijos de terratenientes que vestían ropas caras; muy pocos campesinos podían permitirse enviar a sus hijos a una escuela como ésa. Mis ropas eran mucho más pobres que las de los demás. Sólo tenía un único traje aceptable. Los estudiantes no llevaban uniforme, atavío propio de los profesores, y sólo los «demonios extranjeros» vestían ropas extranjeras.[88]

Antaño, la Escuela Primaria Superior de Dongshan, como se llamaba oficialmente aquel lugar, había sido una academia literaria.[89] Estaba rodeada por un muro de piedra armado con unas puertas dobles macizas y recubiertas de laca negra, a las que se llegaba por un puente balaustrado de piedra blanca que cruzaba un foso. En una colina cercana se erguía una pagoda blanca de siete pisos.

Mao pagó 1.400 monedas de cobre (cantidad equivalente a un dólar de plata, o cinco chelines ingleses) por la inscripción, el alojamiento, los libros y los gastos de enseñanza de cinco meses.[90] Asistir a una escuela semejante era un privilegio excepcional: en aquella época, de cada doscientos niños, ni siquiera uno gozaba de la oportunidad de acceder a tan alto nivel de educación. En aquel entorno elitista, el joven desgarbado y sin modales de Shaoshan, mayor y más alto que la mayoría de sus compañeros y con un acento diferente, tuvo problemas. «Varios de los estudiantes más ricos me desdeñaban porque yo siempre llevaba mi chaqueta y mi pantalón raídos», recordaba Mao. «También me rechazaban porque no había nacido en Xiangxiang ... Me sentía anímicamente muy abatido.»

Necesitó de toda la fortaleza que había forjado en sus enfrentamientos con su padre para superar esa hostilidad, que Mao con frecuencia avivaba con su arrogancia, su terquedad y su desmesurada cabezonería infantil, y que llevaba al límite cuando se creía poseedor de la verdad.[91] Pero con el tiempo hizo algunos amigos, entre ellos Xiao San, que posteriormente se convirtió en escritor con el nombre de Emi Siao. Mantenía también una buena relación con su primo, hijo de uno de los tíos maternos, que había comenzado en la escuela un año antes que él.

A pesar de las dificultades, Mao progresó positivamente y sus profesores sentían aprecio por él. Al poco tiempo se hizo evidente que sentía mayor inclinación por la literatura que por la ciencia. La historia era su asignatura favorita y leía todos los libros que podía sobre la fundación de las dos grandes dinastías de la China moderna, la Qing y la Han, que florecieron dos siglos antes de Cristo. Aprendió a escribir ensayos clásicos y desarrolló un amor por la poesía que se convirtió en uno de los placeres más duraderos de su vida. Un cuarto de siglo más tarde Mao todavía recordaba los versos de una canción japonesa, conmemoración de la victoria en la guerra ruso-japonesa, que un profesor de música que había estudiado en aquel país solía cantarles:

> El gorrión canta, el ruiseñor danza,
> y los campos verdes muestran su encanto primaveral.
> Las flores del granado bermejean, los sauces se preñan de verde,
> y aparece una nueva pintura.[92]

Japón se había convertido en la inspiración para todos aquellos que constituían lo que los periódicos llamaban la «Nueva China», los reformadores e intelectuales que veían la salvación de su país en un movimiento de modernización similar al compromiso adquirido por Japón con las ideas extranjeras después de la restauración Meiji. Con su victoria sobre China en 1895, Japón les había forzado a afrontar la realidad de la debilidad de su país. Diez años después, con su victoria sobre Rusia, Japón había demostrado que un ejército asiático podía derrotar a un ejército europeo. Para China, esa última victoria representó una bendición a medias, pues Japón sustituyó a Rusia en su papel hegemónico en Manchuria. Pero para los jóvenes de la generación de Mao lo que importaba era que la raza amarilla había demostrado que podía derrotar a la raza blanca.

«En aquella época», comentó, «conocí y sentí la belleza de Japón, y percibí parte de su orgullo y su poder en esa canción de victoria sobre Rusia.»

A partir de la década de 1890 miles de chinos se embarcaron hacia Tokio para asimilar las nuevas enseñanzas de Occidente. Entre los más influyentes estaba Kang Youwei y Liang Qichao, los arquitectos del fallido movimiento de reforma del emperador Guangxu, que huyeron al exilio cuando las reformas fueron aniquiladas. La gran contribución de Kang al debate de la modernización había sido una nueva formulación del confucianismo para que éste mirase al futuro y fuese compatible con las reformas, en lugar de su perpetua tendencia a ir hacia atrás en busca de una supuesta edad dorada en el pasado remoto. Por su parte, Liang, nacido en Hunan, tomó la tesis de Darwin de la «supervivencia del mejor adaptado» y la aplicó a la lucha nacional de China en contra de las potencias que la acechaban. Afirmaba que China debía modernizarse para lograr sobrevivir.

Kang Youwei y Liang Qichao eran ídolos en la nueva China. El primo de Mao le entregó dos libros sobre el movimiento de reforma, uno de ellos escrito por el mismo Liang. «Leí y releí aquellos libros hasta aprenderlos de memoria», escribió. «Adoraba a Kang Youwei y Liang Qichao.»

Con diecisiete años, Mao todavía apoyaba el sistema imperial: «Creía que el emperador y la mayoría de los funcionarios eran hombres honestos, buenos y sabios», declaró. «Tan sólo necesitaban la ayuda de las reformas de Kang.»[93]

Pero sus ideas estaban a punto de cambiar.

2

Revolución

En la tarde del 9 de octubre de 1911, una bomba estallaba en la casa de un oficial del ejército chino, dentro de la concesión rusa de Hankou, la más importante ciudad comercial del centro de China, a dos jornadas río abajo desde Changsha.[1] El hombre que había estado fabricándola, Sun Wu, era el joven líder de la Sociedad del Progreso Unido,[2] facción de la Tongmenhui, la secreta Alianza Revolucionaria dirigida por el antimonárquico cantonés Sun Yat-sen.

Los amigos de Sun Wu consiguieron cobijarle en un seguro hospital japonés, pero la policía de la concesión registró la casa y encontró banderas y proclamas revolucionarias, además de un listado con los nombres de algunos activistas. Las autoridades Qing se lanzaron a la acción. Treinta y dos personas fueron arrestadas y, al amanecer del día siguiente, tres de los dirigentes fueron ejecutados. El gobernador manchú, Ruizheng, telegrafió a Pekín: «Ahora todo ... está en paz y tranquilo. El caso se ha resuelto tan rápidamente que la región no ha sufrido daño alguno».

Las ejecuciones resultaron ser un error fatal. Se difundieron rumores entre las tropas Han acampadas a ambas orillas del río, en Wuchang, de que el gobernador planeaba represalias sistemáticas contra todos aquellos que no fuesen de sangre manchú. Aquel anochecer un batallón de ingeniería se amotinó. Los oficiales que se resistieron fueron acribillados. Dos regimientos de infantería se les unieron; después otro regimiento. La batalla más sangrienta, que se cobró varios centenares de vidas, tuvo lugar cerca del *yamen* del gobernador, defendido con ametralladoras. A primera hora de la mañana, Ruizheng huyó a bordo de un cañonero chino, abandonando la ciudad de Wuchang a manos de los insurgentes. Finalmente, se hacía justicia a años de agitación revolucionaria. Sin embargo, la victoria, cuando llegó, fue más despiadada y sangrienta de lo que habían planeado sus arquitectos. Las blancas banderas de los rebeldes, ribeteadas de rojo, llevaban el lema: «Xing han, mie man»,[3] «Larga vida a los Han, exterminemos a los manchúes». El trigésimo regimiento manchú fue virtualmente aniquilado en una masacre racial, seguida de una persecución civil organizada. Tres días después, un misionero local realizaba un recuento de ochocientos cadáveres manchúes amontonados por las calles, «cincuenta de ellos apilados en el exterior de una de las puertas de entrada a la ciudad».[4]

Aparecieron proclamas revolucionarias que encendieron aún más los ánimos. Los «descendientes de los sagrados Han», afirmaba una, estaban «durmiendo sobre la maleza y bebiendo hiel bajo el yugo de una tribu nómada del norte».[5] Otra diatriba advertía:

El gobierno manchú se ha mostrado tiránico, cruel, insensato e inconsciente, castigando con fuertes impuestos y privando al pueblo de su sustento ... Recordad que cuando los manchúes penetraron por vez primera en los dominios de China, ciudades plenas de hombres y mujeres fueron pasadas por la espada sin excepción ... Si dejásemos sin venganza los agravios hechos a nuestros antepasados, la vergüenza se cerniría sobre los hombres nobles como nosotros. Así que todos nuestros hermanos deberían ... ayudar al ejército revolucionario a extirpar la plaga de estos bárbaros ... El Cielo Supremo nos ha concedido hoy esta oportunidad. Si no la aprovechamos y la consumamos, entonces, ¿hasta cuándo vamos a esperar?[6]

El mundo exterior no emitió juicio alguno. En Londres, *The Times* informó que los chinos de mejor educación apoyaban sin reservas la revolución, añadiendo jactanciosamente: «Poca simpatía se muestra por la corrupta y decadente dinastía manchú, con sus eunucos y otros bárbaros que les rodean».[7]

Pero se tenía poca consciencia de que se estaba construyendo la historia, de que los oscuros sucesos que envolvían Wuchang eran augurios de los cambios milenarios que acabarían por sobrevenir a la más antigua y poblada de las naciones del mundo. Nadie predecía el inminente derrumbe de un sistema de gobierno que había durado sin interrupción desde antes del nacimiento de Jesucristo, más que cualquier otro en la historia. De hecho, la impresión dominante en aquel momento, y durante algunas semanas más, era que la casa imperial se recuperaría y que, como había ocurrido a menudo en el pasado, la rebelión acabaría por ser derrotada.

Los depósitos bancarios entraron en una leve crisis, pero los mercados financieros reaccionaron con la convicción de que la situación probablemente resultaría beneficiosa para el comercio extranjero con China. Incluso en los periódicos en lengua inglesa de Shanghai, los primeros informes sobre la revolución se vieron obligados a competir en dimensiones con los del bombardeo italiano de Trípoli; el asesinato del príncipe Troubetzkoy por un estudiante en Novocherkassk; la enfermedad del príncipe Leopoldo, el nonagenario regente de Bavaria, que había cogido un resfriado durante la caza del ciervo; y, en la iglesia de San Pedro, en Eaton Square, la más brillante boda del año entre el conde Percy y lady Gordon Lennox.

Sólo en Pekín se reconoció la auténtica gravedad de la situación.[8] Se dobló la guardia en el exterior de los palacios del príncipe regente y de otros dignatarios; la caballería imperial patrullaba por las calles; y como llegaban informes de familias manchúes en las provincias que habían sido capturadas y asesinadas por la turba revolucionaria, las mujeres manchúes de la capital abandonaron sus elaborados ornamentos capilares y sus zapatos de tacón alto para comenzar a vestir ropajes chinos.

Mao estaba en Changsha cuando todos estos sucesos tuvieron lugar. Seis meses antes había llegado allí en bote por el río desde Xiangtan,[9] llevando con él una carta de recomendación de uno de sus profesores, que le había ayudado a convencer a su padre de que debía enrolarse en una escuela secundaria de la capital para estudiantes del distrito de Xiangxiang.

Antes de partir había oído, según indicó posteriormente, que se trataba de «un lugar magnífico», con «mucha gente, gran número de escuelas y el *yamen* del gobernador»,[10] pero su primera visión de la ciudad, mientras el pequeño vapor descendía lentamente por el río, superó sin duda lo imaginable.[11] Una «muralla perpendicular, de nobles bloques de piedra gris», se erguía desde la superficie del agua, con sus diecisiete metros de anchura en la base, extendiéndose más de tres kilómetros junto a un mar de juncos. Por tierra, continuaba durante doce kilómetros más, con terraplenes de trece metros de altura y lo suficientemente anchos para que tres carros circulasen uno al lado del otro, rodeando la ciudad como la fortaleza medieval que de hecho era. En cada distrito la muralla cedía ante dos enormes entradas, custodiadas por soldados que llevaban oscuros turbantes azules, cortos mantos militares de cuello rojo y guarniciones de colores brillantes, mangas sueltas y amplias, y pantalones de algodón atados a las pantorrillas. Iban armados con una variopinta colección de lanzas, picas, tridentes, espadas a dos manos, mosquetes, carabinas e incluso arcabuces.

Por todas partes se extendía un laberinto de tejados de tejas grises y «calles como túneles oscuros que penetraban hasta el corazón de la ciudad», pavimentadas con losas de granito, a menudo de menos de dos metros de ancho, y que apestaban a miseria y olores hediondos, a «todos los restos y la inmundicia de una muchedumbre que vive hacinada», como escribió un residente extranjero. Pero, escondidas a la vista, por detrás de muros sin aberturas, había también mansiones espléndidas en las que los grandes funcionarios vivían entre «patios cubiertos de flores, armoniosos salones de recepción con majestuosos muebles de madera negra y pinturas murales en rollos de seda», así como dos inmensos templos confucianos, con curvados techos de teja amarilla y vastas columnas de madera de teca, rodeados de viejos cipreses.

En el distrito comercial, durante el horario de apertura, los mostradores de madera de las tiendas se extraían de modo que éstas se abrían directamente a la calle, mientras se extendía una estera de bambú entre los postes de los tejadillos, convirtiendo así algunas partes de la ciudad en una inmensa arcada cubierta. Enormes anuncios colgantes de madera, escritos en caracteres dorados sobre un fondo lacado en negro, daban la bienvenida a los clientes en potencia y anunciaban los productos en venta.

Allí no había bicicletas, vehículos a motor ni *rickshaws*.[12] Los ricos usaban palanquines. Para el resto, el principal medio de transporte, tanto personas como mercancías, era la humilde carretilla. A lo largo del día, la ciudad resonaba con los chirridos que emitían aquellos ejes desengrasados, al tiempo que los trabajadores transportaban hasta los juncos que esperaban en el río pesadas cargas de carbón, sal, antimonio y opio; o petardos, calicó y lino; y suministros medicinales de dedalera, acónito y ruibarbo. El agua se cargaba a hombros, en barreños que colgaban de los extremos de barras de bambú, desde el «Manantial de Arena» hasta la puerta del sur. Los tenderos anunciaban sus mercancías a gritos, o daban a conocer su presencia agitando sonajas de madera y campanas. El vendedor de carne dulce tenía un gong diminuto y, con su fuerte acento de Hunan, entonaba:

> Cura al sordo y alivia al cojo,
> ¡protege los dientes de las damas de edad![13]

Marchando en procesión, cantando oraciones para los enfermos, aparecían los monjes taoístas, con vestiduras azul oscuro, y los budistas, enfundados en color azafrán. Algunos mendigos, ciegos y mutilados de horripilante imagen se sentaban a un lado del camino pidiendo limosna, y cada año arrancaban una contribución a los propietarios de las tiendas, a cambio de la promesa de mantenerse a una distancia prudencial.

Al anochecer se desmontaban los mostradores. Los piadosos se postraban tres veces, ante el cielo, la tierra y el hombre, y colocaban durante la noche varillas de incienso que refulgían sobre sus puertas para protegerles de las adversidades. Las puertas de la ciudad se cerraban, cada una de ellas sellada con una enorme viga que sólo se podía levantar con la ayuda de tres hombres. Sólo había electricidad en el *yamen* del gobernador y en las casas de estilo occidental que había en una isla del río donde vivían los cónsules extranjeros. Pero en el resto de la ciudad, la única claridad provenía de las crepitantes mechas de unas pequeñas lámparas de aceite que financiaban los gremios de cada calle. Un poco más tarde también las puertas de los distritos se obstruían, aislando los diferentes barrios de la ciudad. Después de eso, el único sonido que se oía era el afilado crujir de la vara del vigilante al golpear un gran gong de bambú para alertar a los vigías de la noche.

Al principio, Mao dudó de si sería capaz de establecerse en la ciudad: «Yo [estaba] tremendamente excitado, temeroso de que no permitieran mi entrada, sin apenas atreverme a desear la posibilidad de convertirme en estudiante de esa gran escuela».[14] Para su sorpresa, fue admitido sin problema alguno. Sin embargo, los seis meses que pasó en la escuela secundaria hicieron más por su educación política que por su avance académico.

Changsha bullía en sentimientos antimanchúes desde los disturbios del año anterior.[15] Las sociedades secretas habían distribuido pancartas que, en un lenguaje críptico, incitaban a los Han para que se alzasen: «Todos deberíais envolver vuestras cabezas con pañuelos blancos y cada uno llevar una espada ... Las dieciocho provincias de China volverán a los descendientes del [legendario emperador chino] Shen Nong». El eslogan «Revolución y expulsión de los manchúes» aparecía escrito en los muros.

Aquella primavera, poco después de la llegada de Mao, llegaron noticias de un nuevo levantamiento antimanchú en Cantón, liderado por un revolucionario de Hunan llamado Huang Xing, durante el cual habían sido asesinados setenta y dos radicales. Mao lo leyó en el *Minli bao* (*La fuerza del pueblo*), que apoyaba la causa revolucionaria. Era el primer periódico que le llegaba a las manos y, tiempo después, aún recordaba cuánto le había impresionado la gran cantidad «de materiales sugerentes» que contenía. En él, también por primera vez, encontró los nombres de Sun Yat-sen y la Tongmenhui, cuya base estaba radicada entonces en Japón. Ello le animó a escribir un cartel, que colgó en el muro de la escuela, pidiendo un nuevo gobierno con Sun como presidente, Kang Youwei como primer ministro, y Liang Qichao de ministro de Asuntos Exteriores. Era, como posteriormente admitiría, un intento «bastante confuso»: Kang y Liang eran monárquicos constitucionales, opuestos a un gobierno republicano. Pero la nueva voluntad de Mao de rechazar el imperio y el hecho de que se hubiese sentido por vez primera impelido a expresar públicamente sus ideas políticas mostraban hasta qué punto unas semanas en la ciudad habían logrado cambiar sus ideas.

Pero era su actitud ante la coleta lo que evidenciaba de una manera más radical aquellos cambios.[16] En Dongshan, él y otros compañeros se habían mofado de uno de los profesores cuando se había cortado la coleta mientras estudiaba en Japón y la había reemplazado por otra postiza. El «falso demonio extranjero», le llamaban. Ahora, en cambio, Mao y uno de sus amigos cortaron sus propias coletas como muestra de provocación antimanchú y, cuando otros que habían prometido seguir el mismo camino no cumplieron su palabra, «mi amigo y yo ... les atacamos por sorpresa y les rebanamos las trenzas, hasta que, en total, más de diez cayeron presa de nuestras cizallas». Escenas similares se habían sucedido en las escuelas de Changsha y Wuchang desde comienzos de año, escandalizando a las autoridades manchúes, no menos que, por distintas razones, a los más tradicionales, que sostenían que el cabello era un don de los progenitores y su destrucción una violación de la piedad filial.[17]

En abril tuvieron lugar dos nuevos sucesos que situaron a la burguesía de Hunan del lado de los revolucionarios. La corte anunció la nominación de un gabinete, una demanda de las elites como paso previo hacia un gobierno constitucional. Pero, para las iras de los reformistas, el gabinete estaba dominado por príncipes manchúes. Además se supo que el gobierno pretendía nacionalizar las compañías ferroviarias como antesala a la aceptación de préstamos extranjeros para financiar la construcción de ferrocarriles, lo que se interpretó como una ganga para las potencias occidentales. Estas noticias, recordaba Mao, provocaron que los estudiantes de las escuelas se tornasen «más y más agitados» y cuando en mayo se confirmaron los préstamos extranjeros, la mayoría de los estudiantes se lanzó a la huelga.[18] Junto a otros muchachos de su edad, Mao fue a escuchar los discursos revolucionarios de los estudiantes más veteranos en reuniones al aire libre fuera de las murallas de la ciudad.[19] «Todavía recuerdo», escribió años más tarde, «cómo uno de los estudiantes, mientras realizaba su discurso, se arrancó su larga toga y dijo "Vayamos inmediatamente a tomar instrucción militar y a prepararnos para la lucha".» Se colgaron folletos provocadores y la situación se tornó tan amenazadora que británicos y japoneses enviaron cañoneros. En verano se restableció una calma precaria, pero las reuniones antimanchúes continuaron en el mismo lugar en que se habían celebrado los antiguos exámenes imperiales. La burguesía reformista se congregaba con la excusa de celebrar encuentros de la Wenxuehui, la Asociación Literaria, para discutir el inminente derrumbe de la dinastía.[20] Mientras, en la limítrofe provincia de Sichuan, había estallado una rebelión a gran escala.

El viernes 13 de octubre, un vapor chino atracó en Changsha, trayendo con él los primeros y confusos informes del levantamiento de Wuchang.[21] Los pasajeros hablaban de enfrentamientos entre las unidades del ejército, del sonido de disparos procedentes de los campos militares y de noticias de soldados arrancándose los ribetes y las insignias rojas de sus negros uniformes de invierno para colocar en su lugar brazaletes de color blanco.[22] Pero nadie parecía estar seguro de quién luchaba con quién ni cuál había sido el resultado final. En 1911, la capital de Hunan estaba unida al mundo exterior por una única línea de telégrafo hasta Hankou, que aquel fin de semana había dejado de funcionar.[23] Incluso los funcionarios del *yamen* del gobernador no disponían de medios para descubrir lo que se estaba gestando.

El lunes siguiente, día 16, hubo disturbios en los bancos provinciales,[24] que sólo acabaron cuando el gobernador envió destacamentos militares fuertemente armados para montar guardia en el exterior. El cónsul británico, Bertram Giles, advirtió a su legación de Pekín: «Las noticias son escasas, los rumores descabellados se suceden y domina una gran excitación».[25] Al anochecer llegó un vapor japonés desde Hankou con un centenar de pasajeros a bordo que ofrecieron relatos detallados del éxito de los revolucionarios.[26] Al día siguiente, anotaba el cónsul Giles, «era perceptible un cambio en la situación».[27]

Entre los recién llegados había algunos emisarios de los revolucionarios de Wuchang, que habían ido hasta allí para instar a los colegas revolucionarios de la guarnición de Hunan para que se apresurasen en sus planes de amotinamiento. Uno de ellos se acercó a la escuela de Mao:

> Con el permiso del director, pronunció un discurso conmovedor. Siete u ocho estudiantes se levantaron en medio de la asamblea y se unieron a él en vigorosas denuncias contra los manchúes y proclamas para la acción en favor del establecimiento de la república. Todos los asistentes escuchaban absortos. No se oía sonido alguno mientras aquel orador revolucionario hablaba ante los estudiantes.[28]

Algunos días después, Mao y un grupo de compañeros, exaltados por lo que habían oído, decidieron desplazarse hasta Hankou para unirse al ejército revolucionario. Sus amigos recogieron dinero para pagarse sus pasajes en un vapor. Pero los hechos se avanzaron a ellos antes de que pudiesen partir.

Mientras los revolucionarios se conjuraban, el gobernador tomó medidas disuasorias.[29] Los regimientos cuadragésimo noveno y quincuagésimo de las tropas regulares acampadas, que se sabían infiltradas por radicales, fueron redestinados a otros distritos alejados de la capital. Los seiscientos hombres que se quedaron, acantonados en los barracones del exterior de la puerta este, fueron obligados a entregar su munición. En su lugar, a la milicia, considerada más fiel, se la equipó generosamente.

El primer intento revolucionario de tomar estratégicamente la ciudad, el miércoles por la noche, fracasó. Los hombres de la puerta este abrieron fuego demandando que las puertas de la ciudad fuesen abiertas para permitir el paso de los artificieros. La milicia, declarándose neutral, no accedió. Pero, en la confusión, los acampados recuperaron la mayor parte de su munición, que había sido confinada en un arsenal cercano. En consecuencia, el siguiente asalto, la mañana del domingo, tomó unos derroteros muy distintos.[30] Mao ofreció su propio relato de lo que pudo contemplar aquel día:

> Fui a pedir unas [botas impermeables] a un amigo del ejército que estaba acuartelado en el exterior de la ciudad. Los guardias de la guarnición me detuvieron. Aquel lugar se había vuelto muy inestable; los soldados ... se introducían por las calles. Los rebeldes se aproximaban a la ciudad ... y los enfrentamientos ya habían empezado. Una gran batalla se organizó fuera de las murallas ... Al mismo tiempo se produjo un levantamiento en el interior de la ciudad y las puertas fueron asaltadas y tomadas por trabajadores chinos. Volví a entrar a la ciudad por una de las puertas. Entonces me deslicé hasta un lugar elevado y contemplé la batalla, hasta que vi la bandera de los Han que se izaba sobre el *yamen*.[31]

Incluso hoy en día resulta una lectura estimulante. Desgraciadamente, hay tan poca verdad en ello que se puede perdonar a los que cuestionan que Mao estuviese en realidad allí. No hubo rebeldes, ni batalla, ni levantamiento alguno, y las puertas de la ciudad no fueron asaltadas. El señor Giles, el cónsul británico, informaba de ello con frialdad:

> A las nueve y media de la mañana [me avisaron de] ... que un número destacable de tropas regulares había penetrado en la ciudad, donde se habían unido a algunos representantes revolucionarios y habían marchado hasta el *yamen* del gobernador ... La milicia, manteniendo su política de neutralidad, se negó a cerrar los accesos a la ciudad [que habían estado abiertos durante el día]; y los guardias del gobernador, previamente persuadidos, no ofrecieron resistencia. A las dos de la tarde la ciudad estaba por entero en manos de los revolucionarios, sin que se hubiese lanzado un solo disparo, mientras la bandera blanca [de los rebeldes] ondeaba por todas partes, y guardias con insignias blancas en sus brazos patrullaban por las calles para mantener el orden; la excitación de la mañana había amainado con la misma velocidad con que había surgido.[32]

Las discrepancias son un sano recordatorio de los riesgos que conllevan los testimonios visuales décadas después de los hechos.[33] Sin embargo, no es sorprendente la grandilocuencia de Mao. Siendo un exaltado adolescente, estuvo presente en uno de los momentos cruciales de la historia moderna de China. Años después, como dirigente comunista, sus recuerdos, más que de lo que efectivamente ocurrió aquel día, eran de lo que tendría que haber ocurrido.

El gobernador y la mayoría de sus veteranos colaboradores lograron escapar. Pero los comandantes de la milicia, a quienes los soldados acusaban de haberles confiscado la munición, fueron conducidos más allá de la puerta este y decapitados. Otros oficiales fueron ejecutados cerca del *yamen*; sus cuerpos y sus cabezas ensangrentadas fueron abandonados en las calles.[34]

Tanto en Wuchang, donde los dirigentes revolucionarios civiles habían promovido revueltas en respuesta a la incursión que siguió a la bomba de Sun Wu, como en Changsha, donde los planes revolucionarios habían sido aplazados por las medidas del gobernador, la fuerza dirigente que respaldaba a los insurrectos consistía en oficiales radicales fuera de servicio y militares con y sin rango. Una vez alcanzada la victoria, se produjo una considerable confusión acerca de quién debía liderar el nuevo orden revolucionario.

En Hubei,[35] un comandante de brigada, Li Yuanhong, que inicialmente se había opuesto al motín, aceptó, aunque reacio, ser elegido gobernador militar. Aquel mismo día publicó una proclamación en la que otorgaba al país el nuevo nombre de República de China, sin poder adivinar que menos de seis meses después se convertiría en vicepresidente en Pekín y, con el tiempo, en jefe de Estado.

La situación en Changsha era más compleja.[36] A las pocas horas del inicio del levantamiento, el extravagante y joven dirigente de la rama de Hunan de la Sociedad del Progreso Unido, Jiao Dafeng, fue proclamado gobernador militar, con un destacado dirigente de la elite reformista de la ciudad, Tan Yankai, como su homólogo civil. De figura gallarda, cabalgando por las calles entre las aclamaciones del populacho, Jiao mantenía estrechos vínculos con las sociedades secretas de Hunan.[37] Sus líderes acudieron a la capital provincial para ayudarle a consolidar el poder (y para compartir los honores de la victoria), convirtiendo el *yamen*, en palabras de una fuente contemporánea, en «una especie de guarida de bandidos».

No era eso lo que la burguesía revolucionaria de Changsha había vaticinado. Cuatro días después del levantamiento, el cónsul Giles informó que las tensiones dentro del grupo dirigente habían alcanzado tales derroteros que «se desenfundaban los revólveres y se afilaban las bayonetas».[38] Jiao cometió entonces el fatal error de enviar sus propias unidades, las más leales, a ayudar a los revolucionarios de Wuchang. El 31 de octubre, el segundo de Jiao cayó en una emboscada en el exterior de la puerta norte y fue decapitado, después de lo cual, en palabras del cónsul, «los soldados entraron en la ciudad portando su cabeza y asesinaron a Jiao en su propio *yamen*».[39] Había sido gobernador durante sólo nueve días.

Mao vio los cadáveres de esos dos hombres sobre el pavimento. Años más tarde recordaría sus muertes como una lección ejemplar de los peligros que conllevan las iniciativas revolucionarias. «No eran malos hombres», decía, «y tenían algunos objetivos revolucionarios.» Fueron asesinados, añadía, porque «eran pobres y representaban los intereses de los oprimidos. Los terratenientes y los comerciantes no estaban satisfechos con ellos».[40] Pero no era tan simple. El régimen de Jiao fue demasiado breve para que nadie pudiese saber qué derroteros tomaría su política. Sin embargo, no hay duda de que la elite provincial le veía como una amenaza. Su sucesor, el reformista Tan Yankai, que juró como gobernador aquel mismo día, era uno de ellos, un erudito de Hanlin nacido en una eminente familia burguesa.

La situación en Changsha, y en todo el valle del Yangzi, continuaba inestable en extremo. Un patético edicto, emitido en el nombre del emperador, que tenía sólo seis años, declaraba:

> El imperio entero está en ebullición. La mente del pueblo permanece inquieta ... Todo ello es por mis propios errores. Por la presente anuncio al mundo que prometo realizar reformas ... Los soldados y el pueblo ... de Hubei y Hunan son inocentes. Si retornan a su lealtad, quedarán eximidos de culpa por lo ocurrido. Soy una persona insignificante al cargo de sus súbditos que contempla cómo su herencia está a punto de desvanecerse. Lamento mis equivocaciones y me arrepiento profundamente.[41]

A principios de noviembre en Hong Kong se rumoreaba que Pekín había caído y la familia imperial había sido hecha prisionera, provocando «extraordinarias escenas de entusiasmo». Resultó falso, pero los residentes en la capital informaron de que estaban en «un estado de sitio»; los cañones habían sido instalados en los muros de la Ciudad Prohibida. Entonces llegaron noticias, inmediatamente desmentidas, de que el emperador había escapado a Manchuria.[42] Pero al mismo tiempo había señales de que el imperio se defendía con fuerza. Apenas cuatro de las capitales provinciales estaban controladas sólidamente por los revolucionarios.[43] Las tropas leales al trono contraatacaron en Hankou lanzando granadas incendiarias fabricadas en Alemania, y la mayor parte de la ciudad china ardió hasta los cimientos. Poco después las fuerzas imperiales tomaron Nanjing. Cualquier chino que fuese hallado sin coleta era ejecutado sumariamente. Los estudiantes que, al igual que Mao, se la habían cortado a principios de año se escondían ahora aterrorizados.[44]

Con la incertidumbre de no saber hacia dónde se decantaría la balanza, Mao retomó su plan inicial de unirse a las fuerzas revolucionarias.[45] Se había organizado un ejército estudiantil, pero, teniendo en cuenta que no se sabía cuál sería su función, decidió enrolarse en una unidad del ejército regular. Muchos otros habían hecho lo mismo. Los reclutamientos durante las primeras semanas de la revolución sobrepasaron en Hunan la cifra de cincuenta mil.[46] No hay que olvidar que, dada la incertidumbre dominante y el hecho de que la violencia se había ensañado con los perdedores, no se trataba de una acción de poca osadía. Muchos de los nuevos reclutas estaban siendo enviados a Hankou, donde los revolucionarios resistían feroces ataques de las unidades del ejército imperial. Un residente extranjero describió la lucha como «posiblemente la más sangrienta ... que jamas haya tenido lugar. Día y noche, ya durante cuatro días, la batalla ha rugido sin parar ... Se trata, en ambos bandos, de una matanza terrible».[47] Incluso para los que, como Mao, permanecían en Changsha, la vida bajo la ley marcial era brutal y, a menudo, peligrosamente corta. El cónsul Giles informaba: «Las reyertas son continuas, entre los soldados o entre ellos y los civiles ... Un hombre, supuestamente un espía manchú, fue descuartizado en la calle por la soldadesca. Entonces arrancaron su cabeza y la llevaron hasta el *yamen* del gobernador. A otro hombre se le marcó una especie de triángulo ... y lo perforaron a balazos.»[48]

Hubo intentos de motín y, en una ocasión, se ordenó al regimiento de Mao que evitase que algunos millares de soldados rebeldes penetrasen en la ciudad.[49] Un veterano comandante chino se lamentaba de la total falta de disciplina de los hombres: «Creen que la destrucción es algo meritorio y que el desorden es la conducta más correcta. Se confunde la insolencia con la igualdad y la coerción con la libertad».[50] Ante la amenaza de anarquía, la legación norteamericana en Pekín ordenó a sus ciudadanos que abandonasen Hunan hasta que retornase la tranquilidad.

La compañía a la que pertenecía Mao se acuarteló en el Palacio de Justicia,[51] que se había instalado en el edificio de la antigua asamblea provincial. Los nuevos reclutas dedicaban buena parte de su tiempo a realizar tareas para los oficiales e iban a por agua hasta el Manantial de la Arena, en la puerta sur. Muchos eran analfabetos, «portadores de palanquines, rufianes y mendigos»,[52] cuya idea de la milicia consistía en plagiar los ademanes de los personajes militares de la ópera china tradicional, tal como sarcásticamente indicaba una fuente contemporánea. Mao se hizo popular escribiendo cartas para ellos. «Sabía algo de libros», dijo posteriormente, «y ellos me respetaban por mi "gran educación".» Por vez primera en su vida entró en contacto con algunos trabajadores, dos de los cuales, un minero y un herrero, le complacían especialmente.

Pero su celo revolucionario tenía límites. «Al ser un estudiante», explicaba, «no podía consentir en cargar [el agua]», como hacían los otros soldados. En lugar de ello, pagaba a los vendedores para que la transportasen por él,[53] mostrando precisamente el mismo elitismo intelectual que condenaría durante sus últimos años. Y mientras algunos de los hombres de su regimiento hicieron voto de conformarse con una paga de dos dólares para la manutención mensual hasta que la revolución triunfase, Mao tomaba los siete dólares de la paga completa.[54] Después de pagar la comida y a los porteadores de agua, gastaba todo lo que le quedaba en periódicos, de los que se convirtió en ávido lector, hábito que conservó durante el resto de su vida.

A principios de diciembre tuvieron lugar dos sucesos que marcaron el final de la resistencia manchú. Las tropas imperiales abandonaron Nanjing, el último de sus bastiones en el sur. Por otra parte, Yuan Shikai, antiguo gobernador de Zhili y el más destacado líder del norte de China, en quien la corte había confiado para actuar como primer ministro interino, aprobó un alto el fuego en Wuchang.

En Changsha, las noticias provocaron una nueva orgía de cortes de coletas, esta vez impulsada por las tropas. El cónsul británico, Bertram Giles, se sintió ultrajado:

> Protesté firmemente [ante] ... las autoridades, [diciéndoles] que una de las primeras obligaciones de un gobierno era velar por la seguridad pública y que, si permitían a los soldados cometer asaltos con total impunidad, entonces ellos no podrían continuar atribuyéndose el título de gobierno, sino que serían una facción anarquista.[55]

Otros, con mejor sentido del humor, se fijaban en los aspectos absurdos:

> Granjeros y campesinos ... llegaban del campo hasta las puertas de la ciudad, llevando cargas enormes de arroz y verduras, o tirando de pesadas carretillas. Los guardas les asaltaban, agarraban las coletas de los hombres y las cortaban con la espada o las segaban con enormes tijeras. Para algunos, la pérdida de aquella coleta que habían cepillado y trenzado tan laboriosamente desde su tierna infancia era como separarse de un miembro. Vimos a algunos de ellos arrodillados, postrándose ante los guardias mientras imploraban un retraso en la ejecución de su pena ... Pero antes de que acabase la semana, todos los habitantes de las ciudades y los pueblos del centro de China se habían librado de este símbolo del control manchú.[56]

Cautos ante los cambios políticos, al principio, muchos decidieron enrollarse bajo el turbante una coleta postiza, preparada para el retorno de los manchúes. Pero eso no ocurriría. El día de Año Nuevo de 1912, el veterano revolucionario Sun Yat-sen juró en Nanjing el cargo de presidente, el primero de la historia de China. Para celebrar la ocasión, las autoridades de Changsha organizaron un desfile militar: «Sonaron las cornetas, ondearon las banderas, las bandas tocaron y los soldados entonaron cantos lascivos ... De cada tienda pendía una bandera multicolor. Dos franjas rojas en los bordes y una franja central amarilla».[57] Se habló de enviar una fuerza expedicionaria a Pekín para obligar a Yuan Shikai y los militares del norte a aceptar la autoridad de Sun, y se celebraron reuniones multitudinarias para rechazar el nombramiento de Yuan Shikai como jefe de Estado.[58] Sin embargo, como recordaba Mao, «en el momento en que en Hunan se preparaban para la acción, Sun Yat-sen y Yuan Shikai alcanzaron un acuerdo y la inminente guerra llegó a su fin». El 12 de febrero, el emperador abdicó y, dos días más tarde, Sun cedió en favor de Yuan.

Mao continuó en el ejército hasta la primavera. Entonces, el coste del mantenimiento de las abultadas filas de las fuerzas revolucionarias obligó al total desmantelamiento.[59] «Creyendo que la revolución había terminado», dijo posteriormente Mao, «decidí volver a mis libros. Había servido como soldado durante medio año.»[60]

3

Los señores del caos

Durante algunos meses de gloria, China se abandonó a un turbulento torbellino de nuevas modas, nuevas ideas, nuevos entusiasmos y nuevas esperanzas, mientras se desprendía repentinamente del yugo de la ortodoxia dinástica. El nuevo gobernador de Hunan, Tan Yankai, era un liberal convencido, enemigo tanto del imperialismo como del control centralizado de Pekín. Bajo su mandato, el cultivo del opio fue erradicado y la importación de la droga, prohibida. Se establecieron nuevos e independientes tribunales en cada distrito. Durante algún tiempo, se liberalizó la prensa, para consternación del cónsul británico, que protestó con vehemencia por las embestidas contra las grandes potencias. La administración provincial promovió el desarrollo de la industria local, en un intento de frenar la evasión de reservas al extranjero, y el presupuesto de educación se triplicó, financiado en parte por los punitivos impuestos sobre las tierras de las familias burguesas, consideradas partidarias de los manchúes. «Aparecieron por todas partes modernas escuelas, como brotes de bambú después de la lluvia en primavera», recordaba Mao.[1] Lo mismo ocurrió con las licorerías, los teatros y los burdeles.[2] Incluso los extranjeros de Changsha se contagiaron de la euforia de los tiempos. «Los recién llegados sin duda alguna aspiran a ser buenos gobernantes», escribía uno, «[y] en conjunto lo han hecho muy bien.»[3]

Como ocurre siempre en los períodos de marea revolucionaria, los primeros cambios fueron simbólicos. Las adolescentes comenzaron a cortarse el pelo y a aparecer en público sin acompañantes. Sus madres se acercaban tímidamente a los doctores extranjeros para preguntar si se podía hacer alguna cosa por sus diminutos y mutilados pies.[4] El deceso de la trenza abrió la puerta de un nuevo y exótico mundo para las cabezas afeitadas.[5] «Las gentes llevaban sombreros hongo, mitras, cascos azules aterciopelados de jinete, cualquier cosa que cayese en sus manos», comentaba un aturdido corresponsal. «El viejo turbante rojo con su botón redondo [ha sido] ... prohibido por la ley revolucionaria, pues el botón era la marca del honor en el código manchú ... Abundan los sombreros de fieltro y algodón, pero lo más divertido de todo es ver una compañía comandada por un capitán llevando un sombrero de copa de seda.»

Por muy grotesco y confuso que parezca, todo ello mostraba un cambio general en las tendencias del pueblo. Era la primera vez que un gran número de chinos cuestionaba los valores y actitudes tradicionales. El paulatino aumento de la influencia extranjera, hasta entonces mantenida bajo control por la burguesía conservadora, siguiendo las disposiciones de la corte, se convirtió de pronto en una marea que, a lo largo de la década que entonces comenzaba, provocaría una agitación intelectual sin parangón en la historia de China.

Para Mao, entonces con dieciocho años y de nuevo sin ocupación, fue una época de confusión, incertidumbre y posibilidades ilimitadas, que afrontó con la candidez y el optimismo de la juventud:

> Yo no sabía exactamente qué quería hacer. Un anuncio de una escuela policial llamó mi atención y me apunté para entrar en ella. Sin embargo, antes del examen, leí otro anuncio de una «escuela» para elaborar jabón. No había cuotas, se concedía la manutención y prometía un pequeño salario. Era un anuncio atractivo e imaginativo. Hablaba de los enormes beneficios sociales de la fabricación de jabón, de cómo enriquecería al país y al pueblo. Cambié de opinión sobre la escuela policial y decidí convertirme en un fabricante de jabón. También aquí pagué mi dólar para inscribirme.
>
> Mientras tanto, un amigo que se había convertido en estudiante de leyes me apremió para que entrase en su escuela. También leí un anuncio fascinante de esta escuela de leyes, que ofrecía varias cosas maravillosas. Prometía enseñar a los estudiantes en tres años todo sobre las leyes, y garantizaba que al final de ese período de tiempo todos se convertirían en mandarines ... Escribí a mi familia, repetí las promesas del anuncio y les pedí que me enviasen el dinero de la cuota...
>
> Otro amigo me indicó que el país estaba en guerra económica y que lo que más se necesitaba eran economistas que pudiesen edificar la economía nacional. Sus razonamientos se impusieron y gasté otro dólar en registrarme en [una] escuela media de comercio ... Finalmente, me matriculé y fui aceptado ... [Pero entonces] leí [un anuncio] que describía las delicias de una escuela pública superior de comercio ... Decidí que sería más conveniente convertirme en un experto en comercio en aquel lugar, así que pagué mi dólar y me registré.[6]

La Escuela Superior de Comercio resultó ser un desastre. A pesar de que su padre, complacido de que al final su hijo hubiera sentado la cabeza y se estuviese embarcando en una profesión de negocios potencialmente provechosa, envió el importe de las cuotas a tiempo, Mao descubrió que la mayoría de los cursos eran en inglés, del que sabía poco más que el alfabeto. Un mes después, abandonaba descorazonado.

La siguiente de esas «aventuras escolásticas», como después las denominaría, le llevó a la Primera Escuela Media Provincial, una gran institución muy respetada, especializada en literatura e historia de China. Alcanzó la máxima calificación en el examen de acceso y por un tiempo pareció que había encontrado lo que estaba buscando. Pero unos meses después también abandonó esta escuela, atribuyéndolo a su «limitado currículo» y sus «dudosos reglamentos»; en su lugar dedicó el otoño y el invierno de 1912 a estudiar por su cuenta en la recién inaugurada biblioteca pública de la ciudad. Siguiendo su propio plan, fue «muy regular y consciente», llegando por la mañana tan pronto como abrían las puertas, tomándose el descanso necesario para apenas comprar los dos pasteles de arroz del almuerzo y permaneciendo allí hasta que la sala de lectura tenía que cerrar por la noche. En un período muy posterior, Mao calificó de «extremadamente valioso» todo el tiempo que pasó allí. Pero su padre pensaba de otra manera y, al cabo de seis meses, le retiró su asignación.

La escasez de medios agudiza la mente. Al igual que muchas generaciones de estudiantes antes y después, Mao se vio obligado, como él mismo anotó, a comenzar a «pensar seriamente en una "profesión"». Pensó en convertirse en profesor, hasta que en la primavera de 1913 vio el anuncio de una escuela de formación para maestros, la Cuarta Escuela Normal Provincial de Hunan:

> Leí con mucho interés sus excelencias: no eran necesarias cuotas; la manutención y el alojamiento eran económicos. Dos de mis amigos me persuadieron de que me apuntase con ellos. Querían que les ayudase a preparar sus ensayos de admisión. Escribí a mi familia explicándoles mis propósitos y recibí su aprobación. Compuse ensayos para mis dos amigos y otro para mí mismo. Los aceptaron todos; así pues, en realidad fui aceptado tres veces … [Después de ello] … me las ingenié para resistirme, en el futuro, a las tentaciones de los anuncios.[7]

El período que Mao residió en Changsha, desde su llegada en los últimos meses de dominación manchú hasta su graduación en 1918, fue, tanto en China como en el resto del mundo, una época realmente turbulenta. Las naciones europeas, en guerra, se devoraban unas a otras. En Rusia, treinta millones de campesinos morían de hambre mientras el gobierno del zar se dedicaba a exportar trigo. La revolución bolchevique creaba el primer Estado comunista del mundo. Se abría el Canal de Panamá; el *Titanic* se hundía; y la bailarina Mata Hari fue ejecutada por espía.

Y ésa fue la década en que Mao sentó los fundamentos de sus convicciones intelectuales.

Viviendo todavía en Dongshan sus horizontes habían comenzado ya a ampliarse.[8] Allí, por primera vez, había aprendido algunos rudimentos de historia y geografía. Un compañero de la escuela le prestó un libro titulado *Grandes héroes del mundo*, donde pudo leer acerca de George Washington y la revolución americana; las guerras napoleónicas de Europa, Abraham Lincoln y la lucha contra la esclavitud; Rousseau y Montesquieu; el primer ministro británico, William Gladstone; y Catalina y Pedro el Grande de Rusia. Posteriormente, en la biblioteca provincial, encontró traducciones de *Du contrat social* de Rousseau y *De l'esprit des lois* de Montesquieu, que ilustraban los conceptos occidentales de soberanía popular, contrato social entre el gobernante y los gobernados, y libertad e igualdad individual.[9] Leyó *La riqueza de las naciones*, de Adam Smith, y obras de otros eminentes liberales del siglo XIX, incluyendo a Darwin, Thomas Huxley, John Stuart Mill y Herbert Spencer. El medio año que pasó de este modo, «estudiando el capitalismo», como lo definió más tarde,[10] también lo acercó a la poesía y las novelas extranjeras, y a las leyendas de la antigua Grecia. Asimismo, pudo contemplar en la biblioteca, por vez primera, un mapa del mundo.

Un profesor de la Primera Escuela Media Provincial le animó a leer el *Espejo comprensible para el auxilio de los que gobiernan*[11] (*Zizhi tongjian*), extraordinario texto de la dinastía Song escrito por Sima Guang, considerado una obra maestra por generaciones de intelectuales chinos y todavía en tiempos de Mao, casi un milenio después de su composición, un célebre modelo para el estudio de la historia política. El libro, cuyas dimensiones no han sido jamás desafiadas en la China posterior, es una extensa cronología del nacimiento y la caída de las dinastías, que abarca cerca de mil cuatrocientos años, comenzando por el siglo V a.C. Su principio fundamental se describe en las líneas iniciales de una de las novelas preferidas de Mao, *El romance de los Tres Reinos*: «Los imperios crecen y se desvanecen, los estados se dividen y se unifican». Un jesuita francés del siglo XVIII escribió de su autor: «Pinta para nosotros los personajes que hace desfilar por el escenario de la historia, caracterizados por sus acciones y coloreados por su distinción, sus intereses, sus opiniones, sus pecados y sus virtudes ... Pone ante el lector el engranaje de los acontecimientos, iluminando ora esto, ora aquello, hasta que los más lejanos y sorprendentes desenlaces se hacen evidentes. Su genio ... nos muestra la historia en toda su majestad ... proporcionándole una voz de tan filosófica elocuencia que incluso las almas más indolentes quedan subyugadas y se ven obligadas a reflexionar».[12] La descripción de un mundo en incesante cambio, en el que la historia es un continuo y el pasado ofrece la clave para enfrentarse al presente, convirtió al *Espejo* de Sima

Guang en uno de los libros más influyentes en la vida de Mao, leyéndolo y releyéndolo continuamente hasta su muerte.

Changsha también le proporcionó la posibilidad de tomar un primer contacto con las ideas de su tiempo. En 1912, en el *Diario del río Xiang* (*Xiangjiang ribao*),[13] descubrió por primera vez el término «socialismo». Poco tiempo después le llegaron a las manos algunos panfletos de Jiang Kanghu, defensor de las causas progresistas que había recibido la influencia de un grupo anarquista chino afincado en París. Jiang había fundado, poco después de la revolución, el Partido Socialista Chino,[14] cuyas doctrinas se resumían en un eslogan: «Sin gobierno, sin familia, sin religión: de cada uno, lo que pueda; a cada uno, lo que necesite». Era un asunto de no poca importancia, y Mao escribió con entusiasmo a varios de sus compañeros informándoles de ello. Sin embargo, sólo uno, recordaba, le envió una respuesta favorable.

Pero los cinco años que dedicó a su formación para convertirse en profesor fueron aún de mayor importancia. Fue lo que más acercó a Mao a la educación universitaria y años más tarde hablaba de esta época como del período en que sus ideas políticas comenzaron a tomar cuerpo.[15] Sus clases en la Cuarta Escuela Normal se iniciaron algunos meses después de su décimo noveno aniversario, en la primavera de 1913. Un año después esa institución se fusionaba con la Primera Escuela Normal, constituida en lo que había sido una academia literaria del siglo XII, a las afueras de la puerta sur. El centro se enorgullecía de poseer un campus amplio y bien equipado con los edificios de estilo occidental más modernos de Changsha.

Dos profesores en particular contribuyeron a formar sus ideas: Yuan Jiliu, conocido como «Yuan el Barbudo»,[16] que enseñaba lengua y literatura chinas; y Yang Changji, director del departamento de filosofía, conocido irreverentemente por sus estudiantes como «Confucio», quien, después de diez años en el extranjero, había vuelto recientemente a Changsha, tras estudiar en Aberdeen, Berlín y Tokio.[17] Durante los años treinta, cuando evocaba junto a Edgar Snow sus años de formación, los recuerdos de Mao apuntaban inmediatamente a ellos:

> Yuan el Barbudo se rió de mi estilo literario y lo consideró el trabajo de un periodista ... Tuve que cambiar mi forma de escribir. Estudié los escritos de Han Yu y llegué a dominar la fraseología clásica. De ese modo, gracias a Yuan el Barbudo, todavía hoy puedo componer, si es necesario, un ensayo de estilo clásico. [Pero] el profesor que más me impresionó fue Yang Changji ... Era un idealista y un hombre de convicciones justas. Creía firmemente en su ética e intentaba imbuirla a sus alumnos con el deseo de convertirlos en hombres justos, morales y virtuosos, útiles a la sociedad. Influido por él leí un libro de ética [del filósofo neokantiano Friedrich Paulsen] ... y me sugirió que escribiese un ensayo titulado «El poder de la mente». Yo entonces era un idealista y el

profesor Yang Changji elogió notablemente mi ensayo ... Me concedió la máxima puntuación.

El ensayo se ha perdido, pero se conservan las notas que Mao garabateó al margen de una traducción parcial al chino del *System der Ethik* de Paulsen, en total más de doce mil palabras en una caligrafía microscópica y, a menudo, casi ilegible.[18] En ellas se encuentran tres ideas centrales que ocuparon el pensamiento de Mao a lo largo de toda su trayectoria política: la necesidad de un Estado fuerte, con un poder político centralizado; la decisiva importancia de la voluntad humana; y la unas veces conflictiva y otras veces complementaria relación entre las tradiciones intelectuales de China y Occidente.

La idea de un Estado fuerte con un soberano sabio y paternalista hundía sus raíces en los textos confucianos que Mao había estudiado en su infancia. Era la pieza central de un ensayo que había escrito en la escuela secundaria sobre Shang Yang,[19] principal ministro del estado de Qin en el siglo IV a.C. y uno de los fundadores de la escuela de pensamiento legista. La ley, decía Mao, era «un instrumento para alcanzar la felicidad». Sin embargo, el buen hacer de los legisladores sabios a menudo se veía frustrado por «la estupidez ... la ignorancia y la ofuscación» del pueblo, cuya resistencia al cambio había «llevado a China al borde de la destrucción». Era suficiente con hacer «reír a los pueblos [más] civilizados [hasta] que tuviesen que agarrarse la panza con las manos».* El profesor de Mao valoró tan positivamente su esfuerzo que distribuyó el trabajo al resto de la clase.

La cuestión del atraso de China y la necesidad de superarlo fue un tema recurrente en los escritos de Mao. Las dificultades que nos esperan en el futuro, le dijo a un amigo, serán «un centenar de veces más cuantiosas que las del pasado»,[20] y para superarlas serán imprescindibles los más talentosos. El pueblo chino era «de temperamento servil y de miras estrechas».[21] Durante cinco mil años de historia ha ido atesorando «gran número de hábitos indeseables; su mentalidad está demasiado anticuada y posee una moral lamentable ... [Esos problemas] no podrán ser extirpados ni purgados sin dedicar un esfuerzo enorme».[22]

Su pesimismo se acentuaba a medida que, año tras año, China tenía que soportar de la manera más miserable las presiones de las grandes potencias. El 7 de mayo de 1915, los japoneses lanzaron un ultimátum a Yuan Shikai, las llamadas «veintiuna demandas», con las que el gobierno del Mikado exigía un protectorado virtual sobre China, incluyendo derechos exclusivos en

---

* Referencia a un dicho popular chino, *pengfu daxiao*, «reír y sujetarse el vientre con ambas manos», que tiene el significado de felicidad, carcajear hasta olvidarse de cualquier otra cosa. (*N. del t.*)

la antigua zona de influencia alemana, en la provincia de Shandong, y presencia en Manchuria, compartida con el imperio zarista. Fue, escribió Mao, un día de «vergüenza extraordinaria».[23] Instigó a sus compañeros a protestar contra el gobierno,[24] y dio rienda suelta a sus propios sentimientos en un poema que escribió unos días después para conmemorar la muerte de un compañero:

> Una y otra vez los bárbaros andan con engaños,
> cruzan mil *li* para acercarse de nuevo a la Montaña del Dragón...
> ¿Por qué preocuparnos por la vida y la muerte?
> Nuestro siglo vivirá una guerra...
> El mar del este esconde los salvajes moradores de las islas,
> en las montañas del norte abundan los odiosos enemigos.[25]

Los «salvajes moradores de las islas» eran los japoneses; los «odiosos enemigos», los rusos. Los japoneses eran, de los dos, los más temibles. «Sin guerra», escribió Mao un año después, «dejaremos de existir en veinte años. Pero nuestros compatriotas siguen durmiendo sin darse cuenta de ello, no prestan atención alguna a Oriente. Sin embargo, en mi opinión, nuestra generación no afrontará ningún otro desafío de la importancia de éste ... Debemos aguzar nuestro ánimo para resistir al Japón.»[26]

El primer intento desplegado por Mao para remediar lo que consideraba eran las carencias de China fue eminentemente práctico. A principios de 1917 envió un artículo sobre educación física a *Nueva Juventud* (*Xin qingnian*), entonces la revista progresista más destacada, editada por un literato radical, Chen Duxiu. Comenzaba con las siguientes palabras:

> La fortaleza de nuestra nación es tan precaria; no se ha impulsado el espíritu militar. La condición física de nuestra gente se deteriora día tras día ... Si nuestros cuerpos no tienen fuerza, temblaremos al divisar a los soldados enemigos. ¿Cómo vamos a alcanzar nuestros objetivos o a ejercer una influencia decisiva?[27]

No era un tema original. Su profesor de filosofía, Yang Changji, tres años antes, había aleccionado a la clase de Mao en términos muy similares. Los esfuerzos por introducir los deportes y otras formas de ejercicio físico estaban en marcha desde las reformas que los Qing impulsaron tras la rebelión de los bóxers.

El problema, escribía Mao, era que esos intentos eran sólo aparentes. La tradición enaltecía los talentos literarios y menospreciaba la idea del esfuerzo físico, lo que provocaba el rechazo de estudiantes e instructores:

Para los estudiantes, el ejercicio es algo vergonzoso ... Largas prendas de vestir, ademanes lentos, una mirada grave y calma; en esto consiste el buen comportamiento respetado por la sociedad. ¿Por qué debería uno extender el brazo o descubrir la pierna, estirar y flexionar el cuerpo?...

La actitud del hombre superior es refinada y agradable, pero no podemos decir lo mismo del ejercicio. El ejercicio ha de ser rudo y salvaje. Atacar a lomos de un caballo en el fragor de la batalla y no ser nunca derrotado; sacudir las montañas a gritos y los colores del cielo con rugidos de rabia ... Todo esto es rudo y salvaje y nada tiene que ver con la delicadeza. Para hacer ejercicio hay que ser salvaje ... [Sólo entonces] alcanza el vigor y la fuerza a los músculos y los huesos.[28]

Mao proponía, como desafío inicial a las costumbres decadentes de sus compatriotas, que el ejercicio se realizase desnudo.

La importancia del artículo de *Nueva Juventud*, publicado en abril de 1917, reside no sólo en el hecho de ser una primera y modesta aportación al debate nacional sobre el futuro de China, sino porque, embrionariamente, contenía el segundo de los temas centrales que formaban entonces sus pensamientos: la suprema importancia de la voluntad del individuo.

«Sin la voluntad para actuar», escribía, «incluso si las condiciones externas y objetivas son perfectas, éstas no nos servirán para nada. De ahí que ... debamos empezar por la iniciativa individual ... La voluntad es el presupuesto para el futuro de un hombre.»[29] Aquel mismo otoño intentó pulir su definición. «La voluntad es la verdad que percibimos en el universo», sugirió.[30] «[Pero] fundamentar la voluntad propia en la verdad no es tan simple», cada persona ha de encontrar su propia verdad y «actuar de acuerdo con [ella], en lugar de seguir ideas ajenas sobre el bien y el mal». Unos meses después, en términos que recordaban al *Clásico de los tres caracteres*, indicó a sus amigos: «Si podemos unir los poderes mentales y físicos del hombre ... no habrá nada inalcanzable».[31]

Además, Mao vinculó a estas nociones tradicionales chinas el concepto occidental del interés propio del individuo:

En último término, el individuo es lo primero ... La sociedad está formada por los individuos, no los individuos por la sociedad ... y la base de la ayuda mutua es la realización del individuo ... El interés propio es inherente a los seres humanos ... No hay valor más elevado que el del individuo ... De modo que no hay mayor crimen que acabar con el individuo ... Todas y cada una de las acciones de la vida tienen el objetivo de la realización del individuo, y toda moral busca [ese fin].[32]

El énfasis en «el poder de la voluntad [y] el poder de la mente»,[33] unido a la concepción de la historia que Mao poseía, así como su permanente apego a los héroes legendarios de obras como *El romance de los tres reinos*, le llevó a la idea que «los hombres grandes y poderosos son los representantes de una época, y ... la época entera no es más que un adorno de esas figuras»:[34]

Los personajes realmente grandes desarrollan ... y despliegan las mejores y más grandes posibilidades de su naturaleza original ... [Todas] las limitaciones y restricciones [son] dejadas a un lado por la gran fuerza motriz inmersa en su naturaleza original ... Los grandes actos del héroe son como él mismo, son la expresión de su fuerza motriz, elevados y puros, sin importarle los precedentes. Su fuerza es como la de un vendaval poderoso que se levanta desde un profundo desfiladero, como el irresistible deseo sexual que se siente ante el amante, una fuerza que no se detendrá y que no puede ser dominada. Disuelve cualquier obstáculo. He contemplado desde la antigüedad el poder desafiante de los generales valerosos en el campo de batalla, afrontando intrépidamente diez mil enemigos. Se dice que un hombre que desdeña la muerte vencerá sobre otros mil ... Porque nadie puede frenarle ni eliminarle, es el más fuerte y el más poderoso. Y ello es válido tanto para el espíritu del hombre superior como para el espíritu del sabio.[35]

Según el esquema de lo real en el pensamiento de Mao, el héroe debe luchar contra un mundo en el que el orden degenera incesantemente en el caos, del cual, a su vez, surge un nuevo orden. «En el cielo y en la tierra sólo existe el movimiento», escribió.[36] «A lo largo de todas las épocas han existido disputas entre las distintas escuelas de pensamiento.»[37] En un fragmento destacable fue aún más lejos sosteniendo que, a pesar de que los hombres anhelan la paz, al mismo tiempo la aborrecen:

Un largo período de paz, de paz absoluta sin desorden de ningún tipo, sería absolutamente insoportable ... y sería inevitable que la paz diese lugar a los disturbios ... Estoy seguro de que una vez entremos en [una época] de gran armonía, el oleaje de la competitividad y la fricción se impondrá para perturbarlo todo. Los seres humanos odian el caos y desean el orden, sin ser conscientes de que el caos es también parte del proceso histórico de la vida, de que es valioso ... A la gente le complace leer sobre los tiempos en que los cambios son constantes y emergen hombres de talento. Y cuando llegan a los períodos de paz ... dejan el libro a un lado...[38]

Las reflexiones de Mao sobre estos «asuntos intelectuales [y] grandes cuestiones de Estado», según escribía a un amigo,[39] tuvieron como telón de fondo la creciente percepción de las tensiones entre las tradiciones chinas que había asimilado en la infancia y las nuevas concepciones occidentales que entonces le absorbían.

En un primer momento, Mao imitó conscientemente las ideas de Kang Youwei y otros reformadores del siglo XIX. «He llegado a la conclusión de que el camino hacia la erudición debe ser primero ... chino y después occidental, primero general y luego especializado», escribió en junio de 1915.[40] Tres meses después desarrollaba esta misma idea:

> Deberíamos esforzarnos en comparar China con Occidente y escoger qué hay en el extranjero que pueda sernos útil en casa ... [Un amigo] me habló de ... los *Principios de sociología* [de Herbert Spencer], por lo que tomé el libro y lo leí cuidadosamente. Después cerré el libro y me dije: «Aquí se esconde el camino hacia la erudición» ... [Este libro] es realmente recomendable ... [y contiene mucho] que hay que valorar ... Sin embargo ... la cultura china ... es aún más importante. La cultura china es amplia y profunda ... Lo más importante para nuestro pueblo es el conocimiento general de la cultura china.[41]

En casi todos los escritos de Mao, a lo largo de su vida, los saberes chinos, más que los occidentales, ocuparon un lugar privilegiado. Aun cuando se tratara de una disciplina ajena como la educación física, importada a China desde Occidente, Mao anteponía siempre, en un lugar de honor, un largo listado de precedentes chinos, comenzando en este caso por una pléyade de intelectuales de finales de la dinastía Ming para, sólo en segundo lugar, hacer mención de algunos «eminentes defensores [extranjeros] de la educación física», como Theodore Roosevelt y el japonés Jigoro Kano, creador del yudo. La práctica de fundamentar las ideas extranjeras en la realidad de China para mostrar su excelencia fue un principio cardinal al que Mao nunca renunció.

Sin embargo, en 1917 Mao comenzó a plantearse por vez primera si el pensamiento tradicional chino era realmente superior. Las antiguas enseñanzas del país eran «desorganizadas y asistemáticas», se quejó aquel verano.[42] «Por ello no hemos realizado ningún progreso, durante varios milenios ... Las enseñanzas occidentales ... son muy distintas ... Las clasificaciones son tan claras que suenan como el agua de una cascada cuando se estrella en las rocas del fondo de un despeñadero.» Pero unas semanas después ya no estaba tan seguro. «Según mi opinión, el pensamiento occidental tampoco es necesariamente correcto en su totalidad», escribió. «Muchos de sus elementos deberían ser transformados al mismo tiempo que el pensamiento oriental.»[43]

Halló una respuesta provisional en una de las tesis de Paulsen. «Todas las naciones pasan inevitablemente por períodos de vejez y declive», había escrito el alemán.[44] «Con el tiempo, la tradición actúa como un lastre para las fuerzas renovadoras, y el pasado oprime al presente.» Y Mao concluyó que ésta era la situación de China. «[Deberían] ser quemadas todas las antologías de prosa y de poesía publicadas desde las dinastías Tang y Song», le dijo a un amigo. «La revolución no consiste en el uso de las armas y los soldados, sino en la sustitución de lo viejo por lo nuevo.»[45]

No obstante, no propuso que los clásicos chinos fuesen destruidos. Los fundamentos de la cultura china eran inviolables. Sólo debía eliminarse el enmarañado andamiaje que se había edificado en su superficie, de modo que la originalidad y la grandeza de China pudiesen aflorar de nuevo.

A medida que avanzaba la década, las perspectivas de una renovación nacional comenzaron a teñirse de tonos cada vez más sombríos. La revolución de Xinhai de 1911, así llamada porque tuvo lugar en el año del cerdo de hierro, según el ciclo tradicional de sesenta años,[46] no alcanzó ninguna de sus ambiciones. Su único logro había sido destructivo: derrocar la corte manchú.

Los reformistas de Hunan habían sospechado desde el principio que la administración de Yuan Shikai sería una réplica de la autocracia Qing a la que en el pasado él mismo había servido y que había intentado defender con el apoyo de las armas. El gobierno provincial, encabezado por Tan Yankai, apoyaba en su lugar el recién formado Guomindang (Partido Nacionalista) de Sun Yat-sen, que había alcanzado una abrumadora victoria en las elecciones parlamentarias del invierno de 1912. Yuan se mostró tan falto de escrúpulos como ellos habían temido. Durante la primavera siguiente Sun Yat-sen lanzó, ya demasiado tarde, una expedición para poner freno al poder de Yuan, ante el cual, un año antes, había retrocedido. Jianxi y otras cinco provincias del sur declararon su apoyo. Pero la Segunda Revolución, como fue llamada, ni siquiera consiguió arrancar. A finales de agosto de 1913, los ejércitos del sur cayeron derrotados estrepitosamente y sus líderes huyeron al exilio. Los gobernadores militares del sur, indirectamente vinculados a las fuerzas de Sun, mantuvieron el control de sus feudos en las provincias de Guangdong, Guangxi, Guizhou y Yunnan. Pero Yuan fue capaz de imponer de nuevo la ley del gobierno de Pekín en Hunan, designando a Tang Xiangming, un conservador leal, como sustituto del liberal Tan. Poco tiempo después, un decreto presidencial proscribía el Guomindang en todo el país, acusándolo de «fomentar disturbios políticos».

Todas estas lejanas maniobras de la elite, como probablemente las entendió aquel estudiante de diecinueve años que poco antes había contemplado un derrumbe dinástico, fueron acogidas por Mao con indiferencia. El único incidente que llamó su atención fue la explosión, aquel mismo verano, del arsenal de Changsha; y ello por el espectáculo que se organizó, más que por razones políticas. «Una hoguera inmensa, que los estudiantes contemplamos con excitación», recordaba.[47] «Explotaron toneladas de balas y de proyectiles, y la pólvora ardió en un intenso resplandor. Era mejor que los petardos.» Mao silenció el hecho de que había sido volado por dos partidarios de Yuan para privar de armas a la gente del Hunan.

Los estudios de Mao pasaron a ocupar el centro de su atención durante algo más de los cinco siguientes años; la política republicana se mantenía en un distante segundo lugar; y sólo si se convertía en un elemento relevante para la juventud de la nación. Así ocurrió durante la primavera de 1915, cuando Yuan capituló ante las «veintiuna demandas» de Japón;[48] y de nuevo al invierno siguiente, cuando inició sus maniobras para restaurar la monarquía. Aquel año Mao se convirtió en miembro de la Sociedad Wang Fuzhi,[49] así llamada en honor a un patriota Ming de Hunan que había luchado contra los manchúes; sus reuniones semanales eran una tapadera de los intelectuales reformistas para promover la oposición a las ambiciones imperiales de Yuan. Mao también participó en la edición de una colección de escritos de Liang Qichao y Kang Youwei contra la restauración, titulada *Palabras funestas sobre los sucesos actuales*, publicación que enojó a las autoridades hasta tal punto que la policía acudió a la escuela para iniciar una investigación.[50]

A finales de diciembre de 1915 Yuan se proclamó a sí mismo emperador, bautizando su reinado con el nombre de Hongxian. El gobernador militar de Yunnan se rebeló de inmediato, seguido por los de Guangzhou, Zhejiang y Jiangxi. En la primavera siguiente, el nuevo emperador comenzó a albergar nuevos proyectos, y propuso convertirse nuevamente en presidente. Pero era demasiado tarde. Los ejércitos del sur ya estaban en marcha; en el aire se podía percibir el olor de la sangre. Miembros de una sociedad secreta de Hunan se alzaron en rebelión, desatando un motín encabezado por uno de los comandantes del gobernador Tang. Aunque sucumbió, fue el aviso que aguardaba Tang, que había contribuido a orquestar las ambiciones imperiales de Yuan, para apartarse apresuradamente de su antiguo patrón. A finales de mayo declaró la provincia de Hunan independiente tanto de las fuerzas del norte como de las del sur. Pero justo en aquel momento, el día 4 de junio, cuando se avecinaba una guerra civil en todo el país, Yuan murió a causa de una hemorragia cerebral y los generales del norte se lanzaron con sus tropas en precipitada retirada hasta Pekín para debatir la sucesión. Su partida supuso el colapso del delicado equilibrio militar que había mantenido a Tang en el poder. Un mes después, disfrazado de campesino, el gobernador huía por la puerta trasera de su *yamen*, acompañado de unos pocos sirvientes de confianza, y se embarcaba en un vapor británico con destino a Hankou. Junto a él se fueron setecientos mil dólares de la tesorería provincial.

El derrocamiento de Tang desencadenó sangrientas matanzas, que se prolongaron durante dos semanas en Changsha y sus alrededores, con al menos mil personas muertas, seguidas de un nuevo caos político fomentado por las disputas entre las facciones rivales.[51]

Mao volvió a Shaoshan por su propio pie. En una carta a su compañero Xiao Yu, hermano menor de Emi Siao, relataba que las tropas del sur —«una turbamulta tosca ... llegada de las espesuras montañosas, [que] hablan como rapaces y miran como las alimañas»— se pavoneaban de andar armando pendencias, comer en los restaurantes sin pagar y organizar apuestas en las esquinas de las calles. «La atmósfera arde en desenfreno», se lamentaba. «El desgobierno ha alcanzado límites extremos ... Por desgracia, ¡es como el reino del terror en Francia!»[52]

Sin embargo, mucho más sorprendente que el desprecio que Mao sentía por los soldados era su defensa del antiguo gobernador, odiado por casi todo el mundo.

Si alguien había organizado alguna vez un reino del terror en la provincia, ése no era otro que el «carnicero» Tang, apelativo con el que se lo designó muy pronto. Había llegado al poder con la orden de acabar con la influencia del Guomindang, y desde el primer día se enfrentó a su cometido con celo. Un médico y misionero norteamericano de Changsha recordaba haberle invitado a comer, junto a algunos de los oficiales de su gabinete, para celebrar su nombramiento:

> Al día siguiente llegaron malas noticias sobre tres de nuestros convidados. Aquella tarde, en una plaza pública cerca del *yamen*, el tesorero de la provincia fue tiroteado en público, mientras que los otros dos miembros veteranos del gabinete ... fueron arrojados a una misma celda, sentenciados a ser ejecutados en dos días. El ambiente era tenso. La burguesía dirigente y los estudiantes de las escuelas de la ciudad estaban agitados como nunca ... Los guardias fueron ... dispuestos ante las puertas principales para evitar que los alumnos acudiesen a las reuniones de las organizaciones estudiantiles. «Cualquier director», decía la proclamación del gobernador, «que permita celebrar a los estudiantes asambleas políticas en la escuela será destituido...» Nos acercábamos, cada dos horas, a la plaza pública central para informarnos ... Los transeúntes nos dijeron que las ejecuciones se habían sucedido invariablemente desde el amanecer.[53]

Otros dieciséis antiguos miembros del gobierno de Tan Yankai fueron arrestados y fusilados en un anfiteatro destinado a eventos deportivos.[54] Durante los tres años que Tang se mantuvo en el poder, un mínimo de cinco mil personas fueron ejecutadas por ofensas políticas, junto a un número desconocido de delincuentes comunes.[55] Informes independientes, escritos tanto por chinos como por extranjeros, lo describían «gobernando con mano de hierro», y esta frase no era una metáfora en la China de las primeras décadas de siglo XX.[56] Un misionero describió el trato que recibieron tres ladrones, uno de ellos de diecisiete años:

> Como no estaban dispuestos a delatar a sus cómplices, el [juez] les hizo arrodillarse sobre tejas rotas, con un poste en la parte superior de sus piernas, sobre el que dos hombres saltaban para ejercer presión. [Tomó] unas barras gruesas de incienso —del espesor de un dedo y duras como la madera— e introdujo los extremos candentes en sus ojos y por el interior de sus narices. Entonces usó los extremos encendidos para trazar caracteres y figuras sobre sus cuerpos desnudos. Finalmente, con las manos y los pies totalmente extendidos sobre el suelo y sujetos firmemente en unas estacas, dejaron las barras incandescentes de incienso directamente sobre sus carnes, después de haber marcado con severidad sus cuerpos con hierros al rojo vivo. Los tres sucumbieron, y cuando los llevaron al estrado del tribunal, apenas se reconocía en ellos un cuerpo humano.[57]

Los métodos del «carnicero» Tang eran extremos incluso en comparación con esas acciones. Las torturas llevadas a cabo por el director de la Oficina de la Ley Militar de Hunan eran tan bárbaras que éste adquirió el sobrenombre de «rey viviente del infierno». Unidades de policía especial fueron creadas para perseguir a los partidarios del Guomindang. Se cerraron muchas escuelas debido a la fuerte reducción del presupuesto educativo, y las que permanecieron abiertas se mantenían bajo vigilancia. Los periódicos que habían cuestionado las acciones políticas de Tang fueron prohibidos y, en 1916, cuando se introdujo la censura en la prensa, los que todavía se publicaban aparecieron con espacios en blanco. «Había agentes por todas partes y la gente se mantenía tan silenciosa como las cigarras en invierno», escribió un periodista chino. «Desconfiando unos de otros, nadie se atrevía a hablar de lo que ocurría.»[58]

Mao era consciente de todo ello. Su propia escuela había sido forzada a cerrar durante la oleada de ejecuciones que había acompañado al gobierno de Tang.[59] A pesar de ello, en carta a Xiao Yu, defendía con obstinación el vergonzoso proceder del gobernador:

> Todavía creo que el gobernador militar Tang no tendría que haber sido derrocado. Su expulsión fue una injusticia y la situación es ahora más y más caótica. ¿Por qué digo que fue una injusticia? Tang estuvo aquí durante tres años y gobernó aplicando severamente leyes estrictas. Él ... [creó] un ambiente tranquilo y agradable. Se restauró el orden y prácticamente se volvió a la paz del pasado. Controlaba de manera estricta el ejército, con disciplina ... La ciudad de Changsha se tornó tan honesta que los objetos perdidos se dejaban en

la calle a la espera de sus propietarios. Si hasta las gallinas y los perros vivían sin miedo ... Tang puede defender su inocencia ante el mundo entero ... [Ahora] los gángsters [de la vieja elite militar y política de Hunan] ... están por todas partes, haciendo pesquisas y arrestando a la gente, y ejecutan a los que arrestan ... Hay rumores de todo tipo que dicen que se roba a los funcionarios del gobierno y se desafía a los jueces [de distrito] ... ¡No pueden ser más extraños y descabellados los sucesos de Hunan![60]

Esta carta ofrece una visión fascinante de las elucubraciones de un Mao que contaba con veintidós años. Al alistarse, en 1911, en el ejército revolucionario, se había limitado a hacer lo mismo que otros miles de jóvenes de su edad. En esta ocasión, en cambio, estaba desafiando la opinión de la mayoría para defender una peligrosa causa política profundamente impopular. «Temo que pueda meterme en líos», dijo a Xiao Yu. «No dejes que nadie lea esto. Lo mejor será que lo quemes cuando hayas acabado de leerlo.»

Sus ideas sobre el «carnicero» Tang cambiarían con el tiempo. Pero su método de análisis —centrado en lo que él consideraba el elemento central del problema (en este caso, el mantenimiento de la ley y el orden), despreocupándose de lo secundario (la crueldad de Tang)— se convirtió en la base de su enfoque político durante toda su vida. Además, su defensa del autoritarismo ofrecía un escalofriante presagio de la crueldad que Mao exhibiría en el futuro:

El hecho de que [Tang] matase a más de diez mil personas fue una consecuencia inevitable de su política. ¿Acaso mató más que [el comandante militar del norte] Feng [Guozhang] en Nanjing? ... Se puede decir que manipulaba la opinión pública, que complacía a Yuan [Shikai] y que calumniaba a gente buena. Pero este tipo de comportamiento ¿no se da en todas partes? ... El objetivo final de proteger el país habría sido inalcanzable sin estas medidas. Los que creen que son crímenes no comprenden el plan en su conjunto.[61]

Estas ideas se prefiguraban en el ensayo de Mao, de cuatro años antes, que elogiaba a Shang Yang, el político legista, por «promulgar leyes que castigaban a los injustos y los rebeldes».[62] Pero ahora iba más lejos, argumentando que el asesinato de la oposición política no sólo estaba justificado, sino que era inevitable.

El apoyo de Mao al gobierno de Tang, como ejemplo de liderazgo poderoso, y la denigración de la elite progresista de Hunan reflejaban su repugnancia por las disputas de los políticos locales.[63] Razonamientos similares le llevaron a conceder méritos a Yuan Shikai. Mientras otros menospreciaban al frustrado emperador como a un renegado que había traicionado la República y se había postrado ante los odiosos japoneses, Mao seguía considerándole una de las tres figuras más distinguidas de su tiempo, junto a Sun Yat-sen y Kang Youwei.[64] No fue hasta dieciocho meses más tarde, en el invierno de 1917, estando Hunan una vez más bajo las agonías de los conflictos civiles y toda China con gobernadores militares que habían degenerado en señores de la guerra, cuando finalmente admitiría que Yuan y Tang no habían sido, al fin y al cabo, más que unos tiranos, corrompidos por su propio poder.[65]

Los años que Mao estudió en la Escuela Normal le formaron en otros muchos aspectos. Aquel joven testarudo que fue admitido en 1913, y que ocultaba sus miedos y su inseguridad trás apariencia de valentía, se había convertido en un joven estimado y aparentemente centrado, considerado por sus profesores y sus amigos como un estudiante excepcional que algún día llegaría a ser un profesor de máximo nivel.[66]

Fue una transición pausada. Como le había ocurrido en Dongshan, le llevó un año, e incluso algo más, encontrar su lugar. Xiao Yu, que se convirtió en uno de sus primeros y mejores amigos, describió la manera en que Mao, en el verano de 1914, se le acercó, dubitativo, por primera vez:

> Como en aquella época yo era un estudiante veterano, él no se atrevía a dirigirme primero la palabra ... [Pero] al leer los ensayos [de los demás, que se colgaban en la clase], aprendimos sobre las ideas y opiniones de los otros y, de este modo, se formó un lazo de mutua comprensión entre ambos ... [Después de] algunos meses ... nos encontramos una mañana por los corredores ... Mao se paró ante mí con una sonrisa. «Mr. Xiao» [me dijo]. En aquella época todos en la escuela nos dirigíamos a los compañeros en inglés. «Mr. Mao», contesté ... preguntándome vagamente qué querría decirme ... «¿Cual es el número de su estudio?» [preguntó] ... Naturalmente, él conocía perfectamente la respuesta y la pregunta era sólo una excusa para iniciar una conversación. «Esta tarde, al acabar la clase, me gustaría ir a su estudio para leer sus ensayos, si no le importa...»
>
> Aquel día las clases acabaron a las cuatro y Mao llegó puntualmente a mi estudio ... [Ambos] disfrutamos con nuestra primera conversación. Al final, dijo: «Me gustaría volver mañana y pedirle consejo». Tomó dos de mis ensayos, me hizo una referencia formal y se fue. Era muy educado. Cada vez que me venía a visitar me dedicaba una reverencia.[67]

Mao era capaz de hacer cualquier cosa para localizar a los que él creía eran sus almas gemelas. «Con la excepción de los sabios, los hombres no pueden alcanzar el éxito en soledad», escribió en 1915. «Escoger los amigos es un asunto de vital importancia.»[68] Aquel mismo año distribuyó un anuncio colgándolo por las escuelas de la ciudad,[69] que invitaba a «personas jóvenes interesadas en las tareas patrióticas» a que contactasen con él.[70] Añadía que debían ser «aguerridos y determinados, y ... dispuestos a realizar sacrificios por su país»; estaba firmado con un seudónimo, «el estudiante de los veintiocho trazos», en alusión al número de trazos de pincel necesarios para escribir su nombre.

En la Escuela Normal Provincial Femenina se sospechaba que se trataba de un reclamo encubierto para acompañantes femeninas y se inició una investigación.[71] Pero aquello estaba muy lejos de los pensamientos de Mao. Simplemente «imitaba a los pájaros cuando cantan para encontrar voces amigas»,[72] explicó a Xiao Yu. «En estos tiempos», añadió, «si se tienen pocos amigos, no es posible ampliar las perspectivas de uno.»

Veinte años después explicó a Edgar Snow que había recibido «tres contestaciones y media»[73] —tres de hombres jóvenes que con el tiempo se convirtieron en «traidores» o «ultrarreaccionarios», y «media respuesta» de «un joven tolerante llamado Li Lisan», quien años más tarde se convertiría en un líder del Partido Comunista, encarnizado enemigo de Mao. De hecho, media docena de jóvenes respondieron a su reclamo[74] y, de un modo gradual, se fue formando un círculo de estudio de vínculos poco definidos:

> Era un pequeño grupo de hombres serios [recordaba Mao] que no tenía tiempo para discutir sobre trivialidades. Todo lo que decían o hacían tenía algún objetivo. No tenían tiempo para el amor o los «romances», y creían que los tiempos eran demasiado críticos y la necesidad de conocimientos demasiado urgente como para discutir de mujeres o asuntos personales ... Dejando de lado las conversaciones sobre los encantos femeninos, que juegan un papel tan importante en las charlas de los jóvenes de esa edad, mis compañeros se negaban a hablar incluso de los asuntos normales de la vida cotidiana ... [Nosotros] preferíamos hablar sólo de grandes cuestiones: ¡La naturaleza del hombre, la sociedad humana, China, el mundo y el universo![75]

Bajo la influencia del profesor Yang Changji, que se había convertido en un fanático del deporte mientras residía en Japón, y de los principios que Mao había hecho públicos en su artículo de 1917 de *Nueva Juventud*, el grupo se adhirió a una disciplina física espartana. Cada mañana se acercaban al pozo, se desvestían y se mojaban los unos a los otros con un cubo lleno de agua fría.[76] En verano realizaban largas caminatas:

> Vagabundeábamos por los campos, subiendo y bajando montañas, andábamos por las murallas de la ciudad, cruzando ríos y arroyos. Si llovía, nos quitábamos las camisas y decíamos que aquello era un baño de lluvia. Cuando el sol nos achicharraba, también nos las quitábamos y decíamos que era un baño

de sol. Con los vientos de la primavera, gritábamos diciendo que era un nuevo deporte llamado «baño de viento». Dormíamos a la intemperie cuando ya caía la escarcha, y en noviembre nadábamos en los fríos ríos.[77]

La admiración de Mao por el profesor Yang era ilimitada. «Cuando pienso en [su] grandeza, siento que jamás seré como él», confesó a un amigo.[78] El sentimiento era mutuo. «Es realmente difícil», escribió Yang en su diario, «encontrar a alguien tan inteligente y hermoso [como Mao].»[79] Él formaba parte de un pequeño grupo de estudiantes que acudían con regularidad, al anochecer, a la casa de Yang para charlar de los sucesos contemporáneos y, sin duda, la manera voluntarista y subjetiva de abordar la vida que el profesor ejemplificaba —poniendo el acento en la virtud personal, el poder de la voluntad, la firmeza y la perseverancia— dejó una influencia indeleble en él. Cuando Yang murió algunos años después, supuestamente por los excesivos baños helados durante los gélidos inviernos de Pekín, el periódico estudiantil señalaba que Mao y su amigo Cai Hesen habían sido sus alumnos favoritos.[80]

No obstante, Mao tuvo que ser, con algo más de veinte años, una cruz difícil de llevar para quienes le rodeaban. Aquel adolescente frustrado y rebelde de Shaoshan continuaba siendo un joven problemático, brillante pero difícil, atormentado por crisis de identidad y depresión.

En una ocasión se lamentaba: «En toda mi vida nunca he conseguido poseer buenos maestros ni amigos».[81] Al minuto siguiente le escribía íntimamente a Xiao Yu: «Se multiplican y me hunden ... pensamientos pesarosos ... ¿Vas a permitir que los libere hablando contigo?».[82] Su obstinación era legendaria, incluso con los que le complacían y a los que respetaba, como Yuan el Barbudo, con quien mantuvo una vehemente disputa sobre el título de un ensayo que Mao se negaba a cambiar. Después de otra contienda, esta vez con el director, fue necesaria la intervención combinada de Yuan, Yang Changji y otros profesores para evitar su expulsión.[83] En la privacidad de su diario, Mao se recriminaba:

No eres capaz de mantenerte sereno. Eres inestable y excitable. No tienes vergüenza de nada, como una mujer que anda pavoneándose. Te muestras fuerte, pero por dentro estás vacío. No reprimes tus ansias de fama y fortuna, y tus anhelos sensuales aumentan día a día. Disfrutas con las habladurías y los rumores, alborotas tu espíritu y pierdes el tiempo, y normalmente gozas contigo mismo. Siempre imitas la peonía [que produce cálices verdes y corolas bermejas], sin provecho alguno, pero te engañas diciendo: «Soy como la [humilde] calabaza [sin flores pero con fruto]». ¿No es esta actitud totalmente hipócrita?[84]

Mao vivía con frugalidad. Xiao Yu le recordaba en su primer encuentro como un «joven alto, desmañado y mal vestido, cuyos zapatos [de algodón] reclamaban con urgencia una reparación».[85] A diferencia de otros jóvenes de su edad, que gustaban seguir las nuevas modas occidentales, él sólo tenía un uniforme añil de escuela, una toga gris de estudiante, además de una chaqueta acolchada y un par de pantalones sueltos de color blanco. Tampoco ponía atención alguna a su comida. En parte por necesidad, pues el estipendio que recibía de su padre era de unos veinticinco dólares al año. Pero además recibía la influencia de uno de sus profesores, Xu Teli, un inconformista famoso por su vida frugal; siempre iba andando a la escuela, en lugar de subirse a un *rickshaw* o tomar un palanquín, como hacían el resto de profesores.[86]

El presupuesto de Mao se reducía aún más a causa del número de periódicos y revistas que compraba, que representaba, según sus cálculos, cerca de la mitad de sus ingresos.[87] Sus compañeros le recordaban sentado en la biblioteca del colegio, tomando diminutas notas en largas tiras de papel, recortadas de los márgenes de las páginas, para poder memorizar los nombres de los países extranjeros y sus dirigentes.

Mao era igualmente diligente en sus estudios, pero sólo con las asignaturas que a él le complacían.[88] Su humor cambiaba impulsivamente de la fascinación por lo que aprendía al desespero por sus propios errores. Protestó amargamente por las reglas de la escuela que le obligaban a seguir cursos que consideraba aburridos. «Las ciencias naturales no me interesaban demasiado, no las estudiaba y, por ello, obtuve malas notas», recordaba.[89] «Por encima de todo, odiaba un curso obligatorio sobre pintura de bodegones. Lo encontraba extraordinariamente estúpido. Normalmente pensaba en los objetos más sencillos de dibujar, los acababa rápidamente y abandonaba la clase.» En una ocasión dibujó una línea horizontal con un semicírculo sobre ella, afirmando que era una escena de un poema de Li Bai, «Sueño de un paseo por el monte Tianmu», que describe el sol elevándose sobre el mar. En el examen final, dibujó un ovoide y dijo que era un huevo. El profesor le suspendió.

Sin embargo, de manera cíclica intentaba imponerse una disciplina. «He mantenido ideas equivocadas en el pasado», reconocía en 1915.[90] «Ahora ... [he] madurado un poco ... A partir de hoy, empieza una nueva vida.» Pero unos meses después caía de nuevo en el desaliento. «Éste no es lugar para aprender», escribió enojado a un antiguo profesor.[91] «No hay libertad de pensamiento, el nivel es muy bajo, y los compañeros, muy malos. Es desolador ver que mi valioso cuerpo y mi precioso tiempo se reducen mientras espero y languidezco ... Las escuelas como ésta son realmente el más oscuro de los valles.» Pero poco después se mostraba de nuevo exultante por un nuevo plan de estudios:

Al amanecer estudio inglés; de las ocho de la mañana hasta las tres de la tarde voy a clase; de las cuatro de la tarde hasta la cena estudio literatura china; desde el momento en que se encienden las luces hasta que las apagan hago las tareas de las clases; y cuando se apagan las luces, practico durante una hora.[92]

Seis meses después, todavía estaba «comenzando de nuevo ... a estudiar desde la mañana hasta la noche sin descanso»,[93] sólo para sufrir otra recaída. «¿Quién no ambiciona progresar?», escribió malhumorado.[94] «Pero cuando los anhelos se frustran continuamente, y cuando uno se pierde en un laberinto de giros y requiebros, se siente demasiada amargura para poder describirla. Para un hombre joven, todo esto se transforma en una vida de tormentos.»

Cuando Mao adquirió mayor confianza, estos arrebatos se tornaron menos frecuentes. A finales de la primavera de 1917, cuando tenía veintitrés años, sus compañeros le escogieron «estudiante del año».[95] Su artículo de *Nueva Juventud*, aparecido unas semanas antes, había sido el primero que la revista había aceptado de un estudiante de Hunan. Pero también en otros aspectos adquirió mayor seguridad en sí mismo. La deferencia con que trataba a Xiao Yu en sus cartas dejó paso a una relación más equilibrada, en la que Mao, más joven que Xiao, destacaba con frecuencia como la voz dominante. El verano de aquel año criticó un manual de enseñanza redactado por Xiao, emplazándole a que lo escribiera por segunda vez, «conservando las joyas y descartando la escoria».[96] Poco después ambos desafiaron las convenciones, ante la consternación de sus profesores, al dedicar sus vacaciones de verano a un viaje a pie de un mes, en el cual mendigaron la comida y se cobijaron en los templos budistas, confiando en el auxilio de las gentes compasivas de los distritos por los que pasaban.[97]

En un poema escrito aquel mismo año, Mao se comparó a sí mismo con un *peng*, un pájaro mitológico parecido al *rukh*,* que «levantaba una estela de cinco mil kilómetros» cuando aleteaba por el Mar del Sur.[98] De entre los héroes de su niñez, sólo el gobernador de la dinastía Qing, Zeng Guofan, suscitaba todavía su admiración.[99] Ahora consideraba que Liang Qichao y Kang Youwei eran demasiado imperfectos.

La publicación del artículo de *Nueva Juventud* animó a Mao a iniciar la búsqueda de otros medios para participar en la construcción de la nueva China que con tanta vehemencia anhelaban él y sus amigos. La elite, argüía Mao, tiene la obligación moral de ayudar a los menos afortunados:

---

* Ave fabulosa de la mitología árabe a la cual se atribuyen un tamaño desmesurado y una fuerza extraordinaria. (*N. del t.*)

El hombre superior ya posee una sabiduría y una moral elevadas ... Pero la gente humilde es digna de compasión. Si los hombres superiores se preocupan sólo de sí mismos, abandonarán al vulgo y vivirán como eremitas. Algunos lo hicieron así en los tiempos antiguos ... [Pero] si poseen corazones compasivos, [aceptarán] que la gente humilde es ... parte de un único universo. Si nos alejamos, ellos se hundirán cada vez más hondo. Es mejor para nosotros tenderles la mano, para que sus espíritus se abran y su virtud se acreciente.[100]

La oportunidad de poner estas ideas en práctica llegó en octubre de 1917, cuando Mao fue elegido jefe de la Asociación de Estudiantes, organizadora de actividades extraescolares en la escuela.[101] Una de sus primeras decisiones fue reactivar una escuela nocturna para los trabajadores locales que se había creado seis meses antes, pero que para entonces había quedado abandonada.[102] En aquel momento, cuando la mayoría de la población China no tenía ninguna educación, iniciativas como aquella eran «extraordinariamente cruciales», escribió Mao. «Las plantas y los árboles, las aves y los animales, todos ellos nutren y cuidan de los de su propia especie. ¿Los seres humanos van a ser menos?» La «gente humilde» no era «mala por naturaleza» o «esencialmente inferior»; simplemente no tiene fortuna, de modo que «las personas humanas deben mostrar[les] simpatía». Incluso en los países avanzados de Europa y Estados Unidos, añadía, se cree que las escuelas nocturnas son beneficiosas. Más aún, permiten que los estudiantes adquieran experiencia docente y, sobre todo, ayudan a formar un sentimiento de solidaridad entre la masa del pueblo y la elite educada del país:

La escuela y la sociedad representan dos polos, dos elementos separados por un enorme abismo. Cuando entran en la escuela, los estudiantes menosprecian la sociedad, como si hubiesen ascendido a los cielos. La sociedad también observa a los intelectuales como algo sagrado e inalcanzable. Este distanciamiento mutuo causa tres males. Uno es que los estudiantes no pueden encontrar trabajos en la sociedad ... Otro mal es que la sociedad no envía a los niños a la escuela ... El tercer mal es ... [el resentimiento público que lleva a] quemar las escuelas y al bloqueo de los presupuestos. Si podemos acabar con estos tres males ... la sociedad tendrá en los estudiantes sus ojos y sus oídos y confiará en su dirección para recoger los beneficios de la prosperidad y el desarrollo. Y los estudiantes tendrán en las gentes que forman la sociedad sus manos y sus pies, cuya ayuda les permitirá alcanzar sus propósitos. [Al final] todo el pueblo ... se habrá graduado en [un tipo de] escuela [u otro]. Una parte de la escolarización consistirá en la gran escuela a la que se va por un tiempo, y la sociedad entera será la gran escuela a la que se va por siempre.[103]

Mao añadió a esta noción antielitista de un sistema educativo sin restricciones, su repugnancia por la adoración de los libros. «De todo el pequeño progreso que he experimentado durante estos últimos años», había escrito en 1915, «sólo una pequeña parte hay que atribuirla a los libros. La mayor parte de mis adelantos son el resultado de formular preguntas e indagar las soluciones a los problemas [prácticos].»[104] Comentaba positivamente el hecho de que Kant insistiese en que «nuestro entendimiento debe originarse en los hechos de la experiencia»,[105] y fustigaba el formalismo de los métodos de enseñanza tradicionales chinos:

> En el sistema educativo de nuestro país, los cursos obligatorios son tan burdos como los pelos de un buey. Incluso un adulto de cuerpo fornido y poderoso puede no soportarlo, no digamos los que no han alcanzado la edad adulta ... Al especular sobre las intenciones de los educadores, uno se pregunta si no diseñan un currículo tan insufrible sólo para dejar a los estudiantes exhaustos, pisotearles sus cuerpos y arruinar sus vidas ... Y si alguien posee una inteligencia fuera de lo común, le dan todo tipo de lecturas complementarias ... ¡Qué estupideces![106]

Los principios que Mao expresó en estas líneas con tanta pasión conformaron su actitud ante la educación para el resto de su vida. Sin embargo, también es cierto que su actitud era menos radical de lo que podría parecer hoy en día. La pedagogía china estaba tan dominada por el aprendizaje mnemotécnico y la sobrecarga curricular era tan excesiva que en 1917 siete de los compañeros de Mao murieron después de enfermar —según sus compañeros y algunos profesores creyeron— como consecuencia del excesivo número de horas que habían estudiado sin las pausas debidas.[107]

Estas ideas, para conveniencia de los cerca de sesenta trabajadores de Changsha que se inscribieron aquel septiembre en la escuela nocturna,[108] se tradujeron en el uso del chino vernáculo, en lugar del clásico;[109] en un currículo más simple, adaptado a la vida cotidiana, «escribiendo cartas y haciendo sumas, cosas que todos ustedes, señores, necesitan a todas horas», como escribió el propio Mao en el prospecto; y en un esfuerzo por infundir el «espíritu patriótico», alentando, entre otras cosas, la compra de productos chinos en lugar de los extranjeros.[110]

Pero antes de que la escuela se hubiese asentado definitivamente, los conflictos entre los cabecillas militares de Pekín sumieron una vez más a Hunan en la guerra civil; se acercaba a la provincia una devastación de tales proporciones que no se podía comparar a nada de lo que Mao, hasta ese momento, había llegado a presenciar.

Cuando Tang Xiangming huyó de Changsha, en julio de 1916, fue sustituido, después de un período de confusión, por su predecesor, Tan Yankai, el dirigente de la aristocracia.

Durante un tiempo todo fue bien. Tan dispuso la fundación de una administración hunanesa, disfrutando de una autonomía considerable y apoyado por las elites provinciales, similar a lo que había liderado durante su gobierno anterior, de 1911 a 1913. El nuevo primer ministro en Pekín, Duan Qirui, que había sido uno de los principales subordinados de Yuan Shikai, estaba demasiado ocupado intentando consolidar su posición ante las maniobras de sus rivales del norte como para dedicar suficiente empeño en poner a la provincia en su horma.

La situación, no obstante, cambió durante el verano. La lucha por el poder en la capital desembocó en un absurdo desenlace, cuando un dirigente militar conservador decidió restaurar al emperador manchú en el trono, aliando inmediatamente en su contra, aunque de manera temporal, a todos los militares del norte. Esta nueva coyuntura culminó con el establecimiento de dos camarillas distintas en el norte: la primera, el llamado grupo de Anhui (o de Anfu), encabezado por Duan Qirui; la segunda, la camarilla de Zhili, dirigida por el nuevo presidente, Feng Guozhang, cuya dramática ocupación de Nanjing había impulsado a Mao a considerarle, un año antes, un precursor de la política terrorista de Tang Xiangming en Hunan. Las rivalidades, a su vez, desatarían, poco tiempo después, un sangriento conflicto entre caciques militares que, de manera inconstante, haría estragos en el centro y el este de China durante más de una década. Pero, momentáneamente, se alcanzó una tregua y Duan pudo dedicar sus pensamientos a los revoltosos hunaneses.

En agosto de 1917 designó a un miembro de su familia política, Fu Liangzou, antiguo viceministro de la guerra, como recambio de Tan en el cargo de gobernador provincial. Fu había nacido en Hunan, al igual que Tan, pero había pasado la mayor parte de su vida en el norte y era considerado un extranjero en su provincia natal.[111] Tres días después de asumir el cargo intentó destituir a dos veteranos oficiales militares cuya lealtad estaba bajo sospecha.[112] Sus unidades se amotinaron desatando una reacción en cadena que, a principios de octubre, había llevado a cerca de la mitad de los soldados de la región a declararse en abierta rebeldía. Se enviaron desde el norte dos divisiones de soldados para sofocar el motín. Pero la única consecuencia que hubo fue que los gobernadores militares de las provincias limítrofes independientes de Guangxi y Guangdong quedaron convencidos de que, también ellos, debían intervenir para impedir que las fuerzas del norte amenazasen sus propias fronteras. Miles de soldados de infantería de Guangxi, enfundados en abrigos verdes y acompañados por unidades de artillería dotadas de armas pesadas y trabucos, se introdujeron en Hunan, con las órdenes de bloquear el avance norteño antes de que penetrasen en el sur de la provincia.

Parecía que finalmente se había marchitado la buena fortuna de Hunan, después de que, milagrosamente, hubiese evitado ya en dos ocasiones haberse convertido en el campo de batalla de los enfrentamientos entre el norte y el sur: en 1913, cuando sucumbió la Segunda Revolución, y en 1916, cuando la muerte de Yuan Shikai puso fin a la guerra contra la monarquía. Se proclamó la ley marcial en Changsha,[113] al tiempo que los dos ejércitos batallaban sin convicción en una estrecha franja cercana a la ciudad de Hengzhou, al sur. Pero los combatientes no contaban con las intrigas políticas de Pekín. Un día, a mediados de noviembre, Duan Qirui fue obligado a dimitir, el gobernador Fu escapó, las tropas del norte se retiraron y «a las nueve en punto [del día siguiente], como en un apagón eléctrico, la ciudad entera languideció», aguardando con inquietud la aparición de los sureños. Cuando éstos llegaron, «armados hasta los dientes», como los describió un testigo, las mujeres y los niños se cobijaron en los refugios de la Cruz Roja. Sin embargo, en aquella ocasión, apenas se produjeron saqueos y la ciudad se congratuló de quedar liberada sin sufrir graves percances.[114]

Mao y otros miembros de la Asociación de Estudiantes de la Escuela Normal habían organizado una fuerza de voluntarios que patrullaban, durante ese terrorífico período, armados con armas de madera en busca de malhechores.[115] Según recordaba un compañero suyo, Mao había contribuido enseñándoles a cortar estacas de punta afilada, útiles para vaciar los ojos de cualquier soldado lo suficientemente temerario como para querer trepar por el muro de la escuela. Él y sus mejores amigos, Xiao Yu y Cai Hesen, se llamaban a sí mismos «los tres héroes»,[116] y se entrenaban para cultivar la fuerza física y su espíritu marcial. Pero, a pesar de que Mao había madurado enormemente desde los tiempos en que, siendo un adolescente asustado, se escondió en las letrinas para huir de unos soldados alborotadores,[117] su bravura se mantenía todavía en los límites de la prudencia. El *Registro de la Primera Escuela Normal* afirmaba con orgullo que los voluntarios de Mao se habían mostrado «excepcionalmente eficaces».[118] Pero al mes siguiente, en marzo, cuando se produjeron de nuevo graves altercados, se mantuvieron visiblemente al margen.[119] Aquel mes, Duan Qirui y sus rivales acordaron desplegar un nuevo intento para lanzar el lazo a Hunan. Esta vez fue el turno de los hombres de Guangxi para retirarse sin presentar batalla:

Cuando cayó la noche [informaba un residente extranjero], se cernió sobre la ciudad el más profundo silencio. Desde aproximadamente [las ocho de la noche] en adelante, en las ocupadas calles del sur y el oeste de la ciudad se pudo oír una sucesión de disparos, cristales rotos y golpes sobre los postigos que se prolongó hasta el amanecer ... [Fui] a averiguar por mí mismo qué estaba ocurriendo ... Había un auténtico río de soldados abriéndose paso hacia el sur. Pero había también docenas de ellos ... dedicados al pillaje. Comenzaron por las tiendas de abalorios de plata ... Ocho o nueve se agruparon alrededor de la puerta y las ventanas ... Con la culata de los rifles se abrieron camino sin dificultad por el maderaje ... El porcentaje de tiendas saqueadas es muy alto.[120]

Por la mañana no quedaba «nadie al mando y la ciudad [continuaba] sumida en el espanto».[121] Las tropas del norte llegaron veinticuatro horas más tarde. Duan Qirui, de nuevo primer ministro, nombró a un seguidor de confianza, Zhang Jingyao, para hacerse cargo del gobierno, que seguía vacante desde la huida, cuatro meses antes, de Fu Liangzou.

Hunan pagaría muy cara esta decisión. «Zhang el Maligno», como sería conocido, fue un «dictador cruel y sádico», cuyos métodos se parecían a los del «carnicero» Tang, pero a mayor escala.[122] Los misioneros extranjeros de los suburbios más pobres de Changsha informaron de que «se pone fin al honor de las mujeres y a la posesión de cualquier objeto susceptible de transformarse en dinero».[123] Los distritos de las afueras de la ciudad ofrecían una lista detallada de los crímenes cometidos por los hombres de Zhang durante los primeros días de abril:

> La señorita S., de veinte años, [fue] atacada por tres soldados a las once de la mañana y abusaron de ella tan salvajemente que todavía es incapaz de caminar ... L. fue ensartado en el interior de su propia casa y después le hincaron las bayonetas. Tras ello, dispusieron una vela encendida sobre sus heridas ... H. salió para proteger a su hija, una niña de ocho años, a la que habían disparado. También le dispararon a él ... Una chiquilla de catorce años fue violada por dos hombres; murió de las heridas ... Un hombre, intentando proteger en vano a su nuera, embarazada de seis meses, huyó a las colinas, donde fue perseguido por los soldados, que hirieron al hombre y abusaron de la mujer ... Las historias repugnantes se repiten en los otros barrios.[124]

A lo largo de la carretera principal que une Changsha con Pingjiang, en el noreste, «han matado todo el ganado, se han llevado todo el arroz, han ahuyentado a todos los habitantes».[125] Liling, noventa kilómetros más al sur, pagó un precio aún más alto.[126] Cuando en mayo los misioneros norteamericanos llegaron a la ciudad sólo encontraron vivas a tres personas, en medio de un yermo pleno de escombros entre los cuales, a un lado y a otro, se alzaban muros a medio derruir. En el distrito de Liling, veintiún mil de los quinientos ochenta mil habitantes originales fueron asesinados y cuarenta y ocho mil hogares, arrasados.

Desde la seguridad que conferían las concesiones extranjeras de Shanghai, los periódicos publicaron indignados editoriales que acusaban a los «ególatras y codiciosos generales» de «convertir una de las mejores provincias de China en un escenario de ruina y lamentos diarios».[127] Irónicamente, el sur de Hunan, donde había comenzado la rebelión siete meses antes, había padecido en menor grado. El general Wu Peifu, cuyas tropas habían encabezado el avance norteño, se detuvo después de capturar Hengzhou y negoció un alto el fuego, ignorando las órdenes de Duan Qirui de seguir presionando hasta Guangdong y dejando la parte sur de la provincia al control del ejército del sur. Una vez más, los tejemanejes políticos de Pekín estaban actuando. Wu era miembro de la camarilla de Zhili, y no consideró que existiese ninguna ventaja, una vez se había impuesto un gobernador del norte, en continuar colaborando con una causa apoyada por Duan y sus rivales del grupo de Anfu.[128]

A partir del mes de abril, la escuela de Mao se convirtió de mala gana en huésped de un regimiento de las tropas de Zhang, que fueron acomodadas en las clases. El nuevo gobernador reemprendiendo la tradición iniciada cinco años antes por el «carnicero» Tang, congeló el presupuesto educativo. Los profesores de la Primera Escuela Normal se quedaron sin sueldo, la mayoría de los estudiantes abandonaron y el director tuvo que buscar dinero para acabar pagando de su propio bolsillo la comida de los que se quedaron.[129] Al igual que había hecho Tang, «Zhang el Maligno» organizó una red de informadores y agentes especiales que intimidaban a la población. Se pagaba una sustanciosa recompensa por cada supuesto «espía» capturado. Un hombre fue arrestado simplemente por llevar zapatos de diferentes colores. «Cadáveres de horrenda visión se dejan en toda clase de extraños lugares», decía una noticia, «algunos simplemente en el centro de la ciudad, otros en los caminos que frecuentaban los militares. No hay información alguna sobre los juicios a los sospechosos. Sólo con muchas dificultades consiguen los familiares averiguar el destino de los que han desaparecido.»[130] En consecuencia, existían «mucho terror oculto y muy pocas conversaciones en público».[131]

A principios de junio de 1918 Mao obtuvo su diploma en educación.[132] Todavía no tenía una idea clara de lo que quería hacer con su vida. «Estoy muy confundido», escribió a un antiguo profesor, «y lo que comienza en la confusión, sin duda acaba en la confusión.» Contempló la posibilidad de abrir una escuela privada para enseñar «lo esencial de las disciplinas chinas, [tras lo cual] los alumnos podrían ir al extranjero a estudiar ... lo esencial del pensamiento occidental». Pero los tiempos no podían ser menos propicios, y la aventura habría requerido una gran suma de dinero, de la que Mao no disponía.[133]

Durante las semanas siguientes, se dedicó a vivir con un grupo de amigos en una academia clásica abandonada situada en una colina al otro lado del río Xiang, donde recogían la leña y portaban el agua de un manantial.[134] Todos ellos eran miembros del informal grupo de estudio que Mao había organizado tres años antes, ahora con un nuevo nombre, *Xinmin xuehui*, la Asociación de Estudios del Nuevo Pueblo.[135] Las relaciones personales son en China un trampolín indispensable para cualquier iniciativa importante; por ello, Mao concedía mucha importancia a este grupo. La sociedad había sido formalmente constituida en abril, con Xiao Yu de secretario y Mao como su ayudante. Algunos de los trece miembros fundadores, incluido Xiao, tomarían con el tiempo caminos separados, pero la mayoría continuó junto a Mao durante los años de exterminio y desorden que siguieron, algunos pagando con su propia vida.

La sociedad de Mao fue una de las primeras asociaciones estudiantiles progresistas que proliferaron en aquel entonces en China —entre ellas Fushe (Sociedad del renacer), en Pekín; y Juewu shi (Sociedad del despertar), fundada por Zhou Enlai en Tianjin—, como respuesta de los jóvenes patriotas a las agresiones de los señores de la guerra y las presiones de las potencias imperialistas. Uno de los compañeros de Mao, Luo Xuezan, lo explicaba en una carta que ese verano envió a su familia:

> Debéis saber que los extranjeros quieren ocupar el territorio de China, quieren robar el dinero de China y quieren dañar al pueblo de China ... No puedo vivir con estas perspectivas y quedarme de brazos cruzados. Por ello, ahora ... queremos fundar una asociación ... [que luchará] para que China sea fuerte y, así, el pueblo chino pueda encontrar un nuevo camino. Nuestro objetivo es alcanzar el día de la resurrección de China.[136]

El mismo nombre, Asociación de Estudios del Nuevo Pueblo, reflejaba los cambios que se estaban produciendo en el país. La expresión *xinmin* tiene un doble significado —«nuevo pueblo» y «renovar al pueblo»— que le confiere una resonancia radical y casi revolucionaria. Liang Qichao lo había usado quince años antes en el título de su revista reformista, *Xinming congbao* (*Revista del nuevo pueblo*). Pero, además, era un término clásico que se halla en los clásicos confucianos.[137] «Renovar al pueblo» era la tarea del intelectual confuciano.

Esa actitud ambivalente ante la herencia clásica china era el sello distintivo de la época.

En la escuela nocturna que Mao había contribuido a organizar, los estudiantes realizaban tres reverencias cada noche ante la imagen del Sabio;[138] a pesar de que él, como otros miembros de su generación, era cada vez más crítico con las virtudes del confucianismo ortodoxo.[139] «Hay que acabar con los tres vínculos de nuestro país», escribió el verano de 1917[140] en referencia a las tres relaciones que constituían los fundamentos de la moralidad confuciana, las existentes entre el príncipe y el ministro, el padre y el hijo, y el marido y la mujer. Acusaba a «las iglesias, los capitalistas, la monarquía y el Estado» de ser «los cuatro demonios perversos del mundo»[141] y reclamaba «un cambio fundamental» en las actitudes nacionales.[142]

Pero allí donde los otros simplemente rechazaban el pasado, Mao buscaba una síntesis que lograse reconciliar la dialéctica tradicional de las costumbres antiguas del país con el radicalismo occidental. La visión que resultaba era sorprendentemente moderna:

> Todos los fenómenos del mundo son simplemente un estadio del cambio permanente ... El nacimiento de esto es necesariamente la muerte de aquello, y la muerte de aquello es necesariamente el nacimiento de esto, de manera que el nacimiento no es nacimiento y la muerte no es destrucción...

> Antes me preocupaba a menudo de que nuestra China pudiese ser destruida, pero ahora sé que no será así. Con el establecimiento de un nuevo sistema político y un cambio en el carácter nacional, los estados germánicos se convirtieron en el Primer Reich ... La única cuestión es cómo llevar a cabo los cambios. Creo que debería producirse una completa transformación, como la materia que toma forma después de la destrucción, o como el niño que nace del útero de la madre ... En todos los países, las diversas nacionalidades han lanzado distintos tipos de revoluciones que purifican de manera periódica lo viejo, infundiéndole lo nuevo, representando todas ellas cambios enormes, que implican la vida y la muerte, la generación y la destrucción. La destrucción del universo también es así ... Aguardo con impaciencia su disolución, porque de la destrucción del viejo universo nacerá uno nuevo y, ¿acaso no será mejor que el antiguo universo?...

> Yo afirmo: lo conceptual es real, lo finito es lo infinito, los significados temporales son los significados intemporales, la imaginación es pensamiento, la forma es sustancia, yo soy el universo, la vida es muerte y la muerte es vida, el presente es el pasado y el futuro, el pasado y el futuro son el presente, lo pequeño es grande, el *yang* es el *yin*, arriba es abajo, lo sucio es limpio, lo masculino es femenino, y lo grueso es fino. En esencia, todas las cosas son una sola, y el cambio es la permanencia.

> Soy la persona más eminente, y también la persona más indigna.[143]

Estas palabras, escritas a los veinticuatro años, anunciaban ominosas los acontecimientos que llegarían medio siglo después, cuando Mao, en el apogeo de su poder, desencadenaría una revolución continua de cambio doloroso y convulsivo, con la pretensión de que el pensamiento de una cuarta parte de la humanidad se conformase a su voluntad. Un período en el que la inestabilidad sería realmente inmutable, y la armonía, confrontación.

Alcanzar la «completa transformación» de China y mantener el ímpetu de la dialéctica que debía impulsarla se convirtieron en los objetivos últimos de la vida política de Mao. Era consciente ya de que no se trataba de propósitos que pudiesen llevarse a cabo por etapas. Era necesaria una guía ideológica:

> Los que desean transformar el mundo han de transformar los corazones y las mentes del mundo, [y] ... para transformar el corazón de la gente hay que poseer unos principios últimos extraordinarios. Las reformas de hoy en día comienzan por detalles menores como el parlamento, la constitución, la presidencia, el gabinete, los asuntos militares, los negocios, la educación; todo esto son cuestiones secundarias ... Sin principios últimos, estos detalles son superfluos ... Los principios últimos son las verdades del universo ... Si hoy en día apelamos a los corazones de todo lo que hay bajo el cielo a través de unos principios últimos extraordinarios, ¿habrá alguno que no sea transformado? Y si todos los corazones del reino son transformados, ¿existe algo que no se pueda conseguir?[144]

Otra cuestión muy distinta era en qué podían consistir semejantes principios. Pero para Mao y su pequeño grupo de graduados idealistas, después de observar el siniestro mandato de Zhang Jingyao, no había duda alguna de que tenían que buscarse lejos de Changsha. A principios de mayo, Luo Zhanglong, uno de los seis miembros fundadores del círculo original de estudios, partió hacia Japón.[145] El viejo maestro de Mao, el profesor Yang, que vivía entonces en Pekín, le escribió en detalle acerca de un nuevo programa de ayuda a los estudiantes chinos para ir a Francia. En junio, los miembros de la Asociación de Estudios del Nuevo Pueblo decidieron enviar a Cai He sen a la capital para informarse mejor.[146] Dos meses después, Mao le siguió junto a otros veinte. Antes de partir, visitó a su madre en Xiangxiang y la tranquilizó sutilmente: «El único fin de nuestro viaje es hacer turismo, nada más».[147]

4

Efervescencia de «ismos»

«Pekín es como un crisol», escribió Mao, «donde uno no puede evitar ser transformado.»[1] El tren se arrastró lentamente hasta el otro lado de las macizas murallas de ladrillo gris, junto a los baluartes almenados de la ciudad tártara, antiguo símbolo de la gloria y el poder de antaño. Cuando se detuvo en la nueva estación de estilo occidental, símbolo de la dependencia de la ciudad ante la tecnología y las ideas extranjeras, aquel joven estudiante del sur penetró en un mundo en plena efervescencia política e intelectual. Siete meses más tarde, emergería de allí con ideas muy distintas sobre cómo salvar China.

Antes de partir de Changsha, Mao mantenía serias dudas sobre si deseaba viajar a Francia con los demás.[2] La primera dificultad era el dinero. A pesar de que podía reunir los doscientos yuanes para el pasaje del barco, explicaba a un amigo, no tenía medios para conseguir los cien yuanes adicionales que eran necesarios para los cursos de idiomas. La lengua, de hecho, parece haber sido el quid de la cuestión: Mao luchó toda su vida para dominar el inglés, a pesar de que, en realidad, sólo aprendió a leerlo con la ayuda del diccionario; hablarlo quedaba fuera de sus posibilidades. El francés, concluyó, sería aún peor. Su oído para los idiomas era tan pobre que incluso las lecciones de mandarín eran un desafío para él, y hasta el final de sus días conservó un fuerte acento de Hunan que las gentes de su provincia identificaban de inmediato como el habla de los de Xiangtan. Pero además había otros motivos. Mao todavía consideraba que su futuro estaba vinculado a la enseñanza. «Claro que ir [a aprender idiomas] es una posibilidad», admitía, «pero no es tan positivo como dedicarse a la docencia ... La enseñanza es, por definición, superior.» Además, estaba convencido de que sería importante que no todos los miembros de la Asociación de Estudios del Nuevo Pueblo abandonasen China al mismo tiempo. Si Cai Hesen y Xiao Yu iban juntos a Francia, razonaba, él debía quedarse para asegurarse que la sociedad continuaría fomentando las reformas. De todos modos, si el problema del idioma no hubiese sido un obstáculo tan insuperable, los otros factores no se habrían mostrado tan amenazadores para Mao.

En sus conversaciones con Edgar Snow, años después, ofreció una interpretación distinta del asunto. «Sentía que no sabía lo suficiente de mi propio país y que sería más útil en China», dijo.[3] «Tenía otros planes.»

El profesor Yang, en cuya casa Mao y Xiao Yu se alojaron por un tiempo después de su llegada a Pekín, entregó una carta de presentación al bibliotecario de la universidad, Li Dazhao, quien le procuró trabajo como ayudante.[4] Li era sólo cinco años mayor que Mao, pero su categoría intelectual y su eminencia nacional le situaba en una generación diferente. Li, hombre físicamente proporcionado y digno, de ojos penetrantes y un negro e incipiente mostacho, cuyas gafas de alambre le hacían parecer un Bakunin chino, se había unido hacía poco tiempo a Chen Duxiu, jefe del Departamento de Comunicaciones, como coeditor de *Nueva Juventud*, la revista predilecta de Mao. Trabajar en aquel ambiente, en una habitación junto al despacho de Li, en la torre sureste de la vieja biblioteca de la universidad, no lejos de la Ciudad Prohibida, era, con toda seguridad, cuanto Mao podía desear. Había conseguido, como dijo con orgullo a su familia, «un cargo ... como miembro del personal de la Universidad de Pekín».[5] Sonaba maravilloso. Pero la realidad era abrumadoramente decepcionante:

> Mi empleo era tan insignificante que la gente me evitaba. Una de mis responsabilidades era registrar el nombre de la gente que venía a leer los periódicos, pero para la mayoría de ellos yo ni siquiera existía como ser humano. Entre los que vinieron a leer pude reconocer los nombres de figuras famosas del movimiento de «renacimiento» [chino], hombres ... por los que yo sentía fascinación. Intentaba entablar conversación con ellos sobre cuestiones políticas y culturales, pero estaban demasiado ocupados. No tenían tiempo para escuchar a un ayudante de biblioteca hablando en un dialecto del sur.[6]

Una vez más, Mao era un pez insignificante en un estanque demasiado grande. A través de sus recuerdos, de casi veinte años después, todavía se puede percibir un persistente resentimiento. Cuando en una ocasión intentó lanzar una pregunta al final de una conferencia de Hu Shi, pionero del uso de la lengua vernácula en la literatura, entonces completando su imprescindible *Breve historia de la filosofía china*, aquel gran personaje, dos años mayor que Mao, al descubrir que su interlocutor no era un alumno sino un simple asistente de la biblioteca, no le prestó atención alguna.[7] Igualmente distantes se mantenían los dirigentes estudiantiles más jóvenes que él, como Fu Sinian, poco después miembro de la Sociedad de la Nueva Ola

(*Xinchao*), el más influyente de los grupos reformistas de la Universidad de Pekín.[8]

Para empeorar más su situación, la vida en la capital era cara, y los ocho dólares al mes que le pagaban —la mitad del sueldo de un conductor de *rickshaw*— sólo cubrían sus necesidades más perentorias. Junto a Xiao Yu y otros seis hunaneses alquiló una habitación en una casa tradicional de tejadillo gris, una vivienda de una sola planta construida alrededor de un pequeño patio, a unos tres kilómetros de la universidad, en Sanyanjing (el Pozo de los tres ojos), zona cercana a Xidan, concurrida calle comercial al oeste de la Ciudad Prohibida. Estaba desprovista de agua corriente y luz eléctrica. Entre todos, aquellos ocho hombres poseían apenas un único abrigo, lo que significa que en la época fría, cuando las temperaturas llegaban a los diez grados bajo cero, tenían que salir por turnos. Había una pequeña estufa en forma de cazuela honda que servía para cocinar, pero no tenían dinero para comprar los bloques de carbón prensado y barro compactado que se usaban para calentar el *kang* —la cama de ladrillo tradicional del norte, cubierta de fieltro, con un brasero en su parte inferior—, y por la noche se acurrucaban todos juntos para calentarse. «Cuando nos apiñábamos en el *kang*, apenas había espacio en la habitación para respirar», recordaba Mao. «Normalmente tenía que avisar a los que estaban a mi lado cuando me disponía a cambiar de postura.»[9]

Sin embargo, paulatinamente comenzó a encontrar su lugar en la ciudad. Uno de los que le animaban era Shao Piaoping, un escritor que dirigía la Sociedad de Investigación Periodística, al que, años después, Mao recordaba como «un liberal y un hombre de un idealismo fervoroso y buen carácter».[10] También conoció a Chen Duxiu, cuya insistencia en la transformación total de la cultura china tradicional como requisito para la modernización le influyó «quizá más que ninguna otra cosa», aclaró tiempo después.[11] Asistía a las reuniones de la Sociedad Filosófica, y él y sus compañeros se imbuían de las «más recientes teorías» que se difundían en los grupos de discusión y en las revistas que se distribuyeron aquel verano y durante la primavera siguiente por todo el campus.[12]

Como otros jóvenes chinos que habían recibido una educación, Mao todavía seguía «buscando un camino»,[13] perplejo, pero al mismo tiempo fascinado, por la abundancia de ideas chinas y occidentales que se confirmaban y contradecían alternativamente: «Mi mente consistía en una curiosa mezcolanza de liberalismo, reformismo democrático y socialismo utópico», recordaba. «Albergaba pasiones ciertamente vagas por la "democracia del siglo XIX", el pensamiento utópico y el liberalismo anacrónico, pero era decididamente antiimperialista y antimilitarista.»[14]

Su tendencia utópica provenía de Jiang Kanghu,[15] líder de influencia anarquista del Partido Socialista Chino, cuyos escritos habían llegado a manos de Mao durante la Revolución de 1911, cuando era soldado en Changsha; y de Kang Youwei,[16] que había intentado conciliar la universalidad materialista del universo euclidiano con el idealismo tradicional chino, esbozando un reino de gran armonía en el que la familia y la nación estaban destinadas a marchitarse y los ciudadanos del mundo vivirían en comunidades económicas autogestionadas sin distinción de raza y de sexo. En una ocasión, entusiasmado con semejantes ideas, Mao imaginó un tiempo en que «todos los que están bajo el cielo se convertirán en sabios ... Destruyamos todas las leyes seculares, respiremos el aire de la armonía y bebamos de las olas de un mar cristalino».[17] Pero unos meses después tiraba de las riendas de su imaginación: «Estoy seguro de que una vez penetremos [en un mundo así]», escribió, «la competencia y la rivalidad van a echarlo todo al traste».[18] A pesar de que lo que había de visionario en Mao nunca alcanzó el sueño romántico y utópico de Kang, siempre había una parte de él que anhelaba ser un rey sabio, libre para vagar, como dijo él mismo, por «un mundo celestial, deseando compartir su transformación celestial con todos los seres vivos».[19]

De Liang Qichao tomó la convicción de que el nuevo orden no podía ser edificado a menos que se destruyese el antiguo. Adam Smith, Huxley y Spencer le aportaron lo que él definía como «liberalismo anticuado», mientras que el estratega y filósofo de la dinastía Ming, Wang Yangming, le inspiró con su vinculación del hombre y la sociedad, la teoría y la práctica, el conocimiento y la voluntad, y el pensamiento y la acción. De Wang Fuzhi, patriota hunanés Ming, heredó la imagen de un mundo en constante fluir, en el cual la mutabilidad de las cosas, insinuada por las contradicciones dialécticas inherentes al mundo material, era el principio básico que impulsaba el progreso en la historia.[20]

La síntesis que Mao elaboró de las ideas de estos personajes no fue en absoluto acrítica. Trataba de sopesar cada proposición antes de aceptarla o rechazarla y, a menudo, asumía una noción sólo para descartarla unos meses después.[21] Durante el proceso Mao se esforzaba por realizar un enfoque más político que, en sus propias palabras, «combinaba la clarividencia que nace de la introspección ... con el conocimiento que se origina en la observación del mundo exterior».[22]

El objetivo era encontrar una doctrina global que fundiese esos elementos dispares en un todo coherente.

El marxismo no fue su primera elección. En 1918 ninguna de las obras de Marx o Lenin había sido traducida al chino. Aquel verano había aparecido un artículo sobre la revolución bolchevique en una revista anarquista de Shanghai.[23] Pero su distribución fue limitada y, en noviembre, cuando Li Dazhao publicó en *Nueva Juventud* su primer artículo relevante en chino sobre el tema, se trataba de una cuestión tan desconocida que el impresor en una ocasión transcribió el término «bolchevismo» como «Hohenzollern».[24] Incluso el mismo Li, a pesar de su entusiasta afirmación de que «el mundo de mañana ... pertenecerá sin duda a la bandera roja», no parecía estar muy seguro de lo que representaba el partido bolchevique. «¿Qué clase de ideología sostiene?», preguntaba. «Es difícil explicarlo con claridad en una sola oración.» No obstante, decía a sus lectores, era indudable que los bolcheviques eran socialistas revolucionarios que seguían las doctrinas del «economista alemán Marx», y pretendían destruir las fronteras nacionales y el modo de producción capitalista.

Mao leyó sin duda este artículo, pero no parece que suscitase en él una impresión memorable y, por consiguiente, nunca lo mencionó. En lugar de ello, se sintió atraído por el anarquismo, en aquella época fomentado con vehemencia por grupos de exiliados chinos de París y Tokio. Su atractivo residía en el rechazo de la autoridad, en consonancia con los esfuerzos de la nueva China por romper con las asfixiantes convenciones del sistema familiar confuciano, así como con su concepción del cambio social como generador de una nueva era de paz y armonía. Habían sido los anarquistas quienes habían creado el programa de envío de jóvenes chinos para compaginar el estudio con el trabajo, del que tomaban parte Mao y la Asociación de Estudios del Nuevo Pueblo. Lo que los chinos que habían recibido una educación tenían en mente cuando hablaban de «revolución social» no era otra cosa que el anarquismo, no el marxismo.[25] Incluso la milenarista descripción del bolchevismo de Li Dazhao, una «marea irresistible» que anunciaba el amanecer de la libertad, fue vertida en términos anarquistas. «No habrá congreso, ni parlamento, ni primer ministro, ni gabinete, ni legislatura, ni gobernante», había escrito.[26] «Sólo habrá los soviets unidos en el trabajo que ... van a fusionar el proletariado del mundo y portarán la libertad total ... Ésta es la nueva doctrina de la revolución del siglo XX.» Hasta principios de los años veinte, los marxistas y anarquistas chinos seguían considerándose hermanos dentro de la misma familia socialista, combatiendo un único enemigo aunque con diferentes medios.

La Universidad de Pekín se convirtió, bajo la influencia de Cai Yuanpei, su exaltado rector, en un importante centro de actividades anarquistas.[27] Se ofrecían clases de esperanto, el idioma que los anarquistas habían escogido para su nuevo mundo sin fronteras. Los estudiantes distribuían de manera clandestina copias del *Fuhuzhi* (Colección de ensayos sobre la doma de tigres), de Liu Shifu, fundador de la *Huiming xueshe*, asociación con el singular nombre de Sociedad de los Gallos Cantores en la Oscuridad, que proponía «el comunismo, el antimilitarismo, el sindicalismo, la contrarreligión, el antifamiliarismo, el vegetarianismo, el lenguaje internacional y la armonía universal».[28]

Para Mao, el anarquismo fue una revelación.[29] Años después admitió que había «apoyado muchas de sus propuestas» y había dedicado largas horas a discutir su posible aplicación en China. Sus ideas emergían gráficamente en un artículo escrito en verano de 1919:

> Hay un partido extremadamente violento que sigue el método de «haz a los otros lo que ellos te hagan» para luchar desesperadamente para acabar con los aristócratas y los capitalistas. El líder de este partido es un hombre llamado Marx que nació en Alemania. Existe otro partido más moderado que el de Marx. No supone resultados inmediatos, sino que comienza por comprender a la gente humilde. Todos los hombres deben poseer una moral que les impulse a trabajar voluntariamente y ayudarse mutuamente. A los aristócratas y capitalistas les basta con arrepentirse, dirigirse al bien y ser capaces de trabajar y ayudar al pueblo, en lugar de maltratarlo; no es necesario matarles. Las ideas de este partido son más tolerantes y de mayor alcance. Quieren unificar el mundo entero en una sola nación, unir la raza humana en una sola familia y alcanzar todos juntos la paz, la felicidad y la amistad ... una era de prosperidad. El líder de este partido es un hombre nacido en Rusia llamado Kropotkin.[30]

Se trata de un fragmento muy elocuente, tanto porque muestra hasta qué punto Mao lo ignoraba casi todo del marxismo y sus apóstoles rusos —Lenin no merece una sola mención— como por su explícito rechazo de la violencia revolucionaria. Sus ideas habían madurado desde que defendiera con vehemencia, tres años antes, la brutal dictadura del «carnicero» Tang, justificada, según había alegado, por ser el medio para alcanzar la paz y el orden. Cuando cumplió veinticinco años, Mao comenzó a desarrollar un pensamiento más profundo, tanto sobre los fines como sobre los medios, así como sobre el tipo de sociedad que esos medios implicaban. El anarquismo, con su acento en la educación, la voluntad individual y el cultivo del yo, se avenía mejor que el marxismo con la utopía inmanente que había absorbido de Kang Youwei, y con su creencia, heredada de los intelectuales chinos tradicionales, del poder de la virtud y el ejemplo. Quizá cuando abandonó Pekín Mao todavía no era un anarquista plenamente maduro pero, durante los doce meses siguientes, el anarquismo, en el sentido amplio en que se entendía entonces el término en China, ofreció el marco de referencia de todas sus acciones políticas.

El invierno que Mao residió en Pekín le influyó de muy diversas formas. La capital de China era en 1918 una metáfora de las transformaciones del país, desgarradora y excitante, gloriosa y mundana a partes iguales.[31] El depuesto emperador vivía todavía detrás de los muros rojos de la Ciudad Prohibida, rodeado de más de mil eunucos de la corte. Los militares manchúes, sus familias y los criados representaban un tercio del millón de habitantes de la capital. Del norte llegaban caravanas de camellos de las tierras que se extienden más allá de la Gran Muralla. Los dignatarios, ataviados con brocados ricamente bordados, viajaban en anticuados carruajes de ventanas de cristal, con la escolta montada en peludos ponis mongoles a la cabeza, abriendo el paso.

Pero las anchas avenidas de la dinastía Ming, azotadas cada primavera por el viento del norte que llegaba preñado del asfixiante polvo gris de los desiertos, habían sido pavimentadas y los vehículos a motor circulaban entonces por la ciudad, transportando señores de la guerra y políticos corruptos, con sus esposas y su guardia, mientras esquivaban los carros de capota azul que usaban el resto de mortales. Los *rickshaws*, que tanto escaseaban en Changsha, inundaban las calles de Pekín; en 1918 había unos veinte mil, tres años más tarde el número se había duplicado. En la ladera que había frente al barrio de las legaciones, soldados extranjeros desarrollaban sus ejercicios.

Las familias acaudaladas se entretenían con carreras de trineo sobre el hielo de los lagos imperiales, arrastrados por culis pertrechados con crampones de hierro sobre su calzado de tela, al tiempo que los niños de los pobres, en las callejas estrechas y sin asfaltar, aparecían «enfermizos y mal desarrollados, y sus pequeños brazos y piernas, como palos»,[32] apenas sobreviviendo en medio de una miseria espantosa. «La mayoría tiene llagas ulcerosas o restos de las cicatrices que dejan las llagas», escribió un residente chino. «Muchos tienen la cabeza desproporcionada, ceguera, la boca torcida, carecen de nariz, y presentan otros signos de haber sido mutilados o lisiados.»

Pero años después los recuerdos de Mao no se referían al choque entre lo viejo y lo nuevo, a la grandeza de lo antiguo y la modernidad occidental, ni a la miseria y el renombre de Pekín —«una cacofonía, un pandemonio que no tiene igual en Europa»,[33] como dijo un residente europeo—, sino a su belleza intemporal:

> En los parques y en el viejo palacio contemplé la primavera anticipada del norte. Vi las blancas flores del ciruelo cuando el hielo todavía se mantenía sólido sobre [el lago de] Beihai. Observé los cristales de hielo que pendían de los sauces sobre el lago, y recordé la descripción del poeta Zhen Zhang, de la dinastía Tang, que escribió que los enjoyados árboles de Beihai parecían en el invierno «diez mil melocotoneros en flor». Los copiosos árboles de Pekín despertaban en mí fascinación y admiración.[34]

Era el mismo estudiante romántico que, tres años antes, en Changsha, huyendo de la devastación de los ejércitos de Guangxi, se había detenido para describir a Xiao Yu la exuberancia verde esmeralda de los brotes tiernos del arroz de las terrazas inundadas. «El humo pende de los cielos», escribió entonces Mao, «las neblinas se desvanecen en los montes; las nubes delicadas se enredan; y todo es como una pintura allí hasta donde alcanza la vista.»[35] Cuando estudiaba en la Primera Escuela Normal había copiado el *Lisao*, el Canto a la tristeza de Quyuan, un político de destino funesto del siglo III d.C., a quien los chinos veneran como paradigma de la virtud principesca, cada primavera, con la celebración de la fiesta de los botes dragón.[36] El amor de Mao por la poesía, surgido durante su adolescencia en la Escuela Primaria Superior de Dongshan, le acompañaría en los tumultuosos años que siguieron, ofreciendo un contrapunto excelso a la brutalidad de la guerra y una liberación ante la árida lógica de la lucha revolucionaria.

En marzo de 1919 Mao recibió la noticia del agravamiento de la enfermedad de su madre. Estaba a punto de partir hacia Shanghai con el primer grupo de la Asociación de Estudios del Nuevo Pueblo, desde donde iba a embarcarse hacia Francia, y decidió, a pesar de lo sucedido, continuar con el viaje. Cuando finalmente llegó a Changsha, después de pasar tres semanas en Shanghai despidiendo a sus amigos,[37] su madre ya se había desplazado hasta la ciudad, acompañada de sus hermanos menores, para procurarse tratamiento médico. Fue en vano; en octubre moría de lo que hoy sería un caso sencillo de inflamación de las glándulas linfáticas. Su padre, que cayó enfermo del tifus, siguió a su madre unos pocos meses después.[38]

Mao se sentía profundamente culpable, no sólo por haber estado lejos, sino porque además el otoño del año anterior había prometido llevar a su madre a Changsha para el tratamiento y no había cumplido con su palabra.[39] En una carta que mandó a sus tíos, intentaba justificarse: «Cuando oí que [su] enfermedad se había agravado», escribía, «corrí a casa para cuidar de ella».[40] Pero, como sabía perfectamente, aquello era totalmente falso. Después de la muerte explicó con la mayor inocencia a un amigo íntimo que recientemente había perdido también a su madre: «Para las personas como nosotros, siempre alejados del hogar e incapaces, por tanto, de cuidar de nuestros padres, estos hechos nos infunden una singular amargura».[41] Todavía años después, el incumplimiento de la obligación filial seguía pesando sobre su conciencia. En Bao'an pretendió hacer creer a Edgar Snow que su madre había muerto cuando él estaba estudiando,[42] en lo que sólo podía ser un intento deliberado de ocultar su ausencia.

Para costearse la vida, Mao encontró un trabajo a media jornada como profesor de historia en una escuela primaria local.[43] Sin embargo, de manera casi inmediata, Hunan, junto con el resto de China, quedó sumido en una nueva tormenta política.[44]

Desde el inicio de la primera guerra mundial, Japón había emprendido maniobras para hacerse con la antigua concesión alemana de Shandong. En la conferencia de paz de Versalles, la posición del gobierno chino fue que, ya que China había apoyado a los aliados, los territorios debían volver a su soberanía, amparándose en el principio de autodeterminación nacional y contando con el apoyo del presidente norteamericano, Woodrow Wilson. Pero en abril trascendió que, en compensación a un nuevo préstamo japonés, durante el pasado otoño el primer ministro Duan Qirui había efectuado un acuerdo secreto —que el gobierno entonces pretendía repudiar— que concedía Shandong a los japoneses. Wilson, que había respaldado a China, cambió su actitud como signo de rechazo y, el treinta de abril de 1919, Lloyd George, Clemenceau y él —la «Santísima Trinidad», como eran conocidos— ratificaron la adquisición japonesa de los derechos sobre los tratados de Alemania.

Cuando, el 3 de mayo, las noticias llegaron a Pekín se desató una efusión sin igual de rabia, frustración y vergüenza. En esta ocasión, la furia iba dirigida, no sólo contra Japón, sino contra todas las potencias imperialistas, con Estados Unidos en primer lugar, y, sobre todo, contra el propio gobierno de China, que había vendido los intereses del país antes incluso del comienzo de la conferencia de paz. Un grupo de estudiantes de Shanghai escribió con amargura: «Las palabras de Woodrow Wilson se han oído en todo el mundo, como la voz del profeta, fortaleciendo al débil y alentando la lucha. Y los chinos le han escuchado... Les ha dicho que las alianzas secretas y los acuerdos forzados no iban a ser reconocidos. Anhelábamos el amanecer de esta nueva era; pero no hay sol que brille en China. Incluso la cuna de la nación ha sido robada».[45]

El lunes por la tarde, tres mil jóvenes se reunieron en el exterior de Tiananmen, la Puerta de la Paz Celestial, desoyendo las llamadas del ministro de Educación y del jefe de la policía para que se dispersasen. Aprobaron un manifiesto, elaborado por Luo Jialun, un líder estudiantil de la Sociedad de la Nueva Ola de la Universidad de Pekín. China se enfrentaba a la aniquilación, escribió. «Juramos hoy dos votos solemnes con todos nuestros compatriotas: 1) el territorio de China podrá ser conquistado, pero jamás será vendido; 2) el pueblo chino podrá ser masacrado, pero no se rendirá.» La multitud, con los ánimos al rojo vivo, pidió las cabezas del ministro de Comunicaciones, Cao Rulin, la *éminence grise* del gabinete de los señores de la guerra, y de sus dos principales seguidores, Lu Zongyou y Zhang Zongxiang, ministro en la legación china en Tokio, a quienes se acusaba colectivamente de negociar el nefasto préstamo. En una declaración solemne, los líderes de la protesta apelaron a la nación para que resistiese:

Nos enfrentamos a una crisis que amenaza con someter a nuestro país ... Si el pueblo no es capaz de unirse indignado en un último esfuerzo para salvar la nación, realmente será la raza más cobarde del siglo XX y no se nos podrá considerar como a seres humanos ... Debemos confiar en las armas y las bombas para tratar con aquellos que, intencionadamente y a traición, venden nuestro país al enemigo. Nuestra nación está en peligro inminente. ¡Su destino pende de un hilo! Confiamos en que te unas a nuestra lucha.[46]

Al final de la asamblea partieron hacia el barrio de las legaciones. Los estudiantes, incluidos algunos niños, sostenían banderas blancas en las que habían escrito «¡Abajo con esa caterva de vendedores de la nación!» y «¡Protejamos la tierra de nuestra nación!».[47] Estaban encabezados por dos enormes banderas nacionales de cinco colores y un par de rollos con una sarcástica inscripción funeraria:[48]

Cao Rulin, Lu Zongyou y Zhang Zongxiang
apestarán durante mil años.
Los estudiantes de Pekín lloran con amargas lágrimas su muerte.

Una delegación entregó sus peticiones a las misiones de Estados Unidos, Gran Bretaña, Francia e Italia. Entonces surgió el grito: «¡A la casa del traidor!». La multitud se lanzó en tropel hacia la casa de Cao Rulin, situada en una calle cercana al Ministerio de Asuntos Exteriores, que hallaron bien custodiada por la milicia y la policía. Cuando la policía intentó hacerles retroceder, cinco jóvenes exaltados, guiados por un estudiante anarquista, Kuang Husheng, treparon por el muro y rompieron una ventana por la que entraron. Abrieron las imponentes puertas de doble postigo y los estudiantes inmediatamente se abalanzaron al interior. Un testigo lo explicó:

El cambio que se produjo en esa marcha de estudiantes aparentemente inocentes fue absolutamente sorprendente ... Los tres mil se apiñaron en una calle estrecha ... se lanzaron sobre la policía, las puertas y cualquier otra cosa, en un frenesí inconsciente, llevando a cabo una destrucción sistemática de la residencia de Cao. Pero no encontraron al hombre que buscaban. Con una habilidad excepcional, se escabulló por una ventana, por encima del muro trasero, y aterrizó sobre una pierna herida en otra calle, donde fue recogido y transportado al santuario en que se convirtió un hotel extranjero. En su lugar, los furiosos estudiantes encontraron una víctima en el infeliz Zhang Zongxiang [que permanecía escondido junto a otro funcionario y un periodista japonés] ... La turba cayó sobre Zhang con toda su furia. Todos insistían en golpearle, al menos una vez cada uno. Lo arrastraron hasta la calle y lo magullaron sobre el polvo hasta quedar irreconocible.

Entonces Kuang y su grupo de anarquistas incendiaron el edificio. En plena confusión, el periodista japonés, con la ayuda de algunos policías, consiguió llevarse a Zhang hasta una tienda en apariencia segura de los alrededores. Allí otro grupo de estudiantes consiguió encontrarle y le golpeó hasta dejarle de nuevo inconsciente. Finalmente llegaron algunos refuerzos y, en las escaramuzas que se siguieron, un cierto número de estudiantes resultó herido, uno de los cuales murió más tarde, y se produjeron treinta y dos arrestos. De camino a la cárcel fueron «vitoreados de todo corazón por los extranjeros y los chinos que encontraron en su itinerario», mostrando el descontento general por la cobardía del gobierno de los señores de la guerra.

El anciano padre de Cao, su hijo y su joven concubina, a quienes los estudiantes habían permitido que huyesen, fueron conducidos por una escolta militar hasta el distrito de las legaciones, donde, en una última humillación, la policía de las legaciones arrestó a su conductor por exceso de velocidad.[49]

El incidente del 4 de mayo, como fue conocido posteriormente, encendió un movimiento de renovación nacional por todo el país que alcanzó hasta el último rincón de China, desatando un maremoto de cambios culturales, políticos y sociales que ha sido considerado desde entonces como uno de los momentos más definitorios de la historia china moderna.

Zhang el Maligno publicó en Hunan un comunicado que proscribía cualquier forma de disturbio.[50] Un buen número de estudiantes distribuyó panfletos que incitaban al pueblo a protestar. Pero eran un grupo insignificante comparado con los miles que se congregaron en otras capitales provinciales;[51] las tropas de Zhang apenas necesitaron aplicarse para conseguir dispersarlos. Pero poner fin al boicot económico no fue una tarea tan sencilla.[52] Se produjeron trifulcas en los bancos japoneses: los chinos rechazaban el papel moneda y retiraron sus depósitos en plata; los periódicos chinos no aceptaron a los anunciantes japoneses; y los mercaderes rechazaron vender los productos de Japón. La ciudad estaba cubierta de carteles con ilustraciones que describían con escarnio la humillación de China a manos de los «enanos del este», y se quemaron públicamente algunas partidas de seda japonesa, introducida de contrabando por algunos estraperlistas. Pero incluso en estas acciones, Hunan se limitó a seguir el ejemplo de otras provincias, que habían actuado antes y más enérgicamente. La condena por parte de Zhang del boicot, al considerarlo como una «ofensa a la nación», tuvo sus efectos. En Changsha no hubo huelga de comerciantes y las tiendas japonesas no fueron objeto de pillaje. El mismo Zhang anotó con satisfacción que la provincia había sido un buen «ejemplo a seguir [si la comparamos] con otros lugares».[53]

Mao apenas participó de los primeros acontecimientos de la campaña. Pero ya a finales de mayo contribuyó con la fundación de la Asociación de los Estudiantes Unidos de Hunan, que organizaba grupos de inspección para trabajar conjuntamente con los gremios comerciales a fin de asegurarse de que el boicot se cumplía estrictamente; y, según parece, redactó un «encendido llamamiento»[54] instando a la resistencia nacional.

Muy pronto, sin embargo, fue consciente de que aquellos esfuerzos se limitaban a dar vueltas alrededor del verdadero objetivo. Para Mao, al igual que para Chen Duxiu y Li Dazhao en Pekín, el boicot y la cuestión de Shandong eran meros síntomas del malestar nacional de China;[55] la causa y el remedio había que buscarlos en lugares mucho más recónditos. Eran de un valor incalculable como vehículo para movilizar el sentimiento público. Pero si se perseguían cambios perdurables, sería necesario canalizar el sentimiento de ultraje nacional para llevar a cabo reformas políticas fundamentales. El movimiento del 4 de mayo era sólo un catalizador. La energía que había liberado tenía que ser aprovechada para desencadenar el tan anhelado renacimiento nacional, más que ser disuelta con pequeñas concesiones, como la dimisión de Cao Rulin y sus defensores, anunciada a bombo y platillo por el gobierno de Pekín a principios de junio, o el simbólico rechazo de China, un mes después, a firmar el tratado de paz de París.

Con este propósito en mente, y con el apoyo del presidente de la Asociación de Estudiantes, Peng Huang, compañero suyo en la Asociación de Estudios del Nuevo Pueblo, Mao decidió crear un semanario, el *Xiangjiang pinglun*[56] (*Revista del río Xiang*), cuyo objetivo era promover las reformas a todos los niveles. En un editorial de la portada del primer número, publicado el 14 de julio, lanzó al viento la bandera de su causa:

> Debemos cambiar nuestras viejas actitudes ... Cuestionar lo incuestionable. Atrevernos con lo impensable ... En nuestro mundo ya no hay lugar para la represión de ningún tipo: religiosa, literaria, política, social, educativa, económica, intelectual, internacional. Todo ello debe ser derribado bajo el grito estruendoso de la democracia.
>
> Ha llegado la hora ... ¡Se han abierto ... las compuertas! ¡Se ha desatado la inmensa y furiosa marea del nuevo pensamiento, inundando ambas orillas del río Xiang! Los que cabalguen sobre la corriente vivirán; los que se resistan morirán. ¿Cómo podemos darle la bienvenida? ¿Cómo podemos estudiarla? ¿Cómo la transformaremos en algo real? Esto es lo más urgente, la tarea más fundamental para todos nosotros, los hunaneses...[57]

En un largo artículo titulado «La gran unión de las masas populares», publicado en tres números consecutivos de finales de julio y principios de agosto, intentó dar respuesta a estas cuestiones.[58] En él argumentaba que las posibilidades de reforma eran más claras cuando «la decadencia del Estado, los sufrimientos de la humanidad y la oscuridad de la sociedad han llegado a sus extremos». Para conseguir aferrarse a la oportunidad cuando ésta surgiese era necesaria, ante todo, una «gran unión» de todas las fuerzas progresistas de la sociedad —formada por «una multitud de pequeños sindicatos», representantes de los trabajadores y los campesinos, los estudiantes, los profesores, y de grupos marginados como las mujeres o los conductores de *rickshaw*, a menudo considerados como el símbolo de la explotación del país desde los incidentes del 4 de mayo. Si todos ellos eran capaces de luchar juntos, escribía Mao, no habría fuerza alguna que lograse contenerles.

Pero ¿era una empresa real? «Se pueden suscitar algunas dudas», concedía Mao. «Hasta ahora, el pueblo de nuestra nación ha sido, simplemente, incapaz de llevar a cabo iniciativas a gran escala.» Pero ahora, insistía, era diferente. Se había despertado en China la conciencia de las masas, el imperio había sido derrocado y la democracia, «la gran rebelde», esperaba a la vuelta de la esquina:

> ¡Estamos despiertos! ¡El mundo es nuestro, el Estado es nuestro, la sociedad es nuestra! Si no alzamos nosotros la voz, ¿quién lo hará? Si no actuamos nosotros, ¿quién actuará? ... La liberación ideológica, la liberación política, la liberación económica, la liberación entre los hombres y las mujeres, y la liberación de la educación pronto irrumpirán emergiendo del profundo infierno donde han permanecido confinadas y exigirán mirar al cielo azul. ¡Nuestro pueblo chino posee en su interior grandes cualidades! Cuanto mayor sea la opresión, mayor será su reacción, y tras tan largo tiempo acumulándose, estallará sin duda muy pronto. Me aventuro a formular una afirmación muy singular: llegará un día en que la reforma del pueblo chino será más radical que la de ningún otro pueblo, y la sociedad china será más luminosa que ninguna otra ... [y] se conseguirá antes que en cualquier otro lugar o que por cualquier otro pueblo. ¡Señores! ¡Señores! ¡Todos debemos esforzarnos! ¡Tenemos que avanzar con todas nuestras fuerzas! ¡Nuestra edad de oro, nuestra edad de gloria y esplendor, espera ante nosotros!

El artículo era destacable no sólo por su franqueza y su vehemencia, su desenfadada confianza en el futuro y su implícita exaltación de la juventud como el principal motor del cambio, sino porque ofrecía un programa coherente y práctico para conseguir ese cambio. Aquello lo alejaba de la marea de escritos publicados en los cuatrocientos, si no más, panfletos estudiantiles que se distribuían en China en aquella época, quince de ellos sólo en Changsha,[59] y de la noche a la mañana le granjeó a él y a su *Revista del río Xiang* una reputación de ámbito nacional. Hu Shi, el filósofo liberal que nueve meses antes le había desairado, lo describió como «uno de los artículos [verdaderamente] importantes» de aquel tiempo, y elogió la «clarividente visión y los argumentos efectivos y bien seleccionados» de su autor.[60] Li Dazhao lo reimprimió en el *Meizhou pinglun* (*Revista semanal*) que editaba en Pekín. El líder de la Sociedad de la Nueva Ola, Luo Jialun, otro de los que había desdeñado las propuestas de Mao cuando éste era ayudante de biblioteca, dijo de él que encarnaba los objetivos del movimiento estudiantil.[61]

A largo plazo, aún más importante para la evolución de Mao fue el nuevo énfasis que otorgaba a las cuestiones organizativas, algo que con el tiempo lo encauzaría hacia el marxismo. Pero en aquel momento continuaba percibiendo la revolución mundial, que según él indicaba se estaba desplazando inexorablemente hacia el este, desde Leningrado hasta Asia, en términos esencialmente anarquistas. Sus artículos estaban dedicados a la política educativa, la lucha por los derechos de las mujeres y los consabidos temas anarquistas como «si se debía o no mantener la nación, la familia o el matrimonio, [y] si la propiedad tenía que ser privada o pública». Consideraba que el concepto marxista de lucha de clases, en el supuesto de que realmente lo comprendiese, era totalmente ajeno a él: «[Si] empleamos la represión para desbancar la represión», escribió, «el resultado [será] que la represión continuará entre nosotros. Esto no sólo sería contradictorio, sino también improductivo». Más que librar una «revolución de bombas [y] ... sangre», había que mostrar a los opresores hasta qué punto eran erróneas sus medidas. De hecho, Mao hacía escaso uso del término «clase», y sólo en un sentido tan poco marxista como en las expresiones «las clases de los sabios y los ignorantes», o «de los fuertes y los débiles».[62]

Por otra parte, escribir para un público más amplio concedió a Mao una primera oportunidad para aplicar los mecanismos de análisis que había desarrollado como estudioso de la política de su tiempo. En «La gran unión de las masas populares» defendió una relación dialéctica entre la represión y la reacción surgida en su contra,[63] extraída sin tapujos del *System der Ethik* de Paulsen. Esa concepción de los cambios históricos había dado forma a su interpretación de la derrota alemana: «Cuando observamos la historia a la luz de la dialéctica entre la causa y el efecto, la alegría y el sufrimiento se interrelacionan estrechamente de manera inseparable. Cuando la alegría de unos llega a su extremo, el sufrimiento de los otros alcanza también su límite».[64] De este modo, la invasión de Francia llevada a cabo en 1790 por la Santa Alianza albergaba en su interior las semillas de la ascensión de Napoleón; la invasión napoleónica de Prusia de 1815 creó las condiciones para la derrota francesa de 1870, que a su vez allanó el camino de la derrota de Alemania en 1918. Y no acababa aquí: la dureza de las condiciones impuestas por los aliados en Versalles iniciaría otro ciclo inevitable de conflictos. «Os garantizo», escribía Mao, «que, en diez o veinte años, vosotros los franceses sufriréis otra vez un terrible dolor en vuestras cabezas. ¡Recordad mis palabras!»

La simpatía de Mao por Alemania, compartida por no pocos intelectuales chinos, mostraba su admiración por su «fuerza dominante» y el «espíritu de grandeza» que le había permitido convertirse en la nación más poderosa de Europa. Pero, también en este punto, su noción de la historia le encaminó hacia una premonición que muy pocos en aquel momento estaban dispuestos a secundar:

> Debemos saber [escribía a finales de julio] que Japón y Alemania son como dos perros, uno macho y el otro hembra, que han intentado aparearse ya en varias ocasiones y, a pesar de que hasta ahora no han tenido éxito, su codicia por el otro no desaparecerá nunca. Si las aventuras militaristas del autoritarista gobierno Japonés no cesan, si el gobierno ... alemán no es desbancado por la revolución, y si este codicioso semental y esta puta lasciva dejan de estar separados, el peligro será verdaderamente enorme.[65]

Cuando escribió estas líneas, Mao sólo tenía veinticinco años.

A principios de agosto de 1919 imperaba en China una calma quebradiza. El gobierno de Pekín había transigido ante algunas demandas y las huelgas y manifestaciones habían llegado a su fin.

Sólo en Hunan continuaban reproduciéndose las fricciones. En una reunión con los representantes estudiantiles, el gobernador Zhang, envalentonado por la presencia de su escolta, gritó con furia: «No tenéis permiso para manifestaros en las calles, no tenéis permiso para organizar reuniones ... Vuestra obligación es trabajar duro en vuestros estudios y en la enseñanza. Y si no atendéis a lo que os digo, ¡os cortaré la cabeza!».[66] Poco después, la Asociación de Estudiantes fue prohibida y Peng Huang, su presidente, huyó a Shanghai.[67]

Aquella demostración no impresionó a Mao. El 4 de agosto la *Revista del río Xiang* publicó una petición socarrona y maliciosa que él mismo había escrito, solicitando al gobernador que levantase la prohibición del periódico más importante de Changsha, el *Dagongbao*:

> Nosotros, los estudiantes, nos hemos preocupado largamente por el honorable gobernador ... No esperábamos que el periódico pudiese ser clausurado y su editor detenido, sólo porque publicó un manifiesto ... expresando su rechazo a una elección ilegal [amañada por los seguidores de Zhang] ... Esperamos sinceramente que Su Señoría, por el interés y el provecho que le reportará, tomará la decisión más correcta [y le liberará]. En tal caso, el pueblo de Hunan recordará perpetuamente su virtuosa acción. En caso contrario ... algunos forasteros mal informados proclamarán a los cuatro vientos que este go-

bierno ha abolido el derecho a la libertad de expresión. Debemos guardarnos de las malas lenguas, más que de una inundación. Su Señoría es clarividente e iluminada, y no es posible que no esté de acuerdo con nosotros.[68]

La reacción del gobernador era predecible. A pesar de que Mao sostenía que la *Revista* se ocupaba sólo de cuestiones sociales y académicas,[69] el número siguiente fue confiscado y se ordenó la clausura de la publicación.[70] Unos días después, un grupo de soldados, encabezados por el hijo adoptivo de Zhang, asesinaron a ballonetazos a dos jóvenes radicales de Shanghai que estaban colaborando con los estudiantes en la organización de un boicot contra los intereses japoneses.[71] Al día siguiente, Mao se convirtió en el editor de otra revista estudiantil, *Xin Hunan* (*El Nuevo Hunan*). En su primer número proclamó desafiante: «Como es natural, no nos preocuparemos de si las cosas están tranquilas o no. Y aún menos nos fijaremos en las autoridades, cualesquiera que sean». Cuatro semanas después también era prohibida.[72]

En tales circunstancias llegó la noticia de la muerte de la madre de Mao. Cuando volvió a escribir, un mes después, para el *Dagongbao*, cuya reapertura había sido autorizada por el propio Zhang, el drama de las mujeres en China y la camisa de fuerza que representaba la noción confuciana de la familia pasaron a ocupar el centro de sus pensamientos.

Cuando llegó el verano de aquel año, en «La gran unión de las masas populares», Mao ya había asumido el papel de portavoz en la lucha por la igualdad de las mujeres:

> Señores, ¡nosotros somos mujeres! ... También somos seres humanos ... [aunque] no se nos permite pasar más allá de la puerta de entrada. Los sinvergüenzas, los hombres malvados nos convierten en sus juguetes ... Pero la llamada «castidad», ¡se aplica sólo a las mujeres! Los «templos a las mujeres virtuosas» se desparraman por todo el país, pero ¿dónde están las «pagodas a los hombres castos»? ... Todo el día hablan de algo que ellos llaman ser «una mujer de provecho y una buena esposa». Pero ¿qué es esto sino prostituirnos indefinidamente con el mismo hombre? ... ¡Oh, qué amargura! ¿Dónde te escondes, espíritu de la libertad? ... ¡Queremos barrer a esos demonios que nos violan y destruyen la libertad de nuestras almas y nuestros cuerpos![73]

La mayoría de los jóvenes progresistas chinos, reacios al extremo sufrimiento que se exigía que soportasen diariamente muchas mujeres chinas, compartía en 1919 esas ideas.

Aquel otoño ocurrió en Changsha un suceso particularmente funesto alrededor de una joven que había sido comprometida por sus padres como segunda esposa de un anciano comerciante. Con treinta y tres años, Zhao Wuzhen fue conducida en procesión en un palanquín nupcial, engalanada en seda roja, hasta la casa de su futuro esposo. Pero cuando abrieron la puerta se descubrió que, en el camino, ella se había rebanado la garganta con una navaja.

Todavía con el recuerdo amargo de su matrimonio concertado, y durante el luto por la muerte de su madre, de la que creía que había vivido atrapada de manera similar por una unión sin afecto, Mao se lanzó al debate que se había suscitado, publicando no menos de diez artículos en el *Dagongbao* en el breve lapso de dos semanas. La familia de la joven tenía parte de la culpa, reconocía Mao, al obligarla a casarse con un hombre al que no amaba. Pero la causa última de la tragedia era «la oscuridad del sistema social», que no le había ofrecido otra alternativa que acabar con su vida. Citando uno de sus proverbios predilectos —«es mejor un jade hecho añicos que un jarrón de barro inmaculado»—, aseguraba que lo que ella había hecho era «un acto de auténtico coraje»,[74] y no estaba de acuerdo con los que, como Peng Huang, sugerían que podría haber encontrado otras formas de luchar contra su destino:

> El señor Peng se extraña de que la señorita Zhao no hubiese, simplemente, huido ... Pero antes, permítaseme formular algunas cuestiones, tras las cuales daré mi punto de vista.
>
> 1) En la ciudad de Changsha hay más de cuarenta vendedores [que van de casa en casa, vendiendo productos de lino a las mujeres en los aposentos interiores] ... ¿Por qué ocurre de esta manera?
>
> 2) ¿Por qué todos los baños públicos de la ciudad de Changsha son exclusivamente para hombres, y no hay ninguno para mujeres?
>
> 3) ¿Por qué no podemos ver nunca a una mujer entrar en las barberías?
>
> 4) ¿Por qué no podemos ver nunca a las mujeres alojándose en los hoteles?
>
> 5) ¿Por qué no es posible ver a las mujeres en las casas de té tomando alguna vez una bebida?
>
> 6) ¿Por qué los clientes de [las grandes tiendas] ... son siempre hombres, nunca mujeres?
>
> 7) ¿Por qué, entre todos los conductores de carros de la ciudad, no hay una sola mujer?
>
> Todo el que conozca la respuesta a estas preguntas comprenderá por qué la señorita Zhao no pudo huir ... Aunque [ella] lo hubiese deseado, ¿adónde podría haber escapado?[75]

El nuevo énfasis de Mao en las cuestiones sociales, y en la observación de primera mano, le obligó a revisar sus objetivos políticos. Para cambiar China, concluyó, sería necesario primero cambiar la sociedad. Para cambiar la sociedad, se tenía que cambiar antes el sistema. Y para cambiar el sistema, se debía comenzar cambiando a los que había en el poder.

Algunos de sus compañeros en la Asociación de Estudios del Nuevo Pueblo disentían, argumentando que la función de los intelectuales era concebir grandes ideas, no «preocuparnos con pequeños problemas y asuntos insignificantes».[76] Según replicó Mao, aquello era cierto, pero sólo hasta cierto punto: siempre que no se dejase de lado el propósito último. El estímulo de los intelectuales a los cambios prácticos, políticos, era el «medio más económico y efectivo» de intervenir en la situación contemporánea y conseguir que se llevase a cabo una reforma hasta los cimientos.

Bajo su influencia, cuando aquel invierno los nuevos esfuerzos por estrechar el boicot contra los intereses japoneses situaron a Zhang Jingyao en una situación crítica, los estudiantes de Changsha adoptaron este enfoque pragmático y hábil.

El 2 de diciembre, unos cinco mil estudiantes, algunos representantes de la Cámara de Comercio y miembros de la Sociedad para la Promoción de los Productos Nacionales, trabajadores de las fábricas y oficinistas marcharon hasta el antiguo salón de los exámenes imperiales para celebrar una reunión en la que planeaban quemar catorce fardos repletos de vestidos japoneses de contrabando.[77] Cuando la ceremonia se aproximaba a su clímax, aparecieron en las calles de los alrededores algunos centenares de soldados, comandados por el hermano menor del gobernador, Zhang Jingtang, que rodearon a los manifestantes con los rifles cargados. «¿Qué clase de gente sois, que venís a perturbar la paz?», gritó a la multitud. «¿Acaso no sabéis que somos nosotros, los hermanos Zhang, los que os pagamos vuestros estudios?» Espoleando al caballo para avanzar, continuó desafiante: «Yo también sé prender fuego a las cosas ... Y también, como soldado que soy, sé cómo acabar con la gentuza. Tened por seguro que mataré a más de uno si estos actos continúan». Cuando unos de los estudiantes protestó, argumentando que aquello era una reunión patriótica, las tropas iniciaron su avance. «Vosotros, hunaneses, no sois más que unos vándalos», gritó, «y vuestras mujeres son iguales.» Los dirigentes de la protesta fueron obligados a arrodillarse, mientras Zhang hacía oídos sordos, y se practicaron no pocos arrestos.

El incidente, insignificante en sí, fue la gota que colmaba el vaso para los hunaneses. Entre los que Zhang había insultado estaban los hijos y las hijas de la elite. Aquel mismo otoño un destacado banquero de Changsha había confesado a un extranjero conocido suyo: «Esta vez, el problema está [entre los que llevan] toga, no entre la masa de harapientos ... Sería mejor para esta ciudad acabar saqueada y librarse de Zhang Jingyao que continuar más tiempo en la situación actual».[78] Después de dieciocho meses de gobierno norteño, la economía había llegado al colapso.[79] Incluso las tropas habían dejado de recibir en algunas regiones su salario, lo que propició que Zhang, siguiendo a otros caciques militares locales, ordenase secretamente a los granjeros que retomasen el cultivo del opio, que, a pesar de estar prohibido por los tratados de las potencias occidentales (a través de un nuevo decreto presidencial, promulgado en Pekín), generaba enormes beneficios en forma de impuestos.[80] A raíz de ello, la burguesía local decidió que el gobernador debía marcharse.

Dos semanas después del enfrentamiento de Changsha, una delegación se desplazó secretamente hasta Pekín para solicitar la destitución de Zhang.[81] Mao era uno de sus miembros, con el cometido de organizar una «agencia de noticias del pueblo» encargada de divulgar la información de la campaña contra Zhang a los periódicos chinos.[82] El 24 de diciembre la «agencia de noticias» logró una importante exclusiva cuando los estudiantes descubrieron en Wuhan cuarenta y cinco sacos de semillas de opio, cada uno de cerca de noventa kilos, en un almacén de mercancías, consignadas para ser cargadas en un ferrocarril con destino a Changsha y dirigidas al gobernador Zhang.[83] Durante los dos meses siguientes la delegación desató un aluvión de peticiones, denunciando la «codicia insaciable» de Zhang y su «gobierno tiránico».[84] Se celebró una reunión, a la que asistió Mao, con un funcionario de la oficina del primer ministro, y los miembros de Hunan pertenecientes a la Asamblea Nacional amenazaron con abandonar sus escaños si Zhang no era destituido.[85] Pero el gobernador permaneció placenteramente en su cargo y, a finales de febrero, los delegados decidieron que no estaba en su mano hacer más.[86]

Finalmente, cuando cuatro meses después Zhang sucumbió, no fue por las protestas populares, sino por las decisiones políticas de los señores de la guerra. En mayo de 1920, Wu Peifu, consciente de que el inestable conflicto entre el grupo de Zhili, al que él pertenecía, y el gobierno rival de Anfu llegaba a un momento crítico, decidió respaldar a los ejércitos sureños de Tan Yankai en su empresa de reconquistar Hunan, al tiempo que él mismo se dirigía al norte para presentar batalla ante Duan Qirui. El día 11 de junio, el gobernador escapaba, provocando el estallido de un depósito de municiones en señal de despedida.[87] En un gesto significativo, exigió un último millón de dólares a los comerciantes locales, amenazándoles con quemar la ciudad y ejecutar a sus líderes.[88] La llegada, la noche siguiente, de las fuerzas del sur provocó «el día de mayor celebración que nunca he podido ver en Changsha», según escribió un testigo, con una alegre multitud inundando las calles y los petardos retumbando hasta entrada la noche.[89] Poco más de un mes después, los ejércitos de Duan Qirui eran derrotados por Wu y otros generales de Zhili, de modo que la camarilla de Anfu, que había controlado el norte de China durante tres años, quedó formalmente disuelta.

Si bien el viaje de Mao a Pekín fue un fracaso en cuanto a ensayo de política real, fue, sin embargo, de gran utilidad para su conversión final al marxismo. Ya durante el otoño anterior, cuando la presión de Zhang sobre los estudiantes era mayor y la *Revista del río Xiang* había sido prohibida, Mao había fundado una «asociación para el estudio de los problemas», cuyo propósito era hallar las claves para el desarrollo de la «unión de las masas populares».[90] Era una asociación ecléctica y la lista de más de cien objetivos que pretendía abarcar, desde temas como «si se debía o no establecer el socialismo» hasta asuntos tan esotéricos como «el problema de la perforación de túneles bajo el Mar de Bering, el Canal de la Mancha y el Estrecho de Gibraltar», ilustraba el sentimiento de entusiasmo sin límite que había desatado el movimiento del 4 de mayo.

La asociación se inspiraba en un debate que había tenido lugar aquel año entre Hu Shi y Li Dazhao. Hu afirmaba que China necesitaba «estudiar más los problemas y hablar menos de ismos». Li replicaba que sin «ismos» (o teorías), no era posible comprender los problemas. Por ello, en septiembre de 1919, Mao intentó construir un puente entre ambas posiciones.

Sin embargo, a medida que pasaban los meses, la amenaza la constituía la excesiva abundancia de «ismos». Un artículo de Li Dazhao titulado «Mis opiniones marxistas» ejerció una influencia notable; publicado en *Nueva Juventud*, la segunda parte, aparecida en noviembre de 1919, trataba de la teoría económica de Marx.[91] El vocabulario de Mao cambió casi de la noche a la mañana. Comenzó a ser consciente, por primera vez, de que el sistema que pretendía transformar era, en esencia, de naturaleza económica.[92] La «relación principal» en el matrimonio tradicional, anunciaba, era «económica y, por tanto, controlada por el capitalismo». Para que el sistema matrimonial fuese transformado, las mujeres debían obtener la independencia económica.[93] Y si se pretendía que la sociedad pudiese cambiar, se debía acabar con las viejas relaciones económicas y se tenía que edificar un nuevo sistema económico en su lugar. Un mes más tarde, Mao comenzaba a designar a sus compañeros de la Asociación de Estudios del Nuevo Pueblo con el término «camaradas», y a la gente trabajadora con el de «obreros».[94]

En la primavera de 1920 la decisión rusa de repudiar los «tratados desiguales», que, al igual que a otras potencias, concedían a Rusia derechos extraterritoriales en China, provocó un estallido de agradecimiento popular al régimen bolchevique, y un inmenso interés por sus principios de gobierno entre los radicales chinos.[95]

Aquello causó una honda impresión en Mao, que intentó aprenderlo todo sobre el nuevo gobierno de Moscú.[96] Rusia, dijo a un amigo, era «el país más civilizado del mundo».[97] Ansiaba viajar hasta allí para ver el comunismo con sus propios ojos y le habló a Li Dazhao de la posibilidad de organizar un programa con el fin de enviar a los jóvenes a Moscú para estudiar y trabajar, de manera similar a lo que hacían los chinos que iban a Francia.[98] En algún momento llegó a anunciar que quería aprender la lengua rusa.[99] Pero, en su interior, Mao continuaba mostrándose profundamente ambivalente sobre la utilidad de los viajes al extranjero. «Hay demasiados que enloquecen al oír esta expresión, "viajar al extranjero"», se quejaba, y añadía reflexivamente unas líneas después: «Creo que la única solución válida para cada uno de nosotros es ir una vez al extranjero, simplemente para satisfacer nuestras ansias».[100] Finalmente resolvió el problema aplazando la decisión, permaneciendo «por el momento» en China para estudiar.[101]

No obstante, incluso en Pekín, aquello era más fácil de decir que de hacer.

Había muy poca literatura marxista disponible en chino.[102] La primera traducción completa del *Manifiesto comunista* no apareció hasta 1920, cuando Mao se disponía a partir hacia Shanghai, y hasta final de año no se tradujo ninguno de los escritos de Lenin.[103] Pero Mao se aferró a todo lo que estaba disponible. El *Manifiesto*, en particular, le influyó profundamente. Como también la *Lucha de clases*, de Kautsky, que abogaba por una revolución no violenta. También le animó Li Dazhao, que acababa de fundar una Asociación de Estudios del Marxismo en la Universidad de Pekín,[104] al igual de Chen Duxiu, cuya fe en el comunismo, según la describió Mao años más tarde, «me impresionó hondamente en lo que probablemente fue un momento crucial de mi vida».[105]

No obstante, Mao aún estaba lejos de adoptar el marxismo como doctrina. Al tiempo que Chen se disponía ya a crear una rama de la Liga de las Juventudes Socialistas y un «grupo comunista» en Shanghai, Mao se dedicaba a difundir con entusiasmo el movimiento japonés de la «Nueva Aldea»,[106] que vislumbraba el establecimiento de comunas basadas en la ayuda mutua propugnada por Kropotkin, los recursos compartidos, el trabajo y el estudio, como primer paso hacia la creación pacífica de una sociedad anarquista y sin clases. El trabajo físico era obligatorio y para reducir la distancia entre el campo y la ciudad, y entre los estudiantes y la sociedad, se obligaba a sus miembros a divulgar las ideas modernas entre los campesinos, de manera muy similar a como en Rusia se los enviaba a las aldeas para difundir el pensamiento bolchevique.[107]

Aquel verano, después de que varios de esos intentos se viniesen abajo, en Pekín y en muchos otros sitios,[108] Mao admitió que las comunas eran meras quimeras.[109] Sin embargo, no abandonó totalmente el concepto de la «Nueva Aldea». Un año después fundó la Universidad Autodidacta en Changsha, basada en los principios de la vida en comunidad, cuyos miembros se comprometían con la enseñanza, el estudio y la «práctica del comunismo».[110] También organizó una Asociación de los Libros Culturales para divulgar en la provincia la nueva literatura que se había generado con el movimiento del 4 de mayo.[111] Una vez más, el marxismo era una influencia menor. La asociación vendió más libros de Kropotkin, Hu Shi y John Dewey que de

Kautsky o Marx. Mao consideraba en aquella época que Dewey, quien enseñaba que «la educación es vida, la escuela es la sociedad», era uno de los «tres grandes filósofos contemporáneos», junto a Bertrand Russell y el pensador francés Henri Bergson.[112]

Años después, en Bao'an, Mao explicó a Edgar Snow que en el verano de 1920 ya se consideraba un marxista.[113] Pero nada más lejos de la verdad. En aquella época admitió a un amigo que todavía no sabía qué creer.[114] De hecho, lejos de ser una fuente de luz, durante aquel verano el marxismo contribuyó aún más a su confusión. Mao se fustigaba a sí mismo por no ser más ordenado: «Soy demasiado emocional y vehemente», confesó a uno de sus antiguos profesores. «No puedo sosegar mi espíritu y sólo persevero con muchas dificultades. Además, cambiar es muy difícil para mí. Realmente es una situación lamentable.» Deseaba poseer rayos X en los ojos, continuaba, para poder leer de manera más penetrante. «Me gustaría tanto estudiar filología, lingüística y budismo, pero no tengo ni los libros ni el tiempo para hacerlo, y por ello holgazaneo y lo aplazo … Es difícil para mí tener una vida disciplinada.»[115]

El deseo de estudiar budismo puede parecer un tanto extraño en un hombre de creencias tan profundamente radicales. Pero para Mao, en 1920, la cultura china era todavía la base sobre la que se debía construir todo lo demás, algo que continuaría vigente durante el resto de su vida.[116]

Nunca renegó de sus ideas de juventud. En lugar de ello, su pensamiento se formó por acumulación. El idealismo que absorbió de Paulsen y Kant se revistió con el pragmatismo de Dewey; el liberalismo de John Stuart Mill, con el darwinismo social; Adam Smith con T. H. Huxley; el constitucionalismo de Liang Qichao dio lugar al socialismo de Jiang Kanghu y Sun Yat-sen. El utopismo de Kang Youwei preparó el camino del anarquismo y el marxismo. Y todo este «conocimiento moderno» estaba apuntalado por la herencia clásica —desde Wang Yangming, de la dinastía Ming, al neoconfuciano Zhu Xi, de la dinastía Song; desde el gran ensayista Tang, Han Yu, a Qu Yuan, del período de los Reinos Combatientes— que, a su vez, estaba anclada en la tradicional amalgama china de budismo, confucianismo y taoísmo que Mao había respirado durante su niñez en las pequeñas escuelas de Shaoshan. Cada capa cubría a las otras. Nunca se perdía nada.

Consecuencia de ello fue una notable capacidad, que se mostró más pronunciada a medida que Mao avanzaba en edad, para el pensamiento metafórico y ubicuo. Pero más crucial aún era que su aproximación al marxismo, una vez se hubo aferrado a él, estaba teñida de otras tradiciones intelectuales muy alejadas.

La Asociación de los Libros Culturales, junto con los textos anarquistas, ofrecía obras tan marcadamente tradicionales como una edición revisada de

A la orilla del agua en lenguaje clásico literario.[117] Por ello, cuando Mao consiguió llevar a cabo en la primavera de 1920 alguno de los viajes de los que había hablado dos años atrás, sus primeros pasos se dirigieron a los escenarios clásicos de la antigüedad:

> Me detuve en Qufu y visité la tumba de Confucio. Pude ver el pequeño arroyo donde los discípulos de Confucio se lavaban los pies, y la pequeña ciudad en la que el sabio vivió durante su niñez. Se cree que plantó un famoso árbol que hay cerca del templo a él dedicado, que pude contemplar. También me detuve junto al río en que había vivido uno de los discípulos más famosos de Confucio, Yan Hui, y vi el lugar de nacimiento de Mencio. En este viaje pude ascender al Taishan, el monte sagrado de Shandong, donde el general Feng Yuxiang se retiró y escribió sus caligrafías patrióticas ... Paseé alrededor del lago Dongting, y rodeé la muralla de Baodingfu. Caminé sobre el hielo en el golfo de Beihai. Caminé por la muralla de Xuzhou, famosa por [la novela *El romance de*] *los Tres Reinos*, y alrededor de la muralla de Nanjing, también famosa por su historia ... Todos estos lugares me parecieron hazañas dignas de mis aventuras... [118]

Como demuestra esta narración, hecha dieciséis años después ante Edgar Snow, para Mao, su viaje al pasado de China fue, en su particular camino personal, tan destacable como su viaje al mundo nuevo y extraño de los «ismos», que eran la clave del futuro de China.

Justo después de que Zhang Jingyao fuese obligado a abandonar el gobierno de Hunan, emergió un animado debate sobre la manera en que debía ser gobernada la provincia. En aquella época por lo general se consideraba que la República de China fundada por Sun Yat-sen había sido un fracaso. Desde 1913 Hunan había estado gobernado por tres señores de la guerra del norte —el «carnicero Tang, el tirano Fu y Zhang el Maligno»—, a cada cual peor. Decenas de miles de hunaneses habían muerto en una guerra civil estéril; cientos de miles habían perdido sus hogares. Las atrocidades de los dos años anteriores habían convencido tanto a los progresistas como a los conservadores de la elite provincial de que Hunan estaría mucho mejor bajo la administración de los propios hunaneses. Y, a partir de ello, sólo quedaba un pequeño paso para proponer que la provincia declarase su independencia —no sólo de palabra, sino de hecho— respecto del gobierno de Pekín, primero, y del resto de China, después. En 1920, las nuevas consignas hablaban de leyes propias y autogobierno. El eslogan «¡Hunan para los hunaneses!» resonaba nuevamente y la mentalidad del viejo «reino independiente», tan destacada por los viajeros del siglo XIX, experimentó un drástico resurgimiento.

En un principio Mao se mostraba escéptico. «No entiendo realmente cómo deberíamos [hacerlo]», escribió en marzo de aquel año. «Teniendo en cuenta que es una provincia de China, no será fácil para Hunan establecer su independencia, a menos que la situación cambie completamente en el futuro y nuestra categoría sea similar a la de un estado americano o alemán.»[119]

Pero antes de que transcurriesen tres semanas Mao quedó persuadido y se unió a Peng Huang en la fundación de la Asociación para la Promoción de las Reformas en Hunan, establecida en Shanghai y financiada por un grupo de poderosos hombres de negocios de Hunan. Existía el peligro de que el derrocamiento del gobernador Zhang, advertía, fuese como una «cabeza de tigre con cola de serpiente», un comienzo prometedor sin confirmar. El «mal sistema» debía ser transformado, de lo contrario otro señor de la guerra ocuparía el trono de Zhang. Pero no era posible cambiar el sistema en toda China. El mejor método, por tanto, era comenzar por una zona localizada, en este caso Hunan, aplicando el principio de autodeterminación, con la esperanza de que se convirtiese en un modelo a seguir para el resto de provincias.[120] Entonces, con el tiempo, todas se «unirían para alcanzar una solución global a los problemas de todo el país».[121]

En junio de 1920, diez días después de la caída de Zhang, Mao avanzó un paso más en sus argumentos con una carta publicada en el *Shenbao*, periódico de Shanghai:

A partir de ahora, los asuntos más importantes que tenemos que resolver son ... la abolición del gobierno de los militares, el recorte del poder de los ejércitos y ... la construcción del gobierno del pueblo ... No hay ninguna esperanza de erigir un gobierno pleno del pueblo en China durante los próximos veinte años. [De este modo] Hunan debería proteger sus propias fronteras y hacer realidad su propio autogobierno. Así podrá [asemejarse a] cualquiera de los estados [americanos] ... de hace cien años ... Dando libertad plena al espíritu del pueblo de Hunan, conseguiremos crear una civilización hunanesa dentro del territorio de Hunan ... Durante los últimos cuatro mil años, la política china siempre ha optado por las formas grandilocuentes de proyectos desmesurados y grandes métodos. El resultado ha sido un país de apariencia fuerte, pero de esencia débil; sólido en lo alto, pero vacío en el fondo; altisonante en la superficie, pero sin sentimientos y corrupto en el interior. Desde la fundación de la República, gente famosa y grandes hombres han hablado con voz sonora de la constitución, el parlamento, el sistema presidencial y el gabinete. Pero cuanto más ruidosas han sido sus palabras, mayor ha sido la confusión que han creado. ¿Por qué? Porque intentan levantar castillos de arena, y la construcción se hunde antes incluso de que haya finalizado. Nosotros queremos centrar nuestra mirada y hablar de la autodeterminación y el autogobierno de Hunan.[122]

Durante los dos meses siguientes, los hunaneses de toda extracción, desde los campesinos en sus aldeas arrasadas hasta los grandes comerciantes de las ciudades, estuvieron demasiado ocupados en la reconstrucción de sus hogares, devastados por la destrucción orquestada por el ejército de Zhang, para dedicar su atención a la política. Mao permaneció algunas semanas en Shaoshan junto a sus hermanos, turbado por los asuntos de una familia que, siendo el mayor de entre los hijos, había pasado a encabezar.[123] En Changsha, Tan Yankai, por tercera vez en su vida, intentó reedificar lo que había sobrevivido de la administración provincial. No obstante, en esta ocasión rechazó el odiado título de *dujun*, gobernador militar, decantándose en lugar de ello por el de «comandante en jefe» de las fuerzas que habían liberado la ciudad.

De este modo, Hunan mantenía, no sólo nominalmente sino también *de facto*, su independencia respecto del control de Pekín, pero la forma del futuro gobierno era todavía una incógnita. A finales de agosto, Xiong Xiling, un intelectual de Hunan que había sido primer ministro durante los primeros años de la República, se enfrentó a esta cuestión.[124] Propuso que el nuevo gobernador fuese elegido por un comité compuesto por asamblearios locales y miembros de las asociaciones educativas y comerciales. Las réplicas no se hicieron esperar, y cuando Mao volvió a Changsha a comienzos de septiembre el debate ya estaba en marcha. Quiso contribuir de manera inmediata con un artículo de su propia mano, publicado en el *Dagongbao*. «Se levanta una tormenta de cambios en el mundo entero», proclamó; «el clamor por la autodeterminación nacional resuena hasta los cielos.» Hunan debía ser la primera de las «veintisiete pequeñas chinas» que se verían liberadas de aquella «gran China sin cimientos», inaugurando un proceso de cambio que desembocaría en una «revolución general» de las nuevas fuerzas progresistas.[125]

Pero Tan Yankai dudaba. El autogobierno conferiría una amplia legitimidad a su posición, que sería mucho menos vulnerable ante las ambiciones de los comandantes militares locales. Pero él quería asegurarse de que las deliberaciones permaneciesen firmemente bajo su propio control.

De este modo, a mediados de septiembre, Tan convocó una convención de la pequeña aristocracia y los funcionarios locales para comenzar a esbozar una nueva constitución.[126] Cuando llegaron las críticas ante la timidez de esta propuesta, sugirió desviar esa responsabilidad a la asamblea provincial. Pero para Mao, Peng Huang y su aliado, Long Jiangong, editor de *Dagongbao*, aquello era igualmente inaceptable. «Si queremos el autogobierno», escribió Long, «no podemos confiar en un número tan reducido de representantes de una clase específica ... ¡Debemos encontrar nosotros mismos nuestra salvación! ... ¡Debemos liberarnos del lazo del gobierno de los de arriba!»·Ellos proponían una asamblea constitucional, elegida por sufragio universal por todas las personas de Hunan mayores de dieciocho años (o, como en una de las propuestas iniciales de Mao, de quince años).[127]

En una reunión pública celebrada el 8 de octubre y presidida por Mao, se aprobó una petición al respecto,[128] que instaba a sus conciudadanos a no dejar escapar la oportunidad que el movimiento por el autogobierno les estaba ofreciendo:

> ¡Ciudadanos de Changsha! ... Si lo conseguís, [los] treinta millones de habitantes [de Hunan] obtendrán su recompensa. Si fracasáis, treinta millones de personas sufrirán. Tenéis que saber que vuestra responsabilidad no es poca. Todas las reformas políticas y sociales de los países occidentales comenzaron con movimientos de sus ciudadanos. No sólo la gran transformación de Rusia ... y de otros países que han sorprendido al mundo recientemente surgió de sus ciudadanos, sino que incluso en la Edad Media fueron los ciudadanos los únicos que arrancaron la categoría de «hombres libres» de los autócratas. ¡Ciudadanos! ¡Alzaos! La creación del futuro dorado de Hunan se decide hoy.[129]

Dos días después, durante el Día Nacional de la República de China, una manifestación multitudinaria serpenteaba bajo la llovizna por entre las estrechas calles de la parte vieja de la ciudad, con los estandartes ondeando y las bandas tocando, hasta llegar al *yamen* del gobernador, donde se hizo entrega a Tan de una copia.[130] El *North China Herald* informaba extensamente del suceso bajo el titular «Gobierno provincial en China: cada provincia, su propio señor»:

> El documento era obra de tres caballeros: el Sr. Long [Jiangong], editor del *Dagongbao*; el Sr. Mao [Zedong] de la Primera Escuela Normal; y el Sr. Peng [Huang], un librero ... De las cuatrocientas treinta [firmas] ... unas treinta [se creía que] estaban relacionadas con la prensa de la ciudad; quizá doscientas eran de profesores u hombres de la clase intelectual; unas ciento cincuenta [eran] de comerciantes y, digamos, cincuenta [eran] de trabajadores. Es del máximo interés que los trabajadores no sólo fueron invitados a firmar, sino que los representantes de su clase permanecieron al lado mismo de algunos de los hombres más eruditos de la ciudad, como miembros de la delegación de quince que entregó el documento al gobernador ... Sin duda alguna, toda la atención de China se centra, en estas circunstancias, en Hunan. Hunan se enfrenta a una oportunidad de la que [las otras provincias] no disponen ... Si Hunan actúa, su ejemplo será imitado.[131]

Pero, a pesar de que la petición fue entregada, Tan albergaba otras intenciones. A medida que la campaña ganaba en fuerza, se hacía cada vez más radical. Los demandantes querían un sistema político basado en «la democracia y el socialismo» y daban a entender veladamente que si sus demandas no eran atendidas, el resultado podía ser una «sangrienta revolución». En sus artículos en el *Dagongbao* Mao había afirmado explícitamente que su propósito no era que «un hunanés» —en otras palabras, Tan— gobernase Hunan, «[pues entonces] el gobernante se convierte en señor y los gobernados en sus esclavos»; el objetivo era «el gobierno del pueblo».

De hecho, estas palabras eran marcadamente retóricas. El propio Mao admitía que, en un país en el que el 90 por 100 de la población era analfabeta, una revolución de estilo leninista basada en las masas para «acabar totalmente con los partidos reaccionarios y depurar las clases altas y medias» no era posible. A lo único que se podía aspirar era a la creación de un movimiento de la elite educada para que, desde fuera, «contribuyese al avance de las cosas».

Sin embargo, a pesar de estas precauciones, los conservadores estaban alarmados. Una cosa era la «civilización de Hunan» y otra muy distinta el «gobierno del pueblo».[132]

Durante la marcha del Día Nacional, un grupo de manifestantes, desoyendo las advertencias de los organizadores para evitar desórdenes, se encaramó sobre el tejado del edificio de la Asamblea Provincial —símbolo del gobierno elitista— y, entre los vítores y los ánimos de los de abajo, dejaron la bandera de la Asamblea hecha andrajos.[133] Al día siguiente, Tan se sirvió de este incidente como prueba de que la clase de autogobierno popular que proponían los radicales no era plausible, y anunció que les retiraba su apoyo.

En aquel momento el movimiento se vino abajo. El 1 de noviembre, John Dewey y Bertrand Russell, coincidiendo con su visita a China, pronunciaron una conferencia sobre temas constitucionales en Changsha, en la que también participó Mao. Pero no se llegó a ninguna conclusión. Y unas semanas después, la timidez de Tan quedó retribuida cuando le derrocó el comandante de un ejército local, Zhao Hengti; era el tipo de artimaña militar que un mandato popular debía prevenir, según ansiaba el mismo Tan.[134]

Zhao ordenó, sin escuchar otra opinión que la suya, la elaboración de una constitución provincial, que fue publicada el mes siguiente, abril, y promulgada en enero de 1922. Pero era una tenue sombra del «autogobierno total» por el que Mao y sus amigos habían estado luchando.[135] Durante algún tiempo, Zhao mantuvo relaciones amistosas con el gobierno sureño de Cantón y llegó a ser conocido como el principal impulsor del federalismo en China. Sin embargo, la realidad era que un señor de la guerra había sustituido a otro, tal como Mao había advertido que podía suceder. Zhao continuó como gobernador hasta 1926, cuando fue desbancado por otro oficial militar rebelde.

El fracaso del movimiento independentista representó para Mao una decepción enorme. Todos sus esfuerzos de los últimos años, dijo a sus amigos, habían resultado «totalmente inútiles». Los hunaneses se habían mostrado «estúpidos, sin ideales ni planes a largo término. Por lo que se refiere a la política, viven aletargados y son extraordinariamente corruptos, y podemos decir que no hay ninguna esperanza para la reforma política». Era el momento de empezar de nuevo, escribió, «para labrar un nuevo camino».[136]

De manera característica en él, aquello provocó una febril reacción de instrospección, reprochándose tanto sus carencias emocionales como la falta de progreso en sus estudios.[137] Pero, instintivamente, sentía que su camino no pasaba por la Asociación de Estudios del Nuevo Pueblo, que había languidecido durante la campaña contra Zhang, y cuya función y actividades en el futuro eran objeto de un intenso debate en aquel momento.

Lo que se requería, creía Mao, era un «grupo entregado de camaradas»[138] que compartiese objetivos comunes y combinase sus capacidades intelectuales, creando una estrategia conjunta para la reforma global.[139] Tendrían que trabajar con perseverancia, lejos de los escenarios principales, sin «buscar la vanagloria ni pretender destacar»,[140] y deberían evitar «por todos los medios saltar a la escena política para [intentar] tomar el control».[141] En segundo lugar, con el fin de «derrocar y barrer el antiguo orden», era necesario movilizar «al pueblo de todo el país, no [sólo] a unos pocos burócratas, políticos y militares».[142] Un «ismo» —cualquiera que fuese— necesitaba un movimiento que lo llevase a la realidad, y el movimiento, a su vez, requería una amplia base popular.[143] Como Mao explicó en una carta a su amigo Luo Zhanglong en noviembre de 1920:

> Debemos crear un nuevo ambiente realmente poderoso ... Para [mostrarlo] claramente es necesario un grupo de gente abnegada y decidida, pero aún más necesario es un ismo que todos asuman en común. Sin un ismo, no podremos crear el ambiente. Opino que nuestra Asociación de Estudios no ha de ser simplemente una congregación de personas unidas por un sentimiento; se debe convertir en un grupo de personas unidas por un ismo. Un ismo es como un estandarte; sólo cuando éste sea izado tendrán los hombres algo que desear y sabrán qué dirección tomar.[144]

Pero la cuestión continuaba en pie: ¿qué «ismo» adoptar? Agudas discrepancias habían emergido en julio de aquel mismo año entre los dieciséis miembros del grupo de Francia.[145] En una reunión en Montargis, noventa kilómetros al sur de París, donde seguían sus cursos de idiomas, Cai Hesen había defendido que China necesitaba una revolución como la rusa.[146] Xiao Yu no estuvo de acuerdo, proponiendo en su lugar un moderado programa reformista de inspiración anarquista, similar a lo que Mao había expuesto un año antes en la *Revista del río Xiang*, basado en la educación y la ayuda mutua. Las diferencias finalmente quedaron enmascaradas bajo el compromiso de que el principio rector de la sociedad sería «reformar China y el mundo». Pero, posteriormente, Xiao y Cai escribieron a Mao por separado, defendiendo ideas divergentes. La principal misión del socialismo, argumentaba Cai, era destruir el sistema económico capitalista, esgrimiendo el arma de la dictadura del proletariado:

> No creo que el anarquismo sea hoy en día útil, porque es obvio que existen dos clases antagónicas en este mundo. Si lo que se pretende es acabar con la dictadura de la burguesía, no hay ninguna posibilidad de suprimir las clases reaccionarias salvo por la dictadura del proletariado. Rusia es una muestra evidente. Por ello creo que, para la futura reforma de China ... debemos primero organizar un partido comunista, porque éste es el acicate, la vanguardia propagandística y la base operativa del movimiento revolucionario.[147]

Cai no era el único en llegar a estas conclusiones. En agosto, Chen Duxiu había fundado en Shanghai el primer «grupo comunista» de China. En un artículo algo posterior aparecido en *Nueva Juventud*, animaba a seguir «los medios revolucionarios [para] usarlos en la instauración de un Estado de la clase obrera».[148]

En Changsha, Mao y Peng Huang, con el apoyo de un poderoso simpatizante de la administración provincial, establecieron una Asociación de Estudios Rusos[149] que, durante los tres siguientes meses, reclutó a algo más de una docena de jóvenes hunaneses, incluyendo algunas futuras figuras comunistas como Ren Bishi y Peng Shuzhi, para ser enviados a Moscú y estudiar en la recién fundada Universidad de los Obreros del Este.[150]

En octubre, el director de la Academia Wang Fuzhi, He Minfan, un intelectual de la vieja escuela con una larga barba blanca que caía sobre su formal toga de seda, y que había desarrollado un vivo y casi inverosímil interés por el socialismo, creó un Círculo de Estudios Marxistas en Hunan, siguiendo las sugerencias de Chen Duxiu.[151] Mao y un profesor y compañero suyo, He Shuheng, estaban entre los cinco miembros fundadores, y juntos comenzaron a discutir el establecimiento de una rama de la Liga de las Juventudes Socialistas.[152]

Pero Mao era todavía un converso muy reacio. Mientras que Cai Hesen había entendido inmediatamente que el pensamiento bolchevique era la respuesta a los problemas de China y se aferró a ello entusiastamente, Mao lo hizo en contra de sus propias convicciones. «Cai es el teórico, Mao el realista», solían decir sus amigos. Finalmente, ese realismo le impulsó a adherirse a lo que él llamaba «tácticas terroristas» rusas. Era, dijo a Cai, «el último recurso» después «de que otros métodos mejores» —en referencia al movimiento de autogobierno y el experimento anarquista de la «nueva aldea»— hubiesen fracasado. La «revolución de estilo ruso» aparecía como la única fórmula que podía funcionar:[153]

El método ruso representa un camino recién descubierto, después de que todos los otros resultaron ser callejones sin salida. Este procedimiento tiene más posibilidades que todos los otros sistemas de transformación ... La política social en realidad no se trata de un método, porque lo único que hace es poner parches a los agujeros. La democracia social recurre al parlamento como su arma para transformar las cosas, pero en realidad las leyes aprobadas por los parlamentos favorecen sólo a la clase que ellos representan. El anarquismo rechaza cualquier autoridad y me temo que esta doctrina no será nunca aplicada a la realidad. Por su parte, el comunismo más moderado, así como la libertad absoluta abogada por [Bertrand Russell], permiten a los capitalistas campar a sus anchas, y por ello no puede funcionar. Sin embargo, el comunismo más radical, o la ideología de los trabajadores y los campesinos, que se sirve de la dictadura de clases, puede alcanzar sus resultados. Por ello es el mejor procedimiento a seguir.[154]

La alternativa, defendida por Xiao Yu, era alentar «el método de la educación» para hacer comprender a los burgueses los errores de su actitud, y conseguir «que no sea necesario limitar la libertad o tener que recurrir a la guerra y la sangrienta revolución». En teoría, escribiría Mao en diciembre, esa opción era evidentemente la mejor. Pero en la práctica, no era viable. «A lo largo de la historia, ningún déspota, imperialista o militarista, ha abandonado su trono por decisión propia, sin que el pueblo lo haya derrocado»:

La educación requiere: 1) dinero, 2) gente, e 3) instituciones. En el mundo actual, el dinero está enteramente en manos de los capitalistas. Todos los que controlan la educación son también capitalistas o esclavos de los capitalistas ... Si enseñas el capitalismo a los niños, esos niños, cuando crezcan, también enseñarán el capitalismo a la siguiente generación de niños. Y la razón de que la educación haya caído de este modo en manos de los capitalistas es que ellos tienen «parlamentos» que aprueban leyes que protegen a los capitalistas y perjudican al proletariado. Tienen «gobiernos» para ejecutar esas leyes y cumplir activamente con las ventajas y las prohibiciones que contienen. Disfrutan de «ejércitos» y «policía» que ofrecen una garantía pasiva de la seguridad y la felicidad de los capitalistas y reprimen las demandas del proletariado. Poseen «bancos», a los que tienen como su tesoro, para asegurar la circulación de sus riquezas. Se benefician de sus fábricas, que son los instrumentos con los que monopolizan los bienes que se producen. En consecuencia, a menos que los comunistas detenten el poder político ... ¿cómo se van a ocupar de la educación? ... Por ello creo que la vía educativa no es factible.[155]

De este modo llegaba a la conclusión de que las tesis de Xiao Yu eran insostenibles y expresaba su «profunda aprobación de las ideas de [Cai] Hesen». El día de Año Nuevo de 1921, dieciocho miembros de la Asociación de Estudios del Nuevo Pueblo intentaron avanzar a través de una tormenta de nieve para asistir a una reunión en la Librería Cultural de Changsha, donde, tras dos días de discusión, acabarían por votar en favor del bolchevismo como objetivo común de la sociedad, con un margen de doce votos a favor y tres en contra, a los que había que añadir tres miembros indecisos.[156] En aquellos tiempos el Círculo de Estudios Marxistas se había transformado ya en un «grupo comunista», con Mao, He Minfan, Peng Huang, He Shusheng y otro profesor como primeros miembros. El 13 de enero, la sección hunanesa de la Liga de las Juventudes Socialistas, integrada mayoritariamente por estudiantes y miembros de la Asociación de Estudios del Nuevo Pueblo, celebró su reunión inaugural. Mao recibió copias, enviadas desde Shanghai, de un periódico clandestino, *Gongchandang* (Partido Comunista), nacido en noviembre en el seno del grupo de Chen Duxiu, y de un esbozo de manifiesto del partido, impreso en las mismas fechas.[157] Éste clamaba en favor de la propiedad compartida de los medios de producción, la abolición del Estado y la creación de una sociedad sin clases, además de declarar:

La lucha de clases es la herramienta de que disponemos para derrotar al capitalismo ... [Nuestra] tarea es organizar y concentrar el poder de esta lucha de clases y conceder mayor capacidad a la fuerza que combate el capitalismo ... El objetivo es organizar grandes asociaciones industriales ... y organizar un partido político proletario y revolucionario: el Partido Comunista. El Partido Comunista debe guiar al proletariado revolucionario en la lucha contra los capitalistas y arrebatarles el poder político ... El poder se pondrá en manos de los trabajadores y los campesinos, como ya hizo el Partido Comunista Ruso en 1917.[158]

Mao escribía poco después a Cai Hesen rechazando de manera explícita el anarquismo como doctrina política práctica y adoptando «la concepción materialista de la historia» postulada por Marx como base filosófica para el nuevo partido que estaban planeando crear.[159] Su conversión era total.

El marxismo de Mao iba siempre a mantener una coloración anarquista. Pero la larga búsqueda de un «ismo» había llegado a su fin.

Su conversión al marxismo no fue la única mudanza acaecida en la vida de Mao durante el año 1920. Su situación personal también varió notablemente. Como estudiante, había padecido de una miseria proverbial; y tras su graduación, las circunstancias no cambiaron un ápice. En muchas ocasiones vivía de prestado, confiando en la tradición confuciana de la ayuda mutua, según la cual los amigos que tienen medios ayudan a los que no disponen de ellos (sabiendo que, algún día, las circunstancias pueden cambiar, siendo ellos los que reciban el apoyo de los demás). A pesar de ello, su existencia era precaria. Años después, Mao recordaba que su tan anunciado viaje de aquella primavera casi acabó en un desastre cuando se quedó sin dinero poco después de partir de Pekín:

> No tenía ni idea de cómo seguir adelante. Pero, como dice un proverbio chino, «el cielo no hará esperar al viajero», y un afortunado préstamo de cien yuanes de un compañero ... me permitió comprar un billete hasta Pukou [no lejos de Shanghai] ... Durante el camino [visité lugares clásicos] ... Pero cuando llegué a Pukou, volvía a estar sin una moneda de cobre ... Nadie tenía dinero para dejarme; no sabía cómo me las arreglaría para salir de la ciudad. Pero lo peor llegó cuando un ladrón me robó ¡mi único par de zapatos! ¿Qué podía hacer? Pero, una vez más, se cumplió aquello de que «el cielo no hará esperar al viajero», y me sorprendió un buen golpe de fortuna. Fuera de la estación del ferrocarril me tropecé con un viejo amigo de Hunan, que se convirtió en mi «buen ángel». Me dejó dinero para comprar unos zapatos y un billete hasta Shanghai.[160]

En Shanghai, Mao se vio obligado a trabajar lavando ropa para poder pagar la habitación que compartía con tres estudiantes de Hunan.[161] Lavar no estaba tan mal, dijo a los amigos, pero se gastaba la mayor parte de lo que ganaba en los tranvías que tenía que tomar para recoger y entregar las prendas.

Una vez en Changsha, sin embargo, su fortuna mejoró notablemente. En septiembre fue nombrado director de la escuela primaria adscrita a la Primera Escuela Normal, lo que significaba, por primera vez en su vida, un trabajo regular y bien remunerado, además de un mayor reconocimiento social más acorde con su cada vez más influyente participación en la política provincial.[162] Asimismo, aquello facilitó el segundo gran cambio en la vida de Mao: en invierno se casó con Yang Kaihui, la hija de veintidós años de su antiguo profesor de ética en la Primera Escuela Normal, Yang Changji, que había muerto en Pekín aquel enero.[163]

Entre los círculos liberales de la China de la primera mitad de siglo que Mao acostumbraba a frecuentar, las relaciones entre sexos no eran tan diferentes de las de Europa o Estados Unidos. Como todas las ciudades chinas, Changsha poseía su distrito para el ocio, conocido como el «barrio de los callejones de los sauces», donde las cantantes entretenían a los ricos y las prostitutas a los pobres. Como en la Inglaterra eduardiana y la Francia de la *belle époque*, el hecho de visitar los burdeles no comportaba ningún estigma social. De hecho, la práctica estaba tan extendida que todos los nuevos grupos radicales que afirmaban luchar por el futuro de China, tanto la Sociedad de las Seis Negaciones, fundada por Cai Yuanpei en 1912,[164] como la Asociación de Estudios del Nuevo Pueblo de Mao,[165] imponían una renuncia tajante a seguir frecuentando los prostíbulos como condición para entrar a formar parte de sus filas y muestra de compromiso moral con la causa reformista.

En un poema conmemorativo que escribió Mao en 1915 a un amigo de la escuela, cuando tenía veintiún años, se puede apreciar algún indicio temprano de su posición: «Acusamos en su conjunto a los lascivos, pero, ¿cómo vamos a purgar el mal que hay en nosotros?».[166] Dos años después parangonaba la pulsión heroica de las grandes figuras con el «irresistible deseo sexual hacia el amante, una fuerza que no se detendrá, que no puede ser contenida».[167] El sexo y la comida, escribió entonces, eran los dos instintos humanos más básicos.[168]

Según su propio relato, Mao se enamoró de Yang Kaihui en el invierno de 1918, cuando trabajaba como ayudante de la biblioteca de la Universidad de Pekín.[169] No está claro si tuvo la oportunidad de declararle su amor. Los ágapes en casa del profesor, según Xiao Yu, se desarrollaban siempre en el más absoluto silencio, e incluso entre las familias liberales no era considerado correcto que los jóvenes de diferente sexo permaneciesen juntos a solas.[170] Sin embargo, a partir de aquel momento, los escritos de Mao comenzaron a incorporar elementos más románticos. «El poder del anhelo humano por el amor es más fuerte que cualquier otro», proclamaba.[171] «A menos que dos personas se hayan rendido a la irresistible fuerza natural del amor, ambas ... se enzarzarán en interminables riñas [después del matrimonio], convirtiendo la alcoba en un campo de batalla de mortales hostilidades mutuas, o se deslizarán hacia un mundo de amores secretos "por entre los campos de moreras del río Pu".»[172]

Sin embargo, el curso del amor no fluía con dulzura. A su regreso a Changsha, Mao se enamoró de otra joven, Tao Yi, que se convirtió en su primera relación seria.[173] Ella era uno de los primeros miembros de la Asociación de Estudios del Nuevo Pueblo y su romance, según parece, se prolongó durante la mayor parte de la primavera y el verano de 1920, cuando trabajaban juntos en el movimiento por el autogobierno de Hunan y en la organización de la Asociación de los Libros Culturales. Pero finalmente se separaron, y en otoño Mao cortejaba de nuevo a Kaihui.[174]

Cai Hesen y su novia, Xiang Jingyu, mientras tanto, habían escrito desde París para explicar que habían decidido burlarse de las convenciones y, en lugar de casarse, habían consumado «una relación basada en el amor». Mao no cabía en sí de admiración:

> Creo que debemos considerar a Xiang y Cai como nuestros líderes y organizar una «alianza para el rechazo del matrimonio» [escribió]. Los que tienen contratos matrimoniales deberían acabar con ellos (¡Me opongo al humanismo!). Y los que no los tienen, no deberían formalizar ninguno ... Creo que todos los que viven dentro del sistema matrimonial no son más que una «brigada de la violación». Hace ya mucho que vengo proclamando que yo no me uniré a esta brigada.[175]

No obstante, antes de que transcurriesen tres meses, Mao se había casado. La familia de Yang Kaihui sin duda insistió en ello. Para la hija de un profesor, casarse con el hijo de un campesino, incluso con uno que había alcanzado la eminencia de Mao, era una ventura social; no es necesario mencionar el oprobio que habría representado en Changsha, mucho más que en Francia, una unión ilícita. De todos modos, las protestas de Mao iban dirigidas a los matrimonios concertados mediante casamenteros. Para él, el único criterio válido para el matrimonio era que «el hombre y la mujer supieran en sus corazones que entre ambos había una profunda afección mutua».[176] La clave para la felicidad era la libertad de elección.

En otoño de 1921 se trasladaron a una pequeña casa en una zona denominada Estanque de Aguas Claras, en la parte exterior de la pequeña puerta este de Changsha.[177] Durante algunos años, quizá los únicos de su vida, Mao gozó de una verdadera familia feliz y de un hogar al que poder retirarse. Su primer hijo, Anying, nació en octubre de 1922; el segundo, Anqing, en noviembre de 1923; el menor, Anlong, en 1927. Era una familia sorprendentemente tradicional: Kaihui se quedaba en casa con los niños, mientras que Mao viajaba de continuo, trabajando por la causa a la que se habían comprometido. Pero con los años, la causa reclamaría su preeminencia y la familia quedaría a un lado.

5

El Comintern toma el mando

El viernes 3 de junio de 1921, después de seis semanas de viaje desde Venecia, un vapor de la Lloyd Triestino,* el *Aquila*, atracó en el puerto de Shanghai. Entre los pasajeros que desembarcaron había un holandés cercano a la cuarentena de aspecto fornido, oscuro pelo rapado y mostacho moreno. Quienes se cruzaban con él creían reconocer a un oficial del ejército prusiano.[1] Había sufrido un viaje pleno de dificultades. Ya antes de embarcar había sido arrestado en Viena, hasta donde se había desplazado para solicitar el visado chino. Una semana después, la policía austríaca le dejaba en libertad, no sin antes notificarlo a los países de los que, según su pasaporte, había obtenido el permiso de entrada. La policía británica de Colombo, Penang, Singapur y Hong Kong había situado agentes en los muelles para impedir su desembarco. Por su parte, la legación holandesa en Pekín solicitó al gobierno chino que se le denegase la entrada, pero no recibió respuesta.[2] Shanghai tenía sus propias leyes y las órdenes de Pekín no tenían allí ningún efecto. El suave y húmedo aroma de China atraía, con cada nueva marea, a desposeídos, ambiciosos y criminales —familias arruinadas de rusos blancos, aventureros rojos, espías japoneses, intelectuales apátridas, canallas de toda laya— y, a cambio, enviaba jóvenes idealistas que pretendían aprender lenguas extranjeras en Tokio o París. Los chinos definían la ciudad como un «lujurioso embotamiento de los sentidos», mientras que entre los extranjeros era conocida como «la puta de Oriente». El esteta sir Harold Acton la recordaba como un lugar en el que «las personas no tenían

---

* Se trata de una compañía naviera fundada en 1836; en sus inicios, la Lloyd Triestino concentró sus actividades en Extremo Oriente, llegando en 1881 a ciudades como Hong Kong y Shanghai. Figura entre las compañías de navegación más antiguas del mundo todavía en servicio. (*N. del t.*)

idea alguna de lo asombrosas que eran, donde lo insólito se había transformado en ordinario, y lo imprevisto, en usual». Se rumoreaba que Wallis Simpson había posado desnuda, apenas cubierta por un salvavidas, para un fotógrafo local. Por su parte, Eugene O'Neill, acompañado de una masajista sueca, padeció una crisis nerviosa en Shanghai. Aldous Huxley escribió que inmerso en «su densa, exuberante y exquisita vida condensada ... no se puede imaginar absolutamente nada con una fuerza tan intensa». El periodista Xia Yan la vio como «una ciudad de rascacielos de cuarenta y ocho plantas, construida sobre los veinticuatro niveles del infierno».[3]

El señor Andersen, como se llamaba a sí mismo el holandés,[4] recorrió el *bund*,* atravesó las altas torres y las ciudadelas graníticas del capitalismo británico —el Hong Kong and Shanghai Bank, la Casa de Aduanas, presidida por el mosaico de barcazas navegando por el Yangzi que había en el techo, la factoría de Jardine & Matheson y la East Asiatic Company—, pasó el parque con el apócrifo letrero que rezaba «Prohibido el paso a chinos y perros», y franqueó el hostal de los marineros y la ensenada de Suzhou, para finalmente alquilar una habitación en el Oriental Hotel.

Cuando miraba a su alrededor, a las calles pobladas de chinos, ataviados con largos uniformes y sombreros canotié; a los taipanes,** vestidos inmaculadamente dentro de sedanes con chófer; a los clubes nocturnos repletos de bailarinas euroasiáticas, donde los jóvenes expatriados se divertían hasta la madrugada; a los culis harapientos, sudorosos, que tiraban de cargas desmesuradas; a las fábricas textiles, donde mujeres y niños trabajaban turnos de catorce horas; y a los inmundos tugurios del otro lado del río, donde se hacinaba el emergente nuevo proletariado; probablemente, al contemplar aquel espectáculo surgió de sus adentros un celo misional. Porque Hendricus Sneevliet, para dar su verdadero nombre, también conocido como Martin Ivanovich Bergman, camarada Philipp, Monsieur Sentot, Joh van Son o Maring, entre otros muchos alias, era, desde cierto punto de vista, un misionero.[5] Había sido enviado a China por Lenin con el cargo de primer representante del Comintern, la Internacional Comunista, para ayudar a los camaradas chinos a organizar un partido que pudiese ofrecer apoyo fraternal a los dirigentes bolcheviques de «Mekka», tal como él designaba a Moscú, y contribuyese a la propagación de una revolución mundial en la que todos ellos creían fervientemente.[6]

Sneevliet no era el primer emisario ruso que llegaba a China. Los primeros contactos se iniciaron en enero de 1920. Tres meses después, la Ofi-

---

* Término anglo-hindú con que se designaba el malecón junto al río Huangpu, donde se concentraba la vida económica de la concesión extranjera. (*N. del t.*)
** Vocablo extendido en todo el sureste asiático para referirse al «jefe» o «maestro», a una autoridad y, como en este caso, a personas de extraordinario poder económico. (*N. del t.*)

cina de Extremo Oriente del Partido Bolchevique, con el permiso del Comintern, envió a Grigory Voitinsky para reconocer la situación. En verano, otros dos rusos fueron destinados a Cantón, bajo la tapadera de ser corresponsales de una agencia de noticias.[7]

La llegada de Voitinsky estuvo hábilmente programada para que coincidiera con el arrebato de entusiasmo que se había desatado después de que la Unión Soviética anunciase la renuncia a sus derechos extraterritoriales en China. Voitinsky era un hombre con mucho tacto y encanto, y los chinos que trataron con él le consideraron un perfecto ejemplo de lo que debía encarnar un camarada revolucionario. Durante los nueve meses que permaneció en China ayudó a Chen Duxiu a organizar el «grupo comunista» de Shanghai, la Liga de las Juventudes Socialistas y el periódico comunista *Gongchandang*, además de esbozar el manifiesto del partido que Mao y sus compañeros recibieron ese mismo invierno, como preliminar a la celebración de un congreso fundacional para aunar los grupos provinciales y formar juntos un Partido Comunista de altos vuelos.

Pero Hendricus Sneevliet era un hombre de muy distinto carácter. Era miembro de la Ejecutiva del Comintern y ya llevaba cinco años en Asia como consejero del Partido Comunista de Indonesia, entonces un territorio bajo control holandés. Rezumaba una amalgama de obstinación y arrogancia que revelaba no sólo que sabía más que sus camaradas chinos, sino que además era su obligación moral guiarlos por el camino correcto. Zhang Guotao, un licenciado de Pekín que había cooperado con Li Dazhao para crear el «grupo comunista» del norte de China, recordaba su primer encuentro, poco después de la llegada del holandés:

> Ese demonio extranjero era agresivo y de trato embarazoso; sus modales eran muy diferentes de los de Voitinsky ... Dejó entre algunos la impresión de que había asimilado las actitudes y los hábitos de los holandeses que vivían como señores coloniales en las Indias Orientales. Era, eso creía él, la más distinguida autoridad del Comintern en Oriente, y ello le hacía rebosar de orgullo ... Se consideraba a sí mismo como un ángel llegado para la liberación del pueblo asiático. Pero a aquellos de nosotros que conservábamos nuestro amor propio y buscábamos nuestra propia liberación, nos parecía un ser aferrado al complejo de superioridad social tan característico entre los blancos.[8]

A finales de junio de 1921,[9] Mao y He Shuheng abandonaron Changsha a bordo de un vapor, en secreto,[10] para unirse a otros once delegados de los grupos comunistas de Pekín, Cantón, Jinan, Shanghai, Tokio y Wuhan, y asistir al congreso fundacional que Voitinsky había comenzado a organizar.[11] Se inauguró el 23 de julio, en un aula de una escuela femenina de la concesión francesa, cerrada durante las vacaciones de verano. Ni Chen Duxiu ni Li Dazhao estuvieron presentes. En su ausencia, las diligencias fueron presididas por Zhang Guotao, a quien Mao había conocido en Pekín dos años y medio antes, cuando trabajaba como ayudante en la biblioteca. Sneevliet y un asistente suyo, Nikolsky, de la recién creada oficina del Comintern en Irkutsk, asistieron los dos primeros días de reunión pero posteriormente se retiraron para favorecer el debate entre los chinos.

La discusión se desarrolló en torno a tres cuestiones: qué clase de partido deberían crear; qué actitud debían adoptar ante las instituciones burguesas, especialmente el Parlamento Nacional y los gobiernos de Pekín y Cantón; y, finalmente, qué relación debían mantener con el Comintern.

En su intervención inicial, consciente de que todos los presentes eran estudiantes o profesores, Sneevliet insistió en la importancia de la creación de fuertes vínculos con la clase trabajadora. Pero Li Hanjun, estudioso marxista que representaba al grupo de Shanghai, inmediatamente mostró sus discrepancias. Los trabajadores chinos, replicó, no comprendían en absoluto las teorías del marxismo. Su estructuración entrañaría un largo período de trabajo educativo y propagandístico. Pero mientras no se completase ese período, los marxistas chinos debían decidir si su causa se vería más favorecida por una organización basada en el bolchevismo ruso o por una que partiese de la socialdemocracia de estilo alemán. Lanzarse precipitadamente a edificar un partido de obreros, consagrado a la dictadura del proletariado, sería un grave error. Sneevliet estaba escandalizado. Pero, al menos en ese último aspecto, el holandés conseguiría imponer su criterio. En su primera declaración oficial, el Partido Comunista Chino se declaró seguidor de la ideología bolchevique:

> El programa de nuestro partido es el siguiente: acabar con las clases capitalistas y reconstruir la nación desde la clase obrera, con la ayuda del ejército revolucionario del proletariado, hasta que las distinciones de clases hayan sido suprimidas ... Adoptar la dictadura del proletariado ... Derrocar la propiedad privada del capital, confiscar todos los medios de producción, como las máquinas, la tierra, los edificios ... y otros, y confiarlos a la propiedad social ... Nuestro partido, con la adopción del soviet, aglutina a los obreros de la industria y el campo, así como a los soldados, difunde el comunismo, y reconoce en la revolución social su política primaria; corta toda relación con la clase de los cobardes intelectuales y con otros grupos parecidos.[12]

El resultado de las otras dos cuestiones en liza fue menos satisfactorio para Moscú. En parte por la manera en que se puso fin al congreso. El 29 de julio, cuando era más que evidente que existían todavía serias discrepancias, Sneevliet indicó que quería exponer algunas ideas nuevas y propuso que la próxima sesión se celebrase, no en la escuela, sino en la casa de Li

Hanjun, también en la concesión francesa. Al día siguiente, al anochecer, poco después de iniciarse la reunión, un hombre se asomó por la ventana, murmuró unas palabras, afirmando que se había equivocado de lugar, y se escabulló apresuradamente. Siguiendo las instrucciones de Sneevliet, los delegados se dispersaron de inmediato. Un grupo de detectives chinos, dirigidos por un oficial francés, se personaron pocos minutos después en el lugar, pero a pesar de las cuatro horas de registro, no hallaron nada. Después de aquello, se decidió que era demasiado peligroso proseguir las reuniones en Shanghai, y la sesión final discurrió en un barco de recreo oculto por los cañaverales de las orillas del lago meridional de Jiaxing, pequeña ciudad del golfo de Hangzhou, sesenta kilómetros más al sur. Tampoco allí pudo intervenir Sneevliet: se consideró que la presencia de extranjeros haría de ellos un grupo demasiado llamativo, por lo que él y Nikolsky no participaron. Como conclusión, cuando el itinerario del bote llegó a su fin, al atardecer, los delegados gritaron al unísono: «Larga vida al Partido Comunista [Chino], larga vida al Comintern, larga vida al Comunismo, el emancipador de la humanidad».[13] Habían tomado lo que uno de ellos definió como «varias decisiones tajantes y radicales»,[14] aunque no todas ellas del agrado del Comintern.

Habían decidido, por ejemplo, adoptar «una actitud de independencia, agresión y rechazo»[15] ante los otros partidos políticos, además de exigir a los miembros del Partido Comunista que cortasen todos sus vínculos con las organizaciones políticas no comunistas. Esta actitud sectaria estaba reñida, no sólo con las esperanzas de Sneevliet de establecer una alianza táctica con el Guomindang de Sun Yat-sen, que él percibía perspicazmente en aquel momento como la fuerza revolucionaria más poderosa de China, sino también con la tesis de Lenin, aprobada en el Segundo Congreso del Comintern en Moscú un año antes, de que los partidos comunistas de los «países atrasados», en la medida en que pudiesen existir, deberían colaborar estrechamente con los movimientos democráticos burgueses nacionalistas y revolucionarios.[16]

No se llegó a un acuerdo sobre la consideración que merecían los gobiernos de Pekín y Cantón. Desde el punto de vista de Sneevliet, compartido por Chen Duxiu, el régimen del sur era mucho más progresista.

Y lo que era peor para el holandés, los delegados se negaron a reconocer la supremacía de Moscú.[17] A pesar de que el programa del partido hablaba de «unión con el Comintern», lo hacía en términos de igualdad, no de subordinación.

Las tensiones sobre las relaciones que se debían mantener con «Mekka» se prolongarían tras la finalización del congreso.

Cuando, en septiembre, Chen Duxiu tomó el cargo de secretario del Comité Central Ejecutivo provisional, descubrió que Sneevliet, como representante del Comintern, no sólo se dedicaba a dar órdenes a los miembros del partido, sino que esperaba que él mismo le remitiese un informe semanal.[18]

Durante algunas semanas, Chen rehusó mantener relación alguna con el holandés. El partido chino era un recién nacido, dijo a los miembros del grupo de Shanghai. La revolución de China tenía sus propias características y no necesitaba de la ayuda del Comintern. Pero con el tiempo se llegó a un entendimiento, principalmente porque, a pesar de los desplantes de Chen, el Comintern aportaba el dinero, unos cinco mil dólares estadounidenses, que el partido necesitaba para sobrevivir. Pero los rencores permanecían latentes, y no sólo por el talante autoritario de Sneevliet. Él sería sólo el primero de una larga lista de consejeros soviéticos que ofendieron la sensibilidad de los chinos, reflejando unas divergencias culturales y raciales que el internacionalismo del movimiento comunista pudo inicialmente limar, pero que cuarenta años después clamarían venganza.

Mao ocupó un plano secundario en el Primer Congreso. Realizó un informe (que se ha perdido)[19] sobre las acciones del grupo de Hunan que, en el mes de julio, aportaba diez de los cincuenta y tres miembros del movimiento comunista en China;[20] y él y Zhou Fuhai, un estudiante de Hunan representante del grupo de Tokio, que acudía con sus dos únicos miembros, fueron nombrados secretarios oficiales.[21] Zhang Guotao le recordaba como un «joven de tez pálida y temperamento bastante activo que, enfundado en su largo vestido tradicional de tejido local, parecía más bien un sacerdote taoísta salido de algún pueblo». Las «formas burdas de Hunan» que exhibía Mao, escribía Zhang, encajaban con su muestra de cultura general pero limitada comprensión del marxismo.[22] Ninguno de los asistentes le recuerda participando significativamente en los debates.[23] Sin duda alguna se sentía intimidado por sus sofisticados compañeros, la mayoría de los cuales, dijo a su amigo Xiao Yu, quien había ido a visitarle a Shanghai por aquellas fechas, «había recibido una excelente formación y ... sabía leer japonés o inglés».[24] Aquello despertó sus viejas inseguridades y en cuanto regresó a Changsha se sumió de nuevo en las lecciones de inglés.[25] Dos meses después se creaba la sección de Hunan del Partido Comunista Chino, ocupando Mao el cargo de secretario, en la simbólica fecha del 10 de octubre, el aniversario de la revolución de Xinhai, culminada diez años antes.[26]

Durante unos meses, Mao se entregó a la construcción de la pequeña base del partido. En noviembre, la central del partido, todavía provisional, emitió una directriz que requería a cada delegación provincial que, para el verano de 1922, contase con un mínimo de treinta miembros.[27] La delegación de Mao fue una de las tres que cumplieron con el requisito, junto con las de Cantón y Shanghai.[28] Aquel mismo mes organizó una manifestación para celebrar la revolución bolchevique. Se convirtió en un suceso que se repetiría año tras año, mereciendo la atención del *Minguo ribao*, el «diario republicano» de Shanghai:

Una inmensa bandera roja ondeaba sobre el asta de la explanada que hay enfrente del edificio de la Asociación Educativa, con dos estandartes menores a ambos lados con el eslogan: «Proletarios del mundo, ¡levantaos!». Otras banderas blancas más pequeñas llevaban la inscripción: «¡Larga vida a Rusia! ¡Larga vida a China!». Entonces venía una multitud de pequeñas banderas rojas, en las que había escrito: «¡Admiremos la Rusia soviética!» ... «¡Larga vida al socialismo!» y «¡Pan para los obreros!». Se repartieron folletos a la muchedumbre. Justo cuando iban a comenzar los discursos, apareció un destacamento de policía, y el oficial al cargo anunció que, por orden del gobernador, los manifestantes debían dispersarse. La multitud protestó, invocando el artículo doce de la constitución, que otorga a los ciudadanos el derecho a la libertad de reunión ... Pero el oficial no atendió a razones e insistió en que la orden del gobernador tenía que ser obedecida. La turba montó en cólera y empezó a gritar: «¡Fuera el gobernador!». La policía entonces dio comienzo a su trabajo. Desgarraron todas la banderas y la manifestación fue disuelta a la fuerza. Eran las tres de la tarde cuando comenzó a caer una lluvia torrencial que evitó toda resistencia.[29]

A pesar de los forcejeos con el gobernador Zhao, Mao consiguió suficiente apoyo entre sus aliados de la elite provincial para crear la Universidad Autodidacta de la que había comenzado a escribir un año antes, financiada a partir de una ayuda de unos dos mil dólares estadounidenses concedida por el gobierno local, una suma muy importante en aquel tiempo.[30]

Los objetivos declarados de la escuela eran «preparar la reforma de la sociedad» y «unir a la clase intelectual y la clase obrera». Pero, en la práctica, sirvió como campo de pruebas para los futuros activistas del partido que, en los momentos álgidos, llegaron a contabilizar un total de dos decenas de estudiantes a plena dedicación. Al principio, el hecho de que estuviese patrocinada por la Sociedad Wang Fuzhi y ocupase la sede de la antigua Academia Wang Fuzhi oscureció sus propósitos políticos, pero con el tiempo se acercó más al concepto por el que originalmente abogaba Mao de una comuna académica, donde estudiantes y profesores «practicasen una vida comunista». Mao abandonó su empleo en la escuela primaria para actuar de director de la universidad, al tiempo que enseñaba chino en la Primera Escuela Normal.[31] He Shuheng se convirtió en el jefe de estudios. Y He Minfan, en el subdirector; hasta que las poco convencionales ideas de Mao sobre la salud y el ejercicio físico causaron la renuncia de ambos.[32] Bajo el calor del sofocante verano de Changsha, Mao incitaba a los estudiantes a asistir a las clases en lo que, según las normas de la época, era un escandaloso estado de desnudez. He Minfan, una generación mayor, más conservador, se ofendió profundamente y, tras otros enfrentamientos, Mao y él se despidieron con malas palabras.

El principal empeño de las acciones de Mao durante los dos años siguientes se centró, no obstante, en la organización de los trabajadores. La ortodoxia bolchevique obligaba a que la revolución se edificase a partir del proletariado, y el Primer Congreso había designado el establecimiento de sindicatos como su «principal propósito».[33] En aquel período, China poseía cerca de un millón y medio de trabajadores en la industria, frente a doscientos cincuenta millones de campesinos.[34] Las condiciones de las fábricas eran las propias de las novelas de Dickens. El célebre doctor Sherwood Eddy, defensor norteamericano de la clase obrera, informaba después de una inspección llevada a cabo en nombre de la YMCA:

En la fábrica de cerillas de Pekín hay mil cien trabajadores, muchos de ellos muchachos de edades comprendidas entre los nueve y los quince años. El trabajo comienza a las cuatro de la madrugada y sólo se detiene a las seis y media de la tarde, con un pequeño descanso al mediodía ... durante los siete días de la semana ... La ventilación es deficiente, y las emanaciones del fósforo de baja calidad perjudican los pulmones. Tras treinta minutos de estar allí, mi garganta ardía. Pero los trabajadores lo respiran toda la jornada ... De media, caen enfermos unos ochenta cada día. [También visité] una fábrica textil de Pekín. Tiene empleados quince mil jóvenes. Los trabajadores reciben nueve dólares al mes por un trabajo de dieciocho horas diarias, siete días a la semana. La mitad son aprendices que no reciben ninguna enseñanza ni paga alguna, sino simplemente la comida ... Sus familias son demasiado pobres para alimentarles, y se congratulan de entregarlos a las fábricas.

En una casa de huéspedes que visité, en cada habitación, de no más de cuatro metros cuadrados y medio, se alojaban diez obreros, la mitad de los cuales trabajaba de día y la otra mitad de noche. En toda la casa no había una sola estufa, ni muebles, ni hogar, ni lavabo ... Al lado, perteneciente al mismo propietario, había una especie de cavidad sin ventanas con una sola habitación. Un grupo de chiquillas, de entre diez y quince años, dormía de día en aquel cubículo. Por la noche trabajaban en la fábrica, ganando treinta céntimos por turno. Dormían en un tablado de madera, cubiertas con un montón de trapos viejos. Su principal preocupación era oír la sirena de la fábrica; si llegaban tarde perdían su trabajo. Esta gente no vive. Sólo existe.[35]

En Hunan, el trabajo infantil era menos común que en los asentamientos costeros, pero, de todos modos, las condiciones variaban muy poco. Hasta 1920, los trabajadores y artesanos estaban organizados, como había ocurrido desde los tiempos medievales, en tradicionales gremios comerciales. Pero en noviembre de aquel año, dos jóvenes estudiantes anarquistas, Huang Ai y Pang Renquan, crearon un cuerpo independiente, la Asociación de Trabajadores de Hunan.[36] En agosto, cuando el partido, siguiendo las sugerencias de Sneevliet, estableció un Secretariado Obrero bajo la dirección de Zhang Guotao,[37] con Mao a la cabeza de la división de Hunan, la asociación tenía ya unos dos mil miembros y había encabezado una exitosa huelga en la fábrica algodonera de Huashi en Changsha.[38]

Pang había nacido en Xiangtan, en una aldea a sólo quince kilómetros de Shaoshan.[39] En septiembre de 1921, Mao le acompañó en una visita a las minas de carbón de Anyuan, dentro de un gran complejo industrial de titularidad china en la frontera de Hunan y Jiangxi, para estudiar las posibilidades de organizar a sus obreros.

El viaje no alcanzó su objetivo,[40] pero dos meses después la relación entre ambos había evolucionado lo suficiente como para que Mao escribiese un artículo en el periódico de la asociación, el *Laogong zhoukan* (*Semanario de los Obreros*). «El propósito de la organización de la clase obrera», escribió, «no consiste simplemente en agrupar a los obreros para obtener mejores salarios y turnos de menos horas a través de huelgas. Debería, además, nutrir la consciencia de clase para unir y buscar los intereses de toda la clase obrera. Espero que cada uno de los miembros de la Asociación de Trabajadores pondrá especial empeño en este objetivo tan fundamental.»[41] Poco después, Huang y Pang se unieron secretamente a la Liga de las Juventudes Socialistas[42] y, en diciembre, contribuyeron a la organización de una manifestación masiva, que congregó a diez mil personas, protestando contra las maniobras de las potencias extranjeras para ampliar sus privilegios económicos en China.[43] Parecía que la estrategia seguida por Mao de elegir a los anarquistas para, paulatinamente, cambiar su enfoque hacia otros objetivos más marxistas era de lo más fructífera.

Pero entonces, en enero de 1922, el infortunio se ensañó con ellos. Tras las celebraciones del Año Nuevo, cuando la dirección les anunció que su paga extraordinaria sería retenida, los dos mil trabajadores de la fábrica textil de Huashi se declararon en huelga. La maquinaria y el mobiliario fueron reducidos a escombros, y comenzaron los enfrentamientos con la policía de la empresa, resultando muertos tres trabajadores. El 14 de enero el gobernador Zhao Hengti, que además era uno de los principales accionistas de la compañía, declaró que la huelga era «una acción contra el gobierno» y envió un batallón de soldados al escenario. Después de repartir golpes al azar, obligaron a los hombres a retomar el trabajo bajo la amenaza de las armas automáticas. Pero al día siguiente consiguieron hacer circular un grito de ayuda. La Asociación de Trabajadores se puso manos a la obra. Recibió un mensaje del gobernador Zhao convocando a los dos jóvenes instigadores en la fábrica para iniciar las negociaciones. Cuando llegaron, al anochecer del 16 de enero, fueron detenidos y llevados al *yamen* del gobernador, donde Zhao les interrogó largamente. Se garantizó la paga extraordinaria de los obreros. Pero se condujo a Huang y Pang hasta el campo de ejecuciones, junto a la puerta de Liuyang, donde fueron decapitados, y la Asociación de Trabajadores fue prohibida.[44]

Sus muertes, tres semanas después de que Zhao promulgase una constitución provincial ostensiblemente liberal que enaltecía en Hunan el principio de autonomía, provocó duras reacciones en toda China. Sun Yat-sen reclamó que Zhao fuese condenado. Cai Yuanpei, desde la Universidad de Pekín, junto con otros eminentes intelectuales chinos, envió telegramas de protesta.[45] Mao se dedicó durante el mes de marzo y parte de abril a avivar desde Shanghai una virulenta campaña llevada a cabo por los periódicos en lengua china en contra de Zhao.[46] Incluso el *North China Herald* afirmó que los métodos del gobernador eran «inexcusables».[47]

El 1 de abril, Zhao publicó una larga declaración en su defensa, justificando su conducta:

> Lamentablemente, el gran público parece no conocer las auténticas razones de las ejecuciones, y las ha confundido con asuntos de la Asociación de Trabajadores para acusarme de conspirar contra la asociación ... Los dos criminales, Huang y Pang ... [se confabularon con] ciertos bandidos ... en un complot para conseguir armas y munición ... Su plan era acabar con el gobierno y lanzar sus ideas revolucionarias organizando disturbios planeados para el Año Nuevo lunar ... En mí cae el peso del gobierno de los treinta millones de hunaneses. Me niego a estar tan confundido como para mostrar benevolencia ante dos hombres y poner en peligro toda la provincia. Si no hubiese actuado como lo hice, no habría sido posible evitar el desastre ... Desde el principio he protegido los intereses de los trabajadores ... Deseo que la clase obrera de Hunan florezca y prospere.[48]

Nadie creyó sus aseveraciones. Pero, con la negación de que las ejecuciones tuviesen nada que ver con la Asociación de Trabajadores y la afirmación explícita de que los propósitos de los obreros eran legítimos, Zhao dejó abierta la puerta para la reanudación del movimiento obrero.

El siguiente paso de Mao se orientó hacia el desarrollo de una red de escuelas nocturnas para obreros. Para ello contó con la asistencia involuntaria de la YMCA, la cual, con el apoyo del gobierno provincial, había iniciado una campaña de educación de las masas. Se dispuso que los miembros del partido ejerciesen de maestros voluntarios, y Mao redactó un sencillo libro de texto que, con el pretexto de ser una herramienta educativa, difundía las ideas socialistas.[49]

La más afortunada de sus andanzas ocurrió en Anyuan; Mao había enviado hasta allí a Li Lisan para encargarse de las tareas organizativas.[50] Li, el joven imberbe que seis años antes había enviado «media respuesta» a la convocatoria de Mao en busca de miembros para la Asociación de Estudios del Nuevo Pueblo, se había unido al partido en Francia. A Mao le seguía gustando tan poco como entonces, pero demostró ser un sindicalista de primera fila; en mayo convenció al magistrado de Anyuan para que autorizase el establecimiento de una Asociación de Mineros y Ferroviarios, que poseía su propia biblioteca, una pequeña escuela y un centro de recreo. Cuatro meses después había alcanzado la cifra de siete mil miembros.

Mientras tanto, Mao, en ocasiones acompañado de Yang Kaihui, entonces encinta de su primer hijo, viajaba de las fábricas a los almacenes del ferrocarril de toda la provincia, valorando las perspectivas de fundación de nuevas asociaciones.[51] La central del partido, desde Shanghai, había dado instrucciones de que el activismo obrero era de máxima prioridad.[52] En Changsha se estableció una Asociación de Ferroviarios, seguida en agosto por otra en Yuezhou, en la línea principal hacia Hankou, al norte.[53]

Fue precisamente en Yuezhou donde comenzaron los problemas.[54]

El 9 de septiembre, sábado, diversos grupos de trabajadores bloquearon la línea, sentándose sobre los raíles, en demanda de sueldos más altos y modestas mejoras de las condiciones de trabajo. Se enviaron tropas para dispersarles, matando a seis trabajadores e hiriendo gravemente a muchos otros, además de mujeres y niños que habían acudido a secundar a sus esposos y padres. Cuando las noticias llegaron a Changsha, Mao envió un telegrama incendiario a los otros grupos de trabajadores, solicitando su respaldo:

> ¡Compañeros trabajadores de todos los grupos obreros! Esta represión cruel, tiránica y sombría se ha ensañado sólo con nuestra clase obrera. ¿Cómo calmar nuestra ira? ¿Con qué rencor no vamos a odiar? ¿Con qué fuerza debemos levantarnos? ¡Venganza! Compañeros trabajadores de todo el país, ¡levantémonos y luchemos contra el enemigo![55]

El gobernador Zhao dio muestras de su intención de mantenerse al margen.[56] Yuezhou albergaba las tropas del norte, fieles a Wu Peifu, líder del grupo de señores de la guerra de Zhili, en Pekín; por ello, cualquier interrupción de la línea de ferrocarril en el norte supondría una ventaja para Zhao.

Las noticias de estos acontecimientos llegaron a Anyuan el lunes, avanzada la noche.[57] Desde hacía algún tiempo, los problemas sobrevolaban ominosos ante la negativa de la compañía minera de pagar los atrasos. Había llegado el momento, incitó Mao, de que los obreros de Anyuan también fuesen a la huelga. Li Lisan elaboró una lista de demandas y, cuarenta y ocho horas después, en la medianoche del 13 de septiembre, cortaron el suministro de electricidad a los pozos de la mina; su acceso fue cerrado con vigas, y en él se izó una bandera de tres picos con la leyenda: «¡Antes éramos bestias. Ahora somos hombres!».

Los mineros dejaron dos generadores en marcha para evitar las inundaciones en los túneles. Pero durante el fin de semana, con las negociaciones estancadas, algunos propusieron que fuesen desconectados. Ante tales perspectivas, los directores capitularon, aprobando conjuntamente un aumento de sueldo del 50 por 100, el reconocimiento del sindicato, mayor período vacacional y gratificaciones, el pago de los atrasos, y el fin del sistema tradicional de contrato laboral, según el cual los intermediarios acaparaban la mitad de la paga anual. Unos días después, más de un millar de delegados de las cuatro principales redes de ferrocarriles del país se congregaron en Hankou, amenazando con una huelga de trenes en todo el país, a menos que se concediesen inmediatos aumentos de sueldo. Sus reivindicaciones también fueron satisfechas.[58]

Tanto en las huelgas de los trabajadores del ferrocarril como en la de los mineros, la participación de Mao fue indirecta. Como Secretario del Partido Comunista Chino en Hunan, había guiado a los partidarios de la huelga y actuado como su portavoz político, pero no había tomado parte activa en las acciones. Sin embargo, una disputa entre albañiles y carpinteros, que se inició una semana más tarde en la capital provincial, le comprometió de una manera más inmediata.[59]

A lo largo del verano se habían estado anunciando disputas en el antiguo gremio comercial del templo de Lu Ban, el patrón de los capataces de la construcción. Sus ingresos habían sufrido con la inflación experimentada por el papel moneda, y en julio solicitaron al consejo del templo que convenciese al magistrado del distrito para que autorizase un aumento de los salarios.[60] Pero las presiones de la economía de mercado también habían mancillado la solidaridad de los gremios y, en contra de lo habitual, el consejo insistió en que los miembros del sindicato debían realizar una suscripción de tres mil dólares de plata para financiar las negociaciones.

«Acudían a los restaurantes de moda, como el Gran Hunan, el Manantial del Palacio de la Caverna, y los Jardines Serpenteantes, y celebraban suntuosos banquetes», recordaba uno de los miembros del gremio. «Aquellas sanguijuelas conseguían llenarse la panza de comida y vino, pero no dejaban ni un penique para nosotros.»

Pero la contienda se desequilibró con la aparición de un hombre llamado Ren Shude. Hijo huérfano de un granjero pobre, se había unido al gremio veinte años antes, como aprendiz de carpintero, con apenas trece años. El otoño anterior había estado trabajando para la Sociedad Wang Fuzhi, contribuyendo a consumar los objetivos planteados para la nueva Universidad Autodidacta. Él y Mao habían entablado una buena amistad, y a principios de 1922 se había convertido en uno de los primeros trabajadores de Changsha en unirse al Partido Comunista.

Ren propuso que los hombres se congregasen en el templo y exigiesen una solución. Unos ochocientos trabajadores le siguieron, pero los negociadores del consejo huyeron a un despacho interior, conocido como el Salón de las Cinco Armonías, sin que los trabajadores se atrevieran a seguirles. A instancia suya, un pequeño grupo se reunió con Mao, presentado por Ren como un profesor de escuela muy implicado en el movimiento de las academias nocturnas para trabajadores. Mao les aconsejó que creasen una organización independiente, siguiendo un sistema de «grupos de diez hombres», o células, similar al de los sindicatos ferroviarios y mineros. Tres semanas después, Ren presidía el congreso fundacional del Sindicato de Albañiles y Carpinteros de Changsha, con cerca de mil cien asociados. El propio Mao redactó sus estatutos y nombró secretario del sindicato a otro miembro del partido.[61]

Al mes siguiente, cuando se generalizaron las huelgas en las minas y los ferrocarriles, Ren y sus compañeros trazaron un cuidadoso plan. Algunos activistas repartían subrepticiamente panfletos, y por la noche iban a las barricadas, desde donde, cuando los oficiales se habían retirado, lanzaban flechas con folletos atados a ellas por encima de los muros, para que la causa de los obreros se difundiese entre los soldados. Por su parte, Mao movilizó las simpatías de los liberales que nutrían la elite provincial: antiguos asociados de Tan Yankai y miembros del movimiento para la autonomía de Hunan. El editor del *Dagongbao*, Long Jiangong, publicó diversas invectivas contra la potestad del gobierno de regular los salarios, apuntando que no existía ninguna restricción similar para el aumento del capital de los terratenientes. «En la constitución provincial», escribía, «se garantiza la libre empresa. Si los empresarios creen que los salarios [de los trabajadores] son demasiado altos, que simplemente dejen de contratarlos. ¿Por qué queréis recortar sus demandas y frenar la subida del precio de su trabajo?»

El 4 de octubre, el magistrado anunció que el aumento de la paga había sido desestimado.[62] Al día siguiente, coincidiendo con una fiesta local, los dirigentes del sindicato se reunieron en la casa de Mao, junto al Estanque de Aguas Claras, en la parte exterior de la pequeña puerta este, y decidieron iniciar una huelga en demanda de más dinero y del derecho de negociar libre y colectivamente. Así se subrayó en la declaración de huelga escrita por Mao y encolada sobre los muros de la ciudad:

Nosotros, albañiles y carpinteros, deseamos informaros de que, motivados por nuestras necesidades diarias, pedimos un modesto aumento de sueldo ... Los trabajadores como nosotros, destinados a un trabajo afanoso, cambiamos un día entero de nuestras vidas y nuestra energía a cambio de unas pocas monedas de cobre para alimentar a nuestras familias. Nosotros no somos como los holgazanes que pretenden vivir sin trabajar. ¡Fijaos en los comerciantes! Difícilmente pasa un día sin que suban sus precios. ¿Por qué nadie se queja de ello? ¿Por qué sólo los trabajadores, que se esfuerzan y sudan todo el día por una miseria, han de pasar por la humillación de ser pisoteados? ... Incluso si no podemos gozar de nuestros otros derechos, deberíamos tener, como mínimo, el derecho a trabajar y a dedicarnos a nuestros asuntos. Nos aferraremos a ello y arriesgaremos nuestras vidas por ello, si es necesario. No vamos a renunciar a nuestros derechos.[63]

Al día siguiente se paralizaron todos los trabajos de construcción de la ciudad. El magistrado, apoyado por los dirigentes del gremio, esperaba llegar a alguna solución. Pero el invierno estaba cerca. Las autoridades tuvieron que hacer frente a la presión pública, cada vez más virulenta, que reclamaba el final inmediato de la huelga para poder proceder a la reparación de sus casas antes de la llegada del invierno. El 17 de octubre el magistrado nombró una comisión negociadora y ordenó a los huelguistas que la aceptasen inmediatamente: «Si os negáis a escuchar, mi cólera caerá sobre vosotros», les advirtió. «Deberíais pensarlo bien. No esperéis hasta que sea demasiado tarde.» Pero la oferta de la comisión, a pesar de ser más generosa que las primeras propuestas, suponía el fin de la tradicional diferencia de salarios entre los trabajadores noveles y los veteranos. Por ello fue también rechazada, y el sindicato anunció que los trabajadores se manifestarían masivamente ante el *yamen* del gobernador el lunes 23 de octubre para entregarle una petición. La protesta fue rápidamente prohibida y comenzaron a emerger las dudas entre los dirigentes del sindicato. La orden de prohibición les describía como «promotores de la violencia», un término recientemente usado para justificar el pasado enero las ejecuciones de Huang Ai y Pang Renquan. Cuando llegó el fin de semana, el futuro de la huelga estaba todavía en el aire.

Mao pasó la mayor parte de la noche del domingo conversando con Ren Shude y otros miembros del comité del sindicato. La situación, argumentaba, era totalmente distinta de la de enero. Las huelgas se sucedían en varias áreas de China y, en este caso particular, los albañiles y carpinteros contaban con un amplio apoyo popular. Zhao Hengti no tenía intereses inmediatos en el resultado de la contienda, cualquiera que fuese, a diferencia de lo que había ocurrido en la planta textil de Huashi, de la que era accionista. Además, ahora se hallaba aislado políticamente, sin vínculos tanto con respecto a Sun Yat-sen en el sur, como con respecto a Wu Peifu en el norte.

A la mañana siguiente, cerca de cuatro mil albañiles y carpinteros de la ciudad se congregaron en la plaza que se extendía en la parte exterior del antiguo patio de los exámenes imperiales y marcharon disciplinadamente hasta el *yamen* del magistrado del distrito. Se encontraron con la entrada principal cerrada con una tabla, en lo alto de la cual colgaba una enorme flecha, símbolo de la potestad militar de realizar ejecuciones sumarias.[64] Junto a ésta había un tablón con la última oferta del comité mediador.

Mao había avanzado junto a ellos, ataviado con un vestido de trabajador. Una delegación del sindicato se adentró en el edificio, pero unas horas después salió con la noticia de que el magistrado se negaba a realizar más concesiones. Se accedió a una segunda delegación, mientras Mao continuaba en el exterior. Pero al anochecer, cuando llegaron más tropas como refuerzo de la guardia del *yamen*, pasó a la acción dirigiendo los cánticos de los trabajadores y recitando lemas para reavivar sus ánimos. Oscureció sin que se hubiese llegado a ningún acuerdo. Algunos seguidores trajeron faroles, y los huelguistas se parapetaron para pasar la noche allí.

La perspectiva de tener a varios miles de hombres enfurecidos y sin control en el centro de Changsha durante toda la noche no satisfacía al gobernador Zhao, que envió un funcionario numerario para intentar persuadirles de que abandonasen el lugar. Un misionero, que actuó de corresponsal circunstancial para el *North China Herald*, resultó estar en el lugar y el momento adecuados:

Aproximadamente a las diez de la noche, vagaba por los alrededores del recinto del *yamen* y casualmente acabé siendo testigo de un interesante coloquio ... El funcionario del personal ... no desmerecía a los diez representantes de los trabajadores con los que estaba ... Los representantes de ambos bandos se trataban cortésmente. El funcionario trataba de «señores» a cada uno de los representantes y no sólo usaba los términos ordinarios de respeto, sino que seguía el protocolo con el que se trata a los caballeros. Los trabajadores, hablando con tranquilidad y cadencia, no faltaban a la etiqueta...

El funcionario se subió a una mesa ... Después [de exhortar] a los hombres a que retornasen a sus hogares ... Uno de los «diez», el líder reconocido por los demás como tal, pidió permiso para someter a votación las sugerencias del funcionario. «¿Volveréis a vuestras casas? Los que quieran hacerlo así, que levanten la mano.» Nadie la levantó. «Los que quieran quedarse, que levanten su mano.» No quedó una mano sin alzarse. «Aquí tiene su respuesta», fue todo lo que comentó el representante...

El funcionario ... admitió abiertamente que no sólo el magistrado del distrito, sino tampoco el gobernador tenía derecho para fijar las cantidades de las pagas sin un consenso, sin el acuerdo entre ambas partes ... Una y otra vez, la situación se volvía tensa; pero los trabajadores se atenían escrupulosamente a las llamadas a la calma y al silencio de sus propios delegados. Tras una hora de animación, de un debate llevado con la mayor corrección que jamás haya podido observar, me retiré de la escena, dejándoles en aquella situación. No fue hasta poco antes de las dos de la madrugada cuando, cansados y hambrientos (los soldados habían impedido que se les abasteciese de comida o ropa), los trabajadores accedieron a volver a sus sedes.[65]

El «líder reconocido» cuyas aptitudes como orador tanto impresionaron al buen misionero era Mao. El representante sindical que propuso la votación era, presumiblemente, Ren Shude. Antes de la dispersión, los trabajadores obtuvieron la promesa de que a la mañana siguiente se retomarían las conversaciones en el *yamen* del gobernador. Durante dos días, Mao y los dirigentes sindicales negociaron con el delegado del gobernador, Wu Jinghong. Si un comerciante podía dejar de vender sus productos porque no le era rentable, ¿por qué no podía un trabajador subir el precio de su esfuerzo? El derecho a pedirlo, señalaba Mao, estaba garantizado en la constitución provincial. «¿Qué ley, pues, estamos quebrantando? Por favor, háganoslo saber, honorable director, señor.» Finalmente, la decisión del gobernador de no usar la fuerza, y la preocupación de la administración para que la huelga no desembocase en disturbios civiles, no dejaron opciones para prolongar la resistencia. Mao, el director Wu, Ren Shude y una docena de delegados sindicales firmaron un acuerdo, sobre el que se grabó solemnemente el sello oficial, que reconocía que «todos los aumentos salariales son objeto de relaciones contractuales libres entre obreros y empleados».

El poder de los gremios, que se había mantenido casi inalterado desde la dinastía Ming, quinientos años antes, quedó de este modo literalmente destruido en Changsha. La paga diaria de albañiles y carpinteros se elevó de los veinte a los treinta y cuatro céntimos de plata. Seguía «siendo poco más que el salario mínimo para sobrevivir, [con el cual] nadie podía satisfacer las necesidades de una familia de dos adultos y dos niños», apuntó el misionero.[66] Pero para Mao, para el partido y para todos los obreros de la ciudad había resultado un éxito clamoroso, y al día siguiente unas veinte mil personas desfilaron por un corredor de petardos para celebrarlo, hasta llegar al *yamen*. «Victoria de los obreros organizados», proclamó el titular del *Herald*:

> El gobierno ha capitulado por completo ante el decidido empeño de los delegados de los huelguistas ... Es el primer encuentro de los funcionarios con la nueva forma de sindicatos de trabajadores ... Obtuvieron todo lo que pidieron; y los funcionarios no consiguieron nada con sus intentos de compromiso. Teniendo en cuenta que las peticiones de los obreros eran modestas, no representa un cambio drástico, pero es un precedente que confiere a los trabajadores una enorme capacidad para influir.[67]

No fue la única victoria de Mao aquella semana. Mientras estaba negociando con el director Wu en el *yamen* del gobernador, el 24 de octubre, Yang Kaihui, que se había desplazado hasta la casa de su madre, en los suburbios, para recluirse, dio a luz un niño.[68]

La epidemia de las huelgas se contagió con rapidez a otros sectores obreros.[69] Los obreros textiles se lanzaron a la huelga en septiembre. Les siguieron los barberos, los conductores de *rickshaw*, los tintoreros y tejedores, los zapateros, los cajistas y los fabricantes de pinceles. A principios de noviembre, cuando se fundó la Federación General de Organizaciones Obreras de Hunan, con Mao de secretario general, ya existían quince sindicatos, incluida la primera asociación interprovincial del país, el Sindicato Ferroviario General de Cantón y Hankou, con sede en la principal estación de ferrocarril de Changsha.[70] En un momento u otro de su existencia, Mao se convertiría en el líder de cerca de la mitad de ellas.[71]

En diciembre, como jefe de la nueva Federación, formó parte de una delegación conjunta de representantes sindicales que se debía reunir con el gobernador Zhao, el jefe de policía de Changsha y otros altos cargos provinciales, para discutir las intenciones del gobierno ante las crecientes demandas de los obreros.[72] De acuerdo con los libros de actas de Mao, publicados tiempo después en el *Dagongbao*, Zhao les ofreció garantías constitucionales de que el derecho a la huelga sería respetado, declarando que su gobierno «no tenía la intención de reprimirles». Mao replicó que lo que realmente deseaban los sindicatos era el socialismo, pero que «a causa de que era difícil de alcanzar en el presente», sus demandas se debían limitar a los incrementos salariales y las mejoras en las condiciones de trabajo. El gobernador convino en que, «aunque el socialismo podrá ponerse en práctica en el futuro, sería muy difícil hacerlo en la actualidad».

La delegación no consiguió todo lo que pretendía. La administración rehusó comprometerse a que nunca intervendría en los conflictos laborales; ni admitió el registro de la Federación como una entidad legalmente constituida. Pero ambos contendientes acordaron mantener contactos de manera regular para «evitar malentendidos».

El mes de diciembre de 1922 significó el apogeo del movimiento obrero de Hunan, además de un momento álgido en la vida de Mao. Se había convertido en el secretario del comité provincial del partido, en un organizador de sindicatos de éxito, al que incluso el gobernador Zhao tenía que escuchar, y en el padre de un niño de dos meses. Por si fuese poco, el día de su vigésimo noveno aniversario finalizaba con éxito la última de las grandes huelgas que había orquestado en la provincia aquel mismo año, en las minas de plomo y cinc de Shuikoushan.[73]

Pero, ocultas entre los triunfos del movimiento obrero, también se percibían algunas señales de advertencia. Shanghai, el mayor centro industrial de China, estaba bajo un control tan estrecho de la alianza formada por los capitalistas occidentales y chinos, la policía extranjera y los miembros de las tríadas en busca de neófitos que el Secretariado Obrero del partido era incapaz de actuar en la ciudad y, en otoño, se trasladó a Pekín.[74] Incluso en Hunan, donde el movimiento estaba más afianzado, algunos destacados simpatizantes de la elite provincial comenzaron a dudar de si los disturbios no habían llegado demasiado lejos.[75]

Sin embargo, fue en Pekín donde, finalmente, se encajó un golpe fatal. El Secretariado Obrero se había mudado allí en parte porque el máximo dirigente del norte, Wu Peifu, que a principios de 1922 había fortalecido su posición al derrotar al cacique manchú Zhang Zuolin, era considerado una figura relativamente liberal.[76] A Wu le gustaba airear el contraste que existía entre su nuevo gobierno y el gobierno projaponés de la camarilla de Anfu que le había precedido, y proclamó que la protección de la clase obrera era una de sus prioridades. Los comunistas lo tuvieron muy en cuenta y aquel verano el Secretariado y sus jefes provinciales, entre ellos Mao, solicitaron al parlamento de Pekín que promulgase una ley laboral que implantase la jornada laboral de ocho horas, vacaciones pagadas y el permiso por maternidad, además de proscribir el trabajo infantil.[77] Por iniciativa propia e individual, Li Dazhao alcanzó un acuerdo con los oficiales de Wu para que seis miembros del partido actuasen como «inspectores secretos» en el ferrocarril de Pekín a Hankou, la principal arteria norte-sur para los movimientos de tropas. La intención real de Wu era excluir a los partidarios de Zhang Zuolin de las asociaciones obreras de los ferroviarios. Sin embargo, el resultado fue que, a final de año, la mayoría de la fuerza obrera del ferrocarril había sido reorganizada en asociaciones de trabajadores dominadas por los comunistas.

Mientras tanto, la Rusia soviética había enviado un nuevo emisario, Adolf Joffe, para reanudar las conversaciones sobre el espinoso problema del reconocimiento diplomático.[78] Los representantes rusos comenzaron a soñar con una alianza entre Wu y Sun Yat-sen, que habría combinado el potencial del norte con el prestigio revolucionario del sur. Pero Joffe no pudo ofrecer a Pekín lo que deseaba —la restitución del Ferrocarril Oriental Chino en Manchuria, bajo administración rusa, y el reconocimiento de los intereses chinos en Mongolia—, de modo que el interés de Wu por los rusos y sus protegidos se desvaneció.

En estas circunstancias, las asociaciones de signo comunista de los trabajadores del ferrocarril de la línea Pekín-Hankou propusieron la celebración de un congreso fundacional, a celebrarse en Zhengzhou el día 1 de febrero, para crear un Sindicato General del Ferrocarril, similar al fundado por Mao en Hunan el otoño anterior. Unos días antes de que se celebrase la reunión, Wu Peifu declaró su proscripción. Cuando, a pesar de ello, los delegados siguieron adelante, las tropas ocuparon la sede del sindicato y se declaró una huelga nacional de ferroviarios. El 7 de febrero de 1923, Wu y otros señores de la guerra reprimieron con dureza a los huelguistas de Pekín, Zhengzhou y Hankou. Al menos cuarenta hombres murieron, entre ellos el secretario de la delegación de Hankou, que fue decapitado ante sus camaradas en el andén de la estación. Más de doscientos resultaron heridos.[79]

La «masacre del siete de febrero», como fue conocido el incidente, fue un duro golpe en las ambiciones comunistas de aprovechar el movimiento obrero como motor del cambio político. Las huelgas de trabajadores cayeron hasta la mitad, y las que tuvieron lugar fueron brutalmente reprimidas.[80] El movimiento obrero también se vio afectado por el creciente aumento del desempleo, a consecuencia del retroceso de las manufacturas chinas ante la mayor competencia de las extranjeras.

En Hunan, donde Zhao Hengti continuaba con su empeño de mantener las distancias con el norte y el sur, la crisis fue inicialmente capeada.[81] La Federación Obrera de Mao envió una serie de furibundos telegramas denunciando la «inefable maldad de los caciques militares», dirigidos a Wu y su aliado nominal, Cao Kun, y advirtiendo de manera muy gráfica: «Todo compatriota que haya visto a estos traidores ... se lamenta de que no pueda devorar sus carnes y hacerse una litera con sus pieles».[82] La formación de nuevos sindicatos siguió adelante, y Mao envió a sus dos hermanos, Zemin y Zetan, a Anyuan y Shuikoushan para respaldar el desarrollo de nuevas asociaciones.[83] En abril, Mao ayudó a organizar una colosal manifestación que congregó a sesenta mil personas en las calles de Changsha, como contribución a una campaña nacional para exigir que Japón devolviese Port Arthur (Lüshun) y Dairen (Dalian) a China.[84] Pero fue la última victoria. Dos meses después, durante una huelga general convocada para protestar por la muerte de dos manifestantes asesinados por los marineros de un acorazado japonés, Zhao declaró la ley marcial,[85] llenó las calles de soldados y expidió órdenes de arresto de los líderes sindicales.[86]

Pero cuando todo eso ocurrió, Mao ya había abandonado Hunan. En enero de 1923, Chen Duxiu le había invitado a ir a Shanghai para trabajar en el Comité Central del Partido. Li Weihan, tres años menor que él, antiguo estudiante de la Primera Escuela Normal y uno de los primeros miembros de la Asociación de Estudios del Nuevo Pueblo, fue nombrado su sucesor en el cargo de secretario provincial del partido. El dirigente del sindicato del ferrocarril, Guo Liang, se convirtió en el jefe de la Federación Obrera; y otro antiguo integrante de la Asociación de Estudios del Nuevo Pueblo, Xia Xi, de veinte años, ocupó el puesto de secretario provincial de la Liga de las Juventudes. Para Mao, aquél fue un ascenso importante. Pero, según parece, no tenía ninguna prisa en irse, y su marcha se demoró hasta mediados de abril, cuando pudo despedirse de Yang Kaihui y su bebé, para embarcarse en un vapor del Yangzi que le llevaría hasta la costa.[87]

Las disensiones entre Chen Duxiu y Hendricus Sneevliet sobre las relaciones del partido con Moscú habían sido más o menos dejadas a un lado. Pero se produjo una segunda disputa, mucho más seria, en torno a la relación que debían mantener el Partido Comunista Chino y el Guomindang de Sun Yat-sen.[88] Se originó durante el invierno de 1921, cuando Sneevliet se reunió con Sun en Guilin. El veterano revolucionario le desconcertó cuando declaró que no había «nada nuevo en el marxismo. Todo había sido escrito dos mil años antes en los clásicos chinos». No obstante, los méritos revolucionarios de Sun y la decisión con que el Guomindang había apoyado la huelga de marineros de Hong Kong, que el mismo Sneevliet había presenciado desde Cantón, le convencieron de que la alianza entre los comunistas y el Guomindang era más que deseable.

Sus camaradas chinos se opusieron con vehemencia. Para ellos, el Guomindang era un partido patriarcal y premoderno, enraizado en las sociedades secretas, la lucha dinástica contra los manchúes y el difuso y oscuro mundo de las facciones de literatos e intelectuales controladas por la elite educada. Sun, que era conocido simplemente como «el Líder», lo dirigía como un feudo personal, exigiendo a sus seguidores que realizasen un juramento de fidelidad. Era profundamente corrupto. Su base de apoyo se limitaba a Guangdong y otras provincias del sur. No era, ni pretendía ser, un partido de masas, capaz de movilizar a los obreros y los campesinos, los comerciantes y empresarios de China, para luchar contra los señores de la guerra y los imperialistas. Según las ideas de Sun, más que enemigos, los caciques militares eran posibles aliados en pactos futuros.

A principios de abril de 1922, Chen Duxiu convocó a Mao, Zhang Guotao y algunos miembros de otras tres delegaciones provinciales del partido que estaban en aquel momento en Shanghai para «aprobar unánimemente una resolución expresando su total desacuerdo» ante cualquier posible alianza. Después envió una encendida nota a Voitinsky, entonces jefe de la Oficina del Extremo Oriente del Comintern, informándole de su decisión y declarando que la política del Guomindang era «totalmente incompatible con el comunismo»; que, más allá de Guangdong, era considerado «un partido político en lucha por el poder y el beneficio»; y que, por más que dijese Sun Yat-sen, su partido en realidad no toleraría las ideas comunistas. Estos factores, concluía Chen, hacían imposible cualquier intento de entendimiento.[89]

Los compromisarios, incluido Mao, retornaron a sus provincias natales, asumiendo que aquello ponía fin a la cuestión. Sin embargo, Sneevliet no se dio tan fácilmente por vencido. Durante los meses siguientes, los dirigentes del partido en Shanghai se vieron sometidos a las presiones del Comintern, el gobierno ruso, los izquierdistas del Guomindang y algunos militantes, así como de una compleja interacción de rivalidades entre los señores de la guerra. A principios de verano, cuando Sun fue expulsado de Cantón por un pronunciamiento protagonizado por antiguos aliados militares —volviéndose más receptivo ante la idea de cooperar con Moscú y sus colaboradores—, el Partido Comunista Chino estuvo dispuesto, a pesar de la ferviente reticencia mostrada, a aceptar la idea de un frente común, siempre y cuando el Guomindang cambiase su «vacilante política» y se mostrase dispuesto a tomar «el camino de la lucha revolucionaria».[90]

El Segundo Congreso del Partido Comunista Chino, celebrado en julio, confirmó este cambio de política. Se aprobó una resolución que reconocía la necesidad de «una alianza temporal con los elementos democráticos para derrotar ... a nuestros enemigos comunes».[91]

Pero no se mencionaba al Guomindang por su nombre, y la resolución insistía en que «bajo ninguna circunstancia» se podía relegar al proletariado a una posición secundaria. Si los comunistas pasaban a formar parte de un frente común, lo debían hacer por su propio beneficio, no por el de los demás. Este mensaje fue confirmado por la nueva constitución del partido, que proclamaba su adhesión al Comintern y advertía que los miembros del Partido Comunista Chino no podían ingresar en ningún otro partido político sin la autorización expresa del Comité Central.[92] Era menos radical que la política de «exclusión y agresión» que había aprobado el Primer Congreso, pero impedía la bienvenida de los cincuenta mil miembros del Guomindang que se unían a la causa común. Esta actitud, viniendo de un minúsculo corpúsculo político que en aquel momento contaba, en toda China, con sólo ciento noventa y cinco miembros suscritos, mostraba un descaro sorprendente.[93]

Mao no asistió al Segundo Congreso. Años después argumentó que, cuando llegó a Shanghai, «olvidé el nombre del lugar en que se tenía que celebrar, no pude encontrar ningún camarada y me lo perdí».[94] Pero parece que lo más probable es que se mantuvo al margen porque no estaba de acuerdo con el compromiso que se estaba diseñando. De ser así, Mao no estaba solo: los representantes del comité del partido de Cantón, que eran igualmente hostiles a una alianza con Sun, tampoco asistieron.[95]

En agosto, Sneevliet regresó de Moscú, provisto de una directriz del Comintern que decretaba que el Guomindang debía ser considerado un partido revolucionario. Dos semanas después, en una reunión del Comité Central en Hangzhou, apeló a la obediencia al Comintern para afrontar, ante la vigorosa oposición de todos los chinos que asistieron, una nueva estrategia conocida como el «bloque infiltrado», según la cual los miembros del Partido Comunista Chino se afiliarían al Guomindang individualmente y el partido se serviría de la alianza para promocionar la causa del proletariado. Poco tiempo después, un pequeño grupo de oficiales del Partido Comunista Chino, incluidos Chen Duxiu y Li Dazhao, fueron admitidos en el Guomindang en una ceremonia presidida por el mismo Sun Yat-sen. Para conmemorar la alianza se fundó un nuevo semanario del partido, el *Xiangdao zhoubao* (*Guía semanal*), editado por un amigo de Mao, Cai Hesen, con la intención de orientar al Guomindang hacia unas tendencias más revolucionarias. Fue entonces, en enero de 1923, cuando Sun Yat-sen se reunió con Adolf Joffe en Shanghai, señalando el inicio de una estrecha relación con Moscú, y se dieron los primeros pasos para una reorganización del Guomindang basada en tesis que, con el tiempo, serían las leninistas.[96]

Sin embargo, para muchos seguidores comunistas la estrategia del «bloque infiltrado» continuó siendo un anatema, y se mantuvo una vigorosa oposición.

Hubo además otras razones, en esa primavera, para que los dirigentes del partido se sintiesen abatidos. Su único gran logro, la organización del movimiento obrero, había acabado vapuleado. El partido no tenía carácter legal y se veía obligado a actuar en la clandestinidad.[97] Las divisiones internas se habían agudizado de tal modo que, en algún momento, Chen Duxiu amenazó con dimitir.[98] El propio Sneevliet reconoció que el Partido Comunista Chino era una creación artificial, que había sido «parido, o más correctamente, fabricado» antes de tiempo,[99] mientras Joffe había afirmado públicamente que «el sistema soviético no se puede introducir en la actualidad en China, ya que aquí no existen las condiciones para una implantación exitosa del comunismo».[100]

Incluso Mao, cuyo trabajo en Hunan había sido objeto de notables elogios,[101] estaba, según Sneevliet, «al final de su cruzada con la organización obrera y tan pesimista que consideraba que la salvación de China sólo llegaría con la intervención de Rusia».[102] El futuro de China, le dijo melancólico, se decidiría con el poder militar, no con el de las organizaciones de masas, fuesen nacionalistas o comunistas.[103]

En medio de este ambiente depresivo, cuarenta delegados, en representación de los cuatrocientos veinte miembros del partido, el doble del año anterior, se reunieron en Cantón para celebrar el Tercer Congreso del Partido Comunista Chino, donde, una vez más, la vinculación con el Guomindang se convirtió en el tema principal.[104] El quid de la cuestión fue, esa vez, la insistencia de Sneevliet en que todos los miembros del partido debían afiliarse de manera inmediata a las filas del Guomindang. Mao, Cai Hesen y los demás delegados de Hunan, que votaron en bloque, se opusieron.[105]

A diferencia de Zhang Guotao, que mantenía que el principio de colaboración con el Guomindang era una equivocación, la valoración de Mao era más pragmática. Después del incidente de febrero en Zhengzhou, sus ideas sobre una alianza táctica habían cambiado. El Guomindang, concluía, representaba «el grueso de la facción democrática revolucionaria», y los comunistas no debían retraerse ante la posibilidad de unirse a él. Pero el proletariado se iría fortaleciendo a medida que la economía china se desarrollase, por lo que era esencial que el partido mantuviera su independencia, para que, cuando llegase ese momento, pudiese retomar su dirección. Al fin y al cabo, añadía Mao, la burguesía era incapaz de encabezar una revolución nacional; el optimismo del Comintern era infundado:

> El Partido Comunista ha abandonado temporalmente sus ideas más radicales para cooperar con el relativamente radical Guomindang ... y derrotar a nuestros enemigos comunes ... [Al final] el resultado ... será [nuestra] victoria ... En el futuro inmediato, no obstante, y durante un cierto período, China necesariamente seguirá siendo el reino de los señores de la guerra. La política se tornará aún más oscura, la situación financiera se volverá aún más caótica, los ejércitos proliferarán ... [y] los métodos de represión contra el pueblo serán más terribles, si cabe ... Esta situación se podrá prolongar ocho o diez años más ... Pero si la política se vuelve más reaccionaria y confusa, el resultado no podrá ser otro que la demanda entre los ciudadanos de todo el país de las ideas revolucionarias, del mismo modo que la capacidad organizativa de los ciudadanos mejorará día a día ... Esta situación es la madre de la revolución, es la poción mágica de la democracia y la independencia. Que todo el mundo lo tenga en cuenta.[106]

La perspectiva de otra década dominada por los señores de la guerra, imbuida además de la persistente idea defendida por Mao de la unidad de los opuestos, era demasiado sombría para la mayoría de sus compañeros, y Sneevliet sintió la necesidad de afirmar que él no compartía su pesimismo.[107]

Cuando se procedió a la votación, la postura del Comintern fue aprobada por un estrecho margen.[108] Pero los documentos del congreso no ocultan los conflictos latentes consagrados en la nueva política. El Guomindang, declararon los delegados, debía ser «la fuerza central de la revolución nacional y [debía] asumir su liderazgo». Pero, al mismo tiempo, el Partido Comunista, al que se le había asignado la «tarea especial» de movilizar a los obreros y los campesinos, debía engrosar sus filas, a expensas de su aliado, absorbiendo «los elementos revolucionarios y con verdadera conciencia de clase» de la facción izquierdista del Guomindang; mientras que, en términos políticos, su objetivo era «forzar al Guomindang» a acercarse a la Rusia soviética.[109]

Sin embargo, si bien los comunistas mostraban una firme determinación en convertirse en un grupo dinámico, el Guomindang no estaba menos decidido a impedir que ese pequeño corpúsculo tomase el mando. De este modo se preparaba la escena para una lastimosa lucha de voluntades y, en último término, de armas, que dominaría la estrategia comunista el resto de la década y parte de la siguiente.

Cuando el Tercer Congreso llegó a su fin, Mao fue elegido[110] miembro del Comité Central y, más significativo, secretario de la recién establecida Oficina Central,[111] responsable de los asuntos cotidianos del partido, que comprendía al propio Mao, al secretario general, Chen Duxiu, y a otros tres: Cai Hesen y Luo Zhanglong, compañeros de Mao en Hunan (y antiguos miembros fundadores de la Asociación de Estudios del Nuevo Pueblo), además del jefe del comité del partido en Cantón, Tan Pingshan (pronto sustituido por Wang Hebo, ferroviario shanghainés organizador de sindicatos).

El partido había emergido de sus tribulaciones con mayor fuerza, mucho más centralizado y más leninista, al menos en un sentido organizativo, que en sus dos primeros años. Las luchas por superar las divisiones que habían llevado a Chen Duxiu a amenazar con su dimisión durante el otoño anterior habían moderado a los dirigentes. Obligados a aceptar las instrucciones del Comintern y a someterse a la voluntad de la mayoría, tuvieron que hacer frente, por vez primera, al principio de centralismo democrático que era la base de todos los partidos bolcheviques. Algunos, como Li Hanjun, literato marxista que había abogado por un partido abierto y descentralizado durante el Primer Congreso, renunciaron a causa de la repugnancia que sentían.[112] Pero se estaba trazando la estructura de un partido ortodoxo, y Chen Duxiu ya no podía quejarse de que «el Comité Central no está organizado internamente ... [Su] información es escasa ... [y sus] ideas políticas no son lo suficientemente claras».[113] A pesar de que la comprensión que los nuevos dirigentes poseían de las teorías marxistas no era superior a la de los anteriores, la base de una ideología común que guiaba y unificaba su acción era como mínimo discernible.[114]

Los pocos meses que abarcaban el final de la primavera y el verano de 1923 significaron un punto de inflexión para Mao. A nivel provincial, en Hunan, logró imponer su influencia en algunos asuntos, en tanto que dirigente obrero e intelectual progresista con fuertes vínculos entre la clase dirigente liberal. Sus funciones en el partido eran un secreto sólo compartido por un pequeño círculo de iniciados. Pero en esa época consiguió formar parte de un cuadro dirigente que, a pesar de actuar todavía en la clandestinidad, tenía capacidad de decisión en la dirección nacional del partido. De este modo, sus relaciones con la clase obrera y la elite liberal se fueron marchitando.

También fue un período de búsqueda de nuevas posibilidades intelectuales. La lección de la «masacre del siete de febrero», que había mostrado que la clase obrera no podía por sí sola abrirse paso hasta el poder, le llevó a considerar por primera vez nuevas opciones: la vía militar, de la que había discutido con Sneevliet en julio y a la que había aludido, unas semanas antes, en una carta a Sun Yat-sen, en la que proponía la creación de un «ejército revolucionario nacional centralizado»;[115] y la vía campesina, que requería la movilización de las capas más numerosas y oprimidas de la ingente población de China.

En aquel momento, no obstante, aquellos pensamientos eran meramente especulativos, ya que la opción escogida por el partido había sido la del «frente unido». Poco después de Tercer Congreso, Mao se afilió al Guomindang.[116] Durante los siguientes dieciocho meses su empeño se centraría en la empresa del fortalecimiento del frente.

Durante los primeros meses, el proceso de aprendizaje resultó ser para ambos bandos una senda muy escabrosa. Sun rechazaba sistemáticamente toda propuesta aportada por los comunistas.[117] En una reunión de mediados de julio, Chen, Mao y los otros miembros de la Oficina Central se lamentaban: «No podemos esperar nada [por lo que se refiere a] la modernización del Guomindang ... mientras Sun mantenga [su] noción [actual] de lo [que debe ser] un partido político, y mientras no quiera hacer uso de las células comunistas [para llevar a cabo] el trabajo». Sneevliet, el artífice del frente, se sentía especialmente abatido. Apoyar a Sun, se quejó a Joffe, era simplemente «tirar el dinero».[118]

Al mismo tiempo, habiendo finalmente aceptado la tesis del Comintern de que el camino hacia el futuro pasaba por una revolución nacional liderada por el Guomindang, los dirigentes del Partido Comunista Chino se aferraron a cualquier pequeño indicio que parecía favorecer su estrategia. Incluso Mao, que algunas semanas antes había ridiculizado la idea de que la burguesía pudiese desempeñar un papel destacado, elogiaba ahora la comunidad empresarial de Shanghai por su apoyo a la causa antimilitarista:

> Esta revolución es el deber de todo el pueblo ... Pero ... la tarea que los comerciantes deberán acometer en la revolución nacional es más apremiante e importante que la del resto del pueblo chino ... Los comerciantes de Shanghai se han levantado y han comenzado a actuar ... Cuanto más firme sea la unión de los comerciantes, mayor será su influencia, mayor su capacidad para liberar al pueblo de toda la nación, y más rápida la victoria de la revolución.[119]

Aunque sólo hasta cierto punto, estas palabras tenían un cierto regusto a ironía. Mao no creía realmente que, entre todo el pueblo chino, como decía, los comerciantes fuesen los que sufrían «más intensamente y de forma más apremiante» la represión de los señores de la guerra y los imperialistas. Ni tenía demasiada confianza en que el espíritu revolucionario de la clase comerciante, hasta hacía muy poco en estado de letargia, pudiese perdurar largo tiempo. De todos modos, mientras los señores de la guerra fuesen el principal enemigo, la burguesía debía ser considerada una aliada. Mao, como el resto de dirigentes del partido, estaba dispuesto, por el momento, a concederle el beneficio de la duda.

Sin embargo, la cuestión clave era todavía cómo obligar al Guomindang a cambiar sus métodos elitistas tradicionales y convertirse en un partido moderno que contase con las masas como base.

A finales de julio, después de que la Oficina Central retornase a Shanghai,[120] se decidió emplear la estrategia del caballo de Troya: los activistas del partido formarían una red improvisada de grupos del Guomindang en el norte y el centro de China (donde en aquel momento no existía ninguno), para que esas delegaciones provinciales dominadas por los comunistas pudieran actuar como grupos de presión que decantasen el grueso del partido nacionalista hacia la izquierda.[121] Li Dazhao fue designado para llevar a cabo la misión en el norte de China y, en septiembre, Mao viajó en secreto hasta Changsha para encargarse de las provincias del centro.[122]

Hunan volvía a estar sometido a las agonías de la guerra civil. Aquel verano se había amotinado uno de los comandantes de Zhao Hengti. El antiguo gobernador, Tan Yankai, que había estado aguardando la llegada de su hora en el sur, donde había establecido algunos vínculos con Sun Yat-sen, aprovechó la oportunidad para invadir la provincia a la cabeza de un «ejército aniquilador de bandidos» para someter a Zhao. A finales de agosto, los aliados de Tan tomaron Changsha y el gobernador Zhao se vio obligado a huir para salvar su vida. Ello persuadió a Chen Duxiu de la conveniencia de otorgar a Mao un permiso que le eximiese de sus nuevas responsabilidades como secretario, nombrando a Luo Zhanglong como sustituto mientras él no estuviese presente. Aquello evidentemente complació a Mao. No gustaba del austero trabajo administrativo que llenaba las tareas diarias de un secretario. Shanghai, una ciudad creada por los imperialistas y los capitalistas, sería siempre ajena a él; y en su hogar, en Changsha, le esperaba Yang Kaihui, a la que no había visto desde abril, encinta de su segundo hijo. Sin embargo, mientras se encontraba a bordo del vapor, el signo de la guerra cambió bruscamente y, cuando llegó a Changsha, Mao halló la ciudad, una vez más, en manos de Zhao.[123]

Durante los meses que siguieron, la ciudad estuvo bajo sitio y sometida a bombardeos intermitentes. Los aliados de Tan controlaban la orilla oeste del río Xiang; las fuerzas de Zhang, la parte este. Para los extranjeros, seguros en sus residencias consulares, aquello parecía una «guerra de ópera bufa», con momentos de peligro esporádicos e irregulares que rompían con el tedio. Pero para los chinos era muy distinto:

> Las grandes tiendas de la ciudad no descorrían nunca los postigos que se usaban por la noche, al tiempo que los ricos habían huido o estaban escondidos. Todos temían a los oficiales que andaban y cabalgaban por las calles portando varas rojas [las «enormes flechas»] de la vida y la muerte, con cuyo poder requisaban arroz y dinero. Nadie osaba decirles que no ... [porque] los

que lo hacían ... corrían el peligro de ser llevados a un descampado junto a la Casa de Aduanas donde el verdugo esperaba con un largo cuchillo para decapitarles.[124]

En el campo, los pueblos estaban sometidos a una orgía de violación, pillaje e incendios premeditados, como en los peores días de Zhang Jingyao.[125] Mao todavía confiaba en la victoria de Tan, y escribió al Departamento de Asuntos Generales del Guomindang, en Cantón, indicando que Zhao sería incapaz de mantener su territorio.[126] Pero una mañana soleada se percibió el sonido lejano de unos disparos. Wu Peifu había enviado tropas para apuntalar la resistencia de Zhao, y los hombres de Zhao fueron derrotados. Los extranjeros observaban con binóculos el retorno de la fuerza victoriosa, de «los porteadores, las ametralladoras transportadas en silla de ruedas como si fuesen inválidos, los soldados balanceando los faroles y sus zapatos de esparto, y los oficiales, protegiéndose de los rayos con parasoles de papel».

La victoria de Zhao costó un alto precio. Se puso fin a la posición intermedia de Hunan como muro de contención entre el norte y el sur. Changsha volvió a sufrir una vez más la irrupción de los soldados del norte. La elite liberal aliada con Tan, en cuya protección Mao había confiado, se vio apartada del poder y se dispersó. Siguiendo las órdenes de Zhao, la Universidad Autodidacta fue clausurada y la Federación Obrera y el Sindicato de Estudiantes, prohibidos.[127] El propio Mao, que dos meses antes había publicado un detallado inventario de los crímenes de Zhao, describiéndole como «una criatura inmoral y de una maldad intolerable»,[128] vivía bajo un nombre falso, Mao Shishan («Mao la Montaña de Piedra»).[129]

Difícilmente se podría haber escogido peor momento para intentar impulsar un partido nacionalista relacionado con el adversario derrotado de Zhao. Mao y Xia Xi, líder de la Liga de las Juventudes Socialistas que con la recomendación de Mao había sido nombrado director preliminar del Guomindang en Hunan, consiguieron establecer una sede provincial provisional del partido, con delegaciones clandestinas en Changsha, Ningxiang (a través de Hu Shusheng) y las minas de carbón de Anyuan (donde, un año antes, había dejado al cargo a un joven responsable, recién llegado de Moscú, llamado Liu Shaoqi). Pero eran poco más que células vacías, operando en el máximo secreto.[130] Mao continuó en Hunan hasta diciembre, y celebró su trigésimo aniversario junto a Yang Kaihui, Anying y su segundo hijo, Anqing, nacido seis semanas antes.[131] Es evidente que su demora hasta una fecha tan tardía tuvo más que ver con su familia que con sus compromisos políticos, tal como muestra un poema de amor que Mao escribió para su esposa poco después de su partida, claramente marcada por una pelea:

Un ademán de la mano y el momento de la marcha llega.
Duro es mirarse el uno al otro con dolor,
emergen una vez más los sentimientos amargos.
La ira se dibuja en tus ojos y tus cejas,
y cuando se acercan las lágrimas, no permites que asomen.
Sabemos que los malentendidos surgieron con la última carta.[132]
Déjalos desvanecerse, como las nubes y la niebla,
¿quién de este mundo se siente tan cercano como nosotros?
Me pregunto, ¿puede el Cielo descifrar nuestros errores humanos?
La escarcha descansa esta mañana en el camino de la puerta este,
la menguante luna enciende el estanque y la mitad del firmamento,
¡cuan frío y desolado!
El gemido de la sirena del vapor hace pedazos mi corazón,
debo vagar en soledad por los lugares más recónditos de la tierra.
Hagamos un esfuerzo para romper aquellas ataduras de pena y rencor,
como si se derrumbasen los escarpados riscos del Monte Kunlun,
como si un tifón barriese el universo entero.
Seamos de nuevo dos aves aleteando una junto a la otra,
planeando entre las altas nubes.[133]

Durante el tiempo que Mao estuvo en Hunan, en otoño y principios del invierno de 1923, la relación entre el Guomindang y los rusos experimentó una transformación.[134] La cúpula soviética había decidido que, dado el aislamiento internacional de Moscú, un régimen chino progresista, a pesar de estar encabezado por un partido burgués, sería un valioso aliado. Mijaíl Borodin, revolucionario muy bien considerado que había trabajado con Lenin y Stalin, fue nombrado delegado especial para entrevistarse con Sun Yat-sen. El jefe del estado mayor del Guomindang, Chiang Kai-shek, un hombre delgado, casi cadavérico, de treinta y tantos años, se desplazó a Moscú, donde fue tratado con honores, para aprender sobre el Ejército Rojo.[135] A pesar de que la quijotesca propuesta de Sun para que una fuerza comandada por los rusos atacase Pekín por el norte —«una aventura condenada de antemano al fracaso», como objetó el Consejo Militar Revolucionario Soviético— fuese firmemente descartada, los rusos acordaron la financiación de una escuela de formación militar y, en un encuentro acontecido en noviembre, Trotski prometió «asistencia real en forma de armas y ayuda económica».

Mientras estuvo en Cantón, el consejero Bao, como era conocido Borodin,[136] trató de conciliar con destreza las sensibilidades de los dos partidos chinos en torno a la alianza triangular que Moscú pretendía organizar.

Hombre considerado y paciente, cercano a la cuarentena, Borodin era en muchos aspectos la antítesis del dominador Sneevliet. Se las ingenió para ganarse la confianza de Sun mientras persuadía tanto al Guomindang como a los comunistas de que todos tenían mucho que ganar con la nueva relación que se estaba gestando. En octubre, cuando Borodin ofrecía su respaldo a Sun (que intentaba acabar con un nuevo intento perpetrado por un cacique militar de destronarle), el viejo conspirador telegrafiaba a Chiang en Moscú: «Se ha podido ver claramente quiénes son ahora nuestros amigos y quiénes nuestros enemigos».

En esas circunstancias, el Guomindang convocó su Primer Congreso Nacional en Cantón para el 20 de febrero de 1924. Mao había llegado dos semanas antes desde Shanghai con una delegación de seis miembros representando la todavía marcadamente teórica organización del Guomindang en Hunan, que incluía a Xia Xi y al líder provincial del Partido Comunista Chino, Li Weihan.[137]

El congreso aprobó una nueva constitución, redactada por Borodin siguiendo las teorías leninistas, que enfatizaba la disciplina, la centralización y la necesidad de formar cuadros revolucionarios para movilizar el apoyo de las masas; se adoptó un programa político más radical, denunciando al imperialismo como la causa principal de los padeceres de China; y exigió, por vez primera, el desarrollo de movimientos obreros y campesinos para promover la revolución.[138] Los comunistas, en su mayoría jóvenes, de espíritu más vivaz que el de los veteranos del partido nacionalista, causaron una honda impresión. Durante una sesión, según consta, Mao y Li Lisan dominaron de tal modo el desarrollo de los acontecimientos, que los ancianos «les miraron con recelo, como si se preguntasen: "¿De dónde han salido estos dos jóvenes desconocidos?".». Wang Jingwei, líder radical y uno de los compañeros de Sun desde los días de la Tongmenhui, la Alianza Revolucionaria, comentó posteriormente: «Al fin y al cabo, los jóvenes del movimiento del 4 de mayo han de ser tenidos en cuenta. Fijaos en el entusiasmo con el que hablan y su enérgica actitud».[139]

El nuevo Comité Central Ejecutivo del Guomindang, elegido por aclamación tras la propuesta de Sun, incluía tres comunistas entre sus veinticuatro miembros plenarios:[140] Li Dazhao, Yu Shude de Pekín, y el líder del Partido Comunista Chino en Cantón, Tan Pingshan, que también fue designado director del Departamento de Organización, uno de los cargos de mayor poder en el partido, y que como tal se convirtió en uno de los tres miembros de la Comisión Permanente del Comité Central Ejecutivo, junto con el tesorero del partido, Liao Zhongkai, representante del izquierdismo dentro del Guomindang, y Dai Jidao, representante de la derecha. Mao fue elegido uno de los dieciséis miembros suplentes (sin derecho a voto) del Comité Central Ejecutivo, siete de los cuales eran comunistas, incluidos Lin Boqu, compañero en Hunan que se convirtió en el director del Departamento del Campesinado del Guomindang; Qu Qiubai, joven y célebre literato que había trabajado en Moscú como corresponsal del *Chenbao*, periódico progresista de Pekín, y entonces asistente de Borodin en Cantón; y Zhang Guotao, quien, según parece, dejó de lado sus reservas sobre la alianza contranatura de los dos partidos.[141]

A mediados de febrero Mao volvió a Shanghai, donde compartía una casa en Zhabei con Luo Zhanglong, Cai Hesen y la novia de Cai, Xiang Jingyu, no lejos de la carretera del Pozo Burbujeante, en la parte norte de la concesión internacional.[142] Hasta final de año cargó con una doble tarea: servir como secretario de la Oficina Central del Partido Comunista Chino, que operaba desde esa misma dirección camuflada bajo la máscara de ser una oficina de declaración de aduanas que proporcionaba servicios de secretaría a los hombres de negocios chinos que debían tratar con la Administración de Aduanas, controlada por los extranjeros;[143] y ocuparse de responsabilidades similares en el Comité Ejecutivo del Guomindang en Shanghai,[144] con una oficina en la concesión francesa.[145] Este organismo era el responsable del funcionamiento de las delegaciones del Guomindang en cuatro provincias, Anhui, Jiangxi, Jiangsu y Zhejiang, además de la ciudad de Shanghai.

La suya no era una una ocupación sencilla. A pesar de los esfuerzos de Borodin en Cantón y Grigory Voitinsky en Shanghai (que había sustituido a Hendricus Sneevliet como representante del Comintern),[146] las fricciones entre los dos partidos se intensificaron.[147] Los conservadores del Guomindang, no sin razón, veían al Partido Comunista Chino como una quinta columna. A finales de abril o principios de mayo de 1924 consiguieron la copia de una instrucción del Comité Central del Partido Comunista que conminaba a los comunistas a establecer un sistema estricto de «fracciones del partido» para transmitir y llevar a cabo las directrices del partido y mantener su identidad comunista. El sector derechista de la Comisión de Control del Guomindang inició diligencias para procesar a la cúpula del Partido Comunista Chino por crear «un partido dentro del partido». Mao, Cai Hesen y Chen Duxiu argumentaron que la alianza con el Guomindang había fracasado y que se debía poner fin a su unión, pero Voitinsky les advirtió que aquello era inadmisible para Moscú.[148] Sun Yat-sen se inclinó por el mantenimiento del *statu quo*, pero incluso Borodin se alarmó ante la coalición anticomunista que se estaba formando, hasta entonces sólo disuadida de la toma de acciones por miedo a perder el apoyo ruso.

En julio, Chen y Mao acuñaron una circular del Comité Central reafirmando la estrategia del «bloque infiltrado» impuesta el año anterior durante el Tercer Congreso, aunque admitiendo que su ejecución estaba resultando muy dificultosa:

> Día a día se han sucedido los ataques, abiertos y encubiertos, contra nosotros, así como los intentos de desplazarnos, lanzados por la mayoría de los miem-

bros del Guomindang ... Sólo una pequeña parte de los dirigentes del Guomindang, como Sun Yat-sen y Liao Zhongkai, no ha decidido romper con nosotros, aunque ellos no quieren ofender a los elementos derechistas de su partido ... Por mor de la unidad de las fuerzas revolucionarias, no podemos tolerar en absoluto palabras o actos separatistas entre los nuestros, y debemos intentar ser máximamente tolerantes y cooperar con ellos. [Al mismo tiempo] ... no podemos aceptar las políticas derechistas no revolucionarias sin enmendarlas.[149]

Esas palabras fijaban la tendencia de las tácticas comunistas para los tres años siguientes. Tan pronto como el frente unido se afianzase, el Partido Comunista Chino no podría rechazarlo. Más bien, a petición del Comintern, cedería paulatinamente para complacer a sus compañeros nacionalistas. Pero no a todos ellos. La decisión más importante que se tomó durante el verano de 1924 fue que el Guomindang debía ser tratado como un partido dividido, con un ala izquierdista, con la que los comunistas se debían aliar, y un ala derecha, que no podía ser convencida y a la que se debía combatir con todos los medios posibles.

Mao resumió la problemática que este proceder encerraba en una expresiva máxima popular china, «Chongchuang diehu», que significa, literalmente, «dos camas, dos familias».[150] En otras palabras, si el frente era simplemente un intento de unir el partido con la izquierda procomunista del Guomindang, que compartía las mismas ideas y los mismos objetivos, entonces uno de los dos grupos era superfluo. La cuestión era, ¿cuál de los dos?

Parecía que el Partido Comunista Chino avanzaba hacia ninguna parte. La afiliación aumentaba muy lentamente. El movimiento obrero estaba en un punto muerto. A pesar de toda la propaganda del Comintern, que describía un proletariado sediento del programa comunista, los obreros chinos apenas mostraban interés por la política, y las energías de los comunistas se dispersaban en estériles batallas por su supervivencia. Algunos prominentes comunistas decidieron aquel verano que su partido era una cama para demasiados, y se resignaron a emprender una nueva trayectoria en las filas del Guomindang. Mao nunca dio ese paso. Pero, a medida que avanzaba el año, se sentía cada vez más desalentado. Un joven comunista hunanés llamado Peng Shuzhi, de visita en Shanghai después de tres años de estudios en Moscú, lo halló malhumorado y apático:

Tenía muy mal aspecto. Estaba tan delgado que parecía aún más alto de lo que en realidad era. Estaba pálido y su semblante tenía un matiz verdoso poco saludable. Temía que hubiese contraído la tuberculosis, como había ocurrido o iba a ocurrir con muchos de nuestros camaradas en un momento u otro de sus vidas.[151]

Durante el otoño, según la opinión de Mao, la situación fue de mal en peor. La sede del Guomindang dejó de enviar dinero y el trabajo en el comité de Shanghai se detuvo en seco.[152] Comenzó a sufrir de neurastenia —una forma de depresión marcada por el insomnio, los dolores de cabeza, los mareos y la presión alta, todos ellos crónicos—, que le afectaría el resto de su vida.[153] Sus relaciones con los otros dirigentes del Partido Comunista Chino, que raras veces habían sido fluidas, se deterioraron aún más.[154] El Cuarto Congreso, que él se encargaba de organizar, se pospuso hasta enero del año siguiente porque Voitinsky estaba en Moscú.[155] Finalmente, en octubre, se produjo un nuevo cambio en el panorama político de Pekín, que llevó al poder a Feng Yuxiang, un señor de la guerra independiente conocido como «el general cristiano» porque había bautizado sus tropas valiéndose de una manguera de incendios. Feng nombró al odiado líder del grupo de Anfu, Duan Qirui, jefe de gobierno, e invitó a Sun Yat-sen a parlamentar en Pekín sobre la reconciliación nacional.

Para Mao, la aceptación de esa invitación fue la gota que colmaba el vaso. Durante los dos años anteriores había presenciado el fracaso del movimiento obrero, la elite progresista y liberal había sido silenciada, y el Partido Comunista Chino se había mantenido aferrado a políticas que no parecían tener ninguna posibilidad de éxito. Y ahora, el Guomindang retrocedía, en palabras del Comité Central, con «el mismo juego de política militarista» que tantas veces había fracasado en el pasado.

Hacia finales de diciembre, apenas tres semanas antes del inicio del Cuarto Congreso del Partido Comunista Chino, Mao partió hacia Changsha acompañado de Yang Kaihui, su madre y sus dos hijos, quienes se habían reunido con él en Shanghai aquel verano.[156] Oficialmente, se le había concedido un permiso para ausentarse por razones de salud. Pero, tal como su médico, Li Zhisui, anotaría no muchos años después, la neurastenia de Mao tenía siempre una naturaleza política: «Los síntomas se volvían mucho más severos cuando se vislumbraba el inicio de cualquier confrontación política».[157] Sólo que esta vez se trataba de otro tipo de lucha: Mao se enfrentaba a una crisis de fe.

Cuando se acercaba el año 1925, mientras sus antiguos camaradas se reunían para trazar el futuro de un partido que ahora comprendía a novecientos noventa y cuatro miembros, Mao celebraba el Año Nuevo chino en la vieja casa familiar de los Yang, donde diez años antes, siendo estudiante de la Primera Escuela Normal, se había sentado a los pies de su querido profesor de ética, el padre de Kaihui. Parecía que el ciclo se había completado. Ya no mantenía ningún contacto con sus antiguos amigos de Changsha, ni con los comités provinciales del Partido Comunista Chino o del Guomindang que había en la ciudad. A todos los niveles, su abandono de la política era absoluto. En febrero, partió con la familia hacia Shaoshan, tomando consigo varios fardos llenos de libros. Estaba enfermo, dijo Kaihui a los vecinos. Durante tres meses, desde invierno hasta finales de primavera, Mao no vio a nadie más que a los miembros de su familia y los aldeanos.[158] Era un retorno a sus orígenes, a las raíces campesinas de las que, como joven y ambicioso intelectual, había intentado liberarse. Pero fue allí, entre los compañeros de su infancia, donde consiguió distinguir los primeros resplandores de un nuevo y más esperanzador horizonte.

Los campesinos apenas existían para los comunistas chinos de la primera mitad de los años veinte. Eran, como había ocurrido durante siglos, parte del telón de fondo de la vida china, una capa invariablemente amarilla, más extensa que la vida misma, sobre la que se dibujaban los grandes sucesos y las grandes figuras en el inacabable rollo de pintura que es la historia de China.

Cuando Lenin, en el Segundo Congreso del Comintern de 1920, ridiculizó, por utópica, la idea de que un partido proletario pudiera detentar el poder en un país atrasado sin forjar un estrecho vínculo con el campesinado, los fundadores del Partido Comunista Chino, entre ellos Mao, respondieron con un silencio sepulcral.[159] Dos años después, bajo el estímulo del Comintern, el Segundo Congreso del Partido Comunista Chino reconoció que los trescientos millones de campesinos de China eran «el factor más importante del movimiento revolucionario», pero dejó claro que el Partido Comunista Chino no tenía intención de liderarles.[160] Su obligación era organizar a los obreros; los campesinos se debían liberar por sí mismos. Sin embargo, Chen Duxiu, el secretario general del partido, fue persuadido, durante una visita a Moscú en noviembre de 1922, de que los campesinos eran potencialmente «un ejército amigo ... que el Partido Comunista Chino no podía ignorar»,[161] y en el Tercer Congreso del Partido Comunista Chino, al verano siguiente, el pensamiento del partido había evolucionado lo suficiente como para que los «trabajadores y campesinos» fueran considerados como un conjunto unido, cuyos intereses debían ser apoyados por el Partido Comunista Chino.[162]

En aquella época, un joven llamado Peng Pai, descendiente de una poderosa familia de terratenientes, había liderado a los campesinos en una exitosa toma de poder en Hailufeng, en Guangdong oriental, desafiando todos los intentos de las autoridades de acabar con ellos durante los siguientes cinco años.[163] Pero Peng todavía no era miembro del partido, y había llevado a cabo sus acciones sin ningún apoyo.[164] Su movimiento, en pleno fragor a sólo doscientos treinta kilómetros de donde el congreso se estaba celebrando, no mereció ni una sola mención.[165]

También Mao comenzaba, tardíamente, a mostrar interés por el papel que el campesinado podía desarrollar. Aquella primavera había enviado a dos comunistas de la mina de plomo de Shuikoushan de vuelta a sus aldeas natales para investigar las posibilidades de crear asociaciones campesinas en Hunan.[166] Zhang Guotao le recordaba explicando al congreso que en Hunan había «pocos obreros, y aún menos miembros del Guomindang y el Partido Comunista Chino, mientras que los campesinos plagaban sus montañas y campos».[167] Con su largo historial de revueltas e insurrecciones, argumentaba Mao, los campesinos se podían convertir en un poderoso aliado para la revolución nacional. Chen Duxiu estuvo de acuerdo, y se tomó la decisión de intentar unir a «los campesinos desheredados y los obreros rurales para ... combatir contra los caciques militares y acabar con los oficiales corruptos y los tiranos».[168] Pero no hubo ningún intento de ponerlo en práctica.

La frustración del Comintern ante la torpeza de los camaradas chinos, cuando se trataba de los campesinos, se puso de manifiesto en una directriz que llegó a Shanghai poco después de la finalización del congreso:

> La revolución nacional de China ... vendrá acompañada necesariamente por una revolución agraria entre el campesinado ... Esta revolución sólo puede triunfar si los pequeños campesinos, la base del pueblo chino, son atraídos para sumarse a ella. De este modo, el punto central de toda política es precisamente la *cuestión campesina*. Ignorar este punto tan fundamental, cualquiera que sea la razón, significa no comprender la importancia global del único fundamento socioeconómico sobre el que puede edificarse ... una lucha victoriosa.[169]

Pero, como ocurría con tantas otras sugerencias, aquellas palabras llegaron a oídos poco dispuestos a escuchar.

Había motivos para la cerrazón de los miembros del Partido Comunista Chino. Para los jóvenes intelectuales, en su mayoría burgueses, que formaban la cúpula del partido, la industria, aunque incipiente, era moderna por definición. La nueva clase de trabajadores de las ciudades, por muy explotada y oprimida que estuviese, era el portaestandarte más idóneo de la brillante nueva sociedad que ese mundo moderno iba a engendrar. Los campesinos representaban, como contrapunto, lo más atrasado e inculto de China. El propio Mao, a pesar de su origen rural, confesó que, cuando era joven, les veía como «un pueblo estúpido y detestable». Sus revueltas, incluso cuando triunfaban, como al final de las dinastías Yuan y Ming, habían sido capaces de instaurar un nuevo emperador, pero nunca un nuevo sistema. Y los trabajadores del partido, apuntaba un informe de 1923, «detestaban las áreas rurales. Preferirían morir de hambre que volver a los pueblos».[170] Lejos de ser la insignia del futuro, el campesinado era la base amorfa del oscuro legado del imperio confuciano que la revolución debía aniquilar.

En Shaoshan, esto comenzó a cambiar.

Al principio, Mao se sentía tan exangüe que no hacía más que leer sus libros y recibir visitas de sus vecinos, que discutían sobre «asuntos familiares y eventos locales». Pero unas semanas después, con la mediación de un joven miembro de su clan llamado Mao Fuxuan, comenzó a incitar discretamente a algunos de los campesinos más pobres para crear una asociación. Yang Kaihui fundó una escuela nocturna para campesinos, una versión más humilde de la escuela de obreros que Mao había organizado siendo estudiante de la Primera Escuela Normal, donde se enseñaba a leer, aritmética, política y actualidad.[171]

Estas experiencias rudimentarias a pequeña escala habrían podido continuar de modo indefinido, y probablemente sin mayores resultados, si no hubiese sido por las acciones de una unidad de la policía de la concesión británica de Shanghai, a casi mil kilómetros río abajo.[172]

Allí tuvo lugar un incidente, el 30 de mayo de 1925, que encendió una explosión de fervor nacionalista sin precedentes desde el movimiento del 4 de mayo, seis años antes. La mecha había prendido dos semanas antes, cuando unos guardias japoneses dispararon contra un grupo de trabajadores chinos durante una huelga en una planta textil, matando a un organizador comunista. En las protestas que se siguieron, seis estudiantes fueron arrestados, desencadenando más manifestaciones y concentraciones. El comisario de la policía británica ordenó que las manifestaciones cesasen antes de que las autoridades perdieran el control. Se procedió a realizar más arrestos. La cólera de la multitud era mayor cada día que pasaba y el ambiente se tornaba más amenazador. Poco después de las tres y media de una calurosa y sofocante tarde de sábado, en la principal arteria comercial de la ciudad, la calle Nanjing, el oficial al mando de la comisaría central de policía, un inspector británico, temiendo que las masas irrumpiesen donde estaban sus hombres, ordenó a los alguaciles chinos y sikhs que abriesen fuego. La descarga provocó la muerte de cuatro manifestantes y más de cincuenta resultaron heridos, de los que seis acabaron sucumbiendo por la gravedad de sus heridas. Se siguieron nuevos disturbios, en los que murieron diez chinos más, y se declaró una huelga general.

Por toda China estallaron manifestaciones contra los británicos y los japoneses. En Cantón, las tropas de la concesión internacional abrieron fuego sobre los manifestantes con ametralladoras, muriendo más de cincuenta. Se desató una espiral de ira y odio, de violencia desenfrenada, que provocó un larga huelga de dieciséis meses contra las autoridades británicas de Hong Kong, al final de la cual el comercio de la colonia resultaría gravemente afectado.

Cuando las noticias llegaron a Changsha aquel fin de semana, los trabajadores y los estudiantes ocuparon las calles y comenzaron a entonar eslóganes contra los extranjeros. El *Dagongbao* lanzó una edición especial.

Unas veinte mil personas asistieron a una concentración en la que se fundó la Asociación Vengar la Vergüenza, implantada en todo Hunan, y se declaró un boicot contra los bienes británicos y japoneses. Tres días después, cien mil personas marcharon por las calles de la ciudad, fijando en los muros carteles en los que se pedía la expulsión de los imperialistas, la derogación de los tratados desiguales y, lo más inquietante para las autoridades locales, el final del dominio de los señores de la guerra. Era la manifestación más multitudinaria jamás vista en Changsha. El gobernador Zhao Hengti reaccionó como solía hacer, enviando tropas armadas para imponer la cuarentena en las escuelas y el toque de queda las veinticuatro horas del día, y distribuyendo avisos de que «los que perturbasen la paz» serían tiroteados. Pero la Asociación Vengar la Vergüenza se las ingenió para seguir con sus actividades, y cuando los estudiantes abandonaron la ciudad con la llegada de las vacaciones de verano, continuaron con la campaña en sus distritos de origen.[173]

El efecto que todo ello tuvo en Mao fue electrizante, llevándole a zambullirse de nuevo en el mundo de las refriegas políticas.

A mediados de junio fundó una delegación del Partido Comunista Chino en Shaoshan, designando a Mao Fuxuan como secretario. Siguieron las delegaciones de la Liga de las Juventudes Socialistas y del Guomindang. El movimiento de las escuelas campesinas nocturnas se expandió con celeridad. Se formaron divisiones campesinas de la Asociación Vengar la Vergüenza. Un joven miembro del personal del comité provincial del Guomindang llamado He Erkang (antiguo estudiante de la escuela preparatoria adjunta a la antigua Universidad Autodidacta de Mao, también miembro, como muchos activistas hunaneses del Guomindang, del Partido Comunista Chino) se desplazó desde Changsha para colaborar y, como resultado, el 10 de julio tuvo lugar en Shaoshan la sesión inaugural de la grandilocuente «Asociación Vengar la Vergüenza del segundo distrito oeste del distrito de Xiangtan». Mao, en su discurso, denunció el imperialismo británico y ruso, y, acto seguido, la asamblea decidió boicotear todos los productos extranjeros. Sesenta y seis delegados asistieron de manera oficial, aunque toda la población adulta de Shaoshan y de otras aldeas vecinas, unas cuatrocientas personas en total, se acercaron de manera efectiva para observar.

Finalmente, a finales de agosto, todo este paciente trabajo preliminar comenzó a dar sus frutos. Se estaba sufriendo el azote de una sequía y, como siempre, los terratenientes se afanaban en acaparar arroz para provocar su carestía. Después de un encuentro en el hogar de los Mao, la asociación campesina de Shaoshan envió a los graneros a dos de sus miembros para exigir su apertura. No sólo no se hizo caso alguno de su petición, sino que además se les informó que el grano iba a ser embarcado con destino a la ciudad, donde alcanzaría precios más altos, tal como había sido el proceder, según recordaba Mao, de su propio padre. Siguiendo sus instrucciones, Mao Fushan y otros miembros del Partido Comunista Chino local encabezaron a varios centenares de campesinos, armados con azadones y picas de bambú, que consiguieron que los hacendados accediesen a vender el grano en las áreas locales y a un precio justo.[174]

En una perspectiva dilatada de los eventos épicos que nutrían la revolución china, aquello fue un suceso minúsculo, sin aparente consecuencia en el desmesurado escenario en que se decidía la historia. Pero fue la primera acción de esas características que tenía lugar en Hunan desde la aniquilación, dos años antes, de la asociación de Yuebei.[175] Durante algunos días se sucedieron conflictos similares en otros pueblos. Antes de que el mes hubiese concluido, se habían formado en el distrito de Xiangtan y sus alrededores más de veinte asociaciones campesinas.[176] En aquellas circunstancias, las noticias de las actividades de Mao llegaron a Zhao Hengti, que envió un lacónico telegrama secreto a la Oficina de Defensa del Distrito de Xiangtan: «Arresten inmediatamente a Mao Zedong. Ejecútenlo en el acto». La orden llegó a manos de un secretario que conocía a la familia de Mao, quien envió a toda prisa un mensajero para alertarle. De este modo se puso fin abruptamente a los días de Mao como organizador campesino. Aquella misma tarde huyó a Changsha, bajo un disfraz de médico y viajando en un palanquín cubierto.[177]

Con él iba la firme convicción de que el Comintern llevaba razón: los campesinos chinos eran una fuerza que el movimiento nacional sólo podía descuidar en perjuicio propio. La revolución nacional vencería, concluía Mao, siempre que fuese capaz de movilizar en contra de las clases opresoras la enorme reserva todavía sin explotar de descontento campesino.

En un poema escrito cuando se mantenía oculto en Changsha, a principios de septiembre, expresó sombríamente la magnitud del cometido que le aguardaba:

> Cien botes luchan contra la corriente.
> Las águilas baten sus alas en el vacío infinito,
> los peces se agitan en el fondo de los bajíos,
> todas las criaturas luchan por su libertad bajo el cielo glacial.
> Aturdido ante esta inmensidad,
> pregunto a la tierra, que se extiende sin límites,
> ¿quién decide, pues, la dicha y el infortunio?[178]

En un pasaje melancólico muy notorio, continuó lamentándose del paso irreversible de aquellos «años gloriosos», cuando él y sus compañeros de estudio, «con el fervor idealista de los estudiantes, hablábamos con libertad, ingenuos y sin temor» y «tratábamos a los grandes y poderosos del momento como si fuesen estiércol y polvo». Estaban convencidos, en aquel tiempo, de que poseían la solución a todos los problemas de China. Pero aquella época había pasado y, a los treinta y un años, la alegre audacia de la juventud se había desvanecido.

Durante los siete meses que Mao residió en Shaoshan, el aspecto del panorama político chino cambió drásticamente.[179] Sun Yat-sen murió en marzo de 1925, dejando un testamento que impelía a sus seguidores a mantenerse fieles a las decisiones del Primer Congreso del Guomindang, que había ratificado el frente unido y el apoyo a la alianza con Rusia. El izquierdista Wang Jingwei emergió como el sucesor más probable de Sun, desatando una reacción conservadora que, antes de la conclusión del año, vio cómo la facción derechista, conocida como el «Grupo de las Colinas del Oeste», organizaba un fallido golpe de Estado. Wang se alimentó de la gran oleada de fervor antiimperialista desatada por el incidente del 30 de mayo, que animó a los jóvenes radicales a lanzarse a engrosar las filas tanto del Guomindang como del Partido Comunista. Poco después, su rival, Hu Hanmin, fue desterrado a Moscú por supuestas sospechas de complicidad en el asesinato, aquel mismo verano, del veterano radical del Guomindang, Liao Zhongkai; al tiempo que Chiang Kai-shek, entonces comandante de la guarnición de Cantón, comenzaba a construir una base sobre la que apoyarse en el seno del recién creado Ejército Nacional Revolucionario. El resultado fue un partido que no sólo era mucho más poderoso que a principios de año, sino que además se había inclinado notablemente hacia la izquierda.

Debió de ser suficiente para que el Guomindang, desarrollándose entonces clandestinamente en Changsha, comenzase a merecer el respeto de Mao, como comunicó a Xia Xi y otros antiguos protegidos suyos, además de determinar sus acciones futuras.[180] En Shaoshan, Mao se había convencido de que su intuición política del año anterior era correcta. En último término, la salvación de China llegaría con la lucha de clases, emprendida por el Partido Comunista al liderar a los obreros y los campesinos de todo el país para acabar enérgicamente con sus opresores. Pero hasta que aquel día se hiciese realidad, el Guomindang, que podía actuar legalmente (a diferencia de los comunistas), y que poseía su propio ejército, instruido y financiado por los rusos, además de una firme base territorial en Guangdong, estaba mejor emplazado para impulsar la revolución que el Partido Comunista Chino. De acuerdo con estas ideas, las escuelas campesinas nocturnas de Mao no pretendían instruir sobre marxismo, sino sobre los «tres principios del pueblo» de Sun Yat-sen: nacionalismo, democracia y socialismo.[181] Los esfuerzos de Mao para la construcción de un partido, después de retomar sus acciones políticas del mes de junio, estaban destinados a ayudar más al

Guomindang que al Partido Comunista Chino o la Liga de las Juventudes.[182] Expuso su nuevo credo político en un sumario que redactó más tarde, aquel mismo año:

Creo en el comunismo y defiendo la revolución social del proletariado. No obstante, la represión interna y extranjera de nuestros tiempos no puede ser vencida por las fuerzas de una única clase. Abogo por una revolución nacional en la que el proletariado, el pequeñoburgués [el campesinado] y el ala izquierda de la burguesía media cooperen para hacer realidad los tres principios del pueblo del Guomindang chino, para acabar con el imperialismo, los caciques militares y la clase de los terratenientes y los especuladores [aliada con ellos] ... y cumplir con el gobierno unido [de esas tres clases revolucionarias] ... o sea, el gobierno de las masas populares revolucionarias.[183]

Su situación personal también ejerció, sin duda, alguna influencia. Mao todavía era un miembro suplente del Comité Central Ejecutivo del Guomindang, al tiempo que no ostentaba ya ningún cargo en el Partido Comunista Chino. Además, el Guomindang, con su raigambre en las sociedades secretas y la lucha antidinástica, había mostrado desde sus inicios más interés por el campesinado que el Partido Comunista, acomodado en el mundo urbano. En otoño de 1925 poseía un Departamento del Campesinado y un Instituto para la Instrucción del Movimiento Campesino dirigido a los promotores rurales.[184] En cambio, en aquel período, el Partido Comunista Chino todavía no había impulsado ninguna iniciativa similar.

Es decir, Cantón, más que Shanghai, se había convertido en el fulcro de la lucha revolucionaria. Por ello, cuando Mao se escabulló de Changsha a finales de la primera semana de septiembre, dirigió sus pasos hacia el sur.[185] A pesar de que, de hecho, no sabía cuál iba a ser su recibimiento. Uno de sus compañeros durante aquel viaje recordaba que, inesperadamente, cayó presa del pánico, quemando todas sus notas por miedo a que acabasen en manos de una patrulla de las tropas de Zhao Hengti. Su neurastenia había vuelto y, a su llegada, reposó algunos días en el hospital.[186]

Pero su decisión de ir a Cantón había sido la correcta. Años después evocaba que «la ciudad estaba bajo el embrujo de un aroma de optimismo extraordinario».[187] Obtuvo una entrevista en la sede del Guomindang con Wang Jingwei, presidente del recién formado gobierno nacional, que estaba consolidando su posición como hombre más poderoso del partido. Wang había quedado impresionado por el entusiasmo juvenil de Mao en el Primer Congreso del Guomindang de enero de 1924. Wang propuso entonces que, para disminuir su carga, Mao le supliese como jefe del Departamento de Propaganda del Guomindang. Dos semanas después, su nominación fue confirmada formalmente.[188]

Como oficial de rango superior, Mao era una figura de peso. Yang Kaihui, su madre y los dos niños llegaron de Changsha para reunirse con él. Alquilaron una casa en las arboladas y agradables afueras de Dongshan, donde tenían sus hogares los consejeros rusos y muchos de los dirigentes del Guomindang, incluido Chiang Kai-shek.

Durante los dieciocho meses siguientes, Mao se entregó a las dos cuestiones que en aquel momento consideraba fundamentales para la consecución de la revolución: la consolidación de la izquierda del Guomindang y la movilización del campesinado. Su primera empresa, aquel invierno, fue la fundación de un nuevo periódico del partido, *Zhengzhi zhoubao* (*Semanario Político*), destinado a contrarrestar los ataques al frente unido lanzados por los derechistas del Grupo de las Colinas del Oeste[189] y fortalecer la determinación de «aquellos revolucionarios cuyas convicciones flaqueaban». El primer número proclamaba:

> La unión con Rusia y la admisión de los comunistas son tácticas fundamentales para que nuestro partido alcance la victoria en la revolución. El último director general [Sun Yat-sen] fue el primero en decidirlo así ... y así se asumió en el Primer Congreso Nacional ... La revolución actual es un episodio de la decisiva lucha final entre las dos grandes fuerzas mundiales de la revolución y la contrarrevolución ... Si la estrategia revolucionaria de nuestro partido no toma como punto de partida su alianza con la Unión Soviética, [y] ... si no acepta a los comunistas, que defienden los intereses de los campesinos y los trabajadores, entonces las fuerzas revolucionarias se hundirán en el aislamiento y no se podrá culminar la revolución ... El que no está de parte de la revolución, lo está de la contrarrevolución. No existe una zona neutral.[190]

La elección, argumentaba Mao, oscilaba entre «la revolución de las clases medias al estilo occidental», tal como reclamaba la derecha del Guomindang, y la formación de una amplia alianza de las izquierdas que desembocase en el gobierno conjunto de «todas las fuerzas revolucionarias».[191] Los que se refugiaban tras «la máscara gris de la neutralidad» serían pronto impelidos a decidir en qué bando querían estar.[192]

Precisamente, la cuestión de qué fuerzas debían ser consideradas revolucionarias fue el tema de un extenso artículo titulado «Un análisis de todas las clases de la sociedad china», que Mao publicó el 1 de diciembre de 1925 en *Geming* (*Revolución*), revista del nuevo Ejército Nacional Revolucionario.[193] En él presentaba de modo magistral las conclusiones de sus largos meses de reflexión en Shaoshan:

> ¿Quiénes son nuestros enemigos? ¿Quiénes nuestros amigos? El que no sabe distinguir entre los enemigos y los amigos no es, ciertamente, un revolu-

cionario, a pesar de que no es fácil distinguirlos. Si la revolución china ... ha conseguido tan poco ... ha sido precisamente por un error estratégico: la incapacidad de conciliar los verdaderos amigos para atacar después a los verdaderos enemigos.

Mao siguió enumerando no menos de veinte estratos sociales diferentes presentes en China, agrupados en cinco clases principales. Éstas se extendían desde la alta burguesía, «un enemigo mortal», y sus aliados de la derecha; hasta la izquierda de la burguesía media, que «rechaza categóricamente el imperialismo», pero que «a menudo se acobarda cuando afronta las tendencias "rojas"»; y las tres categorías de la pequeña burguesía (que comprende a los campesinos acaudalados, los comerciantes, los artesanos y los profesionales liberales), cuyo grado de conciencia revolucionaria estaba en proporción directa a su pobreza. A ello había que añadir seis jerarquías de semiproletariado (principalmente los campesinos pobres o sin muchos medios, los tenderos y los vendedores ambulantes) y cuatro de proletariado urbano, rural y lumpen. Entre ellos, los obreros urbanos y los culis eran descritos como la «principal fuerza» de la revolución; el proletariado agrícola, los campesinos pobres y los vendedores ambulantes eran «extremadamente receptivos a la propaganda revolucionaria» y «lucharían con bravura»; y el lumpenproletariado, formado por bandidos, soldados, ladrones, rateros y prostitutas «lucharían muy bravamente ... si pudiésemos encontrar el modo de controlarles».

Por consiguiente, concluía Mao, de los cuatrocientos millones de habitantes de China, un millón era irremediablemente hostil, cuatro millones eran básicamente hostiles pero se podía hacer que rectificasen, y trescientos noventa y cinco millones eran revolucionarios o, al menos, simpatizantes neutrales.

De este modo, escribía Mao, todas las condiciones objetivas para la revolución estaban presentes; lo único que faltaba era movilizar a las masas. A lo largo de los años que siguieron, Mao no abandonaría esta creencia. Le dio coraje en los momentos más oscuros, cuando todo parecía estar perdido. Sin embargo, ofrecía escaso consuelo a los centristas del Guomindang, los representantes en el partido de la «vacilante burguesía media», a quienes estaban destinadas las homilías que Mao pronunció aquel invierno. La toma de decisión que les acechaba se cerniría sobre ellos antes de lo que nadie imaginaba.

A finales de 1925, Chiang Kai-shek se había convertido en el dirigente más poderoso del Guomindang, sólo por detrás de la figura de Wang Jingwei.[194] Como comandante del Ejército Nacional Revolucionario había dirigido durante el otoño una serie de exitosas campañas militares que aseguraron la posición del gobierno del Guomindang en Guangdong a pesar de los ataques de los déspotas militares locales. Chiang controlaba la guarnición de Cantón y lideraba la Academia Militar de Wangpoa, que se convertiría en su cuartel militar. Su lealtad parecía fuera de toda duda: cuando el noviembre anterior el Grupo de las Colinas del Oeste había amenazado el liderazgo de Wang Jingwei, él expidió inmediatamente un comunicado expresando su apoyo. Pero durante el Segundo Congreso del Guomindang, en enero de 1926, Chiang se tornó cada vez más inquieto. El cónclave experimentó una brusca sacudida hacia la izquierda, tanto en la composición de la Comisión Permanente del Comité Ejecutivo Central —del que Chiang era uno de los apenas tres representantes centristas, compartiendo el poder con tres miembros de la izquierda del Guomindang y tres comunistas— como en sus decisiones políticas, de lejos mucho más radicales que todo lo que hasta entonces había aprobado el partido.[195] La «Resolución sobre la propaganda», redactada por Mao, advertía fatídica: «Sólo los que respalden el movimiento de liberación de los campesinos chinos serán miembros revolucionarios fehacientes del partido; los que no, serán contrarrevolucionarios».[196] La idea de que el movimiento campesino ocupaba un lugar central en la revolución fue ampliamente aceptada por los centristas del Guomindang.[197] Pero no lo fue el uso del término «liberación» para designar la revolución social en el campo. El Guomindang era todavía un partido burgués, y buena parte de su apoyo llegaba, directa o indirectamente, de descendientes de las familias terratenientes. Este grupo amparaba las reformas, pero la demolición violenta del orden rural establecido no formaba parte de su programa.

Para Chiang, como para muchos otros, las nuevas tendencias radicales eran desconcertantes.[198] Además, llegaron en un momento en que su posición se veía sometida a presiones. El nuevo jefe del grupo de consejeros militares soviéticos, el general N. V. Kuibyshev, que había llegado dos meses antes y que usaba el inverosímil alias de Kisanka (minino), era un hombre arrogante e inflexible cuyo desprecio por los generales chinos, y por Chiang en particular, era sólo comparable con su férrea voluntad de situar al Ejército Nacional Revolucionario bajo el firme control soviético. Chiang pronto sintió odio por él y, como muestra de su repulsa, dimitió el 15 de enero de su cargo de comandante del primer regimiento. El principal punto de fricción orbitaba alrededor del momento de inicio de la largamente esperada Expedición Norte, que había de cumplir con el sueño de Sun Yat-sen de unificar toda China bajo el gobierno del Guomindang, aniquilando a los caciques militares y humillando a sus aliados imperialistas. Kuibyshev argüía que era necesario un período más largo de preparación (opinión compartida por los dirigentes del Partido Comunista Chino en Shanghai). Chiang, en cambio, pretendía avanzar de inmediato. En el momento en que Wang

Jingwei mostró su apoyo a Kuibyshev las líneas para la batalla quedaron trazadas.[199] La situación fue resumida de manera ingeniosa por Vera Vishnyakova-Akimova, una de las intérpretes de la delegación rusa: «Todo el mundo sabía», escribió, «que se había desatado una lucha invisible por el poder entre Chiang Kai-shek y Wang Jingwei. Por un lado, el prestigio político; por el otro, la fuerza militar».[200]

Pero cuando Chiang finalmente lanzó el golpe, en la madrugada del 20 de marzo, sorprendió a todos.[201] Declaró la ley marcial, ordenó el arresto de los oficiales comunistas y los trabajadores políticos de la guarnición de Cantón, así como del comandante de un acorazado, el *Zhongshan*, que, según dijo, se comportaba de manera sospechosa, y envió tropas para rodear las residencias de los consejeros militares soviéticos y desarmar a sus guardias. Después, Chiang alegó poseer evidencias de que Wang Jingwei, respaldado por Kuibyshev, planeaba secuestrarle con la ayuda de una unidad naval controlada por los comunistas y desterrarlo a Moscú. Es posible que fuese cierto. Pero, incluso de no ser así, el enfrentamiento se había convertido, en aquel momento, en inevitable.

El «golpe de Estado» de Chiang, como fue denominado, acabó casi antes de comenzar.[202] Nadie resultó herido, y menos aún muerto. Al día siguiente se disculpó aduciendo que sus subordinados se habían excedido al cumplir sus órdenes. Pero sus intenciones eran ya entonces evidentes. No se oponía a Rusia ni al Partido Comunista Chino, explicó, sino a «ciertos individuos» que se habían extralimitado en el ejercicio de su poder. Setenta y dos horas después, Kuibyshev y otros dos consejeros soviéticos de alto rango tomaron un barco para Vladivostok. A Wang Jingwei se le concedió una «baja por enfermedad» y partió silencioso hacia Europa. Los rusos intentaron suavizar la situación y los dirigentes del partido en Shanghai decidieron, aparentemente sin coerciones por parte del Comintern, que no cabía otra posibilidad más que adoptar la misma actitud conciliadora.

Pero como tantas otras veces, Mao se opuso.[203] Los comunistas más veteranos en las filas del ejército del Guomindang eran Zhou Enlai, que entonces tenía veintiocho años, y un joven hunanés llamado Li Fuchun, un antiguo miembro de la Asociación de Estudios del Nuevo Pueblo, casado con Cai Chang, la hermana de Cai Hesen. Ambos habían llegado a Cantón después de estudiar en Francia. Zhou era el director del Departamento Político en la Academia de Whampoa y comisario delegado del Primer Cuerpo de Chiang; Li ocupaba el mismo cargo en el Segundo Cuerpo bajo el mando de Tan Yankai. Unas pocas horas después del golpe, Mao se reunió con Zhou en casa de Li Fuchun. Según el relato de Zhou, Mao afirmaba que Chiang estaba aislado; cuatro de los otros cinco comandantes de los cuerpos militares le eran hostiles y tanto en el Primer Cuerpo como en la Academia los comunistas dominaban la mayor parte de los cargos de prestigio. Si la izquierda del Guomindang actuaba con decisión, continuaba, el sostén de Chiang se desmoronaría. Según parece, otros dirigentes del Partido Comunista Chino de Cantón llegaron a conclusiones similares. Pero cuando Zhou informó de ello a Kuibyshev, el ruso vetó la idea, según parece porque las fuerzas de Chiang eran imponentes.[204]

Aquello desencadenó nuevas recriminaciones; Mao y otros criticaron que Zhou, responsable de los asuntos militares del comité del Partido Comunista Chino de Cantón, hubiese perdido tanto tiempo en infiltrarse en el Primer Cuerpo de Chiang y la Academia, mientras descuidaba su obligación de situar a los dirigentes comunistas en otras secciones del Ejército Revolucionario.[205] Pero en aquel momento eso eran cuestiones teóricas. Lo realmente importaba era que Chiang había vencido de forma aplastante y estaba en posición de proclamarse líder ineludible del Guomindang, papel que interpretaría, ocupando el poder o no, durante cuarenta y nueve años.

Mao ocupaba entonces una posición delicada. Wang Jingwei había sido su principal valedor. Gracias a él había sido nombrado jefe efectivo del Departamento de Propaganda, tras el Segundo Congreso, y durante el mes de febrero y principios de marzo había acumulado otros cargos importantes.[206] Pero sus relaciones con el Partido Comunista Chino continuaban siendo problemáticas. No tenemos constancia alguna de la reacción de los dirigentes del partido cuando en octubre de 1925 supieron que Mao se había asegurado una posición tan suculenta, ambicionada por el Partido Comunista Chino desde la primavera de 1924.[207] De todos los posibles candidatos comunistas, él era sin duda la última persona que habrían escogido. Era ingobernable, de ideas heterodoxas, no ocupaba ningún cargo en el Partido Comunista Chino y no había mantenido contactos con la central del partido durante la mayor parte del último año.[208]

La determinación de Mao se manifestó, aquel mismo verano, en su reclamación de «una ideología creada partiendo de la situación china» y su énfasis en la primacía de las masas:

> El pensamiento académico ... es una escoria inservible si no está al servicio de las necesidades de las masas para la liberación social y económica ... El lema de los intelectuales debería ser «Mezclémonos con las masas». Sólo entre las masas se podrá encontrar la liberación de China ... Cualquiera que se aleje de las masas habrá perdido su base social.[209]

Para el Comité Central del partido, prisionero de la camisa de fuerza de la ortodoxia del Comintern, la noción de una ideología «creada partiendo de la situación china» era por completo herética. La salvación de China, según sostenían, no provendría de «las masas», amorfas e indefinidas, sino del proletariado urbano que ellos lideraban.

Estas divergencias llegaron a su culminación cuando Mao remitió al periódico del partido, *Xiangdao*, su «Análisis de todas las clases de la sociedad china», donde resumía las lecciones que había esbozado durante su estancia en Hunan.[210] Chen Duxiu se negó a publicarlo, aduciendo que ponía demasiado énfasis en el papel del campesinado.[211]

Pero el aislamiento de Mao respecto de la cúpula de Shanghai fue menos doloroso que el que le habría causado si ésta se hubiese mantenido unida. A principios de 1926, el Partido Comunista Chino estaba escindido por luchas intestinas, marcadas, en una unión inextricable, por la política y la relación entre sus figuras. Por un lado estaban Peng Shuzhi y Chen Duxiu, y por el otro Qu Qiubai.[212] Cai Hesen odiaba a Peng, que hacía poco había seducido a su esposa; mientras, Zhaong Guotao deambulaba entre ellos. Por si no era suficiente, el Comité Central y el del partido de Cantón seguían políticas tan distintas que, como reconoció tiempo después Borodin, parecían en ocasiones dos partidos diferentes. Una nueva divergencia, esta vez con Mao, que ni siquiera era miembro del Comité Central, no podía ser tan importante. De hecho, para los dirigentes del partido, la única consideración real que les merecía Mao se debía a su habilidad para acumular un número importante de cargos de poder dentro del Guomindang.

En abril de 1926, mientras los comunistas esperaban con impaciencia que Chiang Kai-shek diese el siguiente paso, Mao se mantuvo deliberadamente al margen de la escena.[213] Zhang Guotao, que había sido enviado a Cantón como plenipotenciario del Comité Central, recordaba que «desde el principio hasta el final, [Mao] estuvo al margen de las disputas y se mantuvo como espectador», añadiendo con perspicacia: «Con aquel proceder parecía que había acumulado una experiencia considerable».

Después de un mes de enconadas negociaciones entre Chiang (que se reservaba la posibilidad de romper drásticamente con los rusos) y Borodin (que controlaba el suministro de las armas que necesitaba Chiang), se llegó a un acuerdo, claramente decantado en favor de Chiang. El Comité Ejecutivo Central del Guomindang se reunió el 15 de mayo en sesión plenaria y aprobó una serie de resoluciones que vetaban a los comunistas la dirección de los departamentos del Guomindang o en más de un tercio de los cargos de alto rango de los comités del partido nacionalista; proscribían las células comunistas en las organizaciones del Guomindang; prohibían que los miembros del Guomindang se uniesen en el futuro al Partido Comunista; y exigían que el Partido Comunista Chino proporcionase una relación de los miembros del Guomindang con doble pertenencia de partidos. A cambio, Chiang accedió a tomar medidas enérgicas contra los derechistas del Guomindang, siendo muchos de sus líderes arrestados y enviados al exilio (acción que respondía a sus propios intereses, tanto como a los del Partido Comunista Chino), y a mantener el *statu quo ante* de las relaciones entre el Guomindang y el Partido Comunista Chino. Los rusos, por su parte, se comprometieron a ofrecer pleno apoyo a la Expedición del Norte.[214]

En esta ocasión, la cúpula del Partido Comunista Chino se mostró unánime, por una vez, en su desacuerdo. Chen Duxiu propuso, una vez más, el final de la estrategia del «bloque infiltrado» y la reafirmación de la independencia del partido.[215] Pero Stalin insistía en que el compromiso con Chiang debía seguir adelante.[216] A partir de entonces, según las irónicas palabras de Borodin, el Partido Comunista Chino estaba «destinado a interpretar el papel de un culí en la revolución china».[217] Aunque en aquel momento no se entendió así, el golpe de Estado nacionalista representó un punto de inflexión en la relación de los comunistas con Moscú. Hasta el mes de marzo de 1926, los consejos del Comintern al Partido Comunista eran bienintencionados y bien informados, y con frecuencia más realistas que los puntos de vista de los inexpertos dirigentes del Partido Comunista Chino en Shanghai. Pero después del golpe, la política de Moscú respecto de China se convirtió en el juguete de los políticos del Kremlin, una prolongación de los conflictos de Stalin con Trotski y su otro gran rival, Nikolái Bujarin, el representante de la línea moderada del partido soviético.

Sin embargo, Mao salió mejor librado de lo que se podía prever. Junto con otros oficiales del Guomindang, el 28 de mayo renunció a la jefatura del Departamento de Propaganda.[218] Pero mantuvo sus otros cargos, como el de director del Instituto para la Instrucción del Movimiento Campesino, que estaba progresando rápidamente y adquiría una importancia creciente, o el de miembro del Comité del Movimiento Obrero del Guomindang, involucrado en cuestiones políticas.[219]

Estas decisiones mostraron que Chiang reconocía el papel que el campesinado ocuparía durante la Expedición Norte.[220] En 1926, Mao era una de las pocas autoridades en el seno del Guomindang sobre cuestiones relativas al campesinado. Había impartido conferencias sobre el tema en la escuela de instrucción de oficiales del Segundo Cuerpo (hunanés) del Ejército Nacional Revolucionario; así como en el Instituto de Formación de Jóvenes y en una escuela secundaria adscrita a la Universidad de Guangdong, sin olvidar, por supuesto, el Instituto del Movimiento Obrero.[221] Además, era un experto en lo relativo a las provincias del centro de China, por las que debía pasar la Expedición Norte. Los consejeros rusos se mostraban inflexibles en su convicción de que la expedición sólo conseguiría sus objetivos si los campesinos, a lo largo de su marcha, eran movilizados para apoyarla.[222] Mao compartía esta visión.[223] Desde el mes de marzo había insistido al Comité del Movimiento Campesino del Guomindang que pusiese «su máximo empeño en las áreas por las que los ejércitos revolucionarios iban a pasar».

Cuando todavía no habían transcurrido dos meses desde el pleno de mayo, el Ejército Revolucionario, con setenta y cinco mil hombres, inició el

9 de julio de 1926 la tan largamente esperada campaña que debía acabar con los señores de la guerra y, finalmente, reunificar China bajo la bandera del Guomindang.[224]

La expedición se lanzó apresuradamente para sacar ventaja de los sucesos acaecidos en Hunan, donde el comandante local, Tang Shengzhi, que había desatado una rebelión triunfante y se había declarado partidario del sur, se defendía de los ataques de las tropas norteñas de Wu Peifu.[225] La decisión de respaldar a Tang se mostró adecuada (al menos a corto plazo), pues a finales de mes Hunan estaba bajo el control del sur; Chiang, como comandante en jefe, radiante bajo un brillante manto militar color gris y una panoplia de nuevos títulos y poderes, se instaló en Changsha.[226] Junto a él llegaron los consejeros soviéticos, dirigidos entonces por el general Vasily Blyukher, el jefe original de la misión militar soviética que había vuelto para sustituir a Kuibyshev. Chiang y él se entendían bien, y el «Generalísimo» (como después sería conocido), de conocimientos militares bastante limitados, fue lo suficientemente inteligente como para dejar las cuestiones tácticas en las experimentadas manos de Blyukher.

Mao, acompañado de otros miembros del Comité Ejecutivo Central, acudió al desfile para ver partir las tropas, pero se mantuvo alejado del escenario político del Guomindang.[227]

En lugar de ello, se sumió en el trabajo con el campesinado,[228] que, como había anticipado, comenzó a desempeñar un papel destacado en el avance de las tropas del sur.[229] Después de que el Ejército Revolucionario hubiese pasado por Xiangtan, envió a cincuenta estudiantes del Instituto para la Instrucción hasta Shaoshan para observar las acciones de las asociaciones campesinas.[230] Un mes después publicó un artículo en la revista del Departamento Campesino del Guomindang, *Nongmin yundong* (*Movimiento Campesino*), en el que identificó por primera vez de manera explícita a los terratenientes como el principal obstáculo para el cambio revolucionario, y a los campesinos como el principal instrumento para derrotarles:

En el día de hoy, existen todavía ciertas personas, incluso dentro del partido revolucionario, que no entienden ... que el más temible enemigo de la revolución en una semicolonia económicamente atrasada es la clase patriarcal y feudal (la clase de los terratenientes) de los pueblos ... [Esta] clase constituye la única base sólida de la clase gobernante en nuestro país y de los imperialistas del extranjero. A menos que se golpee a esa base, es absolutamente imposible debilitar la enorme estructura que se ha construido sobre ella. Los señores de la guerra de China son sólo los caciques de esta clase feudal del mundo rural. Decir que se quiere acabar con los señores de la guerra pero que no se quiere eliminar la clase feudal que domina en el campo es, simplemente, mostrarse incapaz de distinguir entre el grano y la paja, lo esencial y lo secundario.

Para que la revolución llegase a buen puerto, razonaba Mao, los campesinos debían ser liberados y el poder de los terratenientes, totalmente desarticulado.

La consecuencia era que todo lo demás, incluido el proletariado, quedaba en segundo lugar. Y, lejos de intentar ocultarlo, Mao lo defendía con vehemencia. La lucha de clases del campesinado, escribió, era «de diferente naturaleza que la del movimiento de los trabajadores de las ciudades». Este último, en aquel período, no apuntaba a la destrucción de la posición política de la burguesía, sino simplemente a la obtención de derechos sindicales. Los campesinos, por el contrario, eran prisioneros de una lucha elemental por la supervivencia:

> Así, aunque todos somos conscientes de que los trabajadores, los estudiantes y los pequeños y medianos comerciantes de las ciudades se deberían alzar y luchar ferozmente contra la clase de los especuladores y oponerse directamente al imperialismo, y aunque sabemos que la clase obrera progresista es, en particular, la primera entre las clases revolucionarias, si los campesinos no se levantan y luchan en los pueblos para destruir los privilegios de la clase feudal y patriarcal de los terratenientes, el poder de los caciques militares y del imperialismo no podrá ser derrotado de un modo definitivo.[231]

Los análisis de Mao, a lo largo de un período de varios meses, habían ido evolucionando gradualmente. La idea de que el campesinado era, como él mismo anotó, «el problema central de la revolución nacional» se remontaba al diciembre anterior.[232] En enero había descrito a los grandes terratenientes como «el fundamento real del imperialismo y [a] los señores de la guerra, [como] el único baluarte seguro de la sociedad feudal y patriarcal, la causa última de la eclosión de todas las fuerzas contrarrevolucionarias»,[233] frase que Borodin retomaría y emplearía un mes después en un informe a una misión soviética de alto rango.[234]

Pero si bien es cierto que Mao no fue el único en llegar a la conclusión de que el feudalismo del mundo rural chino era el principal obstáculo a eliminar, también lo es que nadie más intentó, como hizo él, investigar las consecuencias de esta premisa y llegar a su consecuencia más lógica —tan inaceptable ideológicamente para el Partido Comunista Chino como para, desde un punto de vista práctico, el Guomindang.

Cuando aparecieron las primeras compilaciones de los años cuarenta y cincuenta, el artículo del *Nongming yundong* fue excluido del canon oficial de las obras de Mao; era, simplemente, demasiado heterodoxo. Pero bajo el aparente barniz de rectitud moral, el triunfo comunista llegó, más de veinte años después, tal como él había descrito, con la movilización de los campesinos, no del proletariado urbano.

Mientras Mao se dedicaba de esa manera a consolidar los cimientos intelectuales de su futura estrategia, los organizadores de acciones campesinas formados en su instituto —la mayoría de ellos miembros del Partido Comunista Chino que usaban el nombre del Guomindang como tapadera— se distribuyeron por el campo para estimular el estallido de rebeliones rurales. Primero en Hunan, y luego en Hubei y Jiangxi, allanaron el camino a los ejércitos nacionalistas, permaneciendo en los territorios por los que cruzaban las tropas para afianzar las nuevas asociaciones campesinas, que a partir de aquel momento podían actuar públicamente.

También en el campo de batalla, los acontecimientos se sucedieron con celeridad. Chiang Kai-shek convocó el 12 de agosto una asamblea militar en Changsha; allí se decidió que Tang Shengzhi, que ocupaba entonces el cargo de gobernador del Guomindang en Hunan, debía liderar una fuerza mixta, compuesta por sus propias unidades y las de Chiang, hacia el próximo objetivo de la expedición, Wuhan. El propio Wu Peifu tomó el mando de las fuerzas del norte, pero sus hombres no fueron adversarios para las tropas del sur y Tang capturó Hankou y Hanyang los días 6 y 7 de septiembre. Wuchang, la última de las tres ciudades que formaban Wuhan, resistió el acoso de los sitiadores hasta el 10 de octubre, cuando los hombres de Chiang consiguieron sobornar a uno de los comandantes de la defensa. Pero después, durante dos semanas de máxima tensión, la ofensiva del sur se estancó; hasta que, finalmente, en noviembre, cayó la ciudad de Nanchang, concediendo a los ejércitos del sur y sus aliados un control nítido de las provincias de Hunan, Hubei y Jiangxi. Guangxi ya era parte del área nacionalista y Guizhou se había adherido a su causa en julio. De todas las provincias fronterizas con Guangzhou, sólo la zona norte de Fujian continuaba en manos hostiles, hasta que sucumbió en el mes de diciembre.[235]

En este período, la cúpula dirigente del Partido Comunista Chino había permanecido al margen. En septiembre, el comité de Cantón del Partido Comunista, que interpretó el éxito de la Expedición Norte como una manifestación de que el poder real del Guomindang residía en el ejército, reclamó una nueva lectura de la política de coalición de la central del partido con la izquierda del Guomindang,[236] argumentando (correctamente, como mostrarían los acontecimientos) que sus líderes eran una masa informe sin principios, sin unidad ideológica; se mantenían unidos para defender sus propios intereses, sólo porque ellos «no podían colaborar con el centro y la derecha [del Guomindang]».[237] Chen Duxiu se encontraba una vez más en la ingrata coyuntura de tener que defender un frente unido que personalmente detestaba pero que, insistía el Comintern, debía perdurar.[238]

Las simpatías de Mao estaban del lado del grupo de Cantón.[239] Como ellos, había experimentado de primera mano cuán indolentes y egoístas podían llegar a ser los izquierdistas del Guomindang. Como ellos también, veía la Expedición al Norte como un enorme paso adelante en la causa revolucionaria. En octubre, en un congreso del Guomindang, propuso el desplazamiento de la capital nacionalista de Cantón a Hankou, y se desesperó ante la hipocresía de los que, al tiempo que prometían solemnemente el fin inminente de la extorsión que representaban los impuestos agrícolas para los próximos años, inmediatamente confesaban en tono apologético que aquel año, de manera excepcional, a causa de la falta de liquidez del partido, deberían continuar con esa práctica.[240] En aquel momento ya era consciente de que su futuro no estaba en Cantón. Su permanencia en el Instituto de Instrucción había llegado a su fin y, de hecho, se había quedado sin ocupación.

Una vez más, los campesinos resultaron ser la salvación de Mao Zedong.

La explosión de activismo campesino que se desató tras el paso de la Expedición Norte obligó finalmente a los dirigentes del Partido Comunista Chino a concienciarse de la importancia del movimiento campesino, que se estaba desarrollando exclusivamente bajo el emblema del Guomindang. El 4 de noviembre, Chen Duxiu propuso a la Oficina Central la elaboración de un programa de trabajo rural que satisficiese las demandas de los campesinos sin crear «demasiado distanciamiento» entre el Partido Comunista Chino y la izquierda del Guomindang, y evitar así el riesgo de «una escisión prematura».[241] La cuestión era, al igual que lo había sido seis meses antes para Chiang Kai-shek, ¿a quién se debía conceder el mando? El artículo de septiembre que Mao publicó en *Nongmin yundong*, incitando a la lucha de clases contra los terratenientes, había llamado la atención de Qu Qiubai, quien, a pesar de sus contenidos poco afines a la ortodoxia leninista, lo leyó con asentimiento. Qu no se había distanciado de Voitinsky, y era uno de los más influyentes miembros de la cúpula de Shanghai.[242] Como es de suponer, acabó por concluir que Mao podía ser un útil aliado.

Unos días después Mao tomó un barco con destino a Shanghai, mientras Yang Kaihui, embarazada entonces de su tercer hijo, retornaba a Hunan con la familia.[243] El 15 de noviembre de 1926, la Oficina Central anunció que se le había nombrado secretario de la Comisión del Movimiento Campesino del Comité Central del Partido Comunista Chino.[244] De esta manera acababan veintitrés meses de exilio político voluntario.

Había sido un período fructífero. Mao había adquirido una creencia imperecedera en el poder revolucionario del campesinado, así como experiencias vitales para desenvolverse entre los máximos dirigentes dentro de la maquinaria de un partido grande y complejo, aprendiendo a manipular los comités y a regatear con la letra de las resoluciones del partido. Pero después de su largo e infructuoso periplo con los estériles encantos de la izquierda del Guomindang, tuvo que ser un alivio descubrir que todavía podía encontrar un resquicio, aunque estrecho, donde acomodarse entre los pliegues del partido. A partir de entonces, su lealtad primordial no se referiría ya al «comunismo» en abstracto, como había escrito en 1925, sino al creciente número de hombres y mujeres de China que, a pesar de las dudas y los reveses, intentaban ponerlo en práctica.

Diez días después de su nombramiento, Mao partió hacia Wuhan, poco después capital de los nacionalistas, donde se debía establecer, según había decidido el partido, el nuevo Comité Campesino.[245] Viajó vía Nanchang, convertida en el cuartel general de Chiang Kai-shek, y allí pudo avistar los primeros nubarrones de tormenta que se congregaban anunciando la batalla por el control y la estrategia del partido que se estaba gestando entre Chiang y la izquierda del Guomindang.

A lo largo del otoño, la posición de Chiang como comandante en jefe se vio amenazada por Tang Shengzhi, cuya figura se había encumbrado tras sus triunfos en Hunan y en las ciudades de Hankou y Hanyang. Sin embargo, cuando, a principios de diciembre, los ministros de Hacienda y de Asuntos Exteriores, T. V. Soong y Eugene Chen, acompañados de Borodin, Soong Ching-ling, viuda de Sun Yat-sen, y otros veteranos izquierdistas del Guomindang llegaron a Nanchang, las posibilidades de Tang se habían desvanecido. Aun así, Chiang se sentía obligado a aceptar un nuevo *modus vivendi* con la izquierda, a través del cual su liderazgo militar sería confirmado, pero sus funciones políticas acabarían por ser restringidas, hasta el punto que se acabaría invitando a Wang Jingwei a que asumiese su antiguo cargo de jefe de gobierno. Este episodio convenció a Chiang de que, una vez el traslado hasta Hankou se hubiese completado, se vería en la necesidad de afrontar nuevos desafíos, y sería más prudente permanecer en Nanchang, donde estaba mejor situado para oponerse a cualquier reto que le lanzasen sus adversarios.[246]

El resultado fue el establecimiento de dos capitales.[247] El 13 de diciembre, los dirigentes del Guomindang en Wuhan, siguiendo los consejos de Borodin, formaron un «Consejo Unido Provisional» que se afanó en aprobar una resolución que fijaba la base del gobierno y la sede del partido en aquella plaza. Pero transcurridas tres semanas, después de que Tan Yankai se uniera a Chiang en la cabeza de un segundo grupo de dignatarios del Guomindang, la cúpula nacionalista resolvió que, «por el momento», el partido nacionalista y el gobierno debían permanecer en Nanchang.

Los dirigentes del Partido Comunista interpretaron aquella escisión como la justificación de su respaldo a la izquierda del Guomindang. En un pleno del Comité Central celebrado a mediados de diciembre en Hankou, Chen Duxiu advirtió que el ala izquierda del partido nacionalista era un freno fundamental para evitar el estallido de un conflicto directo entre los comunistas y la derecha del Guomindang. La izquierda, reconocía, se mostraba a menudo «débil, vacilante e incoherente». Pero rechazarla con la esperanza de que apareciese providencialmente algo mejor sería como «declinar comer *doufu* con verduras porque la semana siguiente puede haber carne y pescado». La estrategia del partido, argumentaba Chen, era la correcta. Los comunistas debían actuar con discreción en ese entorno, reforzando el apoyo a la izquierda del Guomindang contra lo que entonces era designado como «la nueva derecha» (el antiguo centro del Guomindang), dirigido por Chiang Kai-shek; y ellos debían evitar tomar medidas controvertidas —como la redistribución forzosa de las tierras entre el campesinado— que podrían perjudicar la alianza. «La pervivencia de la izquierda», declaró el pleno en su resolución final, «es la clave de nuestra cooperación con el Guomindang.»[248]

Este cauteloso optimismo procedía en parte del extraordinario aumento durante los dos últimos años del número de miembros del Partido Comunista Chino. Desde los menos de mil integrantes cuando se celebró el Cuarto Congreso en enero de 1925, había prosperado hasta los siete mil quinientos un año después (en los albores del incidente del Treinta de Mayo), y hasta los treinta mil en diciembre de 1926, en gran parte gracias a la Expedición Norte. Y lo que era igualmente importante, unas mil unidades del Ejército Revolucionario eran miembros del Partido Comunista, a los que el Comité Militar de Zhou Enlai había comenzado a organizar en «núcleos» unitarios o células secretas del partido.[249]

El problema de la estrategia que proponía Chen Duxiu y, con él, el Comintern —«convertirse en culi», en palabras de Borodin; «capitulación izquierdista», como lo llamarían los críticos de Chen— era que presuponía que la izquierda del Guomindang, sin ejército propio y, a lo sumo, con el apoyo teórico de Tang Shengzhi, podía de algún modo obligar a Chiang Kai-shek a someterse a su control. Mao puso el dedo en la llaga durante las discusiones del pleno, en el que participó como miembro sin derecho a voto en tanto que jefe del Comité Campesino. «La derecha tiene tropas», dijo, «la izquierda no tiene nada; incluso con un solo regimiento, la derecha sería más poderosa que la izquierda.» Esa observación le granjeó un sarcástico reproche por parte de Chen, que dijo que su observación era «absurda», aunque no ofreció ninguna réplica coherente.[250]

A medida que transcurrían las semanas y la escisión se iba haciendo más evidente, la central del partido reconoció que sus esperanzas de un resurgimiento de la izquierda no se estaban cumpliendo, y que en lugar de ello la derecha del Guomindang se estaba convirtiendo en «más y más poderosa».[251] Sin embargo, la única reacción que suscitó en el partido fue la realización de un esfuerzo aún mayor para confirmarle al Guomindang, y especialmente al ala izquierda, que el Partido Comunista Chino era un aliado leal e inofensivo.

También Mao se amoldó públicamente a esta posición conciliadora y más que cauta. Poco después del pleno de diciembre abandonó Hankou con destino a Changsha para participar en el Primer Congreso de la Asociación Campesina Provincial de Hunan. Allí aseguró a su audiencia que «el momento para que derroquemos a los terratenientes todavía no ha llegado». La reducción de las rentas, la regulación de las cuotas de interés y unos salarios más altos para los obreros rurales eran demandas legítimas, dijo. Pero más allá de eso, la revolución nacional era prioritaria, y se debían realizar algunas concesiones a los terratenientes.[252]

Pero, en el transcurso de dos meses, Mao rechazaría diametralmente esas ideas.

En un tono mesiánico proclamaría entonces que el movimiento campesino era un «acontecimiento colosal» destinado a cambiar la faz de China, y que el partido debía modificar por completo su política; de lo contrario, perdería toda trascendencia:

> En un breve espacio de tiempo, varios centenares de millones de campesinos de las provincias del centro, el sur y el norte de China se alzarán como un viento poderoso o una tempestad, con una fuerza tan veloz y arrebatadora que ningún poder, por vigoroso que sea, será capaz de vencerles. Romperán con todos los obstáculos que les maniatan y avanzarán por el camino de la liberación. Y, al final, enviarán a todos los imperialistas, a los señores de la guerra, a los oficiales corruptos, a los caciques locales y a la malvada pequeña aristocracia a sus tumbas. Todos los partidos revolucionarios y todos los camaradas revolucionarios desfilarán ante ellos para ser probados y, en consecuencia, ser aceptados o rechazados, según decidan. ¿Marchar delante de ellos y liderarles? ¿Quedarse junto a ellos, gesticulando y criticándoles? ¿O mantenerse en su contra y oponerse? Cada uno es libre para decidir ... [pero] el destino nos obliga a tomar la decisión rápidamente.[253]

El extraordinario cambio en las ideas de Mao —aun teniendo en cuenta su carácter retórico, la escena que describía era completamente diferente de lo que cualquier oficial del partido había esbozado hasta entonces— era el resultado del viaje de un mes de duración que había realizado entre enero y principios de febrero de 1927 a través de Xiangtan y otros cuatro distritos rurales.

Fue una revelación. La realidad del movimiento campesino, dijo a su regreso al Comité Central, era «muy diferente a lo que había visto u oído en Hankou y Changsha».[254] Hizo públicas sus conclusiones en un documento que se haría célebre con el título de «Informe sobre el movimiento campesino en Hunan». Fue un brillante *tour de force* intelectual de cerca de veinte mil caracteres de extensión y, como las posteriores investigaciones rurales de Mao en Jiangxi a principios de los años treinta, basado en un meticuloso trabajo de investigación en el campo. «Convoqué reuniones para analizar los hechos en las aldeas y las sedes de distrito, a las que acudían experimentados campesinos y camaradas del movimiento campesino», explicaba. «Escuché atentamente ... y recogí una ingente cantidad de información.»[255]

El movimiento campesino, le explicaron, se había desarrollado en dos fases. Desde enero hasta septiembre de 1926 se habían organizado las asociaciones campesinas, primero en secreto y, después, tras el paso de la Expedición Norte, públicamente. De octubre a diciembre, el campo se alzó en revolución.

Los miembros de las asociaciones, que alcanzaban los cuatrocientos mil a finales de verano, se dispararon hasta los dos millones.[256] Por todo el centro de Hunan el viejo orden feudal se había derrumbado:

> Los principales objetivos de sus ataques son los caciques locales, la malvada pequeña burguesía y los desenfrenados terratenientes, pero junto a ellos también arremeten contra las ideas e instituciones patriarcales de todo tipo ... El ataque es simplemente tempestuoso; los que se someten, sobreviven, y los que se resisten, perecen. En consecuencia, los privilegios que los terratenientes feudales han disfrutado durante miles de años están quedando hechos añicos ... Las asociaciones campesinas se han convertido en los únicos órganos de autoridad ... Incluso los asuntos más insignificantes, como las disputas entre esposos, se elevan [a éstas] para que den un veredicto ... Y si un miembro de una asociación campesina se tira aunque sea un pedo, [es tenido por algo] sagrado. La asociación, de hecho, lo organiza todo en las áreas rurales ... Literalmente: «Todo lo que dice, se hace».

Mao defendía el movimiento ante la oposición de los que en la izquierda del Guomindang, e incluso dentro del Partido Comunista, argumentaban que se había vuelto demasiado radical y «terrible», y que debía ser contenido:

> El hecho es que las amplias masas campesinas han emergido para cumplir su misión histórica ... Esto es positivo. No tiene nada de terrible. Es cualquier cosa menos terrible ... Para otorgar el mérito a quien corresponde, si concedemos diez puntos a los logros de la revolución democrática, entonces los logros de los que moran en las ciudades y de los militares representan tres puntos, y los [de los] campesinos, los siete restantes ... Los campesinos son en cierto sentido «indisciplinados» en el campo, es cierto ... Ellos castigan a los capitostes locales y la vil burguesía, les exigen contribuciones y destrozan sus palanquines. Si [esos individuos] se oponen a la asociación campesina, una masa de

gente se agolpa hasta sus casas, mata sus cerdos y consume su grano. Incluso retozan en las alcobas con incrustaciones de marfil de las jóvenes doncellas de las familias de los rufianes y la mezquina aristocracia local. Practican arrestos ante la menor provocación, coronan a los detenidos con un sombrero alto de papel y les hacen desfilar por los pueblos ... Han implantado el terror en las zonas rurales.

Esto es lo que el pueblo llano llama «ir demasiado lejos», o «traspasar los límites prudenciales cuando se corrige un error», o «ser realmente demasiado». Son palabras que parecen adecuadas, pero en realidad están equivocadas ...

La revolución no es como invitar a alguien a cenar, o escribir un ensayo, o pintar un cuadro o hacer un brocado; no puede ser algo tan refinado, tan placentero y dulce, tan «benigno, correcto, cortés, atemperado y complaciente». Una revolución es una insurrección, un acto de violencia por el que una clase derroca el poder de otra ... Si los campesinos no hacen uso de una fuerza extraordinariamente poderosa, con toda probabilidad no podrán derrocar el poder de los terratenientes, profundamente enraizado, vigente durante miles de años ... Todos los excesos [de los campesinos] son extremamente necesarios ... Para decirlo sin tapujos, es necesario instaurar un breve reino del terror en todas y cada una de las áreas rurales ... Para corregir los errores es necesario traspasar los límites de lo correcto; sin ello no es posible enmendar los males.

La naturaleza de ese «terror» era el tema que abordaba en la última sección de su informe. Tras declarar que el aniquilamiento del poder y del prestigio de los terratenientes era el principal cometido de la lucha campesina, pasaba a enumerar nueve métodos diferentes que podían emplearse, abarcando desde la denuncia pública y las penas, hasta el encarcelamiento y la muerte: «La ejecución de un ... miembro prominente de la burguesía local o de uno de los grandes caciques locales reverbera a través del país entero y es muy efectiva para la erradicación de los restantes males del feudalismo», afirmó. «El único método eficaz de supresión de los reaccionarios es ejecutar a uno o dos en cada distrito ... Si [ellos] ejercían un poder despótico, asesinando a los campesinos sin ni siquiera pestañear ... ¿cómo se puede decir [entonces] que los campesinos no se deberían alzar y abatir a uno o dos?»

Los objetivos de la revuelta eran múltiples: disminuir las sumas a pagar por las tierras y los intereses de las deudas, acabar con el acaparamiento de grano para que los precios bajasen, disolver las milicias de los terratenientes y sustituirlas por cuerpos de campesinos armados, equipados con «puntiagudas cuchillas de doble filo montadas sobre largas varas ... cuya simple visión haría temblar a los tiranos y los malvados burgueses locales», y crear una nueva administración rural, basada en asambleas rurales; objetivos que Mao y los dirigentes provinciales del partido esperaban que se convirtiesen en los ladrillos sobre los que edificar un frente rural unido entre las asociaciones campesinas y el Guomindang. Pero más allá de esos propósitos económicos y políticos, existía también un programa social. Las asociaciones, apuntó un Mao conciliador, se oponían al consumo de opio y a las apuestas, así como a las autoridades religiosas y de los clanes:

> En China, los hombres están sometidos al dominio de tres tipos diferentes de autoridades: 1) el sistema estatal (autoridad política) ... 2) el sistema del clan (autoridad del clan) ... y 3) el sistema sobrenatural (autoridad religiosa) ... Y las mujeres, además de estar sujetas a los tres anteriores, también están sometidas al dominio de los hombres (la autoridad del marido). Estas cuatro autoridades —política, del clan, religiosa y masculina— son la encarnación de todo el sistema ideológico feudal y patriarcal, y son las cuatro gruesas sogas que atan al pueblo chino, especialmente a los campesinos ... La autoridad política de los terratenientes es la columna de todos los sistemas de autoridad. [Una vez que sea] derrocada, la autoridad del clan, la autoridad religiosa y la autoridad del marido comenzarán a tambalearse ... [El colapso] del sistema del clan, de las ideas supersticiosas y del concepto unilateral de castidad le seguirán de modo natural ... Los mismos campesinos fabrican los ídolos con sus propias manos; y cuando llegue la hora, dejarán los ídolos de lado con esas mismas manos, no hay necesidad alguna de que nadie lo haga por ellos prematuramente.

La intensidad de las experiencias de Mao durante aquellas pocas semanas en Hunan fue tal que las lecciones que extrajo de ellas permanecerían con él durante toda su vida. La revolución, según entendía entonces, no podía tener un control localizado. En cualquier empresa revolucionaria existirían excesos, al igual que siempre habría quienes quedarían rezagados. Citaba a Mencio: «Nuestra posición en estas cuestiones consiste en "doblar el arco, pero no soltar la flecha, simulando el lanzamiento"».[257] Los dirigentes podían sugerir la dirección, pero era el pueblo el que debía emprender la revolución. Sólo cuando el desastre amenazase (y, al final, casi siempre ocurría así) deberían los dirigentes poner freno a la situación.

No menos importante, y aparentemente más dramática, era la sincera defensa de la violencia que elaboró Mao. Un año antes, en enero de 1926, había admitido que «en circunstancias especiales, cuando tropezamos con los más reaccionarios y viciados de los caciques locales y aristócratas malvados ... es necesario eliminarlos completamente», pero no había especificado el alcance de aquellas palabras.[258] En una conferencia en el Instituto para la Instrucción del Movimiento Obrero celebrada seis meses antes había hablado por primera vez de usar «métodos brutales» contra los contrarrevolucionarios, si no quedaba otro remedio para tratar con ellos.[259] Meses después, sin embargo, las ambigüedades se habían acabado. Si los terratenientes eran el principal obstáculo de la revolución y el campesinado el principal instru-

mento para desplazarles, el método apropiado era la violencia revolucionaria; la violencia que, siete años antes, un joven y más idealista Mao había
rechazado cuando se vio en la encrucijada de elegir entre Marx y Kropotkin. La violencia revolucionaria era cualitativamente diferente de la violencia de la guerra, cuyo único objetivo es el poder y el territorio. La primera se
dirige contra unos hombres que son enemigos, no por lo que han hecho, sino
por el hecho de ser quienes son. Emerge del mismo abismo de odio entre
clases que los bolcheviques habían utilizado para derrocar a la burguesía rusa,
y produciría resultados parecidos.

El informe de Mao era provocativo y, cuando la última semana de febrero de 1927 fue recibido en la sede del partido, surgió una agria controversia sobre si debía ser publicado. Qu Qiubai estaba radicalmente a favor. Chen Duxiu y Peng Shuzhi mantenían ciertas reservas. Mao había
admitido que la potencia del movimiento había abrumado a las asociaciones campesinas, al igual que a todas las demás formas de autoridad local,
y que el campo estaba, en sus propias palabras, «en estado de anarquía».[260]
El Guomindang, tanto la izquierda como la derecha, estaba horrorizado ante
las noticias de ciego terror rojo, en una escalada fuera de control, y consideraba que los comunistas eran los responsables.[261] Además, se puso inmediatamente de manifiesto que los crímenes no eran tan aislados como Mao había afirmado: el padre de Li Lisan, antiguo terrateniente y entonces miembro
del Comité Central del Partido Comunista Chino, volvió a su hogar con
una carta de su hijo para la asociación campesina local. La carta fue ignorada; el anciano, ejecutado sumariamente.

Mientras tanto, llegaron nuevas y sorprendentes instrucciones desde
Moscú. Hasta entonces, la posición del Comintern, dictada por Stalin, había sido la contención del movimiento campesino, con el temor de que éste
pudiese dinamitar el frente unido con el Guomindang.[262] Pero ahora el líder ruso declaraba que esa política había sido «un profundo error». Las tesis del séptimo pleno del Comintern, aprobadas en Moscú a mediados de
diciembre y recibidas en Shanghai poco antes del informe de Mao, insistían
en lo contrario: «El miedo a que un recrudecimiento de la lucha de clases en
el campo mine el frente contra el imperialismo no tiene base alguna ... El
rechazo [a promover] la revolución agraria ... por miedo a ofender a un sector de la clase capitalista de dudosa e indecisa cooperación es un grave
error».[263] A pesar de que las tesis también dejaban claro que se debía mantener el frente unido (Stalin, como siempre, pretendía tomar su pastel y co-
mérselo), el empuje era mucho más agresivo, y los dirigentes chinos tenían
dudas sobre cómo reaccionar.[264]

Al final se alcanzó un compromiso indigno. Las dos primeras partes del
informe de Mao serían publicadas en marzo en *Xiangdao* (y reimpreso por
el Comintern, que no compartía ninguna de las inhibiciones de sus cama-

radas chinos ante la violencia revolucionaria). Pero la sección final —en la que Mao se refería a las congregaciones públicas para llevar a cabo ejecuciones y a los campesinos que golpeaban a los terratenientes hasta la muerte, y se mofaba de los componentes de la izquierda del Guomindang cuando «hablaban un día tras otro de incitar a las masas y, después, se morían asustados cuando las masas de movilizaban»— fue omitida. Más tarde Mao conseguiría que el texto completo fuese publicado en Wuhan en forma de panfleto, con la entusiasta contribución de un prefacio de Qu Qiubai.[265] El incidente reforzó su alianza política con Qu, al tiempo que sus relaciones con Chen se tiñeron progresivamente de resentimiento. «Si el movimiento campesino hubiese estado organizado con mayor coherencia y armado para la lucha de clases contra los terratenientes», dijo diez años después a Edgar Snow, «las [bases comunistas] habrían experimentado un desarrollo más temprano y de lejos mucho más poderoso por todo el país. Chen no entendía la función del campesinado en la revolución y menospreciaba demasiado sus posibilidades.»[266]

Parte del problema era que Chen y la Oficina Central tenían otros problemas más urgentes que lidiar. El 17 de febrero las tropas nacionalistas habían tomado Hangzhou, la capital de Zhejiang. Al día siguiente sus unidades de vanguardia estaban en Songjiang, a menos de cuarenta kilómetros de Shanghai. Creyendo que la toma de la urbe era inminente, los sindicatos obreros, respaldados por los comunistas, declararon una huelga general. Sin embargo, el avance nacionalista nunca se concretó. El comandante de la guarnición de Shanghai, Li Baozhang, envió escuadrones de ejecución a las calles para capturar a los activistas.[267] Un corresponsal norteamericano presenció sus actividades, apenas a unos minutos de las calles de moda de la ciudad:

> Los verdugos, llevando anchas espadas y acompañados de un escuadrón de soldados, condujeron a sus víctimas a una esquina por todos visible, donde los líderes de la huelga fueron obligados a arrodillarse y acto seguido les cortaron la cabeza. Miles huyeron aterrorizados cuando, tras ensartar sus cabezas en afiladas pértigas de bambú y enarbolarlas en lo alto, las llevaron al emplazamiento donde iba a tener lugar la siguiente ejecución.[268]

Por aquel entonces, la Oficina Central y los consejeros soviéticos habían llegado a la conclusión, según parece de manera independiente, de que un acuerdo con Chiang Kai-shek era imposible, y que el Partido Comunista Chino y la izquierda del Guomindang, respaldados por las fuerzas con que Tang Shengzhi contaba en el ejército —al que los rusos habían pasado a apoyar— encontrarían la manera de facilitar su salida del poder. Además, el desenlace parecía estar cerca. Los propios seguidores de Chiang recelaban. Su vanidad y su ambición personal, su «complejo de Napoleón», como lo designaban sus críticos, su obsesión por expulsar a Borodin y, lo más inexcusable de todo, los informes, ampliamente consensuados, de que estaba maniobrando para impedir el retorno de Wang Jingwei, arrebataron gran parte del apoyo con que contaba. Se generalizaba la sensación de que el foco de la revolución se desplazaba de Nanchang a Wuhan, y que Chiang nada podía hacer para impedirlo.[269]

La balanza se desequilibró irrevocablemente el 6 de marzo de 1927, cuando cinco de los ocho miembros del Comité Ejecutivo Central del Guomindang se embarcaron en un vapor con destino a Wuhan. Cuatro días después, cuando el largamente esperado Tercer Pleno del Guomindang se inauguró en Hankou, la izquierda del Guomindang y los comunistas pasaron a dominar la asamblea.

El mismo Chiang y el presidente del Comité Permanente, Zhang Jingjiang, declinaron participar en el pleno. En su ausencia se estableció un Consejo Político del Guomindang, dominado por la izquierda, como órgano supremo del poder del partido, y se tomaron medidas para subordinar el ejército al control civil. La alianza entre la izquierda del Guomindang y el Partido Comunista Chino comenzaba a mostrarse como una coalición genuina.[270] Dos comunistas, Tan Pingshan y Su Zhaozheng, dirigente marinero que había ayudado a organizar la huelga de Hong Kong y Cantón, recibieron carteras ministeriales en el nuevo gobierno nacionalista, un paso que Borodin (y Moscú) había estado reclamando desde principios de año.[271] Cuando se reactivó la Expedición Norte, Shanghai se rindió sin apenas lanzar un disparo y el 26 de marzo Chiang trasladó hasta allí su cuartel general desde Nanchang. Wang Jingwei, entonces en Europa, tomó el camino de retorno. Así se extendió la esperanza de que aquellos dos hombres reinstaurarían el duunvirato militar y civil que el golpe de uno de ellos, Chiang, había quebrantado un año antes.

Mao habló largo y tendido durante el Tercer Pleno del Guomindang, que aprobó (con mayor facilidad que en el seno de su propio partido) muchas de las ideas surgidas a partir de su estudio rural en Hunan, incluyendo el establecimiento de gobiernos de aldea, protegidos por las fuerzas campesinas, la pena de muerte o la cadena perpetua para los terratenientes tiránicos, y, por primera vez, la confiscación y redistribución de las posesiones inmuebles de los «oficiales corruptos, los caciques locales, la inicua burguesía y los contrarrevolucionarios».[272]

La tierra, declaró el pleno, era «la cuestión más crucial» para los campesinos pobres, principal fuerza motriz de la revolución, y el partido apoyaría la lucha «hasta que el problema de las tierras no se hubiese resuelto completamente». De hecho, esto sonaba más radical de lo que en realidad era. El tema crucial —la manera de solucionar la cuestión de las tierras—

no fue mencionado. Pero al menos figuraba en la agenda y, a partir de aquel momento, Mao se sumió en los preparativos para lanzar una Federación China de Asociaciones Campesinas, un Comité de la Tierra del Guomindang y otros organismos destinados a poner en juego las nuevas decisiones políticas.[273]

Por aquel entonces, Yang Kaihui y los niños ya se habían unido a él.[274] Alquilaron una casa en Wuchang, donde el Instituto para la Instrucción del Campesinado había reiniciado sus actividades, con Mao, una vez más, como director. A principios de abril nació su tercer hijo, otro niño. Mao le dio el nombre de Anlong.[275] La vida, según todo parecía indicar, volvía a la normalidad.

El mismo día, el 4 de abril de 1927, Wang Jingwei y Chen Duxiu publicaron una declaración conjunta en Shanghai ratificando una causa común. La declaración, escribió tiempo después Zhang Guotao, tuvo un «efecto ligeramente hipnótico», provocando un cálido resplandor de nostalgia por la amistad entre el Partido Comunista Chino y el Guomindang.[276] Cierto es que el aire estaba preñado de rumores.[277] Los periódicos extranjeros de los puertos internacionales salían a la luz rebosantes de especulaciones sobre un golpe de estado comunista contra Chiang, o un golpe de Chiang contra los comunistas. Pero Wang y Chen, en su declaración conjunta, descartaron los rumores, calificándolos de meras maquinaciones.[278] Bujarin escribió en *Pravda* que, aunque las diferencias eran inevitables, no había «lugar para el pesimismo», y Stalin dijo en una reunión privada que Chiang no tenía otra alternativa que apoyar la revolución. Después de interpretar su papel, iba a ser «exprimido como un limón lanzado junto a los desperdicios». Pero hasta que llegase ese día, los comunistas de ambos países le concederían el beneficio de la duda. «El campesino se agarra a su jade por muy envejecido que esté», dijo lacónicamente Stalin. «No lo tira por ahí. Al igual que nosotros.»[279]

6

Sucesos previos al incidente del día del caballo y sus sangrientas secuelas

Poco después de las cuatro de la madrugada del 12 de abril de 1927 se escuchó en todos los distritos al oeste de Shanghai el lúgubre lamento de la sirena de un vapor. Era la señal de las tropas nacionalistas para iniciar su aproximación silenciosa hasta las posiciones cercanas a las plazas fuertes comunistas de los barrios de la clase trabajadora de la ciudad, en Nandao y Zhabei. Estaban respaldadas por un millar de «obreros armados», que vestían todos idénticos uniformes de algodón azul con brazaletes blancos, en los que había escrito el carácter *gong* (trabajar). Para facilitar su labor, el consejo municipal había concedido a los hombres del comandante nacionalista, Bai Chongxi, libre acceso a las concesiones extranjeras.[1]

Al amanecer se inició un ataque concertado. Los «obreros» eran de hecho miembros de la Banda Verde, la organización clandestina dominante en Shanghai. Los comunistas, desprevenidos, estaban desarmados y con la guardia baja. Sólo en el cuartel general del Sindicato General de Obreros, y en las oficinas de la Prensa Comercial, donde se habían almacenado las armas y los trabajadores comandados por los comunistas fueron capaces de construir barricadas, se ofreció una resistencia seria. Pero también aquellos dos focos fueron aniquilados hacia el mediodía, después de que fuesen dispuestas las ametralladoras y la artillería pesada. «Quizá sea excesivo decir que el poder de los comunistas ha llegado a su fin», informaba el corresponsal de *The Times*, «pero los comunistas sin duda han sufrido un duro revés.» La policía municipal, de tutela británica, estimó que unas cuatrocientas personas habían sido asesinadas y muchas otras habían resultado heridas o arrestadas.

Al día siguiente, Zhou Enlai, el dirigente comunista de mayor rango entonces en Shanghai, convocó una huelga general que sumió a la mayor parte de la ciudad en un paro total. Cerca de mil trabajadores, incluidos mujeres y niños que trabajaban en las plantas textiles, marcharon hasta los cuarteles militares para entregar una petición. Lo que ocurrió después fue descrito sucintamente en el titular del *North China Herald*: «Horrible lucha en Zhabei: las mujeres y los niños comunistas estaban en la primera línea ... A pesar de ello los soldados dispararon». Los manifestantes, apuntaba el periódico, estaban desarmados; las tropas lanzaron una lluvia de balas en un radio de algunos metros. Unas veinte personas murieron al instante. Hasta doscientos más fueron abatidos mientras huían. Los testigos informaban de camiones cargados de cadáveres que eran transportados para sepultarlos en fosas comunes.[2] Después de aquello no hubo más manifestaciones. Chiang Kaishek y sus aliados volvían a controlar firmemente la situación.

Resulta casi imposible entender por qué el Partido Comunista Chino y la izquierda del Guomindang fueron incapaces de anticiparse al golpe de Chiang. Parte del problema residía en la insistencia de Stalin en que el frente unido debía mantenerse como tal a toda costa. Stalin creía que el Guomindang tenía muchas más posibilidades que los comunistas de unificar China y debilitar a los enemigos de Moscú, las grandes potencias, de modo que era necesario preservar la alianza entre el Soviet y el Guomindang. Su estrategia sobre China era más *realpolitik* que revolución. Y en el proceso menospreció al Comintern que, a su vez, infravaloró al Partido Comunista Chino.

Pero eso no era todo. Incluso teniendo en cuenta la disciplina del Comintern, los dirigentes del partido chino habían caído en una letargia extraordinaria. Todo el mes anterior al ataque de Shanghai habían cerrado los ojos al cúmulo de evidencias que mostraban que Chiang se había vuelto decisivamente en su contra.[3] A partir de mediados de marzo, cuando el Tercer Pleno del Guomindang confirmó la alianza entre la izquierda y el Partido Comunista Chino (en un intento de marginar a Chiang y la derecha del Guomindang del aparato del partido), se desarrollaron en las áreas controladas por las fuerzas de Chiang pautas de violencia sistemática dirigida contra la izquierda. Desde Chongqing, en el lejano Sichuan, hasta Amoy (Xiamen), en la costa del mar de China, el procedimiento era en todas partes el mismo.[4] Los sicarios reclutados entre las sociedades secretas (generalmente vinculadas con la Banda Verde), respaldados cuando era necesario por las tropas, arremetían contra las organizaciones de masas de la izquierda, y se fundaban apresuradamente nuevos grupos «moderados» para sustituirlas.

Otras fuerzas entraron en escena. Hankou, bajo el control de la izquierda del Guomindang, se convirtió en un desastre económico.[5] La militancia obrera obligó a docenas de bancos chinos a cerrar sus puertas. El comercio quedó paralizado. Para los ricos financieros e industriales chinos que observaban nerviosos desde Shanghai, la «capital roja», como era conocida, encarnaba todo lo que ellos querían evitar. Por si no fuese suficiente, en marzo una insurrección de obreros en Shanghai, dirigida sin piedad por piquetes comunistas —«pistoleros de uniforme negro», como les describió el *Times* londinense—[6] y terroríficamente eficaz, ofreció una muestra alarmante de lo que auguraba un gobierno comunista.

También la comunidad extranjera reclamaba, ante la presión imperante, una reacción por parte de las potencias para detener la «amenaza bolchevique». Los relatos escabrosos y depravantes circulaban con avidez. Una historia, reimpresa hasta la saciedad, describía cómo los comunistas, ya bien conocidos por «comunar las esposas», habían organizado una «procesión de cuerpos desnudos» de mujeres seleccionadas, «de cuerpos blancos como la nieve y pechos perfectos», por las calles de Hankou. No es difícil percibir aún hoy los deseos entonces desatados ante semejante relato. Un misionero norteamericano se estremecía por las consecuencias «si el perro enloquecido del bolchevismo no puede ser controlado ... y se le permite brincar por los océanos hasta nuestro amado Estados Unidos».[7] Otro residente recordaba: «Éramos víctimas de una psicología del miedo. Todos nosotros seríamos asesinados por nuestros propios sirvientes. Y la verdad es que las primeras advertencias reales llegaron de los chiquillos, los culis y las nodrizas, que repetían con insistencia: "Demasiados problemas —mejor ir al área de Japón"».[8]

El 24 de marzo ocurrió un acontecimiento que alentó los peores temores. Cuando los ejércitos nacionalistas ocuparon Nanjing, los soldados saquearon los consulados de Estados Unidos, Gran Bretaña y Japón, y dispararon contra un grupo de extranjeros que esperaban para ser evacuados. El cónsul británico resultó herido y dos británicos, un norteamericano, un sacerdote francés y uno italiano, así como un marinero japonés fueron asesinados.[9] La «atrocidad de Nanjing», como fue llamada, convenció a las capitales occidentales de que había llegado la hora de actuar.

A principios de abril, las potencias extranjeras y los capitalistas de Shanghai procuraban hallar el remedio para detener la caída en la anarquía y el caos. El tema omnipresente en labios de los extranjeros era si Chiang Kai-shek, el comandante en jefe del Guomindang, pero también un hombre, según parecía, con muchas reservas ante la causa comunista, sería la respuesta a sus inquietudes.[10] «Chiang Kai-shek se mantiene en una encrucijada», escribía el *North China Daily News*.[11] «Él ... [es] en estos momentos la única protección al sur del Yangzi que puede evitar que nos arrastre el Partido Comunista ... Pero si el general Chiang quiere salvar a sus compatriotas de los rojos, debe actuar con presteza y sin descanso. ¿Se va a mostrar como un hombre de acción y decidido? ... ¿O caerá también, como toda China, en la marea roja?»

La respuesta llegó por entregas, urdida hábilmente desde la sombra.[12] La comunidad china de negocios de Shanghai pagó secretamente más de tres millones de dólares, el primer plazo de un «préstamo», que según estiman las fuentes era de entre diez y veinticinco millones, concedido con el supuesto explícito de que los comunistas serían sometidos.[13] El 6 de abril los representantes en Pekín de las potencias extranjeras autorizaron que el gobierno del norte, controlado entonces por un cacique militar manchú, Zhang Zuolin, radicalmente en contra de los comunistas, enviase la policía china al distrito de las legaciones para investigar en el complejo de la embajada soviética, donde varios dirigentes locales del Partido Comunista Chino, incluyendo a Li Dazhao, se habían refugiado. También se registraron los establecimientos soviéticos en Tianjin. En Shanghai se situaron guardas en el consulado soviético con órdenes de denegar el acceso a toda persona que no perteneciese al funcionariado ruso.[14] El líder de la Banda Verde, Du Yuesheng, cuyo mentor «Huang el picoso» (Huang Jinrong) había entablado amistad en Shanghai diez años antes con Chiang mientras éste era un joven oficial, fundó una Asociación del Progreso Común con el objetivo de preparar a los llamados «obreros armados» para el inminente conflicto.[15] Al tiempo que, en ciudades vecinas, desde Fuzhou hasta Nanjing, el tamborileo constante de la represión anticomunista continuaba resonando.

Pero a pesar de todos estos movimientos, cuando finalmente cayó el hacha, «a los defensores de la revolución», en palabras de un observador contemporáneo, «los cogieron desprevenidos».[16] No sólo no había defensa alguna dispuesta, sino que Wang Shouhua, el joven líder de la Comisión Obrera del Comité Central del Partido Comunista Chino y presidente del Sindicato Obrero General de Shanghai —es decir, el dirigente comunista más importante de la ciudad— aceptó, sin sospecha alguna, una invitación del propio Du Yuesheng para asistir a una cena la noche del 11 de abril. Fue estrangulado al llegar y su cuerpo arrojado a una tumba poco profunda en un baldío de los suburbios.[17]

El problema no residía en un error de cálculo. Ya en el mes de enero, la Oficina Central del Comité Central había advertido que se llegaría a una «situación extremadamente peligrosa» en el supuesto de que se alcanzase «una alianza entre los imperialistas extranjeros y el ala derecha o moderada del Guomindang».[18] Pero el Generalísimo había disimulado sus movimientos con tan consumada habilidad que nadie ajeno a su círculo interno habría acertado a adivinar sus auténticas intenciones. Tanto extranjeros como comunistas permanecían desconcertados. A principios de abril, mientras el *North China Daily News* se lamentaba del rechazo de Chiang a adoptar una «actitud francamente anticomunista»,[19] la Oficina Central continuaba convencida de que los ataques en las provincias contra las organizaciones dirigidas por los comunistas eran esfuerzos poco sistemáticos, de ningún modo el preludio de un enfrentamiento a gran escala.[20] La realidad era que en 1927 el Partido Comunista Chino estaba tan entregado a la alianza con

El más temprano retrato conocido de Mao, contemporáneo a la revolución de 1911, cuando era todavía adolescente.

Izquierda. Un soldado preparándose para cortarle la coleta a un campesino después del derrocamiento de los manchúes.

Abajo. Una de las muchas formas de morir ejecutado lentamente común durante la juventud de Mao. Estos prisioneros morían asfixiados a medida que el peso de sus cuerpos descoyuntaba sus cuellos.

Página opuesta, arriba. Casa familiar de los Mao en Shaoshan.

Página opuesta, inferior izquierda [De derecha a izquierda]. Mao a los veinticinco años, con su madre, Wen Qimei, y sus hermanos, Zemin, de veintidós, y Zetan, de quince, en Changsha, 1919.

Página opuesta, inferior derecha. El padre de Mao, Rensheng, el mismo año.

Izquierda. El amigo íntimo de Mao, Cai Hesen, que le convirtió al marxismo.

Abajo. Mao junto a otros miembros de la delegación hunanesa a Pekín para solicitar la destitución del gobernador Zhang Jingyao, enero de 1920.

Derecha. El primer presidente de China, Sun Yat-sen.

Abajo. Los padres espirituales de Partido Comunista Chino. Li Dazhao (*izquierda*), de la Universidad de Pekín, cuyos escritos popularizaron el bolchevismo en China, y Chen Duxiu (*derecha*), editor de *Nueva Juventud* y primer secretario general del Partido Comunista Chino.

Página opuesta, superior izquierda. La segunda esposa de Mao, Yang Kaihui, con sus hijos, Anying, de tres años, y Anqing, de dos, en 1925.

Página opuesta, superior derecha. La tercera esposa de Mao, He Zizhen.

Abajo [De izquierda a derecha]. Ren Bishi; Zhu De, comandante en jefe del Ejército Rojo; Deng Fa, director de Seguridad Política; Xiang Ying; Mao; y Wang Jiaxiang, en la víspera de la proclamación de la República Soviética China, en Ruijin, noviembre de 1931.

El generalísimo Chiang Kai-shek.

Zhou Enlai y Mao en el norte de Shaanxi, 1937.

la burguesía que era incapaz de concebir una revolución sin su participación.[21]

La mañana del 12 de abril Mao asistió en Hankou a una reunión de la nueva Comisión de la Tierra del Guomindang, que pretendía elaborar una política de redistribución de las tierras que satisficiese las demandas de los campesinos sin ofender a los terratenientes que respaldaban al Guomindang.[22] Mao se mantenía todavía rebosante de optimismo después de sus experiencias en Hunan, por lo que insistió en una propuesta radical: permitir que los campesinos entrasen en acción negándose a pagar las rentas —el reconocimiento legal de semejante postura llegaría más tarde. Qu Qiubai y él estaban esbozando propuestas similares para el Quinto Congreso del Partido Comunista Chino, programado para aquel mismo mes.[23] El nuevo delegado del Comintern, Mahendranath (M. N.) Roy, recién llegado de Moscú, era mucho más partidario de la revolución agraria de lo que lo había sido Borodin. Wang Jingwei permanecía en Hankou y Chen Duxiu estaba de camino.[24]

Aquella tarde, cuando comenzaron a llegar los primeros mensajes urgentes desde Shanghai, todas esas esperanzas tan minuciosamente elaboradas se desvanecieron.

Durante seis días la Oficina Central del Partido Comunista Chino se reunió en sesión casi continua, mientras los dos consejeros de Moscú ofrecían recomendaciones diametralmente opuestas.[25] Borodin, respaldado por Chen Duxiu, sugirió una «retirada estratégica» que suponía severas restricciones a los movimientos campesino y obrero en los territorios controlados por el gobierno de Wuhan, y la inmediata reasunción de la Expedición Norte bajo el mando de Tang Shengzhi. Propuso que Tang se aliase en Henan con el general cristiano Feng Yuxiang, destinatario de una sustancial ayuda soviética, para organizar una campaña conjunta contra las fuerzas norteñas de Zhang Zuolin. Una vez las tropas de Zhang fuesen derrotadas habría tiempo suficiente para negociar con Chiang Kai-shek y reanudar un movimiento revolucionario que había quedado temporalmente arrinconado.[26] Pero Roy mantenía que aquello era «una traición al campesinado, al proletariado ... y a las masas». La revolución china, declaraba, «triunfará a través de la revolución agrícola o no triunfará de ningún modo». Avanzar hacia el norte significaba «colaborar con las mismas fuerzas reaccionarias que traicionan la revolución a cada paso». El consejo de Borodin, concluyó, era «muy peligroso» y el partido debía rechazarlo.[27]

La divergencia hizo aflorar la contradicción fundamental inherente a la política de Stalin sobre China. ¿Tenían preferencia los obreros y los campesinos? ¿O la alianza con la burguesía?

Mientras la disputa se tornaba cada vez más enconada llegó un telegrama de Zhou Enlai y otros dirigentes de Shanghai proponiendo una tercera posibilidad.[28] La posición militar de Chiang Kai-shek era mucho más débil de lo que aparentaba. Si Tang Shengzhi marchaba sobre Nanjing y adoptaba «acciones punitivas enérgicas», las fuerzas de Chiang podían ser derrotadas. Pero si, por el contrario, continuaba la indecisión, él vería que su posición se consolidaba. Qu Qiubai mostró su acuerdo con el grupo de Shanghai. Chen Duxiu retomó la idea, propuesta originalmente por Sun Yat-sen, de avanzar hacia el noroeste, donde las fuerzas imperialistas eran más débiles. Tan Pingshan y Zhang Guotao eran partidarios de marchar hacia el sur para reconquistar la antigua base del Guomindang en Cantón.[29]

La futilidad de estas discusiones, y la impotencia del Partido Comunista Chino, se mostró gráficamente una semana después, cuando la Oficina confirmó el cargo de Roy y emitió una resolución declarando que continuar con la Expedición Norte sería «dañino para la revolución»,[30] aunque, al día siguiente, Wang Jingwei, incitado por Borodin, anunciase la inminente reasunción de la expedición.[31]

Mao no asistió a esas reuniones.[32] Su rango era demasiado bajo (ni siquiera era miembro del Comité Central); y, desde la disputa sobre su informe de Hunan, Chen Duxiu se había negado a tener nada que ver con él. Pero las simpatías de Mao estaban del lado de Roy.

Dedicó aquel mes a trabajar en el Comisión de la Tierra del Guomindang junto a un grupo mixto de jóvenes izquierdistas, funcionarios más conservadores y veteranos del Guomindang con el empeño de hallar una fórmula para la redistribución de las tierras que satisficiese los diferentes intereses en juego. La cuestión fundamental giraba alrededor de la magnitud de la redistribución de las tierras. ¿Tenían que confiscar todas las tierras privadas, como Mao proponía? ¿O sólo propiedades que sobrepasasen los treinta *mu* (dos hectáreas), algo más de lo que el padre de Mao había poseído? ¿O más de cincuenta o de cien *mu*, como pretendían los delegados más mayores? Al final, sin embargo, resultó ser un ejercicio en vano, pues incluso la versión más restringida que recomendó el comité de Mao fue dejada de lado por el Consejo Político del Guomindang, aduciendo que irritaría al ejército; muchos de sus oficiales provenían de familias latifundistas.[33]

Los esfuerzos de Mao no encontraron mejor respuesta en el seno de su propio partido.[34] Su esbozo de resolución reclamando la confiscación de todas las tierras fue desestimada sin discusión durante el Quinto Congreso. El principio de «nacionalización de las tierras» recibió fingidas alabanzas, pero sin efecto alguno porque los comunistas, al igual que el Guomindang, prohibían la confiscación de los bienes a los «pequeños terratenientes», término que quedó prudentemente sin definir.[35]

Mao volvía una vez más a sentirse por aquel entonces «muy insatisfecho con la política del partido».[36] Era un sentimiento recíproco. Cuando se eligió el nuevo Comité Central, él apenas fue escogido miembro suplente, ocupando el puesto trigésimo dentro de la jerarquía del partido.[37] Una semana después, cuando el Comité Campesino del Comité Central fue «reorganizado», su posición como secretario fue asumida por Qu Qiubai, quien había sido ascendido hasta el Comité Permanente del nuevo Politburó (tal como era llamada entonces la Oficina Central).[38] Mao conservó su filiación en el comité y continuó su trabajo en la Asociación de los Campesinos de China. Pero sus posibilidades de crear en todos los rincones del país un movimiento campesino «tan veloz y violento que ningún poder ... será capaz de suprimirlo», como había escrito a su vuelta de Hunan, parecían cada vez más remotas.[39]

Mientras tanto, el torrente de malas noticias llegadas desde otras provincias se convirtió en una inundación.

En Cantón, el gobernador derechista del Guomindang proclamó la ley marcial. Dos mil sospechosos de ser comunistas fueron acorralados y una veintena de ellos ejecutada. En las áreas bajo control directo de Chiang se lanzó una «campaña de depuración del partido» para extirpar a los comunistas. En Pekín, Li Dazhao y diecinueve de los que fueron detenidos con él durante el ataque a la embajada soviética fueron estrangulados por orden de Zhang Zuolin.[40]

A principios de mayo sólo Hubei, Hunan y Jiangxi, cuyo gobernador, Zhu Peide, era un viejo aliado de Wang Jingwei, se mantenían bajo el control del gobierno de Wuhan.

Aún más seria era la crisis económica. La actividad del movimiento obrero había sumido a las ciudades en un estado de anarquía. Hankou, Hanyang y Wuchang tenían más de trescientos mil desempleados. La población extranjera había disminuido de cuatro mil quinientos a mil trescientos residentes y la difícil situación de los que se mantenían era descrita en *The Times* bajo el titular «Terror rojo en Hankou»:

> El gobierno es ahora por completo comunista, los negocios son imposibles, los sindicatos obreros y los piquetes reinan en la ciudad, mientras los soldados dan muestra de un temperamento violento y se ha vuelto inseguro para los [súbditos] británicos aparecer por las calles. Los gerentes de las empresas se han convertido ahora en el principal objetivo de la violencia de la muchedumbre, y algunos son perseguidos por las calles con bayonetas.[41]

La situación se complicó aún más cuando los bancos chinos de Cantón y Shanghai, siguiendo las órdenes de Chiang, suspendieron sus relaciones con Wuhan. Cesó la recaudación de impuestos, el gobierno emitió dinero sin el respaldo del tesoro, los bienes de primera necesidad desaparecieron de las tiendas. A finales de abril se temía incluso una nueva carestía de arroz, a raíz de la decisión de las autoridades revolucionarias de Hunan de parar la exportación de grano para contener los precios.[42]

A instancias de Borodin, el Consejo Político del Guomindang proclamó la prohibición de las huelgas ilegales, así como la aplicación de medidas para imponer «disciplina revolucionaria» al movimiento obrero, estabilizar el valor del dinero, regular los precios y proporcionar auxilio a los desempleados.[43]

Pero en aquellas circunstancias el equilibrio militar comenzó una vez más a desnivelarse. Las fuerzas de Tang Shengzhi habían avanzado hacia el norte para unirse en Henan al Ejército del Nuevo Pueblo, comandado por Feng Yuxiang. Sólo una guarnición básica continuaba acuartelada en Hubei, lo que concedió una oportunidad a Chiang Kai-shek para probar la capacidad defensiva de Wuhan.[44] A mediados de mayo, el general Xia Douyin, comandante nacionalista de Yichang, trescientos kilómetros río arriba, se unió a los estandartes de Chiang y marchó hacia Hankou encabezando una fuerza de dos mil hombres. Con el aliento de Chiang otros generales nominalmente leales a Wuhan movilizaron sus tropas hasta la retaguardia. El 18 de mayo se informó de la presencia de las tropas de vanguardia de Xia a pocos kilómetros de Wuchang. Los tenderos cerraron los postigos y se detuvo el servicio de transbordador para cruzar el río. Ye Ting, un comunista que había sido nombrado comandante en funciones de la guarnición, reunió a varios centenares de cadetes y hombres de una división de instrucción y les preparó lo mejor que supo para presentar batalla. A Mao se le pidió que movilizase los cuatrocientos estudiantes del Instituto del Movimiento Obrero, a cada uno de los cuales se le facilitó un anticuado rifle e instrucción militar rudimentaria con el objetivo de patrullar por las calles de la ciudad.

A la mañana siguiente, la improvisada fuerza de Ye Ting avanzó desde la ciudad y los hombres de Xia fueron derrotados.[45] Pero el fuego que habían encendido no se extinguiría con facilidad.

Rumores disparatados comenzaron a circular por Changsha explicando la caída de Wuhan, la huida de Wang Jingwei o la ejecución de Borodin. Aquella primavera el conflicto de facciones entre los elementos izquierdistas y moderados había escapado a todo control. En abril, algunos eminentes ciudadanos vinculados con el ala derecha o con la comunidad extranjera, incluido Ye Dehui, el viejo intelectual ultraconservador que había contribuido a instigar los disturbios por el arroz de 1910 que tanto habían impresionado a Mao cuando era niño, fueron arrestados y fusilados. Los enfrentamientos se referían por aquel entonces a los soldados y los activistas de las asociaciones campesinas. El 19 de mayo el suegro de He Jian, el lugarteniente de Tang Shengzhi, fue golpeado por los manifestantes comunistas.[46]

Dos días después, el 21 de mayo de 1927, el día del caballo en el calendario antiguo, el comandante de la guarnición de Changsha, Xu Kexiang, decidió que ya había tenido bastante.[47]

A los líderes del Partido Comunista Chino en Hunan, a diferencia de sus colegas de Shanghai, les llegaron rumores de lo que se estaba fraguando.[48] Pero los tres mil obreros que integraban los piquetes que ellos encabezaban estaban armados sólo con varas y lanzas, y no pudieron concebir planes alternativos para la resistencia.[49] Por la tarde entre los dirigentes del partido se distribuyeron fondos de emergencia, y las mujeres y los niños fueron enviados a lugares seguros.[50] Los disparos comenzaron a las once de la noche y continuaron hasta el amanecer.[51] «Las llamas prendieron los cielos», escribió tiempo después la esposa de un dirigente. «Oí los disparos que llegaban de [la sede de la asociación campesina], armas automáticas y rifles ... Todos los que estábamos en nuestra casa aguardábamos sentados en la sala del altar, totalmente atemorizados. Mi hijo de seis meses descansaba en mi regazo mamando de mi pecho, pero la leche no salía. Él lloraba y lloraba.»[52]

Xu Kexiang alardeaba más tarde: «La neblina roja del terrorismo que había impregnado la ciudad durante tanto tiempo quedó desvanecida al alba con uno solo de mis bufidos».[53]

En el transcurso de las tres semanas siguientes se estima que fueron asesinadas en Changsha y sus alrededores unas diez mil personas.[54] Grupos de supuestos comunistas eran conducidos día a día, desde el amanecer hasta el anochecer, al viejo campo de ejecuciones que se extendía en la parte exterior de la puerta oeste.[55] Otros murieron el 31 de mayo en una fallida insurrección de los miembros de las fuerzas de autodefensa campesinas orquestada por el comité del partido de Hunan. En el último minuto habían llegado instrucciones desde Hankou para anularla. Pero los dos grupos que atacaron Changsha y Xiangtan no fueron advertidos del cambio de planes y resultaron aniquilados.[56]

La oleada de represión conservadora se propagó desde Hunan hasta Hubei, donde las tropas derrotadas de Xia Douyin se dejaron llevar por la furia, asesinando a miles de aldeanos.[57] En Jiangxi se disolvieron las asociaciones campesinas, desatando una tormenta de venganza que la pequeña burguesía se encargó de avivar. Por toda China, el terror rojo dejó paso al terror blanco, cuando las *mintuan*, las milicias de los terratenientes, tomaron represalias terribles contra los campesinos que se atrevían a alzarse contra ellas. Mao advirtió de ello en un informe preparado a mediados de junio para la Asociación de los Campesinos de China:

En Hunan ... han decapitado al jefe del sindicato general obrero de Xiangtan y han pateado su cabeza como si fuese un balón, han llenado después su estómago de queroseno y han prendido fuego al cuerpo ... En Hubei ... los castigos brutales infligidos a los campesinos revolucionarios por la despótica elite incluyen aberraciones como sacar los ojos o arrancar la lengua, destripar los intestinos y decapitar, rasgar con cuchillos, raspar con arena, quemar con queroseno o marcar con hierro al rojo vivo. En el caso de las mujeres, punzan sus senos [con alambre de hierro, con el que las amarran a todas juntas] y las hacen desfilar desnudas en público, o simplemente las descuartizan.[58]

Cuando se puso fin a los asesinatos, en Liling, en la provincia de Hunan, habían muerto hasta ese momento ochenta mil personas. En los distritos de Chaling, Leiyang, Liuyang y Pingjiang fallecieron cerca de trescientas mil.[59] La matanza sobrepasó en mucho todo lo perpetrado por Zhang el Maligno cuando una década antes sus tropas habían devastado Hunan. No había acontecido nada similar en China desde que los Taiping habían convertido la década de 1850 en un auténtico baño de sangre.

El «incidente del día del caballo» y sus sangrientas consecuencias representaron un punto de inflexión en la evolución del Partido Comunista. «El Partido Comunista Chino aprendió de esta sanguinaria lección», escribió tiempo después Zhang Guotao, «que "sólo con las armas se puede responder a las armas".»[60]

Esta afirmación contaba con la clarividencia que proporciona el conocimiento del pasado. Pero la respuesta del partido en aquel momento fue dilatoria y confusa. Los primeros informes de la masacre de Changsha llegaron a Wuhan cuando los comunistas todavía estaban digiriendo la fallida rebelión de Xia Douyin, y resolvieron que, provisionalmente, el movimiento campesino tenía que moderarse para evitar que en el futuro volvieran a ocurrir sucesos semejantes.[61] De hecho, la conclusión inicial del Politburó, del 25 de mayo, fue que los campesinos, con sus excesos, se habían buscado su propia ruina. Al día siguiente, con la aprobación de Wang Jingwei, Borodin se dirigió hacia Changsha a la cabeza de una comisión conjunta del Partido Comunista Chino y el Guomindang para intentar averiguar lo ocurrido.[62] Tras su partida, Mao envió un mensaje en nombre de la Asociación de los Campesinos de China a los dirigentes de Hunan indicándoles que «fuesen pacientes y esperasen a los funcionarios del gobierno para evitar mayores rencillas».[63] La comisión nunca llegó a su destino. Tuvo que regresar al alcanzar la frontera de Hunan (según algunas fuentes por la advertencia de Xu Kexiang de que, si no se volvían, todos sus miembros serían asesinados).[64] Sólo entonces apeló el Comité Central a los dirigentes del Guomindang para que disolviesen el «comité insurrecto» de Xu Kexiang, enviasen una expedición punitiva a Changsha, comandada por Tang Shengzhi, entonces considerado por los comunistas como su aliado, y abasteciesen de armas a los campesinos para su propia defensa.[65] Se hizo caso omiso a cualquiera de estas demandas.

A finales de mayo Mao solicitó al Politburó que le enviase a Hunan para ayudar a reconstruir allí la organización del partido. Diez días después fue destinado a Xiangtan con el objetivo de organizar un nuevo comité provincial, del que debía ocupar el secretariado. Pero la decisión se revocó casi de inmediato.[66] Aun así, desde principios de junio Mao se encargó de la negociación diaria de los asuntos de Hunan[67] y durante unas semanas intentó, con cierto éxito, a través de declaraciones y directrices, conseguir una reconciliación entre las demandas del partido de que el campesinado retornase al orden y la aguerrida defensa de lo que él insistía eran legítimos «medios violentos de resistencia».[68]

Sin embargo, se acercaba desde el lugar más inesperado otro revés que azotaría a los sitiados comunistas chinos.

Desde el golpe de Chiang en abril, Stalin se había mantenido enfrascado en una lucha con Trotski sobre su responsabilidad en la debacle china.[69] En consecuencia, el Partido Comunista se vio liberado para poder continuar según su criterio. Pero el 1 de junio de 1927,[70] después de un largo pleno del Comintern en el Kremlin inusualmente secreto, llegó un telegrama a Hankou.[71] En él el Kremlin instaba al Comité Central a adoptar una política más rigurosa. Debía promover la revolución agrícola «por todos los medios posibles». Cualquier exceso debía ser tratado por las asociaciones campesinas. El Guomindang tenía que organizar un tribunal revolucionario que impusiera castigos severos a los oficiales que mantuviesen contactos con Chiang Kai-shek o empleasen las tropas para dominar a las masas. «La persuasión no basta: es hora de actuar», declaró Stalin. «Los canallas serán castigados.» Se debía crear un ejército con garantías «antes de que fuese demasiado tarde», movilizando «unos veinte mil comunistas y cincuenta mil obreros y campesinos revolucionarios de Hunan y Hubei», para «acabar de inmediato con la dependencia de generales veleidosos». El Comité Ejecutivo Central del Guomindang también necesitaba una transfusión de sangre nueva. Eran necesarios nuevos dirigentes poderosos formados entre los campesinos y la clase obrera para robustecer la determinación de «ciertos líderes veteranos» que «vacilaban y flaqueaban», o de lo contrario tendrían que expulsarlos a todos.[72]

Cuando se leyó la misiva, según Zhang Guotao, los miembros del Politburó «no sabían si llorar o reír».[73] Tiempo después Chen Duxiu escribió que fue «como tomar un baño de mierda».[74] Incluso Borodin y Voitinsky estuvieron de acuerdo en que no tenía ningún sentido intentar ponerla en práctica.[75]

No es que las ideas de Stalin estuviesen equivocadas. Un año antes los dirigentes del Partido Comunista Chino habían solicitado a Moscú un total de cinco mil rifles para armar una fuerza campesina independiente en Guangdong, pero la petición había sido desestimada porque podía crear desconfianza entre el ejército del Guomindang.[76] Mao y Cai Hesen llevaban largo tiempo defendiendo que eran las asociaciones campesinas, y no otras fuerzas externas, las que debían ocuparse de los excesos campesinos.[77] Pero la sentencia de Stalin sobre la necesidad de un equilibrio político en el movimiento revolucionario debió de sonar como llegada de otro planeta. Ni la izquierda del Guomindang ni, aún menos, el Partido Comunista Chino tenían capacidad alguna para disciplinar a los «generales veleidosos». Y los comunistas no podían reorganizar un Comité Ejecutivo Central del Guomindang que se estaba inclinando tan rápidamente hacia la derecha que fueron necesarias todas las energías del Partido Comunista Chino para mantener intacta su alianza.

Roy, que esperaba que el telegrama estimulase al partido para que apoyase con mayor decisión el movimiento campesino, aprovechó la coyuntura para tomar las riendas del asunto.

Sin consultar a Borodin o a cualquiera de los dirigentes chinos, mostró el telegrama a Wang Jingwei. No se han aclarado convenientemente sus motivos, pero parece que, al igual que Stalin, juzgó mal el equilibrio político, y creyó que para Wang el apoyo comunista era todavía lo suficientemente importante para que una muestra del desencanto de Moscú ante la actitud del Guomindang le animase a adoptar una política más radical. Pero como se pudo comprobar, el efecto fue otro muy distinto. Wang decidió que la alianza entre el Guomindang y el Partido Comunista Chino había llegado a su fin. Al día siguiente, el 6 de junio, él mismo encabezó una delegación de la izquierda del Guomindang a Zhengzhou, en Henan, que acababa de caer a manos de Feng Yuxiang, supuestamente para discutir una alianza conjunta contra Chiang Kai-shek, pero en realidad para iniciar tentativas de paz con el fin de llegar a una futura reconciliación con el ala derecha del partido en Nanjing.[78]

El despropósito de Roy aceleró lo inevitable. Los dos corceles desbocados que el Partido Comunista Chino pretendía montar —la revuelta campesina y la revolución burguesa— habían estado durante los últimos meses tirando cada uno por su lado. De modo que, incluso sin ese movimiento en falso, el incidente del día del caballo habría significado la separación definitiva de sus caminos.

El 15 de junio Chen Duxiu envió a Stalin la respuesta del Politburó, que destacaba tanto por su manifiesto desespero ante el modo de hacer del líder soviético como por su presagio de inminente perdición:

El movimiento campesino mostraba en Hunan una evolución particularmente rápida. El 90 por 100 de los miembros del ejército nacional es originario de Hunan. El ejército entero es hostil a los excesos del movimiento campesino ... En semejante situación no sólo el Guomindang sino también el Partido Comunista deben adoptar una política de concesiones ... De lo contrario ... se producirá un cisma en el Guomindang ... [De hecho,] es posible que esto sea inevitable en el futuro próximo ... Vuestras instrucciones son correctas y cruciales. Expresamos nuestro pleno acuerdo ... pero será imposible alcanzarlo a corto plazo ... Hasta que no nos veamos en posición de cumplir con estas tareas por nosotros mismos, será necesario mantener unas buenas relaciones [con los líderes de la izquierda del Guomindang y del ejército nacional].[79]

La única instrucción del dirigente ruso que Chen dejó sin réplica directa fue la orden de crear «vuestro propio ejército digno de confianza». No fue un descuido. El 26 de mayo, algo menos de una semana antes de que llegase el telegrama de Stalin, el Politburó había insistido en que se debía evitar el conflicto armado y, de hecho, ésta fue la razón de la anulación del ataque a Changsha del 31 de mayo.[80] Pero aquello iba a cambiar. Aunque tarde, la cuestión de una fuerza comunista independiente estaba siendo discutida muy en serio.

La persistente trascendencia del telegrama de Stalin, mucho después de quedar olvidada la inmediata controversia que provocó, residía precisamente en el hecho de que había sembrado las semillas de las que, a lo largo de los meses siguientes, germinaría el Ejército Rojo chino.[81]

En el momento en que Chen envió la respuesta del Politburó ya se había creado una comisión secreta del Comité Central, encabezada por Zhou Enlai, entonces secretario de la Comisión Militar del Comité Central, que elaboró un detallado plan para infiltrar a más de un centenar de agentes comunistas en Hunan con el fin de organizar alzamientos armados de campesinos contra las fuerzas de Xu Kexiang. En una reunión celebrada en Wuhan poco antes de que partiese la misión, Mao les comunicó que su objetivo era volver a sus tierras natales y «mantener viva la lucha armada mediante la fuerza armada». Las previsiones, según parece, eran que si las insurrecciones llegaban a buen puerto, las unidades de campesinos comandadas por los comunistas formarían la base del «ejército digno de confianza» que reclamaba Stalin.[82]

El 24 de junio Mao fue designado secretario del partido de Hunan y partió de inmediato hacia Changsha para observar qué se podía salvar en medio de aquella persistente represión. Unos días después indicó en Hengshan a un grupo de oficiales supervivientes del partido y de la Liga de las Juventudes que el tiempo de las dudas había llegado a su fin. A partir de entonces debían responder a «las armas con las armas».

Pero mientras Mao hablaba, la tierra se resquebrajaba bajo los pies de los comunistas.

Era inminente una ruptura abierta entre Wang Jingwei y los rusos. Los propios consejeros rusos pudieron contemplar las advertencias garabateadas sobre los muros y prepararon con antelación su equipaje.[83] No sólo se trataba de los titubeos de Wang; el otro protegido de Moscú, Feng Yuxiang, había cambiado de bando como compensación a un subsidio mensual de dos millones de dólares y respaldaba ahora a Chiang Kai-shek.[84]

Una oleada de sombrío pesimismo desoló al Politburó.[85] Cai Hesen recordaba que «[todos nosotros] vagábamos exangües, con aspecto deprimido ... y éramos incapaces ... de tomar decisiones firmes y definitivas sobre cualquier asunto».

Aparecieron algunos signos de desesperación. El 23 de junio el secretariado del Comité Central hizo pública una melodramática advertencia indicando que «una fractura inmediata con el Guomindang significaría la inminente liquidación de nuestro partido», y proponía la creación de un nuevo «incidente del 30 de mayo» como el que había llevado al país a las armas en 1925 para «alejarnos de esta peligrosa crisis».[86] La ejecución de tan descabellada aventura se dejó en manos de Roy. «La idea de colaborar con el Guomindang», dijo severamente a la cúpula, «se está convirtiendo en un fetiche real en cuyo honor se sacrifica todo lo demás.»[87] Su advertencia fue ignorada. El 30 de junio, en un último intento para evitar el colapso final, el Politburó aprobó una resolución cobarde que ratificaba la «posición privilegiada [del Guomindang] en la revolución nacional», dejando a las organizaciones de trabajadores y campesinos —incluidas las fuerzas de autodefensa campesina— bajo la supervisión del Guomindang, restringiendo la función de los piquetes de obreros y limitando las demandas de las huelgas.[88]

Casi al mismo tiempo Mao recibió un llamamiento urgente para abandonar los planes de insurrección en Hunan y retornar a Wuhan. Evidentemente, Borodin había decidido que la amenaza a lo que quedaba de aquella alianza con la izquierda del Guomindang acarrearía muchos más perjuicios que posibles beneficios.[89]

El lunes 4 de julio Mao y Liu Zhixun, jefe de la ahora prohibida asociación campesina de Hunan, asistieron en Wuchang a una asamblea ampliada del Comité Permanente del Politburó para intentar decidir el siguiente paso.[90] Las actas que se han conservado muestran una cúpula intentando aferrarse a meras ilusiones. Gran parte de las discusiones se refirieron a la relación existente entre Tang Shengzhi y su subordinado, el general He Jian, oficial en jefe de Xu Kexiang. He Jian era públicamente anticomunista y Tang se estaba inclinando velozmente hacia la derecha.[91] Pero durante la reunión todavía se pretendía creer que, en palabras de Mao, era posible «fomentar la discordia ... entre Tang y He [y] arrastrar a Tang hacia nuestra causa». Era más un deseo que un razonamiento. En julio de 1927, los dirigentes comunistas ya habían perdido la capacidad de ejercer cualquier influencia política, y eso era algo de lo que todos, en su fuero interno, eran conscientes.

La cuestión fundamental que debían afrontar era la función de las unidades locales de autodefensa campesina que ya se habían creado antes de revocar el plan de sublevación. Cai Hesen sugirió que podían «lanzarse a los montes» y comenzar la rebelión desde allí. Pero Li Weihan objetó que de obrar así el siguiente paso sería su adhesión al bandolerismo. Propuso que debían transformarse en una fuerza pacificadora local con sanción oficial. Y si eso no era posible, añadió, deberían deponer las armas y aguardar. Chen Duxiu mantenía que los campesinos podrían formar una fuerza armada imponente después de haber sido instruidos por el ejército nacional (comandado por el Guomindang). Mao lo resumió así:

Además de [la posibilidad de convertir las unidades en una fuerza pacificadora, en la práctica de difícil legalización], existían dos posturas: *a*) ir a los montes; o *b*) unirse al ejército. Si se lanzaban a los montes, podíamos crear la base de una fuerza militar real ... Si no mantenemos [semejante] fuerza, cuando surjan nuevas emergencias estaremos desamparados.[92]

La discusión se prolongó sin que se tomase decisión alguna. Pero estaba claro que en la mente de Mao, al igual que en la de Cai Hesen, se estaba comenzando a formar el germen de una futura estrategia.[93]

No obstante, mientras dialogaban, los acontecimientos se aproximaban a su conclusión.

Stalin no estaba conforme con el mensaje que Chen Duxiu había enviado el pasado 15 de junio. Durante la primera semana de julio, si no antes, ya había decidido que Chen debía abandonar su posición. Roy y Voitinsky fueron reclamados en Moscú y el 10 de julio, a través de un artículo en *Pravda*, Bujarin denunció a la cúpula del Partido Comunista Chino por haber rechazado los dictámenes soviéticos, supuestamente por ser «poco prácticos». Dos días después Chen presentó su renuncia y se formó un Comité Permanente Provisional del Comité Central integrado por cinco miembros —incluyendo Zhang Guotao, Li Weihan, Zhou Enlai, Li Lisan y Zhang Tailei— para revisar los asuntos cotidianos mientras Borodin y Qu Qiubai, designado sucesor de Chen, se retiraban a un refugio del monte Lushan para considerar las opciones del partido.

Al día siguiente, el 13 de julio, la nueva central del partido aprobó, aunque no se anunció inmediatamente, un manifiesto en el que se acusaba a los dirigentes de la izquierda del Guomindang de «traicionar a las masas obreras». Durante los días 14 y 15 de julio, la cúpula de la izquierda del Guomindang, también congregada en una reunión cerrada, aprobó medidas para restringir aún más el papel de los comunistas, un paso equivalente a su exclusión. Finalmente, el 16 de julio, tanto el manifiesto como las resoluciones fueron publicadas.

Pero la ficción no había terminado. Siguiendo las instrucciones de Moscú, el Partido Comunista Chino mantuvo la pretensión de que continuaba existiendo un frente unido con «los elementos progresistas de la izquierda del Guomindang».[94] La realidad, sin embargo, era que la alianza había llegado a su fin. En pocas horas las tropas del general He Jian ocuparon el Sindicato Obrero y comenzaron a asediar a los sospechosos de ser comunistas.[95] Mao y el resto de dirigentes del partido tuvieron que ocultarse. Chen Duxiu, enfundado en un disfraz, embarcó en un vapor con destino a Shanghai.[96] Los consejeros soviéticos que todavía resistían partieron. Una asamblea de las figuras más destacadas del Guomindang, encabezada por el mismo Wang Jingwei, dedicó a Borodin, uno de los últimos en marchar, una despedida ceremonial en la estación de ferrocarril de Hankou. Posteriormente llegaría a Siberia, después de un agotador viaje en automóvil por el Gobi, a principios de agosto.[97] La influencia moscovita en China, a la cual Stalin había dedicado millones de rublos de oro, había quedado reducida a la nada.

También la izquierda del Guomindang se derrumbaría a finales de año y Wang Jingwei huiría a Europa. Cuando la década se aproximase a su fin, Chiang Kai-shek tomaría Pekín y se convertiría en el nuevo gobernador de China.

Pero eso todavía formaba parte del futuro. En el bochornoso calor de finales de julio de 1927, Yang Kaihui y sus tres pequeños hijos hacían su último viaje a Changsha.[98] El frente unido había desaparecido. La revolución comunista estaba a punto de comenzar.

7

El poder de las armas

Besso Lominadze no congeniaba con sus subordinados chinos. Joven, inexperto, sabía muy poco del mundo que se extendía más allá de las fronteras de la Unión Soviética y no parecía importarle. Zhang Guotao recordaba su encuentro con él el día de su llegada a Wuhan, el 23 de julio. Fue, escribió años después, «la peor conversación que puedo recordar ... Su temperamento era el de un vividor de antes de la Revolución de Octubre, y su actitud era la de un inspector general del zar ... tratando a los intelectuales del Partido Comunista Chino ... como a siervos».

Besso Lominadze era un hombre de Stalin. A los veintiún años había sido enviado para obligar a los líderes chinos a deglutir la nueva política del Comintern y asegurarse de que eran ellos, y no Stalin, los culpables de los egregios errores del pasado reciente. Para Lominadze, Moscú era la fuente de toda posible sabiduría. Llegó, en palabras de Zhang, portando «un edicto imperial»: todo lo que debían hacer los vacilantes líderes pequeñoburgueses del Partido Comunista era aplicar correctamente la experiencia soviética y las directrices del Comintern, y la revolución china triunfaría, para mayor gloria de Rusia y los que la gobernaban.[1] A diferencia de Borodin, que había pasado parte de su vida fomentando la revolución en el extranjero, o Roy, que había debatido sobre política agraria con Lenin, Lominadze y el pequeño grupo de hombres arrogantes e inseguros que llegaron a China con él eran simples engranajes de la máquina de poder personal de Stalin.[2] Durante el segunda semestre del año 1927, el señor del Kremlin estaba mucho menos preocupado por el futuro de la revolución china que por poder mostrar que las tesis de Trotski eran erróneas y las suyas, en cambio, correctas.

En aquel momento los comunistas chinos comenzaban a sobreponerse a la renuncia forzada de Chen y el fracaso del frente unido.[3] Apenas se comenzaba a barruntar la significación de la masacre de los cuadros del partido que se había iniciado en marzo en Jiangxi, se había acelerado en Shanghai en abril y había alcanzado su cenit en Hunan en mayo: era el destino de un partido parasitario que, cuando el organismo huésped se volvió contra él, no disponía ni de los medios ni de la voluntad para defenderse. De este modo, después de la ruptura del 15 de julio con el Guomindang, la nueva cúpula provisional del Partido Comunista Chino, tomando como punto de partida la orden de Stalin de construir un ejército campesino controlado por los comunistas, comenzó con presteza a esbozar las pautas de una estrategia independiente.

Una directriz secreta del 20 de julio sobre la estrategia a seguir con el movimiento campesino, que Mao, con casi total seguridad, había contribuido a redactar, afirmaba que «sólo si se dispone de una fuerza revolucionaria armada se puede asegurar la victoria de las asociaciones campesinas en la lucha por el poder político», y reclamaba a los dirigentes de las asociaciones que dedicasen «el ciento veinte por cien de [su] atención a esta cuestión». Continuaba discutiendo con detalle los diferentes medios de que podía disponer el partido para congregar una fuerza semejante. Éstos incluían la captura de armas de las milicias de los terratenientes, el envío de «miembros audaces y entrenados de las asociaciones campesinas» para infiltrarse como una quinta columna en los ejércitos de los señores de la guerra, la formación de alianzas con los miembros de las sociedades secretas, la instrucción clandestina de las fuerzas de defensa campesina, y, si todo ello fallaba, entonces, tal y como habían instado Mao y Cai Hesen dos semanas antes, «lanzarse al monte».[4]

Al mismo tiempo, el Comité Central Permanente comenzó a preparar una marea de alzamientos campesinos en Hunan, Hubei, Jiangxi y Guangdong para la Celebración de la Cosecha de Otoño, a mediados de septiembre, cuando vencen los arriendos de las tierras y las tensiones crónicas entre los campesinos y los terratenientes alcanzan su cenit;[5] así como un levantamiento militar en Nanchang, capital de Jiangxi, donde tenían su cuartel varias unidades comandadas por los comunistas del Ejército Nacional Revolucionario del Guomindang.[6]

Moscú no sabía nada de estos planes, y cuando fue consultado por el ansioso Lominadze, que no sentía ningún anhelo por ser crucificado en otra nueva hecatombe, respondió con una críptica doble negativa: «Si la sublevación no tuviese posibilidades de victoria, lo mejor sería no comenzarla».[7] Pero en aquella época los dirigentes chinos ya habían tenido bastante de las meditadas ambigüedades del Comintern. Tras largos meses de humillante retirada bajo el mando de Borodin y Chen Duxiu, estaban decididos a actuar casi a cualquier precio. Ignorando las reservas de Moscú, Zhou Enlai, a la cabeza de la Comisión del Frente,[8] constituida especialmente para la ocasión, ordenó que comenzase la sublevación en las primeras horas del 1 de agosto. Nanchang cayó sin apenas abrir fuego y se mantuvo en manos de los comunistas durante cuatro días; deleitando a Stalin, para quien representaba una victoria con la que pavonearse ante la oposición trotskista.

La lista de participantes era como un *Programa de Gotha* de la revolución comunista.[9] Zhu De, posteriormente comandante en jefe del Ejército Rojo, era el jefe de seguridad pública de Nanchang. He Long, un sichuanés de mostacho con un pintoresco historial de afiliación a sociedades secretas y tiempo después mariscal comunista, comandaba la principal fuerza insurrecta. Ye Ting, entonces un comandante de división, ascendería hasta encabezar el nuevo Cuarto Ejército comunista durante la guerra contra Japón. El comisario político de Ye, Nie Rongzhen, y el jefe de personal, Ye Jianying, eran también futuros mariscales. Al igual que uno de los oficiales más jóvenes que participaron en el levantamiento, un graduado de la academia militar de Whampoa, delgado y bastante tímido, llamado Lin Biao. Apenas tenía veinte años.

La fuerza comunista, de unos veinte mil hombres, partió el 5 de agosto de Nanchang rumbo al sur, donde albergaba la esperanza de establecer, como indicaba una proclama comunista, «una nueva zona base ... fuera del alcance de las esferas de poder de los viejos y nuevos caciques militares» de Guangdong.[10]

Mientras iban desarrollándose los acontecimientos, Mao permaneció en Wuhan, donde Qu Qiubai y Lominadze, asistidos por un joven miembro del Secretariado llamado Deng Xixian, posteriormente más conocido por su *nom de guerre*, Deng Xiaoping, estaban preparando, siguiendo las instrucciones del Comintern, una asamblea urgente del partido.[11] El propósito declarado era «reorganizar las fuerzas [del partido], corregir los graves errores del pasado y encontrar un nuevo camino».[12]

Dos días después, veintidós miembros del Partido Comunista Chino, todos hombres, se congregaban en una gran mansión occidental propiedad de un consejero económico ruso situada en la concesión japonesa de Hankou. Fueron advertidos de no abandonar el congreso mientras la asamblea estuviese en marcha por miedo a atraer miradas curiosas, y de indicar, en el caso de que alguien se acercase a la casa, que estaban celebrando una reunión de accionistas.[13] Qu incongruentemente vestía una chillona camisa de franela.[14] La tuberculosis había causado estragos en él y las hinchadas venas de su rostro resaltaban bajo el sofocante calor de agosto. A causa de la premura con que se había organizado la asamblea, el secretismo y la ausencia de muchos líderes, desplazados hasta Nanchang, asistieron en total menos de un tercio de los miembros del Comité Central, lo cual, según los estatutos del partido, era insuficiente para alcanzar el quórum. Pero Lominadze insistió en que, dados los problemas urgentes que debía afrontar el partido, la reunión podía tomar decisiones interinas que serían ratificadas por el congreso que se celebraría seis meses después.[15]

La nueva estrategia aprobada por la asamblea del 7 de agosto era un reflejo de las instrucciones de Stalin del pasado invierno y la primavera, en las cuales había dictaminado que no existía contradicción alguna entre la lucha de clases contra los terratenientes y la revolución nacional en contra del régimen de los señores militares. El centro de gravedad de la revolución, argumentaba Lominadze, debía desplazarse hasta los sindicatos obreros y las asociaciones campesinas. Los campesinos y los trabajadores debían interpretar un papel más importante en los órganos de decisión del partido y se debía desarrollar una estrategia coordinada entre los obreros armados y las sublevaciones campesinas. A este respecto, dijo, la sublevación de Nanchang marcó «indudablemente un punto de inflexión». La vieja e irresoluta política de pactos y concesiones seguida por la cúpula saliente de Chen Duxiu había quedado abandonada.[16]

Lominadze aún les torturó con dos nuevas directrices de Moscú. Siempre se debían obedecer las instrucciones del Comintern: al rechazar sus consejos en junio, los líderes del partido no sólo habían quebrado la disciplina, sino que habían cometido «un acto criminal».[17] Y, en tanto que el partido no podía seguir actuando abiertamente, ni siquiera en las zonas controladas por el Guomindang, se debía transformar en una organización militante clandestina dotada de «órganos secretos sólidos y combativos».[18]

Con la intención de unificar las posiciones, pero también para salvar el honor de Stalin, la asamblea firmó una «Circular a todos los miembros del partido» que contenía una extensa autocrítica que dejó ilesos a muy pocos de los antiguos líderes.[19] Chen Duxiu, a quien Lominadze (al igual que Roy) acusaba de menchevismo,[20] fue denunciado sin tapujos por «restringir la revolución a sus ideas», frenar la evolución de los movimientos obrero y campesino, hacer reverencias al Guomindang y abandonar la independencia del partido. Tan Pingshan fue castigado por su conducta como ministro de Asuntos Campesinos del Guomindang, desde cuyo cargo supuestamente «abandonó la lucha» y «rechazó ... vergonzosamente respaldar la revolución rural». Li Weihan, aunque sin ser nombrado, fue acusado de interferir en la orientación del ataque campesino a Changsha de finales de mayo, y a Zhou Enlai se le reprochó haber aprobado el desarme de los piquetes obreros de Wuhan en junio. Incluso Mao fue acusado implícitamente de haber reservado sus objeciones ante la incapacidad del Guomindang para llevar a cabo la redistribución de las tierras, y de no haber seguido una línea suficientemente radical en las directrices que había redactado para la Asociación Campesina de China.[21]

Aun así, Mao consideraba que el nuevo equipo formado por Lominadze y Qu Qiubai era mucho más de su agrado que el régimen de Borodin y Chen Duxiu que ellos habían sustituido. Su explícito empeño en la lucha de clases, en la preponderancia de los campesinos y los obreros como motor principal de la revolución, y en el uso de la fuerza armada, era como música celestial para sus oídos. También extendió su aprobación al vínculo que Lominadze trazó entre el imperialismo extranjero y el feudalismo de su propio país.[22]

Por su parte, Lominadze consideraba a Mao «un camarada muy capaz»,[23] y cuando la nueva cúpula provisional fue anunciada, éste fue recompensado con un cargo suplente en el Politburó (retornando a ese organismo por primera vez desde su retiro a Shaoshan en enero de 1925). De los nueve miembros permanentes del Politburó, cuatro eran nuevos nombramientos del entorno de la lucha de clases, uno de los cuales, Su Zhaozheng, fue escogido como uno de los tres miembros del Comité Permanente, junto a Qu Qiubai y Li Weihan, en consonancia con la insistencia de Lominadze de que los obreros debían ocupar una mayor representación. Peng Pai, entonces junto a los rebeldes de Nanchang, representaba al movimiento obrero, y Ren Bishi a la Liga de las Juventudes. Zhang Guotao y Cai Hesen, ambos considerados moderados, fueron destituidos. Zhang resistió algunos meses como miembro suplente, mientras que Cai, que formaba parte de la cúpula desde 1922, se convirtió en secretario de la Oficina Norte del Partido Comunista Chino.[24]

¿Por qué fue elegido Peng Pai, en lugar de Mao, miembro pleno del Politburó, como representante del movimiento campesino? Las esperanzas de la cúpula de establecer una base fuerte en Guangdong, el área natal de Peng Pai, pudieron ser una razón. Pero además existía el problemático temperamento de Mao. Era un inconformista. Justo después de la caída de Chen Duxiu, Zhou Enlai había intentado sin éxito destinarlo a Sichuan, en parte, según parece, para alejarle de su base de poder en Hunan.[25] Qu, que había trabajado con él en el Comité Campesino ese mismo año, había gozado de infinidad de oportunidades para observar hasta qué punto llegaba su obstinación y testarudez: era bueno como aliado, pero no como rival o subordinado al que controlar.[26]

A Mao se le había confiado, poco antes de la llegada de Lominadze, la planificación en Hunan de la sublevación de la cosecha de otoño.[27] Su primera propuesta, aprobada el primero de agosto por el Comité Permanente, contemplaba la creación de un ejército campesino que comprendía un regimiento de soldados regulares de Nanchang y otros dos regimientos, cada uno formado por cerca de mil campesinos oriundos del este y el sur de Hunan, como tropas para la autodefensa. Éstos debían ocupar cinco o seis distritos del sur de la provincia, promover la revolución agraria y fundar un gobierno revolucionario de distrito. El objetivo era desestabilizar el gobierno de Tang Shengzhi y crear «centros de fuerza revolucionaria» desde los que se emprendería una sublevación campesina de alcance provincial para derrocarle.[28]

El 3 de agosto, el Comité Permanente incorporó este plan a su esbozo de sublevación de la cosecha de otoño en cuatro provincias, ahora definido como una revuelta «en contra de los arriendos y los impuestos», de la que se esperaba que en último término desembocase en la formación de un nuevo gobierno revolucionario que abarcase tanto Hunan como Guangdong.[29]

Sin embargo, los logros de la sublevación de Nanchang persuadieron a Qu y Lominadze de que la acción de Hunan no se debía limitar al sur, sino que debería abarcar toda la provincia. Dos días después se envió un plan revisado desde el comité del partido en Hunan. Al parecer fue poco satisfactorio, pues el 9 de agosto Lominadze, avisado por el nuevo cónsul soviético (y agente del Comintern) de Changsha, un ruso conocido como «camarada Meyer», declaró que el comité —dirigido por Yi Lirong, un viejo amigo de Mao y antiguo compañero de la Asociación de Estudios del Nuevo Pueblo— era incompetente y requería ser reorganizado.[30] En honor a la verdad, cuando esta cuestión trascendió al Politburó, Mao defendió a Yi y su equipo,[31] argumentando que habían trabajado con coraje para «recomponer las piezas en una situación tan trágica como la de después [del incidente del día del caballo]».[32] Pero fue inútil. Lominadze designó a Peng Gongda, un hunanés suplente en el Politburó, como nuevo secretario provincial del partido.[33]

El 12 de agosto Mao fue nombrado comisionado especial del Comité Central para Hunan y partió hacia Changsha para preparar el camino de la sublevación.[34] Una semana después, el nuevo y «reorganizado» comité del partido en Hunan, que incluía, como había ordenado Lominadze, «una mayoría de camaradas del entorno obrero y campesino», celebró su primera reunión en presencia del agente del Comintern, Meyer, en una casa rural cerca de Changsha, para discutir el plan de campaña.[35]

En aquel punto surgieron tres problemas. El primero era relativamente menor. Meyer redactó un informe de la reunión basándose en los últimos mensajes llegados de Hankou, transmitidos mientras Mao estaba en camino, y él o Mao, o quizá ambos, concluyeron —erróneamente, como se vio— que Stalin había autorizado el establecimiento de soviets obreros y campesinos, según el modelo ruso, como órganos de poder local. Mao estaba extasiado y escribió de inmediato al Comité Central:

Al oírlo salté de alegría. Hablando objetivamente, la situación de China ya hace tiempo que llegó a 1917 [cuando se produce la Revolución Rusa], aunque antes todo el mundo decía todavía que estábamos en 1905. Pero era un error extremadamente grave. Los soviets de trabajadores, campesinos y soldados están adaptados por completo a la situación real ... Tan pronto como [su poder] se afinque [en Hunan, Hubei, Jiangxi y Guangdong], [éste] conseguirá triunfar rápidamente en todo el país.[36]

Había llegado el momento, según razonaba, de que el partido actuase en su propio nombre, en lugar de mantener la pretensión de pertenecer a una alianza revolucionaria con los elementos progresistas del desacreditado Guomindang. «El estandarte del Guomindang se ha convertido en el de los señores de la guerra», escribió Mao. «Ya no es más que una bandera negra, y nosotros debemos alzar inmediatamente y con decisión la bandera roja.»[37]

En una provincia donde el campesinado asociaba el emblema del Guomindang, un sol blanco sobre fondo azul, con la terrible masacre perpetrada por Xu Kexiang, aquella actitud no era más que un acto de sentido común.[38] Pero era una cuestión que provocaba reticencias políticas en tanto que se había convertido en un engranaje más de la divergencia vigente entre Stalin y Trotski. Con su gesto, Mao se había adelantado cuatro semanas a los acontecimientos. La creación de soviets y el abandono de la bandera del Guomindang fueron finalmente aprobados un mes más tarde.[39] Según los paradigmas de la Rusia de Stalin, la situación era realmente similar a la de 1917, como había proclamado Mao, pero no a la de octubre, sino a la del mes de abril.

El segundo problema tenía que ver con la perenne cuestión de la expropiación de las tierras. La asamblea del 7 de agosto había rehuido el problema.[40] Mao había dedicado algunos días, tras su vuelta a Changsha, a sondear la opinión de los campesinos. Ahora presentaba una propuesta ambiciosa que pretendía reconciliar la política de «nacionalización de las tierras», promulgada por el partido, y la hambruna de tierras de los pobres. «Todas las tierras», afirmó ante el comité provincial, «incluyendo las de los pequeños terratenientes y los campesinos con propiedades ... [deberían pasar a ser] propiedad pública», redistribuidas «igualitariamente» (petición por la que, tiempo después, se derramarían ríos de tinta y sangre) según la capacidad de trabajo de cada familia y el número de bocas que necesitase alimentar. Los pequeños terratenientes y sus servidores (pero no los grandes latifundistas) deberían ser incluidos en la repartición, añadía, «porque sólo así es posible calmar el corazón del pueblo».[41]

La insistencia en las definiciones representaba mucho más que un interés pasajero. Acabaría por ser el yunque en el que las discusiones sobre la reforma agraria, esencia de la revolución comunista china, serían moldeadas sin descanso hasta la víspera de la victoria de 1949.

Sin embargo, las propuestas que Mao formuló en agosto de 1927 eran mucho más radicales de lo que el Politburó de Qu Qiubai estaba dispuesto a aceptar. En una detallada respuesta enviada el 23 de agosto, la Central del partido le comunicó que, aunque sus principios no estaban equivocados, sus propuestas —como las de la formación de soviets o el abandono de la bandera del Guomindang— eran, como mínimo, prematuras en exceso.[42] En el futuro llegaría un día para la confiscación de las propiedades de los pequeños terratenientes, pero hacer de ello un eslogan era, en aquel momento, tácticamente imprudente.

El tercer problema que se planteó en los debates de Changsha fue fundamental y mucho más difícil de eludir, pues atacaba el núcleo de la estrategia de sublevación armada con la que Qu Qiubai y sus compañeros intentaban reavivar la causa comunista. Desde el telegrama enviado por Stalin en junio, se había alcanzado un amplio consenso ante la idea de que, para llevar a cabo la revolución, el partido necesitaría una fuerza armada. Pero el análisis no iba más allá. Cuestiones como la estructura de esa fuerza, la función que desarrollaría, el método a seguir para hermanarla con los movimientos de masas de los campesinos y los obreros, o la manera en que sería empleada para fomentar el poder político del partido, no habían sido abordadas en absoluto. Mao lo había expuesto sucintamente el 7 de agosto en Hankou:

> Acostumbrábamos a censurar a [Sun] Yatsen por involucrarse sólo en cuestiones militares, y nosotros hacíamos justo lo contrario al no emprender un movimiento militar sino exclusivamente impulsar el movimiento de las masas. Tanto Chiang [Kai-shek] como Tang [Shengzhi] emergieron empuñando un arma; sólo nosotros nos hemos despreocupado de esta cuestión. Aunque actualmente le prestamos alguna atención, seguimos sin una noción firme al respecto. La sublevación de la cosecha de otoño, por citar un ejemplo, es totalmente imposible sin un apoyo armado ... A partir de ahora debemos dedicar la mayor atención a las cuestiones militares. Hay que comprender que el poder político surge del cañón de las armas.[43]

Inicialmente, nadie se indignó ante esta memorable definición. Lominadze reconoció que la insurrección de Nanchang había supuesto que algunas unidades del ejército estuviesen a disposición del partido, lo que por su parte contribuiría a «asegurar el éxito» de la sublevación de la cosecha de otoño.[44] Pero la censura a estos pensamientos llegó con prontitud. Los dirigentes hunaneses fueron avisados de no «poner el carro delante del caballo».[45] El levantamiento popular era lo primero, ordenó el Politburó, la fuerza militar llegaría después. El aforismo acuñado por Mao sobre el poder político —el «belicismo»,[46] como se lo denominaría posteriormente— era contemplado con gran escepticismo. «No coincidía demasiado» con la opinión de la central, decidió diez días después el Comité Permanente.[47] Las masas eran el alma de la revolución y las fuerzas armadas, a lo sumo, una ayuda.

No era un debate ocioso para los jóvenes radicales chinos de los años veinte. A lo largo de la década anterior, China había resultado devastada por hombres cuyo poder, político o de cualquier otro tipo, emergía del cañón de las armas. La cuestión de cómo un poder político podía prevalecer sobre las fuerzas militares era un tema candente, aún más por la experiencia reciente de los comunistas con el Guomindang, cuyos líderes civiles se habían mostrado significativamente incapaces de controlar a sus propios generales. A ello había que añadir el mito de la insurrección de 1917, que afirmaba que los alzamientos populares eran, en cierto sentido, más «revolucionarios» que las conquistas militares, que el poder militar podía ser empleado para defender los logros revolucionarios, pero que la chispa inicial debía llegar de los campesinos y los obreros al arrancarse sus cadenas. Aún más, esto era precisamente lo que estaban esperando los campesinos, mantenía Qu Qiubai: todo lo que tenía que hacer el partido era «encender la mecha» y una inextinguible revolución rural haría explosión por todo el sur de China.[48]

Los dirigentes provinciales asumieron la responsabilidad de hacer del levantamiento una causa bien conocida.[49] Los oficiales de la delegación local del partido en Hubei enviaron un goteo continuo de informes desalentadores sobre la desmoralización del campesinado. Un miembro del comité de Hunan afirmó con sinceridad que los campesinos no tenían estómago para la lucha; lo que ellos querían era un buen gobierno, sin importar su carácter político.[50] Mao estuvo de acuerdo. Si los comunistas hubiesen pasado a la acción en primavera, la situación habría sido diferente. Pero después de tres meses en los que sus redes rurales habían quedado desmanteladas o en situación de clandestinidad, y los campesinos habían sido apaleados hasta el sometimiento, en una sangría generalizada de espantosa ferocidad, planear sublevaciones sin apoyo militar era como cortejar con el desastre. «Con la ayuda de uno o dos regimientos, el levantamiento sería algo factible», advirtió Mao. «Si no es así, fracasará sin remedio ... Y [pensar lo contrario] es querer engañarse.»[51]

Como era previsible, dadas las enormes divergencias de opinión, el plan ya revisado de Mao, presentado en Wuhan el 22 de agosto ante el Comité Permanente, no colmó las expectativas del Centro.[52]

En la presentación por escrito de sus propuestas, Mao intentó disfrazar sus intenciones asegurando a sus compañeros del Politburó que, aunque la sublevación necesitaría la «llama» de dos regimientos de tropas regulares, los trabajadores continuarían siendo «la fuerza principal»; que a pesar de que «comenzaría» en Changsha, «el sur y el oeste de Hunan se alzarían simultáneamente»; y que «si por algún contratiempo se demostrase que era imposible por el momento tomar [todo el] sur de Hunan» se desplegaría un plan alternativo para impulsar una insurrección en tres distritos del sur.[53] Pero nada de lo que escucharon de sus labios o de los de un joven miembro del comité provincial que había traído los documentos desde Hunan hasta Wuhan, como tampoco la propuesta verbal de que la sublevación comenzase el 30 de agosto —diez días antes de lo previsto—, consiguió persuadir a sus interlocutores. El plan fue rechazado desde todas las perspectivas. Changsha era el lugar de inicio más apropiado, reconoció el Comité Permanente, pero:

> En primer lugar, tanto tu informe escrito como el oral ... muestra que tus preparativos para una sublevación campesina en los distritos [vecinos] están en extremo inmaduros, y que dependes de una fuerza militar externa para ocupar Changsha. Este tipo de énfasis incondicional en la fuerza militar parece revelar que no tienes fe en la fuerza revolucionaria de las masas. En segundo lugar, tu preocupación por el trabajo que desarrollas en Changsha te ha llevado a desatender la preparación de la sublevación de la cosecha de otoño en otras áreas —como muestra tu abandono del plan para el sur de Hunan ... Además, como han mostrado los acontecimientos, no podrás disponer de dos regimientos [de tropas regulares porque no estarán disponibles].[54]

La lectura que el Politburó hacía de los proyectos de Mao era absolutamente precisa. Efectivamente, había abandonado la idea de una sublevación que abarcase toda la provincia, convencido de que semejante aventura fracasaría a menos que todas las fuerzas disponibles estuviesen concentradas en Changsha.[55] La noticia de que, finalmente, no se podría disponer de las tropas regulares para el ataque meramente reforzaba sus convicciones. Los líderes provinciales de Hubei, al enfrentarse a un dilema similar, sólo a regañadientes se atuvieron a los deseos de la central.[56] Mao, que en primavera había presenciado cómo la cúpula encabezada por Chen Duxiu había rechazado erróneamente sus ideas sobre el movimiento campesino, no estaba en otoño dispuesto a ceder ante lo que él consideraba eran las equivocadas opiniones de Qu Qiubai. Después de dedicar una semana a alentar los ánimos del comité provincial, incluyendo un Peng Gongda poco colaborador,[57] redactó una vigorosa réplica —afirmando que Hunan actuaría como mejor le pareciera— y envió al desafortunado Peng para entregarla:

> En cuanto a los dos errores que señaláis en [vuestra] carta, ni los hechos ni la teoría los confirman ... El único propósito de enviar dos regimientos para atacar Changsha está destinado a compensar la insuficiencia de fuerzas campesinas y obreras. No son la fuerza principal. Servirán para proteger la evolución del levantamiento ... Cuando decís que nos hemos sumergido en aventuras militares ... mostráis realmente una total falta de comprensión de la situación que vivimos aquí, además de constituir una política contradictoria que no pone

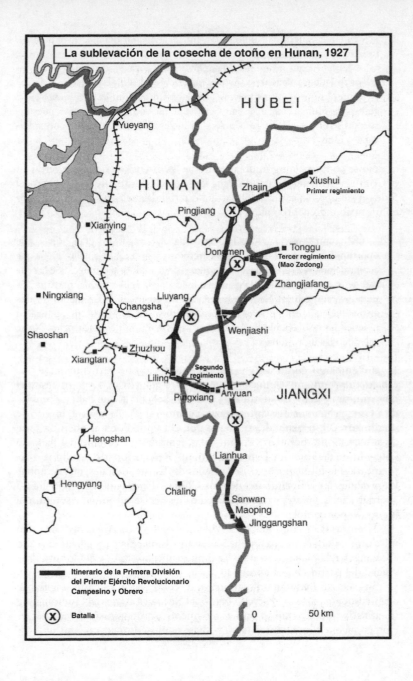

La sublevación de la cosecha de otoño en Hunan, 1927

HUBEI

HUNAN

Yueyang

Xianying

Ningxiang

Shaoshan

Changsha

Pingjiang

Zhajin

Xiushui
Primer regimiento

Dongmen

Tonggu
Tercer regimiento
(Mao Zedong)

Zhangjiafang

Liuyang

Wenjiashi

Zhuzhou

Xiangtan

Liling

Pingxiang

Segundo
regimiento

Anyuan

JIANGXI

Hengshan

Hengyang

Chaling

Lianhua

Sanwan
Maoping
Jinggangshan

Itinerario de la Primera División
del Primer Ejército Revolucionario
Campesino y Obrero

(X) Batalla

0   50 km

atención a las cuestiones militares mientras, al mismo tiempo, exige un alzamiento armado de las masas populares.

Mantenéis que nosotros sólo nos dedicamos a trabajar en Changsha y dejamos de lado las otras áreas. Esto es totalmente falso ... [La cuestión más importante] es que nuestras fuerzas apenas bastan para un levantamiento en el centro de Hunan. Si lanzásemos una sublevación en cada distrito nuestras fuerzas se dispersarían y [ni siquiera] la sublevación de Changsha podría llevarse a cabo.[58]

No se conserva ningún documento de las discusiones que surgieron en el Comité Permanente cuando Peng llegó con la desafiante misiva. Pero, el 5 de septiembre, la central del partido dio rienda suelta a sus frustraciones en un furibundo contraataque:

El comité provincial de Hunan ... ha malgastado un gran número de oportunidades para promover la insurrección entre el campesinado. Tiene que actuar de una vez [por todas] con firmeza, de acuerdo a la estrategia de la central del partido, y edificar la principal fuerza de la sublevación a partir de los mismos campesinos. No se tolerarán las indecisiones ... En medio de esta crítica lucha, la central manda al comité provincial de Hunan que ponga en práctica las resoluciones de la central hasta las últimas consecuencias. No se tolerarán las indecisiones.[59]

Sin embargo, como sabía perfectamente el Comité Permanente, se trataba de un momento demasiado tardío para que sus palabras tuviesen el más mínimo efecto. La «estrategia de la central» de la que hablaba, enviada a Changsha unos días antes, trazaba el programa aún más intrincado de una insurrección general, redactado por Qu Qiubai, en el que una serie de sublevaciones populares coordinadas, lanzadas en nombre del llamado «Subcomité de Hunan y Hubei del Comité Revolucionario de China», capitanearían la toma, primero, de las sedes de distrito, después, de las capitales provinciales y, finalmente, de toda China.[60] Pero, para Mao, aquello no guardaba relación alguna con los medios de que se disponía, y se limitó a ignorarlo por completo.[61]

Mientras Peng continuaba en Wuhan, él partió para Anyuan, donde creó un Comité del Frente, y comenzó a reunir sus fuerzas para lanzar el asalto a Changsha, la pieza central de las limitadas acciones que el Comité Provincial del partido había aprobado.[62]

Sus fuerzas incluían un regimiento de cerca de mil soldados regulares, originalmente parte del Ejército Nacional Revolucionario del Guomindang (bautizado por Mao como primer regimiento), protagonista de una defección en favor de los comunistas, cuya base estaba entonces en Xiushui, cerca de la frontera entre Jiangxi y Hubei, ciento ochenta kilómetros al noreste de Changsha; una fuerza campesina precariamente armada (el tercer regimiento) en Tonggu, pequeña ciudad situada en las montañas fronterizas de Jiangxi y Hunan; y, en Anyuan, una unidad mixta de mineros sin empleo (que habían perdido su trabajo con el cierre de las minas de carbón en 1925) y miembros de la Fuerza de Autodefensa Campesina del Jiangxi Occidental (el segundo regimiento). En conjunto formaban la Primera División de lo que el Politburó había acordado denominar el Primer Ejército Revolucionario Campesino y Obrero.[63]

El día 8 de septiembre llegó para las distintas unidades el momento de lanzar la insurrección (lo que Mao no sabía es que habían sido traicionados ante las autoridades de Changsha). Siguiendo sus órdenes, la bandera del Guomindang fue eliminada. Los sastres locales de Xiushui trabajaron toda la noche para confeccionar lo que las tropas llamaron banderas «con el hacha y la hoz», las primeras enseñas izadas por un ejército comunista chino. Al día siguiente, las líneas de ferrocarril que comunicaban con Changsha fueron saboteadas, y el primer regimiento partió hacia Pingjiang, ochenta kilómetros al noreste de la capital.[64]

En aquel momento sucedió un acontecimiento que podría haber transformado no sólo el curso de la sublevación, sino también el futuro de China. Mientras Mao y su compañía viajaban de Anyuan a Tonggu fueron capturados por un militar del Guomindang cerca de un pueblo montañoso llamado Zhangjiafang:

> El terrorismo del Guomindang había llegado entonces a su culmen y cientos de sospechosos de ser rojos estaban siendo fusilados [recordaba Mao años después]. Me llevaron al cuartel militar, donde se disponían a ajusticiarme. Sin embargo, tomando unas decenas de dólares que me habían prestado [mis] camaradas, intenté sobornar a la escolta para que me dejasen libre. Los soldados rasos eran mercenarios sin un especial interés por verme muerto, de modo que accedieron a soltarme. Pero el mando al cargo se negó a ello. Así que decidí escaparme, pero no tuve ninguna oportunidad hasta que estaba a menos de doscientos metros del cuartel militar. En aquel momento me zafé y me lancé hacia los campos.
>
> Llegué a un lugar elevado, por encima de un estanque, rodeado de hierbas altas, y allí me escondí hasta el anochecer. Los soldados me perseguían, y algunos campesinos, obligados, les ayudaron en la búsqueda. En varias ocasiones estuvieron muy cerca de mí, en una o dos tan próximos que pude casi tocarles, pero de algún modo evité ser descubierto, a pesar de que en media docena de ocasiones me di por vencido, con la certeza de que volverían a capturarme. Pero, al final, cuando oscureció, abandonaron la búsqueda. Crucé de inmediato aquellos montes, caminando durante toda la noche. No lleva-

ba zapatos y mis pies estaban gravemente lastimados. En el camino encontré a un campesino que se apiadó de mí, me dio refugio y después me guió hasta el siguiente distrito. Conservaba siete dólares, que me sirvieron para comprar unos zapatos, un parasol y comida. Cuando finalmente llegué [a Tonggu] sano y salvo sólo me quedaban dos monedas de cobre en el bolsillo.[65]

Aquel episodio probablemente agotó sus últimas reservas de buena fortuna. El primer regimiento fue víctima de una emboscada organizada por una fuerza local que ambicionaba sus superiores armas, y dos de sus tres batallones resultaron destruidos. Al día siguiente, el 12 de septiembre, el tercer regimiento de Mao ocupó la pequeña ciudad de Dongmen, ya en territorio de Hunan, a unos quince kilómetros de la línea fronteriza provincial. Pero, llegados a aquel punto, el avance se estancó. Las tropas del gobierno provincial contraatacaron y los insurgentes fueron obligados a retroceder hasta Jiangxi, donde, dos días después, Mao supo del desastre que había sobrevenido al primer regimiento. Aquella noche envió un mensaje al comité provincial recomendando que la sublevación obrera prevista para la mañana del dieciséis de septiembre en Changsha fuese pospuesta. Al día siguiente, Peng Gongda aprobó su propuesta y, a todos los efectos, se puso fin a la sublevación. Pero aún faltaban por llegar las últimas y más funestas noticias. El segundo regimiento (de Anyuan), después de tomar Liling, una pequeña sede de distrito en la línea del ferrocarril, dentro de los límites provinciales, avanzó según lo planeado hasta Liuyang para esperar las fuerzas de Mao. Al comprobar que éstas no aparecían, el segundo regimiento atacó en solitario, el 16 de septiembre. Pero el asalto fue rechazado. Al día siguiente, el regimiento quedó cercado y fue aniquilado hasta acabar con el último de sus soldados.

Difícilmente se podía sufrir una derrota más contundente. De los tres mil hombres que habían comenzado la aventura ocho días antes apenas la mitad perseveraba; el resto había sido víctima de las deserciones, la traición y los combates. Mao había sido capturado, y sólo con muchas dificultades había logrado salvar la vida. Los insurgentes habían conseguido ocupar dos o tres pequeñas ciudades de la zona fronteriza, pero ninguna de ellas durante más de veinticuatro horas. Changsha ni siquiera remotamente percibió la amenaza.[66]

Durante tres días discutieron sobre cuál debía ser el siguiente paso.[67] Yu Sadu, el subcomandante del primer regimiento, quería lanzar un nuevo intento para tomar Liuyang después de reagruparse. Pero Mao y Lu Deming, el oficial militar con mayor experiencia de todo el cuerpo, disintieron. A principios de agosto, cuando el recién escogido Politburó de Qu Qiubai celebró su primera reunión en Wuhan, Mao comunicó a Lominadze que si la insurrección de Hunan era derrotada, las fuerzas supervivientes «deberían refugiarse en los montes».[68] El 19 de septiembre el Comité del Frente, tras una reunión en la aldea fronteriza de Wenjiashi que se prolongó durante toda la noche, ratificó esta medida. Al día siguiente, Mao convocó una asamblea de todo el ejército en el exterior de la escuela local, donde anunció que el ataque a Changsha debía ser abandonado. La lucha, les dijo, no había acabado. Pero, por el momento, su lugar no estaba en la ciudad. Era necesario encontrar una nueva base rural donde el enemigo fuese más débil. El 21 de septiembre partieron hacia el sur.[69]

Al igual que en Hubei, las sublevaciones fracasaron en el resto de China.[70] El ejército insurrecto que había partido de Nanchang perdió trece mil de sus veintiún mil hombres en sólo dos semanas, la mayoría por las deserciones. Cuando los supervivientes llegaron a la costa, su moral estaba quebrantada. A principios de octubre la mayoría de los dirigentes, incluidos He Long, Ye Ting, Zhang Guotao y Zhou Enlai (que en aquel momento necesitaba ser transportado en litera), se dirigieron a una aldea de pescadores, «alquilaron unos botes y simplemente huyeron a Hong Kong», refugio, también en aquellos tiempos, de los rebeldes chinos. La expedición, tal como reconoció tiempo después Zhang, era «política y militarmente inmadura» y tuvo unas consecuencias lamentables.[71] Sólo sobrevivieron más o menos intactas dos pequeñas unidades militares: una se unió a las fuerzas de Peng Pai en Hailufeng; la otra, bajo el mando de Zhu De y su segundo, Chen Yi, llegó a un acuerdo con un cacique militar local y se acuarteló al norte de Guangdong.[72]

En noviembre, el Politburó se reunió en Shanghai para evaluar la situación. La «política general» del partido y la estrategia de la insurrección, según proclamó, había sido «del todo correcta». Las sublevaciones habían fracasado porque habían estado diseñadas siguiendo «ideas puramente militaristas» y se había dedicado una atención insuficiente a la movilización de las masas.

Después se anunciaron represalias. Los líderes de Hunan fueron acusados de haber confiado excesivamente en «los bandidos locales y [en] un puñado de soldados violentos».[73] Ante la insistencia de Lominadze,[74] Mao fue destituido del Politburó, a pesar de que al parecer se le permitió continuar como miembro del Comité Central. Peng, a quien el agente del Comintern en Changsha, Meyer, acusó de «cobardía y engaño», fue desposeído de todos sus cargos. La culpa del fracaso de las fuerzas de Nanchang recayó en Zhang Guotao, expulsado también del Politburó, y en Tan Pingshan, presidente del Comité Revolucionario de Nanchang, que acabó expulsado del partido.[75] Zhou Enlai y Li Lisan sólo después de recibir algunas reprimendas se libraron del varapalo.

Fue la primera ocasión en que los dirigentes chinos se vieron obligados a enfrentarse a la disciplina bolchevique estalinista.

Estas decisiones, teniendo en cuenta la presunción de que la política básica era correcta, prepararon el camino para una nueva oleada de sublevaciones fatídicas que, en diciembre, llegaron en Cantón a su clímax. Las fuerzas insurrectas, respaldadas allí por mil doscientos cadetes de una unidad de instrucción de oficiales del Guomindang, comandada por Ye Jianying, resistieron durante cerca de tres días. Pero miles de miembros y simpatizantes del partido murieron asesinados en la masacre que puso fin a su rebeldía. Para ahorrar munición, muchos fueron atados en grupo, embarcados en chalupas mar adentro y lanzados a las aguas. Cinco oficiales soviéticos del consulado fueron fusilados. Poco después se requirió que todas las misiones soviéticas en China cerrasen sus puertas.[76]

Aquello, no obstante, no fue suficiente para disuadir al Politburó. En el mismo año en que el número de miembros del partido cayó de los cincuenta y siete mil en mayo hasta los diez mil en diciembre, cada contratiempo parecía alimentar las llamas del ardor militante y revolucionario.[77] Los estalinistas como Lominadze o Meyer en Changsha y Heinz Neumann en Cantón añadieron leña al fuego. Pero la razón subyacente era la frustración por la fracasada alianza con el Guomindang que sumió por igual a los altos cargos y a los rangos menores, así como a las filas del partido, en un torbellino de creciente radicalismo.

Sin embargo, al llegar la primavera apenas quedaba algo de esa explosión de fervor revolucionario reprimido, más allá de unos pocos feudos comunistas aislados en las regiones más pobres y remotas. Muchos de ellos estaban localizados a lo largo de las zonas más inaccesibles, confluencia de dos o más provincias, donde las instrucciones de las jerarquías ni siquiera llegaban: en el norte de Guangdong, los límites entre Hunan y Jiangxi, en la zona más nororiental de esta última provincia, en la frontera de Hunan y Hubei, en el triángulo formado por las líneas fronterizas de Hubei, Henan y Anhui, y en la isla de Hainan, en el lejano sur.[78]

Durante los tres años siguientes, la política del Partido Comunista Chino se forjó a través de un forcejeo cuádruple entre Moscú, el Politburó de Shanghai, los comités provinciales del partido y, sobre el terreno, los dirigentes militares comunistas, alrededor de dos cuestiones clave: la relación entre la revolución rural y la urbana, y la vinculación entre la sublevación y la lucha armada.[79]

Mao desempeñó un papel fundamental en aquellos cruciales debates. Pero en otoño de 1927 su preocupación más inmediata era sobrevivir.

El 25 de septiembre, cuatro días después de partir de Wenjiashi, su pequeño ejército había sido atacado en las colinas del sur de Pingxiang. El comandante de la división, Lu Deming, fue asesinado. El tercer regimiento se dio a la fuga y unos doscientos o trescientos soldados campesinos desaparecieron junto a gran cantidad de equipamiento. Los supervivientes se reagruparon en la montañosa aldea de Sanwan, unos treinta y ocho kilómetros al norte del macizo de Jinggangshan.

Allí Mao reorganizó sus fuerzas, consolidando los remanentes de la división en un único regimiento —el primer regimiento, Primera División del Primer Ejército Revolucionario Obrero y Campesino— y, designando nuevos comisarios políticos, se adaptó al sistema que los consejeros soviéticos del general Blyukher habían desarrollado para el ejército del Guomindang, basado en la experiencia rusa.[80] A cada escuadrón le correspondía una agrupación del partido, a cada compañía, una delegación del partido, y a cada batallón, un comité. Todos quedaban bajo el mando del Comité del Frente, en el que Mao se mantenía como secretario.

Pero la originalidad de los cambios gestados en Sanwan residía en otro aspecto. La mayor parte de la experiencia acumulada por Mao se refería a su trayectoria como político teórico. Su única implicación directa en la lucha de las masas llegó en su etapa como organizador obrero en Changsha y como observador del movimiento campesino de Hunan. Pero ahora, por primera vez en su vida, se encontraba en la tesitura de tener que motivar y dirigir un banda indisciplinada y andrajosa de amotinados del Guomindang, obreros y campesinos armados, vagabundos y bandidos que, de algún modo, tenía que transformarse en una fuerza revolucionaria coherente capaz de resistir ante un enemigo ampliamente superior.

Con tales pretensiones anunció la toma de dos decisiones políticas que sentaban las bases de un ejército muy distinto a los ya existentes en China en aquella época. En primer lugar, debía ser un cuerpo compuesto exclusivamente de voluntarios. Todos los que quisiesen abandonar, les dijo Mao, serían libres de hacerlo y, en tal caso, contarían con una suma para cubrir los gastos del viaje. A los que decidiesen quedarse se les garantizaría que sus oficiales no podrían continuar con las vejaciones físicas y que se crearían comités de soldados en cada unidad para airear los agravios y asegurar que se seguían unos procedimientos democráticos. En segundo lugar, añadió Mao, se exigía a los soldados que tratasen con corrección a los civiles. Debían hablar con educación, pagar un precio justo por lo que compraban y no apropiarse ni de «un simple boniato» que perteneciese a las masas.

En un país donde pervivía el aforismo «no hay que malgastar el buen hierro para fabricar clavos, ni a los hombres de valor para hacer de soldados», donde un «buen» ejército requisaba directamente lo que deseaba y un «mal» ejército se dedicaba a merodear, saquear, quemar, violar y asesinar, y donde los oficiales usaban de manera rutinaria métodos bárbaros para imponer la disciplina, aquellos conceptos eran genuinamente revolucionarios.

Sin embargo, continuaba vigente la cuestión de hacia dónde debían avanzar las fuerzas de Mao.

Una semana después de llegar a Sanwan inició contactos, a través de un antiguo estudiante del Instituto para la Instrucción del Movimiento Campesino, con un hombre llamado Yuan Wencai, en el distrito de Ninggang, veintitrés kilómetros más al sur. Cinco años antes, cuando era un pobre campesino veinteañero, Yuan se había unido a un grupo de bandoleros que se denominaban a sí mismos la Sociedad de los Sables de Caballo,* que en 1926 recibieron la influencia de los comunistas de la región. Yuan se había convertido en miembro del partido y sus compañeros se habían reorganizado como una fuerza de autodefensa campesina. Poseían sesenta fusiles anticuados, no todos funcionales, y mantenían fuertes vínculos con un movimiento similar de Jinggangshan dirigido por un antiguo sastre llamado Wang Zuo.

Con el permiso de Yuan, Mao trasladó a sus hombres al pequeño pueblo de Gucheng, en Ninggang, y en su primer encuentro del 6 de octubre le ofreció un centenar de rifles de regalo, como muestra de sus intenciones. Fue una astuta maniobra. Yuan se lo devolvió con provisiones para las fuerzas comunistas y, al día siguiente, propuso que establecieran su cuartel militar en Maoping, una pequeña ciudad comercial situada en el valle del río, rodeada de colinas bajas, desde la cual la principal ruta occidental hacia Jinggangshan, un estrecho camino arenoso no menos estrecho que una senda, ascendía serpenteante por entre los bosques hasta una altura de más de dos mil metros.

Durante una semana, aproximadamente, Mao se mantuvo indeciso. La alternativa era ir más al sur, hasta la frontera entre Hunan y Guangdong, e intentar contactar con Zhu De y He Long, quienes deberían haber llegado hasta allí desde Nanchang. Pero a mediados de octubre supo, a través de un periódico, que las fuerzas de He habían sido derrotadas y dispersadas, y que se había iniciado una matanza.

Desde el punto de vista militar, Jinggangshan, defendido adecuadamente, era un lugar realmente inexpugnable. Se extiende en la confluencia de cuatro distritos —Ninggang, Yongxin, Suichuan y Lingxian— en el corazón de la cordillera de Louxiao, que se extiende por la línea fronteriza de Hunan y Jiangxi hasta llegar a Guangdong, en el sur. El macizo consiste en una franja de negros y amenazadores montes que se funden con las nubes, de afilados riscos, con espesos bosques de alarces, pinos y bambúes, donde las cascadas se deslizan por entre escarpadas gargantas para perderse en la lejanía, entre estrechos torrentes azules y elevados pináculos de roca desnu-

---

* *Zhanmadao*, literalmente «espada para degollar caballos», referencia a un arma que era resultado de combinar un sable y una lanza, empleada especialmente durante la dinastía Song y recuperada por diversas sociedades secretas a lo largo de la historia. (*N. del t.*)

da que emergen desde precipicios invisibles por detrás del impenetrable velo de vegetación subtropical. Es un paisaje para poetas, majestuoso, pero desesperadamente pobre.

En las tierras altas apenas había campos suficientes para el cultivo, excavados en las laderas o en pequeñas zonas de la altiplanicie, capaces apenas de alimentar una población de algo menos de dos mil habitantes. Éstos vivían en destartaladas casas de madera y pequeñas cabañas de piedra sin apenas ventanas, desperdigadas alrededor del principal asentamiento, Ciping —donde media docena de comerciantes había erigido algunas tiendas, lugar en que se celebraba un mercado semanal—, así como de otras cinco aldeas —Gran Pozo, Pequeño Pozo, Pozo Central, Pozo Inferior y Pozo Superior— que daban nombre a Jinggangshan (montaña del Cerro del Pozo). Los aldeanos se alimentaban de una variedad rojiza local de arroz silvestre y de las ardillas y tejones que atrapaban. El grano para las tropas se traía a través de los montes, a espaldas de los porteadores, desde los distritos más fértiles de las llanuras.[81]

Maoping se convirtió en la principal base de avanzadilla de Mao. Durante los doce meses siguientes, siempre que la situación militar se normalizaba, el ejército fijaba allí su cuartel general. Impuso a las tropas tres tareas principales. En la batalla, dijo Mao, debían luchar hasta alcanzar la victoria. A continuación tenían que expropiar las tierras de los terratenientes, tanto para ofrecer la tierra a los campesinos como para procurarse reservas que cubriesen las necesidades del ejército. En tiempos de paz debían esforzarse para convencer a «las masas», a los campesinos, los trabajadores y la pequeña burguesía. En noviembre el ejército ocupó Chaling, cuarenta y cinco kilómetros al oeste, y proclamó la fundación de un «gobierno soviético de soldados, campesinos y obreros», el primero del área fronteriza. Llegó a su fin apenas un mes después, cuando las fuerzas del Guomindang volvieron a la zona, pero otros soviets fronterizos tomaron el testigo en Sichuan, en enero de 1928, y Ninggang, en febrero.

Cuando la presión de los ataques del Guomindang se agudizó, Maoping fue abandonado y el ejército se retiró a las montañas, en el bastión de Wang Zuo, en Dajing (Gran Pozo), casi veinte kilómetros más al sur, desde donde podían controlar los desfiladeros. Wang vivía en una antigua casa que sus hombres habían requisado a un terrateniente, un auténtico palacio residencial en medio de aquella miseria, de muros blanqueados y gabletes, aleros delicados bajo techumbres entejadas de esquisto, caballetes ornamentados y más de una docena de habitaciones revestidas de madera y dotadas de mesas y camas con dosel, construidas alrededor de tres grandes patios interiores, cada uno de ellos abierto al cielo y dotado de un pozo en el centro para drenar el agua de la lluvia. Mao se había aproximado a Wang Zuo, al igual que lo había hecho con Yuan Wencai, con un importante agasajo de rifles y la oferta de ayuda de los consejeros comunistas para contribuir a la instrucción militar de su fuerza. Wang inicialmente se mantuvo cauto, pero después de que el líder del grupo de instrucción, He Changgong, le ayudase a derrotar a la milicia de un terrateniente que había estado atormentando a sus hombres, también él se sumó a la causa.

Aquel invierno se convirtió para Mao en un espacio vital para comenzar a asumir sus nuevas ocupaciones militares. Había conseguido asumir la importancia del ejemplo en el liderazgo, animando a hombres exhaustos a seguirle con la única fuerza de la voluntad. En tanto que la mayoría de los soldados eran analfabetos, inicialmente se valió de cuentos populares e imágenes gráficas para explicar sus ideas. «El dios del trueno azota el *doufu*»,* les comentaba para hacerles entender por qué tenían que concentrar sus fuerzas para atacar los puntos débiles del enemigo. Chiang Kai-shek era como un enorme caldero lleno de agua, mientras que el ejército revolucionario era como un guijarro diminuto. Pero el guijarro era duro, y a fuerza de golpear, algún día aquel caldero se rompería.

La calma no podía continuar indefinidamente. A mediados de febrero las fuerzas de Yuan Wencai y Wang Zuo se combinaron para formar el segundo regimiento, con He Changgong como representante del partido y varios dirigentes comunistas infiltrados entre las tropas. Diez días después llegaron noticias de que el ejército del Guomindang en Jiangxi había enviado un batallón para ocupar Xincheng, a unos doce kilómetros al norte de Maoping. A lo largo de la noche del 17 de febrero, Mao comandó tres batallones formados por sus propios hombres para rodear al adversario. Al amanecer, cuando las tropas enemigas realizaban sus ejercicios matinales, dio la orden de atacar.

La batalla duró algunas horas. Cuando llegó a su fin, el comandante enemigo y su lugarteniente habían muerto y se habían tomado más de cien prisioneros. Después de escoltarles hasta Maoping, Mao les dijo, para su sorpresa —tal como había hecho con sus propios hombres en Sanwan cinco meses antes—, que a todo el que desease irse se le entregaría dinero y se le permitiría partir. Los que decidiesen quedarse pasarían a engrosar el ejército revolucionario. Muchos se quedaron. La estrategia se mostró tan efectiva que algunos comandantes del Guomindang comenzaron a liberar a los prisioneros comunistas en un intento de emularle.[82]

La victoria de Mao también tuvo un precio. Los comandantes de Hunan y Jiangxi comprendieron la naturaleza del enemigo con el que se enfrentaban, de modo que comenzaron a reunir mayores efectivos para atacar el reducto de Jinggangshan e impusieron un bloqueo económico. Pero sus

---

* Producto alimenticio derivado de la soja cuyo aspecto, blando y frágil, es similar al del requesón. (*N. del t.*)

preocupaciones por esa cuestión pronto quedaron eclipsadas por problemas de muy distinto signo.

Desde octubre de 1927, Mao había intentado entrar en contacto con el comité provincial de Hunan, jerárquicamente superior al Comité del Frente que él dirigía. Algunos de sus mensajes, según parece, llegaron a su destino, pues a mediados de diciembre la central del partido estaba lo suficientemente informada de sus actividades como para escribir a Zhu De, entonces en el norte de Guangdong, sugiriéndole que estableciese vínculos con Mao. Sin que los dirigentes en Shanghai lo supiesen, Zhu ya había contactado algunas semanas antes con la base de Jinggangshan, enviando un mensajero que no era otro que el menor de los hermanos de Mao, Zetan, que había acompañado a las fuerzas de Zhu desde Nanchang. A partir de entonces ambos ejércitos mantuvieron contactos esporádicos. Pero el Politburó permanecía dividido en su valoración de la conducta de Mao. Qu Qiubai, que reconocía y admiraba el espíritu independiente de Mao, estaba dispuesto a dejarle actuar, aunque hasta cierto límite, según juzgase conveniente.[83] Zhou Enlai, que continuaba a cargo de los asuntos militares y se había convertido en uno de los compañeros más poderosos de Qu, cuestionaba las tácticas de Mao.[84] Sus tropas tenían «un carácter bandidesco», atacaba Zhou, y actuaban «desplazándose constantemente de un lugar a otro».[85] En una circular del Comité Central sobre las insurrecciones armadas, divulgada en enero de 1928, citó el liderazgo de Mao en la sublevación de la cosecha de otoño como un ejemplo de actuación errónea:

[Semejantes dirigentes] no confían en la fuerza de las masas sino que se inclinan hacia el oportunismo militarista, elaboran sus planes en términos de fuerzas militares, calculando cómo desplazar esta o aquella unidad del ejército, este o aquel ejército campesino, este o aquel cuerpo armado de obreros y campesinos para la contención, pensando en cómo enlazar con las fuerzas de este o aquel cabecilla de bandidos ... y cómo desatar de este modo una «sublevación armada» a través de conspiraciones, enmascaradas como si fuesen estrategias. Las llamadas sublevaciones armadas no tienen relación alguna con las masas.[86]

Zhou fue con casi total seguridad el responsable de otra directriz del Comité Central, que también llegó a Changsha en enero de 1928, que acusaba a Mao de «serios errores políticos» y autorizaba al comité provincial de Hunan a destituirle como dirigente del partido en la zona fronteriza y a elaborar un nuevo plan de trabajo para el ejército que se «amoldase a las necesidades reales».[87]

El portador de estas nuevas, Zhou Lu, un joven oficial del Comité Especial del Sur de Hunan, llegó a Maoping durante la primera semana de marzo.[88] Se aplicó a la misión con denuedo, no sólo anunciando a Mao que había sido destituido del Politburó y del comité provincial de Hunan —lo que, a pesar de sus disputas con la central del partido de seis meses antes, tuvo que ser para él algo sorprendente—, sino también informándole, falsamente, que había sido expulsado del partido. Si aquello fue un simple error o una maniobra deliberada para acabar con la autoridad de Mao es algo que continúa sin esclarecerse. Pero, en la forma que se produjo, tras meses de dificultades, justo cuando el ejército acababa de conseguir su primera victoria y la zona base comenzaba a tomar forma, aquello tuvo que ser un duro golpe. Las injustificadas acusaciones, escribió Mao tiempo después, resultaron intolerables.[89]

En esta nueva coyuntura, «fuera del partido», Mao se convirtió en comandante de división (un cargo vacante desde que en febrero se formó el segundo regimiento). Se abolió el Comité del Frente, y Zhou Lu pasó a actuar como representante del partido.[90]

En este punto, las rivalidades locales asumieron un nuevo protagonismo. La primera preocupación de los comités provinciales, tanto de Hunan como de Jiangxi, era promover la revolución en sus propias áreas. En diciembre, la fuerza de Zhu De había abandonado su base de Guangdong para avanzar hacia el norte hasta el sureste de Hunan, donde promovió levantamientos campesinos y fundó «soviets de soldados, campesinos y obreros» en la ciudad fronteriza de Yizhang, y en Chenxian y Leiyang, más al norte.[91] La primera decisión de Zhou Lu al asumir su cargo a principios de marzo fue ordenar que la división de Mao en Hunan respaldase al ejército de Zhu De. Mao obedeció, pero avanzó con parsimonia. Dos semanas después, sus fuerzas estaban todavía a pocos kilómetros del límite de Jiangxi. Cuando las tropas de Zhu se vieron atacadas por unidades regulares del Guomindang llegadas de Hunan y Guangdong, el segundo regimiento de Mao tuvo que correr en su ayuda. En el momento en que consiguieron desembarazarse del enemigo, Zhou Lu había sufrido la máxima pena que podía corresponderle por sus maniobras en el comité de Hunan: había sido capturado y ejecutado. Mao avanzó hacia el norte, hasta Lingxian, donde las fuerzas perseguidoras fueron repelidas. La zona base, que había sido tomada por la milicia de un terrateniente, fue reconquistada, y en Lingxian o Ninggang —las fuentes difieren— él y Zhu se encontraron por vez primera hacia finales de abril.

Zhu tenía cuarenta y un años, siete más que Mao. Agnes Smedley, que pasó varios meses con él durante los años treinta, escribió que, a diferencia de Mao, quien con su «mente extraña y cavilosa, en perpetuo forcejeo con los ... problemas de la revolución» era esencialmente un intelectual,[92] Zhu era «un hombre de acción y un organizador militar»:

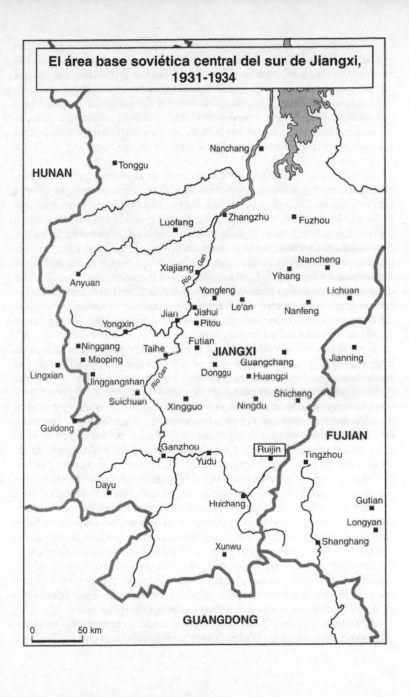

El área base soviética central del sur de Jiangxi, 1931-1934

Medía alrededor de un metro setenta y tres. No era feo ni hermoso, y no había nada de heroico o portentoso en él. Su cabeza era redonda y estaba cubierta de una mata corta de pelo negro jaspeado de gris, su frente era amplia y despejada, sus pómulos, prominentes. La mandíbula y el mentón, fuertes y tercos, albergaban una gran boca y unos dientes perfectos que centelleaban al sonreír ... Era un hombre de apariencia tan común que si no hubiese sido por su uniforme [raído y descolorido de tanto llevarlo y lavarlo] habría podido pasar por cualquier campesino de cualquier pueblo de China.[93]

Pero la vida de Zhu encarnó, con mayor dramatismo que la de Mao, la confusa combinación de contradicciones y transformaciones que azotó a China a finales del siglo XIX y principios del XX. Nacido en el seno de una familia sichuanesa de campesinos pobres, consiguió el grado de *xiucai*, paso previo para convertirse en mandarín. A pesar de ello, se convirtió en un pequeño cacique militar, además de en un adicto al opio. En 1922, tras un período de curas en Shanghai, tomó un barco con destino a Europa, donde conoció a Zhou Enlai. Él le introdujo en el Partido Comunista. Estudió durante cuatro años en Berlín, hasta que volvió a China para retomar su carrera militar —esta vez en defensa de los comunistas— en el Cuarto Ejército, escindido del Guomindang, formado por los «caballeros», tal como orgullosamente se hacían llamar.[94]

La asociación entre Mao y Zhu De marcó el apogeo de la zona base de Jinggangshan, que rápidamente se expandió para alcanzar, aquel mismo verano, su momento de máximo esplendor, ocupando parcialmente hasta siete distritos distintos, con una población de más de quinientas mil personas.

También mejoró la fortuna política de Mao. En abril supo, por boca de Zhu, que su expulsión del partido nunca había tenido lugar. Después, en mayo, llegaron noticias desde la cúpula provincial del partido de que había sido autorizada la creación, que Mao había estado reclamando desde diciembre, de un Comité Especial de la Zona Fronteriza de Hunan y Jiangxi, con el mismo Mao como secretario.[95] Posteriormente se fundaba el gobierno soviético de la zona fronteriza, encabezado por Yuan Wencai.

Los dos ejércitos se fusionaron para crear el Cuarto Ejército Revolucionario de Obreros y Campesinos (llamado así a imitación del Cuarto Ejército del Guomindang, del que Zhu y muchos de sus oficiales eran originarios), poco después rebautizado —con la bendición del Politburó— como Cuarto Ejército Rojo, un cambio de nombre de no poca importancia, ya que señalaba el inicio del fin de la larga y estéril divergencia sobre los respectivos papeles del ejército y las masas rebeldes. Un Ejército Rojo, por definición, era rebelde, de modo que no podían surgir disensiones.

El ejército de Zhu y Mao, como sería conocido, comprendía cuatro regimientos, hasta alcanzar la cifra de ocho mil hombres: el vigésimo octavo, que tenía, como núcleo, los «caballeros» que habían acompañado a Zhu desde Nanchang; el vigésimo noveno, compuesto principalmente de unidades de autodefensa campesina del sur de Hunan; el trigésimo primero, que era el primer regimiento de Mao; y el trigésimo segundo (el antiguo segundo regimiento), bajo las órdenes de Yuan Wencai y Wang Zuo. En defensa de la unidad de las fuerzas, la figura de los dos comandantes de división fue abolida. Zhu se convirtió en el comandante del ejército, Mao en representante del partido, y Chen Yi, antiguo lugarteniente de Zhu, en secretario del comité militar del partido.

El 20 de mayo, sesenta delegados del Ejército Rojo y de los comités del partido de seis distritos distintos se congregaron en el salón del clan de los Xie, la familia de terratenientes más acaudalada de Maoping, para celebrar el primer congreso de organizaciones del partido de la zona fronteriza de Hunan y Jiangxi.[96]

A pesar de la fusión con la fuerza de Zhu De, el pesimismo era notable. La derrota de Zhu en Hunan y la facilidad con que las fuerzas de los terratenientes recuperaban el control de las áreas base, tan pronto como el Ejército Rojo se retiraba de ellas, habían suscitado dudas en muchos corazones sobre la validez de la estrategia insurrecta. Por este motivo, Mao decidió abordar la cuestión en uno de sus discursos, titulado «¿Durante cuánto tiempo se podrá defender la bandera roja?» Se trataba de un tema al que recurrió repetidamente a medida que el año avanzaba:

> En ningún otro lugar del mundo se ha vivido la experiencia, dentro de un mismo país, de la existencia prolongada de una o varias zonas menores bajo el poder político rojo, estando rodeadas en las cuatro direcciones por el poder político blanco. Existen varias razones para explicar la emergencia de este curioso fenómeno ... Sólo se puede concebir en la China [semicolonial], controlada indirectamente por el imperialismo ... [donde se producen] continuas escisiones y enfrentamientos entre las fuerzas políticas blancas ... [Nuestro] gobierno independiente de las fronteras de Hunan y Jiangxi es una de esas muchas zonas. En los tiempos difíciles y críticos, algunos camaradas albergan a menudo dudas sobre la supervivencia de este poder político rojo y manifiestan tendencias pesimistas ... [Pero] con que sepamos sólo que las escisiones y las guerras entre las fuerzas blancas continuarán sin interrupción, no tendremos duda alguna sobre la emergencia, la supervivencia y el desarrollo, día a día, del poder político rojo.[97]

Existían otros factores igualmente necesarios, aseguraba Mao. Las áreas rojas podían existir sólo en provincias como Hunan, Hubei, Jiangxi o Guangdong, donde se habían desarrollado vigorosas campañas populares durante la Expedición Norte, y sólo si «la disposición revolucionaria de la nación entera continúa progresando» (como, según insistía Mao, era el caso de China). Además, era necesario que las fuerzas regulares del Ejército Rojo las protegiesen y que un tenaz Partido Comunista las dirigiese. Pero, incluso en tal caso, reconocía, llegarían momentos en que sería muy difícil mantener el control sobre esas áreas: «La lucha interna entre los señores de la guerra no se puede prolongar un día tras otro sin detenerse. Siempre que el poder político blanco goce, en una o más provincias, de períodos de estabilidad, la clase gobernante ... sin duda alguna, no escatimará esfuerzos en destruir el poder político rojo». Sin embargo, aclaraba Mao, entre las fuerzas blancas «los compromisos sólo pueden ser temporales; y un compromiso transitorio para hoy prepara la escena de una guerra de mayores dimensiones para mañana».

El proceder más correcto en tales circunstancias consistía, según argumentaba Mao, no en ambicionar todo el país, organizando levantamientos que fracasarían tan pronto como el ejército se alejase, sino en conseguir que la revolución arraigase lo más profundo posible en una zona única.

Cuando el congreso de apenas dos días llegó a su fin, las propuestas políticas de Mao habían sido aprobadas.

En una época en que Jinggangshan estaba bajo presión constante del enemigo —en las tres semanas posteriores a la llegada de Zhu De habían sido abortadas dos nuevas ofensivas enemigas de grandes dimensiones— aquella estrategia requería unos nervios de acero. Pero la confianza de Mao en su nuevo cargo de estratega militar iba en aumento. A lo largo del invierno había oído por boca de los campesinos algunos relatos sobre un legendario bandido de las montañas llamado Ju, el viejo sordo, que había luchado siguiendo la máxima de que «todo lo que hay que conocer sobre la guerra es cómo zarcear de un lado a otro».[98] La moraleja, dijo a sus tropas, era que debían mantenerse lejos de las fuerzas principales del enemigo, obligarlas a marchar en círculos y, en el momento en que estuviesen confundidas y desorientadas, atacar sobre los puntos más débiles.

Aquello quedó resumido en una lacónica rima popular que condensaba la esencia de la futura estrategia del Ejército Rojo. Su versión final, elaborada en mayo por Mao y Zhu y popularizada a lo largo y ancho del ejército, contenía dieciséis caracteres:

Di jin, wo tui	[Cuando el] enemigo avanza, yo retrocedo,
Di xiu, wo rao	[Cuando el] enemigo reposa, yo le hostigo,
Di pi, wo da	[Cuando el] enemigo se agota, yo ataco,
Di tui, wo zhui	[Cuando el] enemigo retrocede, yo le persigo.[99]

Meses después se dictaron dos nuevos principios:

Concentrar al Ejército Rojo para luchar contra el enemigo ... y evitar la dispersión de las fuerzas para impedir que sean destruidas una tras otra.

Cuando ampliamos la zona bajo [nuestro control], adoptar la política de avanzar en paulatinas oleadas y oponerse a la política de avance global.[100]

Al mismo tiempo, las directrices por las que se debía regir el trato del ejército a los civiles, que Mao había hecho públicas por vez primera en Sanwan en septiembre de 1927, fueron ampliadas hasta convertirse en los llamados «Seis principales puntos de atención». Se instaba a los soldados a reemplazar los colchones de paja y los tablones de madera que hacían las funciones de yacija después de pernoctar en las casas de los campesinos, devolver todo lo que tomasen prestado, pagar por todos los daños que provocasen, ser corteses, ser justos en las negociaciones y tratar con humanidad a los campesinos.[101] Posteriormente Lin Biao añadió dos «Puntos de atención» más: «No molestar a las mujeres» (en versiones anteriores, «No bañarse a la vista de las mujeres») y «cavar las letrinas lejos de los hogares y cubrirlas antes de irse». Asimismo se distribuyeron «Tres reglas principales de disciplina»: «Obedecer las órdenes», «No tomar nada que pertenezca a las masas» (la frase original, «ni siquiera un boniato» fue transformada en «ni siquiera una aguja o un hilo»), y «Devolver para su distribución pública todos los bienes confiscados a los terratenientes y caciques locales».

El impulso de la estrategia revolucionaria de Mao era, pues, totalmente diferente de la aproximación sediciosa de Qu Qiubai. Allí donde Qu creía que el viejo sistema debía ser destruido por el fervor de los campesinos y los obreros, sin necesidad de instrucción alguna, rebelándose para tomar el poder con sus propias manos, Mao veía al campesinado como una fuente de simpatía y apoyo, un «mar», como después lo describiría, en el que los «peces» (las guerrillas rojas) podían nadar. Ni siquiera en Jinggangshan, señaló sobriamente, no habían pasado de ser unos pocos los lugareños que se habían adherido voluntariamente al Ejército Rojo.[102] Una vez los terratenientes eran derrotados y sus tierras repartidas, lo único que los campesinos anhelaban era que se les dejara en paz para cultivar. Por la misma razón, Mao reclamaba moderación ante la pequeña burguesía urbana, los mercaderes y los comerciantes de las pequeñas ciudades comerciales, para evitar empujarles hasta la oposición a la revolución.[103] A menudo, los excesos eran inevitables, reconocía, y podían convertirse en un método muy eficaz para exaltar la opinión pública. Pero, en la práctica, eran frecuentemente contraproducentes: «Para poder asesinar y quemar las casas hay que sostenerse en el apoyo de las masas ... [y no se trata simplemente] de quemar y asesinar por decisión propia del ejército».[104] La violencia revolucionaria era útil, argumentaba, sólo cuando tenía un propósito evidente y estaba respaldada por un movimiento lo suficientemente fuerte como para resistir el desquite que inevitablemente comportaba.

Cuando llegó Zhou Lu, en marzo, Mao fue duramente criticado por todas estas ideas. Su trabajo era «demasiado derechista», le habían acusado.[105] No estaba «matando ni quemando lo suficiente, [y] no ponía en práctica la política de "transformar la pequeña burguesía en proletariado y después obligarla a adherirse a la revolución"». Pero en aquel momento, sin que lo supiese Zhou (concediendo cierta tranquilidad a Mao), el Politburó de Shanghai tenía otras intenciones:

> En todo el país [escribía en abril Qu Qiubai] parece que el movimiento campesino exige que, además de matar a la burguesía, «hay» que entregar sus hogares a las llamas ... Muchos pueblos de Hubei han sido reducidos a cenizas. El líder de cierta localidad de Hunan propuso quemar una ciudad entera, tomando de ella sólo lo que los campesinos insurgentes necesitaban (máquinas de estarcir y cosas similares) y matar a todo el que se cruzase con ellos a menos que se uniese a la revolución ... Esto [es una] tendencia pequeñoburguesa ... El proletariado no lideraba a los campesinos, sino que eran los campesinos los que guiaban al proletariado.[106]

De este modo, las decisiones políticas que Mao anticipó en el Primer Congreso del Partido de la Zona Fronteriza llegaron en el momento oportuno. Antes de que transcurriese una semana, el nuevo comité provincial de Hunan, aparentemente escarmentado por el fiasco de la expedición de Zhu De durante la primavera, acordó que el ejército de Zhu y Mao debía permanecer acuartelado en Jinggangshan, y advirtió, con indignación, en contra de la locura de «quemar ciudades enteras». Ello concedió a Mao la oportunidad de replicar jocosamente: «El comité provincial señala que quemar las ciudades es un error. No volveremos a cometer este error».[107]

Poco después, el Comité Central aprobó la estrategia propuesta por Mao. Finalmente, a principios de junio, llegó a Shanghai una carta del área base, la primera comunicación directa desde su creación en el pasado octubre. La mayoría de los líderes estaban en Moscú, preparando el Sexto Congreso del partido que, según el Comintern había decidido, no se iba a celebrar en China, donde la «marea de terror blanco» de Chiang Kai-shek alcanzaba su momento álgido, sino en la Unión Soviética (donde los rusos podían ejercer un mayor control).[108] Por ello, la responsabilidad de redactar la respuesta del Comité Central recayó en Li Weihan, que había quedado al mando.[109] Li apoyaba con vehemencia el liderazgo de Mao; propuso que el Comité del Frente, abolido por Zhou Lu, quedase restituido, y ratificó las decisiones de Mao de centrarse en la construcción de la base de Jinggangshan como eje desde el cual propagar la revolución, tanto en Hunan como en Jiangxi; decisiones en concordancia con el nuevo espíritu de realismo que marcaría la evolución del congreso.

Dos semanas más tarde, los ciento dieciocho delegados que se congregaron en una vieja casa de campo desmantelada cerca de Zvenigorod, sesenta kilómetros al noroeste de Moscú,[110] reconocieron con franqueza que no existía «un gran ardor revolucionario» en China, ni indicios de que su irrupción fuese inminente.

El partido, declararon, había sobrestimado la fuerza de los campesinos y los trabajadores, y había menospreciado las fuerzas reaccionarias. China continuaba enfrascada en una revolución burguesa democrática y las principales tareas consistían en unificar el país para luchar contra los imperialistas, abolir el sistema latifundista y crear soviets de obreros, campesinos y soldados para «inducir a las vastas y afanosas masas a participar del gobierno político». La revolución socialista llegaría más tarde.[111]

Estas cuestiones habían resonado (aunque habían sido ignoradas en Shanghai) en una resolución del Comintern de febrero anterior, que también había hecho hincapié en la importancia de coordinar la revolución rural y las sublevaciones en las ciudades.[112] Pero Bujarin, que fiscalizaba los procedimientos en nombre de Stalin, introdujo entonces un requisito fundamental: «[Podemos] mantener [la consigna de] incitar el estallido de sublevaciones», dijo. «[Pero] esto no significa que en un país de las dimensiones de China ... las colosales masas se levanten de repente en un breve período de tiempo ... No ocurrirá así.»[113] Era necesario que los dirigentes chinos se armasen para una lucha desigual y prolongada, en la que las victorias en unos lugares serían contestadas por las derrotas en otros. Incluso así, era esencial un largo período de preparación antes de que se produjesen sublevaciones que abarcasen toda una provincia.

El congreso, en consecuencia, aprobó una estrategia de guerrilla para debilitar el control del Guomindang en las áreas rurales, así como el establecimiento de soviets locales, incluso a pesar de que ello significase conseguirlo inicialmente «en un solo distrito o en algunos pocos municipios». El poder militar, declaró, era «de gran significación» para la revolución china, y el desarrollo del Ejército Rojo debía convertirse en la «preocupación central» en las zonas rurales.[114] Por el contrario, las heroicidades suicidas de pequeños grupos de fanáticos que actuasen sin el apoyo de las masas fueron condenadas tajantemente, especialmente en las zonas urbanas. En palabras de Bujarin:

Si las sublevaciones que el partido dirige fracasan una, dos, tres, cuatro veces, o son aniquiladas en diez o quince ocasiones, la clase obrera dirá entonces:

«¡Eh, vosotros! ¡Escuchad! Seguramente sois buena gente, pero ¡mejor largaos de aquí! ¡No merecéis ser nuestros líderes!» ... Este [tipo de] demostraciones excesivas no aportan nada a nuestro partido, por revolucionarias que sean.[115]

Los levantamientos urbanos no quedaron explícitamente proscritos. Pero todo el empeño del discurso de Bujarin, y de las resoluciones del congreso, se dirigía a que, al menos en ese momento, los campesinos, *no los obreros*, se convirtiesen en la principal fuerza revolucionaria; con la única salvedad de que los campesinos debían estar bajo el control de dirigentes proletarios, para frenar sus impulsos anarquistas y pequeñoburgueses.[116]

Estas decisiones, escribió tiempo después Mao, proporcionaron «unos cimientos teóricos correctos» sobre los que edificar las zonas base y el Ejército Rojo.[117]

Ni la carta del Comité Central de principios de junio ni las resoluciones del Congreso consiguieron llegar a Jinggangshan hasta varios meses más tarde. Pero había suficientes indicios que indicaban que el partido había virado su orientación. También la vida de Mao cambió durante aquel verano, pero de un modo muy distinto: consiguió «una compañera revolucionaria».

Tenía dieciocho años y su nombre era He Zizhen. Joven vivaz e independiente, de figura esbelta como un muchacho, con las finas facciones y la encantadora sonrisa de su madre cantonesa, y el afán literario de su padre, un intelectual local, se había unido en secreto al partido a los dieciséis años, y era alumna de la escuela de una misión local, dirigida por una monja finlandesa.[118]

Yuan Wencai, antiguo compañero de clase de su hermano mayor, se la presentó a Mao, y aquella primavera ella comenzó a trabajar como su ayudante. Tiempo después escribió que cuando descubrió que se estaba enamorando de él, intentó ocultar sus sentimientos. Pero un día, Mao la sorprendió mirándole con anhelo y comprendió lo que ocurría. Cogió una silla, le pidió que se sentase y entonces le habló de Yang Kaihui y los niños que había dejado en Changsha. Poco después de aquella conversación, comenzaron a vivir juntos.

Yuan propició un encuentro y les preparó la cena nupcial, al parecer con el deseo de que la asociación de Mao con una muchacha local le comprometiera más estrechamente con la defensa de la zona.[119] Desde hacía mucho, Mao había mostrado su desdén por las convenciones matrimoniales, y en un lugar como Jinggangshan parecía haber aún menos razones para intentar amoldarse a ellas. Wang Zuo tenía tres consortes.[120] Zhu De, que había dejado seis años antes a su propia esposa y a su pequeño hijo en Sichuan, también estaba viviendo con una mujer mucho más joven.[121]

A pesar de ello, Mao comprensiblemente sintió remordimientos y culpabilidad por su deslealtad con Yang Kaihui. Para justificarse, dijo a He Zizhen que no había tenido noticias de ella y que pensaba que había sido ejecutada. No obstante, no hay evidencia alguna que muestre que Mao intentó comunicarse con su familia en Changsha. Su decisión de tomar una joven como compañera parece haber sido otro paso consciente más en su paulatino alejamiento de los vínculos que le habían atado al mundo exterior, el mundo «normal» que había sido el suyo antes de que la revolución le hubiese reclamado.

Cuando Kaihui, unos meses después, tuvo noticias de que Mao se había unido a una nueva «esposa», cayó en una profunda depresión.[122] Durante los primeros años de matrimonio los celos por un antiguo amor de Mao, Tao Yi, la habían consumido, sospechando (al parecer equivocadamente) que mantenían viva su antigua relación. Ahora, escribía ella, Mao la había abandonado. Había contemplado la posibilidad de suicidarse, añadía, pero lo desestimó por amor a sus hijos.

La tregua política duraría poco tiempo. Como siempre, la razón residía en las rivalidades locales. El comité del partido de Jiangxi había estado incitando a Mao para que atacase la ciudad de Jian, ciento diez kilómetros más al noreste.[123] Pero entonces llegó desde Hunan una serie de enviados, a cada cual más insistente, solicitando que el Cuarto Ejército Rojo enviase sus principales fuerzas a los distritos del sur de Hengyang para espolear nuevos intentos de sublevación en la misma zona en que, en el mes de marzo, Zhu De había sido derrotado.[124]

No obstante, aquello no era tan ilógico como puede parecer. Hengyang controlaba el principal corredor de acceso al centro y sur de Hunan. Un levantamiento victorioso haría posible unir Hunan y Guangdong —tradicionalmente las provincias «más revolucionarias»— estableciendo una nueva base en la región en que, una década antes, Tan Yankai había acampado sus ejércitos sureños mientras esperaba su oportunidad para atacar Changsha. Pero precisamente por esa razón, como Zhu De y Mao sabían muy bien, era una región demasiado defendida como para que el Cuarto Ejército pudiese atacar.

El comité del partido de Hunan esperaba con franqueza que Mao se opusiese a ello, por lo que se le informó que el secretario provincial, Yang Kaiming, de veintitrés años, estaba de camino a Jinggangshan para tomar personalmente el mando del Comité Especial de la Zona Fronteriza, añadiendo perentoriamente: «Debes cumplir con [nuestras instrucciones] de inmediato y sin dudar». Sin embargo, poco antes de su llegada, una reunión conjunta entre el Comité Especial y el Comité Militar del Cuarto Ejército, celebrada el 30 de junio bajo la presidencia de Mao, rechazó diametralmente el plan de Hengyang.[125] En una carta enviada a Changsha, Mao advertía que, si ellos avanzaban, el Cuarto Ejército sería aniquilado.[126] Según parece, Yang sintió que su posición no era lo suficientemente fuerte para contravenir esa decisión y durante dos semanas se impuso una tensa espera.

Llegaron entonces noticias de que algunos elementos de los ejércitos de Hunan y Jiangxi preparaban una nueva ofensiva contra Jinggangshan. Se decidió que el vigésimo octavo y el vigésimo noveno regimientos de Zhu cruzasen la frontera hasta Hunan para atacar la retaguardia del ejército de Hunan. Las tropas de Mao, el trigésimo primero y el trigésimo segundo, bloquearían el avance de las unidades de Jiangxi hasta que los hombres de Zhu pudiesen retornar.

La primera parte del plan de batalla se desarrolló de forma favorable.[127] Pero cuando Zhu se disponía a regresar para unirse a las tropas de Mao, como se había acordado, Yang Kaiming y su aún más joven compañero, Du Xiujing, de veinte años, que acompañaban las fuerzas de Zhu, convocaron a la superior autoridad del partido para insistir en que las órdenes originales del comité debían ser cumplidas. Obedientemente, los dos regimientos de Zhu De marcharon hacia Hengyang.[128] El resultado fue el que Mao había previsto. Sus tropas fueron rechazadas por la superioridad de las fuerzas de Jiangxi, y se vieron obligadas a retirarse a los montes. Por segunda vez en aquel año, Jinggangshan y otros dos distritos adyacentes de las planicies fueron invadidos. Además, otro joven emisario llegó entonces a Changsha con el cometido de presionar a Mao para que tomase los efectivos que habían sobrevivido y se uniese a Zhu en el sur de Hunan. Pero en aquel momento un mensajero irrumpió en la habitación donde estaban reunidos con la noticia de que las fuerzas de Zhu habían sufrido una aplastante derrota. El vigésimo regimiento había quedado tan maltrecho que había dejado de existir como unidad de combate. El vigésimo octavo volvía con la mayor dignidad de que era capaz hacia Jinggangshan. En aquel punto, finalizó la discusión.[129]

No obstante, los problemas del Cuarto Ejército todavía no habían llegado a su fin. Las fuerzas de Zhu quedaron aún más debilitadas por las deserciones, y cuando Mao partió para unirse a él en Guidong, al suroeste de Jinggangshan, los comandantes locales del Guomindang se aprovecharon del desorden para lanzar un nuevo ataque. Esta vez estuvieron muy cerca de ocupar la misma fortaleza.

El 30 de agosto, un joven oficial comunista llamado He Tingying dirigió un único batallón de poca entidad para tomar el estrecho desfiladero de Huangyingjie, que dominaba las cimas que se elevan sobre Hengyang, enfrentándose a tres regimientos del Octavo Ejército de Hunan y otro regimiento de las tropas de Jiangxi. Los nacionalistas sufrieron un importante número de bajas y, cuando al anochecer el ataque remitió, su moral había sufrido un rudo golpe.[130] Mao sintió una necesidad irrefrenable de tomar su pincel para conmemorar el suceso

> Nuestra defensa es como una sobria fortaleza,
> nuestras voluntades, unidas, forman un muro aún más inexpugnable.
> El fragor de los disparos se eleva desde Huangyangjie,
> anunciando que el enemigo ha huido en la oscuridad.[131]

La situación de Mao era en ese momento muy ambigua. Yang Kaiming había asumido a mediados de julio el cargo de secretario del Comité Especial de la Región Fronteriza. Pero Mao se las había ingeniado en Guidong para crear el rival «Comité de Acción», representante del ejército, ocupando él mismo el cargo de secretario.[132]

Al mismo tiempo, la expedición al sur de Hunan había reanimado las tensiones existentes entre Zhu De y él, enmascaradas en abril cuando sus fuerzas se fusionaron.[133] Como es evidente, Zhu había gozado de la oportunidad de liberarse del tutelaje de Mao y de asumir su antigua función de único comandante militar. Habiendo probado de nuevo la libertad —a pesar de terminar todo en derrota—, ahora se mostraba reacio a aceptar que Mao asumiese, una vez más, la posición dominante que había ocupado durante el verano. Además, algunos de los seguidores de Zhu, y quizá el propio Zhu, atribuían en privado la debacle a la negativa de Mao de acceder a que el trigésimo primer y el trigésimo segundo regimientos avanzasen junto a ellos, tal como había propuesto el comité de Hunan.[134]

El Segundo Congreso del Partido de la Región Fronteriza, celebrado en octubre en Maoping, ratificó la división formal de poderes entre Mao y Yang Kaiming.[135] Yang se mantuvo como jefe del Comité Especial, aunque en términos prácticos, al encontrarse en un precario estado de salud, Tan Zhenlin, figura neutral y antiguo obrero treintañero que había sido jefe del primer gobierno soviético que Mao estableció en Chaling, fue nombrado para sustituirle.[136] Mao conservó su cargo en el Comité de Acción, lo cual a efectos prácticos le convertía en comisario político del ejército. Sin embargo, dentro de la jerarquía del Comité, que dependía del libre voto de los representantes, apareció en uno de los últimos lugares de la lista.[137] La resolución política del congreso ofreció la explicación. «En el pasado», afirmaba, «los órganos del partido estaban regidos por dictaduras individuales, autocracias del secretariado del partido; no había un liderazgo colectivo ni ningún tipo de espíritu democrático.» El camarada Mao, indicaba escuetamente, estaba entre los principales encausados.[138]

Pero sus ideas políticas continuaron siendo respetadas: la estrategia política que aprobó el congreso, basada en la resolución del Comintern del febrero anterior, los detalles de la cual se habían conocido en otoño en las regiones montañosas, reflejaba fielmente los pensamientos de Mao.[139] Aun así, le comunicaron sus colegas, su estilo de ejercer el liderazgo dejaba todavía mucho que desear.

Esta anómala situación llegó a su fin a principios de noviembre, cuando, después de un viaje que duró cerca de cinco meses, llegó a Jinggangshan la directriz del Comité Central que Li Weihan había elaborado en junio.[140]

Mao difícilmente pudo contener su satisfacción. Fue, según declaró, «una carta extraordinaria ... [que] corregía muchos de nuestros errores y resolvía muchas cuestiones que aquí eran objeto de controversia».[141] Se organizó un nuevo Comité del Frente, en tanto que «órgano supremo del partido» de la zona fronteriza, con Mao como secretario. Los otros miembros destacados eran Zhu De, que pasaba a sustituir a Chen Yi como jefe del Comité Militar, y Tan Zhenlin, quien a propuesta de Mao se había convertido en secretario permanente del Comité Especial, en sustitución de Yang Kaiming.[142] Esto no sólo restablecía la jerarquía de poder tradicional, según la cual el Comité del Frente tenía jurisdicción sobre los órganos locales del partido, cuando existiesen, sino que además implicaba que los intereses del Cuarto Ejército tenían prioridad sobre los de la zona base, algo que resultaría de una importancia crucial durante el invierno. Porque, a diferencia de la posición de Mao, el futuro de la zona base no había quedado asegurado.

En un informe enviado al Comité Central tres semanas después, Mao describió con detalle las dificultades que estaba experimentando.[143] Un problema clave, escribió, era que las filas del partido en la zona fronteriza estaban compuestas casi exclusivamente por campesinos, cuya «conciencia pequeñoburguesa» propiciaba la falta de firmeza y provocaba que mudaran violentamente del coraje más temerario a los arrebatos de pánico.[144]

La solución a largo término, afirmaba Mao, era aumentar «la conciencia proletaria», introduciendo a un mayor número de obreros y soldados en los cuerpos de dirección del partido.[145] Sus palabras no eran una mera genuflexión ante la ortodoxia marxista, destinadas a complacer a los ideólogos de Shanghai. Después de presenciar cómo, al ser sometidos a presión, eran aniquilados, uno tras otro, los regimientos campesinos —entre ellos, en Sanwan, el tercer regimiento de Mao, en septiembre de 1927, y el vigésimo noveno de Zhu De, en julio, cerca de Hengyang—, comprendió que «el liderazgo proletario» era realmente una premisa para el éxito, no por razones de dogma del partido, sino para dar vigor a la revuelta de los campesinos. Existía otro remedio a corto plazo, que asimismo tendría consecuencias de gran alcance para el posterior desarrollo del partido: las purgas.[146]

A lo largo del verano —cuando la región fronteriza alcanzó su máxima extensión, los comunistas impusieron un firme control, y la posibilidad de enrolarse en el partido fue sopesada por muchos como una opción válida—, las filas del partido se engrosaron hasta sobrepasar los diez mil miembros. Para entonces ya se había logrado extirpar el cáncer de los terratenientes, la pequeña burguesía y los campesinos ricos, así como los implicados en «los juegos de naipes, las apuestas, el vandalismo y las actividades corruptas». A consecuencia de ello, informaba con orgullo Mao, había surgido un partido más reducido, pero mucho más combativo.

Sin embargo, la principal actividad en la región fronteriza no era la política, sino la milicia. «La lucha», dijo Mao al Comité Central, «ha llegado a convertirse en nuestra vida cotidiana.» Los soldados profesionales que se habían unido a los comunistas en las sublevaciones de Nanchang y de la cosecha de otoño configuraban la espina dorsal del Ejército Rojo. Pero únicamente un tercio del grupo original se mantenía activo: el resto había sido víctima de la muerte, las heridas y las deserciones. Para cubrir las vacantes resultantes se reclutó a prisioneros de guerra y «holgazanes» (o sea, bandidos, vagabundos y ladrones). A pesar de su desafortunado linaje, estos últimos, defendía Mao, eran «guerreros particularmente buenos» y el Ejército Rojo aún necesitaba a más de los suyos. La mayoría de los soldados, añadía, había desarrollado sentimientos de clase: sabían por qué luchaban y soportaban las difíciles condiciones sin rechistar.[147]

Aun así, a medida que se acercaba el invierno, el ambiente se tornaba cada vez más aciago. Mao recordaría tiempo después aquella «atmósfera de agotamiento y derrota».[148] Zhu De escribió que «las tropas comenzaban a morir de hambre».[149] La onza de sal costaba un dólar de plata —la paga mensual de los obreros—[150] y no se podía disponer siquiera de otros bienes fundamentales.[151] No había tela con que confeccionar ropa para el invierno, ni medicinas para los enfermos.

A causa de la escasez de fondos, se abolieron los salarios, y en su lugar se instituyó un sistema de aprovisionamiento.[152] Aun así, se necesitaban cinco mil dólares mensuales para adquirir comida, y hasta la última moneda de cobre era fruto de las expropiaciones a los terratenientes y comerciantes. Según explicaba una educada «carta oficial para la recaudación de fondos», firmada por Zhu De:

> El Ejército Rojo ... se esfuerza al máximo por proteger a los comerciantes ... [Sin embargo,] debido a la actual carestía de suministros de comida, os escribimos para pediros que recolectéis en favor nuestro cinco mil dólares, siete mil pares de sandalias de paja, siete mil pares de calcetines [y] tres mil rollos de tela blanca ... Con la máxima urgencia, deberéis hacernos entrega de ello ... antes de las ocho de esta noche ... Si ignoráis nuestras demandas, nos daréis pruebas de que [vosotros] los comerciantes estáis colaborando con las fuerzas reaccionarias ... En ese caso nos veremos obligados a quemar todas las tiendas reaccionarias [de la ciudad] ... ¡No digáis que no os hemos avisado![153]

Los tenderos accedieron. Sin embargo, como señaló Mao, «sólo se puede expropiar una sola vez en una determinada localidad; después no hay nada que requisar». Cuanto más tiempo permanecían las tropas en la zona base, más debían alejarse para encontrar a «malvados burgueses y caciques» a los que todavía no se les hubiese esquilmado. E incluso cuando se les localizaba, ocurría a menudo que la única plantación de los terratenientes era el opio, que los soldados se veían obligados a confiscar para venderlo.[154]

En noviembre de aquel año, Mao sugirió por primera vez la posibilidad de que la zona base pudiese ser abandonada.[155] Se elaboró un plan alternativo para desplazarse hasta el sur de Jiangxi, pero sólo —subrayó— si «nuestra situación económica empeora hasta el punto de que el sur de Jiangxi se convierta en nuestra única posibilidad de sobrevivir».[156]

Dos meses después se produjeron dos acontecimientos que los aproximaron hacia esa posibilidad. Una fuerza de unos ochocientos excombatientes del Guomindang, que en julio se habían amotinado en Pingjiang, en el norte de Hunan, llegó a la región fronteriza. Su comandante era Peng Dehuai, hombre rudo y directo de apenas treinta años, un soldado hasta la médula, originario del distrito natal de Mao, Xiangtan. Su Quinto Ejército Rojo, como se denominaba a sí mismo, se había fusionado con el Cuarto Ejército; de este modo, Peng se convirtió en el sustituto de Zhu De. Al mismo tiempo, comenzaron a llegar informes de que los ejércitos del Guomindang de Hunan y Jiangxi se estaban preparando para otra campaña de asedio, esta vez de unas dimensiones sin precedentes. Más de veinticinco mil hombres de catorce regimientos debían converger sobre Jinggangshan desde cinco rutas distintas.[157]

La cuestión de la estrategia futura se convirtió en una necesidad imperiosa.

La llegada de Peng inclinó manifiestamente la balanza. Hizo imposible plantearse una ofensiva, a causa de que no había suficientes provisiones para que el nuevo y más nutrido ejército resistiese durante el invierno; pero abrió nuevas posibilidades para una respuesta coordinada.

Después de Año Nuevo, en una asamblea ampliada del Comité del Frente celebrada en Ninggang, se acordó que los hombres de Peng, junto al trigésimo segundo regimiento de Wang Zuo y Yuan Wencai, deberían permanecer en la retaguardia para defender la fortaleza, mientras Mao y Zhu, comandando el vigésimo octavo y el trigésimo primero regimientos, debían partir para atacar por la espalda al enemigo, sitiando una de las sedes de prefectura del este, Jian o Ganzhou.[158]

Al amanecer del día 14 de febrero, la fuerza principal se escabulló por una ruta muy poco transitada que transcurría a lo largo de las crestas dentadas de un pico, desde Jinggangshan hasta las colinas bajas del sur. Zhu De lo describió así: «No había camino, ni siquiera una senda ... Las piedras y los riscos eran peligrosamente resbaladizos ... La nieve se perpetuaba en los recovecos, y el gélido viento azotaba a los miembros de la columna, que avanzaban penosamente, arrastrándose sobre enormes rocas y aferrándose a ellas para evitar desplomarse en los negros abismos del fondo».[159] Aquella noche desarmaron en Dafen, casi cuarenta kilómetros al sur, a un batallón del Guomindang llegado de Jiangxi y engulleron hasta hartarse todo lo que rapiñaron en las cocinas de campaña del enemigo. Pero al día siguiente, en lugar de tomar la ruta del este para amenazar Ganzhou, como habían acordado, continuaron su marcha hacia el sur hasta que llegaron a la ciudad fronteriza de Dayu.[160] Allí fueron cruelmente derrotados por una brigada del ejército del Guomindang y se retiraron en desbandada hacia Guangdong.

¿Había intentado Mao poner realmente en práctica la táctica de distracción que había prometido para liberar la presión sobre las reducidas tropas de Peng, que el enemigo superaba en una proporción de treinta a uno? ¿O había sido simplemente una hipócrita maniobra para poner a salvo la fuerza principal? Peng presintió que Mao le había traicionado. Cuarenta años después, el recuerdo todavía dolía.[161]

Peng resistió, sin ayuda, cerca de una semana. Pero, para entonces, tres de los cinco desfiladeros habían sido tomados. Reunió sus tres compañías supervivientes y, bajo una espesa tormenta de nieve, inició la misión imposible de intentar penetrar el bloqueo enemigo, escoltando a más de un millar de mujeres y niños, además de los enfermos y los soldados heridos, a los que las fuerzas de Mao habían dejado atrás. «Durante un día entero y toda una noche», escribió tiempo después, «seguimos sendas de cabras y escalamos escarpados precipicios, en las inmediaciones del pico más alto de Jinggangshan.» De algún modo, consiguieron deslizarse por entre el primer anillo de asedio del enemigo. Después cedió la segunda línea. Parecía como si pudiesen alcanzar lo imposible. Sin embargo, en Dafen, el destino se giró en su contra y cayeron víctimas de una emboscada. Las tropas de Peng consiguieron escapar, «pero el enemigo nos atrapó y rodeó a los heridos, enfermos e incapacitados, que andaban rezagados». No había ninguna posibilidad de rescatarles. Cuando unos días después, tras otra batalla, Peng decidió realizar un recuento de sus fuerzas, descubrió que, de los ochocientos soldados que le habían acompañado desde Pingjiang, quedaban doscientos ochenta y tres.[162]

Al ejército de Mao le había ido algo mejor. Durante el primer mes, Zhu De y él perdieron seiscientos de los tres mil quinientos hombres que habían partido de Jinggangshan. Aun así, aquél fue un período espantoso, el peor, escribió, desde la creación del Ejército Rojo.[163] Para He Zizhen, que avanzaba junto a Mao y las tropas, fue aún más duro: estaba embarazada de cinco meses de su primer hijo.[164] Para Zhu De simplemente fue «un período terrible».[165] Pronto abandonaron, al menos temporalmente, cualquier esperanza de establecer una nueva base permanente y, en su lugar, intentaron fundar gobiernos soviéticos clandestinos y comités del partido, capaces de operar clandestinamente una vez que las fuerzas rojas hubiesen partido. Comenzaba una nueva clase de guerra: no se trataba de la defensa de unas posiciones fijas, sino de una flexible guerra de guerrillas.[166]

Las comunicaciones con la central del partido, problemáticas ya en Jinggangshan, quedaron entonces interrumpidas. Durante los tres primeros meses de 1929, la fuerzas de Mao se mantuvieron aisladas, no sólo respecto de Shanghai, sino también de las autoridades provinciales del partido. Antes de abandonar la región montañosa, Mao había enviado cuatro onzas de oro hasta Pingxiang para financiar el establecimiento de un centro secreto de comunicaciones;[167] otro proyecto más ambicioso comportó, algún tiempo después, una remesa de opio, por valor de cinco mil dólares, hasta Fujian, para costear una base de comunicaciones en Amoy.[168] Pero no sirvió de nada. Las cartas que Mao escribió aquel año abundan en reproches sobre la ausencia de orientación del partido y la incompetencia del comité de Jiangxi para hacerles llegar los documentos.[169]

Pero ello también reportaba algunas ventajas. Mao y Zhu eran libres para diseñar sus propias soluciones a los problemas que se planteaban, sin verse obligados a aplicar tácticas inapropiadas planeadas en otro lugar. De hecho, una de las lecciones que habían extraído del período de Jinggangshan, escribió Mao al Comité Central aquel invierno, era que «las futuras directrices de las altas jerarquías sobre acciones militares debían, ante todo, no ser demasiado rígidas». De lo contrario, los dirigentes en las zonas de acción se veían en la «realmente difícil posición» de tener que escoger entre la «insubordinación ... [y] la derrota».[170] El aislamiento solventó ese problema. Pero también significó que, durante meses, Mao, junto a los dirigentes de otros enclaves rojos menores del sur y el centro de China, lucharon por sobrevivir, ignorantes unos de otros y desconocedores de las decisiones políticas de Moscú y Shanghai por las que, supuestamente, estaban luchando. Incluso les fue imposible recibir prensa durante la mayor parte del tiempo.[171]

Los problemas de comunicación se convirtieron en el telón de fondo de un lance surgido entre Mao y la cúpula central que tendría repercusiones mucho más serias que cualquier otra de las disputas mantenidas con el comité del partido de Hunan.

A principios de enero de 1929, cuando las tesis principales del Sexto Congreso, celebrado en Moscú seis meses antes, llegaron finalmente a Jinggangshan, el júbilo embargó la base. «Las resoluciones ... son verdaderamente acertadas y las aceptamos con gran regocijo», escribió Mao a Shanghai.[172] Sin duda se sintió también complacido al saber que había sido reelegido para el Comité Central, donde ocupaba el puesto décimo segundo entre los veintitrés miembros plenarios, reflejando la nueva y prestigiosa posición que había conquistado el Ejército Rojo. Lo que no sabía —y no lo podría haber adivinado de ningún modo— era que el nuevo secretario general, Xiang Zhongfa, un antiguo obrero de los muelles y dirigente sindical de Wuhan, era un simple testaferro, y que el poder real recaía en Zhou Enlai y Li Lisan, ambos ocupando posiciones inferiores a la de Mao en la relación oficial del Comité Central.[173] De hecho, continuó ignorando el ascenso de Li hasta finales de año.[174]

La central del partido ignoraba igualmente la situación de Mao. En febrero, cuando llegaron a Shanghai los primeros informes de que sus fuerzas habían abandonado Jinggangshan, habían transcurrido casi nueve meses sin noticias de él.[175] En esas circunstancias, Zhou Enlai redactó una carta en la que urgía a Mao y Zhu De que tomaran todas las medidas posibles para preservar su capacidad militar. Para tal fin, proponía, debían dispersar sus fuerzas por las aldeas, divididas en células de unas decenas o, como máximo, algunos centenares de hombres, para «incitar la lucha diaria del campesinado y extender la influencia del partido», mientras esperaban un clima revolucionario más favorable.[176]

Desde un principio, a Mao no le gustó esa orientación.[177] En su informe al Comité Central del noviembre anterior (que la central todavía no había recibido) había escrito que «según nuestra experiencia, [semejante actitud] ha conducido casi siempre a la derrota». Pero, además, era una propuesta aún más inaceptable por el aguijón que escondía: Mao y Zhu, decía la carta, debían volver a Shanghai.

Zhou Enlai, habiendo intentado en julio de 1927 arrancar infructuosamente a Mao de su base de Hunan, era perspicazmente consciente de las dificultades que esa decisión entrañaría, por lo que actuó con tacto para intentar presentarla de un modo más sugestivo:

> Los dos camaradas se sentirán quizá poco dispuestos a abandonar el ejército, ya que han trabajado en él durante más de un año. No obstante, el Comité Central considera que ... la marcha de Zhu y Mao no causará al ejército ninguna pérdida y contribuirá a concretar el plan de dispersión de sus fuerzas ... Cuando Zhu y Mao lleguen al Comité Central podrán presentar a nuestros camaradas de todo el país su preciosa experiencia, tras comandar un ejército de diez mil hombres en continuo enfrentamiento con el enemigo durante un año. Esto será una aportación [aún] mayor a la causa revolucionaria.[178]

Era un razonamiento muy coherente: si el Ejército Rojo se dispersaba, no había razón para que Mao y Zhu continuasen allí. Si la directriz hubiese llegado a Mao en el momento en que fue escrita, a principios de febrero, cuando las fuerzas comunistas se retiraban apresuradamente y bajo peligro inminente de ser aniquiladas, bien podría haber existido una mayoría de miembros del Frente Único dispuesta a aceptarla. Pero la carta necesitó dos meses para efectuar el viaje de novecientos kilómetros que separa Shanghai de la región oriental del Jiangxi, y cuando Mao y Zhu la recibieron, la situación había cambiado drásticamente.

Tras la desordenada retirada hasta Guandong, a finales de febrero, se habían dirigido hacia el norte, a lo largo del límite fronterizo de las provincias de Fujian y Jiangxi, perseguidos por una brigada de las tropas del Guomindang de Jiangxi. El 11 de febrero, en Dabodi, en los montes que se extienden casi veinticinco kilómetros más al norte de Ruijin, el Cuarto Ejército decidió detenerse. Gracias al regimiento de Lin Biao, que avanzó a marchas forzadas por la noche hasta adentrarse en las líneas enemigas, los perseguidores resultaron decisivamente derrotados. Se capturaron doscientos rifles, seis ametralladoras y unos mil soldados. Era la primera victoria desde que cuatro semanas antes habían abandonado Jinggangshan, y Mao informó posteriormente que, gracias a ello, «la moral de nuestro ejército ha aumentado de manera notable». Un mes después tomaron la ciudad prefectural de Tingzhou, más allá del límite del Fujian. El cabecilla local, Guo Fengming, que comandaba la segunda brigada del Fujian, fue ajusticiado, y su cuerpo, expuesto en las calles durante tres días.

Exaltado ante el advenimiento de aquellas gestas, Mao envió una extensa misiva a Shanghai anunciando que el Cuarto Ejército planeaba emprender una guerra de guerrillas en la región, abarcando unos veinte distritos, centrándose en Tingzhou y Ruijin, y que, cuando las masas estuviesen lo suficientemente incentivadas, establecería una nueva base permanente en el oeste del Fujian y el sur de Jiangxi.[179]

Dos semanas después llegaba la directriz de Zhou Enlai ordenando que el ejército se dispersase.[180]

La respuesta de Mao, ratificada por el Comité del Frente y por Peng Dehuai, cuyas tropas se habían unido a la fuerza principal, destacaba tanto por la brusca sinceridad con que rechazaba las nuevas instrucciones como por la completa igualdad jerárquica que asumía ante la central de Shanghai. Replicó no como un comisionado de campaña disidente, sino como un dirigente del partido de alto rango discutiendo sobre un caso ante sus iguales:

> Las cartas del Comité Central ofrecen una valoración demasiado pesimista ... la campaña [de enero] en contra de Jinggangshan representó el punto de mayor efervescencia de la marea contrarrevolucionaria. Pero allí se detuvo, y desde entonces ha entrado en continua recesión, mientras la marea revolucio-

naria ha subido de manera paulatina ... En la caótica situación actual, sólo podremos dirigir las masas si poseemos proclamas positivas y un espíritu optimista.

La dispersión del ejército, dijo Mao, era «una opción poco realista» que olía a «liquidacionismo», un error tan grave como el aventurismo de Qu Qiubai. Zhu De y él, evidentemente, aceptarían nuevos destinos, si era necesario, pero en tal caso se debían enviar «sustitutos capacitados». Mientras tanto, ellos pretendían llevar adelante sus planes de guerrilla en Jiangxi y Fujian, cuyas perspectivas, afirmaba Mao, eran tan brillantes que se podía esperar, siendo realistas, «un acercamiento a [la capital de Jiangxi] Nanchang». Las desavenencias entre los señores de la guerra, aseguraba, presagiaban la desintegración del dominio del Guomindang, y el Ejército Rojo debía apuntar al establecimiento de un régimen soviético independiente en Jiangxi y las regiones adyacentes de Fujian y Zhejiang occidentales «en un término máximo de un año».[181]

Esta propuesta pronto suscitó acusaciones de que Mao también albergaba tendencias «aventuristas», y tiempo después él mismo reconoció que se había precipitado al fijar un término límite.[182] Pero a pesar de que su optimismo era excesivo, los fundamentos de su análisis no estaban mal encaminados. Aunque sería necesario más de un año para lograrlo, en Jiangxi se acabaría instaurando efectivamente un régimen soviético independiente mucho más extenso que cualquier otro en China.

La convicción que Mao albergaba de que él era mejor juez político que la cúpula de Shanghai se manifestó en su refutación de otro de los puntos cruciales de la misiva de Zhou Enlai. «Actualmente, la principal tarea del partido», había escrito Zhou, «es establecer y desarrollar los cimientos proletarios del partido, principalmente entre los ... obreros industriales.»[183] Ello era cierto, replicó Mao, sin embargo,

la lucha en el campo, la creación de soviets en áreas pequeñas y ... la expansión del Ejército Rojo son prerrequisitos para contribuir a la lucha en las ciudades y avivar la insurrección revolucionaria. Por ello, [del mismo modo] que sería el mayor error abandonar la lucha en las ciudades y sumergirnos en el guerrillismo rural, en nuestra opinión también lo sería —en el caso de que cualquiera de los miembros de nuestro partido albergase tales ideas— temer el desarrollo del poder de los campesinos por miedo a que dejase de lado el liderazgo de los obreros ... En tanto que la revolución en un país semicolonial como China únicamente perecerá si la lucha campesina es privada del liderazgo de los obreros, nunca será un problema que la lucha campesina evolucione hasta tal punto que se torne más poderosa que los obreros. El Sexto Congreso ya señaló el error de marginar la revolución campesina.[184]

Un año después, las disputas sobre la revolución rural y la revolución urbana se convertirían en otra fuente de discordia entre Mao y la cúpula del partido. Pero, por el momento, Zhou cedió. Cuando llegaron las noticias de las victorias del Ejército Rojo, la orden de retorno quedó anulada[185] y, en junio, cuando finalmente llegó la carta de Mao, el Politburó reconoció que el plan de dispersión había sido un error.[186]

Sin embargo, aquello tendría secuelas.

La creencia personal de Mao en que la dialéctica era la fuerza motriz de la historia, según la cual la oscuridad de la noche precede al amanecer, se había fortalecido durante los traumáticos meses que habían seguido al abandono de Jinggangshan, cuando el Ejército Rojo parecía al borde del colapso, sólo para replegarse sobre sí mismo y emerger de aquella ordalía robustecido y en una posición más favorable que antes. Pero no todos en el Ejército Rojo habían racionalizado tan fácilmente la pérdida de la región fronteriza. Muchos compartían la visión desoladora de la central sobre las perspectivas de la revolución, y argumentaban que el ejército debía continuar desarrollando la guerra de guerrillas, tal como había hecho desde finales de enero, en lugar de intentar establecer una base permanente. [187]

A mediados de abril, estas cuestiones fueron debatidas en Yudu en una concentración plenaria de dirigentes.[188] Con el respaldo de Peng Dehuai, la posición de Mao resultó victoriosa. Se acordó que el Cuarto Ejército intentaría establecerse en Fujian occidental, al tiempo que las fuerzas de Peng retornarían al oeste de Jiangxi para volver a ocupar Jinggangshan. Y se aprobó, por una mayoría abrumadora, el objetivo de crear en Jiangxi un régimen soviético independiente en el plazo de un año.

Pero la apariencia de unidad era ilusoria. A lo largo del mes siguiente se abrió una profunda brecha entre Mao y sus seguidores, por un lado, y la mayoría de comandantes del ejército, por el otro, que se identificaban con Zhu De.[189]

Las discrepancias se originaron en parte por el diferente origen de las dos fuerzas que, un año antes, habían convergido para dar cuerpo al Ejército Rojo.[190] Las tropas de Mao se habían entrenado mientras consolidaban la zona base de Jinggangshan. Los hombres de Zhu De, en cambio, habían estado en constante movimiento, de Nanchang a Swatow,* después en el norte de Guangdong y, finalmente, en el sur de Hunan. Sus diferentes procedencias les predisponían a diferentes tácticas militares. Pero también reflejaban la firme convicción de Mao, proclamada en su primera arenga política en Jinggangshan —cuando planteó la cuestión «¿Cuanto tiempo se podrá mantener la bandera roja?»— de que la creación de bases rojas era la única vía realista hacia la revolución nacional.

---

* Transcripción tradicional, basada en la pronunciación cantonesa, del nombre de la ciudad costera de Shantou, provincia de Guangdong. (*N. del t.*)

La falta de acuerdo sobre la estrategia a seguir fue crucial. Pero había otras rencillas más personales que también jugaban un papel decisivo. Mao era un autócrata, como admitía He Zizhen.[191] Ahora, como en Jinggangshan durante el otoño anterior, se podían escuchar quejas sobre su «estilo patriarcal de gobernar», «la dictadura del secretario» y la «excesiva centralización del poder».[192] En esta ocasión, los oponentes de Mao fueron más circunspectos. En lugar de atacarle directamente, se centraron en el control del partido sobre los asuntos militares, señalando que «[éste] se encarga de demasiadas cosas»[193] y que, con el incremento del Ejército Rojo tras la caída en marzo de 1929 de Tingzhou, «el Comité del Frente no podía estar al corriente de todo».[194]

Mao era el único responsable de este problema. A principios de febrero, durante los momentos más funestos que se sucedieron tras la huida de Jinggangshan, se disolvió el Comité Militar que Zhu De había encabezado.[195] Poco después, siguiendo las sugerencias de Mao, los regimientos fueron reemplazados por columnas. El resultado fue la drástica disminución del poder del cuartel general militar. Pero Zhu y sus compañeros no estaban dispuestos a verse reducidos a meros engranajes de la maquinaria política de Mao, y comenzaron a reclamar en voz alta que el Comité Militar fuese restituido.

A este nido de serpientes político llegó un ingenuo, aunque extraordinariamente terco, joven comunista llamado Liu Angong, enviado por Zhou Enlai para actuar como oficial de enlace del Cuarto Ejército, con la exigencia de que se le otorgase un cargo de responsabilidad adecuado.[196] Liu acababa de retornar de la Unión Soviética, donde había aprendido que las teorías leninistas eran la respuesta a todos los posibles problemas chinos.

En un principio, Mao consideró a Liu como un aliado potencial o, al menos, un posible instrumento. Después de una rencorosa reunión cerca de Yongding, en Fujian, a finales de mayo, informó a Zhou que el Comité Militar había sido restablecido con Liu como secretario y jefe del Departamento Político del ejército.[197] Para Mao, con ello se había conseguido evitar que Zhu De ocupase nuevamente el secretariado. De un modo cada vez más evidente, la confrontación se estaba convirtiendo, a los ojos de Mao, en una lucha de poder entre Zhu, a quien acusaba privadamente de albergar «ambiciones largo tiempo reprimidas», y él mismo.[198]

Pero el intento de Mao de valerse de esas estratagemas resultó un fiasco. La primera acción de Liu cuando el nuevo comité quedó establecido redundó en incrementar sus funciones a expensas del Comité del Frente.[199] Cuando los líderes se volvieron a reunir, el 8 de junio, en Baisha, Mao ya había llegado a la conclusión de que sería inevitable llegar a una confrontación de grandes dimensiones. El Comité del Frente, decía amargamente, no estaba «ni vivo ni muerto»; se suponía que debía asumir el control sobre el Cuarto Ejército, pero no tenía poder para concretarlo. En esas circunstancias, anunció Mao, debían encontrar un sustituto que actuase como secretario. Él pensaba dimitir.[200]

Fue un farol, y al principio pareció que podría funcionar. La reunión tomó la resolución, por treinta y seis votos a cinco, de abolir el Comité Militar, restablecido una semana antes.[201] Sin embargo, se determinó que las grandes decisiones de estrategia y liderazgo quedasen sometidas a un congreso general del Cuarto Ejército, el primero que se convocaba en ocho meses. Cuando este cuerpo se congregó dos semanas después en una escuela local, habilitada para la ocasión, no lo hizo bajo la presidencia de Mao, sino bajo la de Chen Yi.

Mao fue acusado de mantener «tendencias patriarcales» y su estilo de trabajo fue criticado con vigor. También fue censurada la conducta de Zhu De. La réplica de Mao de que el ejército estaba cayendo en una «mentalidad de bandidaje», al persistir en la guerra de guerrillas sin intentar consolidar unas bases permanentes, fue rechazada por no ser «un problema real»; y su propuesta de dos meses antes de intentar ocupar toda la provincia de Jiangxi «en el plazo de un año» fue señalada ahora como errónea. Cuando el nuevo Comité del Frente fue elegido, tanto Mao como Zhu se mantuvieron entre los miembros: Mao como representante del partido y Zhu como comandante del ejército. Pero Chen Yi copó el puesto de secretario.[202] Por tercera vez desde que se habían retirado a las montañas, veintiún meses antes, Mao había quedado eclipsado.

Mientras la disputa política alcanzaba su culmen, He Zizhen, que tenía entonces diecinueve años, dio a luz a una niña. Como no podían mantener el bebé junto a ellos, hizo como otras mujeres del Ejército Rojo y, media hora después de que la criatura hubiese nacido, la entregó, junto a un paquete que contenía quince dólares de plata, a una familia de campesinos para que la cuidara. Tiempo después escribió que no había derramado una sola lágrima.[203]

Durante cinco meses, Mao se mantuvo al margen de las tareas de dirección del Cuarto Ejército. El pretexto fue una grave enfermedad, cuyo origen era más psicológico que físico. Como anotó He Zizhen: «Estaba enfermo —a la vez que turbado, lo que agravaba su afección».[204] Pero aquello no le impidió trabajar en julio con el Comité Especial de Fujian occidental, aconsejándole sobre el modo de crear una nueva zona base que esperaba que se uniese con el sur de Jiangxi para formar el núcleo del soviet provincial de que había hablado en Yudu.[205] Pero rechazó intervenir en los planes del Comité del Frente de una nueva campaña de guerrillas, lo que provocó una discusión espectacular con Chen Yi que acabó con ambos, pálidos de rabia, insultándose mutuamente.[206]

Enfrentados con la intransigencia de Mao, el Comité del Frente decidió a finales de julio que Chen debería ir a Shanghai a solicitar la central que arbitrase, dejando en su lugar a Zhu como secretario en funciones.[207]

Unos días después, Mao contrajo la malaria y se retiró a una remota aldea de las montañas.[208] He Zizhen y él se alojaron en una pequeña choza de bambú que arregló como el retiro de un intelectual, llamándola «Salón de la Riqueza de los Libros», nombre que escribió en un tablón de madera que pendía sobre la puerta.[209]

Su decisión de retirarse de la pelea, una táctica que usaría a menudo durante su carrera, se mostró desde el primer momento acertada. Incluso antes de que Chen Yi hubiera llegado a Shanghai, el Politburó había recibido las copias de las resoluciones del congreso, además de una carta que Mao había redactado exponiendo sus ideas sobre la disputa; y concluyó que los delegados habían actuado equivocadamente. El 21 de agosto se envió una directriz al cuartel general de Zhu que enfatizaba la importancia de un liderazgo centralizado del partido, aprobando implícitamente los esfuerzos de Mao por ampliar las funciones del secretario del partido —el cual, declaraba, no representaba «en absoluto un sistema patriarcal»—, y señalando que «el Ejército Rojo no es sólo una organización para la lucha, sino que tiene responsabilidades propagandísticas y políticas».[210]

El infortunado Liu Angong fue considerado el principal culpable de la confusión, siendo acusado de avivar el faccionalismo, y se le ordenó que retornase a Shanghai, sólo para morir en la batalla, antes de que pudiese cumplir con el requerimiento.[211]

A finales de septiembre, cuando recibió esta misiva, Zhu convocó otro congreso del ejército y envió a Mao una invitación. Mao la rechazó, indicando: «No puedo volver en estas circunstancias». El congreso le envió entonces una carta pidiéndole que retornase como secretario del Comité del Frente. En esta ocasión acudió, aunque se hizo portar en una litera para mostrar que no estaba en condiciones de trabajar, un incidente que tuvo consecuencias imprevistas cuando, durante la primavera siguiente, llegaron a Moscú falsos informes sobre su situación, impulsando al Comintern a publicar su necrológica.[212] Tres semanas después, Chen Yi regresó con otro documento del Comité Central que él mismo había redactado y que había contado con la aprobación de Zhou Enlai y Li Lisan. En él se condenaba «la estrechez de miras de algunos camaradas militares que creían que el Ejército Rojo lo era todo en la revolución», pero afirmaba que Mao se había equivocado al querer edificar áreas base fijas de manera inmediata y criticaba el plan de conquistar la provincia entera de Jiangxi antes de que se cumpliese el plazo de un año.[213] Sobre la importante cuestión de la relación que mantenía con Zhu, el Comité Central descartó optar por cualquiera de los dos bandos, acusándoles por igual de seguir «métodos de trabajo equivocados», que consistían, dijo, en «adoptar posiciones formalmente opuestas y discutir el uno con el otro», «sospechar mutuamente y valorar el uno al otro desde un punto de vista que nada tiene que ver con la política», y «no aceptar lo que los otros realizan» —en otras palabras, pelear como niños. Mao, decía el escrito, debía permanecer en el Secretariado del Comité del Frente, pero él y Zhu debían enmendar sus errores y aprender a trabajar juntos de un modo razonable.[214]

Esta carta, junto a una nota del Comité del Frente que le pedía que retornase de una vez por todas, llegó a Mao, cuando estaba en Fujian occidental, durante la última semana de octubre. Mao la ignoró.

La razón no tenía nada que ver con la malaria; en aquel entonces el comité local del distrito se las había ingeniado para hacerle llegar un poco de quinina, y ya se había repuesto. Se trataba de una cuestión política. Durante los dos últimos años, sus colegas —primero el Comité Central, después la cúpula provincial de Hunan y ahora el Comité del Frente— le habían condenado en tres ocasiones al ostracismo. Esta vez quería estar seguro de que le necesitaban antes de aceptar su retorno. Durante el mes siguiente, Mao dedicó sus días a debatir con los campesinos de la región sobre la reforma agraria, y las noches a otro de sus episódicos intentos de aprender inglés.[215]

El 18 de noviembre, tras una campaña desastrosa del ejército en Guangdong, en la que perdió un tercio de sus fuerzas, Zhu De y Chen Yi le escribieron por segunda vez.[216] Una vez más, no se dignó responder. Una semana después, el Comité del Frente al completo le pidió «amigablemente que vuelva y tome el mando en nuestras tareas», y envió un destacamento de tropas como escolta. En esta ocasión accedió. El 26 de noviembre reasumió su posición.

A pesar de que había asegurado la central del partido que no habría «en absoluto ningún problema» en reconducir el pensamiento del Cuarto Ejército «bajo la experta orientación del Comité Central» (implicando que pondría su empeño en reconciliar los diferentes puntos de vista), Mao actuó sin piedad para consolidar su propia posición, adaptando a su interpretación personal los documentos de la central y omitiendo lo que no le satisfacía.[217]

La asamblea que convocó para diciembre de 1929 en Gutian, un pueblo del oeste de Fujian, serviría como modelo para las «campañas de rectificación» que, en sus últimos años, se convertirían en la estrategia preferida de Mao para modelar la mente colectiva del partido a imagen de la suya propia. Durante diez días, los participantes se reunieron en pequeños grupos, guiados por secretarios de sección y comisarios políticos, para «arrancar de raíz diversas ideas equivocadas, dialogar sobre el mal que habían causado y decidir cómo remediarlo».[218] Mao, en tanto que secretario, tenía la función primordial de decidir qué ideas eran «erróneas» y cuáles «correctas». Sin que deba sorprender, las de Zhu De y sus seguidores caían generalmente bajo la primera categoría.

La sección inicial del informe político elaborado por Mao, titulado «El problema de la corrección de las tendencias ideológicas erróneas y no proletarias del partido», determinó el tono posterior. Condenaba «las ideas exclusivamente militaristas», la «perniciosa raíz de la ultrademocracia» que afloraba en la forma de «una aversión individualista a la disciplina», y la obligación de los «camaradas militares» de ser siempre guiados y tener que informar al partido.[219] Nueve años después insistiría sucintamente en la misma cuestión: «El partido dirige el fusil: nunca hay que permitir que el fusil dirija al partido.»[220]

Sin mencionar a Zhu por su nombre, Mao hostigó sin compasión a los dirigentes del ejército por haber tolerado prácticas feudales y por sus «toscos y deficientes métodos militares». El castigo corporal, se lamentaba, estaba todavía extendido, especialmente entre los oficiales de la Segunda Columna (formada por el antiguo vigésimo octavo regimiento de Zhu), donde la brutalidad había llegado a un punto tal que se habían producido tres suicidios, mientras los hombres decían con ironía: «Los oficiales no se limitan a azotar a los soldados; los azotan hasta matarlos». Los prisioneros eran objeto de malos tratos; los desertores, fusilados; y se dejaba morir a los enfermos y heridos del Ejército Rojo; todo ello flagrantes violaciones de los principios del partido.[221]

La directriz de la central convirtió el liderazgo de Mao en inexpugnable. Pero no consiguió cambiar sus ideas sobre la cuestión que inicialmente había desencadenado la disputa —si desarrollar una táctica de guerrillas o asegurar bases revolucionarias fijas—, como quedó claro algunos días después en una carta privada dirigida a Lin Biao. El Comité Central, explicaba, era demasiado pesimista, como lo había sido un año antes cuando propuso la dispersión del Ejército Rojo. Las contradicciones de la sociedad china en general, y las existentes entre los caciques militares en particular, se estaban agudizando hasta el punto de que «una simple chispa puede iniciar un incendio devastador»; y eso ocurriría «muy pronto»:

> Los marxistas no somos adivinos ... Pero cuando digo que pronto llegará la marea de la revolución a China, no estoy hablando enfáticamente de algo que, en palabras de algunos, «es posible que venga», algo ilusorio, inasequible y privado de cualquier significación real. Es más bien como un barco en alta mar cuyo mástil se columbra ya en el horizonte desde la orilla; es como el sol del amanecer en el este, cuyos rayos resplandecientes se divisan desde lo alto de un monte; es como un niño que va a nacer, moviéndose sin descanso en el útero de su madre.[222]

Al escribir estas líneas Mao se alejaba de la política del partido, que mantenía que no era posible discernir, en aquel momento, nuevos fulgores revolucionarios.[223] La misma directriz de la central que le había rehabilitado en el poder advertía al Comité del Frente del peligro de querer ver demasiado en las confrontaciones entre los señores de la guerra. Pero, sin que Mao lo supiese, la política del partido había cambiado en los dos meses que habían transcurrido desde que se escribieron esas instrucciones.

A lo largo de 1929, China y Rusia se habían mantenido en desacuerdo sobre el estatuto del Ferrocarril Chino del Este, en Manchuria, bajo administración conjunta. El gobierno nacionalista de Chiang Kai-shek, en Nanjing, respaldado por el nuevo dirigente manchú, Zhang Xueliang, deseaba que se pusiese fin a este sistema dual. La policía china asaltó en mayo los consulados soviéticos de Harbin, Tsitsihar y otras ciudades manchúes —que se habían mantenido operativos después de que los situados en territorio propiamente chino fuesen clausurados—, y se incautaron documentos que mostraban que los oficiales soviéticos seguían promoviendo la subversión comunista. En julio se deportó a un número importante de ellos y poco después se rompieron todos los vínculos diplomáticos.[224]

Después de algunas dudas, Moscú decidió dar una lección a los chinos. En octubre, el Comintern escribió al Partido Comunista Chino demandando que «se potencie y extienda la guerra de guerrillas», especialmente en Manchuria y en las áreas en que Mao y He Long[225] continuaban activos, coincidiendo con una expedición punitiva de algunas unidades del ejército ruso a lo largo de la frontera china.[226] En el momento en que ese mensaje llegó a Shanghai, a principios de diciembre, el gobierno de Nanjing había retrocedido y ofrecía una tregua sincera. Pero el análisis político que la carta ocultaba cobró vida rápidamente.

Para justificar la llamada de una ofensiva guerrillera, Moscú proclamó que China había «entrado en un período de profunda crisis nacional», caracterizada por «la llegada de una marea revolucionaria» y la «suposición objetiva de que sin lugar a dudas esa marea revolucionaria llegará».[227] El lenguaje empleado era deliberadamente ambiguo, pero el tono estaba alejado de la cautela que prevalecía en los pronunciamientos del Comintern, y ello convenció a Li Lisan, emergiendo entonces como la figura dominante de la cúpula central, de que se podía asegurar que la tan esperada efervescencia revolucionaria se encontraba muy cerca.[228]

Así lo hizo en una directriz del Comité Central, expedida el 8 de diciembre, que reclamaba la rápida expansión del Ejército Rojo a través de la incorporación de unidades de autodefensa campesina, una mejora en la coordinación de los diferentes cuerpos militares comunistas, con la concentración, y no la dispersión, como principio rector, y una estrategia unificada tanto para las zonas rurales como para las urbanas.[229] Precisamente en relación con este último punto estalló la controversia política más sorprendente:

> Es necesario cambiar la táctica hasta ahora empleada de rehuir la toma de las grandes ciudades. Siempre que haya posibilidades de victoria, y siempre que se pueda implicar a las masas, habrá que lanzar ataques sobre las urbes para poderlas ocupar. La toma rápida de las grandes ciudades sería de una gran significación política. Esta estrategia, combinada con la lucha en todo el país de los obreros, los campesinos y los soldados, promoverá la gran marea revolucionaria.

Cuando este documento llegó a Jiangxi a finales de enero de 1930,[230] Mao tuvo la agradable sorpresa de saber que las estimaciones del Comité Central sobre las posibilidades revolucionarias eran muy similares a las suyas. Unos días después, en una asamblea plenaria del Comité del Frente, celebrada en Pitou, cerca de Jian, pudo gozar del espectáculo que le dedicaron sus camaradas cuando, uno tras otro, reconocieron humillantemente la validez de los análisis de Mao del verano anterior y se comprometieron a «liberar la entera provincia de Jiangxi», comenzando por Jian.[231]

Con ese objetivo se estableció un Comité General del Frente, con Mao como secretario, para actuar como «órgano supremo de dirección» de su propio Cuarto Ejército Rojo, así como del Quinto Ejército de Peng Dehuai, que contaba entonces con tres mil hombres y estaba acuartelado en el área norte de Jinggangshan, y del recién formado Sexto Ejército, comandado por un colega de Peng, Huang Gonglue, y que operaba en el tramo sur del río Gan; al igual que de las áreas base del suroeste de Jiangxi, el oeste de Fujian y el norte de Guangdong.

La asamblea emitió una resolución final redactada por Mao que rebosaba fervor revolucionario:

> ¡Está cerca el estallido de una gran marea revolucionaria mundial! ¡La gran época de la revolución China llegará muy pronto, aparecerán soviets chinos, sucesores de los soviets rusos, y se convertirán en una poderosa rama del [sistema] soviético mundial! En China, surgirá primero un soviet en Jiangxi, porque allí ... las condiciones ya han madurado; después en otras provincias ... El [resultado final de nuestra] lucha será inevitablemente ... que las fuerzas revolucionarias del sur se fusionarán con las fuerzas revolucionarias de todo el país para enterrar a las clases gobernantes en una fosa.[232]

Pero la retórica era una cosa y la realidad otra muy distinta. Cuando llegó el momento de poner en práctica los planes, Mao procedió con gran cautela. Incluso la misma decisión de atacar Jian no era exactamente lo que podía parecer. «Esta llamada a la acción es correcta», escribió. «El primer paso, sin embargo, no consiste en atacar directamente la ciudad, sino sitiarla con el propósito de hacer la vida más difícil [para los que están] en su interior, y sembrar el pánico ... Después pasaremos a la [fase siguiente].»[233] Pero en la práctica, incluso el primer paso fue abortado cuando el Guomindang se lanzó a la ofensiva; en marzo, el ataque fue abandonado definitivamente.[234] Unos días después, se renunció a emprender un intento de tomar la ciudad de Ganzhou. En lugar de ello, el Comité General del Frente decidió dedicar los tres siguientes meses a desarrollar y ampliar las bases rurales existentes, con el pretexto de que una expansión sin consolidación constituiría un caso de «grave oportunismo».[235]

Esta actitud prudente no pasó inadvertida en Shanghai, donde Li Lisan comprendió de inmediato que existían divergencias fundamentales sobre lo que implicaba la «gran marea revolucionaria».

La «gran marea» de Li se basaba en la teoría. Nacía de un documento del Comintern redactado en Moscú que, teniendo en cuenta que obedecía a las necesidades nacionales soviéticas, Li sometió después a sus propios intereses. En cambio, la de Mao era una cuestión de política práctica. Durante el año anterior había defendido que la única posibilidad para avanzar pasaba por la construcción de bases rurales. La directriz de septiembre del año anterior redactada por el Comité Central había afirmado que para conseguirlo se requeriría alentar la «marea revolucionaria». Por ello, para Mao, la aseveración de Li Lisan de que esa condición ya se había consumado, añadía simplemente legitimidad a unas decisiones políticas que él, de todos modos, habría tomado.

Mao estaba dispuesto a mostrar, como parte del trato, un apoyo hipócrita a la idea de la toma de las ciudades, siempre que ello no supusiese un riesgo innecesario para el Ejército Rojo.[236] Además se trataba de un apoyo insincero que, para comenzar, era mínimo. La reunión de Pitou declaró explícitamente que la «principal tarea» del partido consistía en «ampliar el territorio de las zonas de los soviets». La conquista de las ciudades, como política general (más allá del plan específico de tomar Jian), ni siquiera fue mencionada. De hecho, apenas unas semanas antes, en Gutian, Mao se había mofado de los que querían «marchar sobre las grandes urbes», afirmando que sólo estaban interesados en la búsqueda del placer y en «comer y beber para el solaz de sus corazones».[237]

Por otra parte, para Li la revolución urbana era primordial. La mayoría de su trayectoria se había desarrollado junto a los obreros organizados, desde su aprendizaje con Mao, entre los mineros de Anyuan, hasta el movimiento del 30 de mayo de 1925, cuando alcanzó relevancia nacional. Del mismo modo que Mao creía fervientemente que la revolución rural poseía la clave del futuro de China, Li estaba convencido de que el proletariado sería la salvación.

A este marcado distanciamiento político había que añadir la profunda antipatía personal que mediaba entre ambos. Li era seis años menor que Mao. No habían sido capaces de entablar una relación de armonía cuando, siendo un estudiante de dieciocho años, Li no quiso comprometerse con la Asociación de Estudios del Nuevo Pueblo. Diez años después, la indiferencia mostrada por Mao cuando el padre de Li, terrateniente, fue ejecutado tornó la frialdad en enemistad. La torpe nota que Mao envió en octubre de 1929 al «hermano Li», al conocer su ascenso, pidiéndole que le «escribiese una carta con tus excelentes consejos», evidenciaba el recelo que aquella noticia le había inspirado.[238]

Dejando a un lado las cuestiones personales, las divergencias políticas de Mao con la central sobre la cuestión de la «gran marea revolucionaria» no habrían permanecido ocultas por demasiado tiempo. A finales de febrero de 1930, Zhou Enlai redactó una exposición mucho más extensa y detallada de la nueva estrategia de la cúpula, publicada como la «Circular n.° 70» del Comité Central, que criticaba a Zhu y Mao, citando sus nombres, por «su insistencia en ocultar y dispersar sus fuerzas».[239] El objetivo del partido, declaraba, era alcanzar una «victoria previa en una o varias provincias», y para ello la estrategia del Ejército Rojo debía encaminarse a la toma de ciudades clave en las grandes rutas de transporte, coordinada con alzamientos locales, huelgas políticas de los obreros, y motines entre las guarniciones del Guomindang. Dos semanas después, el 10 de marzo, el Politburó criticó de nuevo a las fuerzas de Mao por «andar dando vueltas» sin propósito.[240] Otra directriz de la central le acusaba de actuar «en contra de sus deberes en el partido y de la situación revolucionaria nacional».[241] En aquel punto, Zhou partió hacia Moscú para no volver antes del mes de agosto, dejando a Li Lisan como única cabeza visible al cargo de la política de la central.[242]

A lo largo de la primavera y principios de otoño de 1930, Mao se resistió a cumplir aquellas instrucciones.

Sus fuerzas se negaron a alejarse de la frontera entre Jiangxi y Guangdong, donde, después de algunas escaramuzas con unidades menores del Guomindang, construyeron su bastión.[243] Mao ignoró las peticiones de Li de acudir a Shanghai para asistir al Congreso de Representantes de las Zonas Soviéticas, que, finalmente, se celebró a mediados de mayo con la ausencia de los más importantes de ellos.[244] Seguir directrices equivocadas, dijo sin ambages ante el Comité del Frente, era «una forma de sabotaje», y él no tomaría parte en ello.[245]

Mientras tanto, las ideas de Li —«la línea Li Lisan», como sería conocida tiempo después— se fueron acercando cada vez más a la posición radical que, tres años antes, había expuesto Qu Qiubai.[246] Al igual que él, Li declaró que era erróneo confiar únicamente en el Ejército Rojo para llevar a cabo la revolución; las unidades armadas debían operar en conjunción con las insurrecciones de los trabajadores. Como Qu, insistía en que sólo se debía «atacar, nunca retirarse». Las tácticas de Mao de una guerra flexible «no se adecuan ya a los requisitos modernos ... ahora que necesitamos conquistar las ciudades clave», y Zhu y él debían «cambiar sus métodos» y olvidarse de la mentalidad guerrillera. La idea de Mao de «usar el campo para rodear la ciudad», planteada explícitamente por vez primera en su plan para atacar Jian, estaba de igual modo «totalmente equivocada»; y su noción de que «el trabajo rural es lo primero y el trabajo urbano lo segundo» era un error aún mayor.

En junio, la situación se tornó crítica. Después de una serie de mordaces críticas, en la que Mao fue acusado de estar «aterrorizado por el imperialismo», de mostrar ideas campesinas y una «ideología de bandidaje», y de desobedecer persistentemente las instrucciones del Comité Central,[247] el Politburó aprobó una resolución rechazando su propuesta de fundar un régimen revolucionario exclusivamente en Jiangxi y asumiendo, en su lugar, unas perspectivas mucho más apocalípticas:

> China es el eslabón más débil de la cadena de gobierno del imperialismo mundial. Es el lugar donde con más probabilidad se puede producir la erupción del volcán de la revolución mundial ... La revolución china puede incluso ... instaurar la revolución mundial, así como la final y decisiva guerra de clases en todo el planeta ... De modo que la tarea inmediata del Partido Comunista es requerir a las ingentes masas ... que se preparen con decisión para el levantamiento general coordinado de todas las fuerzas revolucionarias ... Por el momento, mientras día a día se acerca la nueva gran marea revolucionaria, nuestra estrategia política general consistirá en prepararnos para alcanzar las victorias previas en una o más provincias y establecer un régimen revolucionario nacional.[248]

El plan que Li Lisan elaboró a partir de esta declaración preveía un ataque inicial sobre las ciudades de Jiujiang y Nanchang, llevado a cabo por las unidades de Mao, y seguido de una ofensiva coordinada del Ejército Rojo contra Wuhan.[249]

Para someter a las fuerzas comunistas aún más firmemente bajo su control, Li ordenó una amplia reorganización política y militar. Se creó una red de comités de acción destinados a convertirse en los órganos de poder político de cada provincia, directamente dependientes de la central (es decir, en la práctica, del mismo Li). Por lo que se refiere al ejército, se creó una Comisión Militar Revolucionaria Central, también bajo la responsabilidad de

Li, para dirigir las acciones de los cuatro nuevos grupos militares que sustituían la estructura militar existente.[250] Diez días después Tu Zhennong, enviado especial del Comité Central, llegaba a Tingzhou y entregaba en mano a Mao y Zhu De una orden directa para que comenzasen a desplazar sus tropas hacia el norte.[251] Para que la píldora fuese más dulce, se ofreció a Mao la presidencia de la nueva Comisión Militar.[252] Zhu fue investido con el cargo de comandante en jefe. No quedaba otra elección más que obedecer.

Un poema que Mao escribió poco después revela sus dudas respecto de aquella empresa:

> Un millón de obreros y campesinos se rebelan ávidos al unísono,
> arrollando Jiangxi como un rodillo, golpeando sobre Hunan y Hubei,
> pero la «Internacional» suena con notas melancólicas,
> de los cielos cae sobre nosotros una furiosa tempestad.[253]

Como para subrayar las dudas de Mao, el ejército avanzó con extrema lentitud.[254] El 28 de junio abandonó Tingzhou. Diez días después todavía no había llegado a Xingguo, localidad situada al oeste, a menos de quince kilómetros. Pasarían dos semanas más antes de que se enfrentaran por vez primera a las tropas enemigas, en Zhangzhou, unos cien kilómetros más al norte. Mao y Zhu decidieron entonces que Nanchang estaba demasiado bien defendida y que un gesto simbólico bastaría. De este modo, el 1 de agosto enviaron un destacamento a la estación de ferrocarril que había junto al río, en la orilla opuesta a donde se eleva la ciudad, y lanzaron algunos disparos al aire para conmemorar el tercer aniversario del levantamiento de Nanchang. «Como habíamos cumplido con la misión de organizar una manifestación el 1 de agosto», explicó Mao poco después al Comité Central, «nos dispersamos por la zona cercana a Fengxin [en la vertiente más alejada de las montañas, ochenta kilómetros al norte] para movilizar las masas, recaudar fondos, hacer propaganda y otras tareas similares.»[255]

Demasiado poco para el grandilocuente plan de Li Lisan de lanzar un ataque rápido y coordinado sobre Wuhan. Pero, de todos modos, en aquel momento, Li tenía otros problemas. Su celo insurreccional había disparado la alarma en Moscú. El Comintern había ordenado en mayo que se redactase una carta insistiendo en que «todavía no había aparecido una marea revolucionaria de ámbito nacional». La fuerza del movimiento revolucionario, añadía, «no es suficiente para destruir el dominio del Guomindang y los imperialistas ... [Aunque, a pesar de que este movimiento] no puede dominar sobre China, sí puede tomar el control de algunas de las provincias más importantes».[256] Esto era bastante diferente de lo defendido por la línea Li Lisan. Él argumentaba, con coherencia, que los regímenes provinciales independientes o, en general, cualquier tipo de base permanente, sólo podría sobrevivir en el contexto de una sublevación nacional; y acabó concluyendo, como había hecho Mao, que era «del todo erróneo» pensar que los regímenes locales aislados anticiparían la insurrección nacional.[257] Pero precisamente aquello era lo que Moscú pretendía hacerle creer.

La carta llegó a Shanghai el 23 de julio. En aquel momento Li debió de ser consciente de que la ofensiva que estaba diseñando no contaba con el beneplácito de Moscú y debía cancelarse. Pero, en lugar de ello, sin duda con la fe en que la victoria sería justificación suficiente, ocultó sus planes al resto del Politburó.[258]

Dos días después, Peng Dehuai realizó una incursión por sorpresa en Changsha, derrotando una fuerza del Guomindang, comandada por He Jian, cuatro veces mayor que la suya, y tomando la ciudad el 27 de julio. Después de ocuparla durante nueve días —motivando titulares alarmistas en los periódicos de toda Europa— fue obligado a retirarse.[259] No obstante, Li Lisan estaba extasiado, y también Mao quedó persuadido de que la toma de poder en Hunan era una posibilidad real.[260] Las dos fuerzas se unieron a mediados de agosto[261] y, en un cónclave celebrado el 23 del mismo mes, se acordó que debían fusionarse para formar el Primer Ejército del Frente, con Zhu como comandante en jefe y Mao de comisario político y secretario del Comité General del Frente.[262] También se fundó un Comité Revolucionario de Obreros y Campesinos, con Mao en la presidencia, para actuar como órgano supremo de poder en la zona de combate y con autoridad tanto sobre el Comité del Frente como sobre las autoridades locales y provinciales del partido.[263]

En la misma reunión, tras intensas discusiones, se decidió realizar un nuevo intento de tomar Changsha y, en esta ocasión, ocuparla de manera permanente.

Parece que Mao albergaba sentimientos contrastados. Las unidades de He Jian habían quedado severamente maltrechas y la moral del Ejército Rojo era alta. Pero, por otro lado, se había perdido el elemento sorpresa. Sus recelos se reflejaron en una carta que escribió al día siguiente, en la que subrayaba la «extrema importancia» de que se enviasen refuerzos a Jiangxi —«diez mil hombres en dos semanas y otros veinte mil en el plazo de un mes»—, añadiendo con prudencia que sería necesaria «una intensa campaña» para que «*fuese* posible» tomar Changsha.[264]

Aquellas advertencias se mostraron totalmente justificadas. Los nacionalistas presentaron una resistencia tenaz[265] y el ataque comunista fracasó a pocos kilómetros dc la ciudad, cn cl surcste.[266] El 12 de septiembre, ante la aproximación de nuevas fuerzas de refresco del Guomindang, Mao dio la orden de retirada.[267]

Veinticuatro horas después se indicó a las tropas que volviesen a Jiangxi. Se mantenía la retórica de «lograr una victoria inicial en Wuhan y tomar el poder político en todo el país», pero el siguiente objetivo fue mucho más modesto. Después de tres semanas de descanso y reabastecimiento se lanzaría un ataque sobre Jian. Era la tercera ciudad de la provincia, con una población de cuarenta mil habitantes. Las fuerzas comunistas locales habían intentado tomarla hasta en ocho ocasiones, pero en cada una de ellas habían sido repelidas.[268]

Sin embargo, en la noche del 4 de octubre, los defensores huyeron sin presentar resistencia,[269] y Mao pudo anunciar la «primera toma de una ciudad importante por el Ejército Rojo y las masas [de Jiangxi] tras varios años de lucha ... [y] el primer paso hacia la victoria en la provincia entera de Jiangxi».[270] Estaba cargando demasiado las tintas: de hecho los comunistas mantuvieron Jian bajo su control tan sólo seis semanas.[271] Pero reflejaba diáfanamente el júbilo de las bases y los dirigentes del partido. Se lanzaron proclamas desmedidas, reclamando que las fuerzas del Ejército Rojo alcanzasen el millón de hombres, prometiendo solidaridad eterna con la Unión Soviética y el proletariado de todo el mundo, y prediciendo que, en la actual «situación de revolución global», el poder soviético «sin duda alguna irrumpiría» en China y en todo el mundo.[272]

Mao estableció su cuartel general en la casa de un terrateniente, una confortable vivienda de piedra situada en el centro de la ciudad. He Zizhen y él vivían tras el patio interior, entre el rojo esplendor de laca de lo que habían sido las alcobas de las damas, mientras Zhu De y su joven compañera, Kang Keqing, ocupaban las habitaciones exteriores. A pesar de las advertencias que Mao había pronunciado en Gutian sobre las celadas de la vida en las ciudades, todos, incluido él mismo, gozaban de los placeres que les ofrecía aquel lugar.

Al mismo tiempo, en Shanghai, Li Lisan pasaba por embarazosas dificultades.

En el mes de julio un consejero militar soviético había instalado una transmisor secreto de radio para que el Comité Central se pudiese comunicar con Moscú.[273] La libertad de maniobra de Li, basada en los meses que acostumbraban a transcurrir hasta que las cartas iban y venían del Comintern, se esfumó de la noche a la mañana. Uno de los primeros mensajes recibidos, el 28 de julio, reafirmaba con tono tajante la oposición soviética a sus planes de levantamientos urbanos.[274] Una vez más, Li ocultó la misiva. Pero, transcurrido un mes, después de que Moscú condenase sus planes por ser «aventuristas» y le indicase sin rodeos que no había «posibilidades reales de tomar las grandes ciudades», se le obligó a que diese la contraorden sobre las insurrecciones planeadas en Wuhan y Shanghai.[275]

En aquel entonces, tanto Zhou Enlai como Qu Qiubai habían regresado, y Li ya no podía seguir ocultando la posición de Moscú.[276] Aun así, rechazó cancelar la orden de volver a tomar Changsha[277] y cuando, en septiembre, se celebró un pleno del Comité Central, insistió en que él se había limitado a seguir la dirección del Comintern.[278]

Durante un tiempo, la actitud desafiante de Li cosechó sus frutos. El Tercer Pleno, tal como sería conocido, concluyó que a pesar de «las ambigüedades y los errores», resultado del excesivo optimismo, «la orientación [general] del Politburó era correcta». Pero su absolución tenía los días contados. Moscú recibió en octubre los detalles de algunas aseveraciones disparatadas de Li pronunciadas aquel otoño, cuando había propuesto, entre otras cosas, un levantamiento en Manchuria que encendiese una guerra entre Rusia y Japón, o había hablado con menosprecio sobre la comprensión rusa de los asuntos chinos.[279]

La paciencia de Stalin llegó a su límite.

El Comintern acusó a Li Lisan en una punzante carta de denuncia, que llegó a Shanghai a mediados de noviembre, de haber seguido una política antimarxista, anti-Comintern, no bolchevique y no leninista. Unos días después realizó en Moscú una confesión tan abyecta y publicitada que no se oiría de nuevo nada parecido durante cincuenta años.

No es fácil comprender las ideas que Mao albergaba durante todo este período. Creía sinceramente que la revolución seguía ganando enteros, tanto en casa como en el extranjero. Los periódicos que llegaban a manos de los comunistas hablaban de la Gran Depresión en Estados Unidos, de la aparición de conflictos industriales en Europa y de levantamientos antiimperialistas en Asia y América Latina. Pero, por otra parte, su prudente actitud traicionaba, en la práctica, su insistencia aquel otoño en afirmar públicamente que «la insurrección revolucionaria está, en el país entero, elevándose día a día más arriba».[280] Después de la captura de Jian, se opuso reiteradamente a algunos compañeros convencidos de que Li Lisan estaba en lo cierto y de que su primera tarea era ocupar Nanchang y presionar después sobre Wuhan.[281] La primera obligación, replicaba Mao, era tomar el poder en una provincia, Jiangxi; el resto llegaría después.[282]

El debate sobre el sueño formulado por Li de la conquista de toda la nación quedó truncado cuando Chiang Kai-shek anunció que aniquilaría la «amenaza roja» de Jiangxi, de una vez por todas, durante el transcurso de los siguientes seis meses. Calculó emplear a cien mil hombres, una fuerza ampliamente superior a lo que nunca hasta entonces el Guomindang había conseguido reunir en una campaña contra los comunistas. Sin embargo, ahora se enfrentaba a un ejército muy diferente al exhausto contingente de guerrillas mal alimentadas que había huido en desorden de Jinggangshan en el invierno de 1928. En aquella ocasión, las fuerzas de Mao y Peng Dehuai sumaban en conjunto menos de cuatro mil hombres, de los que apenas la mitad poseía armas; el resto llevaba lanzas o luchaba con garrotes y porras. Ahora, en cambio, el Primer Ejército del Frente contaba con cuarenta mil hombres, la mayoría equipados con modernos rifles.[283]

Desde un punto de vista militar convencional, su calidad dejaba mucho que desear. La mayoría era campesinos analfabetos. Debían colgarse en los lugares públicos órdenes como «¡No caguéis en cualquier sitio!» o «¡No vaciéis los bolsillos de los prisioneros!».[284] Pero, con esta materia prima tan ruda, en el año que había transcurrido desde el congreso de Gutian, los obreros políticos del Ejército Rojo habían forjado una fuerza de combate muy motivada y cada vez más sofisticada.

Se promovieron campañas de alfabetización. Se alentó la disciplina. Se introdujo un sistema de calificaciones y promociones para el cuerpo de oficiales.[285] Los reclutas debían tener «entre dieciséis y treinta años, al menos un metro y cincuenta centímetros de altura, buena salud y estar libres de cualquier enfermedad grave». Era una muestra de la dificultad de su cometido, que Mao creyó necesario aclarar:

> La razón [de estas exigencias] es que los que tienen problemas de visión son incapaces de apuntar y disparar; los que están sordos no pueden discernir las órdenes; la mayoría de los de nariz hundida sufren de sífilis hereditaria y son susceptibles de tener [otras] enfermedades contagiosas; los que tartamudean son incapaces de llevar a cabo las tareas comunicativas de un soldado. Y, entre los que tienen [otras] enfermedades, su débil condición física no sólo los incapacita para la lucha, sino que existe el peligro de que contagien sus enfermedades a los demás.[286]

Se crearon unidades de primeros auxilios en el campo de batalla y cuerpos auxiliares encargados de enterrar a los muertos. Se formaron departamentos de abastecimiento y transporte, responsables de las caravanas de equipajes y las cocinas de campaña. También se establecieron secciones de reconocimiento, topografía, inteligencia y seguridad.

A partir de junio de 1930, Zhu De y Mao despachaban detalladas órdenes militares una e incluso varias veces al día, consignando instrucciones de batalla, planes de avance, reglas para la disposición de centinelas, trabajos para el cruce de los ríos y toda la parafernalia necesaria para mantener en acción a veintidós regimientos. Se asignaron ayudantes de campo a los oficiales veteranos, y los teléfonos de campaña comenzaron a sustituir a los correos y encargados de las señales de bandera que habían sido los únicos medios de comunicación en el campo de batalla hasta entonces.[287]

Tan sólo en un aspecto el Ejército Rojo era desesperadamente inferior a sus adversarios del Guomindang: la tecnología militar. Después del fallido asalto a Changsha, Mao dio instrucciones para la captura de los equipos de radio enemigos (así como de sus operadores, para instruir a los técnicos de transmisiones del Ejército Rojo sobre su uso), y se crearon secciones de ametralladoras y morteros con las armas enemigas capturadas.[288] Pero, como anotaba el Comintern, continuaba estando «pobremente armado, percibía suministros en extremo miserables de *matériel* de guerra, y estaba extraordinariamente incapacitado por lo que se refiere a la artillería y la maquinaria de guerra».[289]

En parte gracias a «la línea Li Lisan», las tácticas del Ejército Rojo habían comenzado en 1930 a abandonar la guerrilla para desplegar un guerra dinámica. Pero era necesaria una nueva estrategia para responder al desafío planteado por la táctica de asedio propuesta por Chiang. El 30 de octubre, en una reunión plenaria del Comité del Frente celebrada en una pequeña aldea cerca de Luofang, en el río Yuan, ciento diez kilómetros al suroeste de Nanchang, Mao esbozó por primera vez el principio de «seducir al enemigo».[290] Como muchas otras ideas profundas, era en esencia extraordinariamente simple, poco más que la prolongación de la táctica que Mao había empleado en Jinggangshan: «Cuando el enemigo avanza, nosotros nos retiramos; cuando el enemigo se fatiga, atacamos». La nueva fórmula se convirtió en: «Seducir al enemigo hasta que penetre en la zona roja, esperar a que se agote y ¡aniquilarle!».[291] El corolario, explicó Mao tiempo después, era «la táctica de la guerra prolongada»:

> El enemigo desea un guerra de corta duración, pero nosotros debemos evitar que sea así. El enemigo tiene conflictos internos. Simplemente quiere derrotarnos y volver entonces a sus batallas internas ... Dejaremos que vayan madurando y, entonces, cuando sus problemas internos sean ya acuciantes, les aplastaremos de un furioso golpe.[292]

No faltaron críticas a la nueva estrategia. Algunos argumentaron que era una negación de la política ofensiva defendida por Li Lisan (lo que de hecho era cierto), incompatible con la idea de la «emergente marea revolucionaria» —que Mao continuaba proclamando— y de la directriz que obligaba a atacar las ciudades clave. Otros, con buenos argumentos, temían las represalias de los nacionalistas en los territorios que invadiesen. Sin embargo, Zhu De apoyó a Mao y, a pesar de algunos recelos, el Comité del Frente aprobó su plan, que al día siguiente fue comunicado a los comandantes militares.[293]

Durante seis semanas los ejércitos de Chiang, hostigados por los guardias rojos locales, persiguieron a las fuerzas comunistas, mientras éstas se adentraban en los escarpados parajes de colinas del centro de Jiangxi, sin presentar batalla, abandonando uno tras otro los distritos que habían ocupado durante el verano —primero Jishui y Jian, después Yongfeng, Lean y

Donggu— en una lenta retirada en zigzag hacia el sur, donde el apoyo campesino a las fuerzas rojas era más vigoroso.

A principios de diciembre, Chiang llegó a Nanchang. Se enviaron dos nuevas divisiones para cerrar la frontera con Fujian, mientras el cuerpo principal, en cuatro columnas, formaba un arco de doscientos veinticinco kilómetros de largo que se cerraba lentamente a través de la región media de Jiangxi, en el centro de la cual, cerca del pueblo de Huangpi, a menos de quince kilómetros del frente nacionalista, aguardaban silenciosamente las fuerzas comunistas.

La primera oportunidad llegó el día de Nochebuena, dos días antes del vigésimo séptimo aniversario de Mao. Las fuerzas de Peng Dehuai (entonces conocidas como el Grupo del Tercer Ejército) fueron enviadas al norte para esperar la quincuagésima división de Chiang, comandada por Tan Daoyuan. Pero los hombres de Mao, temiéndose una trampa, detuvieron su marcha. Cuatro días después se abandonaba el plan.

El grueso del Ejército del Frente giró entonces a la izquierda, hacia Longgang, una pequeña ciudad situada veinte kilómetros al suroeste, donde el día 29 había llegado otra unidad nacionalista de vanguardia, la décimo octava división de Zhang Huizan. Las fuerzas comunistas ocuparon sus posiciones durante la noche, y a las diez de la mañana del día siguiente comenzó una ofensiva general. Cinco horas después todo había terminado: Zhang y sus dos comandantes de brigada fueron capturados, junto con otros nueve mil prisioneros, cinco mil rifles y treinta ametralladoras.[294] Cuando las noticias llegaron a oídos de Tan Daoyuan, éste ordenó una precipitada retirada. Pero el 3 de enero el Ejército del Frente le capturó y, en Dongshao, cuarenta y cinco kilómetros al noreste, apresó a tres mil prisioneros más y grandes cantidades de armas y material, incluyendo, para fruición de Mao, una unidad de comunicaciones al completo,[295] que dos semanas después se convertiría en la base de la primera sección de radio del Ejército Rojo.[296] Dependía de generadores accionados manualmente con una manivela y un relé, pero era la tecnología más avanzada del momento.

Zhang Huizan fue ejecutado y su cabeza colocada en un tablón de madera que flotaría aguas abajo por el río Gan hasta llegar a Nanchang, en un intento de provocar a Chiang Kai-shek.[297]

Mao, más que nadie, tenía motivos para sentirse satisfecho. No sólo había funcionado su estrategia de «seducir al enemigo» mejor de lo que nadie se atrevía a desear, sino que además conoció en diciembre que el Tercer Pleno le había rehabilitado como miembro suplente del Politburó, una posición que había ocupado por última vez cuando se produjo la sublevación de la cosecha de otoño, tres años antes.[298]

Era demasiado bonito para que durase.

A mediados de enero de 1931 llegó de improviso al cuartel de Mao en Xiaobu, en las montañas del norte de Huangpi, un miembro del Comité Permanente del Politburó, Xiang Ying, el dirigente más veterano que jamás visitaría la región base, para informarle que se había establecido una nueva Oficina Central, encabezada por Zhou Enlai, con autoridad suprema sobre todas las bases soviéticas, no sólo de Jiangxi sino de China entera.[299] La buena noticia era que, dos meses antes, Mao, todavía ignorante de esta decisión, había sido nombrado secretario en funciones de la Oficina Central. La mala noticia era que Xiang llegaba para sustituirle.

Xiang, cuatro años mayor que Mao, era un antiguo coordinador obrero. En el Sexto Congreso había sido elegido miembro del Comité Permanente, consecuencia de la tendencia a incrementar el número de obreros entre los dirigentes. Su misión era simple: someter la zona base de nuevo bajo el control directo del Comité Central. El 15 de enero, Xiang ordenó la disolución del Comité del Frente, principal sostén del poder de Mao, y del Comité Revolucionario, también encabezado por Mao, y le destituyó o le sustituyó en otros cargos de peso.[300]

Sin embargo, los cambios fueron engañosos. Xiang tenía la veteranía a su favor; Mao tenía al Ejército del Frente de su lado. Llegaron a un compromiso. Xiang asumía la apariencia, pero Mao retenía buena parte de la esencia del poder.

La situación se complicó aún más a causa de lo que estaba sucediendo en Shanghai. Stalin había enviado hasta allí a su especialista en China, Pavel Mif, para convocar otro pleno del Comité Central, con el objetivo de desenmascarar y denunciar a un Li Lisan caído en desgracia.[301] Sin el conocimiento de Xiang y Mao, este Cuarto Pleno había aprobado una resolución que pronto se convertiría en lectura obligatoria para todos los miembros del partido, condenando en términos extremadamente crueles los errores de Li. También representó algunos cambios de personal. No afectaron a Mao. Ni tampoco al líder nominal del partido, Xiang Zhongfa, que continuó como secretario general. También Zhou Enlai salió airoso, y no por última vez, gracias a sus hábiles cambios de camisa. Pero Qu Qiubai fue destituido, y Xiang Ying, aunque continuó en el Politburó, perdió su posición en el Comité Permanente.

El principal ascenso, no obstante, fue el de un joven rechoncho y con papada llamado Wang Ming, que fue catapultado como miembro del Politburó sin haber sido previamente miembro del Comité Central.

Wang, que tenía entonces veintiséis años, era la figura más prominente de un grupo de estudiantes chinos que se habían graduado en la Universidad Sun Yat-sen de Moscú, de la que Mif era el rector, y habían vuelto el pasado invierno a Shanghai. Otros miembros de ese grupo fueron nominados para dirigir importantes departamentos del Comité Central. A veces llamados los «veintiocho bolcheviques», la «sección china de Stalin» o, simplemente, los «jóvenes retornados», se convertirían durante los cuatro años siguientes en la fuerza principal dentro de la cúpula dirigente.

En marzo de 1931 llegaron a la zona base los primeros informes sobre la caída en desgracia de Li Lisan,[302] seguidos, tres semanas después, de una delegación de la central encabezada por Ren Bishi, a quien la Sociedad de Estudios Rusos de Mao había enviado, una década antes, cuando era un estudiante de dieciséis años, a Moscú.[303] Ren, que se había unido al Politburó en enero, llevó consigo los textos de las resoluciones del Cuarto Pleno y una directriz de la nueva central del partido que afirmaba que el Comité General del Frente, con Mao como secretario, debía mantenerse como el órgano supremo del partido en Jiangxi, pendiente de la revisión de las actividades de la Oficina Central. También se reinstauró el Comité Revolucionario, concediendo a Mao, como presidente del Comité, y a Zhu De, como comandante en jefe, autoridad nominal sobre las tareas militares y de los soviets no sólo en Jiangxi, sino en todas las zonas base rojas.[304] La razón de ello no era que los líderes de Shanghai sintiesen un especial aprecio por Mao; de hecho, no tardarían en mostrar lo contrario. Pero desconfiaban de Xiang Ying, que estaba demasiado vinculado a Li Lisan y al viejo grupo del Tercer Pleno.[305] Con el ascenso de Mao simplemente pretendían erosionar el poder de Xiang.

Chiang Kai-shek eligió estas circunstancias para lanzar su segunda campaña de asedio.[306] En esta ocasión reunió a doscientos mil soldados, el doble que en invierno. La estrategia fue la misma que entonces. El principal ejército nacionalista, el «martillo» de Chiang, avanzó desde el noroeste hasta la zona base, planeando aplastar al Ejército Rojo contra el «yunque» que eran las fuerzas de los señores de la guerra, posicionadas previamente en las fronteras de Guangdong y Fujian para bloquear las vías de escape hacia el sur y el este. Esta vez, no obstante, los comandantes nacionalistas actuaron con mayor precaución, asegurando las áreas que ocupaban antes de cada nuevo avance.

Mao y Zhu De habían estado observando estos preparativos desde el mes de febrero.[307] Pero estaban en desacuerdo con Xiang Ying sobre si la táctica de «seducir al enemigo» era factible cuando la diferencia de número entre los contrincantes era tan grande, y como ninguna de las opiniones conseguía prevalecer, no se definió ninguna estrategia alternativa clara.[308] La llegada de la «delegación del Cuarto Pleno», como era conocido el grupo de Ren Bishi, enturbió aún más las aguas. Propusieron que el Ejército Rojo al completo abandonase la zona base y se retirase hasta el sur de Hunan.[309] Pero Mao y Zhu De estaban en contra. Los otros dirigentes se mantenían indecisos, algunos de ellos resucitando el viejo argumento de que convenía que las fuerzas rojas se dispersaran.

Mientras el debate continuaba, las columnas de Chiang lo arrasaban inexorablemente todo en su camino hacia el sur. Ya a finales de marzo, el Ejército Rojo había hecho recular sus fuerzas principales hasta el distrito de Ningdu, no lejos del área donde se habían desarrollado las decisivas batallas de la primera campaña de asedio.[310] Allí, en la aldea de Qingtan, se llegó a un momento crítico.

El 17 de abril de 1931, en un cónclave ampliado de la Oficina Central, se aprobaron una serie de resoluciones criticando el liderazgo de Xiang Ying y elogiando a Mao por sus esfuerzos para oponerse a «la línea Li Lisan».[311] Al día siguiente, Mao también obtuvo una recompensa en términos de estrategia militar.[312] Se descartó la retirada y en la reunión se decidió «convertir la zona base de Jiangxi en el fundamento de un área soviética nacional». El Ejército del Frente comenzó a avanzar hacia el norte, para enfrentarse con el enemigo allí donde el diapositivo de Chiang era más débil, en la región montañosa cercana a Donggu, mientras Mao comenzaba a trazar los planes de una ambiciosa contraofensiva para atravesar las líneas enemigas y avanzar al noreste a través de Fujian.

Casi un mes después, desde un templo budista rodeado de murallas blancas, en el pico más alto de Baiyunshan, los montes de la Nube Blanca, quince kilómetros al oeste de Donggu, Mao contemplaba el avance laderas abajo de las unidades del Cuerpo del Primer Ejército de Zhu De para atacar dos divisiones del Guomindang. Una hora después, tras una señal convenida, las tropas de Peng Dehuai golpearon sobre los flancos.[313] Fueron capturados más de cuatro mil prisioneros, así como cinco mil rifles, cincuenta ametralladoras, veinte morteros y una unidad nacionalista completa de telecomunicaciones, con sus operadores. Durante las dos semanas posteriores el Ejército Rojo luchó en cuatro grandes batallas más, llegando a su cenit, a finales de mayo, con la toma de Jianning, en Fujian, ciento cincuenta kilómetros más al este. En total, hasta aquel día, treinta mil soldados nacionalistas habían sido vencidos y se habían capturado unos veinte mil rifles. La segunda campaña de asedio había fracasado, y los comandantes de Chiang ordenaron una retirada general.

Después de estos acontecimientos no habría más discusiones sobre la táctica que debía seguir el Ejército Rojo. Se concedió total libertad a Mao y a los comandantes militares.

Sin embargo, la grandeza de su éxito resultó ser la causa de su ruina. Mientras «los rojos» pudiesen ser menospreciados como un simple grupo de bandidos, Chiang no se empeciñaría si rehuían el castigo. Pero un Ejército Rojo capaz de derrotar a sus mejores generales era una cosa muy distinta. Al tiempo que la alta comandancia nacionalista pregonaba sus «logros militares», Chiang comenzó de inmediato a procurarse refuerzos. A finales de junio había congregado a trescientos mil hombres, un tercio más que en abril, para iniciar la tercera «campaña de supresión de comunistas».[314]

En esta ocasión, Mao y el resto de líderes fueron sorprendidos en falso. Desde finales de mayo, cuando la segunda campaña cayó derrotada, sabía que la tercera ofensiva no tardaría en llegar.[315] Pero habían subestimado la celeridad con que Chiang podría disponer de sus hombres. A finales de junio, el Ejército Rojo estaba desperdigado por toda la zona oriental de Fujian, donde había sido enviado para «movilizar las masas y recaudar fondos», tarea que se había tornado aún más crucial en tanto que las fuerzas comunistas aumentaban en número.[316] El día 28, Mao todavía preveía que disponía de dos o tres meses más para la acumulación de fondos y el almacenamiento de provisiones. Pero el día 30 se habló de sólo diez días,[317] y antes de que transcurriera una semana se distribuyó una «circular de emergencia» advirtiendo que la tercera campaña era inminente, que sería «extraordinariamente cruel» y que todo el mundo debía dedicar un esfuerzo hasta diez veces más arduo a lo ya mostrado hasta entonces si se quería alcanzar la victoria.[318]

Durante los dos meses que siguieron, el Ejército Rojo se aproximó a su aniquilación total.[319]

Los nacionalistas, esta vez bajo el mando personal de Chiang Kai-shek, avanzaron muy lentamente en un enorme movimiento de tenaza, consolidando las áreas que ocupaban mediante fortificaciones defensivas, y tomándose la molestia de asegurar que ninguna división quedaba aislada ni era vulnerable a los ataques comunistas.

Durante los diez primeros días, la comandancia del Ejército Rojo se esforzó por agrupar sus fuerzas y organizarlas para la batalla. A mediados de julio comenzaron a retirarse hacia el sur, con la esperanza de hacer creer a la columna oriental de Chiang, que les perseguía por la frontera de Fujian, de que pretendían huir hacia Guangdong. Sin embargo, en Rentian, al norte de Ruijin, la fuerza principal giró y se dirigió hacia el oeste, en la zona norte del distrito de Yudu, avanzando por senderos que se extendían entre las aldeas y por caminos de carros, lejos de las principales vías, con la intención de eludir los aviones de reconocimiento de Chiang. El plan de Mao consistía en organizar una emboscada y golpear, cerca de Dongdu, a las unidades más débiles de Chiang, obligando a la columna oriental a acudir en su ayuda mientras el Ejército Rojo avanzaba hasta Fujian para atacar la retaguardia enemiga. Teniendo en cuenta la falta de preparación, era seguramente lo mejor que Mao podía hacer. Pero era muy similar a la estrategia seguida en la segunda campaña. Esta vez Chiang no sería engañado tan fácilmente.

Después de ocupar Ningdu y Ruijin, la columna oriental de los nacionalistas detuvo su avance hacia el sur para iniciar la marcha hacia el oeste. Cuanto más penetraban en la zona base, más les hostigaban los guardias rojos locales, que tocaban la corneta y disparaban anticuados mosquetes para impedir que pudiesen conciliar el sueño durante la noche, preparaban burdas trampas por las montaraces sendas, saboteaban las líneas de comunicación y, emboscados, caían sobre los enfermos y los heridos. Los nacionalistas respondieron con la misma moneda. Zhu De recordaba haber «encontrado las aldeas en llamas y los cadáveres de los civiles en los lugares donde habían sido fusilados, descuartizados y decapitados, incluidas las mujeres y los niños. Las mujeres continuaban recostadas, en la misma postura forzada que, antes o después de haber sido asesinadas, mantenían al ser violadas».

Los comunistas, agotados después de cuatrocientos cincuenta kilómetros de marchas forzadas bajo el sofocante calor del verano del sur, se detuvieron la última semana de julio para descansar en el norte de Xingguo. Allí, el día 31, se ordenó que la principal fuerza avanzase al amparo de la oscuridad para situarse detrás del frente enemigo y lanzar un asalto sobre la retaguardia de la columna occidental de Chiang, alejada unos ochenta kilómetros de su posición. Después de dos jornadas de arduas marchas nocturnas, cuando los hombres estaban ocupando ya sus posiciones, Mao supo que los comandantes nacionalistas habían solicitado refuerzos, y el ataque tuvo que ser pospuesto.

Cuando el Ejército Rojo volvía a Xingguo, nueve divisiones enemigas confluyeron desde el norte, el este y el sur, encerrándoles en un estrecho saliente junto al río Gan.

El 4 de agosto, Mao y Zhu De decidieron que no quedaba otra opción que intentar romper las líneas mientras todavía fuera posible. Una división, acompañada de guardias rojos locales y milicianos campesinos, arremetió hacia el oeste, como si intentasen cruzar para llegar a Hunan, atrayendo en su persecución a cuatro unidades nacionalistas. Aquella noche, el cuerpo principal del Ejército Rojo se escabulló por una brecha de dieciocho kilómetros abierta en el cordón que les circundaba, resultado de la anterior escaramuza. Dos días después, en el primer combate importante de la campaña, derrotaron a dos de las divisiones perseguidoras, y poco después aniquilaron un tercer cuerpo, capturando a más de siete mil prisioneros, en Longgang, en el mismo lugar en que se había logrado la gran victoria comunista de diciembre.

Pero la capacidad de Chiang para anticiparse a las maniobras del Ejército Rojo estaba mejorando. Esta vez envió ocho divisiones para rodear a los comunistas en un círculo mucho más estrecho. Y en esta ocasión no había brecha alguna.

Una vez más, Mao ingenió una treta. Una parte del Cuerpo del Primer Ejército, supuestamente la fuerza principal, realizó una incursión hacia el norte. Pero el cerco se mantenía firme. La única posible ruta de escape estaba bloqueada por una montaña de mil metros de altitud que se erguía entre los campamentos de dos de las divisiones nacionalistas. La montaña permanecía sin vigilancia porque se consideraba infranqueable.

Aquella noche, al amparo de la oscuridad, el Ejército Rojo al completo, con más de veinte mil hombres, escaló los precipicios que los flanqueaban, a menos de cinco kilómetros de los centinelas nacionalistas, y se apresuró para alcanzar la seguridad de los montañosos parajes del norte de Donggu.

Fue una proeza extraordinaria. Pero su afortunada y ajustada escapada, que evitó la completa aniquilación, permitió comprender a Mao que se estaba enfrentando a un adversario mucho más terrible que en cualquiera de las campañas anteriores. Dio órdenes para que se prescindiese del equipaje más pesado y se redujese drásticamente el número de caballos. El enemigo había desarrollado «fuerzas de extraordinaria movilidad», advirtió. El Ejército Rojo se debía preparar para una larga y enconada lucha, con frecuentes marchas nocturnas, donde la victoria dependería de que su propia movilidad fuese «no sólo diez, sino cien veces» mayor que la del enemigo.

Sin embargo, la salvación estaba en sus manos. Durante los meses de verano, los antiguos rivales de Chiang Kai-shek, Hu Hanmin y Wang Jingwei, habían formado una alianza con los señores de la guerra de Guangdong y Guangxi para establecer un gobierno en Cantón, en oposición al régimen de Chiang en Nanjing. Este nuevo gobierno envió tropas a principios de septiembre hasta la provincia de Hunan, como siempre, eje de cualquier conflicto entre el norte y el sur. Aquélla era una amenaza que no se podía ignorar. De este modo, la «campaña de supresión» desatada en Jiangxi fue abandonada, para conceder a las fuerzas de Chiang la posibilidad de responder ante el nuevo desafío que llegaba desde el oeste.

El 6 de septiembre, Mao y Zhu De pudieron observar cómo los nacionalistas abandonaban Xingguo para marchar hacia el norte. Como señal de partida, Chiang incrementó el precio de sus cabezas, vivos o muertos, de los cincuenta a los cien mil dólares.[320]

Una vez más Mao pudo proclamar que su estrategia había resultado victoriosa. Habían destruido diecisiete regimientos nacionalistas y treinta mil soldados enemigos habían resultado heridos o muertos, o habían sido hechos prisioneros. Los comunistas continuaban en posesión parcial de veintiún distritos del sur de Jiangxi y el oeste de Fujian, con una población total de más de dos millones de habitantes.[321] No obstante, a diferencia de las dos anteriores campañas, las bajas comunistas habían sido en esta ocasión muy numerosas.[322] Las fuerzas de Chiang no habían sido derrotadas. El Ejército Rojo había vencido por incomparecencia.

El 18 de septiembre de 1931 Japón invadió Manchuria. Durante el año que siguió, la atención de Chiang tuvo que concentrarse en todos los flancos. Pero en Jiangxi había dejado negocios sin concluir. Tanto él como los comunistas sabían que, cuando llegase el momento, volvería.

Habían pasado cuatro años desde que el Frente Unido con el Guomindang había desaparecido y el Partido Comunista había adoptado una política de continua insurrección militar. Los cuatro principales artífices de la revolución comunista durante aquellos años —Qu Qiubai, Li Lisan, Zhou Enlai y Mao— compartían una firme creencia en la victoria de la revolución, así como la convicción de que llegaría un día en que China se convertiría en un Estado comunista.

Sus diferencias se limitaban al método o la periodización. Pero en la revolución, el método y la periodización lo eran todo.

Tanto Qu, un joven escritor tísico, amante de Tolstói y Turguenev, como Li Lisan, cuya vida era el comunismo, creían en una inminente tormenta revolucionaria. Qu, en una memorable epístola escrita en 1935 desde una prisión del Guomindang, justo antes de su ejecución, escribió que, de haberse mantenido como dirigente del partido, habría cometido los mismos errores que Li. «La única diferencia», declaró, «sería que yo no habría sido tan temerario como él; o sea, yo no habría tenido su coraje.»[323]

La errónea obsesión de Li en la «gran marea revolucionaria» dejó a los comunistas con una fuerza mucho mayor que la que tenían antes de que él tomase el poder. Zhou Enlai, emergiendo ya como el indispensable ejecutor, sirvió con perspicacia y acierto cualquier «política» de Moscú que pudiese prevalecer en cada momento. Mao, aunque no inmune a las visiones románticas, como atestigua el «fuego devastador» que invocó ante el joven Lin Biao, era el más realista de los cuatro, y fueron sus opiniones las que prevalecieron.

En 1931, las dos principales cuestiones de estrategia sobre las que disputaron —la primacía del Ejército Rojo en la lucha revolucionaria y la relación entre la ciudad y el campo— se habían resuelto ambas en favor de Mao. El Cuarto Pleno reivindicó su oposición ante Li Lisan, del mismo modo que el Sexto Congreso, dos años y medio antes, había reivindicado su oposición a Qu Qiubai. La política de Li (y de Zhou), reconoció el pleno, «había pasado por alto la necesidad de consolidar las zonas base».[324] Habían considerado que «la guerra de guerrillas era obsoleta» y habían «distribuido órdenes prematuras, aventuristas y dogmáticas al Ejército Rojo para atacar las grandes ciudades». Mao no lo podría haber expresado mejor.

En el futuro, decidió aquel verano el Comintern, el Ejército Rojo sería el principal motor de la revolución, «el corazón alrededor del cual las fuerzas revolucionarias obreras y campesinas ... se consolidan y organizan». Los cometidos principales del partido, añadía, consistían en fortalecer aún más el ejército, expandir y consolidar las bases rojas, fundar un gobierno chino soviético y organizar a los obreros y los campesinos de las «áreas blancas» controladas por el Guomindang.[325] Como el movimiento campesino había «dejado claramente atrás» al movimiento revolucionario de las ciudades, el trabajo urbano debía estar encaminado hacia el apoyo a los distritos soviéticos de las zonas rurales.[326]

Las sublevaciones obreras no recibirían ni una mención.

8

Futian: la pérdida de la inocencia

La nueva revalorización de la estrategia que las necesidades prácticas de la revolución y los imperativos de la supervivencia impusieron a los líderes chinos después de 1927 vino acompañada de cambios fundamentales en la naturaleza del partido.

Ellos mismos describieron el proceso, con aquiescencia, como «bolchevización». Y en cierto sentido, era una etiqueta válida: realizaron un intento consciente de emular las prácticas bolcheviques, infundir la disciplina leninista y crear una maquinaria política efectiva y centralizada. Pero, además, había otros factores en juego. Las campañas de Stalin contra Trotski y Bujarin ofrecieron un modelo de lucha interna que el Partido Comunista reprodujo diligentemente, expulsando a finales de 1929 a Chen Duxiu y Peng Shuzhi por trotskistas, y quince meses después a He Mengxiong y Luo Zhanglong (amigo íntimo de Mao desde su época de estudiante en Changsha) por derechistas. Estas tendencias acentuaron la peculiar brutalidad de la revolución china: terror blanco en las ciudades (donde, a partir de la segunda mitad de 1927, los comunistas eran perseguidos y ejecutados sin piedad), terror blanco en el campo (donde las tropas de los caciques militares y las milicias de los terratenientes quemaban rutinariamente aldeas sospechosas de albergar partidarios del comunismo), y la amenaza constante, en las zonas rojas, del asedio nacionalista y la destrucción.

Durante los primeros años, la violencia alentada por las represalias del Guomindang y el sectarismo del partido se dirigió habitualmente hacia el exterior. Los «pistoleros de uniforme negro» que obligaron a los trabajadores a declararse en huelga en 1927 actuaban ostensiblemente en contra de los «dirigentes sindicalistas amarillos», que defendían el compromiso de clases; y los omnipresentes «incendios y matanzas» que acompañaron los levantamientos armados de Qu Qiubai habían sido, en teoría, diseñados para obligar a los indecisos a decantarse por el bando comunista.

A mediados de 1928, cuando se celebró el Sexto Congreso, semejantes tácticas coercitivas fueron condenadas por considerarlas contraproducentes.[1] Cuando en abril de 1929 su fuerzas tomaron Tingzhou, Mao aseguró al Comité Central que las noticias que afirmaban que el Ejército Rojo había quemado quinientas casas y asesinado a más de un millar de ciudadanos eran «necedades, totalmente carentes de credibilidad»; que, de hecho, «sólo habían muerto cinco personas, todas ellas harto reaccionarias», y que sólo cinco hogares habían sido pasto de las llamas.[2] El terror, argumentaba Mao (como ya lo había hecho en su informe sobre Hunan de invierno de 1926), era indispensable para la causa comunista; era necesario formar escuadrones rojos de ejecución «para masacrar a los terratenientes y a la despótica pequeña burguesía, así como a sus sabuesos, sin el menor remordimiento».[3] No obstante, el terror se debía dirigir únicamente contra los enemigos de clase.

A pesar de semejantes prerrogativas, la distinción entre los enemigos y los amigos fue oscureciéndose de manera paulatina. Inevitablemente, tarde o temprano, los métodos aplicados a los primeros se usarían en contra de los segundos.

En febrero de 1930 se llegó al punto crítico, en una reunión del Comité del Frente al completo celebrado en Pitou. Mao lo había convocado originalmente para discutir sobre la decisión tomada por Li Lisan de lanzar ataques contra las ciudades, pero buena parte de la reunión se dedicó a una cuestión mucho más restringida: la situación del partido en los vecinos distritos de Donggu y Jian. En un aviso que Mao distribuyó una semana después, en nombre del Comité del Frente, explicaba:

> Existe una profunda crisis en el seno del partido de la zona occidental y meridional de Jiangxi. Y consiste en el hecho de que los órganos dirigentes locales del partido, a todos los niveles, están repletos de terratenientes y campesinos acaudalados, y la política del partido es completamente oportunista. Si no acabamos definitivamente con esta situación, no sólo será imposible hacer realidad las grandes tareas políticas del partido sino que la revolución sufrirá una derrota fundamental. [Nosotros] hacemos una llamada a todos los camaradas revolucionarios ... para derrocar esa política de talante oportunista, eliminar a los terratenientes y a los campesinos acaudalados ... y procurar que de este modo el partido retorne al bolchevismo.[4]

Los problemas que esta jerigonza enmascaraba eran de dos tipos. Los dirigentes locales se ofendieron por el empeño de Mao en imponer el control centralizado de un Comité del Frente dominado por hombres no originarios de Jiangxi, sobre todo hunaneses; eran igualmente remisos a la nueva y estricta política de reformas de la tierra que aquellos forasteros intentaban imponer en detrimento de sus propias familias y clanes.[5]

Pero para Mao, eran «arribistas» que ponían los intereses de sus pequeñas regiones por delante de los del partido, y era necesario meterles en cintura.

De este modo, en la reunión se decretó la disolución de las jerarquías del partido reinantes en aquella región, y la formación de un nuevo Comité Especial del suroeste de Jiangxi,[6] comandado por Liu Shaoqi, un joven comunista hunanés que se había casado con la hermana de He Zizhen, He Yi (y que, por tanto, era cuñado de Mao).[7] Una segunda directriz secreta ordenó la ejecución de cuatro de los fundadores del partido del suroeste de Jiangxi,[8] conocidos localmente como los «cuatro oficiales del gran partido», para que sirviese de ejemplo a los otros.[9]

¿Por qué decidió Mao que se debía romper con la regla no escrita de no ajusticiar a los camaradas del partido? La resolución que había escrito seis semanas antes en Gutian, en la que advertía que los miembros del partido o del Ejército Rojo que manifestasen una «aversión individualista a la disciplina» estaban actuando de un modo «objetivamente contrarrevolucionario», ofrecía una clave para hallar la respuesta.[10] Era una noción puramente estalinista que posteriormente Mao desarrollaría en una teoría más sutil y flexible sobre «las contradicciones del enemigo y nosotros mismos» (contradicciones antagonistas) y «las contradicciones del pueblo» (que no eran antagónicas).[11] Pero, en 1930, esto ya era una justificación más que suficiente para considerar que los comunistas que obstruían la política diseñada por el partido, sin importar la razón, se habían convertido en «parte del enemigo» y debían ser tratados como tales. En tanto que la suya era una culpabilidad política, el proceso judicial era irrelevante, más allá del teatro destinado a educar a las masas. En tales casos los dirigentes del partido, incluido Mao, proclamarían que el acusado debía ser «juzgado abiertamente y sentenciado a muerte por ejecución» (no era posible un veredicto diferente, ya que así se había decidido previamente).[12]

La independencia judicial nunca había sido un punto fuerte en China, pero por poco que hubiese existido, el bolchevismo acabó en aquel momento con ese vestigio.

En este sentido, la adhesión de Mao a la violencia revolucionaria *dentro* del partido era simplemente un paso más en el camino que había emprendido una década antes, cuando había llegado a la conclusión de que sólo el marxismo —la misma filosofía política que había rechazado, cuando era un estudiante idealista, por ser demasiado radical y violenta— podía salvar a China. El tabú de la muerte de los propios de camaradas se había erosionado paulatinamente: primero, en la teoría, cuando Mao había defendido los motines campesinos en Hunan; después, en la práctica, un año después, cuando había dirigido las tropas en el campo de batalla. Hasta que ahora, en 1930, la definición de «enemigo» se había tornado más difusa y maleable.

Aquel «paso adelante» de Mao tendría consecuencias extraordinarias para el partido y las organizaciones armadas que él comandaba.

Habiendo recibido el mandato de iniciar las purgas, Liu Shaoqi se aplicó con esmero. Durante los meses que siguieron fueron expulsados del partido del suroeste de Jiangxi cientos de cuadros cuyo origen estaba unido a los terratenientes o los campesinos adinerados. En mayo, algunos documentos internos del partido comenzaron a mencionar, por vez primera, una facción misteriosa llamada «AB-*tuan*»,* que supuestamente se había infiltrado en diversos comités locales, especialmente de Jian y los vecinos Anfu, Yongfeng y Xingguo. Este grupo, a menudo referido como la Liga Antibolchevique (las letras A y B de hecho denotan los diferentes niveles, novicio y veterano, de pertenencia a la *tuan*), era un corpúsculo derechista del Guomindang. Había sido fundado en Jian en 1926 y, a pesar de que pervivía casi moribundo en el resto de China, mantenía una presencia significativa en el suroeste de Jiangxi, junto con otros movimientos reformistas como los reorganizacionistas (seguidores del antiguo mandatario de la izquierda del Guomindang, Wang Jingwei), el Tercer Partido y los Demócratas Sociales. En un área donde los comunistas, los reformistas y los defensores del Guomindang provenían de una misma capa social, y a menudo de una misma familia o clan, y donde podían existir perfectamente lealtades divididas, la idea de la quinta columna de la AB-*tuan* no era intrínsecamente improbable. Pero el excesivo número de agentes que se pretendió haber encontrado va en detrimento de la credibilidad.

En octubre, cuando las fuerzas de Mao tomaron Jian, más de un millar de miembros del partido del sureste de Jiangxi —un tercio del total— habían sido ya ejecutados como miembros de la AB-*tuan*.[13]

No se conoce con certeza el grado de implicación personal de Mao en este episodio. Existen algunas evidencias de que debió de participar de algún modo en él. Incluso dejando al margen su relación con Liu Shaoqi, el Comité del Frente era el responsable último de los trabajos del Comité Especial del suroeste de Jiangxi. Desde el momento de su desenmascaramiento, Mao estuvo informado de las supuestas conexiones de la AB-*tuan*, y debió de recibir un detallado informe cuando el Ejército Rojo cruzó en junio por aquella zona, de camino a Nanchang.[14] Sin embargo, en aquel momento, a pesar de los muchos arrestos practicados, se ejecutó a un número

---

* El témino *tuan* hace referencia, en general, a un grupo o una organización y, en el contexto de las purgas de los enemigos del partido de finales de los años veinte y principios de los treinta, debe traducirse como «banda» o «facción». (*N. del t.*)

relativamente pequeño de personas. La purga más sangrienta sólo se aplicó con rigor después de que el Ejército Rojo abandonase el lugar.

El elemento desencadenante fue el retorno de uno de los dirigentes de Jiangxi que había quedado relegado tras el nombramiento de Liu Shaoqi. Li Wenlin, intelectual de treinta años de origen campesino, al igual que Mao, se contaba entre los fundadores de la base de Donggu y, cuando el Ejército Rojo encontró allí refugio durante la primavera de 1929, impresionó a Mao por su capacidad de liderazgo.[15] En verano había ido a Shanghai para asistir al Congreso de las Regiones Soviéticas, donde estableció buenas relaciones con Li Lisan. En agosto, mientras Mao estaba ausente de Hunan, persuadió al Comité Especial para que convocase un pleno ampliado, durante el cual se destituyó a Liu Shaoqi de su cargo; apoyó la política de Li Lisan del uso del Ejército Rojo en el ataque a las ciudades; y rescindió la radical ley de la tierra, aprobada, ante la insistencia de Mao, aquella misma primavera.[16] Li Wenlin fue nombrado secretario del Comité Especial y poco después se convirtió en el jefe del Comité de Acción Provincial, fundado según las disposiciones de Li Lisan.[17]

Una de sus primeras acciones, siguiendo las órdenes de los nuevos dirigentes, fue el despliegue «del tormento más inmisericorde» para localizar a los miembros de la AB-*tuan*, advirtiendo que había que sospechar «incluso de algunos que parecen muy eficaces y leales, muy izquierdistas y directos en sus palabras» e interrogarlos.[18] El número de ajusticiados aumentó rápidamente, ya que cada confesión desencadenaba un nuevo puñado de víctimas, y cada víctima una nueva confesión. Cuando, en octubre, Mao llegó a Jian, se halló, de este modo, ante un problema mucho más complejo de lo que había imaginado cuando se había lanzado la purga en el suroeste de Jiangxi. Entonces se trataba simplemente de una cuestión de comités locales del partido formados por «terratenientes y campesinos acaudalados». Pero ahora, dijo al Comité Central, aquéllos estaban «repletos de miembros de la AB-*tuan*» que «perpetran asesinatos,[19] se preparan para entablar contactos con el ejército [blanco] y planean una revuelta para eliminar las bases soviéticas y varias organizaciones revolucionarias».[20]

La respuesta de Mao consistió en intensificar aún más las purgas. El 26 de octubre, Li Wenlin y él emitieron una declaración conjunta reclamando la expulsión de los «ricos campesinos contrarrevolucionarios» de los soviets locales, la «ejecución de los activistas de la AB-*tuan*», y el lanzamiento de una campaña contra la AB-*tuan* en el Ejército Rojo.[21]

Cuatro días después esta aparente unidad quedó truncada cuando Mao propuso «seducir completamente al enemigo», estrategia que los cuadros de Jiangxi rechazaron inexorablemente.[22] Para aquellos hombres cuyos poblados estaban en la línea de avance del enemigo, esta nueva política era un asunto de vida o muerte: significaba que sus mujeres se arriesgaban a ser violadas y asesinadas, sus hijos y ancianos a morir brutalmente, sus hogares a ser quemados y todo lo que poseían, destruido. En el ambiente se respiraba la posibilidad de un motín, mientras el Ejército Rojo se retiraba hacia el sur, por delante de los ejércitos de Chiang, que iniciaba entonces su primera campaña de asedio.

Cuando las tropas llegaron a Huangpi, donde debían reagruparse y prepararse para futuras batallas, los departamentos políticos iniciaron lo que eufemísticamente se denominó «campaña de consolidación» para extirpar los elementos sospechosos. El primero en caer fue un comandante de regimiento llamado Gan Lichen, que después de ser severamente azotado, confesó ser miembro de una red AB-*tuan*. Era lo que estaban anhelando. Con extraordinario esfuerzo, ante un enemigo muchísimo más poderoso, el Ejército Rojo comenzó a llamear.

Las mismas llamas que habían devorado al partido en el suroeste de Jiangxi comenzaron entonces a consumir, con no poca ecuanimidad, a oficiales y soldados, mientras, regimiento tras regimiento, se replegaban sobre sí mismos, en una auténtica fiebre de autodestrucción. Cada unidad, hasta alcanzar el nivel de las compañías, estableció un «comité para eliminar contrarrevolucionarios». Con veintidós años, Xiao Ke, entonces comandante de división y con posterioridad uno de los generales de más alto rango de China, recordaba en sus memorias:

> En aquella época dedicaba todo mi tiempo al problema de las AB-*tuan*. Nuestra división había acabado con la vida de sesenta hombres ... Entonces, decidimos una noche en el seno del Comité del Partido de nuestra división que había que ajusticiar a sesenta más. A la mañana siguiente fui a informar de ello ... Pero en el Comité Militar del Cuarto Ejército dijeron: «Estáis matando a demasiados. Si son de origen campesino o trabajador sólo debéis arrancarles una confesión ...». Después de oír sus palabras, regresé inmediatamente. Les dije, «no les matéis; el comité del partido de la división debe antes debatirlo por segunda vez». Después de ello decidieron liberar a más de treinta. Pero más de veinte fueron ajusticiados. En total, unos mil trescientos o mil cuatrocientos de los siete mil hombres del Cuarto Ejército fueron ejecutados.

Los oficiales políticos intentaron superarse unos a otros por miedo a ser acusados de débiles. Hubo uno que ordenó la ejecución de un «pequeño diablo rojo» de sólo catorce años por haber llevado comida a algunos oficiales que eran, sin que el niño lo supiera, sospechosos de pertenecer a las AB-*tuan*. La intervención de un comisario militar le salvó de la muerte. En otro lugar se masacró una compañía entera después de que su comandante cuestionase la necesidad de las purgas. En poco más de una semana unos cuatro mil cuatrocientos oficiales y soldados del Primer Ejército del Frente confesaron mantener vínculos con las AB-*tuan*. Mas de dos mil fueron fusilados sumariamente.[23]

Lo que había comenzado nueve meses atrás como una simple disputa sobre la reforma de las tierras, alimentada por las rivalidades locales de los nativos del Jiangxi y los hunaneses, había adquirido vida propia con unas dimensiones monstruosas.

Los términos «campesino acaudalado», «miembro de las AB-*tuan*» o «elemento contrarrevolucionario» se confundían inextricablemente.[24] Las disputas nacionales teñían las diferencias locales con otras tonalidades, en tanto que los líderes del partido de Jiangxi se adhirieron, por su propia conveniencia, a las ideas de Li Lisan, como recurso para contrarrestar la política de Mao.[25] Sumidos en una paranoia cada vez más intensa, mientras el asedio del Guomindang se estrechaba, la acusación de ser miembro de las AB-*tuan* se convirtió en un arma contra cualquiera que cuestionase la estrategia de Mao. La purga pasó a ser un baño de sangre en el que se ahogaron sus oponentes. El escenario para «los hechos de Futian» quedaba preparado.

La pequeña ciudad comercial de Futian descansa sobre el Fushui, afluente del río Gan, en el límite occidental de los Montes de la Blanca Nube, que la alejan de Donggu, quince kilómetros al oeste. Por detrás de un viejo puente de piedra las mujeres se arrodillan y golpean la ropa contra las losas de piedra. A lo largo de los márgenes del río se amontonan confusamente algunas tiendas, en medio de un laberinto de tortuosas callejuelas y un amasijo de edificios de tejados grises con blanqueados y artificiosos batientes.

Se trata de un paisaje pirenaico. Desde los picos, cubiertos por espesos bosques de pinos, abetos y bambúes, ahogados por plantas trepadoras, la vista alcanza cuatro distritos distintos. En el sotobosque crecen los helechos, entre torrentes que fluyen por la vertiente. Hombrecillos delgados y huesudos trabajan arduamente en verano en las terrazas de arroz inundadas, enfundados en raídas chaquetas de color azul y calzones holgados, escondidos bajo sombreros de paja de amplias alas, como si fuesen la tapa de una urna para cenizas, protegiéndose del cegador resplandor del sol. En invierno, las inmediaciones se convierten en un mar de barro. El camino hacia Donggu es impracticable y el único acceso desde el oeste son las planicies o, en bote, las profundas aguas de río.

Después de que el Ejército Rojo abandonase Jian, a mediados de noviembre, Futian se convirtió en el cuartel general del Comité de Acción Provincial de Jiangxi.

La mañana del domingo 7 de diciembre de 1930, poco después del almuerzo, un miembro del personal político de Mao, llamado Li Shaojiu, llegó de Huangpi a la cabeza de una compañía. Con él llegaron dos cartas del

Comité General del Frente controlado por Mao, dirigidas al líder del gobierno provincial, Chen Zhengren, también leal a Mao.[26] Las misivas ordenaban el arresto de Li Bofang (supuestamente el jefe del cuartel de una AB-*tuan* secreta dentro del Comité de Acción), Duan Liangbi (jefe de sección de una AB-*tuan*) y Xie Hanchang (director del Departamento Político del Vigésimo Ejército en Donggu, también presuntamente agente de otra AB-*tuan*). Sus nombres e hipotéticos vínculos con la AB-*tuan* se obtuvieron bajo tortura de miembros del Ejército Rojo que confesaron ser sus cómplices.

Li Shaojiu no dejó opción alguna. Ordenó que las tropas cercasen las oficinas del Comité formando tres anillos, antes de penetrar en ellas con una escolta de diez soldados, rifles en mano. Li, Duan, Xie y otros cinco miembros del Comité de Acción fueron arrestados y atados de manos y pies. La mayoría de ellos contaba con veinte o algunos años más. Cuando exigieron una explicación, Li simplemente empuñó su pistola y apuntó a sus cabezas.

Desde los cuarteles del Comité se condujo a los ocho oficiales hasta el antiguo *yamen* del magistrado, un inmenso edificio rodeado de un muro blanco, penetrado por un macizo pasaje abovedado que se abría paso hasta un espacioso patio interior. Osmantos de dulces aromas crecían en elevados balcones de piedra, mientras a ambos lados discurrían pequeñas veredas porticadas de madera. En el extremo occidental, un tejado grisáceo de contrapeso, dotado de aleros de delicado resplandor, formaba una inmensa bóveda, sostenida por cuatro enormes pilares de madera que descansaban sobre pedestales de piedra labrada, cubriendo el elevado estrado donde, en la época imperial, el magistrado celebraba las audiencias. Un letrero pendía del techo proclamando: «Salón de la Sinceridad y el Respeto».

Detrás del estrado se elevaba una gran cámara de torturas recubierta de madera, donde los oficiales del *yamen* habían aplicado, durante siglos, los rigores de la ley imperial. Li inició en aquel escenario su interrogatorio. El primero en ser cuestionado fue Duan Liangbi:

Li Shaojiu me preguntó [escribió él mismo años más tarde]: «Duan Liangbi, ¿eres miembro de la AB-*tuan*? ¿Vas a confesar? Si lo haces evitarás ser torturado».

Contesté con resolución: «Mira mi historial y mi trabajo ... Adelante, investiga. Si fuese un miembro de la AB-*tuan*, estaría cometiendo un crimen contra el proletariado. No sería necesario ni que tú me tocases. Cogería un arma y me suicidaría».

Pero Li contestó: «Por lo que se refiere a tu historial ... no tengo capacidad alguna para entrar a debatir contigo sobre teorías. Yo sólo dispongo de siete diferentes métodos de tortura para castigarte...».

Después de describirme los siete castigos, añadí: «Que así sea. Pero ¿de qué debería asustarme? Hagas lo que hagas, yo ...». Antes de que hubiese acabado la frase, Li ordenó a los soldados que me arrancasen la ropa. Me obligaron a arrodillarme desnudo sobre el suelo. Me sujetaron para aplicarme una tortura llamada «golpear la mina»,[27] que consistía en quemar mi cuerpo con varillas de incienso ... Al principio pensé: «De acuerdo, que me quemen hasta matarme. La muerte es un parte ineludible de nuestro mundo, la única cuestión es cómo morir». Mis pulgares quedaron completamente destrozados, apenas unidos a la mano por la piel. Mi cuerpo ardió completamente, en un revoltijo purulento, sin quedar un solo punto intacto. Me acuchillaron y azotaron por todas partes.

Pero, de repente, dejaron de golpearme y Li Shaojiu pronunció: «Liangbi, quieres morir, pero éste no es mi deseo. Ocurra lo que ocurra, confesarás que eres miembro de la AB-*tuan* y nos dirás cuál es tu red de colaboradores. De lo contrario, te mantendré en un estado en el que no estarás ni vivo ni muerto».

Aquello no era algo que Li Shaojiu, a pesar de ser un asesino desalmado, hubiese ideado por sí mismo. Se limitaba a seguir unas instrucciones del Comité del Frente, aprobadas personalmente por Mao, que declaraban: «No matéis demasiado pronto a los dirigentes de más peso, antes es necesario exprimir la [máxima] información de ellos ... [Después], por las pistas que os hayan proporcionado, podréis desenmascarar a otros dirigentes».[28]

En todas partes se utilizaban los mismos métodos crueles. Dieciocho meses después, una investigación del Partido Comunista Chino llegó a las siguientes conclusiones:

Todos los casos de AB-*tuan* han sido descubiertos a través de confesiones. Se ha hecho gala de muy poca paciencia en la averiguación de los hechos y la verificación de los cargos ... Se ha seguido el método ... de la zanahoria y el garrote. La «zanahoria» consiste en ... arrancar las confesiones mediante engaños y artimañas ... El «garrote» consiste en azotar a los sospechosos con afiladas varas de bambú después de colgarlos por las manos. Si con esto no se consigue resultado alguno, se les quema después con incienso o con la llama de una lámpara de queroseno. El método más temible consiste en clavar las palmas de las manos a una tabla e introducir después tablillas de bambú por debajo de las uñas de los dedos. Las torturas reciben nombres como «sentarse en el palanquín», «el vuelo del aeroplano», «beber agua como un sapo», o «el mono tirando de las riendas» ... La tortura es el único método para tratar con los sospechosos que se resisten. Las torturas sólo llegan a su fin con la confesión.[29]

Como todos los demás, Duan acabó por confesar, pero salvó su conciencia nombrando como cómplices únicamente a los siete hombres que habían sido arrestados junto a él. Li Bofang, que poseía una gran memoria fotográfica, tomó el camino contrario, intentando confundir a sus torturadores proporcionándoles una lista de casi un millar de nombres.

A la mañana siguiente, el 8 de diciembre, Li Shaojiu realizó aún más arrestos a partir de las confesiones de la noche anterior. Zeng Shan y el secretario de Mao, Gu Bo, que acababa de llegar de Huangpi, se unieron a los interrogatorios. Antes de que aquella semana llegase a su fin, ciento veinte personas fueron encerradas en celdas dispuestas a lo largo de ambos lados del patio, escondidas tras una celosía de estrechos listones de madera, separados entre ellos un par de centímetros, que se extendían del suelo hasta el techo, como los barrotes de una jaula. Entre los cautivos estaban las esposas de Li Bofang y otros dos sospechosos, que habían llegado al *yamen* para informarse de la suerte de sus maridos. Fueron torturadas con aún más brutalidad que sus hombres: los soldados despellejaron sus senos y quemaron sus genitales.

Li Shaojiu partió entonces hacia Donggu, según le había mandado el Comité del Frente, para iniciar la purga del Vigésimo Ejército. Allí cometió un error fatal. Uno de los hombres que Xie Hanchang había denunciado como compañero de conspiraciones de la AB-*tuan* era un comandante de batallón llamado Liu Di. Al igual de Li Shaojiu, Liu era de Changsha, y consiguió convencer a Li de que había sido inculpado fraudulentamente. Sin embargo, tan pronto como se vio liberado encabezó un motín y avanzó hasta Futian a la cabeza de una columna de liberación de cuatrocientos hombres. A la noche siguiente, después de una batalla en la que un centenar de hombres de Li murieron, las pesadas puertas de madera del *yamen* fueron abiertas a la fuerza, y liberados los malheridos dirigentes del Comité de Acción.

En una reunión de emergencia de los supervivientes, se decidió que el Vigésimo Ejército cruzase el río Gan hasta Yonggang, donde estaría a salvo de las represalias de Mao. Se colgaron banderolas en la parte exterior del *yamen*, declarando: «¡Abajo Mao Zedong! ¡Apoyemos a Zhu [De], Peng [Dehuai] y Huang [Gonglue]!»; y se envió una petición a la central del partido para que Mao fuese destituido de todos sus cargos.[30] Cuando las primeras noticias de estos acontecimientos llegaron a Huangpi, los tres comandantes del ejército distribuyeron una declaración que ratificaba su adhesión a Mao y denunciaba a los rebeldes.[31] Pero el intento de dividir y desestabilizar el partido continuó por otros caminos más tortuosos, cuando circularon copias de una carta incriminadora en la que Mao supuestamente había dado instrucciones para que Gu Bo reuniese evidencias de que Zhu, Peng y Huang eran también dirigentes de la AB-*tuan*.[32] La falsificación fue demasiado burda para ser creíble y el Comité del Frente publicó una larga y demagógica refutación acusando a los líderes de Yongyang de rebelarse contra el partido y conspirar para sembrar la discordia entre las fuerzas revolucionarias.[33] Se llegó entonces a un punto muerto, con el Vigésimo Ejército posicionado en una orilla del río Gan, las fuerzas de Mao en la otra, y reclamando ambos contendientes ser los leales ejecutores de la política del partido.

Ni los hechos de Futian ni la terrible hemorragia que había sufrido el Ejército Rojo consiguieron detener la decisiva victoria de Mao sobre la primera campaña de asedio de Chiang Kai-shek. De hecho, aquellos dos contratiempos resultaron quizá una ayuda. Unidos por la furia de la purga, los que consiguieron superarla se fundieron en una fuerza de disciplina férrea y voluntad de acero de extraordinaria motivación.[34]

No obstante, la existencia de una facción disidente en Yongyang no podía tolerarse indefinidamente. Cuando a principios de 1931 Xiang Ying llegó a la zona base, su primera tarea consistió en intentar apaciguar los demonios que el incidente de Futian había conjurado. En aquel momento también Mao, con su prestigio henchido tras la última victoria, consideró que la matanza había llegado demasiado lejos.[35] Li Wenlin, arrestado en Huangpi, fue liberado, si bien bajo vigilancia,[36] y Li Shaojiu fue reprendido por su excesivo celo.[37] El 16 de enero de 1931 la recién reorganizada Oficina Central anunció la expulsión de Liu Di y otros cuatro dirigentes rebeldes, y declaró que lo ocurrido en Futian había sido un «incidente contra el partido».[38] Pero resaltó que apenas había prueba alguna de que los rebeldes fuesen miembros de la AB-*tuan*. Durante las seis semanas posteriores, Xiang Ying comenzó a sondear las posibilidades de alcanzar una conciliación, ofreciendo prudentes insinuaciones de que se podía llegar a un acuerdo con los que se habían descarriado.[39]

Para Mao, este aperturismo representaba una desautorización implícita, y tuvo que contenerse ante la sugerencia de Xiang de que el problema de Futian era en parte una lucha de facciones, lo que desató aún más su cólera, al tratarse de una afirmación a todas luces bien fundamentada.[40] Sin embargo, en lo que se refiere a la cuestión esencial de si la campaña contra la AB-*tuan* había estado justificada, Xiang apoyó a Mao, como lo hizo la mayoría del partido.[41] A lo largo de los meses de enero y febrero continuaron los arrestos de sospechosos.[42] Incluso los rebeldes de Yongyang, mientras proclamaban su propia inocencia, se mostraron de acuerdo con ello:

> No negamos [lo que ellos escriben sobre] que la AB-*tuan* tiene una amplia organización en Jiangxi y que ha penetrado en las áreas soviéticas, ya que nosotros mismos hemos combatido activamente la AB-*tuan* ... El camarada Duan Liangbi fue el primero en luchar contra la AB-*tuan* en el Comité Especial de Jiangxi ... [Pero ahora] también él es un señalado miembro de la AB-tuan.[43]

Que los antiguos dirigentes del Comité de Acción, a pesar de las torturas que habían sufrido, pudiesen todavía adherirse a la purga dice mucho del estado mental de las regiones base en aquel período. En marzo de 1931 la mayoría de ellos había abandonado ya las armas y había retornado para afrontar las consecuencias, habiéndoseles asegurado, así lo creían ellos, que serían tratados con clemencia.

Desafortunadamente para ellos, su vuelta coincidió con las noticias de la caída en desgracia de Li Lisan. Los dirigentes de Shanghai tomaron una actitud extraordinariamente radical ante los hechos de Futian, que eran vistos ahora como una manifestación de la «línea de Li Lisan contra el Comintern y contra el partido». En abril, Liu Di fue conducido ante un tribunal militar, presidido por Zhu De, sentenciado a muerte y decapitado. Tenía poco más de veinte años. Li Bofang y otros dos más fueron también ejecutados.[44]

Este nuevo posicionamiento fue ratificado en una reunión general de la Oficina Central, celebrada bajo la autoridad de la delegación del Cuarto Pleno:

> La AB-*tuan* se ha convertido en un pequeño partido dentro del Partido Comunista, [llevando a cabo] ... actividades contrarrevolucionarias bajo la bandera de la revolución. ¿Cómo le ha sido posible [actuar así] en los últimos tiempos? Las principales razones son ... [Primero,] los terratenientes y los campesinos adinerados se han infiltrado con facilidad en el Partido Comunista Chino ... Cuando la revolución se desarrolla ... estos elementos se dedican a traicionarnos ... [Segundo,] el partido ha seguido la errónea línea política de Li Lisan ... [Tercero,] en el pasado no pusimos la atención suficiente a la tarea de purgar los elementos subversivos. Los miembros capturados de la AB-*tuan* eran ejecutados inmediatamente, en lugar de usarlos para desenterrar más pistas ... [Esto] ha permitido además que la AB-*tuan* se haya expandido.

El Comité del Frente (bajo la dirección de Mao) fue elogiado por haber seguido una línea política «en general correcta» y haber adoptado la posición, ante la rebelión de Futian, de la lucha de clases. La Oficina Central (bajo las órdenes de Xiang Ying) fue duramente condenada por su «conciliación con la línea de Li Lisan», y por su interpretación «absolutamente errónea» de los hechos de Futian, «alejada del enfoque de la confrontación de clases», que había llevado a «los organismos, mayores y menores, del partido a relajar, suavizar y ralentizar la lucha contra la AB-*tuan*».[45]

La conclusión de que los principales rebeldes de Futian eran todos ellos «importantes miembros de la AB-*tuan* ... que defendían una rebelión contrarrevolucionaria bajo el estandarte de la línea Li Lisan» (definición de bastante más alcance que la de unos simples camaradas descarriados que había intentado sugerir Xiang Ying), y su corolario —que la línea Li Lisan y la AB-*tuan* eran las dos caras de una misma moneda—, representaban enormes ventajas para Mao y la renovada central del partido.[46] Mao podía ahora argumentar legítimamente que la purga, lejos de dirigirse en contra de oponentes faccionalistas, era una defensa fundamental de la línea del partido. Los estudiantes retornados de Shanghai, más influidos por las prácticas estalinistas que los anteriores dirigentes del Partido Comunista Chino, consideraron prioritaria una más profunda bolchevización del partido, lo que para ellos significaba, por encima de todo, desterrar a los seguidores de Li Lisan y acabar con la cerrazón ideológica y la disidencia; en resumen, la transformación del partido en un sumiso instrumento leninista. Conseguir encerrar en un mismo saco a todas las formas de oposición bajo la etiqueta genérica de la AB-*tuan* convertía la tarea en algo mucho más sencillo.

El resultado fue que, a partir del mes de abril, la purga se retomó con una ferocidad nunca vista.[47] A pesar de los repetidos esfuerzos de centralizar las investigaciones a través de los departamentos de Seguridad Política,[48] los ignorantes oficiales de los comités de purga de los pueblos y las ciudades, a menudo analfabetos, detentaban un poder enorme.[49] La muerte dependía de un antojo, llegaba con el más mínimo pretexto, o sin pretexto alguno. Un investigador del Partido Comunista Chino informó:

> Los que se quejaron de la letargia en que había entrado el partido, los que rechazaron cargar las provisiones con las pértigas sobre los hombros, los que se mantuvieron al margen de las congregaciones de masas, los que no comparecieron en las reuniones del partido ... todos fueron arrestados como miembros de la AB-*tuan*. El terror estaba tan extendido que mucha gente se negó a aceptar un nuevo trabajo, incluso si representaba un ascenso ... porque el riesgo de ser acusado de pertenecer a la AB-*tuan* era mayor si eras un recién llegado ... En el clímax [de la purga], incluso el hecho de hablar con otra persona podía representar un motivo de sospecha de pertenecer a la AB-*tuan*. Por ello, los miembros del partido rechazaron asistir a las reuniones a menos que algunos oficiales de alto rango fuesen testigos de lo que se discutía.
>
> [Durante el último verano] el Departamento de Seguridad Política de Jiangxi propuso arrestar a todos los campesinos adinerados [de la zona base] para investigarlos, sólo porque probablemente eran miembros de la AB-*tuan* ... Dijeron abiertamente que era mejor matar a un centenar de inocentes que dejar libre a un auténtico culpable ... A causa de estos fantasiosos pensamientos, todos los órganos y grupos revolucionarios conquistaron la potestad de arrestar, interrogar y ejecutar a los contrarrevolucionarios. La moda que prevalecía era perseguir a la AB-*tuan* para demostrar la propia lealtad a la revolución.

Cuando los sospechosos eran torturados para revelar los detalles de las «redes» a las que supuestamente pertenecían, denunciaban a conocidos o intentaban recordar los nombres de personas que habían visto trabajando en las oficinas del partido. Para protegerse a sí mismos, los oficiales borraban sus nombres de las insignias o simplemente no se las ponían.

Durante la tercera campaña de asedio no hubo tiempo ni siquiera para los interrogatorios. En algunas unidades se adoptó un sistema que consistía en pasar revista: a los que confesaban pertenecer a la AB-*tuan* se les concedía una amnistía; los que rechazaban tener cualquier relación eran ejecutados.[50]

En julio, las unidades del Vigésimo Ejército que habían huido a Yongyang después de los hechos de Futian (y habían permanecido allí después de que los dirigentes del Comité de Acción se entregasen en marzo) fueron convocados *in extremis* a la zona base para contribuir a la lucha contra el movimiento de tenaza de Chiang Kai-shek. El día 23 se unieron a las fuerzas de Mao en Ping'anzhai, unos treinta kilómetros al norte de Yudu. Su comandante, Zeng Bingqun, se había mantenido en contacto con la Oficina Central, y parece ser que creía que la sombra política que se cernía sobre el contingente se había disipado. Pero, lejos de ser así, su cuerpo fue rodeado y desarmado tan pronto como llegó. Todos los oficiales, desde el mismo Zeng hasta el más humilde comandante de sección de apoyo, fueron arrestados. Los soldados rasos quedaron dispersados entre las otras unidades del Ejército Rojo. En el breve lapso de unas pocas horas el Vigésimo Ejército había dejado de existir. Su nombre no volvería a ser usado por ningún otro ejército comunista chino.[51]

Un mes después, Li Wenlin y los otros dirigentes todavía vivos del Comité de Acción, junto con Zeng y la mayoría de sus oficiales, fueron sentenciados a muerte en Baisha ante una multitud de varios miles de personas por un tribunal presidido por Mao.[52]

El número total de muertos durante la purga de verano y principios de otoño de 1931 sólo se puede estimar de un modo aproximado.[53] Fallecieron cuatrocientos oficiales y soldados del Vigésimo Ejército, y probablemente varios centenares del Trigésimo quinto, reclutado también en Jiangxi y purgado en fechas muy similares. Hubo muchos más de otras unidades del Ejército Rojo. En el partido local de Jiangxi fueron asesinadas tres mil cuatrocientas personas, y eso en sólo tres de los más de veinte distritos. A principios de diciembre un inspector central del Partido Comunista Chino informó que «el 95 por 100 de los intelectuales del partido y la Liga de las Juventudes del suroeste de Jiangxi» habían confesado mantener conexiones con la AB-*tuan*. Actualmente, los historiadores chinos más documentados hablan simplemente de «decenas de miles» de muertos.

A medida que el año se acercaba a su fin y las tensiones generadas por el asedio nacionalista se suavizaban, las dimensiones de la purga menguaron y la participación de Mao en ella disminuyó. En diciembre se realizaron esfuerzos renovados y, en esta ocasión, mucho más serios, para imponer controles institucionales realistas. Se promulgó en nombre de Mao un «Procedimiento Provisional para Manejar los Asuntos Contrarrevolucionarios y Establecer Órganos Judiciales» que, entre otros objetivos, pretendía «salvaguardar los derechos de las masas».[54] Los funcionarios de menor rango fueron desposeídos de la potestad de ordenar ejecuciones, se instituyó un sistema de apelaciones y se condenó el uso de la tortura. Pero las nuevas ordenaciones sólo se cumplían y se respetaban ocasionalmente, y en todo caso ofrecían muchos subterfugios. Más aún, estaba explícitamente estipulado que la clase social debía ser el factor determinante para la toma de decisión sobre la pena, procedimiento que continuaría vigente incluso después de una decisiva reforma en el sistema legal comunista chino. Los terratenientes, los campesinos acaudalados y los de «origen capitalista» debían ser sentenciados a muerte; las «masas» tenían la posibilidad de comenzar de nuevo.

Zhou Enlai llegó entonces desde Shanghai para ocupar su cargo como secretario permanente de la Oficina Central y, en enero de 1932, las dimensiones y el desarrollo de la purga quedaron, por vez primera, cuestionados:[55]

> Matar a un hombre se tenía por una bagatela [reconoció la Oficina]. El efecto más permanente que ello provocó fue el pánico en el partido. Incluso los órganos dirigentes quedaron afectados. No se trató de una política ... consistente en aislar a los oponentes [del partido] y atraer a las masas que habían quedado defraudadas por la influencia contrarrevolucionaria; fue justamente lo contrario. Dañó nuestra propia fuerza revolucionaria e hizo flaquear a los que se encontraban en el frente de batalla de las masas. Éste fue un error muy grave.[56]

Pero la reprimenda se dirigía únicamente contra las matanzas *desorganizadas*. Tanto la Oficina como el mismo Zhou Enlai siguieron insistiendo en que la campaña contra los contrarrevolucionarios era *per se* «completamente correcta».[57] Si se debía cambiar el método no era para poner fin a la campaña, sino para dotarla de mayor eficacia.

Aquella primavera las ejecuciones continuaron, si bien a un ritmo más pausado. En mayo de 1932 Li Wenlin, Zeng Bingqun y otros tres supuestos líderes de la AB-*tuan* —quienes, desde el «juicio» del agosto anterior, habían desfilado ante las masas congregadas por las aldeas de todo el suroeste de Jiangxi— fueron públicamente decapitados. Durante los dos años posteriores, cuando la purga languidecía acercándose a su fin, los departamentos de Seguridad Política instruyeron unos quinientos casos al mes de los que, de media, el 80 por 100 acabaron en ejecución.[58]

Las matanzas de Jiangxi eran parte de una trama mucho más amplia.[59] En Fujian occidental más de seis mil miembros y funcionarios del partido fueron ejecutados acusados de ser socialdemócratas encubiertos.[60] Hubo diez mil muertos en la antigua base de Peng Dehuai de la frontera entre Hunan y Jiangxi.[61] En E-Yu-Wan, en los montes de Dabie, poco más de cien kilómetros al noreste de Wuhan, el licenciado de la Universidad de Pekín, nacido en la gran urbe, Zhang Guotao, entonces miembro del Comité Permanente del Politburó y, al igual que Mao, uno de los fundadores del partido, presidió una purga en la que dos mil «traidores, miembros de la AB-*tuan* y elementos del Tercer Partido» perdieron sus vidas. Chen Changhao, su comisario político, explicó:

> La marea revolucionaria irrumpe día a día con más fuerza ... El enemigo ya sabe que sus aeroplanos, sus cañones y sus ametralladoras son totalmente inútiles. Por ello se sirve de los reorganizacionistas, la AB-*tuan* y el Tercer Partido para infiltrarse en nuestras áreas soviéticas y en el Ejército Rojo ... Se trata de un plan realmente maligno. Para nosotros es muy sencillo divisar al enemigo cuando nos ataca con aeroplanos y cañones, pero no es nada fácil distinguir a los reorganizacionistas, la AB-*tuan* o el Tercer Partido. El enemigo puede llegar a ser extraordinariamente malvado.[62]

Después de que varios miles de contrarrevolucionarios fuesen purgados en la base del noreste de Jiangxi, el dirigente izquierdista al cargo, Zeng Hongyi, se desplazó hasta el norte de Fujian, donde asesinó a otros dos mil, por ser «reformistas y [pertenecer a] la AB-*tuan*».[63]

Lentamente la mentalidad de la purga expandió su veneno por todas las áreas comunistas. Hasta 1937, cuando la situación política cambió a nivel nacional, grupos sitiados de combatientes del Ejército Rojo, batallando en desventaja numérica abrumadora, a menudo en condiciones inimaginables de privación y miseria, se revolvían, en brotes periódicos de sangrienta paranoia, en contra de ellos mismos, en algunos casos provocando entre sus propios camaradas un número de bajas más elevado que el que los ejércitos nacionalistas habían causado.

Los pretextos para las purgas eran invariablemente los mismos: disputas sobre la reforma de la tierra, rivalidades locales o étnicas y cuestiones políticas relacionadas con «la línea Li Lisan». Lo mismo ocurría con las técnicas: «Se le obliga a confesar», explicaba el jefe de la oficina de seguridad de Fujian oriental, «después confiesa, se le cree, y se lo ejecuta; o no confiesa, e igualmente se lo ejecuta».[64] La causa última de las purgas también era siempre la misma. Todas apuntaban al poder: el poder individual de los dirigentes para imponer su voluntad y asegurar que sus partidarios les siguiesen.

El ejemplo del estalinismo, así como la influencia de su retórica, forman parte de la justificación de lo que ocurrió durante los primeros años de la década de 1930 en las bases rojas de China, pero representan sólo una causa menor. Las grandes matanzas que formaron parte de las purgas de Rusia no comenzaron hasta cuatro años *después* de Futian, cuando se produjo la muerte de Kirov en Leningrado. La forma en que la cúpula dirigente del Partido Comunista Chino pasó de ser un conciliábulo idealista e inefectivo de intelectuales bienintencionados que quedaron desplazados tras el primer empuje del Guomindang, hacía poco más de tres años, a ser un correoso núcleo bolchevique que, en épocas excepcionales, ordenaba extraordinarias matanzas de hombres y mujeres que, como tiempo después se descubriría, habían sido absolutamente leales, tenía mucho más que ver con la situación interna de China.

La guerra civil era el factor fundamental. En la mayoría de las guerras, los desertores son fusilados, los prisioneros maltratados para obtener información, y los derechos más básicos quedan anulados. En la guerra entre los nacionalistas y los comunistas no se respetó regla alguna.

A principios de 1931, el jefe del servicio de seguridad del Politburó chino, Gu Shunzhang, un agente extraordinariamente efectivo que había sido instruido por la policía secreta rusa de Vladivostok, fue enviado a Wuhan para llevar a cabo una tentativa de asesinato de Chiang Kai-shek. Iba disfrazado de mago. Pero los servicios especiales del Guomindang le identificaron con la ayuda de una fotografía y, en el mes de abril, fue arrestado y persuadido para que desertase de las filas comunistas. La oficina de inteligencia francesa de Shanghai estimó que durante los tres meses posteriores, como resultado de su traición, varios miles de comunistas fueron ejecutados. Entre ellos figuraba el secretario general del partido, un testaferro llamado Xiang Zhongfa, ejecutado en junio.

Sin embargo, no todas las atrocidades se perpetraron en el bando nacionalista. Al día siguiente de la traición de Gu, su familia desapareció. Cinco meses después se descubrieron sus cadáveres, desnudos y decapitados, sepultados bajo tres metros de tierra, concretamente en una casa deshabitada de la concesión francesa. El agente comunista que les asesinó indicó a los hombres del Guomindang que lo apresaron que habían sido ejecutados como venganza, siguiendo las órdenes de Zhou Enlai. Sólo había sobrevivido el hijo pequeño de Gu porque, según dijo el hombre, había sido incapaz de cumplir la orden de Zhou de acabar con el niño. Después los acompañó a otras cinco casas, donde fueron desenterrados otros cadáveres, en esta ocasión de cuadros comunistas que Zhou había ordenado asesinar para mantener la disciplina del partido. Posteriormente fueron desenterradas unas tres decenas de cuerpos, con lo que la policía de la concesión tuvo suficiente y ordenó que las pesquisas cesasen.[65]

La exterminación de la familia de Gu Shunzhang ordenada por Zhou Enlai fue la regla, no la excepción, en un conflicto sin cuartel.

El Guomindang cometía las mismas atrocidades. En Hubei, la esposa de Xu Haidong, dirigente del Ejército Rojo, fue apresada por los nacionalistas y vendida como concubina. Además, más de sesenta miembros del clan de Xu, incluyendo niños y criaturas, fueron capturados y asesinados.[66] En noviembre de 1930, dos meses después de que Mao dirigiese a los comunistas en el ataque fallido contra Changsha, su mujer, Yang Kaihui, fue conducida al campo de ejecución que había extramuros de la puerta de Liuyang de la ciudad, donde fue decapitada siguiendo las órdenes del gobernador del Guomindang.[67] Sus hijos habían sido ocultados por sus parientes, y fueron enviados en secreto a Shanghai, donde meses después el menor, Anlong, de sólo cuatro años, moriría de disentería. Además, se enviaron soldados nacionalistas para profanar las tumbas de los padres de Mao.[68]

En el área base de Xu Haidong, E-Yu-Wan, donde según las palabras de Edgar Snow la matanza adquirió «la intensidad de las guerras de religión», así como en otras áreas del sur, los nacionalistas siguieron una política que ellos definieron como «desecar el lago para pescar el pez»: todos los hombres capacitados eran asesinados, las aldeas incendiadas y las provisiones de grano confiscadas o destruidas. Grandes extensiones de bosques quedaron taladas para acorralar a las guerrillas en las espesuras montañosas, en las que se disparaba contra todo lo que se movía. Los aldeanos que sobrevivían eran hacinados en empalizadas construidas en las cabañas de madera de la planicie, vigilados por soldados y miembros de las milicias de los terratenientes. Las mujeres y las jóvenes eran vendidas como prostitutas o esclavas, hasta que los misioneros extranjeros protestaron y Chiang Kai-shek prohibió esta práctica.

Inicialmente, las tropas nacionalistas usaban las cabezas de sus víctimas para mantener un recuento de sus hazañas; cuando se hizo imposible seguir con esta práctica (a causa del excesivo peso), decidieron cortar, en su lugar, las orejas. Se informó de una división que reunió trescientos cincuenta kilos de orejas para «demostrar su mérito». En el distrito de Huang'an, en la provincia de Hubei, fueron asesinados más de cien mil aldeanos; en el distrito de Xin, en Henan, unos ochenta mil. En la antigua base de Peng Dehuai, en la frontera entre Hunan y Hubei, antiguamente hogar de un millón de habitantes, sólo sobrevivieron diez mil. Veinte años después, los pueblos en ruinas y los huesos humanos continuaban esparcidos por los montes.[69]

Mao apenas tuvo oportunidad de comprobar personalmente los extremos a los que llegó la devastación. En el momento en que la carnicería más sangrienta se instaló en Jiangxi, el Ejército Rojo ya había partido del lugar.[70] Pero todo ello conformó el contexto social en que él, y todos los dirigentes comunistas, se desenvolvieron.

A lo largo de la historia china —que, como Mao había aprendido de las lecturas de Sima Guang, literato de la dinastía Song, no era más que «un espejo del presente»—, las rebeliones habían sido suprimidas con extraordinaria ferocidad. Las matanzas de Chiang Kai-shek en las zonas comunistas eran un pálido reflejo de la sangría que había tenido lugar durante la rebelión de los Taiping. Las tropas de Chiang coleccionaban orejas; un general del siglo XVII, Li Zicheng, pacificó la provincia de Sichuan haciendo acopio de pies, y cuando su concubina predilecta protestó ante semejante crueldad, los suyos pasaron a engrosar el montón. Los nacionalistas exterminaron las familias de los dirigentes comunistas; bajo el reinado de los Qing, las familias de los intelectuales que se rebelaban eran asesinadas hasta el noveno grado de consanguinidad. Incluso el uso de cuotas en las purgas, por mucho que se asemejase a las practicas de la posterior NKVD[71] en Rusia, tenía su origen en China.[72]

El torbellino de sangre y temor en que se desarrolló la lucha comunista fue el fruto de este legado. Separados de las esposas, las familias, los hijos (o en el peor de los casos, como en el de Mao, causantes indirectos de sus muertes), los jóvenes que comandaban el partido, ninguno de más de cuarenta años, concentraban todas sus energías y su lealtad en un único objetivo: la causa. De esta implacable firmeza mental nació una entrega fanática que no dejaba lugar a la moralidad que imperaba fuera de ese mundo. Había regimientos enteros del Ejército Rojo formados por huérfanos comunistas cuyo único deseo era la venganza de su clase. El odio fue un arma muy poderosa, tanto si estaba dirigido a los rivales externos como a los enemigos internos.

No todos los dirigentes respondían siguiendo el mismo patrón. Algunos, como Gao Jingtang, en E-Yu-Wan, se recrearon en la purga como ánades en el agua, generando un clima de aislamiento y paranoia tan extremo que, en 1937, cuando el Comité Central intentó retomar el contacto con las guerrillas de las áreas base, los primeros enviados comunistas que llegaron fueron arrestados y fusilados, acusados de ser espías.[73] Otros, como el antiguo comisario de Zhu De, Chen Yi, aplicó el terror con mayor indulgencia, en la medida que era posible.[74]

La reacción de Mao fue más compleja. Por un lado exigía «disciplina de hierro»; por el otro, afirmaba aún que el Ejército Rojo debía ser una fuerza completamente voluntaria, impulsada por la rectitud de los ideales, un liderazgo correcto y un ejemplo.[75] Para Mao el bolchevismo era mucho más que un simple medio para alcanzar el poder; tenía también una vertiente ideológica, era en cierto sentido una fuerza moral para la renovación de China. A nivel intelectual, intentó solucionar la contradicción —entre la disciplina y la libertad, la fuerza y el voluntarismo— que ello representaba, afirmando la unidad de los opuestos (como había manifestado ya en sus ensayos estudiantiles, y volvería a hacerlo en Yan'an). Pero en la práctica ambos polos permanecerían siempre en conflicto. Fue una realidad manifiesta tanto en Jiangxi a principios de los años treinta como en cualquier otra purga o campaña de purificación de las que lanzaría durante su longeva existencia.

En aquellas circunstancias Mao dirigió su mirada a la lección que, en invierno de 1926, había extraído del movimiento campesino de Hunan. «Para enderezar lo erróneo», había escrito entonces, «es necesario sobrepasar los límites de lo debido; lo erróneo no se puede enderezar sin actuar de este modo.» Desde ese punto de vista, las sangrientas purgas eran motivo de lamento y en el futuro debían evitarse, pero eran igualmente necesarias.

Lo mismo cabe decir de los elásticos usos a que el término «AB-*tuan*» estaba vinculado. Mao pudo haber creído inicialmente, al igual que pensaron todos los otros dirigentes, que la AB-*tuan* representaba una amenaza genuina. Pero él no era tan incauto como para continuar creyendo en ello después de que no se encontrase evidencia alguna (más allá de las confesiones obtenidas bajo tortura) de que cualquiera de los miles de ejecutados fuese realmente miembro de la AB-*tuan*. «Socialdemocracia», «reorganizacionistas», «Tercer Partido», en último término, la denominación no importaba: eran sólo nombres, susceptibles de ser interpretados según las desviaciones políticas que los líderes del partido anhelaban combatir. La Oficina Central así lo reconoció cuando admitió que durante la campaña de la AB-*tuan* se había producido un «error terminológico», como se lo denominó.[76] Pero también aquello era necesario, según debió de concluir Mao. Al fin y al cabo, ocurrirían «errores» similares en todas las acciones políticas que estaban por llegar.

9

Presidente de la República

La derrota de la tercera campaña de asedio de Chiang Kai-shek representó en septiembre de 1931 el inicio de otro intento, esta vez mucho más decidido, de la central del partido de someter a Mao y la zona base de Jiangxi firmemente bajo su control.

La devastación de las redes urbanas del partido tras la defección de Gu Shunzhang concedió a las áreas rojas una importancia sin precedentes. El Comintern había estado insistiendo durante un año en que era allí, en lugar de las ciudades de China, donde se debía desarrollar la nueva etapa de la lucha. El arresto y la ejecución en junio de Xiang Zhongfa, secretario general del partido, hizo de los cambios en la cúpula un imperativo, y el aumento de la amenaza física, en caso de seguir operando en Shanghai, argumentaba en favor de la dispersión.

Ya en abril, los dirigentes veteranos habían abandonado Shanghai para dirigir comités del partido en E-Yu-Wan y la zona base de He Long, en Hunan occidental. Tres meses después se decidió que Zhou Enlai debía embarcarse en su largamente postergado viaje a Jiangxi para asumir el control de la Oficina Central, mientras Wang Ming debía volver al seguro refugio de Moscú como jefe de la delegación en el Comintern del Partido Comunista Chino. Otro de los estudiantes retornados, Bo Gu, que tenía entonces veinticuatro años, debía permanecer en Shanghai como líder en funciones del partido hasta que fuese convocado un nuevo congreso.[1] Simultáneamente se pusieron en marcha diversos planes para establecer un gobierno comunista en los distritos rojos de Jiangxi (ahora elocuentemente bautizados como la Región Base Central Soviética), como primer paso hacia la relocalización de toda la cúpula central en la provincia.

En estas circunstancias, Wang Ming, Bo Gu y sus aliados del grupo de los estudiantes retornados desataron una campaña concertada para socavar la autoridad de Mao. A finales de agosto —incluso antes de que se consiguiera derrotar la tercera campaña de asedio— la central del partido lanzó una larga y tempestuosa directriz acusándole (aunque sin nombrarle) de carecer de un posicionamiento de clase claro, ser demasiado clemente con los campesinos acaudalados, ser incapaz de desarrollar el movimiento obrero, ignorar las repetidas instrucciones de establecer el planeado gobierno de los soviets, no haber expandido el área base, y permitir que el Ejército Rojo se implicase en el «guerrillismo».[2] Cuando este mensaje llegó al área base, en el mes de octubre, cundió rápidamente el desconcierto y la ira. Mao y sus compañeros no sólo habían combatido con un enemigo diez veces más poderoso que ellos, sino que además los estudiantes retornados habían castigado a Li Lisan por pretender que la guerra de guerrillas pertenecía al pasado; además, aquel verano, el Comintern, en una acción extraordinariamente inusual, había elogiado a Mao por sus decisiones políticas en el área base.

Para Bo Gu, en Shanghai, semejantes sutilezas no merecían ser tenidas en cuenta. Aquel otoño, su preocupación no se centraba en cuestiones doctrinales, sino en el poder.

A mediados de octubre accedió, con reticencias, a que Mao continuase ejerciendo de secretario en funciones de la Oficina Central (cargo que ocupaba de manera extraoficial desde mayo) hasta la llegada de Zhou Enlai, pero rechazó una propuesta de ascender a algunos de los aliados de Mao. Poco después, cuando Mao solicitó que un miembro del Politburó fuese enviado para dirigir el nuevo gobierno de los soviets, Bo respondió que Mao debía hacerse cargo del puesto. En otras palabras, fue ascendido a puntapiés: privado de la mayor parte de su influencia en el partido y el ejército, se le concedió en su lugar un cargo administrativo de carácter honorífico.[3] Ocurrió a principios de noviembre. Se celebró un congreso del partido del área base, en el que se disolvió el Comité General del Frente que Mao encabezaba y en su lugar se estableció la Comisión Militar Revolucionaria, presidida por Zhu De, de la que Mao era uno de sus doce miembros.[4] Fue rotundamente criticado (aunque, de nuevo, sin que se le nombrase) en buena medida por seguir un «empirismo mezquino», lo que era sinónimo de favorecer las medidas prácticas a expensas de la política del partido.

Dos días después, el 7 de noviembre, aniversario de la Revolución Rusa, seiscientos delegados de Jiangxi y las bases adyacentes se congregaron en el pueblo de Yeping, casi cinco kilómetros al este de la ciudad comercial de Ruijin, para proclamar la fundación de la República Soviética China. Se reunieron en medio del esplendor medieval del salón del clan de los Xie (el apellido más común entre los habitantes de aquel pueblo), en medio de una arboleda de viejos y retorcidos alconforeros que, en algunos casos, alcanzaban el millar de años. Colgaron banderolas con la hoz y el martillo entre los inmensos pilares de madera lacada. Se organizó un desfile del Ejército Rojo, seguido de una procesión de antorchas que culminó con la ensordecedora explosión y el suave humo azulado de los petardos.[5] «A partir de ahora», declaró Mao, «existen dos estados totalmente independientes en el territorio de China. El primero es la llamada República China, herramienta del imperialismo ... El otro es la República Soviética China, el Estado de las grandes masas de trabajadores, campesinos, soldados y obreros explotados y oprimidos. Su estandarte es el del derrocamiento del imperialismo, la eliminación de la clase terrateniente, el fin del gobierno de los señores de la guerra del Guomindang ... y la lucha por la paz genuina y la unificación de todo el país.»[6]

El Primer Congreso Nacional de los Soviets de los Obreros, los Campesinos y los Soldados, tal como se llamó al nuevo parlamento comunista, fijó Ruijin como la capital de los aproximadamente veinte distritos rojos que configuraban la nueva República Soviética, y nombró a Mao presidente del Estado y jefe de gobierno.[7]

Para los poco iniciados debió de parecer que Mao se encontraba en una posición envidiable. Sus nuevos cargos le conferían formalmente un rango de mucha más alcurnia que los que había ocupado hasta entonces. El Comintern había dejado bien claro que tenía una importancia enorme para el nuevo «Estado» que él presidía. Pero Mao se había enfrentado ya a muchos intentos de neutralizarle y controlarle —el deseo de Zhou Enlai de enviarle en julio de 1927 a Sichuan, la propuesta de Qu Qiubai, un mes después, de que se convirtiese en un *apparatchik* en Shanghai, las maniobras de Li Lisan, en 1929, para hacerle abandonar el Cuarto Ejército— como para hacerse ilusiones sobre lo que se estaba fraguando. Es cierto que él era entonces demasiado importante, incluso para los estudiantes retornados de Wang Ming, que contaban con el apoyo del Kremlin, como para ser simplemente eliminado de la escena. Pero fueron capaces de arrinconarlo fuera de las esferas en que se tomaban las decisiones, amputando las raíces de las que emanaba su poder.

Las consecuencias no tardaron en llegar.

En enero Zhou Enlai, en uno de sus primeros actos después de reemplazar a Mao como secretario de la Oficina Central, propuso realizar un nuevo intento de ocupar una urbe importante, en persecución del objetivo tan a menudo repetido de «conseguir la victoria inicial en una o varias provincias».

Mao fue capaz de convencer a sus compañeros de que Nanchang era un objetivo demasiado difícil. Pero cuando la Oficina se reunió de nuevo, después de realizar consultas con Bo Gu en Shanghai, la mayoría de sus miembros votaron a favor de un ataque sobre Ganzhou. También en esta ocasión se opuso Mao, con el apoyo de Zhu De. Ganzhou, argumentaba, estaba bien defendida, provista de agua por tres de los flancos y era considerada por el enemigo como «un bastión que no se puede permitir perder», al tiempo que el Ejército Rojo sufría todavía de la misma carencia de artillería pesada y del equipamiento de asedio que había propiciado la derrota en todos los intentos de tomar la ciudad emprendidos durante el año anterior. En esta ocasión sus argumentos fueron rechazados. Peng Dehuai, que estaba a favor del plan, fue nombrado comandante del Frente, y dejó bien claro que le agradaba la perspectiva de mostrar que Mao estaba equivocado.[8]

Diez días después la Oficina Central sostuvo una tercera reunión, presidida, en ausencia de Zhou, por Mao. La discusión se centró en la invasión japonesa de Manchuria del septiembre anterior. Bo Gu la había interpretado como «un paso peligroso y concreto para atacar a la Unión Soviética». Mao tomó la palabra para discrepar, indicando que la invasión había desatado una marea de sentimiento antijaponés de alcance nacional que iba más allá de la tradicional división de clases, que el partido debía explotar. Éste era el germen de una idea —el frente unido antijaponés, aunando todas las clases de China en un esfuerzo patriótico de defensa nacional— que no muchos años después desempeñaría un papel crucial en la lucha del Partido Comunista Chino por el poder. Pero, en enero de 1932, aquello todavía quedaba lejos. El único impulso de las decisiones políticas de la central estaba encaminado hacia la agudización de la lucha de clases, y no hacia la eliminación de las distinciones de clases. Los colegas de Mao insistieron en que la primera preocupación, como había ocurrido en 1929 durante la disputa del ferrocarril oriental, era la amenaza a Moscú. Los ánimos se calentaron. Finalmente alguien espetó ante Mao: «Japón ha ocupado Manchuria para atacar a Rusia. Y si no puedes entenderlo así, es que eres un oportunista derechista».[9] Se produjo un silencio. Mao se levantó y abandonó el lugar con paso majestuoso.

Aquel mismo día, o poco después, solicitó un permiso por enfermedad. Le fue concedido. Wang Jiaxiang, otro miembro del grupo de estudiantes retornados, tomó el único cargo militar que le quedaba a Mao, el de jefe del Departamento Político General del Ejército del Frente.[10] Una semana después Mao partía junto a He Zizhen y un grupo de guardaespaldas hacia un templo abandonado de Donghuashan, una pequeña colina volcánica situada ocho kilómetros al sur de Ruijin, donde iba a residir durante su «convalecencia».

Era un lugar austero y solitario, muy apropiado para el entumecido estado de ánimo de Mao. El santuario, una única estancia labrada en la roca negra, con fachada de piedra y techo de tejas grises, era oscuro, frío y muy húmedo, alimentando el musgo que crecía en el suelo. Como tan a menudo ocurría cuando se encontraba en dificultades políticas, la depresión afectó físicamente a Mao. Comenzó a perder peso y He Zizhen le vio repentinamente envejecido. A ella le preocupaba que la humedad le hiciese empeorar, y ordenó a los jóvenes guardias que se alojasen en el templo principal, al tiempo que Mao y ella se trasladaban a una cueva alejada unos metros, más pequeña pero seca, y que contenía una jofaina de madera con la que se podían lavar. El agua debía ser transportada desde el valle, unos treinta metros más abajo, en cubos de madera, que pendían sobre pértigas de bambú por un estrecho paso de peldaños poco profundos excavados en la roca.

La vista sobre la planicie era hermosa, y al este se alzaban tres antiguas pagodas, como centinelas de los montes circundantes. Mao intentó mantenerse ocupado escribiendo los poemas que, a lomos de caballo, había compuesto en días más dichosos, cuando vivía en la zona base. De forma intermitente e irregular, desde Ruijin le enviaban algunos documentos del partido y periódicos.[11] No podía hacer otra cosa más que esperar, con obligada inactividad, a que sus heridas políticas curasen.

La nueva «central provisional» de Shanghai, tal como era conocido el gobierno de Bo Gu, fue menos irracional de lo que pudo parecer años después. El hecho de que lograse perdurar fue en sí mismo un logro notable. En una época en que los dispositivos del Comintern en China habían quedado completamente inoperantes —tras el arresto de su representante, Yakov Rudnik (también conocido como Hilaire Noulens), un agente ucraniano de los servicios de inteligencia que se hacía pasar por un sindicalista belga—,[12] Bo y su compañero Zhang Wentian, otro de los estudiantes retornados de poco más de treinta años, consiguieron mantener una red de agentes capaz de infiltrarse con éxito en los más altos escalafones de la comandancia militar de Chiang Kai-shek y aniquilar a los agentes de los servicios especiales del Guomindang y a los renegados comunistas que ellos reclutaban.[13]

Si fueron menos capaces de ofrecer orientación a las zonas base comunistas, que tenían una población estimada en aquel momento de cinco millones, fue primordialmente a causa de la persistente influencia del pensamiento izquierdista impulsado por Li Lisan y, antes de él, Qu Qiubai. Aquello fue lo que animó a Bo a retomar una vez más la idea de atacar grandes ciudades:

Evitamos generalmente atacar las grandes urbes. Ésta era una estrategia correcta en el pasado, pero no lo es actualmente porque las circunstancias han cambiado. Nuestra tarea consiste ahora en procurar expandir [nuestro] territorio, unir las diferentes áreas soviéticas, hasta ahora separadas, para formar una única área integrada, y tomar ventaja de las condiciones políticas y militares, actualmente favorables, para tomar una o dos ciudades capitales y así alcanzar la primera victoria para la revolución en una o más provincias.

El análisis de Bo era más sobrio que el de sus infortunados predecesores. Sin embargo llegó a unas conclusiones muy similares a las suyas. La Gran Depresión, escribió, había llevado a la economía de las zonas controladas por los nacionalistas al «borde del colapso general»; el Ejército Rojo, en cambio, habiéndose «templado en el sangriento campo de batalla de la actual guerra civil» durante las fallidas campañas de asedio, era más fuerte que nunca. El «equilibrio de fuerzas entre las clases nacionales» había variado, por lo que la política también debía cambiar.[14]

En cierto sentido, no se trataba de un razonamiento carente de lógica. Durante los tres años anteriores también Mao había estado reclamando la «victoria en una provincia». No hacer nada era una opción inadmisible: una insurrección que se duerme en los laureles fracasa rápidamente. Vincular entre ellas las distintas regiones base, lo que invariablemente representaba la ocupación de ciudades, era la opción política más razonable. El problema era que Bo exigía una rígida adhesión a lo que él llamaba la «línea ofensiva de avance», y al objetivo último que había impuesto de ocupar Nanchang, Jian y Fuzhou (otra ciudad de la provincia de Jiangxi), sin importar los imperativos tácticos.[15] Además, existía un desequilibrio de fuerzas. La derrota de la tercera campaña de asedio desplegada por Chiang Kai-shek proporcionó a los dirigentes de Shanghai una impresión toscamente exagerada de la capacidad del Ejército Rojo. Mao y Zhu De sabían que entonces, no menos que durante el año anterior, carecían todavía de las fuerzas requeridas para tomar los baluartes bien armados del Guomindang, motivo por el que se habían opuesto al ataque a Ganzhou. Bo Gu, Zhang Wentian y sus seguidores consideraron esas dudas como una prueba de oportunismo; aquélla era una carencia que no se podía atribuir a una decisión política, sino a los individuos reacios a ponerla en práctica.

Una tarde a principios de marzo, justo después del Festival de los Faroles, los guardias de Mao divisaron dos jinetes que se aproximaban. Resultaron ser Xiang Ying, que actuaba como jefe de gobierno durante el «permiso de enfermedad» de Mao, y un guardaespaldas.

El ataque a Ganzhou, le dijo Xiang con el semblante avergonzado, había resultado ser un fiasco. A lo largo de un período de tres semanas las fuerzas de Peng habían desplegado cuatro agotadores e improductivos asaltos contra las defensas de la ciudad. Los intentos de minar las murallas habían fracasado. Dos días después apenas habían podido rechazar una incursión de los soldados nacionalistas que sorprendió a Peng; y ahora cuatro divisiones de refuerzos nacionalistas convergían desde Jian y Guangdong amenazando con cortar su retirada. La Comisión Militar, explicó Xiang, deseaba que Mao finalizase su permiso por enfermedad y acudiese de inmediato para aconsejarles.

Mao no se hizo de rogar. Se había desatado una violenta tormenta, y He Zizhen le pidió que aguardase. «Has estado indispuesto», le importunó. «Si te vas en estas condiciones, te sentirás peor.» Mao la apartó a un lado. La «enfermedad» de Mao se había acabado.[16]

Cuando Mao alcanzó el ejército en Jiangkou, pequeño enclave comercial a algo más de veinte kilómetros río arriba de Ganzhou, Peng había conseguido escapar de la trampa. No obstante, las discusiones sobre el siguiente destino del Ejército del Frente no cesaron. Mao propuso que avanzasen hacia el noreste de Jiangxi y estableciesen una nueva región base en la zona norte de la frontera de Fujian, donde el enemigo era débil y el terreno montañoso favorecía la estrategia marcial del Ejército Rojo. Pero la mayoría de sus compañeros sintieron que esto se alejaba demasiado de los objetivos que la central había señalado, que consistían en amenazar las ciudades de Jian y Nanchang. Peng, todavía dolido por su derrota, les dio la razón. Al final de la reunión se decidió dividir el ejército: el cuerpo del Tercer Ejército de Peng se dirigiría hacia el norte siguiendo la orilla occidental del río Gan, hacia Jian, mientras que el cuerpo del Primer Ejército, comandado por Lin Biao, intentaría ocupar un grupo de tres sedes de distrito en el centro de Jiangxi, unos ciento veinte kilómetros al sureste de Nanchang. Mao acompañó al ejército de Lin en su nuevo papel de consejero extraoficial y pronto fue capaz de persuadir, tanto a él como a su comisario, Nie Rongzhen, de que Fujian era un objetivo mucho más deseable. Lin envió un telegrama a la Comisión Militar para informar de ello y después avanzó hacia Tingzhou, ya en la frontera interior de Fujian, para aguardar órdenes. Mao volvió a Ruijin, donde, a finales de marzo, presentó su posición ante la Oficina Central.

En esta ocasión la opinión de Mao prevaleció.[17] Zhou Enlai, que presidió una reunión que se prolongó durante dos días, había visto que su primera aventura militar en la región base, llevada a cabo en contra del consejo de Mao, finalizaba en una derrota ignominiosa. Xiang Ying había asumido la ingrata tarea de solicitar en plena debacle el retorno de Mao. Peng Dehuai, que se habría opuesto, estaba ausente.

Pero el hecho de que Mao lograse aquella primavera imponer su criterio tenía otra causa más profunda.

La química personal entre él y Zhou Enlai, que sería de extraordinaria importancia para China durante medio siglo, comenzó a emerger por vez primera con claridad durante esta reunión de Ruijin.

Zhou, cinco años menor que Mao, era un dirigente de gran sutileza, frío, contenido, nunca excesivo, siempre tratando de extraer la máxima ventaja que pudiese ofrecer cualquier situación. Era extraordinariamente maleable con tal de obtener la victoria última, que consideraba como el único objetivo valioso.

Mao, en cambio, destacaba por sus excesos, poseía una clarividencia excepcional, fuertes convicciones y una confianza sin límites en sí mismo, gran sutileza intelectual y una intuición infalible. Después de que en Ruijin Zhou comenzase a flaquear, Mao se mostró implacable, presentándose ante él con un *fait accompli* tras otro, en tanto que las fuerzas de Lin, ahora bajo la dirección real de Mao, avanzaban más y más hacia el sureste, en la dirección opuesta a la que la central había ordenado.[18] En el proceso, Mao recuperó, aunque fugazmente, buena parte de la libertad de maniobra que los estudiantes retornados habían intentado arrancarle.

Su primer objetivo fue Longyan, a medio camino entre la provincia de Jiangxi y la costa de Fujian. Era una región que Mao conocía perfectamente: allí se había celebrado en invierno de 1929 la conferencia de Gutian. El 10 de abril derrotaron a los dos regimientos que protegían la ciudad e hicieron setecientos prisioneros. Diez días después cayó Zhangzhou, la primera ciudad de peso que el Ejército Rojo capturaba desde la caída de Jian, dieciocho meses antes.

Mao se sentía triunfante. Los soldados que lucharon en aquella campaña le recordaban entrando en la ciudad a lomos de un caballo blanco y portando un birrete puntiagudo del ejército de color gris, coronado con la estrella roja de cinco puntas de los comunistas.[19] En un telegrama que al día siguiente envió a Zhou Enlai describió a los lugareños «abalanzándose como locos para recibirnos».[20] Zhangzhou era un trofeo muy suculento, un importante centro comercial a cuarenta y cinco kilómetros de Amoy y con una población de más de cincuenta mil habitantes.[21] El saqueo incluyó medio millón de dólares en efectivo, armas y municiones, dos aviones nacionalistas (que, lamentablemente, los comunistas no sabían cómo pilotar) y, casi de igual valor, al menos por lo que se refería a Mao, un rico botín de libros de la biblioteca de una escuela media que fueron enviados por carretera a Ruijin, en un vehículo requisado.

Sin embargo, Bo Gu estaba enormemente disgustado.

Cuando los detalles de la expedición de Fujian se filtraron hasta Shanghai, los tambores de las críticas, tanto a Mao, por desobedecer los planes de un avance concertado hacia el norte cuidadosamente trazados por la central, como a la Oficina Central, por haberlo tolerado, comenzaron a sonar cada vez con mayor insistencia.[22]

La Oficina Central estaba arrepentida.[23] En un encuentro presidido por Zhou Enlai el 11 de mayo, al que Mao no asistió por encontrarse todavía en Zhangzhou, el primero se entregó a una servil autocrítica en la que admitió haber cometido «errores muy serios» y prometió «acabar completamente» con sus reservas sobre la necesidad de conquistar grandes ciudades y, de un modo más general, con sus «constantes errores oportunistas derechistas».

Este enfoque lenitivo tipificó las relaciones de Zhou con la central durante aquella primavera, y determinó el desarrollo de los acontecimientos de las semanas que siguieron. Pero la reacción de Mao difícilmente pudo ser más divergente. «He sabido de tu telegrama», escribió, después de que Zhou le informase de las críticas de Bo:

Las valoraciones políticas y la estrategia militar de la central están completamente desencaminadas. En primer lugar, después de las tres [campañas de asedio] y el ataque japonés, las fuerzas gobernantes de China ... han sufrido un golpe muy duro ... No debemos sobrevalorar la fuerza del enemigo ... En segundo lugar, ahora que las tres campañas ya han sido derrotadas, nuestra estrategia conjunta no debería volver a repetir nunca más la táctica defensiva de luchar en el interior de nuestras fronteras [es decir, en las bases rojas]. Al contrario, deberíamos adoptar la estrategia ofensiva de luchar en las líneas exteriores [en las zonas blancas]. Nuestra tarea es conquistar ciudades clave y alcanzar la victoria en una provincia. Aniquilar al enemigo, según pienso, es el requisito para conseguirlo ... Proponer que se mantenga la estrategia seguida durante el último año en las presentes circunstancias no es más que un acto de oportunismo derechista.[24]

Era un mensaje ciertamente muy atrevido. Mao estaba echando en cara a Bo Gu los mismos reproches que la central le había recriminado a él mismo. Desde Shanghai se habían estado lamentando durante meses de que se «infravalorase la situación revolucionaria», se fuese incapaz de «aprovechar las oportunidades de proyectarse hacia el exterior», y se «considerase que una estrategia ya caduca era un dogma incuestionable», hechos que habían sido condenados como graves errores de oportunismo derechista.[25]

No se conserva la reacción de Bo, pero sin duda alguna podemos asumir que no se sintió precisamente complacido. A partir de aquel momento las relaciones de Mao con la «central provisional» fueron cada vez más envenenadas.

Después de la incursión en Fujian, la Oficina Central puso mayor empeño en restringir los movimientos de Mao, bombardeado con mensajes que le reclamaban «una postura atacante» y una adhesión estricta en todo momento a la «línea ofensiva de avance». A finales de mayo abandonaron Zhangzhou y las fuerzas de Mao avanzaron hacia el oeste para enfrentarse a las unidades de los caciques militares de Guangdong, que habían comenzado a amenazar el flanco meridional de la región base. En Fujian occidental, a principios de junio, se fusionó con Zhu De y Wang Jiaxiang, enviados para asegurarse de que, en esta ocasión, Mao obedecería las órdenes de la Oficina Central. Marcharon a través del sur de Jiangxi, hacia Dayu, ciudad minera con yacimientos de tungsteno, cercana a la frontera con Hunan, donde el ejército de Mao y Zhu se había detenido en enero de 1929, después de su huida de Jinggangshan. Sin embargo, a pesar de los requerimientos de Zhou de «atacar al enemigo con todas las fuerzas», pasó un mes antes de que los regimientos de Guangdong se vieran obligados a retroceder hasta el otro lado de la frontera.[26]

Cuando aquello ocurrió, Bo y Zhang Wentian ya estaban totalmente fuera de sus casillas. Durante seis meses habían visto frustrados todos sus planes de un modo sistemático. El fallido ataque a Ganzhou, el intento de avanzar hacia el norte, malogrado cuando Mao dirigió sus tropas hacia el sur para tomar Zhangzhou, los últimos desórdenes en Guangdong, todo ello significó que, durante medio año, de enero a julio de 1932, no pudieron culminar ninguna de sus expectativas, dejando escapar sin duda la mejor oportunidad de que jamás habían dispuesto los comunistas para unificar los distritos rojos del sur en una región integrada y poderosa. La razón, como sabían los dirigentes en el frente, era que todo lo que representase ir más allá de la resistencia ante las incursiones enemigas y atacar allí donde el enemigo era más débil quedaba por encima de las posibilidades del Ejército Rojo. Pero los dirigentes de Shanghai no lo creían así.

El establecimiento de un diálogo entre la rigidez de los planteamientos de Bo Gu y las necesidades de supervivencia en el campo de batalla se había revelado imposible.

Ante un escenario tan poco prometedor, Zhou Enlai, el eterno negociador, intentó llegar a un compromiso. Bo obtendría su anhelada ofensiva contra las ciudades del norte de Jiangxi, y Zhou en persona acudiría al frente para comandarla; pero debería acomodarse en lo posible a las capacidades reales del Ejército del Frente, además de conceder a Mao el retorno a su antigua posición de comisario político general.[27] La «experiencia y las férreas convicciones» de Mao eran necesarias, explicó Zhou. Si se le restituía, se sentiría «fortalecido para corregir sus errores».

Wang Jiaxiang y Zhu De accedieron con notoria rapidez. Pero Ren Bishi y los otros miembros de la Oficina Central, que habían permanecido en Ruijin para hacerse cargo de los trabajos en la retaguardia, mantenían serios recelos. No fue hasta casi mediados de agosto cuando Zhou consiguió cerrar el acuerdo.[28] Bo Gu, dispuesto a intentar casi cualquier cosa a cambio de que por fin la largamente pospuesta ofensiva diese comienzo, también concedió su aprobación.

Mao propuso que el Ejército del Frente al completo, operando de nuevo como una única fuerza, avanzase hacia el norte para ocupar el mismo pequeño racimo de sedes de distrito, Lean, Yihuang y Nanfeng, que deberían de haber sido atacadas cinco meses antes, en los momentos previos a la expedición a Fujian. Intentarían entonces arremeter contra Nancheng, una ciudad apenas mayor, que les posicionaría lo suficientemente cerca de

Fuzhou como para conquistarla y «en una posición más ventajosa para atacar las ciudades clave del río Gan y favorecer las condiciones para tomar Nanchang».[29]

La primera fase se desarrolló como un mecanismo de relojería. Lean, Yihuang y Nanfeng cayeron, proporcionando al Ejército del Frente cinco mil prisioneros y cuatro mil armas. Pero el siguiente objetivo, Nancheng, estaba mucho mejor defendido. Zhu y Mao ordenaron la retirada, al tiempo que Zhou enviaba un telegrama al comité de retaguardia de Ren Bishi explicando que pretendían aguardar hasta que la situación fuese más favorable. Sin embargo, la retirada continuó y, a pesar de los nuevos mensajes tranquilizadores de Zhou, a principios de septiembre habían retrocedido hasta Dongshao, en el distrito de Ningdu, ciento cinco kilómetros al sur. El comité de retaguardia, seriamente alarmado ante el cariz que tomaban los acontecimientos, les espetó bruscamente que su proceder era erróneo y que debían avanzar hacia el norte sin dilación. Aquello inusualmente motivó una furibunda respuesta de Zhou, quien argumentó que el ejército estaba exhausto, que era «absolutamente necesario» que descansase, y que un movimiento en falso en aquel momento abriría la puerta a un ataque enemigo en la zona base.[30]

Ése fue el inicio de un mes de intercambios cada vez más agrios entre los dos grupos de dirigentes del Comité Central.[31] Ya no se trataba de Mao en contra del resto. Ahora Zhou, Mao, Zhu y Wang, por un lado, debatían con Ren Bishi, Xiang Ying, Deng Fa, jefe de seguridad de la zona base, y otro de los estudiantes retornados, Gu Zuolin, por el otro.

A principios de octubre se congregaron en una granja de una diminuta aldea de montaña llamada Xiaoyuan, al norte de Ningdu, con Zhou Enlai en la presidencia, para dilucidar sus diferencias. Fueron cuatro traumáticas jornadas de intensa confrontación.[32]

El comité de retaguardia acusaba a los líderes del frente de «carecer de fe en la victoria de la revolución y en la fuerza del Ejército Rojo». El grupo del frente replicó que a pesar de que la «línea ofensiva de avance» de la central era correcta, debía ponerse en práctica teniendo siempre en cuenta la situación real. Mao, en particular, fue especialmente franco en su propia defensa. Pero para Ren Bishi, Xiang Ying y los demás, aquello sólo confirmaba lo que habían sospechado desde el principio: Mao era la raíz del problema y sólo su destitución podría solucionarlo.

Las antiguas acusaciones esgrimidas en su contra durante el último año afloraron de nuevo, junto a un importante número de nuevas imputaciones. Era un oportunista derechista que se oponía tercamente a la acertada línea militar propuesta por la central. Se mofaba de la disciplina organizativa (referencia a su estallido del mes de mayo en contra de las «ideas erróneas» de la central). Se había opuesto a la decisión de atacar Ganzhou, se había resistido a acatar las órdenes de tomar Fuzhou y Jian y, cuando finalmente tomó Zhangzhou, había manifestado su «mentalidad guerrillera» al dedicar todo su tiempo a recaudar dinero. Mao, le acusó el comité de retaguardia, apoyaba una «línea puramente defensiva» consistente en «seducir al enemigo» y «esperar junto al árbol a que los conejos salgan corriendo y tropiecen con el tronco».* Prefería combatir en las áreas más remotas, donde el enemigo era más débil.

Algunas de estas acusaciones no carecían de fundamento. Mao apoyaba una estrategia militar que, en la práctica, divergía mucho de la impuesta por la central. Pero a medida que la reunión fue avanzando, el hecho de que las ideas de Mao pudiesen ser correctas y las de la central erróneas dejó de ser un elemento relevante. Para Xiang Ying y los estudiantes retornados, Mao violaba la disciplina del partido. Y por ello estaba equivocado.

Llegar a un acuerdo sobre estrategia resultó relativamente sencillo. Todos ellos, incluido Mao, estuvieron de acuerdo en que el Ejército del Frente debía concentrar sus fuerzas contra los puntos más débiles del enemigo, y atacar para poder acabar con el asedio antes de que la zona base quedase amenazada. Para Mao, aquello significaba luchar en Yihuang, Lean y Nanfeng. Los otros preferían que el campo de batalla estuviese más al este. Pero el principio era lo suficientemente flexible como para satisfacer ambas opiniones.

El problema real surgió cuando se plantearon qué hacer con Mao. El grupo de retaguardia insistía en que se le apartase de una vez por todas del frente. Zhou argumentaba que aquello sería excesivo. «Zedong», dijo, «posee muchos años de experiencia en combate. Es muy hábil en la batalla, y cuando se halla en el frente ofrece gran número de sugerencias valiosas que son útiles para nuestros proyectos.» La solución, sugirió, sería que Mao conservase su función como comisario, aunque bajo su supervisión (de Zhou), o que el mismo Zhou ocupase ese cargo y Mao permaneciese en el frente como consejero. Zhu De y Wang Jiaxiang estuvieron de acuerdo. Pero Mao se mantuvo receloso ante la posibilidad de aceptar la responsabilidad de dirigir las operaciones militares sin plenos poderes para hacerlo, y también el comité de retaguardia puso objeciones. La falta de voluntad por parte de Mao de reconocer sus errores, dijeron, significaba que si se mantenía en el frente, reincidiría en sus viejos y viciados métodos. Podrían haber añadido además que la capacidad que se había arrogado Zhou de «su-

---

* Refrán chino, *shou zhu dai tu*, que hace alusión a una anécdota que aparece en el *Hanfeizi*, obra de la dinastía Han, que explica cómo un campesino del reino de Song que vio morir un conejo al colisionar contra el tronco de un árbol se quedó aguardando junto a éste esperando la muerte de otros conejos con que alimentarse. (*N. del t.*)

pervisarle y controlarle» no era particularmente convincente dadas las experiencias pasadas.

Zhou finalmente ideó un compromiso magistral. Mao abandonaría su posición de comisario y actuaría como consejero militar; pero, para apaciguar a Ren Bishi y los líderes de la retaguardia, solicitaría una «baja indefinida por enfermedad» hasta que su presencia fuese solicitada. Entonces, cuando los ánimos se hubiesen calmado, podría asumir de nuevo y con tranquilidad sus tareas.

Al día siguiente, sin duda con el sentimiento de que el desenlace podría haber sido menos favorable, Mao se dirigió hacia el hospital del Ejército Rojo, en Tingzhou, adonde llegó para comprobar que He Zizhen se disponía a dar a luz a su segundo hijo, un niño.[33] Pero los problemas no iban a quedar atrás con tanta facilidad. Al mismo tiempo que se estaba celebrando el encuentro en Ningdu, Bo Gu y Zhang Wentian se reunieron también para discutir sobre la situación en Jiangxi. «El conservadurismo y el escapismo» de Mao, sentenciaron, eran intolerables. Éste debía abandonar el frente de inmediato y confinarse en tareas gubernamentales, y se debía desatar una lucha firme contra sus ideas. Zhou fue hallado culpable por no haberse enfrentado a él y por no usar su autoridad como secretario de la Oficina para asegurarse de que se seguía la línea correcta.

Esta bomba de relojería llegó a Ningdu poco después de que Mao hubiese partido. Se convocó de nuevo una reunión en la que se revocó el compromiso de Zhou y se ratificaron las decisiones de la central.[34] Cuando Mao supo lo ocurrido montó en cólera, acusando a sus compañeros de realizar «un juicio in absentia», celebrado siguiendo el «método faccional de la mano alzada».[35] Pero no quedaba nada que él pudiese hacer. El 12 de octubre se anunció que, para reemplazarle, Zhou había sido nombrado comisario político general.[36] Durante los dos años siguientes, Mao quedó excluido de todas las tomas de decisión sobre cuestiones militares de una mínima significación.

Aquel invierno, por segundo año consecutivo, Mao celebró el Año Nuevo chino bajo los achaques de una enfermedad y en una situación de infortunio político. Sus estancias en un pequeño sanatorio, compartidas con otros dos veteranos oficiales del partido que sufrían también de dolencias políticas, eran más confortables que el húmedo templo de Donghuashan;[37] y su posición dentro del partido se mantuvo en buena parte inalterada, ya que las decisiones de Ningdu se mantuvieron en secreto. Pero en otros aspectos la situación había empeorado.

Había sido desplazado en seis ocasiones del poder en los doce años que habían pasado desde que se había convertido en comunista: una, por propia voluntad, cuando su fe en el movimiento vacilaba, en 1924; una segunda vez en 1927, después del desastre de la sublevación de la cosecha de otoño; nuevamente en 1928, cuando el recién formado comité provincial de Hunan le depuso como secretario del Comité Especial en Jinggangshan; después en 1929, durante la discrepancia sobre la guerra de guerrillas con Zhu De; la quinta vez en Donghuashan, en enero de 1932; y ahora, finalmente, en Ningdu. No obstante, en todos los casos había contado con poderosos amigos que en su momento habían acudido en su ayuda, o se había retirado por motivos tácticos, anunciando en el futuro su fulgurante retorno. Pero en esta ocasión había sido marginado por una cúpula central implacablemente hostil y a la que él había provocado innecesariamente, después de un conflicto que había debilitado seriamente a los que, como Zhou Enlai, en otras circunstancias, habrían podido ayudarle.[38]

Una vez más, adelgazó extremadamente. He Zizhen se alarmó al observar sus mejillas hundidas y sus ojeras. Desde entonces se extendió el rumor de que Mao había contraído la tuberculosis, pero según parece se trataba de la misma depresión neurasténica que siempre le afectaba en tales circunstancias. Le dijo amargamente. «[Es] como si quisieran castigarme hasta verme muerto.»[39]

Poco después de llegar al hospital, Mao tuvo un encuentro que proyectó una larga sombra sobre el año que aguardaba ante él. El secretario en funciones del comité provincial de Fujian, Luo Ming, también recibía tratamiento en aquel mismo lugar. Mao le habló largo y tendido sobre las tres primeras campañas de asedio, y le urgió a que, cuando regresara, promoviese operaciones de guerrilla flexible para ayudar al Ejército del Frente a romper la cuarta compaña de Chiang, entonces en sus inicios. Luo transmitió estas propuestas a sus compañeros y, sin dejar transcurrir demasiado tiempo, el comité de Fujian comenzó a desarrollar una estrategia de guerrilla maoísta.

La creciente importancia de la Región Base Central Soviética, unida a la estricta vigilancia policial vigente en Shanghai, convencieron a Bo Gu y Zhang Wentian de que había llegado la hora de unirse al resto de dirigentes en Ruijin. Durante su viaje por Fujian, Bo se entrevistó con Luo Ming, quien le explicó entusiasmado las nuevas tácticas que el comité provincial estaba empleando, mucho mejores, en su opinión, que las «rígidas y mecánicas» directrices que habían intentado cumplir en el pasado. Bo era la última persona en el mundo que podía apreciar un juicio de ese tipo.[40] Tan pronto como llegó a Ruijin, una de las primeras acciones que impulsó fue la de lanzar una campaña para eliminar y desarraigar la influencia que Mao ejercía en los distritos soviéticos. Las palabras de Luo fueron tergiversadas para intentar demostrar que se «había adherido a una línea oportunista», había «valorado de manera pesimista y derrotista» la evolución de la revolución, e incluso había «abogado abiertamente por la abolición del partido».

Poco después, miles de funcionarios fueron objeto de investigación por «seguir la línea de Luo Ming», entre ellos cuatro jóvenes, cercanos todos ellos a la treintena, especial y estrechamente identificados con Mao: Deng Xiaoping, entonces secretario del Comité del Distrito de Huichang, en Jiangxi meridional; el hermano de Mao, Zetan; su antiguo secretario, Gu Bo; y Xie Weijun, comandante de la Quinta División Independiente de Jiangxi, nutrida de reclutas locales, que había estado junto a Mao desde Jinggangshan. En abril de 1933 fueron conducidos ante una comisión de denuncia, que les reprochó ser «patanes de campo» que no comprendían que no existía «el marxismo en los valles de los montes». A su vez, ellos ridiculizaron a sus torturadores calificándoles de «señores de casa extranjera» (en otras palabras, Moscú). Los cuatro fueron destituidos de sus cargos, junto con muchos otros seguidores de Mao.[41]

Por aquel entonces Mao ya había vuelto a Yeping, pequeño pueblo cercano a Ruijin en el que la cúpula dirigente había establecido su cuartel general.[42]

Su prominencia como presidente de la República le eximió de quedar directamente salpicado por la campaña «Luo Ming». Además recibió el apoyo del Comintern, que en marzo reclamó a Bo Gu que «adoptase una actitud conciliadora respecto del camarada Mao», le tratase con «camaradería» y le otorgase plena responsabilidad en las tareas gubernamentales.[43] Una de las contradicciones de la situación de Mao a finales de los años veinte y principios de los treinta era que, a pesar de que sus relaciones con los dirigentes chinos que Moscú había promocionado para liderar el Partido Comunista Chino eran a menudo extremadamente pobres, los rusos, por el contrario, albergaban una opinión cada vez más positiva de su papel. A partir del Sexto Congreso de 1928, Mao fue el único dirigente chino que se mantuvo coherentemente de acuerdo con Stalin en las tres cuestiones más cruciales de la revolución china: el papel central del campesinado, del Ejército Rojo y de las zonas base rurales. Y ello no pasó inadvertido en el Kremlin.

Sin embargo, en el lejano Jiangxi, los efectos prácticos del apoyo de Moscú quedaron diluidos. Mao y He Zizhen habían vivido inicialmente con otros de los dirigentes de la Oficina Central en una bella y antigua mansión construida en piedra y dotada de vigorosas techumbres de tejas y aleros flotantes en cada una de sus cuatro esquinas, que un terrateniente había abandonado; no para huir de los comunistas, sino porque allí había muerto una mujer y se consideraba un lugar de mal agüero.[44] Los dirigentes vivían en el primer piso, en habitaciones que daban a una galería cubierta de madera que rodeaba el patio central, decorada con vigas barrocamente cinceladas y ventanas y mamparas dotadas de delicadas celosías. Zhou y

Ren Bishi, los dos miembros permanentes del Politburó, gozaban de las mejores estancias; Mao vivía en una habitación ligeramente menor de muros de arcilla y suelo enladrillado, contigua a la de Zhou; mientras que Zhu De y Wang Jiaxiang ocupaban las de los extremos. Entre ellos había un salón de juntas, donde se celebraban las reuniones.

La llegada de Bo Gu, junto al eclipse de Mao, significó que toda esta situación cambiase bruscamente. A pesar de que todavía era miembro de la Oficina Central, Mao estaba políticamente tan aislado que en ocasiones transcurrían días enteros sin ver a sus colegas.[45] Zhou y Zhu De estaban en el frente, y aquella primavera Wang fue gravemente herido por la metralla de un proyectil de mortero. Los otros le condenaron al ostracismo. Su exclusión se hizo aún más pronunciada en el mes de abril. Los nacionalistas iniciaron ataques aéreos regulares sobre Yeping, y se ordenó a Mao y demás «personal no esencial» que se desplazasen hasta Shazhouba, otro pueblo situado unos quince kilómetros al oeste.[46] Sus únicos contactos sociales allí eran sus propios hermanos, así como la hermana y los parientes de He Zizhen, todos ellos bajo vigilancia política por su parentesco con Mao.[47]

El tiempo era una pesada carga en manos de Mao. En los escasos intervalos de calma de que había gozado en Jinggangshan se había acostumbrado a charlar sobre poesía con Zhu De y Chen Yi. Unos respondían las citas de los otros con versos que habían aprendido de memoria durante su juventud en las obras de los grandes poetas de la dinastía Tang, Li Bai, Lu You y Du Fu, representantes de la época dorada, hacía mil años, de la poesía china. He Zizhen recordaba la manera en que el rostro de Mao se iluminaba al mencionar la palabra literatura.[48] La lectura era una adicción tal que mandó que le cosiesen en sus chaquetas grandes bolsillos lo suficientemente amplios como para albergar un libro en su interior.[49] Normalmente, explicaba ella, él hablaba poco, pero cuando el tema derivaba hacia cuestiones literarias era capaz de conversar animadamente durante horas. En una ocasión dialogó con ella durante toda la noche sobre su novela favorita, *El sueño del pabellón rojo*, que, sintomáticamente, interpretaba como una lucha entre las dos facciones de una gran y poderosa familia.[50]

A lo largo del verano de 1933 y la mayor parte del año siguiente, Mao dispuso de tiempo para el ocio, para poder leer y conversar, pero sin ninguna compañía con quien compartirlo, más allá de su familia más cercana. Una vez más, sólo podía esperar días mejores. Pero en esta ocasión había menos certeza que en ninguna otra anterior de que aquellos días acabarían por venir.

Como jefe de Estado y de gobierno —presidente de la República y presidente del Consejo de Comisarios del Pueblo— Mao había tenido, desde noviembre de 1931, plena responsabilidad en la administración civil de la región base. Esto suponía la redacción y promulgación de un ingente número de leyes y reglamentaciones, creadas con la intención de dotar a la República Soviética China, al menos a nivel teórico, de toda la maquinaria administrativa necesaria en un Estado moderno.[51]

En la práctica, la principal preocupación de Mao era la economía. Sus discursos de este período fueron llamamientos patrióticos al campesinado a «realizar correctamente el cultivo de los vegetales en la primavera», y advertencias de que «no pueden existir de ningún modo plantaciones de opio; en su lugar hay que cultivar cereales».[52] Su trabajo consistía en garantizar que la región base proveyese al Ejército Rojo con comida, ropa y otros abastecimientos básicos, y controlar el mercado negro con las áreas blancas, especialmente las mercancías fundamentales como la sal, que llegaba de contrabando desde el exterior. Se estableció un servicio postal. El Banco del Pueblo, dirigido por el segundo hermano de Mao, Zemin, emitió billetes bancarios denominados *guobi* («moneda nacional»), impresos en tinta roja y blanca sobre un burdo papel elaborado con hierba, con la efigie de Lenin en el centro ante un friso de trabajadores y campesinos caminando, cargados con pértigas, avanzando triunfalmente hacia un nuevo y resplandeciente futuro comunista. La moneda se sustentó en la plata, inicialmente expropiada a los terratenientes, pero posteriormente, y de un modo creciente, derivada de las tasas —impuestas según criterios de proporcionalidad, de modo que el peso de la carga recaía en los mercaderes y los campesinos ricos—, así como de la venta forzada de «obligaciones revolucionarias de guerra».[53]

La reforma de la tierra emergió, dentro del ámbito económico, como la cuestión más crucial. En la China rural, la posesión de tierras otorgaba vida: si se tenían campos, se podía comer; sin éstos, se moría de inanición. En una nación de cuatrocientos millones de habitantes, de los cuales el 90 por 100 eran campesinos, la redistribución de las tierras —confiscadas a los ricos y entregadas a los pobres— era el principal vehículo para conseguir que la revolución comunista avanzase, el principal punto de divergencia entre el Partido Comunista Chino y el Guomindang.

Las ideas de Mao al respecto eran extremadamente radicales. En Jinggangshan había ordenado la confiscación de todas las tierras sin excepción alguna, incluso las de los campesinos de clase media.[54] A todo el mundo, niño o anciano, hombre o mujer, rico o pobre, incluidos los ausentes por servir en el Ejército Rojo, se le asignó una partición idéntica, sin importar su origen ni ningún otro factor. La propiedad era nominalmente del Estado y, una vez se había realizado la distribución, estaba prohibida la venta o la compra de tierras.

El sistema de distribución igualitaria según el número de bocas que alimentar tenía la ventaja de la simplicidad, argumentaba Mao, y garantizaba que incluso las familias más pobres pudiesen sobrevivir.[55] Tanto Li Lisan como Bo Gu disintieron, uno juzgándolo demasiado «izquierdista», el otro considerándolo «no lo suficientemente izquierdista». Li propuso que las tierras fuesen distribuidas según la capacidad de trabajo de cada familia (lo que en la práctica favorecía a los campesinos acaudalados). Bo quería que la clase de origen fuese el criterio a seguir (lo que tenía el efecto contrario).

Ambas propuestas planteaban un dilema insuperable. Los campesinos acaudalados, poseedores de un mayor capital, así como un mayor número de animales de granja, eran los aldeanos más productivos. Pero, en términos de clase, en cuanto a su modo de proceder, eran terratenientes, en pugna (como había hecho el padre de Mao) por ascender un peldaño más en el escalafón hacia una posición más próspera y, necesariamente, más explotadora.[56] Constituían, en el campo, según palabras de Mao, «una clase intermedia»,[57] un grupo oscilante que, si se lo exprimía demasiado, abandonaría de inmediato su lealtad. Si los comunistas adoptaban una política moderada, la economía de la región base florecería, pero la lucha de clases titubearía; si se seguía un enfoque clasista, la economía vacilaría y sobrevendría una carestía de alimentos. Atrapada entre estos dos imperativos conflictivos, la línea adoptada se balanceaba primero a un lado, luego al otro, según soplasen los vientos de la política.

Sin embargo, esto originó un problema ulterior.

Si se querían aplicar medidas graduales, como ocurrió a partir de 1928, se debía idear un método de tributación que hiciera distinciones entre los pobres, los campesinos medios y acaudalados, y los terratenientes.[58] ¿Un campesino adinerado era aquel que hacía uso de trabajadores contratados? ¿O quizá el criterio era la usura? ¿Era necesario confiscar todas las tierras de los campesinos ricos? ¿O sólo la porción que ellos no podían cultivar por sí mismos?

Para cientos de miles de familias, la respuesta a esas preguntas representaba, en el sentido más literal, la piedra de toque de su supervivencia. Una mayor flexibilidad o la aplicación de una política más estricta podía ser consecuencia del simple desplazamiento de una coma en un documento del partido. Y, en los pueblos, podía determinar la diferencia entre que una familia lograse salir adelante o tuviese que vender un hijo que, de lo contrario, no podría alimentar. El propio Mao informó, después de realizar una investigación en el sur de Jiangxi:

> [En un] pueblo formado por treinta y siete familias ... cinco de ellas han vendido a sus hijos ... Todas ellas se habían arruinado; en consecuencia han tenido que vender a sus hijos para pagar sus deudas y comprar comida. El comprador era un miembro de la burguesía local ... o un campesino acaudalado [que deseaban adquirir un heredero varón]. Hay más compradores entre los

burgueses que entre los campesinos adinerados. El precio por un chico va de los cien dólares [chinos] hasta un máximo de doscientos. Cuando se realiza la transacción, ni el comprador ni el vendedor califican el negocio de «venta»; más bien lo llaman «adopción». Pero todo el mundo lo designa normalmente como «vender un niño». Y al «contrato de adopción» normalmente se lo designa como «traspaso del cuerpo»...

[Cuando se realiza la venta] pueden estar presentes más de diez familiares y amigos [como intermediarios] y reciben una «tasa de firma» de parte del comprador ... Las edades de los niños vendidos abarcan de los tres o cuatro años hasta los siete u ocho, o [incluso] los trece o catorce. Después de consumar el trato, los mediadores cargan el niño a sus espaldas hasta la casa del comprador. En ese momento, los padres biológicos del niño siempre lloran y gimen. En algunas ocasiones los matrimonios incluso disputan entre ellos. La mujer regaña al esposo por su inutilidad y su incapacidad para alimentar a la familia, lo que les ha forzado a decidir venderse un hijo. La mayoría de los presenten también llora...

Un niño de cuatro o cinco años tiene el precio más alto, ya que un niño así puede fácilmente «desarrollar una relación íntima». En cambio, el precio de un niño de más edad ... es más bajo, ya que es difícil que se desarrolle tal relación y el niño fácilmente puede escaparse de sus padres adoptivos...

Al oír que un deudor ha vendido un hijo, los acreedores correrán hasta [su] casa ... gritando cruelmente: «Has vendido a tu hijo ¿Cómo no me has pagado ya la deuda?». ¿Por qué actúan los acreedores de semejante modo? Porque es un momento crucial para su préstamo. Si el prestatario no [le] paga después de vender un hijo, el acreedor sabe que no volverá a tener más oportunidades de recuperar su dinero.[59]

Los problemas de los campesinos chinos fascinaban a Mao. Después de su definitivo estudio del movimiento obrero en Hunan, de invierno de 1926, retornó una y otra vez a esa misma cuestión, en Jinggangshan en 1927 y, a partir de 1930, en Jiangxi, cuando estaba formulando argumentos en contra de la «línea de los campesinos acaudalados» postulada por Li Lisan y apoyada por varios cuadros provinciales. Era mejor, escribió en mayo de aquel mismo año, investigar en profundidad sobre un lugar concreto que realizar un estudio superficial de una zona más amplia, ya que «si uno cabalga en un caballo para observar las flores ... no puede comprender profundamente el problema, incluso después de una vida entera de esfuerzo».[60]

La más detallada de estas investigaciones rurales la realizó en 1930 en Xunwu, distrito fronterizo situado en la confluencia de Jiangxi con las provincias de Fujian y Guangdong.

El resultado fue un documento fascinante de sesenta mil caracteres de extensión que describía con detallismo hipnótico la rutina diaria de la vida rural de la sede del distrito y sus áreas circundantes. Xunwu *xian*, ciudad amurallada de dos mil setecientos habitantes, albergaba unos treinta o cuarenta burdeles, treinta tiendas de *doufu*, dieciséis comercios generales, igual número de sastrerías, diez posadas, ocho barberías, siete tiendas de comida, siete herboristerías, siete licorerías, siete joyerías, cinco tiendas de sal, tres carnicerías, tres herrerías, dos estancos, dos fabricantes de paraguas y otros dos de ataúdes, un artesano de fuegos artificiales, un hojalatero y un relojero, además de innumerables establos en las calles, casas de té, restaurantes y mercados regulares. Mao no mencionó los fumaderos de opio, presumiblemente porque habían sido cerrados después de la llegada de los comunistas. Incluyó, sin embargo, una detallada enumeración de los ciento treinta y un tipos diferentes de mercancías disponibles en las tiendas, desde gorros de dormir a tirantes, y desde navajas de afeitar a botones de nácar; las treinta y cuatro clases de tela, desde la gasa gambir* a la seda natural; y de las docenas de diferentes mariscos, pescados y vegetales, algunos, como la carambola seca o los hongos de oreja de árbol, tan raros que sólo se vendían unos pocos kilos al año. Ofreció un listado de los bienes que el distrito exportaba a los distritos vecinos —arroz, té, papel, madera, setas y aceite de camelias, por el valor de doscientos mil dólares americanos cada año— y de los caminos y las sendas por los que los porteadores y las mulas los transportaban. Casi cada tendero era identificado por su nombre, y sus circunstancias familiares, ideas políticas e incluso hábitos sociales fueron cuidadosamente pormenorizados: por ejemplo, al propietario de determinada tienda de comida «en el pasado le placía frecuentar las prostitutas, pero ahora lo ha dejado en consideración a su esposa (su precio de boda fue de doscientos cincuenta dólares chinos)»; el propietario de la tienda más grande de la ciudad «también disfruta gastando su dinero en prostitutas y apuestas».

Las prostitutas, que representaban el 6 por 100 de la población de la ciudad, merecieron una sección completa. Mao ofreció una lista, incluyendo sus nombres, de las catorce más conocidas. La mayoría eran jóvenes, anotó, y provenían del distrito de Sanbiao: «La gente de Xunwu tiene un dicho: "Las prostitutas de Sanbiao, y el arroz glutinoso de Xiangshan". Esto significa que las mujeres de Sanbiao son muy hermosas». La razón de que existiesen tantos burdeles, explicó, era que cada vez con mayor frecuencia los hijos de las familias burguesas acudían a las nuevas escuelas de estilo occidental: «Los jóvenes maestros, cuando van a la ciudad para estudiar, se

---

* El gambir o gambier, *Uncaria gambir*, es una planta originaria de Malasia que se masca juntamente con el betel y de la que se extraen diversos productos con diferentes aplicaciones en los países del sureste asiático, desde su jugo, de propiedades astringentes, hasta tintes y curtientes para telas y cueros. (*N. del t.*)

alejan de la calidez de sus familias; por ello se sienten solos y dirigen sus pasos hacia los burdeles».

En la totalidad del distrito, el 80 por 100 de los habitantes, incluidas casi todas las mujeres, eran analfabetos o conocían menos de doscientos caracteres. El 5 por 100 era capaz de leer libros. Treinta habían asistido a la universidad. Seis jóvenes habían estudiado en el extranjero: cuatro en Japón y dos en Gran Bretaña.

La más importante sección del informe trataba de la propiedad de las tierras. Mao enumeró veinte grandes terratenientes, comenzando por Pan Mingzheng, conocido entre los lugareños como «el tío vasija de mierda», cuyo capital alcanzaba los ciento cincuenta mil dólares, una suma exorbitante para una región tan pobre; y más de cien propietarios menores, cada uno con un estudio pormenorizado sobre su riqueza, educación, relaciones familiares y posicionamiento político. Esto último, señaló Mao, no respondía únicamente a la clase: algunos de los terratenientes de rango medio eran progresistas o, al menos, «no reaccionarios». En la cúspide de la pirámide, los grandes latifundistas representaban el 0,5 por 100 de la población; los pequeños terratenientes el 3 por 100; y los campesinos acaudalados el 4 por 100. Los campesinos medios representaban el 20 por 100, y los campesinos pobres y los asalariados completaban el resto.[61] A finales de aquel año, Mao obtuvo cifras similares en un estudio del distrito de Xingguo.[62]

Basándose en estos números, Mao pudo afirmar que los campesinos ricos constituían «una minoría extraordinariamente aislada»,[63] y que sus opositores del partido del suroeste de Jiangxi, al pretender exagerar su importancia (y exigir que recibiesen un trato favorable) eran culpables de profesar un «oportunismo derechista». Los campesinos adinerados, declaró, eran «la burguesía del campo», «reaccionarios desde el principio hasta el fin». No sólo se les debían confiscar las tierras innecesarias, sino que el partido debía aplicar una política de «tomar del gordo para compensar al flaco»,[64] según la cual, las familias ricas debían ceder parte de las tierras fértiles que finalmente se les concediesen a cambio de propiedades menos prósperas de las familias pobres.

Sin embargo, en la primavera de 1931, cuando Wang Ming y los estudiantes retornados tomaron el mando, estas ideas se consideraron todavía demasiado moderadas.

Stalin estaba entonces desplegando su campaña antikulak, que le llevaría a la exterminación de doce millones de «campesinos acaudalados» rusos. Por consiguiente, los estudiantes retornados decretaron que todas las tierras y las propiedades (no sólo los excedentes) de los campesinos adinerados debían ser confiscadas.[65] Cuando se procediese a la redistribución, las familias terratenientes no recibirían nada, lo que significaba que muchos morirían de inanición; los campesinos ricos recibirían «tierras relativamente pobres» en proporción a su capacidad de trabajo; y los campesinos pobres y medios obtendrían las mejores tierras, según el número de bocas que tuviesen que alimentar.

Para asegurarse de que estas nuevas disposiciones fuesen aplicadas coherentemente, Bo Gu ordenó la creación de un Movimiento para la Investigación de las Tierras y, en febrero de 1933, designó a Mao para dirigirlo.[66] Pudo esconderse en esta decisión una intención de hacer cumplir a Mao un castigo acorde con su crimen. Mao había sido el responsable de la línea política anterior, que se juzgaba demasiado tímida: dejemos que sea él uno de los que debe corregirla. No obstante, Mao era el candidato más obvio para dirigir un movimiento de estas características, por la misma razón por la que Wang Jingwei le había elegido en 1926 para dirigir el Instituto Campesino del Guomindang, y Chen Duxiu, unos meses después, para encabezar el primer Comité Campesino del Partido Comunista Chino. Conocía mejor que ningún otro la dinámica de la vida rural y estaba mejor situado que nadie para afrontar los interminables problemas prácticos que seguía entrañando la reforma de la tierra.

Eran necesarias regulaciones para, por ejemplo, cuando se realizase la redistribución, aplicarla a los estanques, a los edificios, a las tierras en barbecho, a los montes y los bosques, a las matas de bambú, o a los «cultivos verdes», plantados pero no cosechados.

Existía también la cuestión de si la redistribución debía ser diseñada tomando como base las ciudades, los pueblos o los distritos. Si se fundamentaba en los pueblos, las lealtades de clan prevalecerían sobre los intereses económicos y de clase, y la reforma quedaría truncada. Pero una distribución que partiese del distrito, pudiendo abarcar una población de treinta mil, e incluso más habitantes, sería de manejo demasiado arduo como para conseguir granjearse el apoyo de los campesinos. ¿Y qué ocurría cuando las definiciones se contradecían? ¿Cómo se debía actuar ante un pequeño terrateniente reconocido como progresista? ¿O con un campesino pobre que abusaba de su condición de clase para convertirse en un tirano local?

Aquel otoño Mao elaboró un enciclopédico listado de regulaciones destinadas a responder todas esas cuestiones.[67] Las principales distinciones diferenciaban entre terratenientes, campesinos acaudalados y campesinos medios. Para que una familia fuese considerada de campesinos ricos, uno de sus miembros debía tomar parte activa en el trabajo productivo durante un mínimo de cuatro meses al año, mientras que en una familia terrateniente nadie cumplía este requisito; y debía obtener por lo menos un 15 por 100 de sus ingresos a través de la explotación de otros, bien contratando trabajadores, o bien arrendando sus campos o cobrando los intereses de los préstamos. Una familia campesina media era la que obtenía menos del 15 por 100 de tales fuentes de ingresos. Se ofrecían ejemplos pedagógicos para ilustrar cómo se debían entender esas cifras:

> Una familia con once bocas que alimentar y dos personas trabajando posee ciento sesenta *dan* de campos, que ofrecen una cosecha valorada en cuatrocientos ochenta dólares. Tienen dos terrenos en las laderas en los que cosechan té para extraer aceite, que producen treinta dólares anuales. Poseen un estanque, que añade otros quince dólares, mientras que la cría de cerdos y otros trabajos generan cincuenta dólares al año. Durante siete años han contratado a un trabajador para la granja, cuyo trabajo les ha otorgado un superávit de setenta dólares cada año. Concedieron un préstamo al 30 por 100 de interés, con lo que han ganado setenta y cinco dólares más al año. Tienen un hijo que es un intelectual y dos esbirros a su servicio para mantener su influencia.
>
> Valoración: en esta familia hay dos personas que trabajan personalmente, pero contrata a un trabajador y realiza importantes préstamos. Los ingresos derivados de la explotación sobrepasan el 15 por 100 de sus ganancias. A pesar de que es una familia numerosa, después de pagar sus gastos les queda todavía no poco dinero. Por lo tanto son campesinos acaudalados y se les deben conceder tierras pobres. El intelectual, miembro de la perniciosa burguesía, no debe recibir tierras de ninguna clase.

Mao insistió en que las reglamentaciones debían ser aplicadas con «extrema precaución», ya que las determinaciones de la pertenencia de clase eran «decisiones de vida o muerte» para los implicados.[68] Era un deseo piadoso. Como sabía perfectamente, el ímpetu del movimiento militaba en contra del planteamiento racional y delicadamente calibrado que había prescrito. La reforma de la tierra, escribió, consistía en «una violenta y despiadada lucha de clases», cuyo objetivo era «combatir a los campesinos acaudalados y acabar con los terratenientes» y, cuando fuese necesario, los «grandes tigres» que había entre ellos debían ser expuestos ante asambleas públicas, sentenciados a muerte por las masas y ajusticiados.[69]

En tales circunstancias, la precaución era la excepción. Los míseros campesinos que presidían los juicios sabían que cuantos más «terratenientes» y «campesinos ricos» pudiesen eliminar, más tierra podrían «redistribuir» entre ellos. En muchos distritos, los aterrorizados campesinos medios huyeron a las montañas por miedo a ser recalificados campesinos acaudalados y acabar en la indigencia.[70]

En la práctica, al cabo de poco tiempo el movimiento quedó atajado, ya que toda aquella zona volvió a ser ocupada, tras dieciocho meses de control, por los nacionalistas. Sin embargo, sus efectos perdurarían hasta mucho tiempo después. Con posterioridad a 1933, en las regiones rojas, el origen de clase se convirtió en el determinante último de la valoración y el destino de los individuos. De aquella raíz emergió una plaga venenosa de la que todavía medio siglo después China intentaba desembarazarse. En no pocos lugares, hasta entrados los años ochenta, los nietos de los terratenientes y los campesinos ricos veían que su origen familiar pesaba más que las aptitudes, la inteligencia y el trabajo duro cuando se debía decidir qué oportunidades les estaban abiertas, y qué puertas permanecían irrevocablemente selladas. Incluso cuando los factores de clase perdieron su preponderancia, perduraban todavía algunas huellas de los rencores del pasado.

El Movimiento de Investigación de la Tierra vino acompañado por una pulsión paranoica para extirpar lo que se designó como «organizaciones contrarrevolucionarias feudales y supersticiosas».[71] Mantuvo ciertos paralelismos con la campaña previa de eliminación de los miembros de la AB-tuan. Y, una vez más, Mao quedó implicado. Gran número de «elementos de clases ajenas», declaró, se habían infiltrado en el seno de los soviets locales y de las fuerzas armadas para cometer sabotajes.[72] «Es imperativo que no admite la más mínima dilación ... lanzar un ataque definitivo contra las fuerzas feudales y acabar con ellas de una vez por todas.»

El hombre escogido para dirigir la nueva campaña fue el jefe de seguridad política de la región base, Deng Fa, un tipo jactancioso y de sonrisa contagiosa cuyas pasiones eran las carreras de caballos y el tiro al blanco.[73] A pesar de su sonrisa juguetona, Deng Fa era un hombre muy temido. Sus guardaespaldas iban armados con espadas curvadas de verdugo, de filo ancho y con borlas rojas en las empuñaduras. En Fujian, en el año 1931, había presidido una purga de socialdemócratas en la que fallecieron algunos millares. Ahora, con la aprobación de Mao, preparó el campo de trabajo para muchas de las prácticas que acabarían indeleblemente asociadas con los movimientos políticos comunistas posteriores.

Se pusieron en circulación para la investigación listas de individuos de clase dudosa, «terratenientes, tiranos locales y burguesía malvada».[74] Se instalaron en las ciudades y los pueblos «cajas de denuncia», en las que el pueblo podía introducir notas anónimas informando sobre sus vecinos.[75] Se abolió la legalidad de los guardias de seguridad: cuando alguien era «obviamente culpable», indicó Mao, debía ser ejecutado antes de la realización del informe.[76] Un signo aún más siniestro, también asumido con la aprobación de Mao, consistía en proclamar que habían sido descubiertas organizaciones inexistentes —tales como la Sociedad de la Mente Única, las Brigadas de Exterminación (en Yudu), o la Brigada Secreta de Vigilancia (en Huichang)—[77] como pretexto para merodear e interrogar a los sospechosos de traicionar su lealtad en las áreas en que supuestamente operaban.

Treinta años más tarde, todas esas técnicas, que Mao y Deng Fa experimentaron por vez primera en Jiangxi, continuarían floreciendo bajo el estandarte de la República Popular.

Las leyes promulgadas bajo la presidencia de Mao se mostraron igualmente longevas. Las «Regulaciones para el castigo de los contrarrevolucionarios», publicadas en abril de 1934, detallaban más de dos decenas de ofensas contrarrevolucionarias, castigadas todas ellas, con una única excepción, con la pena de muerte.[78] Los crímenes incluían «entablar una conversación ... para minar la fe en los soviets» o «transgredir deliberadamente las leyes». Y en tanto que aquello no era suficiente, una cláusula final global especificaba que «cualquier otro acto criminal contrarrevolucionario», no descrito por separado, sería castigado de modo análogo. El artículo formó parte del código legal chino hasta principios de los años noventa.

Semejantes prácticas no fueron exclusivas del comunismo chino. Las cláusulas globalizadoras eran una herencia del imperio chino, de la que se nutrían tanto comunistas como nacionalistas:[79] una ley del Guomindang de 1931 prescribía la pena de muerte por «perturbar la paz».[80] Para ambos contendientes, la ley tenía un propósito político: defender la ortodoxia, no los derechos individuales.

Los procedimientos de elección codificados en Ruijin a finales de 1931 fijaron igualmente unos parámetros que continuarían vigentes durante la República Popular.[81] Se estableció la edad de voto en los dieciséis años, tanto para hombres como para mujeres. Pero el derecho al voto fue limitado a las categorías de clase «correctas» —obreros, campesinos pobres y medios, y soldados—, mientras que los comerciantes, terratenientes, campesinos adinerados, sacerdotes, monjes y otros sinvergüenzas quedaron explícitamente excluidos. Los candidatos eran nombrados por los comités locales del partido[82] basándose en la condición de clase y la «actuación política», que Mao explicaba como la posesión «del modo correcto de pensar».[83] Las habilidades no eran más que un tercer y distante criterio. La votación se realizaba a mano alzada, y se consideraba que una elección era válida si el 90 por 100 del censo había participado.[84]

Una cuarta parte de los elegidos, insistía Mao, debían ser mujeres.[85] Ello formaba parte de su ataque a lo que llamaba el «sistema ideológico patriarcal-feudal» de la China tradicional. En Hunan, cinco años antes, había descrito con plena aquiescencia las relaciones extramatrimoniales, e incluso «relaciones triangulares y multilaterales», entre las mujeres pobres «que realizan más trabajos manuales que las mujeres de clases más pudientes» y, por tanto, son más independientes.[86] Los recovecos sensuales de Mao le permitían saborear con delectación la liberación sexual de las mujeres.[87] Pero su insistencia en promover la participación de las mujeres tenía un propósito de mayor alcance. Medio siglo antes se había convertido en una máxima de moda entre los teóricos de la modernización occidental; Mao comprendía que educar a un hombre era educar a un individuo, pero educar a una mujer era educar a una familia.

En tanto que la clave de la emancipación femenina consistía en cambiar el sistema matrimonial, algo por lo que Mao había hecho campaña desde el movimiento del 4 de mayo, la primera ley aprobada en la nueva República Soviética China —y también la primera ley aprobada, casi veinte años después, por la República Popular— concedía a hombres y mujeres los mismos derechos en el matrimonio y el divorcio.[88]

No todo el mundo se sentía feliz. Los esposos campesinos se lamentaron, «la revolución quiere liberarlo todo, incluidas las mujeres». Algunas mujeres se intoxicaron hasta tal punto con su nueva libertad que se casaron tres o cuatro veces en igual número de años.[89] Para preservar la moral militar, se incluyó una cláusula especial para los soldados del Ejército Rojo, cuyas mujeres podían obtener el divorcio sólo con el consentimiento del marido.[90] Pero el grueso de los electores comunistas, hombres jóvenes de familia humilde que, en el antiguo sistema, no habrían tenido el suficiente dinero para comprar una esposa hasta, si acaso, pasados unos años, estaban entusiasmados con las nuevas disposiciones, al igual que la mayoría de las mujeres campesinas. El mismo Mao lo consideraba como uno de sus mayores logros. «Este sistema democrático de matrimonio», afirmó, «ha hecho añicos los grilletes feudales que han maniatado a los seres humanos, especialmente a las mujeres, durante miles de años, y ha establecido nuevos parámetros más acordes con la naturaleza humana.»[91]

Mientras Mao se enfrascaba en la reforma de la tierra y sus otras responsabilidades de gobierno, políticamente continuaba habitando en una zona de penumbras, sin detentar el poder, sumido en el purgatorio. A principios de la primavera de 1933, Zhou Enlai y Zhu De, ignorando la «línea ofensiva avanzada» de la central, derrotaron la cuarta campaña de asedio de Chiang Kaishek empleando tácticas muy similares a las propugnadas por Mao. Algunas de las divisiones de elite de Chiang fueron severamente castigadas y el Ejército Rojo hizo diez mil prisioneros. Alentado, Mao intentó, en el mes de marzo, pocas semanas después de abandonar el hospital, asumir un cargo menor de consejero militar, como miembro del escalón de retaguardia de la Oficina Central.[92] Bo Gu inmediatamente puso freno a sus ambiciones.

Tres meses después, Mao solicitó a la Oficina que reconsiderase la decisión que había tomado en Ningdu de retirarle de la cadena de mando militar, argumentando que había sido una medida injusta.[93] Bo replicó que la decisión había sido correcta y que, sin ésta, no se habría producido la victoria sobre la cuarta campaña de asedio.

En otoño la situación de Mao mejoró sensiblemente, cuando su cargo en el Movimiento de Investigación de la Tierra le confirió renovada eminencia, al tiempo que la campaña contra la «línea Luo Ming» iba desvaneciéndose. En septiembre, poco después del inicio de la quinta campaña de asedio lanzada por Chiang Kai-shek, Zhu y él se vieron implicados en las negociaciones con el Décimo noveno Ejército de Campaña del Guomindang, acampado en Fujian, cuyos comandantes se habían tornado desafectos ante la negativa de Chiang Kai-shek de iniciar acciones efectivas contra los japoneses en Manchuria. En octubre alcanzaron una tregua y se instaló una oficina comunista secreta de enlace en los cuarteles del Décimo noveno Ejército de Campaña. Cuatro semanas después, los dirigentes de Fujian proclamaron el establecimiento de un gobierno revolucionario popular, independiente del régimen de Nanjing dominado por Chiang.

Esto pudo ser, y tendría que haber sido, un regalo de los dioses para el Ejército Rojo. Aquel verano, Bo Gu había insistido en una agotadora y al fin infructuosa campaña para intentar expandir la base soviética hacia el norte. Chiang, mientras tanto, había reunido una fuerza de medio millón de tropas de refresco, incluyendo muchas de sus divisiones de asalto, a las que había que añadir trescientos mil soldados de apoyo. Los hombres de Zhu, disgregados, desmoralizados y fatigados, no pudieron hacer frente a la embestida nacionalista. Pronto cayó la ciudad de Lichuan, cerca de la frontera con la provincia de Fujian, ciento ochenta kilómetros más al norte, que guardaba la entrada septentrional de la región base y los intentos de Zhu de volver a tomarla fueron repelidos, ocasionando gran número de bajas.

Por ello, en noviembre de 1933, cuando Chiang fue obligado a retirar parte de su principal fuerza para responder a la amenaza que representaba la rebelión de Fujian, pareció que los comunistas habían sido rescatados en el momento preciso.

Sin embargo, los dirigentes del partido se mantenían suspicaces ante los motivos y el compromiso de sus nuevos aliados. Incluso Mao, que durante el período de Jiangxi había insistido a sus compañeros en la necesidad de explotar las diferencias entre las fuerzas de los señores de la guerra, se mostraba cauto sobre el apoyo que debían ofrecer a los rebeldes. Por ello, cuando Chiang lanzó a finales de diciembre una invasión de grandes dimensiones sobre Fujian, mucho antes de lo que sus adversarios habían previsto, los dirigentes comunistas vacilaron. En el momento que, finalmente, el Ejército Rojo comenzó a ofrecer al Décimo noveno Ejército de Campaña una tímida colaboración, éste había sido ya derrotado, y los nacionalistas pudieron retornar a su principal preocupación, la campaña de asedio a los comunistas.[94]

Durante los dos meses de respiro que concedió la expedición de Fujian, el Comité Central celebró su largamente pospuesto Quinto Pleno, que subrayó una vez más la ambivalente situación de Mao.[95] Éste fue elegido miembro plenario del Politburó, posición que había ocupado por última vez casi una década antes, durante los años de formación del partido.[96] Difícilmente podría habérsele denegado ese ascenso, dados su cargo como «jefe de Estado» y el respaldo que recibía de Moscú. Pero fue admitido en undécimo y último lugar en la jerarquía de rango. A lo largo de los cuatro días del pleno, Bo Gu y los otros dirigentes criticaron sus «ideas de oportunismo derechista», y cuando llegaron a su fin se anunció que Zhang Wentian le sustituiría como jefe de gobierno, conservando Mao únicamente el simbólico cargo de presidente de la República.

Mao mostró su menosprecio por todos estos actos, acaecidos en enero de 1934, negándose a asistir a los mismos. Lo hizo bajo pretexto de enfermedad —uno de los «diplomáticos trastornos» de Mao,[97] remarcó burlón Bo Gu—, a pesar de que su mala salud no le impidió presidir unos días después el Segundo Congreso Nacional de la región base, en el que realizó un discurso de nueve horas.

Mao afirmaría años después que el Quinto Pleno marcó el apogeo de la «línea desviacionista izquierdista» de los estudiantes retornados.[98] El informe de Bo, que fue acogido como el dictamen político del pleno, anunció a los cuatro vientos la necesidad de mantenerse precavidos, al proclamar que existía entonces en China una «situación inminentemente revolucionaria», prerrequisito para una insurrección de alcance nacional, y que «las llamas de la lucha revolucionaria resplandecen por el país entero».[99] Nada más lejos de la realidad. En el mismo momento en que pronunciaba estas palabras, las tropas de Chiang Kai-shek retomaban su inexorable marcha hacia el sur.

La «táctica del blocao» que siguieron los nacionalistas en su quinto asedio fue bastante diferente de la de las campañas previas.[100] En esta ocasión construyeron largas líneas de fortificaciones de piedra, con almenas dentadas y muros de hasta tres metros y medio de altura, como las torres de vigilancia de la Europa medieval, cada una de ellas capaz de albergar una compañía completa y, a menudo, alejadas entre sí apenas un kilómetro y medio, poco más o menos, comunicadas por caminos recién construidos. Estas «conchas de tortuga», como las llamaron los comunistas, se desplegaban en un arco enorme de más de trescientos kilómetros de amplitud, a lo largo de los extremos norte y oeste de la región base. A medida que las tropas del Guomindang avanzaban, los soldados locales contribuían a consolidar el control de las zonas de retaguardia, mientras en la vanguardia se construía una nueva línea de búnkeres, unos pocos kilómetros por delante de la anterior. Los consejeros militares alemanes de Chiang se aseguraron de que la estrategia fuese ejecutada con precisión teutónica. Durante el año que duró la campaña, los nacionalistas edificaron catorce mil blocaos, encerrando al Ejército Rojo y la población que defendía en una base que iba decreciendo paulatinamente.

Los comunistas también tenían un consejero alemán. Otto Braun, enviado por el Comintern, llegó a la base proveniente de Shanghai a finales de septiembre de 1933.[101] Había dedicado tres años al estudio de la guerra convencional en la Academia Militar Frunze de Moscú. Pero la táctica que propuso, conocida como «breves y rápidos avances», que consistía en ataques relámpago contra las unidades nacionalistas cuando éstas abandonaban los fuertes para avanzar, resultó una ruina total.[102] Difícilmente habría podido ser de otro modo: Chiang había obligado a los comunistas a enfrentarse, según sus propias palabras, a una guerra de desgaste en la que sus fuerzas contaban con una ventaja numérica de más de diez a uno. Cualquier táctica basada en esa premisa estaba destinada al fracaso. La alternativa, que Mao sugirió como mínimo en dos ocasiones durante el año 1934, consistía en que el Ejército Rojo irrumpiese hacia el norte o el oeste y luchase en el exterior de la zona fortificada, en un terreno más favorable a su estilo dinámico de guerra, en Zhejiang o Hunan.[103] Si a largo término, dada la aplastante superioridad de los nacionalistas, esta estrategia habría cosechado o no mejores resultados, es una cuestión muy discutible, ya que nunca fue puesta en práctica. Bo Gu y Braun no sólo rechazaron las ideas de Mao, sino también todas las propuestas similares, al considerarlas «escapistas» y derrotistas.[104]

A medida que aumentaban las presiones militares, retornaba la paranoia política. En el ejército existían oficiales de seguridad que encabezaban escuadrones de ejecución en el campo de batalla para «supervisar» la lucha. Geng Biao, un comandante de regimiento de veinticinco años, recordaba lo que ocurrió cuando sus tropas perdieron el control de un asentamiento clave: «Vi acercarse al [director de seguridad] Luo Ruiqing, con una pistola máuser, a la cabeza de un "equipo de acción". Recuerdo que mi corazón latió sobresaltado. ¡Pronto ocurriría un hecho repugnante! Los sospechosos [de haberse mostrado vacilantes] serían decapitados ... todos a un mismo tiempo ... Seguro de ello, se acercó directamente hacia mí y apuntó su pistola contra mi cabeza, interrogando estentóreamente: "¿Qué demonios ocurre contigo? ¿Por qué os habéis retirado?"».[105]

Geng tuvo suerte. Se le permitió continuar luchando y sobrevivió para convertirse, años después, en el embajador de China en Moscú. Otros fueron menos afortunados. Pero estos procedimientos estaban muy lejos de la premisa que Mao había proclamado siete años antes en Jinggangshan de un ejército totalmente voluntario.

Los civiles lo pasaron aún peor. Se dejaron de lado los reglamentos sobre el reparto de las tierras, elaborados por Mao, y se dio inicio a un exterminio rojo en el que fueron masacrados miles de terratenientes y campesinos acaudalados.[106] Decenas de miles huyeron como refugiados a las zonas blancas. En abril de 1934, el Ejército Rojo sufrió en Guangchang, algo más de cien kilómetros al norte de Ruijin, una nueva y catastrófica derrota.[107] Y con el cerco militar llegó el estrangulamiento económico. Los quintos de origen campesino, recientemente reclutados, desertaron en masa. A medida que se multiplicaban las señales de colapso total, los actos de sabotaje llevados a cabo por miembros de sociedades secretas y de clanes hostiles a la causa comunista, infundados o reales, alimentaron nuevos esfuerzos por «extirpar a los contrarrevolucionarios», hasta que toda la región fue barrida por una viciosa espiral de rabia y desesperación.

Poco después de la derrota de Guangchang, probablemente a principios de mayo, Bo Gu y Zhou Enlai comprendieron que la región base debía ser abandonada. El Comintern fue informado de ello. Bo, Zhou y Otto Braun formaron un «grupo de tres» cuyo cometido era elaborar planes capaces de responder a las contingencias que habían surgido.

Mao no sabía nada de estos cambios. El Politburó continuó en la ignorancia durante todo el verano.[108] De todos modos, Mao no deseaba formar parte de decisiones sobre las que no podía ejercer influencia alguna y de las que disentía. Después del Quinto Pleno, dejó de asistir a las reuniones de la Comisión Militar,[109] y dedicó al completo los meses de mayo y junio a visitar los distritos más meridionales de la región base, lo más lejos posible de donde tenían lugar las auténticas batallas.[110] A finales de julio, cuando los bombardeos nacionalistas obligaron al partido a evacuar Shazhouba, He Zizhen y él se trasladaron a un aislado templo taoísta de Yunshinan, la «montaña de las Piedras de Nubes», situado entre arboledas de pinos y bambú, en medio de un paisaje de rocas fantasiosamente erosionadas, algunos kilómetros más al oeste.[111] El Politburó y la Comisión Militar se instalaron en otro poblado cercano, pero sus contactos con Mao eran esporádicos.[112] Estaba «fuera del círculo» por decisión propia.

Pero había ya indicios en el ambiente de que el equilibrio de fuerzas no tardaría en cambiar.

Las contrariedades políticas de Mao comenzaron en otoño a afectar a su salud. El médico que dirigía el servicio del primitivo hospital del Ejército Rojo, el doctor Nelson Fu, educado en una misión, se inquietó lo suficiente como para asignarle un asistente médico permanente. En Yudu, en septiembre, padeció de fiebre alta y durante algunos días estuvo semiinconsciente, con una temperatura que superaba los cuarenta grados. El doctor realizó un viaje de casi cien kilómetros hasta aquella localidad a lomos de caballo y le diagnosticó malaria cerebral, que pudo curar con dosis masivas de cafeína y quinina.[113]

El hombre que ordenó al doctor Fu que acudiese a Yudu fue Zhang Wentian, sucesor de Mao como jefe de gobierno y, en otro tiempo, aliado de Bo Gu. Tras la derrota de Guangchang, él y Bo mantuvieron una violenta disputa sobre las tácticas militares de Otto Braun, al que Zhang acusó de no haber tenido en consideración ni el terreno ni la disparidad de fuerzas. Bo le objetó que estaba hablando como un menchevique. Durante los cuatro meses siguientes, mientras las fuerzas comunistas, dispersas por seis frentes distintos, se desangraban en una enervante guerra de desgaste, y mientras Bo imponía el eslogan «¡No cedamos una sola pulgada de territorio soviético!», la desafección de Zhang no dejó de aumentar. Zhang fue el único dirigente veterano que visitó a Mao mientras permaneció en Yunshishan. No quiso continuar ocultando su frustración ante el dogmatismo y la inexperiencia de Bo.[114]

Wang Jiaxiang, que había sido herido durante la cuarta campaña de asedio, y que entonces necesitaba ser llevado a todas partes en litera a causa de los fragmentos de metralla que tenía incrustados en su cuerpo, fue otro de los miembros del Politburó que simpatizó con la causa de Mao.

Bo Gu inicialmente dio instrucciones para que aquellos tres hombres fuesen asignados, durante el «traslado estratégico» del Ejército Rojo, tal como fue eufemísticamente bautizada la operación que se desarrolló a continuación, a tres unidades diferentes, pero por razones que no están claras, posteriormente cedió y les permitió viajar juntos.[115] Fue un error de cálculo político que le costaría muy caro.

Pero Zhang y Wang eran esencialmente jugadores de segunda fila. El hombre al que Mao necesitaba persuadir era Zhou Enlai.[116] Durante las desastrosas batallas de Guangchang, Zhou había sido marginado, y el mismo Bo había asumido el cargo de comisario político general.[117] A partir de entonces, Mao cultivó asiduamente su amistad. Mientras realizaba, durante el mes de junio, su viaje por los distritos del sur, envió a Zhou un cuidadoso informe de la situación militar en el frente de Fujian meridional.[118] En otoño compiló un manual sobre tácticas de guerrilla, que Zhou preparó para ser publicado como si fuese una directriz de la Comisión Militar.[119] Fue Zhou quien aprobó la petición elevada por Mao de ir en septiembre a Yudu,[120] donde redactó un informe de seguridad sobre los distritos que servirían como principales áreas de posta para el Ejército Rojo, preparándose entonces para su avance hacia el oeste.[121] Pero Zhou era un hombre cauto. En una ocasión se había quemado los dedos al querer defender a Mao. Mientras Bo Gu contase con el respaldo del Comintern no estaría dispuesto a desafiarle.

De este modo, cuando Mao, acompañado de sus guardaespaldas, abandonó la puerta oriental de Yudu, avanzada ya la tarde del jueves 18 de octubre de 1934, hacia el vado del río Gan, todo estaba dispuesto para la acción.

Después de siete años de guerra, tres de ellos como jefe de Estado de la República Soviética de China, el futuro de Mao era tan incierto como siempre. Todas sus posesiones terrenales se limitaban a dos mantas, una sábana de algodón, un hule, un paraguas agujereado y un fardo de libros. Cruzó el río a la luz de las antorchas, mientras la oscuridad lo inundaba todo, con unos sentimientos al abandonar la base tan contradictorios que únicamente pueden ser imaginados. Una armada de pequeñas embarcaciones surcó aquellas aguas anchurosas, lentas y fangosas. Fueron necesarios tres días para que la columna, formada por más de cuarenta mil soldados y un número similar de yfsenes y porteadores, llegase sana y salva a la otra orilla.[122] He Zizhen, que volvía a estar embarazada, ya había abandonado Ruijin con el contingente de enfermeras, una de las veintiuna mujeres, todas ellas esposas de los dirigentes veteranos, que fueron autorizadas para tomar parte en la campaña. Para poder acompañar a Mao fue necesario que se armase de valor y dejase atrás a su hijo, entonces de casi dos años de edad. Xiao Mao, como era llamado el niño, fue entregado a su vieja nodriza para que cuidase de él. Pero en el torbellino de destrucción que engulló toda la región tras la retirada comunista, fue confiado, para su seguridad, a otra familia. Allí se perdió su rastro. Después de 1949 se inició una búsqueda exhaustiva. Pero Xiao Mao no apareció jamás.[123] Con su abandono, se marchitó otro pequeño fragmento de la humanidad de Mao.

10

En busca del Dragón Gris: la Larga Marcha hacia el norte

Mientras el Ejército Rojo avanzaba y luchaba en su camino a través del sur de China, al otro lado del mundo, en Europa, campo de batalla de las grandes potencias, las temibles fuerzas que habían emergido de la hecatombe de la Gran Guerra realizaban, durante el funesto otoño de 1934, los movimientos iniciales de su brutal lucha por el poder, que pronto encendería un holocausto humano de unas dimensiones hasta entonces desconocidas. En el elegante balneario de Bad Wiesse, a una hora en automóvil de Munich, el canciller alemán, Adolf Hitler, eligió las horas previas al amanecer del día 30 de junio para lanzar una purga sangrienta de las Sturm Abteilung, las tropas de asalto de uniforme parduzco que le habían ayudado a obtener el poder pero que, a partir de ese momento, se habían convertido en un obstáculo, presumiblemente el último, para unificar a los nazis, y a la nación entera, bajo la égida del Führer y sus ideas. De las criminales semillas sembradas aquella noche germinó la estrategia de los campos de exterminio nazis, en los que perecieron más de seis millones de judíos, gitanos, homosexuales, comunistas e «indeseables».[1] Cinco meses después, Stalin tomó el testigo. En la tarde del 1 de diciembre, un asesino solitario entró en los cuarteles regionales del Partido Comunista en Leningrado e hirió mortalmente a su rival putativo, y demasiado popular, Sergei Kirov. Fue el disparo de salida para la Gran Purga que, durante cinco años, barrió en un fuego purificador a más de cinco millones de veteranos bolcheviques, trotskistas, bujarinistas, comandantes del Ejército Rojo, funcionarios del partido, policías secretos y oponentes, reales o supuestos, de toda catadura política, y envió a cincuenta millones de personas a los campos de trabajo, donde muchos más fallecieron. En esa escala de acontecimientos, la campaña emprendida cuatro años antes por Mao en Jiangxi contra la AB-*tuan* no era más que un insignificante aperitivo, un *amuse-gueule* previo al sangriento festín.

Pero el acontecimiento por el que es especialmente recordado el año 1934, desencadenante de la infernal maquinaria de la gran matanza todavía por llegar, ocurrió en tierras mucho más remotas. El 5 de diciembre estalló la lucha entre los etíopes y las tropas de la Somalia italiana, en una pugna por los pozos de agua de Walwal, un pequeño oasis del desierto de Ogaden. Seis días después, mientras Mao y sus camaradas se congregaban en la trascendental reunión de Tongdao que preparó el camino hacia su reasunción del poder, Mussolini emitió un ultimátum exigiendo reparaciones. El «incidente de Walwal», como fue conocido, representó el pretexto para la invasión italiana de Abisinia, paso previo a la formación del Eje que unió Italia, Alemania y, más tarde, Japón, y puso el último clavo en el ataúd de la Liga de las Naciones, creada una década antes precisamente para evitar que tales crisis desembocasen en una guerra.

Ni los comunistas, en China o en Moscú, ni las potencias imperialistas vislumbraban con claridad hacia dónde les encaminaban aquellas transformaciones. Pero desde la ocupación japonesa de Manchuria, observada por las otras potencias con aquiescencia, Rusia se sentía amenazada. Ya había sido derrotada en una ocasión por Japón, en 1905, y el recuerdo de la depredación del ejército japonés en Siberia después de 1918 continuaba fresco en el recuerdo. A partir de 1931, Moscú y sus acólitos comenzaron a entonar un nuevo canto. El principal peligro entonces no era que las contradicciones en el campo imperialista pudiesen conducir a una nueva guerra mundial, sino que las potencias, encabezadas por Japón, pudiesen librar una guerra imperialista contra Rusia. Ésta era la justificación del eslogan del Comintern «¡Defendamos la Unión Soviética!», repetido con tanta convicción por Bo Gu y Li Lisan. Y la máxima se debía llevar a la práctica creando un «frente unido desde abajo», en el que el movimiento comunista mundial movilizaría el apoyo no comunista para una cruzada antiimperialista, antijaponesa, absteniéndose de contraer alianzas formales con los partidos políticos burgueses, considerados irremediablemente comprometidos.

En el mundo de más allá de la región base, la mansedumbre que imperaba en las democracias de Alemania, Italia y Japón perduró hasta que las realidades políticas que las fundamentaban quedaron tan horrorosamente deformadas por el triunfo del miedo y la avaricia sobre todo principio, que la Rusia comunista y la Alemania nazi decidieron firmar un pacto de no agresión.

En Ruijin todo era mucho más sencillo. Durante los cinco años que siguieron, la propaganda del partido en las zonas blancas estuvo dominada por la pretensión de que los comunistas lucharían contra Japón, mientras que Chiang Kai-shek no lo haría. El Guomindang, escribió Mao, se comportaba como el «perro faldero del imperialismo» vendiendo los intereses nacionales de China y mostrando «una vergonzosa falta de resistencia».[2]

Mientras Chiang y sus aliados se mantuviesen en el poder sería imposible oponerse a Japón; por ello, la primera tarea de los verdaderos patriotas era derrocar el régimen del Guomindang. En abril de 1932, la República Soviética de China publicó una declaración formal de guerra contra el gobierno de Tokio e hizo un llamamiento para la formación de un «ejército voluntario antijaponés».[3] Mao y Zhu De ofrecieron la firma de un armisticio con aquellos comandantes nacionalistas que estuviesen dispuestos tanto a un alto el fuego en el enfrentamiento contra los comunistas, como a atacar en su lugar a los japoneses.[4] En agosto de 1934, el partido describió a algunas unidades del Ejército Rojo que rompieron el cerco del área base, en una maniobra de distracción en Zhejiang, como una «avanzadilla antijaponesa» de camino hacia el norte para luchar contra los invasores.[5]

Entre los chinos con educación, aquellos gestos tuvieron cierta repercusión. Que la agresión japonesa se hubiese llevado a cabo impunemente era una humillación terrible. Por mucho que Chiang Kai-shek pudiese argumentar que antes se debía responder a los comunistas, era evidente que no había cumplido con su deber de defender el honor del país.

Pero, por otro lado, Chiang ostentaba el poder. Los comunistas no. Mientras abandonaban Jiangxi, y los titulares de los periódicos, para convertirse en poco más que una nota a pie de página ante los grandes eventos que se sucedían en todas partes, sus llamadas a la unidad contra la amenaza japonesa parecían a los ojos de muchos cada vez más irrelevantes. «En China el comunismo está muriendo», escribió el amanuense de Chiang, Tang Leang-li.[6] La prensa publicada en los puertos de los tratados estaba de acuerdo. «Si el gobierno continúa la campaña adoptada en Jiangxi», concluía el *China Weekly Review* de Shanghai, «todo el movimiento se convertirá en mero bandidaje.»[7]

Sólo los corresponsales japoneses adoptaron una posición más sombría, indicando que desde la seguridad que les proporcionaba el interior más remoto del país, los comunistas representarían un desafío mucho más terrible que el que hasta entonces habían ofrecido en la costa.[8] Japón, por supuesto, tenía su propio orden del día. Todo lo que hiciese que el dominio del Guomindang sobre China fuese más tenue alimentaba sus ambiciones imperiales. Pero los japoneses estaban en lo cierto sobre los comunistas, del mismo modo que los comunistas lo estaban sobre Japón.

Cuando, en enero de 1935, el Ejército Rojo se detuvo en Zunyi, Mao alcanzó por vez primera una posición dominante en la cúpula del partido porque sus compañeros reconocieron que él se había mostrado certero en los momentos en que todos los demás (y especialmente Bo Gu, Zhou Enlai y Otto Braun) se habían equivocado. Si la región base no se hubiese perdido, si Bo Gu se hubiera mostrado menos inseguro y más deseoso de aceptar los consejos, si el Ejército Rojo no hubiese sido tan maltratado en el torpe cruce del río Xiang, si Braun hubiese sido menos dictatorial, la hora de Mao quizá no habría llegado. Se dirigieron a él porque habían fracasado todos los recursos.

A diferencia de las anteriores ocasiones en las que había languidecido en el ostracismo y había resucitado casi de la noche a la mañana, esta vez su eclipse había sido sólo parcial, y su retorno quedó igualmente velado. Oficialmente, él era, y continuaba siendo, el presidente de la recién abandonada República de China. El único cambio oficial de cargo fue su promoción como miembro del Comité Permanente del Politburó y su designación como consejero militar jefe de Zhou Enlai (cargo que Zhou le había intentado conseguir, sin éxito, en la conferencia de Ningdu, dos años antes). Hubo una segunda y más importante diferencia. En esta ocasión no estaba compitiendo por una posición subordinada, la de comisario político de un ejército o secretario de una zona fronteriza. Ahora, a los cuarenta y un años, apuntaba a la cúspide.

Si Tongdao fue el primer paso, Zunyi y las reuniones que se siguieron durante la primavera de 1935 representaron el siguiente eslabón en una conquista del poder que, Mao tuvo la suficiente clarividencia para comprenderlo, sólo podía alcanzarse pausadamente. Entre los miembros del Comité Permanente y el liderazgo del partido se abría un abismo político que otros habían intentado cruzar sin éxito. Entre Zunyi y el noroeste, destino eventual de los comunistas, mediaba una desesperada campaña militar que ninguno de ellos podía confiar en ganar.

En Zunyi, el Ejército Rojo quedó reducido a treinta mil hombres, frente a la cifra de ochenta y seis mil que habían partido tres meses antes.[9] No había obtenido una sola victoria importante desde hacía más de un año. Su supervivencia se debía menos a su propia destreza militar que al instinto de conservación de los caciques militares con los que se habían cruzado en el camino, que preferían mantenerse a un lado y permitir el paso de los comunistas a arriesgar sus fuerzas en favor de su aliado nominal, y rival real, Chiang Kai-shek.[10]

La primera tarea de Mao, por tanto, fue intentar recuperar la moral del ejército. Pero esto resultó ser más difícil de lo que había pensado. La misma reunión de Zunyi finalizó de manera abrupta cuando los comandantes militares tuvieron que apresurarse hasta sus unidades para repeler un ataque de las tropas de los señores de la guerra que avanzaban desde el sur.[11] Durante las cinco semanas posteriores, el Ejército Rojo sufrió una nueva serie de funestos reveses. Un intento de cruzar el Jinshajiang, el río de Arenas Doradas, en los tramos altos del río Yangzi, para establecer una nueva base en Sichuan por poco acabó en un desastre similar a la derrota del río Xiang.[12]

El ejército cayó en una emboscada de unidades combinadas de los señores de la guerra de Sichuan y Guizhou. Sólo consiguió abrir una brecha para su huida cuando ya se habían producido tres mil bajas más.

Mientras el ejército se retiraba, con el enemigo en febril persecución, llegó el momento que He Zizhen había estado temiendo.[13] Llegaron los dolores del parto de su cuarto hijo. Pararon en una cabaña abandonada, y dio a luz en la litera en la que estaba siendo transportada. La criatura, una niña, fue entregada a una familia campesina de los alrededores. Sabiendo que esta vez la separación iba a ser definitiva, ni siquiera aguardó a ponerle un nombre al bebé.

Finalmente, a finales de febrero, la suerte de los comunistas cambió. La batalla del paso de Loushan les permitió reconquistar Zunyi, capturando tres mil prisioneros y poniendo a la fuga dos divisiones comandadas por uno de los comandantes de más alto rango de Chiang.[14] El alivio de Mao, y su exultación, dio lugar a uno de sus poemas más cautivadores:

El viento del oeste aúlla glacial. De lejos,
en el gélido aire, los gansos salvajes graznan a la luz de la luna del alba,
    a la luz de la luna del alba,
agudo suena el galopar de los cascos de los caballos,
y las notas de la corneta dejan paso al silencio.

Dicen que en el paso fortificado no hay guarda de hierro,
hoy, con un solo paso, cruzaremos por la cima,
    ¡cruzaremos por la cima!
Allí los montes son del azul del cielo,
y como la sangre, el sol que agoniza.[15]

Aquella primavera, el Ejército Rojo volvió a ser una vez más el «ejército de Zhu y Mao», con Zhu De como comandante en jefe, Mao como comisario político, y un nuevo «grupo de tres», Zhou, Mao y su aliado, el malherido Wang Jiaxiang, todavía transportado en litera, ofreciendo dirección estratégica.[16] Su antigua designación, Primer Ejército del Frente, fue rehabilitada.[17] Las tácticas militares ortodoxas quedaron abandonadas. Durante los dos meses siguientes Mao se enzarzó en un dispositivo deslumbrante y pirotécnico de guerra móvil, cruzando en zigzag las provincias de Guizhou y Yunnan, que dejó aturdidos a los ejércitos perseguidores, confundió a los estrategas de Chiang Kai-shek y dejó perplejos incluso a algunos de sus propios comandantes.[18] Hasta en cuatro ocasiones cruzaron el Chishui, el río Rojo, que fluye entre las provincias de Guizhou y Sichuan, antes de marchar hacia el sur en un amplio arco, pasando a unos pocos kilómetros de la capital provincial, Guiyang, donde Chiang tenía establecido su cuartel general, y amenazando la principal ciudad de Yunnan, Kunming, seiscientos kilómetros al suroeste, sólo para oscilar de nuevo hacia el norte y cruzar finalmente, a principios de mayo, el curso superior del Yangzi por donde menos se lo esperaban.

Mao consideró la estrategia de Guizhou como el momento de mayor gloria de toda su carrera militar.[19] En Shanghai, el *China Weekly Review* admitió: «Las fuerzas rojas poseen hombres talentosos. Sería ciega necedad pretender negarlo».[20] Un comandante de guarnición del Guomindang dijo con concisión: «Tienen a Chiang Kai-shek entre la espada y la pared».[21]

Los portavoces de Chiang lucharon para disimular los apuros por los que pasaba el gobierno.[22] Se anunció que Zhu De había sido asesinado, que sus hombres velaban su cuerpo, envuelto en una mortaja de seda roja, que el «famoso jefe, Mao Tse-tung» estaba gravemente herido y era transportado en camilla, que los «vestigios rojos» habían sido aniquilados. Pero, para entonces, el Ejército Rojo estaba ya fuera de su alcance, acampado a las afueras de la amurallada ciudad de Huili, sede de distrito situada algo más de cincuenta kilómetros al norte del río, con la seguridad de saber que todas las embarcaciones en un radio de ciento cincuenta kilómetros habían sido ancladas en la orilla norte, y que las tropas yunnanesas de Chiang no disponían ni de la capacidad ni de la voluntad para perseguirles.

Allí, en un pleno del Politburó, Mao reprendió a los que habían dudado de él: Lin Biao y su comisario, Nie Rongzhen, que se había lamentado de que la tortuosa odisea de Mao estaba agotando a sus hombres sin objetivo alguno y había sugerido que Peng Dehuai debía asumir en su lugar la dirección operativa; el mismo Peng, siempre deseoso por enfrascarse en una batalla y que había aceptado esa propuesta con demasiada presteza; Liu Shaoqi y Yang Shangkun, que habían propuesto que el ejército debía dejar de vagar e intentar establecer una base fija; y evidentemente muchos otros. Lin Biao, el más joven, de todavía veintisiete años, fue despachado con una regañina. «¡No eres más que un niño!», le espetó Mao. «¿Qué demonios sabes tú? ¿Eres incapaz de entender que era necesario avanzar por la curvatura del arco?» Peng, como era habitual, cargó con la mayor parte de la culpa, y realizó una suave autocrítica.[23] Pero, en su hora de gloria, Mao consiguió mostrarse magnánimo. Su propósito en Huili era unir al partido y a los líderes militares bajo su sombra, a la espera de los desafíos que todavía les aguardaban. Ellos, por su parte, tenían que reconocer que, una vez más, Mao había demostrado que tenía razón y que los demás estaban equivocados.

Pero la campaña no se desarrolló libre de costes. El Ejército Rojo apenas superaba la cifra de veinte mil hombres.[24] A pesar de ello, Mao los había liberado de una situación que muchos creyeron absolutamente desesperada. Nunca más, después de lo sucedido en Huili, volverían a desafiar los comandantes del ejército ni los dirigentes del partido que acompañaban el Primer Ejército del Frente las valoraciones estratégicas ni el liderazgo de Mao.

Sin embargo continuaba vigente el problema de hacia dónde debía avanzar el Ejército Rojo. A medida que la «Marcha hacia el Oeste» pasaba a ser simplemente la «Larga Marcha», se desechaba una improvisada destinación tras otra. Los planes del Politburó de establecer vínculos con He Long en el noroeste de Hunan, de fundar una nueva base cerca de Zunyi, o de establecer áreas de soviets en el sur de Sichuan, habían mostrado sus deficiencias. Los soldados y sus oficiales necesitaban estar seguros de que sus dirigentes conocían su destino. En Huili, finalmente, se tomó una decisión.[25] Debían ir directamente hacia el norte para unirse al Cuarto Ejército del Frente de Zhang Guotao, que había partido tres años antes desde E-Yu-Wan y tenía su base en el norte de Sichuan.

En el camino realizarían aquellas proezas de coraje y resistencia con que se construye la épica, tejiendo un denso mito de invencibilidad y heroísmo que sus rivales nacionalistas tratarían en vano de disolver.

Después de abandonar Huili a mediados de mayo, las fuerzas de Mao ascendieron desde los frondosos valles subtropicales del sur hasta la brusca y elevada meseta, nunca por debajo de los dos mil metros, donde las laderas resplandecen con rosas tibetanas, adelfas amarillas y rosadas, azaleas, rododendros y todas las plantas exóticas que los botánicos del siglo XIX portaron desde el Himalaya para adornar los jardines de la campiña inglesa. Aquélla era la tierra de los Yi, una feroz tribu de las montañas chinobirmanas que mantenía una guerra interminable contra la intrusión de los colonizadores Han llegados de los valles.[26] El jefe de personal del Ejército Rojo, Liu Bocheng, conocido como el Dragón de un Ojo, al haber perdido la visión del otro en una batalla, había crecido en la región, y consiguió un seguro salvoconducto realizando un juramento de amistad con el principal cabecilla de los Yi, sellado mediante la libación de la sangre de un pollo. Pero incluso con su protección, los miembros de las tribus Yi sorprendían a los componentes rezagados del Ejército Rojo tomándoles las armas y la ropa y dejándoles morir de inanición.

Una vez pasado el peligro avanzaron hacia el río Dadu, noventa kilómetros más al norte. Allí mismo, setenta años antes, Shi Dakai, el último de los príncipes Taiping, cayó en la trampa de los ejércitos del gobernador Qing y se rindió. El príncipe Shi fue condenado a morir descuartizado. Sus cuarenta mil soldados fueron sacrificados. Cuatro días después las aguas bajaban todavía teñidas por la sangre. Chiang Kai-shek, al igual que Mao, conocía la historia: ordenó a sus comandantes en Sichuan que se apresurasen para asegurar los vados, de manera que las fuerzas comunistas quedasen cercadas en la orilla derecha.

Para entonces el Ejército Rojo había llegado a Anshunchang, donde había un transbordador.[27] Pero el río bajaba desbordado y sólo disponían de tres pequeños botes, apenas suficientes para que las fuerzas de vanguardia cruzasen. Mao ordenó a Yang Chengwu, un comisario político de regimiento, que partiese hacia Luding, ciento cincuenta kilómetros río arriba, donde un antiguo puente construido con cadenas se extendía entre las dos orillas del río.[28]

Esta ciudad descansa sobre la vieja ruta del tributo imperial que unía la capital tibetana, Lasa, con Pekín. Pero desde Anshunchang no había camino alguno, ni siquiera una pista. Los hombres de Yang avanzaron por estrechos senderos montaraces que, escribió años después, «se retorcían al adentrarse en las montañas como los intestinos de un carnero», mientras el río se agitaba amenazador decenas de metros más abajo. Era una marcha penosa, y tuvieron que pararse para luchar contra un batallón enemigo que defendía un paso elevado. Cuando comenzó a llover, los senderos «resbalaban como el aceite», recordaba Yang, y durante la mayor parte del tiempo quedaron cubiertos por una espesa niebla. Después de conseguir acampar, a las cinco de la madrugada del día siguiente, llegó un correo de la Comisión Militar. Había noticias sobre la presencia de tropas nacionalistas en la orilla contraria apresurándose hacia el norte. Tenían que llegar a Luding, todavía a ciento veinte kilómetros campo a través por cordilleras por las que no cruzaba camino alguno, en el plazo de veinticuatro horas.

La fabulosa marcha forzada que les llevó hasta allí, y la batalla que siguió, forjó una leyenda que se grabó en la conciencia de una generación de chinos. Tiempo después se valoraría con justicia como «el incidente más crítico de la Larga Marcha».[29] El fracaso de la operación habría significado la aniquilación del Ejército Rojo.

El regimiento de Yang Chengwu llegó a Luding al amanecer del día siguiente.

El puente, una simple pasarela formada por trece cadenas de hierro, abierto por los lados y con irregular entarimado como suelo, «una tenue telaraña del ingenio humano» que unía China con el Asia Central, como lo describió un viajero,[30] tenía algo más de cien metros de largo. En la orilla occidental, el comandante nacionalista había ordenado que se extrajesen las planchas de madera que conformaban el suelo, dejando a las desnudas cadenas oscilando con libertad. En el extremo oriental se elevaba la puerta de la ciudad, encastada en un muro de piedra de casi siete metros de altura sobre el que se habían instalado las ametralladoras, dominando las cercanías. En las propias y tímidas palabras de Yang, «quedamos sorprendidos por las dificultades que debíamos superar».

Se presentaron veintidós voluntarios para acometer el asalto.[31] Edgar Snow, un año después, basó su clásica versión de lo que sucedió en los relatos de los supervivientes.

Se fajaron las granadas de mano y los máusers a la espalda, y al poco rato pendían sobre las agitadas aguas, desplazando una mano tras otra, aferrados a

las cadenas de hierro. Las ametralladoras rojas rugían contra los reductos enemigos y rociaban con balas el otro extremo del puente. El enemigo replicaba
por su parte con ametralladoras, y tiradores ocultos disparaban contra los rojos, salpicando el agua, que avanzaban lentamente hacia ellos. El primer guerrero cayó herido y fue engullido por la corriente; un segundo cayó, y después
el tercero ... Los sichuaneses seguramente no habían visto guerreros como aquellos; hombres para los que la milicia no representaba únicamente un cuenco de
arroz, y jóvenes dispuestos a suicidarse para alcanzar la victoria. ¿Eran seres
humanos, locos o dioses?...

Al final uno de los rojos se arrastró por el suelo del puente, descapuchó una
granada y la introdujo con puntería certera en el reducto enemigo. Los oficiales nacionalistas ordenaron desmantelar el entarimado que quedaba. Pero ya
era demasiado tarde ... Lanzaron parafina sobre el puente y todo comenzó a arder ... Pero cada vez hormigueaban más rojos sobre las cadenas y llegaron para
ayudar a extinguir el fuego y reinstalar las maderas ... Arriba, en lo alto, entre la
furia y la impotencia, se oía el fracaso de los planes de Chiang Kai-shek...[32]

La realidad fue sólo ligeramente más prosaica que el mito que creó
Snow.[33] Las fuerzas de asalto no «pendían ... una mano tras otra»; reptaron
como cangrejos por las cadenas de ambos lados del puente, mientras un segundo grupo improvisaba un entarimado de planchas y ramas tras ellos.
Pero fuera como fuese, el milagro es que consiguieron cruzar. La historia
no se repite. Allí donde los taiping perecieron, los comunistas se liberaron.
A principios de junio, todo el ejército estaba sano y salvo en la orilla oriental. Los esfuerzos de Chiang Kai-shek para acorralarles en las montañas
habían fracasado.

La cúpula se reunió entonces para discutir el siguiente destino.[34]

Luding descansa en la vertiente oriental del Himalaya, en la enorme
sombra helada del Gonggashan, que se yergue unos cuarenta y cinco kilómetros al sur hasta los casi ocho mil metros. La ruta más fácil, hacia el este
a través de las planicies, fue desestimada a causa de que discurría demasiado cerca de los campamentos de las tropas del Guomindang. Otra posibilidad era seguir el río Dadu hacia el noroeste, lo que les conduciría hasta la
región fronteriza que se extiende entre las provincias de Gansu y Qinghai.
El problema era que se trataba de un territorio hostil, densamente poblado
por tibetanos que no albergaban ninguna simpatía por los soldados chinos.

Mao eligió una tercera opción, que les llevaría por una serie de pasos de
cuatro mil metros de altura por Jiajinshan, las Grandes Montañas Nevadas,
hacia el noreste.

Comenzó mal. Todavía al pie de las montañas la aviación del Guomindang reconoció la columna en la que viajaban Mao y los otros miembros del
Politburó, y les ametralló y bombardeó en vuelo rasante. Ninguno de los

dirigentes resultó herido, pero uno de los guardias personales de Mao cayó fulminado.[35] A partir de entonces todo fue de mal en peor. Así lo recordaba Otto Braun:

> Ascendimos por la cresta de una montaña, que separaba las altas planicies tibetanas de los territorios de lo que propiamente es China, por escarpados y estrechos vericuetos. Tuvimos que vadear ríos en época de crecida, cruzamos densos bosques vírgenes y traicioneros páramos ... A pesar de que ya había llegado el verano, la temperatura raramente superaba los diez grados. Y por la noche se precipitaba hasta casi helar. La escasa población estaba formada por ... minorías nacionales de origen tibetano, llamadas tradicionalmente *manzi* (salvajes) por los chinos, [gobernadas por] ... lamas príncipes ... Aguardaban agazapados para preparar emboscadas a pequeños grupos o a algunos rezagados. Nuestro avance quedaba señalado, cada vez con mayor frecuencia, por los cadáveres de la matanza ... Cada uno de nosotros era una cabalgadura para los piojos, hasta extremos inverosímiles. La sangrante disentería era generalizada; aparecieron los primeros casos de tifus.[36]

Superar los picos nevados fue, para los cuadros y los soldados, la parte más dura de toda la marcha. Llevaban tan sólo sandalias de paja y la ropa de verano que habían traído del sur. Tal como rememoraba Mao, una de las unidades perdió dos tercios de sus animales de carga.[37] Caían y ya no podían levantarse. Dong Biwu, el líder del Partido en Hubei, que escaló la cordillera en el mismo grupo que Mao, recordaba que también los hombres se desplomaban y eran incapaces de alzarse:

> Una espesa niebla se arremolinaba sobre nosotros, soplaba un fuerte viento y a medio camino comenzó a llover. Cuando ascendíamos a más y más altura fuimos sorprendidos por una horrible tormenta de granizo y el aire se enrareció hasta el punto que apenas podíamos siquiera respirar. Era imposible hablar, y el frío tan terrible que nuestro aliento se helaba y las manos y los labios se tornaron azules ... Los que se sentaban para descansar o desahogarse inmediatamente morían congelados. Los exhaustos obreros políticos animaban a los hombres con gestos y palmadas para que continuasen moviéndose ... A medianoche comenzamos a escalar el siguiente pico. Comenzó a llover, después a nevar, y el viento azotaba fieramente nuestros cuerpos ... Cientos de los nuestros murieron en aquel lugar ... A lo largo del camino continuamos afanándonos, intentando que nuestros hombres se tuviesen en pie, sólo para descubrir que ya habían muerto.[38]

En los peores momentos el avance era demasiado penoso para los portadores de literas, hasta el punto de que los heridos tenían que ser cargados a hombros de sus compañeros. Entre ellos estaba He Zizhen.[39] Dos meses después del nacimiento de su bebé se hallaba con la unidad de las enfermeras, escoltando a los heridos, cuando aparecieron tres aviones del Guomindang. Al comenzar a disparar, ella se apresuró para ayudar a buscar refugio a un oficial herido. Fue herida en catorce lugares distintos. Se informó a Mao de que probablemente moriría. Pero, con tenacidad, He Zizhen sobrevivió. Sin embargo, algunas piezas de metralla, incluida una en la cabeza, sólo podían ser extraídas con mucho riesgo, y durante semanas estuvo en el filo de la muerte, entrando y saliendo del coma.

La decisión de Mao de tomar la ruta posterior, un itinerario desierto que discurría entre picos elevados, resultó acertada. El día 12 de junio, cuando el cuerpo de vanguardia del Primer Ejército del Frente llegó al valle que se extendía más allá de las cumbres, se encontró, cerca del pueblo de Dawei, en el distrito de Maogong, con una avanzadilla del Cuarto Ejército de Zhang Guotao. Inicialmente creyeron, los unos de los otros, que se trataba de las tropas de algún cacique militar, e intercambiaron disparos antes de reconocer sus toques de corneta. Ninguno de los dos ejércitos había recibido información fiable alguna sobre la posición del otro.[40]

Mao, Zhu De y el personal del cuartel general llegaron cinco días más tarde, y se organizó una gran reunión a la luz de las antorchas para celebrar la unión de los dos ejércitos. Hubo bailes populares y representaciones teatrales, y Li Bozhao, de veinticuatro años, la hermosa esposa de Yang Shangkun, entonces comisario político de regimiento y años después presidente de China, hechizó a los presentes con su danza de los marineros rusos, la *yablochka*, que había aprendido durante su estancia como estudiante en Moscú.[41] Mao pronunció un discurso y las tropas se deleitaron con las provisiones que el Cuarto Ejército había expoliado a los terratenientes locales. Durante los días que siguieron llegaron otros comandantes del Cuarto Ejército, seguidos, el 24 de junio, por Zhang Guotao. Corpulento y majestuoso, cuatro años más joven que Mao, cabalgó junto a una amplia escolta de caballería, en medio de la tormenta, para encontrar a Mao y al resto del Politburó esperándole junto al camino para saludarle. Organizaron otra fiesta de bienvenida y, esa misma noche, en Lianghekou, una aldea montañosa cubierta de plantaciones de opio, cuyas dimensiones eran todavía menores que las de Dawei, los dirigentes celebraron un banquete para conmemorar el dichoso encuentro.

Tras ocho meses de lucha continuada, los exhaustos soldados del Primer Ejército del Frente estaban extasiados ante la fusión con las fuerzas de Zhang Guotao. Por fin podrían descansar y recobrar sus mermadas energías.

Pero Mao y Zhang no se sentían tan seguros.

No se trataba de un problema ideológico o político. No es que tuviesen ideas distintas sobre la revolución china, o que apoyasen métodos diferentes para llevarla a buen término. Era una cuestión de poder, en el sentido más burdo del término.

De los ochenta y seis mil hombres que habían partido el último octubre de Yudu junto a Mao, quedaban apenas menos de quince mil.[42] Zhang Guotao poseía una fuerza tres o cuatro veces mayor. Los hombres de Mao se cubrían con harapos propios del verano. Los de Zhang vestían confortablemente. Los hombres de Mao eran sureños fatigados del combate, poco habituados al clima de las gélidas montañas, desnutridos e, incluso cuando podían conseguir comida, incapaces de digerir la *tsampa* local tibetana, hecha de harina de cebada. Las tropas de Zhang eran de Sichuan, luchaban en su propio terreno, estaban bien abastecidas, descansadas y preparadas.

Todo esto no habría importado si el partido hubiese poseído un liderazgo constituido de manera adecuada, con una cadena de mando clara. Pero en 1935 la situación era muy desigual.

Las decisiones que se tomaron en Zunyi eran susceptibles de ser desafiadas, en tanto que sólo seis de los doce miembros plenarios del Politburó habían estado presentes. Zhang Wentian, que se había convertido en el líder provisional del partido, nunca había sido formalmente elegido miembro del Comité Central, al igual que su predecesor, Bo Gu: ambos habían sido designados en Shanghai mediante procedimientos de emergencia, desafiando las reglas ordinarias del partido. Más aún, en la práctica, desde la reunión de Huili del mes de mayo, Mao, y no Zhang Wentian, había sido la figura dominante en el Politburó.

Zhang Guotao era tan veterano como el propio Mao. También era miembro fundador del partido. Y además había estado entrando y saliendo de la cúpula desde 1953. Si Mao podía alcanzar la primacía *de facto*, ¿qué podía detener a Zhang Guotao, un hombre no menos ambicioso que él, para no intentar lo mismo?

En el pasado, el árbitro último en ese tipo de asuntos había sido siempre el Comintern. Pero durante los últimos ocho meses, el Comintern se había mantenido en silencio. Pocos días después de la evacuación de Ruijin, la policía de la concesión francesa de Shanghai había irrumpido en una segura sede del Partido Comunista Chino y había requisado seis transmisores de onda corta.[43] Los contactos directos con Moscú no pudieron restablecerse hasta el verano de 1936.[44]

Los dos hombres comenzaron a maniobrar, con mucha cautela, desde el mismo momento en que supieron que sus fuerzas habían entrado en contacto, el día doce de junio. Zhang realizó discretas aproximaciones hacia los comandantes militares de Mao. Éste, con un cinismo inverosímil, halagó el papel de Otto Braun como representante del apoyo del Comintern.[45] En los diez días previos a su reunión en Lianghekou, hubo un largo intercambio de telegramas sondeando el terreno,[46] en los que el Politburó, a instancias de Mao, propuso establecer una base en la región limítrofe de las provincias de Sichuan, Gansu y Shaanxi, entre los ríos Min y Jialing. Zhang disintió; pero Mao replicó con diplomacia: «Reflexiona un poco más acerca de ello, por favor». Cara a cara, ambos se designaban mutuamente con el honorífico tratamiento de «hermano mayor». Pero más allá de la fachada de cortesía, sus cálculos eran brutalmente simples. Zhang estaba decidido a traducir su apabullante fuerza militar en poder político. Por su parte, Mao controlaba el Politburó y podía vetarle. Pero ¿a qué precio?

Después de tres días de conversaciones, culminados con una reunión oficial celebrada el veintiséis de junio —presidida por Zhou Enlai entre los muros de la lamasería de Lianghekou, ennegrecidos por el humo de la manteca de yak de los candiles votivos budistas—, se alcanzó un compromiso al que Zhang asintió con algunas reticencias.[47] La fuerza principal se dirigiría al norte, como Mao había propuesto, y lucharía en una campaña ofensiva de guerra dinámica para no convertirse en «tortugas en un jarrón», víctimas una vez más de la estrategia de los blocaos que los nacionalistas habían empleado en Jiangxi con efectos tan devastadores. Zhang fue nombrado vicepresidente de la Comisión Militar, subordinado de Zhu De. Pero la cuestión crucial de unificar la dirección de los dos ejércitos, sobre la que, en teoría, se había llegado a un acuerdo, se dejó en la práctica para otra ocasión.

Sobre el papel, Mao parecía contar con ventaja. Zhang había aceptado su plan.

No obstante, pronto se comprobó que el acuerdo era papel mojado. Cuando el Primer Ejército del Frente avanzó hacia Maoergai, un pequeño asentamiento ciento cincuenta kilómetros más al norte, para preparar un ataque sobre Songpan, ciudad cuya guarnición controlaba el principal paso hacia la provincia de Gansu, el Cuarto Ejército de Zhang se negó a seguirlo. Se celebró una nueva reunión del Politburó. Zhang recibió, y aceptó, la propuesta de ocupar el antiguo cargo de Zhou Enlai de comisario político general, vacante desde Zunyi. Pero, a pesar de ello, el Cuarto Ejército se mantuvo en la retaguardia. El ataque sobre Songpan fracasó. Mientras las fuerzas comunistas se arrastraban hacia el norte, se celebraron nuevos gabinetes de crisis y se ofrecieron a Zhang nuevas concesiones. Pero nunca era suficiente.

Las suspicacias y el resentimiento fueron creciendo en ambos bandos. La esencia de los desacuerdos se refería a la cuestión de hacia dónde debía dirigirse a continuación el Ejército Rojo (y, por inferencia, la de quién tenía el poder para tomar esa decisión). Mao continuaba abogando por el norte. Zhang prefería el oeste o el sur.

Para evitar una fractura abierta, el Politburó admitió, tras una serie de reuniones mantenidas en agosto en el poblado tibetano de Shawo, que los poderes de Zhang debían ampliarse aún más.[48] Él y Zhu De asumirían el control total del Ejército Rojo, que sería dividido en dos columnas. Ambos viajarían, con el personal del cuartel general, junto a la columna izquierda, compuesta principalmente de tropas del Cuarto Ejército. Mao y el resto del Politburó avanzarían con la columna derecha, mucho menor, formada por unidades entremezcladas del Primer y el Cuarto Ejércitos, y dirigida por el sustituto de Zhang, Xu Xiangqian. A cambio, Zhang aceptó que el ejército continuase dirigiéndose hacia el norte, a través de la tundra, un territorio traicionero de pantanos y cenagales que, después de la derrota de Songpan, era ya la única ruta que permanecía abierta si deseaban llegar al Gansu.

Estas concesiones fueron una jugada menos arriesgada para Mao de lo que puede parecer. El control último permanecía en manos del Politburó, que él dominaba. En cualquier caso, no fueron concebidas como una solución definitiva, sino simplemente como un medio para evitar temporalmente el momento decisivo que todos ellos sabían que debía llegar.

Diez días después, en una reunión celebrada en Maoergai en ausencia de Zhang, el Comité Permanente del Politburó dio instrucciones para, secretamente, empezar a recopilar evidencias que sustentasen una supuesta causa contra él,[49] y aprobó (aunque no la hizo circular) una resolución del Comité Central que calificaba la propuesta de Zhang de desplazarse hacia el oeste, hasta las altas planicies aisladas de Qinghai y el sur de Ningxia, de «peligrosa y escapista».[50] Añadía amenazadora: «Esta política brota del miedo, de la exageración de las fuerzas del enemigo y de la pérdida de confianza en nuestras fuerzas y nuestra victoria. Se trata de una muestra de oportunismo derechista».

Pero por un tiempo pareció que las nuevas disposiciones surtirían efecto. A pesar del duro lenguaje empleado por la central y de las continuas reservas de Zhang, ambas columnas comenzaron a avanzar hacia el norte a lo largo de rutas alejadas unos ochenta kilómetros una de la otra. Se estaba preparando la escena para lo que Mao definiría, años después, como «el momento más oscuro de mi vida».[51]

Los pastos descansan a más de tres mil quinientos metros de altura en una inmensa cuenca, «un mar de los Sargazos interior», como algún escritor ha descrito,[52] extendiéndose por más de once mil kilómetros cuadrados por un vasto meandro en forma de herradura del río Amarillo, como si descendiera desde el Himalaya, en el oeste, para girar al norte hacia Mongolia Interior. Otto Braun lo recordaba así:

> El traicionero recubrimiento verde esconde una negra y viscosa marisma que traga a cualquiera que avanza por la fina costra o se desvía del estrecho paso ... Llevábamos ganado y caballos nativos justo delante nuestro, que por instinto encontraban el camino menos peligroso ... Varias veces al día caía una

gélida lluvia. Por la noche se convertía en nieve o cellisca. No había un solo refugio, ni árboles o arbustos en todo lo que nuestra vista alcanzaba. Dormíamos acuclillados ... Por la mañana algunos no conseguían alzarse, víctimas del frío y el agotamiento. ¡Y estábamos en el mes de agosto! Nuestro único alimento era el grano que habíamos atesorado o, como deleite escaso y especial, un pedazo de carne seca y dura como la piedra. El agua del marjal no era potable. Pero la bebíamos, ya que no había madera para hervirla y purificarla. Los brotes de sangrienta disentería y tifus ... nos dominaban.[53]

Algunos murieron porque su organismo no pudo asimilar el grano crudo y sin moler. Las últimas unidades, enajenadas por el hambre, recogían las semillas sin digerir de las heces sanguinolentas de los que habían pasado por delante suyo, las lavaban lo mejor que podían y se las comían.

Oficiales y soldadesca, hombres de las planicies del sur, criados en las ajetreadas aldeas de la costa, vivían con la sensación de ser succionados por el paralizante vacío de aquel paraje. Ji Penfei, posteriormente ministro de Asuntos Exteriores de China, entonces un joven médico practicante, recordaba: «Cada mañana debíamos realizar un recuento para comprobar cuantos nos habían abandonado. Hallábamos algunos que no estaban muertos. Sus ojos permanecían abiertos. Pero no podían levantarse ... Los poníamos en pie, y se desplomaban de espaldas sobre el cenagal, exangües».[54] En su periplo a través de los pastos, el Primer Ejército del Frente perdió a tantos hombres como en las Montañas Nevadas, tres meses antes.

La columna derecha de Mao cruzó en primer lugar, necesitando seis días para llegar desde Mowe, en el extremo sur de la cuenca, hasta Baxi, sesenta kilómetros al norte, al otro lado del marjal. De nuevo en terreno seco, derrotaron claramente a una división del Guomindang que había llegado desde las montañas por el este para bloquear su avance, infligiéndole varios miles de bajas.[55]

Aquello ocurrió a finales de agosto. Las tropas de Mao se detuvieron para descansar, mientras la columna izquierda de Zhang, a noventa kilómetros, en el límite occidental de la cuenca, iniciaba su propio intento de cruzar la marisma. Pero cuando alcanzaron el Gequ, tributario del río Amarillo, lo hallaron desbordado y decidieron retroceder. Zhang anunció su decisión en un enojado, y singularmente pueril, mensaje telegráfico que culpaba a Mao por las dificultades que estaban sufriendo y ordenaba a ambas columnas que recularan hacia el sur: «Si no actuamos, moriremos aquí, enfrentándonos a los interminables pastos e incapaces de avanzar. Éste es un lugar miserable ... Insististeis en que fuésemos a [Baxi]. ¡Mirad ahora el resultado! Ir al norte no sólo era poco oportuno, sino que ¡nos creará todo tipo de dificultades!».[56]

Aquello desencadenó un furioso intercambio de mensajes de radio. El Politburó insistía en que el plan original debía ser respetado. Y Zhang porfiaba que debía ser abandonado. Entonces, el 8 de septiembre, emitió una orden a los oficiales del Cuarto Ejército destinados en el Primer Ejército para que retornasen a sus unidades de origen.

El Politburó se reunió aquella misma noche. Zhou Enlai, que había permanecido incapacitado durante un mes a causa de una hepatitis en Shawo, siguió las discusiones desde su litera. Aprobaron un telegrama suplicándole a Zhang en los términos más conciliadores que recapacitase: «Nosotros, tus hermanos, esperamos que lo vuelvas a sopesar ... y avances hacia el norte. Es un momento crucial para el Ejército Rojo. Es necesario que todos seamos prudentes».[57]

A la mañana siguiente todo parecían indicar que se había retractado.[58]

Pero había algo en la respuesta de Zhang que no sonaba totalmente sincero. El viejo rival de Mao en Jinggangshan, el cabezota de Peng Dehuai, presintió una encerrona y secretamente dispuso tropas formando un escudo protector alrededor de los cuarteles del Politburó. Consultó a Mao si debían tomar a los oficiales del Cuarto Ejército como rehenes, en caso de ser atacados. Mao sopesó la cuestión, pero dijo que no. Dos horas después, el jefe del personal, Ye Jianying, interceptó un segundo mensaje secreto de Zhang. Ordenaba al comandante, Xu Xiangqian, y a su comisario, Chen Changhao, ambos leales al Cuarto Ejército, que dirigiesen la columna hacia el sur. Entre líneas se podía leer que, si era necesario, debían usar la fuerza contra todo aquel que intentase detenerles.[59]

Mao, Bo Gu, Zhang Wentian y Zhou Enlai se reunieron nuevamente en el cuartel general del Primer Ejército. Acordaron que no les quedaba más elección que golpear primero. Se ordenó a Lin Biao, cuyos hombres estaban en Ejie, treinta kilómetros al noroeste, que aguardase en aquella posición y esperase los acontecimientos.

Tiempo después Mao recordaría aquella noche como un momento en que el destino del Ejército Rojo pendía de un hilo.[60] En el año que había transcurrido desde que abandonaron Yudu, habían recorrido cerca de ocho mil kilómetros, librando más de doscientas batallas, a través de algunos de los territorios más inhóspitos del mundo. Sus analfabetas tropas habían resistido ante dificultades que ningún otro ejército moderno había superado. La ciencia militar convencional sostiene que una unidad que ha perdido una cuarta parte de sus hombres ha fenecido como fuerza de combate. Pero en el momento en que el Ejército Rojo emergió de los marjales, más de nueve décimas partes de los que habían partido habían muerto. Y justo entonces, cuando parecía que la meta estaba al alcance de mano, los desdichados supervivientes de ese extraordinario sacrificio estaban a punto de consumar su propia destrucción desencadenando un sangriento conflicto entre ellos mismos.

A las dos de la madrugada, bajo una oscuridad alquitranada, las fuerzas de Peng comenzaron su sigiloso avance. Ye Jianying y Yang Shangkun se escabulleron de los cuarteles del frente de Xu para unírseles, llevando con ellos un juego de mapas.

Su huida fue pronto descubierta. Chen Changhao propuso impetuoso que se enviasen tropas en su persecución. Xu, como el militar obstinado que era, se negó a ello. En su lugar, otro de los seguidores de Zhang, un tosco estudiante retornado llamado Li Te, partió con una escolta de caballería para intentar persuadirles de que volviesen. Otto Braun, que estaba con Mao, tiró a Li de su caballo. El Politburó les observaba, atónito, mientras se gritaban uno al otro en ruso. Mao aguzó la tensión con un aforismo: «No se ata a la novia y al novio en el altar», le dijo a Li, «ni se detiene una disputa familiar.» Cualquier hombre del Cuarto Ejército que lo desease podía quedarse atrás, añadió, pero el Primer Ejército avanzaría hacia el norte.[61]

Mao y sus compañeros enviaron un último mensaje a Zhang, ordenándole que les siguiese. Concluía: «¡Sin objeciones! ¡Sin retrasos! ¡Sin desobedecer!».[62] No hubo respuesta.

Mientras Xu Xiangqian y el resto de la columna derecha daban media vuelta a través de los pastos para reencontrarse con Zhang, y con un Zhu De profundamente infeliz que permanecería el siguiente año en el Cuarto Ejército casi como rehén,[63] los dirigentes del Primer Ejército tenían otras preocupaciones más inmediatas. Las tropas nacionalistas avanzaban en gran número desde el este.[64] Peng asumió el lugar de Zhu como comandante, al tiempo que Mao volvía a su viejo cargo de comisario político.[65] Contaban entonces con diez mil hombres. Si permitían que les acorralasen en los cenagales, se arriesgarían a la aniquilación total.

En Ejie la situación parecía tan desesperada que Mao recuperó una idea que se le había ocurrido por vez primera en Sichuan. Si podían avanzar en dirección al norte, se dirigirían hacia la Unión Soviética, e intentarían establecer una nueva región base, con apoyo ruso, en la frontera de Mongolia Exterior o de Xinjiang.[66]

Finalmente, los acontecimientos se desarrollaron de un modo muy distinto. A dos días de marcha hacia el este, en el paso de Lazikou, un angosto punto fuertemente fortificado por los nacionalistas en el Bailongjiang, el río del Dragón Blanco, donde el valle se estrechaba en un desfiladero de unos pocos metros de anchura, entre escarpadas colinas de más de trescientos metros de altura, el Ejército Rojo se anotó otro de los sorprendentes *tours de force* militares que harían de su nombre un leyenda.[67] Un comando formado por un grupo de veinte hombres del regimiento de Yang Chengwu escaló los verticales despeñaderos y arrojó granadas desde lo alto, cogiendo a los defensores por sorpresa. Fue la última gran batalla de la Larga Marcha. Cuatro días después, el 21 de septiembre, el Primer Ejército entraba en Hadapu, en el sur de Gansu, la primera ciudad Han que habían visto desde que, cuatro meses antes, habían abandonado la provincia de Yunnan. Allí, gracias a un periódico del Guomindang, supieron que existía una base comunista en la provincia de Shaanxi.[68] El plan de avanzar hasta la Unión Soviética quedó archivado.[69] En su lugar, el ejército de dirigió hacia el este a través de Ningxia, hasta Wuqi, cerca de Bao'an, en las resecas altiplanicies del noroeste de China.

Durante el mes siguiente marcharon novecientos kilómetros a través de un paisaje lunar de grandes colinas cónicas de tierra desnuda y parduzca, fina como los polvos de talco, cinceladas como capas de pasteles de boda en altas terrazas, tan uniformes que parecían cortadas con un cuchillo. Estaban surcadas como cicatrices por enormes barrancos en forma de ojo de cerradura, hundidos decenas de metros, formando lisos cañones en el fondo. Era el lugar más pobre de la China Han que habían podido contemplar hasta entonces. Cada dos o tres años se perdía la cosecha por la sequía o las inundaciones. La gente vivía en cuevas, excavadas en las blandas montañas de loess. Pero para el Ejército Rojo aquello era como una cura de reposo. Se produjeron algunas escaramuzas con la caballería musulmana[70] pero, después de la acometida de Lazikou, los principales ejércitos del Guomindang habían quedado atrás. Los mensajeros se adelantaron hasta la nueva base, dirigida por dos lugareños, Liu Zhidan y Gao Gang. Ambos habían sido arrestados bajo la sospecha de ser contrarrevolucionarios durante una purga lanzada por Xu Haidong, un dirigente del Ejército Rojo que había llegado a Shaanxi algunas semanas antes, tras lograr abrirse paso en su camino hacia el norte desde la antigua base de E-Yu-Wan. El Politburó llegó justo a tiempo para ordenar su liberación.[71]

Mao pasaría los doce años siguientes en este territorio árido y desierto. El 22 de octubre de 1935, un año y cuatro días después de abandonar Yudu, se declaró formalmente que la Marcha había llegado a su fin.[72] De los que habían partido con él, menos de cinco mil continuaban a su lado.[73]

Durante esta inmensa peregrinación, el anchuroso mundo que se extendía más allá de las fronteras de China no quedó olvidado. En el suroeste, el ejército había hecho circular consignas convocando a los chinos a unirse contra Japón.[74] Mao había sabido en junio, a través del Cuarto Ejército, que las fuerzas japonesas habían penetrado en Mongolia, y publicó una declaración condenando la incapacidad de Chiang Kai-shek para detenerles.[75] Pero no fue hasta que el Primer Ejército alcanzó Hadapu, a finales de septiembre, cuando Mao fue plenamente consciente de que la situación en el país comenzaba a cambiar y que la política de pacificación de Chiang finalmente empezaba a languidecer.

Aquel verano Japón había forzado al gobierno del Guomindang a retirar las tropas chinas de las inmediaciones de Pekín y Tianjin, a destituir a los funcionarios provinciales considerados hostiles a Japón, y a promulgar un humillante «precepto de buena voluntad» prohibiendo las manifestaciones de sentimiento antijaponés.[76] A consecuencia de ello, la ira popular se generalizó.

Mao sólo pudo adivinar la mayoría de estos acontecimientos. Pero lo que sabía era suficiente para convencerle de que la decisión de dirigirse a Shaanxi había sido la correcta. «Zhang Guotao nos llama oportunistas», dijo a mediados de septiembre en una reunión de comandantes de regimiento. «Y bien, ¿quiénes son los oportunistas ahora? El imperialismo japonés está invadiendo China, y nosotros vamos hacia el norte para enfrentarnos a Japón.»[77] Una semana después, el Comité Permanente del Politburó declaró que el norte de Shaanxi se convertiría en «una nueva base antijaponesa».[78] Para Mao, aquella decisión fue una señal. Después de un año de retirada a la deriva, el partido finalmente contaba con un nuevo objetivo. Su instintivo impulso de dirigirse hacia el norte, incluso si motivado por razones equivocadas, había resultado acertado. La decisión de Zhang de ir al sur era un error. Mao había madurado desde el día en que, ocho años antes, en una carta al Politburó, había escrito que estaba «saltando de alegría» ante una decisión que le había complacido. Pero su júbilo por la renovada misión del partido de someter al Dragón Gris, Japón, emergió con la misma fuerza. En las montañas del sur de Ningxia, cuando contemplaba por vez primera las altiplanicies que se convertirían en el nuevo hogar del Ejército Rojo, plasmó sus sentimientos en los versos de un poema.

> En lo alto de la cresta del monte Liupan,
> nuestros estandartes se mecen ociosos en la brisa del oeste.
> Tomamos hoy con fuerza la larga soga,
> ¿cuándo la ceñiremos sobre el Dragón Gris?[79]

Mao no era el único que, en el otoño de 1935, había dirigido sus pensamientos hacia Japón. Stalin observaba el surgimiento del fascismo europeo, y la reciente alianza entre Berlín, Roma y Tokio, con creciente alarma. En el Séptimo Congreso del Comintern de julio de 1935 se desveló una nueva estrategia: el frente unido antifascista, en el que los comunistas y los socialdemócratas, antiguos rivales mortales, se unían estrechamente en una lucha común para defender al proletariado, y a su paladín, la Unión Soviética, contra las potencias fascistas.

Esta nueva política dio como resultado, en Francia y en España, el nacimiento de los gobiernos del Frente Popular, que aunaban heterogéneas coaliciones de anarquistas, comunistas, liberales, socialistas y sindicalistas.

Para el partido chino, el camino estaba menos claro. El 1 de agosto, Wang Ming, el representante del Partido Comunista Chino en Moscú, emitió una declaración reclamando el establecimiento de un «gobierno unificado de defensa nacional» para resistir a Japón.[80] En China, sin embargo, no había anarquistas, liberales o socialistas con los que los comunistas pudiesen hacer causa común. Sólo podían recurrir al Guomindang de Chiang Kai-shek; y Chiang, en las palabras de Wang Ming, era un traidor, una «escoria con el rostro de un hombre y el corazón de una bestia», tan enemigo como los mismos japoneses. De manera que, a pesar de que la declaración de Wang en Moscú reiteraba el ofrecimiento permanente del Partido Comunista Chino para unir sus fuerzas con cualquier ejército blanco, incluyendo las propias tropas del Guomindang de Chiang —suponiendo que dejasen de atacar las zonas soviéticas y aceptasen luchar contra Japón—, en términos prácticos parecía tan improbable como siempre que su propuesta fuese bien recibida.

Las noticias de estos acontecimientos no llegaron a Shaanxi hasta el mes de noviembre.[81] En aquel momento el Ejército Rojo se había desplazado hacia el sur para luchar contra un ejército del Guomindang llegado de Xi'an.[82] Pasaría otro mes antes de que el Politburó se reuniese en Wayaobu, una sede de distrito amurallada de casas de ladrillo gris de una sola planta, ochenta kilómetros al oeste del río Amarillo, para discutir sobre las consecuencias de la nueva estrategia.

Allí, el día de Navidad de 1935, se aprobó una resolución que marcó un cambio de línea política tan drástico como el cambio de estrategia militar aprobado el año anterior.[83] En Zunyi, las tácticas de guerra convencionales impuestas por los dirigentes de los estudiantes retornados habían sido desechadas. En Wayaobu, el dogmatismo de inspiración rusa que había dominado las tomas de decisión del partido desde el Cuarto Pleno de enero de 1931 quedó igualmente repudiado.

En su lugar se adoptó una política pragmática y flexible destinada a obtener el máximo apoyo público con la mínima carga ideológica.[84]

El Partido Comunista Chino, afirmaba la resolución, no podía encabezar la lucha contra Japón y Chiang Kai-shek confiando únicamente en la clase obrera. Los campesinos acaudalados, la pequeña burguesía, e incluso la burguesía nacional también tenían un papel que interpretar. El izquierdismo, no el derechismo, continuaba, era ahora el principal peligro de la causa comunista. La «puerta cerrada» del izquierdismo se caracterizaba por su renuencia a cambiar de estrategia para enfrentarse a las nuevas circunstancias, por su adhesión a políticas que estaban divorciadas de la práctica, y por «una incapacidad para aplicar el marxismo, el leninismo y el estalinismo a las condiciones específicas y concretas de China, convirtiéndolos en rígidos dogmas». Los miembros del partido debían comprender que la victoria se alcanzaría cuando el pueblo se convenciese de que ellos representaban los intereses de la mayoría de los chinos, y no a través del seguimiento servil de «vacíos y abstractos principios comunistas». Para tal fin, las tierras y las propiedades de los campesinos adinerados dejarían de ser confiscadas. Los tenderos, los pequeños capitalistas y los intelectuales gozarían de los mismos derechos políticos que los trabajadores y los campesinos, y se protegerían sus libertades económicas y culturales. Los grandes capitalistas serían tratados favorablemente. La «República Soviética de los Obreros, los Campesinos y los Soldados» adoptaría el nuevo nombre de «República Soviética del Pueblo», para mostrar que todos los ciudadanos tenían un lugar en ella.

La reunión de Wayaobu fue presidida, y redactada la resolución final, no por Mao sino por Zhang Wentian.[85] Ello reflejaba la estructura formal de poder: Zhang era el dirigente del partido en funciones. Pero además se trataba de un tipo de maniobra política en el que Mao sobresalía. Como miembro de la vieja cúpula dirigente del Cuarto Pleno, ¿quién mejor que Zhang para desvelar una nueva política que implícitamente condenaba todo lo que él mismo y sus compañeros habían hasta entonces apoyado?

Aprobada en el filo del cuadragésimo segundo aniversario de Mao, la resolución de Wayaobu significó el inicio de su ascendencia ideológica dentro del partido. Dos días después, en una congregación de activistas, saboreó su éxito:

Los defensores de las tácticas de la puerta cerrada afirman que ... las fuerzas de la revolución deben ser puras, absolutamente puras, y que el camino de la revolución debe ser recto, absolutamente recto. Nada es correcto a menos que esté literalmente recogido en las Sagradas Escrituras. [Dicen] que la burguesía nacional es completa y eternamente contrarrevolucionaria. No se debe conceder ni una sola pulgada a los campesinos ricos. Y los sindicatos amarillos deben ser combatidos con furia ... ¿Ha existido algún gato que no comiese pescado [preguntan] o algún terrateniente que no sea un contrarrevolucionario? ... Ello implica que la política de la puerta cerrada es la única magia maravillosa que funciona, mientras que el frente unido es una táctica oportunista. Camaradas, ¿qué es lo correcto? ... Responderé sin un momento de duda: el Frente Unido, no la táctica de la puerta cerrada. Los niños de tres años tienen algunas ideas que son válidas, pero no se les puede confiar asuntos cruciales, nacionales o internacionales, porque todavía no los entienden. El marxismo-leninismo se opone a [tales] «desórdenes infantiles», que anidan entre las filas revolucionarias. Como cualquier otra actividad en el mundo, la revolución sigue un camino tortuoso, no uno recto ... La puerta cerrada sólo «encamina a los peces hasta las aguas profundas y a los gorriones hacia los matorrales», y encaminará a los millones y millones que conforman las masas ... hacia el bando enemigo.[86]

En Wayaobu no hubo ningún tipo de criticismo abierto en contra de Bo Gu, Zhou Enlai o cualquier otro de los antiguos izquierdistas. El interés de Mao no era alejar a los que habían sido sus adversarios, sino ganárselos hacia su causa. La función de Zhang consistía en contribuir a construir un consenso ante el duro golpe que les aguardaba.

Porque realmente sería un golpe muy duro. La base de Shaanxi podría haberse convertido en un refugio de paz después de las dificultades de la Larga Marcha, pero era tan pobre que incluso las miserables aldeas montañosas de Guizhou y el suroeste de Sichuan parecían fértiles y ricas; además estaba rodeada de enemigos. La caballería musulmana patrullaba por los márgenes del oeste, hacia Ningxia y Qinghai. Los ejércitos blancos de Yan Xishan controlaban Shanxi, en el este. El ejército del noreste de Zhang Xueliang, expulsado de Manchuria por los japoneses, había establecido sus cuarteles en el sur. Si el Ejército Rojo pretendía sobrevivir y prosperar en su nuevo hogar, debería encontrar provisiones y reclutas, además de neutralizar al menos a una de las fuerzas hostiles que le rodeaban.

Incluso antes de la conferencia de Wayaobu Mao llegó a la conclusión de que el punto más débil de la armadura de Chiang era la fuerza manchú de Zhang Xueliang. Zhang, de poco más de treinta años, era el hijo de un líder de bandidos que durante la primera parte del siglo se había labrado un camino de lucha y muerte para convertirse en uno de los más poderosos señores de la guerra de China.[87] El Joven Mariscal, como era generalmente conocido para distinguirle de su padre, el Viejo Mariscal, era un joven despiadado, tortuoso y, en ocasiones, ingenuo que recientemente había vencido una fuerte adicción al opio. Pero, además, era un patriota. El Viejo Mariscal había sido asesinado por agentes japoneses. El propio Zhang había perdido sus territorios en manos de los japoneses, en parte porque Chiang Kai-shek le había animado a que no les ofreciese resistencia. Las tropas de Zhang habían perdido sus hogares; no tenían ningún interés en luchar contra los comunistas. Odiaban Japón.

Desde finales de noviembre de 1935 Mao tentó a los comandantes del Joven Mariscal con ofertas de tregua y el ofrecimiento de una campaña conjunta en contra de los invasores japoneses.[88] «Somos chinos», escribió. «Comemos el mismo grano chino. Vivimos en la misma tierra. El Ejército Rojo y el Ejército del Noreste son de la misma tierra china. ¿Por qué deberíamos ser enemigos? ¿Por qué deberíamos luchar unos contra los otros? Hoy propongo a tu honorable ejército que cesemos la lucha ... y firmemos un acuerdo de paz.»[89]

Se ordenó a las unidades del Ejército Rojo que liberasen a los oficiales blancos capturados y asistiesen a los heridos del enemigo. En línea con esta directriz, a principios de enero de 1936, Peng Dehuai puso en libertad a un oficial llamado Gao Fuyuan, capturado dos meses antes.[90] Gao había sido compañero de escuela de Zhang Xueliang, y cuando retornó a los cuarteles de Zhang en Luochuan, ciento cincuenta kilómetros al sur de Wayaobu, convenció al líder manchú de la sinceridad de los ofrecimientos comunistas de cooperación. Una semana después Gao dispuso que se lanzase un mensaje a Peng desde un avión nacionalista en un vuelo de aprovisionamiento a una guarnición del Guomindang que los comunistas asediaban. El 19 de enero, el enviado de Mao, Li Kenong, llegó a Luochuan para iniciar conversaciones.

Resultó ser sorprendentemente fácil. El Joven Mariscal recibió a Li al día siguiente, y aceptó de inmediato adoptar una actitud «pasiva» en la guerra civil. El único punto conflictivo se refería a Chiang Kai-shek. En las instrucciones para la negociación de Li, Mao había argumentado que resistir a Japón y oponerse a los «traidores nacionales» eran las dos caras de una misma moneda; una no era posible sin la otra. Pero el líder manchú se negó inexorablemente a aceptarlo. Estaba dispuesto a firmar una tregua con los comunistas, pero no a enfrentarse a su propio comandante en jefe.[91] A finales de año ambos cambiarían de posición, lo que tendría consecuencias trascendentales. Pero en aquel momento, coincidieron en discrepar. A principios de marzo, Mao comunicó al Politburó que se había llegado a un acuerdo verbal para el cese del fuego, y que las guarniciones avanzadas de Zhang en Yan'an y Fuxian, al sur de Wayaobu, debían ser tratadas como fuerzas amigas.[92]

Cinco semanas después, Zhou Enlai se desplazó discretamente hasta Yan'an para parlamentar cara a cara con el Joven Mariscal.[93] El encuentro, celebrado en una iglesia cristiana, duró la mayor parte de la noche. Cuando Zhou abandonó el lugar, justo antes del amanecer, habían acordado que el único camino para seguir avanzando pasaba por la formación de un gobierno y un ejército nacional unificado antijaponés. Zhang no estaba preparado para tomar públicamente una postura antijaponesa, ni desafiaría a Chiang Kai-shek si recibía órdenes directas de penetrar en las áreas bajo control del Ejército Rojo. Pero, aparte de ello, la tregua sería estrictamente observada; se nombrarían oficiales de enlace permanente, se permitiría el comercio entre las regiones roja y blanca, y el Joven Mariscal utilizaría su influencia con los comandantes nacionalistas para asegurar la protección en los movimientos de las unidades comunistas. Aceptó incluso, informó Zhou, aprovisionar al Ejército Rojo con armas y munición.

Con el flanco sur asegurado, Mao dispuso de libertad para perseguir la otra tarea que había asumido en Wayaobu: la reconstrucción de la capacidad militar de los comunistas después del desgaste de la Larga Marcha.[94]

En diciembre de 1935, el Primer Ejército del Frente contaba apenas con siete mil hombres. Las fuerzas locales de Shaanxi, comandadas por Liu Zhidan y Gao Gang, y el ejército de E-Yu-Wan, dirigido por Xu Haidong, disponían de tres mil hombres cada uno. El objetivo de Mao era reclutar otros cuarenta mil más, una cuarta parte de los cuales durante aquella misma primavera. La única vía realista de conseguirlo era organizar una expedición a la otra orilla del río Amarillo hasta la provincia de Shanxi. Ello entrañaba un peligro, como señaló Peng Dehuai: quizás serían incapaces de volver. Pero Mao siguió adelante con su plan, dejando a Zhou Enlai y Bo Gu al cuidado de la base en Shaanxi.[95]

La aventura fue bautizada como la «Expedición Oriental para Resistir ante Japón y Salvar la Nación».[96] Fue una buena operación de propaganda. Pero por muy estimulantes que fuesen las palabras que Mao pronunció sobre el avance hacia Hebei para enfrentarse a los invasores, sus objetivos eran mucho más limitados.

Durante los dos meses y medio que los comunistas permanecieron en Shaanxi, desde finales de febrero a principios de mayo de 1936, nunca se aproximaron a menos de trescientos kilómetros de las unidades japonesas. En lugar de ello, realizaron algunas escaramuzas contra las tropas del Guomindang en una estrecha franja de territorio, nunca alejada más de ochenta kilómetros del río, donde consiguieron recaudar trescientos mil dólares de plata a través de las expropiaciones a los terratenientes, y reunieron a ocho mil hombres, la mitad de ellos campesinos reclutados en los pueblos de Shanxi y, el resto, prisioneros de guerra. Ello supuso que Mao pudiese contar con unos veinte mil hombres, un número similar al de hacía un año, pero todavía mucho menor del que era necesario para conseguir mantener unidos a los líderes comunistas. Lo irónico de la situación del Partido Comunista Chino durante la primavera y el verano de 1936 era que, incluso cuando se había obtenido un frente unido con el ejército del noreste del Joven Mariscal, sus propias fuerzas continuaban irrevocablemente divididas. Zhang Guotao continuaba en Sichuan y el grueso del Ejército Rojo permanecía allí con él.

Pero también con referencia a esta cuestión asomaban algunos indicios de cambio. Durante las primeras semanas después de la separación, Zhang había orquestado una serie de conferencias políticas del Cuarto Ejército, en las que había «expulsado» a Mao, Zhou Enlai, Bo Gu y Zhang Wentian del partido y elegido un nuevo Comité Central y un Politburó del que el mismo Zhang era el secretario general. Se envió un mensaje a Wayaobu ordenando a los dirigentes acuartelados en Shaanxi que dejasen de usar el «falso título» de central del partido y se refiriesen en el futuro a ellos mismos como la Oficina Norte del Partido Comunista Chino.[97]

Mao, en cambio, actuó con gran prudencia. En Ejie, el día siguiente de la escisión, se opuso a los que clamaban por la expulsión de Zhang.[98] A pesar de que se aprobó una resolución, denunciando a Zhang por el «crimen de dividir el Ejército Rojo» y defender el «oportunismo derechista y [las] tendencias terratenientes», ésta no fue publicada. Cuando la Larga Marcha llegó a su fin, y Mao consolidó su propia posición, lo hizo como presidente de la Comisión Militar de la Oficina del Noroeste (y, simultáneamente, secre-

tario del Comité Central para los asuntos militares), con Zhou y Wang Jiaxiang como lugartenientes, no propiamente como presidente de la Comisión.[99] Incluso después del anuncio de que Zhang había establecido un liderazgo rival, Mao no tomó medida alguna hasta pasado un mes. Sólo en
febrero de 1936, cuando era evidente que Zhang no se retractaría, autorizó
la difusión de la resolución de Ejie, dando carácter oficial a la escisión.[100]

En aquel entonces la estrella de Zhang ya había comenzado a declinar.
La campaña sur del Cuarto Ejército se había mostrado inicialmente muy
exitosa. Pero durante el invierno las fuerzas de Chiang Kai-shek contraatacaron y la marea comenzó a cambiar. Mientras Mao se encontraba ausente
en su «expedición oriental», Zhang sufrió dos devastadoras derrotas. El
Cuarto Ejército fue obligado a retroceder desde la fértil planicie de Chengdu hacia las yermas y aisladas regiones fronterizas del Tíbet.[101]

En mayo, cuando Mao volvió a Wayaobu, hizo nuevos esfuerzos para
recuperar el ejército errante, con la promesa de olvidar el pasado sólo si Zhang
y sus hombres retornaban para unirse a ellos en el norte. «Entre tú, camarada Guotao, y nosotros, tus hermanos, no hay diferencias políticas ni estratégicas», declaraba un conciliador telegrama del Politburó. «No hay ninguna necesidad de discutir sobre el pasado. Nuestro único deber ahora es ...
unirnos contra Chiang Kai-shek y Japón.»[102]

Poco después, el Segundo Ejército del Frente, formado por unidades de
Ren Bishi y Helong que habían llegado fusionadas hacía un año a Hunan
occidental, se unió a las tropas de Zhang. En consecuencia, se incrementó la
capacidad militar de Zhang, al tiempo que se disolvía su autoridad política.
Gradualmente, la presión de avanzar hacia el norte se hacía cada vez mayor.
A principios de julio, la nueva fuerza combinada partió a regañadientes a través de los pastos, hollando el mismo camino hacia Shaanxi que un año antes
había seguido el Primer Ejército de Mao, con una cifra igualmente escalofriante de bajas. Allí fueron al fin divisados, en octubre de 1936, por tropas
del Primer Ejército, bajo las órdenes de Peng Dehuai, que habían penetrado
en Gansu hasta llegar cerca de un enclave tan lejano como Lanzhou. Pero el
juego mortal todavía no había acabado. El cuerpo principal del Cuarto Ejército, más de veinte mil hombres, quedó embarrancado en la orilla occidental
del río Amarillo, y un ejército del Guomindang que había tomado los puntos
por los que se podía vadear el río les cortaba el paso. Zhang, en su función de
comisario político general, ordenó partir hacia el oeste en una marcha suici-
da a través del corredor de Gansu, donde la caballería musulmana los destru-
yó por completo. Un año después, los exhaustos supervivientes de aquella
carnicería regresaban a Shaanxi. El grupo principal, encabezado por Li Xiannian, lo formaban sólo cuatrocientos hombres.[103]

Un mes después de la funesta orden de Zhang, el 6 de diciembre de
1936, él y Zhu De se unieron a Mao y al resto de líderes en los cuarteles del

Politburó en el norte de Shaanxi en una celebración triunfal de la recuperación de la unidad.[104] Al día siguiente Mao fue nombrado presidente de la Comisión Militar, con Zhang y Zhou Enlai como sus lugartenientes.

Aquella *mise-en-scène* fue fingida. El desafío de Zhang a Mao había llegado a su fin. Al igual que su carrera política. Durante el año anterior, desde la reunión en Wayaobu, Mao había tenido la última palabra en el Politburó. Ahora gozaba también del control último de todos los cuarenta mil hombres que formaban el Ejército Rojo después de la gran migración desde el sur hasta el norte de China. La destrucción de la flor y nata del Cuarto Ejército en el corredor de Gansu apresuró el fallecimiento político de Zhang. Pero él estaba acabado de todos modos. Quince meses antes, en Maoergai, Mao ya había advertido que, en su momento, a Zhang se le exigiría responder por todos los errores que había cometido.[105]

Al tiempo que se desarrollaba con incertidumbre la larga lucha con Zhang Guotao, Mao andaba al acecho de una presa aún mayor. A principios de marzo de 1936, algunos días después de que Zhang Xueliang aceptase la tregua, el Politburó autorizó el establecimiento de negociaciones de paz con el gobierno de Nanjing.[106]

El propósito, en aquellas circunstancias, no era intentar ganarse a Chiang Kai-shek. Éste continuaba siendo la personificación de la contrarrevolución, el «traidor y [el] colaboracionista», que debía ser combatido con la misma ferocidad con que tenían que enfrentarse a Japón.[107] Una directriz interna del partido afirmaba con rotundidad: «Todo el mundo quiere ver fallecer al traidor Chiang de una muerte horrible».[108] Los objetivos de las propuestas comunistas eran más bien acabar de raíz con la política de Chiang de «pacificación interna primero, resistencia ante Japón después»; fortalecer la influencia de la facción antijaponesa del Guomindang, encabezada por el cuñado de Chiang, el antiguo ministro de Hacienda, T. V. Soong; y en último lugar, pero no menos importante, satisfacer las demandas de Moscú de que no se dejase una sola piedra sin remover en la búsqueda de aliados para el frente unido. Rusia había restablecido relaciones diplomáticas con la China nacionalista en 1933. A medida que el Eje anti-Comintern se fortalecía, los intereses nacionales rusos —distintos de los intereses del aliado de Rusia, el Partido Comunista Chino— hacía de Chiang un cómplice potencial cuyos ejércitos, en una futura guerra, no podían ser ignorados.

Las propuestas fueron una ingeniosa mezcla de objetividad y desafío.[109] Reclamaron un final inmediato a la guerra civil, el establecimiento de un gobierno de defensa nacional, el envío de un ejército conjunto contra Japón, la libre circulación del Ejército Rojo para luchar contra los japoneses en Hebei, la restauración de las libertades políticas, y el inicio de las reformas internas.

Mao había calculado que los comunistas no tenían nada que perder. Si las negociaciones progresaban, se haría más profunda la ruptura en el seno del Guomindang entre las facciones a favor y en contra de Japón. Si se venían abajo, se convertirían en hechos de dominio público, lo que mejoraría la reputación de los comunistas entre una opinión pública urbana cada vez más enfurecida por la política de pacificación de Chiang.[110] Por toda China, en 1936, el odio hacia Japón estallaba fuera de todo control.[111] En las provincias, la muchedumbre encolerizada linchaba a los viajeros japoneses. Durante meses los dos países estuvieron al borde de la guerra. Decenas de miles de estudiantes, con el apoyo secreto de los comunistas, preparaban manifestaciones antijaponesas. Y los intelectuales se unían en tropel a las asociaciones de salvación nacional.

Pero las negociaciones no se paralizaron. En verano se había conseguido organizar un desconcertante conjunto de mecanismos de negociación secreta a través de canales ocultos. Durante el mes de agosto, los diplomáticos nacionalistas mantuvieron discretas reuniones con Wang Ming en la misión del Partido Comunista Chino en el Comintern.[112] En Nanjing, un enviado comunista ataviado como un monje contactó con Chen Lifu, uno de los hombres más poderosos del Guomindang, sólo por debajo del mismo Chiang. Mao envió después otro emisario más veterano para entrevistarse con Chen en Nanjing y Shanghai. Ambos bandos discutían la posibilidad de que los dirigentes del Guomindang se reuniesen con Zhou Enlai en Hong Kong o Cantón.[113]

A medida que las negociaciones progresaban, la actitud de Mao hacia Chiang Kai-shek, y hacia las consecuencias ulteriores de la agresión japonesa, experimentó un cambio paulatino. En abril de 1936 llegó a la conclusión de que el viejo eslogan de *fan ri tao Jiang*, «Resistir ante Japón, oponerse a Chiang», era contraproducente. «Nuestra posición consiste en oponernos a Japón y detener la guerra civil», explicó a Zhang Wentian. «Oponerse a Chiang Kai-shek es algo secundario.»[114] Un mes después se cuestionaba en voz alta si tenía algún sentido considerar como un bloque único a todas las potencias imperialistas, cuando era evidente que existían cada vez más tensiones entre Japón, por un lado, y Gran Bretaña y Estados Unidos por el otro.[115]

Aquello motivó la decisión de autorizar la visita de Edgar Snow a la zona base para hacer publicidad de la causa comunista en Occidente. El Ejército Rojo abandonó Wayaobu en el mes de junio, y el Politburó desplazó sus cuarteles hasta Bao'an, una sede de distrito aún más pobre y remota en el corazón mismo de las tierras de loess, donde los dirigentes vivían en cuevas, excavadas en un precipicio de erosionada piedra arenisca rojiza que dominaba sobre un fangoso río.[116] Allí fue donde el día 16 de julio Mao, en una profética entrevista, le dijo a Snow:

> Los que creen que sacrificando aún más la soberanía china ... podrán detener el avance de Japón, simplemente dan rienda suelta a un sueño utópico ... La armada japonesa pretende bloquear el mar de China, y ocupar las Filipinas, Siam, Indochina, Malasia y las Indias Orientales Holandesas. En caso de guerra, Japón convertirá estos enclaves en sus bases estratégicas ... [Pero] China es una nación muy grande y no se puede decir que se la ha conquistado hasta que el último palmo de su territorio está bajo la espada del invasor. Si Japón consiguiese ocupar una gran parte de China, tomando posesión de un área que albergase hasta cien, o incluso doscientos millones de personas, nuestra derrota todavía estaría muy lejos ... Las grandes reservas de material humano del pueblo revolucionario chino continuarán enviando hombres, dispuestos a luchar por su libertad, hacia el frente, hasta mucho después de que la marejada de imperialismo japonés haya naufragado en los ocultos arrecifes de la resistencia china.[117]

A lo largo del verano y el otoño de 1936, el Partido Comunista Chino multiplicó sus súplicas, públicas y privadas, al Guomindang y sus dirigentes para firmar una tregua y unir sus fuerzas contra Japón.[118] En agosto, con el estímulo del Comintern, Mao propuso que el frente unido del Partido Comunista Chino y el Guomindang que había existido en los años veinte fuera restaurado, y que se fundase una «República Democrática Unida China» que incorporase las regiones rojas, sujetas al mismo sistema parlamentario que el resto del país.[119] «Para un pueblo privado de su libertad nacional», explicó a Snow, «el objetivo revolucionario no es el socialismo inmediato, sino la lucha por la independencia. No podemos siquiera dialogar sobre comunismo si no tenemos un país donde ponerlo en práctica.»[120] Mao estuvo de acuerdo en cambiar el nombre del Ejército Rojo, para incorporarlo formalmente como parte de las fuerzas armadas nacionalistas, bajo dirección nominal nacionalista. Mientras se conservase el control real del partido sobre las tropas y el territorio comunistas, casi cualquier concesión era posible.[121]

El optimismo de Mao resultó estar finalmente fuera de lugar. En una reunión secreta celebrada el mes de noviembre en Shanghai, Chen Lifu aumentó la apuesta.[122] Debía existir un límite en el número de tropas comunistas, dijo. Inicialmente propuso que fuesen tres mil hombres; después treinta mil. Más allá de esa cifra no aceptaría negociar.

Los motivos se hicieron rápidamente evidentes. Chiang estaba convencido de que un último golpe le libraría de los comunistas de una vez por todas. El 4 de diciembre se cortó el tráfico en la autovía que conducía hasta el custodiado aeródromo de Xi'an, y la policía acordonó el arcén.[123] El generalísimo llegaba para ultimar los preparativos de lo que debía ser la sexta y última campaña de asedio comunista. Durante los tres meses anteriores, Zhang Xueliang le había implorado que pusiese fin a la guerra civil y permitiese que el ejército del noreste se enfrentase a Japón. Pero a Zhang se le impuso un ultimátum: luchar contra los rojos, o enfrentarse a un traslado inmediato hasta el sur.[124]

Los acontecimientos se sucedieron entonces con sorprendente rapidez.

El martes 8 de diciembre el ministro de la guerra japonés advirtió que a menos que China fuese más complaciente, sería inevitable un nuevo conflicto. Al día siguiente miles de estudiantes desfilaron como protesta en Lintong, un complejo de aguas termales cercano a Xi'an donde Chiang había fijado su cuartel general.[125] La policía abrió fuego y algunos jóvenes resultaron heridos. El jueves, día 10, Mao telegrafió a Zhang explicándole que las negociaciones con los nacionalistas se habían visto truncadas a causa de las «excesivas demandas» de Chiang.[126] Veinticuatro horas más tarde, el secretario de Mao, Ye Zilong, recibía la respuesta de Zhang. Era bastante breve, recordaba, pero cuando la descodificó apareció una frase, en chino clásico, que contenía dos caracteres cuyo significado ni él ni nadie del secretariado pudieron descifrar. Lo llevó hasta Mao, que lo miró ávidamente y sonrió. «Las buenas noticias no tardarán en llegar», recordaba Ye que fueron las palabras de Mao.[127]

Otto Braun, que vivía cerca, se levantó la mañana siguiente para descubrir que Bao'an se encontraba presa de la emoción.[128] El teléfono de campo, que unía el despacho de Mao con el Politburó y la Comisión Militar, sonaba sin cesar. Mao en persona, que normalmente trabajaba de noche y dormía hasta el mediodía, estaba ya en pie. Un guardaespaldas le dio la noticia a Braun, la increíble y sensacional noticia que inundaba todo Bao'an como un fuego descontrolado: Chiang Kai-shek había sido arrestado poco antes del amanecer y permanecía en el cuartel general del ejército del noreste en Xi'an a las órdenes de Zhang Xueliang.

Los acontecimientos, tal como fueron reconstruidos gradualmente pieza a pieza durante las horas que siguieron, sucedieron del siguiente modo. El viernes por la noche, después de despachar el misterioso telegrama secreto a Mao, Zhang había convocado una reunión de una decena de veteranos comandantes. Les ordenó arrestar al estado mayor de Chiang, tomar la oficina del gobernador, desarmar a la policía y a las Camisas Azules, la fuerza paramilitar del Guomindang, y asumir el control del aeropuerto. El jefe del cuerpo de seguridad personal de Zhang, un capitán de veintiséis años, partió con doscientos hombres hacia Lintong, donde, a las cinco de la madrugada, dirigió el asalto al cuartel de Chiang. Los guardias del Generalísimo resistieron lo suficiente para que éste escapase hacia la rocosa colina, cubierta de nieve, que había junto al complejo. Dos horas después fue descubierto en una estrecha caverna, tiritando de frío, ataviado con una larga camisa, y apenas capaz de pronunciar palabra, habiendo olvidado en la huida, atenazado por el pánico, su dentadura postiza. Desde este escondrijo tan poco decoroso, fue cargado a espaldas del joven capitán y conducido hacia la ciudad, donde Zhang Xueliang se excusó profusamente por el trato que se le había dispensado, garantizándole su seguridad personal, tras lo cual reiteró la exigencia que había estado repitiendo desde el verano: que Chiang cambiase su política y se opusiese a Japón.[129]

Los comunistas, dirigentes y soldados por igual, recibieron las noticias extasiados. Aquella tarde, en una reunión masiva, Mao, Zhu De y Zhou Enlai pidieron que se le llevase a juicio. «[Era] el momento de ponerse en pie y aplaudir», escribió tiempo después Zhang Guotao. «Parecía que todos nuestros problemas podrían resolverse en cualquier momento.»[130]

A la mañana siguiente, en una reunión del Politburó, Zhu De, Zhang Guotao y la mayor parte de la cúpula argumentó que el cautivo Generalísimo merecía la muerte. No sólo había instigado una atroz guerra civil y colaborado traicioneramente con Japón en una vergonzosa política de pacificación, sino que unos pocos días antes había rechazado las propuestas comunistas de llegar a un entendimiento, prefiriendo continuar la «supresión de bandidos» a iniciar la resistencia nacional.[131] En su resumen final, Mao declaró que el procedimiento más adecuado era que Chiang fuese expuesto ante «el juicio del pueblo», para que sus crímenes pudieran ser públicamente exhibidos.[132] Simultáneamente era necesario dedicar arduos esfuerzos a conseguir el apoyo del ala izquierda y la facción centrista del gobierno de Nanjing, para construir un frente unido nacional antijaponés, al tiempo que debían guardarse de las acciones del ala derecha del Guomindang para acabar violentamente con el motín de Xi'an.

La posición del partido fue transmitida aquel mismo fin de semana a Zhang Xueliang en una serie de telegramas en los que Mao y Zhou Enlai destacaron la solidaridad del Ejército Rojo con las acciones del Joven Mariscal y su determinación de hacer del noroeste la base principal para una futura guerra contra Japón.[133]

Sin embargo, casi al mismo tiempo, los proyectos del Partido Comunista Chino comenzaron a deshilacharse. Zhang dejó bien claro que su objetivo no era castigar a Chiang Kai-shek sino, como indicó en un «telegrama a la nación», dirigido al gobierno de Nanjing la mañana del golpe, obligarle a «enmendar los errores del pasado».

> Desde la pérdida de las provincias nororientales, hace cinco años, nuestra soberanía nacional se ha visto constantemente debilitada y nuestro territorio ha menguado día a día. Hemos sufrido humillaciones nacionales [una] y otra vez ... No hay un solo ciudadano que, como consecuencia de todo ello, no sien-

ta una profunda pena en el corazón ... El generalísimo Chiang Kai-shek, rodeado de un grupo de consejeros incapaces, ha perdido merecidamente el apoyo de las masas de nuestro pueblo. Es completamente culpable por el daño que sus decisiones políticas han causado al país. Nosotros, Zhang Xueliang, y los demás abajo firmantes, le habíamos avisado con lágrimas en los ojos advirtiéndole que tomase otro camino. Pero fuimos repetidamente rechazados y censurados. No hace mucho los estudiantes de Xi'an se manifestaron [en favor del] movimiento de Salvación Nacional, pero el general Chiang envió la policía para asesinar a esos jóvenes patriotas. ¿Cómo podría alguien con conciencia humana tolerar semejante acción? ... De modo que hemos ofrecido nuestro último consejo al mariscal Chiang, al tiempo que garantizamos su seguridad, para estimular su despertar.[134]

Ello implicaba que una vez que el Generalísimo hubiese aceptado las demandas de los amotinados, que a su vez no eran más que un eco de lo que los comunistas habían estado reclamando —a saber, que el gobierno debía ampliarse para incluir a los representantes de todos los partidos patrióticos, la guerra civil debía llegar a su fin, se debían restaurar las libertades políticas, y la política futura debía partir de la «salvación nacional» (o sea, la resistencia contra Japón)—, él podría continuar siendo el líder de China.

En Nanjing, mientras tanto, su detención había desencadenado una furiosa lucha entre sus seguidores, por una parte, dirigidos por su temible esposa, Soong Mei-ling, que exigía un desenlace pacífico, y, por otra, una alianza poco definida de los dirigentes projaponeses y del ala derecha, encabezados por el ministro de la Guerra, He Yingqing, que pretendía iniciar una serie de bombardeos contra Xi'an, además de una expedición punitiva a gran escala. Soong Mei-ling consiguió hacer prevalecer su criterio tras muchas dificultades, pero era evidente que si los esfuerzos por la paz se obstaculizaban se desataría a continuación una ofensiva militar.

De este modo, cuando Zhou Enlai llegó a Xi'an, el 17 de diciembre —después de un agotador viaje a lomos de una mula desde Bao'an, seguido de una larga espera en Yan'an, mientras Zhang enviaba un avión para recogerle—, la situación ya había cambiado.[135] El equilibrio de fuerzas en Nanjing se estaba decantando hacia una dirección menos favorable de lo que los dirigentes del Partido Comunista Chino habían planeado. La idea de llevar a Chiang a juicio comenzaba a considerarse mucho menos atractiva.[136]

En ese momento Stalin intervino, de un modo tan ocasional y chovinista, tan despectivo ante los intereses comunistas chinos, que Mao se quedó sin habla por el enojo.[137]

Lejos de ser un «acontecimiento revolucionario», afirmaba el líder soviético, el motín de Zhang era «un nuevo complot japonés ... [cuyo] propósito es obstruir el camino hacia la unificación de China y sabotear la emergencia del movimiento antijaponés». Aquello era, según parecía, una afirmación tan absurda que incluso en el seno del Guomindang se la consideró ridícula. En un telegrama, que probablemente llegó a Bao'an al mismo tiempo que Zhou llegaba a Xi'an, el secretario general del Comintern, Georgy Dimitrov, explicó que el significado de aquellas palabras era que la acción de Zhang iba «objetivamente en detrimento» de la solidaridad antijaponesa, y recomendaba que el partido chino «intentase resolver pacíficamente el incidente». La razón real, según trascendió tiempo después, era que en noviembre, sin que Mao lo supiese, Stalin había decidido realizar un esfuerzo renovado para inscribir al gobierno nacionalista entre sus aliados, intentando contrarrestar el pacto anti-Comintern que acababan de establecer Japón y Alemania, y se habían iniciado conversaciones secretas en Moscú sobre un tratado chino-soviético de seguridad. El arresto de Chiang dejaba estas negociaciones en suspenso. Para Stalin, los intereses del Partido Comunista Chino eran irrelevantes: no se podía permitir que nada obstaculizase el camino de los intereses nacionales predominantes de la primera potencia socialista del mundo.[138]

Las fricciones entre Moscú y el Partido Comunista Chino no eran de ningún modo nuevas. Pero en el pasado, la cuestión de la culpa había quedado siempre oscurecida. ¿Quién podía decir con certeza si Moscú se había equivocado o si los diferentes dirigentes chinos habían malinterpretado la línea moscovita?

La *ukase* de Stalin de diciembre de 1936 fue diferente. El mito de la infalibilidad soviética y la camaradería quedó definitivamente hecho añicos. Su intervención fue de lo más irritante porque, al fin y al cabo, no comportó ningún cambio. El Partido Comunista Chino ya había aceptado que, dada la postura de Zhang Xueliang y los acontecimientos de Nanjing, no había más opción que procurar encontrar un desenlace pacífico.[139] El único efecto que tuvo la orden de Stalin fue la desestabilización de la posición de Mao, destruyendo la credibilidad que los comunistas se habían ganado a los ojos de Zhang Xueliang y, en teoría al menos, acabando con casi todos los alicientes para Chiang Kai-shek de llegar a un acuerdo.

Para entonces, no obstante, los acontecimientos habían tomado un impulso propio. El Generalísimo cedió a la posibilidad de una mediación.[140] Soong Mei-ling llegó el día 22 y, junto a su hermano, T. V. Soong, mantuvo negociaciones con Zhang y Zhou Enlai. Acabaron tan repentinamente como habían comenzado. El día de Navidad Chiang voló hasta Nanjing. El Joven Mariscal, para mostrar su lealtad, le acompañó.[141]

¿Qué había ocurrido en el interior de las selladas puertas del cautiverio del Generalísimo? Ni más *ni* menos lo que parecía a simple vista.

En sus posteriores declaraciones públicas, Chiang afirmó que se había negado invariablemente a aceptar cualquier tipo de negociación política ni había firmado nada.[142] Técnicamente era cierto. Zhou Enlai explicó a Mao que las negociaciones se habían mantenido directamente con los Soong, y sólo cuando ellos alcanzaron un acuerdo sobre las principales demandas de Zhang Xueliang le dio el Generalísimo garantías de que se atendría a lo acordado.[143] La opinión de Mao era que Chiang permaneció «ambiguo y evasivo»,[144] y que no había modo alguno de saber si haría honores a un acuerdo que después negaba haber asumido, y que, aunque lo admitiese, había sido obtenido bajo coacción.

Los primeros indicios fueron todos negativos. El Joven Mariscal, el cordero sacrificial cuya poderosa acción había hecho posible el acuerdo, fue sometido a un tribunal de guerra, condenado a diez años de cárcel, amnistiado, y después sometido a arresto domiciliario (del que no quedaría liberado hasta su nonagésimo aniversario, más de cincuenta años después, en Taiwan). Lejos de retirarse, como Chiang había prometido, los nacionalistas enviaron refuerzos. En Nanjing volvió a aflorar la presión para lanzar una expedición punitiva. Las tropas de Zhang comenzaron a construir fortificaciones defensivas y, en enero de 1937, Mao indicó al Ejército Rojo que se debía «preparar firmemente para la guerra».[145] Pero meses después la crisis se había disipado.[146] Chiang y Zhou Enlai retomaron los contactos, primero indirectos, después cara a cara. Pero la anhelada posibilidad de un frente unido se mostró tan huidiza como siempre. A lo largo de la primavera y el inicio del verano, los dos bandos discutieron sobre cuestiones que abarcaban desde el número de divisiones que debía tener el ejército hasta el tipo de insignia que debían lucir en sus cascos.[147]

Posteriormente, comunistas y nacionalistas afirmarían por igual que el incidente de Xi'an fue un punto de inflexión, un momento decisivo que cambió el curso de la historia de China. Mao estaba cerca de la verdad cuando dijo al Politburó, poco después de la liberación de Chiang, que si se alcanzaba una tregua con los nacionalistas, no sería porque el Generalísimo hubiese dado su palabra, sino «porque la situación no le dejaría otra opción».[148] Los sucesos de Xi'an fueron un catalizador fundamental. Pero no fueron la principal cuestión en juego.[149] Ésta entró en escena el 7 de julio, cuando las tropas japonesas ocuparon un enlace ferroviario clave junto al puente de Marco Polo, en Lugouqiao, ocho kilómetros al suroeste de Pekín.[150] La guerra del Pacífico había comenzado.

Incluso entonces el Generalísimo dudó.[151] Una semana después del ataque japonés continuaba poco dispuesto a permitir que el Ejército Rojo partiese hacia el frente. En un telegrama dirigido a la Comisión Militar del Partido Comunista Chino, Mao reclamó precaución:

No permitamos que Chiang sienta que se le está empujando hacia un rincón. [Nuestro] deber ahora es animarle a dar el último paso para la formación del frente unido, y puede haber todavía algunos problemas al respecto. Ha llegado el momento de la verdad, en el que se va a decidir si nuestro país vivirá o morirá. Éste es el momento clave en el que Chiang Kai-shek y el Guomindang deben cambiar completamente de política. Todos nuestros actos tienen que respetar estas premisas generales.[152]

Aquel mismo día, después de que Mao firmase el telegrama, el 15 de julio de 1937, Zhou Enlai viajó hasta Lushan, enclave montañoso en el que el Generalísimo se alojaba cerca de Nanchang, para mantener su tercer encuentro del año.[153] Zhou le entregó el borrador de una declaración, reiterando anteriores compromisos comunistas y asegurando el apoyo del partido a la revolución democrática iniciada por el fundador del Guomindang, Sun Yat-sen. A cambio, dijo, el Partido Comunista Chino sólo tenía dos exigencias importantes: la guerra contra Japón, y la «democracia», un término en clave para designar la legalización de las actividades comunistas.

Chiang todavía se mostraba reacio.

El 28 de julio, Mao lanzó un ultimátum: el Ejército Rojo, con Zhu De como comandante en jefe y Peng Dehuai como su lugarteniente, iniciaría el 20 de agosto su aproximación hacia el frente, tanto si el Guomindang estaba de acuerdo como si no.[154]

Al día siguiente, las tropas japonesas ocuparon Pekín, y acto seguido Tianjin, el día 30. Pasaron diez días más. Entonces, el 13 de agosto, atacaron Shanghai, amenazando directamente la base de poder de Chiang. La decisión no se podía posponer por más tiempo. «Ve y dile a Zhou Enlai», ordenó a uno de sus auxiliares, «que [los comunistas] deben enviar las tropas inmediatamente. No necesitan esperar más.» Poco después se anunció que el Ejército Rojo había sido rebautizado como el Octavo Ejército de Campaña del Ejército Revolucionario Nacional [del Guomindang].[155]

Finalmente, el 22 de septiembre, el Guomindang publicó la declaración que dos meses antes le había entregado Zhou Enlai, y el Generalísimo en persona anunció que, en interés de la nación, el frente unido había quedado rehabilitado.[156]

Las reticencias de Chiang de llegar a un acuerdo eran comprensibles. Durante diez años había conseguido arrinconar a los comunistas en el desierto, en los márgenes de la vida política china. Pero ahora volvían a aparecer en el centro de la escena como un partido legal de dimensión nacional, con una plataforma de alcance público y protagonista de una renombrada aportación patriótica. Había quedado abierto para Mao el camino hacia el poder. Como dijo a un aturdido Kakuei Tanaka, décadas después primer ministro de Japón, lo habían abierto los japoneses.

11

El interludio de Yan'an:
el filósofo es el rey

Poco después de la liberación de Chiang Kai-shek en Xi'an, el Ejército Rojo desplazó su cuartel general a un ambiente más cómodo y algo más sofisticado, noventa kilómetros al este del mísero poblado de cuevas de Bao'an.[1]

La vieja ciudad amurallada de Yan'an, que Zhou Enlai había visitado secretamente el año anterior para celebrar su primer encuentro clandestino con el Joven Mariscal, descansa sobre el meandro de un río poco profundo salpicado de rocas, bajo una blanca y antigua pagoda, construida sobre un promontorio como talismán contra las inundaciones de otoño.[2] Desde la época Song, se había erigido como un importante enclave comercial, donde las caravanas de camellos llegaban desde Mongolia transportando ponis, lana y pieles. Los leñadores cargaban madera aserrada sobre las mulas y troncos de árbol enteros sobre unas tartanas de grandes ruedas tiradas por bueyes. La sal llegaba de contrabando desde las ciudades del sur. Por detrás de la Torre de la Campana, un herbolario vendía polvo de diente de león, serpientes secas y otros remedios caseros. Durante las ferias y los días de mercado, un gentío ruidoso y alborotado hormigueaba por las polvorientas calles, ataviado con vestidos burdos y turbantes blancos en la cabeza, provocando la fascinación de los jóvenes soldados recién llegados de la región de las montañas áridas del oeste, y suponiendo, a su vez, un agradable cambio para los dirigentes del partido y sus esposas, que en los días señalados y las fiestas podían pasear por la ciudad, gozando del bullicio y el colorido.

Mao y He Zizhen, quien todavía no se había recuperado de las heridas sufridas durante la Larga Marcha, se mudaron a la casa de un rico mercader de la parte oeste de la ciudad amurallada, en las laderas más bajas de Fenghuangshan, la Montaña del Fénix. Zhang Wentian, en tanto que líder en funciones del partido, ocupaba el patio central, que incluía un salón de recepciones donde se celebraban las reuniones del Politburó. Zhu De y Peng

Dehuai tenían sus aposentos en otro patio cercano, donde se ubicó la Oficina de la Comisión Militar. Mao disponía de una estancia donde recibía a los visitantes, así como de un espacioso estudio dotado de ventanas con celosías de papel, y un gran baño circular de madera. Pero las comodidades materiales tenían sus límites. La única calefacción para combatir el helado invierno norteño llegaba del fuego de debajo del *kang*; el agua tenía que ser transportada desde el pozo; y los documentos de Mao, la razón misma de su existencia política, fueron archivados en armarios provisionales fabricados con barriles de la Standard Oil.[3]

Durante la década posterior, la pagoda de Yan'an, su paisaje estratificado, su maciza muralla dentada y su puerta del siglo XII se convirtieron en un símbolo de la esperanza, un faro para los jóvenes chinos de ideas progresistas y los simpatizantes occidentales. Pero, como anotó prosaicamente un sensato viajero que visitó a lo largo del verano de 1937 a los dirigentes del Partido Comunista Chino, en realidad se trataba, entonces como ahora, de una «ciudad china bastante corriente situada en un remanso de Shaanxi».[4] El aura de romanticismo que exudaba «de valiente juventud, coraje y pensamiento elevado», emanaba de la extraordinaria concentración de personas que allí se congregaban.[5]

Michael Lindsay, un aristócrata inglés cuyo padre había sido rector del Colegio Superior de Balliol, en Oxford, pasó parte de la guerra en Yan'an adiestrando operadores de radio para el Ejército Rojo. Lo recordaría como «la época heroica del comunismo chino».[6] El periodista Gunther Stein ensalzó «el decidido entusiasmo guerrero de una pionera comunidad primitiva ... Parecía que sentían, lo creamos o no, que el futuro era suyo».[7] Thomas Bisson, un académico norteamericano, descubrió allí un compromiso igualitarista, «una cualidad especial de vida».[8] Sólo algún que otro escéptico percibía la existencia de un lado oscuro; la uniformidad del pensamiento, o los jóvenes guardas, armados con máusers, que rondaban inadvertidos alrededor de los principales dirigentes, como otras tantas sombras.[9]

El mito del «Camino de Yan'an» —la distintiva rama de comunismo que Mao desarrolló durante el interludio de diez años que se extiende entre el final de la primera guerra civil china y el principio de la segunda— se unió a la leyenda de la Larga Marcha como uno de los emblemas más imperecederos del sistema que se disponía a crear.

No obstante, antes de que pudiera ocurrir así, Mao primero debía alcanzar dos objetivos a largo término por los que había estado luchando conscientemente desde su llegada a Shaanxi, dos años antes: la consolidación de su poder político y la elaboración de un cuerpo de teoría marxista que llevase su sello personal.

Ambos elementos estaban íntimamente relacionados entre sí. Todo líder comunista, a partir de Lenin, había basado su autoridad en sus contribuciones teoréticas a la doctrina marxista. Ésta era la pieza más débil de la coraza de Mao. Mientras sus rivales de partido, los estudiantes retornados y su dirigente, Wang Ming, se habían impregnado de ortodoxia leninista en las universidades rusas, él siempre había permanecido en las tierras salvajes, luchando en una guerra de guerrillas. Pero existía una opción, comprendió Mao, para que aquella debilidad se transformase en su punto fuerte. Diez años antes, durante el invierno de 1925, había reclamado «una ideología construida en concordancia con la situación china».[10] En China, durante dos mil años, cada régimen había elaborado su propia ortodoxia. Ello habilitaría al partido para alimentarse de la abundante sangre del nacionalismo chino, erosionaría la influencia de los rivales de Mao, de formación rusa, y reforzaría extraordinariamente sus propias pretensiones de liderazgo.

En diciembre de 1935, en Wayaobu, realizó sus primeros tanteos.

Allí, a exigencia suya, el Politburó extendió su ratificación al planteamiento que consistía en afirmar que el marxismo debía aplicarse flexiblemente a las «condiciones específicas y concretas de China», y condenó el «dogmatismo izquierdista», término que se refería a la adherencia servil a las ideas de Moscú.

Tres meses más tarde comenzó a argumentar que el partido chino debía «organizar las cosas por sí mismo y tener fe en sus propias capacidades»; la Unión Soviética era un amigo, pero su ayuda era algo secundario. La política soviética y la china coincidían, afirmó, «sólo donde los intereses de las masas chinas coinciden con los intereses de las masas rusas».[11]

En junio de 1936 se inauguró la Universidad del Ejército Rojo en un minúsculo templo taoísta de Wayaobu de una sola estancia, destinada a funcionar como foro donde Mao podía conferenciar sobre asuntos políticos y militares.[12] Tuvo una vida muy breve, ya que la ciudad fue entregada a los nacionalistas tres semanas después. Pero, tras la mudanza a Bao'an, la «universidad» quedó restablecida, con Lin Biao como rector, en un entorno igualmente humilde; una cueva natural donde los comandantes del Ejército Rojo se acuclillaban sobre improvisados escabeles de piedra y tomaban notas, con la ayuda de estiletes, en «libretas» de piedra blanda.[13] Allí, aquel otoño, Mao ofreció una serie de charlas titulada «Problemas de estrategia en la guerra revolucionaria de China», en la que desarrolló por vez primera la noción de la especificidad de China, aparentemente refiriéndose a asuntos militares pero, de hecho, también a cuestiones no tan restringidas:[14]

> La guerra revolucionaria de China ... se desarrolla en el específico entorno chino y tiene por tanto sus propias circunstancias y naturaleza específicas [y] ... sus propias leyes específicas ... Algunos ... dicen que es suficiente simplemente con estudiar la experiencia de la guerra revolucionaria en Rusia ... y los manuales militares publicados por las organizaciones militares soviéticas.

Ellos no entienden que esos ... manuales incorporan las específicas características de la ... Unión Soviética, y que si los copiamos y los aplicamos mecánicamente sin introducir ningún cambio, tendremos que ... «cortarnos los pies para ponernos los zapatos», y seremos derrotados ... A pesar de que debemos valorar la experiencia soviética ... debemos apreciar aún más la experiencia de la guerra revolucionaria de China, ya que existen muchos factores sólo inherentes a la revolución china y al Ejército Rojo chino.

Al enfatizar las diferencias entre la Unión Soviética y China, y afirmar la primacía de la experiencia autóctona, «adquirida al precio de nuestra propia sangre», Mao estaba preparando minuciosamente el terreno para la idea del marxismo de características nacionales. Para subrayar el mensaje lanzó una extensa crítica a los «oportunistas izquierdistas de 1931-1934» —los líderes de los estudiantes retornados—, a los que acusaba de comportarse como «alborotadores y pedantes» y perseguir «teorías y prácticas [que] no tenían el más mínimo sabor a marxismo; de hecho, eran antimarxistas».

A pesar de utilizar ese lenguaje, Mao fue capaz de evadirse impunemente gracias a que no mencionó a nadie por su nombre, y a que sus observaciones no trascendieron más allá de una selecta audiencia perteneciente a la elite militar. No obstante, estaba llegando a los límites de lo que sus compañeros estaban dispuestos a aceptar. En febrero de 1937, cuando su antiguo protegido de Anyuan, Liu Shaoqi, entonces responsable del trabajo clandestino del partido en el norte de China, sostuvo que la década anterior, en su totalidad, había sido un período de «aventurismo izquierdista», el resto de dirigentes puso el grito en el cielo.[15] Sin embargo, en verano los vientos ya habían cambiado, y cuando Liu repitió sus acusaciones, Mao salió abiertamente en su defensa. «El informe de Shaoqi es básicamente correcto», dijo al Politburó. «Es como un médico que diagnostica nuestros padecimientos, señalando sistemáticamente las enfermedades que hemos tenido con anterioridad.» A pesar de que el partido acumulaba a su favor grandes méritos, explicó Mao, sufría aún una «errónea tradición izquierdista». Todavía había mucho por hacer si se quería superar ese problema.[16] Aquel episodio marcó el inicio de la ascensión de Liu, que le llevaría a convertirse, a lo largo de los siguientes cinco años, en el compañero que mayor confianza inspiraba a Mao.

Mientras el debate sobre el izquierdismo se cocía a fuego lento, Mao retomó sus estudios sobre marxismo.[17] No había realizado la exégesis de ningún texto filosófico desde su época de estudiante, hacía veinte años, y se sentía intimidado ante esa perspectiva. Aquel invierno anotó un importante número de pesados volúmenes escritos por teóricos soviéticos,[18] incluyendo el filósofo de cabecera de Stalin, Mark Mitin,[19] y la primavera siguiente inició una serie de conferencias dos veces por semana, los martes y los jueves por la mañana, sobre materialismo dialéctico.[20]

No resultó un éxito.

Sus charlas iniciales, trazando la evolución de la filosofía europea como una lucha entre el materialismo y el idealismo, primero en Francia durante los siglos XVII y XVIII, y después en Alemania en el siglo XIX, fueron en extremo monótonas.[21] El propio Mao advirtió a su audiencia: «Estas charlas están lejos de ser apropiadas, ya que apenas he empezado a estudiar dialéctica».[22] A mediados de los años sesenta se sentía tan mortificado por aquel recuerdo que intentó negar su autoría.[23] Pero en al menos una cuestión Mao aportó alguna novedad, al argumentar que lo particular y lo general estaban «vinculados entre sí y [eran] inseparables», lo que posteriormente le proporcionaría la base teórica que le permitiría afirmar que los principios marxistas generales debían materializarse siempre en una formulación nacional particular.[24] Pero en casi todos los aspectos avanzó como un neófito, embarrancado en un tópico con el que todavía luchaba, antes de alcanzar su comprensión.

Las dos series siguientes fueron bastante mejores, en parte porque estaban basadas de un modo más sólido en la propia experiencia de Mao. «Sobre la práctica» desarrollaba los temas de un ensayo que había escrito en 1930, durante sus estudios rurales en Jiangxi, titulado «¡Oponerse a la adoración!».

> Si no has investigado sobre un determinado problema, pierdes el derecho a hablar sobre él. ¿No es esto demasiado brutal? De ningún modo. Mientras no hayas investigado la situación actual y las circunstancias históricas de ese problema, y no tengas un conocimiento preciso sobre él, todo lo que digas serán únicamente necedades ... También hay algunos que dicen: «Enséñame en qué libro está escrito» ... Este método de dirigir una investigación, a través de la adoración de los libros, [es] muy peligroso ... Debemos estudiar los «libros» marxistas, pero se los ha de adaptar a la situación actual. Necesitamos «libros», pero debemos acabar con esta idolatría de los libros que se aleja de la realidad. ¿Cómo podemos corregir esta adoración de los libros? Sólo investigando la situación actual.[25]

En «Sobre la práctica», esta idea fue resumida con el aforismo «la práctica es el criterio de la verdad»:

> La tendencia al cambio en el mundo de la realidad objetiva es ilimitado, y también lo es el conocimiento humano de la verdad a través de la práctica. El marxismo de ningún modo ha agotado la verdad, sino que incesantemente abre [nuevos] caminos para [su] conocimiento ... Práctica, conocimiento, de nuevo práctica, y de nuevo conocimiento. Los patrones se repiten en un ciclo sin fin, y con cada ciclo los contenidos de la práctica y el conocimiento se encaraman hasta niveles más elevados ... Así es la teoría materialista dialéctica de la unidad del conocimiento y la acción.[26]

Se pueden encontrar algunos precedentes a «Sobre la contradicción» en los días de Mao como estudiante.[27] Descubrió, al igual que Lenin antes que él —lo que había inspirado, en sus notas a Paulsen, el pasaje: «La vida es muerte y la muerte es vida, arriba es abajo, sucio es limpio, lo masculino es lo femenino, y lo grueso es fino»—, que la unidad de opuestos era «la base de la dialéctica ... el fundamento teórico más importante de la revolución del proletariado ... la ley esencial del universo y del método ideológico».[28] Para formular una política correcta, argumentaba Mao, era necesario, en cualesquiera circunstancias, determinar cuál era la contradicción primordial, y cuál su aspecto principal.

Comentaristas posteriores defenderían que Mao alcanzó el éxito en su intento de imbuir el marxismo-leninismo de las «características nacionales chinas» mediante la incorporación de algunos elementos del pensamiento chino antiguo.[29] Pero de importancia más inmediata es el hecho de que entonces comenzó a elaborar una justificación teórica a la búsqueda, por parte del partido chino, de su propio e independiente camino hacia el comunismo.

También en otros aspectos importantes Mao cortó muy libremente sobre los patrones de la ortodoxia estalinista.

El marxismo afirma que la base económica y las fuerzas productivas que operan en ésta determinan la superestructura política y cultural de la sociedad. En ocasiones, afirmaba entonces Mao, esta relación se puede invertir. «Cuando la superestructura obstruye el desarrollo de la base económica, los cambios políticos y culturales se convierten en principales y determinantes ... En general, lo material determina lo mental. [Pero] también podemos, y de hecho debemos, reconocer la acción de lo mental sobre las cosas materiales.»[30] Aquí, expresándolo en terminología marxista, se escondía la creencia que él había alimentado desde su infancia del poder de la mente humana. Décadas después le proporcionaría el sustrato ideológico de sus dos grandes intentos de transformar China a través de la movilización de su espíritu: el Gran Salto Adelante y la Revolución Cultural.

En agosto de 1937, la serie de conferencias llegó abruptamente a su fin, cuando el avance japonés sobre Shanghai obligó a Mao a prestar atención a cuestiones prácticas mucho más inmediatas.[31]

Esto no significa que dejase la filosofía a un lado. Aquel otoño, a petición suya, Ai Siqi, la máxima figura entre la joven generación de marxistas teóricos académicos, llegó a Yan'an para organizar un círculo de estudios que se reunía semanalmente.[32] Uno de los seguidores de Ai, Chen Boda, un hombre bajo y nervioso con un ininteligible acento de Fujian, agravado por su pronunciado tartamudeo, se convirtió en el secretario político de Mao.[33] Durante los años que siguieron, Mao leyó con voracidad todos los textos marxistas que conseguía localizar; incluso, en otro reflejo de sus días de estudiante, comenzó un «diario de lecturas» en el que anotaba todos los libros que leía.[34]

Años después Mao desarrollaría un auténtico placer por la especulación filosófica, y sus conversaciones, fuesen discusiones públicas o privadas, se adornaron de tal modo de analogías arcanas y referencias enigmáticas a abstrusas cuestiones de debate que incluso sus compañeros del Politburó tenían que esforzarse para poder comprenderle. A pesar de ello, es difícil evitar tener la impresión de que la filosofía era para Mao, esencialmente, un punto de partida —un trampolín al reino de las ideas—, no algo que le fascinase intrínsecamente. «Sobre la práctica» y «Sobre la contradicción» fueron importantes en tanto que establecieron sus credenciales como teórico, y fortalecieron sus aspiraciones de liderar el partido, pero para él representaron simple y llanamente una ingrata tarea.[35] El estilo era pedestre, falto de la mordacidad y la profundidad habituales. La teoría pura era un medio para llegar al fin, no una disciplina en la que Mao se regocijase.

El 29 de noviembre de 1937, mientras el ejército japonés de Kwangtung avanzaba sin pausa hacia el sur cruzando las planicies del norte de China, apareció un avión en los cielos de Yan'an y comenzó a sobrevolar su primitivo aeródromo.[36] Inicialmente, los vigías pensaron que se trataba de un aparato japonés en una misión rutinaria de bombardeo. Pero después observaron sus emblemas soviéticos, y Mao y el resto del Politburó se apresuraron hacia la pista de aterrizaje. Del aeroplano descendió Wang Ming, el solemne y algo obeso director de la «Sección sobre China de Stalin», al que el dirigente soviético enviaba entonces de vuelta para robustecer el compromiso del partido chino en el frente unido con Chiang Kai-shek. Le seguía un hombre delgado de aspecto erudito llamado Kang Sheng, especializado en tareas de espionaje policial; así como Chen Yun, enviado a Moscú dos años antes para informar al Comintern de las decisiones tomadas en Zunyi.

Mao había sido avisado por radio del inminente retorno de Wang, pero el viaje, a través de Xinjiang, le había llevado dos semanas, y desde allí no tenían ninguna posibilidad de saber exactamente cuándo llegaría.

Aquella noche los cocineros del Ejército Rojo prepararon un banquete. En los discursos de bienvenida, Mao celebró la llegada de Wang como «una bendición del cielo», mientras Zhang Wentian elogió sus logros en el Comintern.[37] Poco después comenzaron las artimañas para alcanzar una posición de privilegio. Wang era demasiado astuto para desafiar abiertamente el dominio de Mao, pero le contradecía en algunos asuntos políticos en los que, según permitía que se infiriese, contaba con el respaldo de Moscú.[38] El eje de sus diferencias, que fueron públicamente expuestas de una manera perceptible durante la reunión del Politburó que comenzó el 9 de diciembre y se prolongó durante seis días, era el frente unido con el Guomindang.

Mao había elaborado su estrategia tres meses y medio antes, durante un congreso de dirigentes celebrado en la ciudad de Luochuan, noventa kilómetros al sur de Yan'an.[39] Si China quería derrotar a Japón, defendió, era esencial conseguir la unificación de todas las fuerzas antijaponesas. Pero dentro de este frente unido, «el Partido Comunista Chino debe continuar siendo independiente, y nosotros tenemos que mantener la iniciativa en nuestras propias manos». Políticamente, ello significaba que el partido debía esforzarse por interpretar el «papel principal» en la guerra, y ampliar sus propias filas. También debía mantener «un alto grado de vigilancia» del Guomindang, entendiendo que, junto a la unidad, continuarían coexistiendo las rivalidades y la lucha. Militarmente, implicaba la preparación para una guerra prolongada, en la que el Octavo Ejército de Campaña confiaría principalmente en las tácticas de guerrilla y evitaría la guerra posicional. «La base de la guerra de guerrillas», les recordó Mao, «consiste en expandirse e incitar a las masas [para unirse a la lucha], y concentrar las fuerzas regulares [sólo] cuando se pueda destruir al enemigo. Hay que luchar cuando se sabe que se puede vencer. ¡No hay que luchar en batallas que se pueden perder!» Las principales fuerzas comunistas, insistió, se debían emplear con prudencia «a la luz de la actual situación» para preservar su capacidad.

Mao sintió que los acontecimientos, a medida que avanzaba el otoño, ponían de manifiesto la cordura de esta política. Chiang Kai-shek, creía él, estaba intentando forzar al Ejército Rojo para que cargase con el peso de la lucha.[40] Se inició una campaña para asegurar que los oficiales del partido defendían los intereses del Partido Comunista Chino y que no caían ciegamente en la invitación del Guomindang.[41] En sus telegramas a los comandantes del Ejército Rojo, Mao repitió hasta la extenuación el mensaje de que la guerra de guerrillas debía ser «la única guía», luchar en batallas con piezas de artillería pesada resultaría «absolutamente infructuoso».[42] Cuando, a finales de septiembre, las fuerzas de Lin Biao emboscaron una columna japonesa en Pingxingguan, al norte de Shanxi, aniquilando a un millar de tropas enemigas, Mao quedó dividido entre el júbilo por la primera victoria china en la guerra, que elevó el prestigio del Ejército Rojo y encendió un sentimiento de júbilo por toda China, y el enojo, dado que Lin, al igual que otros, se había arriesgado a que sus fuerzas quedasen peligrosamente amenazadas.[43] Unos días después, una campaña del Guomindang para reagrupar (y, de ese modo, controlar) las fuerzas comunistas guerrilleras supervivientes en el sur de China provocó un renovado desasosiego ante las intenciones de Chiang.[44] Llegaron después señales preocupantes —mientras, una tras otra, en el norte abandonaban las ciudades chinas a manos del furioso ataque japonés— de que el Guomindang mostraba un renovado interés por alcanzar una paz entre los nacionalistas y Tokio.[45] Mao estaba más convencido que nunca de que el Partido Comunista Chino debía mantener sus intenciones en secreto[46] y «rechazar, criticar y luchar contra» las «erróneas políticas» del Guomindang.[47]

Wang Ming, recién llegado de Moscú, adoptó una postura muy diferente.[48] Stalin consideraba al Guomindang un colaborador indispensable para mantener acorralados a los japoneses (y prevenirles de dirigir su atención hacia Siberia). El partido chino, como miembro leal del Comintern, debía hacer todo lo posible para fortalecer la alianza con el Guomindang. La cuestión clave, argumentaba Wang, era «consolidar y desarrollar la unidad entre el Guomindang y el Partido Comunista Chino» basándose no en la «mutua competencia», sino en el «respeto, la confianza, el apoyo y la supervisión mutuas». Las cuestiones relativas a cómo «mantener la iniciativa en nuestras propias manos» y qué partido debía ocupar el papel principal quedaban en segundo término. El principio básico rezaba: «Resistirse a Japón precede a cualquier otro asunto, y todo se debe subordinar a la resistencia ante Japón. Todo está supeditado al frente unido, y todo se debe canalizar a través del frente unido».

Cuando Wang Ming expuso estas ideas en la reunión del Politburó del mes de diciembre, Mao replicó que la estrategia ideada en Luochuan era la correcta.[49] El Partido Comunista Chino debía mantener su independencia, de lo contrario sería reducido a la condición de auxiliar del Guomindang. La unidad y la lucha eran complementarias, continuó, empleando su recién adquirido repertorio de dialéctica marxista. Era imposible, en el contexto del frente unido, la una sin la otra.

Para Zhou Enlai, hasta entonces principal interlocutor del Guomindang, y para algunos de los comandantes militares, que apostaban por una ofensiva a mayor escala contra los japoneses, los argumentos de Wang Ming de «toda ayuda es buena» presentaban un aliciente definido, especialmente porque contaban con el respaldo soviético.[50] Según se dice, Mao comentó con posterioridad, con el dramatismo ligeramente complaciente que le invadía en semejantes circunstancias, que después de la vuelta de Wang Ming «mi autoridad no llega más allá de mi cueva».[51] Pero en realidad contaba con el suficiente apoyo como para bloquear las propuestas de Wang, y como ninguno de los bandos pretendía forzar la situación, el encuentro terminó en tablas.

Los esfuerzos de Wang para robustecer su sostén dentro del partido obtuvieron un éxito a medias.[52] Él, Chen Yun y Kang Sheng, todos miembros plenarios del Politburó, se unieron a Mao y Zhang Wentian en el Secretariado. Pero se dejó que prescribiese el cargo de «líder en funciones del partido», en manos de Zheng desde principios de 1935, y, en interés del «liderazgo colectivo» (otra estratagema para minar la influencia de Wang), se acordó que ningún documento importante del Partido Comunista Chino pudiese ser publicado sin la aprobación de al menos la mitad de los miembros del Secretariado del Politburó. Teniendo en cuenta que Wang partió poco tiempo después hacia Wuhan, donde se convertiría en secretario de la Oficina del partido del Yangzi y jefe de la delegación del Partido Comunista Chino en el Guomindang, estas maniobras significaron que Mao y Zhang Wentian mantenían el control de la toma de decisiones cotidianas. El Politburó también decidió, a demanda del Comintern, que se iniciasen los preparativos del Séptimo Congreso del partido, pospuesto largo tiempo, acto del que, *a priori*, Wang esperaba salir fortalecido, pues razonablemente esperaba que le confirmase, como mínimo, dirigente del partido de segundo rango. Pero en términos prácticos no le ayudó en absoluto, ya que Mao fue nombrado presidente del comité preparatorio y actuó con torpe premura.

El desafío que ofreció Wang Ming fue, aun así, el más serio que Mao había tenido que afrontar en los casi dos años y medio anteriores. Wang era el principal representante de la cohorte de educación soviética que Mao intentaba desterrar del seno del partido chino. Era ambicioso, poseía un enorme prestigio dentro del partido y contaba con el apoyo de Moscú. Consideraba que Mao era esencialmente una figura militar cuyo cetro político con el tiempo podía acabar en sus manos. Después del Cuarto Pleno de 1931, Wang se había erigido como el más eminente dirigente del partido, hasta que abdicó sus poderes en Bo Gu. Pero no había perdido la esperanza de recuperar esa posición.

Inicialmente, la política de Wang pareció dar sus frutos.[53] En enero, los intentos alemanes de mediar entre China y Japón fracasaron, y las relaciones entre el Partido Comunista Chino y el Guomindang comenzaron a mostrar signos de mejora. En Wuhan se autorizó la distribución de un periódico comunista, el *Xinhua ribao*, concediendo al partido por primera vez un medio no clandestino para propagar sus ideas en las zonas controladas por el Guomindang. Los reclutamientos del Partido Comunista Chino en las ciudades aumentaron a gran velocidad.

Pero el avance japonés continuaba.

Nanjing había caído en sus manos. En febrero la amenaza se cernió sobre Xuzhou. El siguiente gran objetivo sería Wuhan. La defensa de aquella ciudad, argüía ahora Wang, debía convertirse en la máxima prioridad.[54] Si allí se podía detener el avance japonés, la victoria final estaría asegurada. El frente unido debía fortalecerse aún más, estableciendo «un ejército nacional unificado ... [con] una comandancia unida, una sede unida ... planes únicos de batalla y combates conjuntos», así como creando una «alianza nacional revolucionaria» en la que todos los partidos políticos —incluidos el Guomindang y el Partido Comunista Chino— se unirían en la causa común.

A Mao, los llamamientos de Wang a «defender las posiciones importantes para detener el avance enemigo» le recordaban el desastroso lema de Bo Gu, «¡Defender cada pulgada de territorio soviético!», que cuatro años antes había llevado a la pérdida de la base de Jiangxi.

Cuando el Politburó se volvió a reunir, a finales de febrero, Mao expuso su propio y desolador análisis del futuro devenir de la guerra.[55] El Guomindang era un partido corrompido, dijo. El Partido Comunista Chino no poseía la fuerza necesaria para derrotar a Japón por sí solo; y los japoneses no disponían de suficientes tropas para ocupar todo el territorio de China. En esas circunstancias el conflicto no podía acabar con inmediatez. Lejos de defender Wuhan, la política más correcta era optar por una retirada estratégica. Pretender continuar con las extenuantes pero poco decisivas batallas de los últimos meses era una equivocación, advirtió Mao. China debía preservar sus fuerzas para el día en que pudiese alcanzar la victoria final. En esta ocasión, de hecho, no empleó la expresión «seducir al enemigo», pero ninguno de sus compañeros podía albergar duda alguna sobre lo que significaban sus palabras: para resistir ante Japón, China debía usar la misma estrategia, a nivel nacional, que los comunistas habían empleado en Jiangxi para derrotar las campañas de asedio del Guomindang.[56]

Tres meses más tarde, Mao amplió esas ideas en dos ensayos que se convertirían en clásicos militares, estableciendo los principios rectores del Ejército Rojo durante los siguientes siete años, hasta el final de la guerra en 1945.

En «Problemas de estrategia en la guerra de guerrillas» argumentaba que cuando un país grande y débil (China) era atacado por un vecino pequeño y poderoso (Japón), una parte, incluso la mayor parte, de su territorio está destinada a acabar en manos del enemigo. En esas circunstancias, los defensores deben establecer bases en los montes, como había hecho el Ejército Rojo en Jiangxi, y llevar a cabo una guerra de cerco mutuo, similar a una partida de ajedrez,[57] en la que cada bando avanza desde sus plazas fuertes e intenta dominar «los espacios vacíos del tablero», las enormes regiones en las que se puede aplicar la estrategia de guerrillas.

En el segundo ensayo, «Sobre la guerra prolongada», intentó preparar al partido, y a la opinión pública en general, entonces accesible a través del *Xinhua ribao*, para el largo y arduo conflicto que entrañaba semejante estrategia.[58]

La capitulación, a pesar de ser una cuestión muy discutida en el seno del Guomindang, era muy improbable, defendía Mao, a causa del «carácter obstinado y particularmente bárbaro» de la agresión japonesa, lo que había suscitado la incansable hostilidad de todos los sectores de la población china. De este modo, a pesar de que «ciertos subyugacionistas aparecerán de nuevo arrastrándose y se confabularán con [el enemigo]», la nación entera se alzará para luchar.[59] Sin embargo, una victoria rápida era del mismo modo improbable. En las etapas iniciales de la guerra, que podían durar meses o incluso años, China sufriría derrotas parciales y Japón obtendría victorias igualmente parciales. Pero a medida que las líneas de abastecimiento japonesas se fuesen extendiendo hasta traspasar sus limitaciones y la fatiga de la guerra fuese haciendo mella, la balanza iría variando su signo. Los factores subjetivos, afirmaba Mao, como la determinación del pueblo a luchar por sus hogares, su cultura y sus tierras, prevalecerían en último término:

> La teoría de que «las armas lo deciden todo» [es] ... totalmente parcial ... Las armas son un factor importante en la guerra, pero no el factor decisivo; es el pueblo, no las cosas, lo realmente decisivo. La disputa por la fuerza no es únicamente una contienda militar o económica, sino también una lucha del poder y la moral humanas ...

Continuó citando a Clausewitz, cuyos escritos sobre política y guerra habían recibido aquella primavera, por primera vez, la atención de Mao:

> «La guerra es la continuación de la política.» En este sentido, la guerra es política, y la guerra misma es una acción política. No ha existido desde los tiempos antiguos una guerra que no tuviese un matiz político ... Pero la guerra posee sus propias características peculiares y en este sentido no se la puede comparar con la política en sentido general. «La guerra es una técnica política especial para la obtención de ciertos objetivos políticos.» Cuando la política avanza hasta determinado plano, más allá del cual no se puede proceder con los medios habituales, surge la guerra para barrer los obstáculos del camino ... Se puede decir, por tanto, que la política es la guerra sin derramamiento de sangre, mientras que la guerra es la política con derramamiento de sangre.

La clave de la victoria, concluía Mao, residía en la movilización del pueblo de China, para crear «un inmensa marea de humanidad en la que el enemigo se ahogará».

Para Wang Ming, esto era, con mucho, demasiado pesimista.

Una vez más, el Politburó quedaba dividido.[60] Wang, Zhou Enlai y Bo Gu se alinearon en un bando; Mao, Zhang Wentian, Chen Yun y Kang Sheng (que había cambiado rápidamente su adhesión una vez pudo percibir hacia dónde soplaban los vientos) en el otro. Wang, evidentemente confiando en que Stalin le brindaría su apoyo, se avino a que Ren Bishi, entonces director político de la Comisión Militar, fuese a Moscú para recibir nuevas instrucciones.[61] Después enfureció a Mao al anunciar públicamente, en su retorno a Wuhan, que su cruzada por la defensa de la ciudad contaba con el apoyo unánime de los dirigentes comunistas.[62]

A partir de entonces, los dirigentes de Wuhan y Yan'an constituyeron dos diferentes focos de poder comunista, derivándose de ello conflictivas decisiones políticas y la publicación de instrucciones contradictorias.

Mientras Mao denunciaba a los nacionalistas por aceptar sobornos y comprometerles, Wang y Zhou Enlai exigían relaciones más estrechas con Chiang Kai-shek.[63] Cuando Mao les ordenó que se desplazasen al campo, argumentando que Wuhan era imposible de defender,[64] ellos hicieron un llamamiento a los habitantes de la ciudad para que emulasen Madrid, donde los republicanos resistían heroicamente ante los fascistas españoles.[65]

Al final, el populismo de Wang resultó ser su perdición. Sus llamamientos a la población para que ésta se alzase en defensa de la ciudad conjuraron en las mentes del Guomindang el espectro de una insurrección comunista. En agosto, Chiang Kai-shek inició el amordazamiento de las organizaciones comunistas del frente, y muchas de las más activas fueron prohibidas.[66] Los esfuerzos de la Oficina del Yangzi por aumentar por medios legales la representación comunista se vinieron abajo.

Por aquel entonces la causa de Wang ya había recibido un golpe aún más duro y de muy diferente naturaleza. A su llegada a Moscú, Ren Bishi fue recibido por el antiguo aliado de Mao, Wang Jiaxiang, que había ido a la Unión Soviética para ser tratado de sus heridas de guerra y se había mantenido a partir de entonces como representante del Partido Comunista Chino en el Comintern.[67] Ren y Wang Jiaxiang habían trabajado juntos anteriormente, como miembros de la delegación del Cuarto Pleno en el soviet de Jiangxi, en 1931. Ambos habían pertenecido al círculo de Wang Ming. Ambos habían observado cómo Mao se convertía en un líder de ámbito nacional. Y en aquel momento decidieron abogar conjuntamente por Mao. En julio, si no antes —en todo caso, varias semanas antes de que las iniciativas de Wang Ming tropezasen con problemas en Wuhan—, Stalin y Dimitrov estuvieron de acuerdo en que Mao, no Wang, debía recibir la bendición del Kremlin como nuevo jefe del partido chino.[68]

De hecho, parece ser que Wang se engañó a sí mismo en todo lo concerniente a la extensión del apoyo soviético. Antes de su partida hacia China, Dimitrov le había advertido que no debía intentar suplantar a Mao,[69] cuyas aptitudes como dirigente militar eran reconocidas en Moscú desde hacía mucho, y a quien Stalin contemplaba, como mínimo a partir de la reunión de Wayaobu de diciembre de 1935, como la figura dominante del partido chino. Ren Bishi no halló dificultad alguna en convencer al Comintern de que había llegado la hora de acabar con cualquier ambigüedad.

Una mañana de la segunda semana de septiembre de 1938, Mao acudió a la puerta sur de Yan'an para, de pie, bajo los torreones de piedra de la robusta muralla, esperar la llegada de Wang Ming por carretera desde Xi'an y acudir después a una reunión del Politburó.[70] Había hecho lo mismo en Bao'an, cuando las fuerzas derrotadas de Zhang Guotao llegaron rezagadas desde Gansu. Era un gesto que Mao nunca más necesitaría volver a realizar. Sabía, a diferencia de Wang, que el juego había llegado a su fin.[71] Cuando se inauguró la reunión, Wang Jiaxiang leyó una declaración del Comintern aprobando los esfuerzos del Partido Comunista Chino al manejar la cuestión del frente unido en medio de «circunstancias complejas y condiciones muy difíciles», y después comunicó dos instrucciones verbales, emitidas por el mismo Dimitrov:

> Para lograr resolver el problema de la unificación del liderazgo del partido, la cúpula del Partido Comunista Chino debe considerar a Mao Zedong como su centro.
> Debe existir un ambiente de unidad y cohesión.

Las ulteriores dos semanas de discusiones estuvieron dedicadas a la preparación del pleno del Comité Central, el primero desde enero de 1934, convocado por Mao tan pronto como Wang Jiaxiang hubo llegado con la noticia de la decisión de Moscú.

Mao intervino en dos ocasiones, los días 24 y 27 de septiembre. Como en ocasiones anteriores, cuando su estrategia política había triunfado —en Zunyi, en enero de 1935; en Huili, después del exitoso cruce del Yangzi, cuatro meses después; y en Wayaobu—, se mostró igualmente magnánimo, insistiendo en que el punto más importante de la directriz del Comintern radicaba en la necesidad de «salvaguardar la unidad interna del partido». Al mismo tiempo subrayó otras cuestiones. Las instrucciones del Comintern, dijo, establecían los «principios rectores» no sólo para el inminente pleno, sino también para el Séptimo Congreso (cuyo cometido, según indicó, sería el de valorar las acciones pasadas del partido y elegir una nueva cúpula dirigente de acuerdo con los principios promulgados por Dimitrov). El partido se debía preparar para un estancamiento militar: la «guerra prolongada» de la que Mao había estado escribiendo el verano anterior. El frente unido con los nacionalistas estaría dominado por la creciente lucha.[72]

El Sexto Pleno, inaugurado el 29 de septiembre, se prolongó más de un mes.[73]

En su intervención inicial, Mao esbozó las líneas generales de su ataque. Wang Ming y sus seguidores, dejó entrever, tras ser instruidos en marxismo extranjero, habían perdido toda vinculación con su propia cultura

> Si un comunista chino, que forma parte de la gran nación china, unido a ella por su propia carne y su propia sangre, habla sobre el marxismo aislándo-

lo de las características chinas, ese marxismo es mera abstracción. Por lo tanto, la sinización del marxismo —es decir, asegurarse de que cualquier manifestación del mismo tiene un carácter indudablemente chino— es un problema que el partido en su conjunto debe comprender y solucionar sin dilación. Los estereotipos extranjeros deben abolirse, no puede existir tanta salmodia de cánticos vacíos y abstractos, y el dogmatismo debe ser retirado de nuestro camino ... En relación con esta cuestión, entre nuestras filas se cometen errores graves que deben ser superados con decisión.[74]

El objetivo de Mao, hasta entonces, se mantenía oculto bajo un velo. Pero los veteranos del partido comenzaban a escuchar una música familiar. Años antes, en Jiangxi, los estudiantes retornados ya habían sido despectivamente conocidos como *yang fanzi*, «caballeros de casa extranjera».

A finales de octubre, tal como Mao había vaticinado que ocurriría, Wuhan fue tomada, añadiendo mayor dramatismo al derrumbe de la estrategia de Wang. Para entonces, el propio Wang Ming había partido para asistir a una conferencia sobre la política del frente unido patrocinada por el Guomindang, permitiendo que el pleno concluyese sin su presencia.[75] Era la señal esperada por Mao para asegurar su ventaja. Ridiculizó la máxima de Wang de «todo a través del frente unido», porque «simplemente nos ata de manos y pies», e hizo resucitar su propio lema, «iniciativa e independencia». Todo el que fuese incapaz de salvaguardar su independencia, declaró —apuntando de nuevo a Wang— merecía ser llamado «oportunista derechista». Lejos de desmoralizar a las masas, una guerra a largo término desarrollada por las guerrillas, en las que podrían tomar las armas y luchar, era precisamente un medio para despertar su conciencia política.

> Todo comunista debe aferrarse a esta verdad: *El poder político surge del cañón de las armas*. Nuestro primer principio es que el partido empuña el arma, pero no debemos permitir que el arma dirija al partido. De este modo, poseyendo armas, podemos crear organizaciones del partido ... Podemos crear escuelas, cultura, movimientos de masas ... Todo surge del cañón de las armas ... Es sólo a través del poder de las armas como la clase obrera y las masas trabajadoras pueden derrotar a la burguesía y los terratenientes armados; en este sentido podemos decir que sólo con las armas se puede transformar completamente el mundo. Abogamos por la abolición de la guerra ... pero la guerra sólo puede ser abolida a través de la guerra. Para librarnos de las armas es necesario tomar las armas.[76]

Era la fórmula que Mao había acuñado por primera vez en Hankou, en agosto de 1927, y que los dirigentes del partido entonces habían rechazado. Ahora acusaba a Wang Ming y los estudiantes retornados de menospreciar la importancia de los asuntos militares y haber originado «graves pérdidas» en la base central soviética durante los años en que ellos habían detentado el poder.

Para Mao, el otoño de 1938 representó una línea divisoria. Intelectualmente sus ideas habían madurado. Sus escritos mostraban, en el proceso de asimilar la dialéctica marxista a los patrones tradicionales de pensamiento chino, una facilidad y una confianza en sí mismo que hasta entonces habían brillado por su ausencia. A partir de entonces Mao interpretaría el mundo con ese mismo y distintivo estilo elíptico, argumentando a partir de los opuestos, analizando las contradicciones inherentes que, en sus palabras, «determinan la vida de todas las cosas y las impulsan a desarrollarse». Las líneas principales de su pensamiento habían quedado definidas cuando se acercaba a su cuadragésimo aniversario: continuaría refinando sus ideas, pero incorporaría muy pocos elementos radicalmente nuevos.

En términos políticos, su larga campaña para controlar el partido había finalizado en victoria. Wang Ming era todavía un rival a tener en cuenta, pero su desafío había llegado a su fin. Mao podía convivir con ello. Mientras tanto inició un proceso para consolidar los nuevos poderes que había adquirido.

Al igual que Stalin, eligió como instrumento al Secretariado del partido, que pasó a asumir las responsabilidades cotidianas del partido, siempre que el Politburó no se encontrase en sesión.[77] Aquel que controlase el Secretariado controlaría las acciones de la cúpula central. Mao se convirtió en su director, con Wang Jiaxiang, que tan buen trabajo había realizado por él en Moscú, como su lugarteniente. Rechazó la propuesta de convertirse en el secretario general en funciones, a la espera del Séptimo Congreso, al igual que había hecho Zhang Wentian después de Zunyi.[78] Mao ansiaba el control real; el reconocimiento público ya llegaría más tarde.

La posición de Wang Ming quedó aún más deteriorada por la decisión de disolver la Oficina del Yangzi, que él mismo había encabezado. Sus atribuciones quedaron repartidas entre la Oficina del Sur, bajo el control de Zhou Enlai, una nueva Oficina de la Planicie Central, dirigida por Liu Shaoqi, y la degradada Oficina del Sureste, cuyo responsable era el antiguo adversario de Mao, Xiang Ying.

El mes de noviembre de 1938 trajo consigo nuevos cambios a la vida de Mao. Poco después de que el pleno fuese clausurado, los aeroplanos japoneses, cuyas operaciones sobre Yan'an aquel año se habían multiplicado, bombardearon con certera puntería Fenghuangshan.[79] La residencia de Mao resultó gravemente dañada. Él y el resto de dirigentes se mudaron a las cuevas de un cercano pueblo en Yangjialing, un estrecho valle situado a unos cinco kilómetros al norte de las murallas de Yan'an. Pero He Zizhen no fue con él. Mao se casó en noviembre con una joven y esbelta actriz de cine de Shanghai que había adoptado el nombre artístico de Manzana Azul (Lan Ping), pero que ya entonces se hacía llamar Jiang Qing.[80]

Las mujeres que compartieron la vida de Mao tuvieron todas su ración de infortunio. La señorita Luo, la joven campesina que habían escogido sus padres, sufrió la deshonra del rechazo y murió todavía joven. Yang Kaihui acudió al campo de ejecución proclamando su lealtad a Mao, aunque con el espíritu quebrantado al saber que él estaba viviendo con He Zizhen. Ésta, a su vez, afrontó dificultades extraordinarias —obligada a abandonar a tres de sus cuatro hijos y perdiendo el otro, recién nacido; compartiendo el destino de Mao durante los períodos más oscuros de su carrera política; y siendo terriblemente malherida durante la Larga Marcha— sólo para descubrir que, cuando finalmente eran capaces de volver a vivir con normalidad, se habían distanciado demasiado.

Edgar Snow recordaba a He Zizhen en Bao'an como una joven afable y sin presunciones, cuya edad Mao doblaba, ducha en las tareas del hogar, capaz de elaborar compota de melocotones silvestres, y cuidar de su cuarto hijo, el único que sobrevivió: una pequeña niña, Li Min, nacida poco después de la llegada de Snow.[81] En una ocasión, recordaba el norteamericano, «los dos se inclinaron repentinamente y exclamaron de gozo al observar una mariposa nocturna que se había posado lánguidamente junto a una vela, [una] ... cosa encantadora con alas de un delicado verde manzana, ribeteadas con un suave arco azafrán y rosa». Pero aquella imagen de dulzura era engañosa. Como el propio Mao reconocía, He Zizhen poseía un espíritu indómito y un carácter terco e inflexible, capaz de rivalizar con el suyo. «Somos como el hierro y el acero», le dijo a ella después de una espectacular pelea. «A menos que intentemos llegar a un compromiso el uno con el otro, ambos sufriremos.» De hecho, era Mao el que siempre tenía que intentar limar las asperezas. Su joven esposa era demasiado obstinada para dar el primer paso.

En los tiempos de delirio en Jiangxi y durante los peligros de la Larga Marcha se mantuvieron unidos por una necesidad común de supervivencia política y física. La falta de formación de He Zizhen —había abandonado la escuela a los dieciséis años— no parecía importar demasiado. Era inteligente y poseía una mente ágil. Amaba a Mao. Y él, a su vez, sentía un gran afecto por ella.

En Shaanxi todo fue diferente. Mao dedicaba sus noches a las lecturas filosóficas y sus días a la lucha con la teoría marxista. Tenía un auténtico afán de conversar con intelectuales como él, y buscaba ávidamente a los estudiantes que se congregaban en Yan'an para unirse a la causa comunista. He Zizhen se sentía excluida.[82]

Ella no era la única. La mujer de Edgar Snow, Nym Wales, habló de una «crisis real en las relaciones entre los hombres y las mujeres», ya que las mujeres que habían realizado la Larga Marcha vieron amenazada su posición por la llegada de unas jóvenes, de talento y belleza, que traían consigo una moral muy libre y los modales poco artificiosos de las cosmopolitas ciudades de la costa. Ding Ling, escritora feminista, y la norteamericana Agnes Smedley fueron vistas con especial desconfianza por su visión anarquista del matrimonio y su defensa del amor libre, doctrinas antagónicas al estilo de vida puritano que los comunistas impusieron en Yan'an. Fue precisamente en la cueva de Agnes Smedley, una tarde de finales de mayo de 1937, donde las dificultades por las que pasaban él y He Zizhen afloraron a la superficie. Wales, Smedley y su intérprete, una joven actriz llamada Lily Wu, estaban preparando la cena cuando Mao llegó de improviso. Estuvieron hasta la una de la madrugada jugando al borracho, un juego de naipes que Snow había enseñado a los comunistas un año antes en Bao'an y por el que Mao, por encima de todos, había desarrollado una auténtica pasión. Nym Wales apuntó en su diario:

> Él estaba de muy buen humor aquella noche ... Agnes [le] observaba con auténtica devoción, con sus grandes ojos azules que en ocasiones albergaban una mirada fanática. Lily Wu también contemplaba a Mao con la adoración de los héroes. Un poco más tarde quedé aturdida al ver que Lily Wu se le acercaba y se sentaba junto a Mao en el banco, situando ella su mano (muy tímidamente) sobre su rodilla. Lily explicó que había bebido demasiado vino ... Mao también aparentaba estar sorprendido, pero habría sido muy embarazoso rechazarla rudamente, y era evidente que parecía divertirle. También él anunció que había bebido demasiado vino. Lily después se atrevió a tomar la mano de Mao, gesto que repitió algunas veces durante la noche.

En aquel momento nadie prestó demasiada atención a lo ocurrido. Nym Wales aceptó como válida la explicación de Lily Wu de que había bebido demasiado. Lily, escribió, era «muy bella, con largos rizos, acababa de llegar a Yan'an, y su figura estaba generosamente recortada»,[83] y era lo suficientemente poco convencional —la única mujer en Yan'an que usaba lápiz de labios— para que Mao dejase pasar el incidente sin tomar medida alguna.[84] Sin embargo, He Zizhen, a cuyos oídos llegaron las noticias de lo ocurrido, adoptó una postura muy distinta. Reprimió sus sentimientos, escribió ella tiempo después, hasta que consumieron totalmente su corazón.[85]

Mao descubrió entonces que ella volvía a estar embarazada. Fue la gota que colmaba el vaso. He Zizhen sólo tenía veintisiete años. Anhelaba tener una vida propia, no simplemente cuidar de los hijos de un hombre con el que se sentía cada vez más asfixiada. Aquel verano comunicó a Mao que había decidido dejarle.[86]

Parece ser que sólo entonces fue consciente Mao del problema que tenía ante sí.[87]

He Zizhen evocó en sus memorias, publicadas después de su muerte, que él le suplicó que se quedase, recordándole lo mucho que habían pasado juntos y diciéndole lo mucho que la quería. Para demostrar su sinceridad expulsó tanto a Lily Wu como a Smedley de Yan'an. Pero no sirvió de nada. A principios de agosto partió hacia Xi'an.

Mao le envió hasta allí una tradicional caja de cosméticos de madera, fabricada por sus propios guardaespaldas, así como un cuchillo para la fruta y otros objetos que ella apreciaba. De nuevo le pidió que reconsiderase su decisión. Pero ella siguió sin cambiar de opinión.

Cuando Shanghai, su destino original, cayó a manos de los japoneses, partió a través de la provincia de Xinjiang hacia Urumqi, mil quinientos kilómetros al oeste. Entonces, llegada la primavera, ignorando nuevas súplicas de Mao y desobedeciendo una orden directa de la jerarquía del partido para que volviese a Yan'an, viajó hasta la Unión Soviética, donde finalmente pudo recibir tratamiento médico para la metralla que continuaba incrustada en su cuerpo.

Lejos de ser un nuevo comienzo, la estancia de He Zizhen en Moscú la hundió aún más en la desesperación. El bebé, hijo de Mao, nacido poco después de llegar, murió diez meses después de neumonía. Todavía consumida por la aflicción de su muerte, recibió la noticia de que Mao se había vuelto a casar. Explicó a sus amigos que les deseaba lo mejor, y se sumergió en el estudio. Pero la imagen de su propia muerte comenzó a obsesionarla. Cayó víctima de una espantosa depresión, y las autoridades locales finalmente la confinaron en un asilo mental. Mao dispuso que volviese a China en 1947.[88] Continuó recibiendo tratamiento psiquiátrico, y durante el resto de su vida padeció manía persecutoria, convencida de que sus médicos pretendían envenenarla.

Poco después de la partida de He hizo su entrada en escena Jiang Qing.[89]

Ella tenía entonces veintitrés años; era una joven grácil y sofisticada, de labios carnosos y sensuales, una figura que recordaba la de un muchacho y una sonrisa vivaz, lo que hacía pensar fugazmente en He Zizhen durante su adolescencia, cuando la vio Mao, casi diez años antes, por primera vez.

Al igual que el jefe de seguridad del partido, Kang Sheng, Jiang Qing procedía de una pequeña ciudad de Shandong, a unos ochenta kilómetros del antiguo puerto de la concesión alemana de Qingdao.[90] Su padre era carpintero; su madre trabajaba como sirvienta a tiempo parcial en la casa familiar burguesa de los padres de Kang, mientras por las noches se dedicaba a la prostitución. Según su propio relato, Jiang Qing creció en medio de una miseria proverbial. Cuando todavía era una niña su madre huyó con ella de la casa familiar para escapar de las palizas de su marido. A su vez, cuando contaba con dieciséis años, ella también se escapó con una compañía teatral. Tres años después, durante la primavera de 1933, llegó a Shanghai, donde se convirtió en una estrella de segunda fila, consiguiendo con el tiempo interpretar papeles principales en películas de izquierdas, como *Sangre en el Monte del Lobo*, que incitaba a la resistencia contra Japón, o de dramas occidentales, incluyendo *Casa de muñecas* de Ibsen. En el proceso, el Guomindang la arrestó por supuesta comunista y la encarceló durante ocho meses en una prisión antes de ser inesperadamente puesta en libertad, supuestamente gracias a la intervención de un misterioso y anónimo extranjero. Tuvo numerosos y reconocidos romances y se casó al menos en dos ocasiones, la segunda con el actor Tang Na, al que ella trastornaba hasta el punto de que en varias ocasiones él intentó suicidarse.

Los motivos de su viaje a Yan'an fueron muy diversos. Su carrera en Shanghai se había estancado. Su matrimonio con el veleidoso Tang Na era un riesgo. Era lo suficientemente sagaz como para comprender que si la guerra con Japón continuaba, la ciudad sería un blanco prioritario. Yan'an, desde el Incidente de Xi'an, se había convertido en el destino de moda de los jóvenes radicales chinos. Su mentor en el partido (y amante en el pasado), Yu Qiwei, dirigente comunista clandestino infiltrado en la zona blanca, que había ayudado a que previamente Edgar Snow se desplazase hasta Bao'an, estaba también de viaje hacia aquel destino. Desde todos los puntos de vista, Yan'an parecía el lugar más adecuado.

Como todos los recién llegados, ella tuvo que superar una meticulosa investigación. Al comienzo las cosas no marcharon bien. No tenían pruebas de que se hubiese unido al partido en 1932, como afirmaba, y se formularon preguntas embarazosas (que nunca se dejaron completamente de lado) sobre la manera exacta en que había conseguido librarse dos años antes de las garras de los carceleros del Guomindang.[91] Pero finalmente, en octubre, Yu Qiwei llegó y ratificó sus credenciales de pertenencia al partido, y al mes siguiente se le permitió iniciar sus estudios de marxismo-leninismo en la escuela del partido. Seis meses después, en abril de 1938, se trasladó a la Academia Lu Xun de Literatura y Artes para colaborar como ayudante de administración.

Allí, aquel mismo verano, ella desplegó todo su arsenal para atraer la atención de Mao. Existen muchas versiones, todas ellas más o menos groseras, y todas imposibles de comprobar, sobre cómo lo consiguió. Lo que parece cierto es que fue ella, no él, la que tomó la iniciativa. Fueron formalmente presentados poco después de su llegada, pero en aquel momento los esfuerzos de Mao se centraban en intentar salvar su relación con He

Zizhen. Después volvieron a encontrarse, probablemente durante una representación teatral, justo en el momento en que finalmente comenzaba a aceptar que su esposa le había abandonado y que nada que él pudiese hacer se la devolvería.[92] Nym Wales, reflexionando sobre sus devaneos con Lily Wu, había señalado: «Mao era el tipo de hombre ... al que realmente le gustan las mujeres ... Disfrutaba con las mujeres de mentalidad moderna ...».[93] La cama de Mao estaba vacía, y Jiang Qing cumplía con todos los requisitos.

En agosto, exactamente un año después de su llegada a Yan'an (y de la partida de He Zizhen), fue elegida para trabajar como asistente de Mao, asignada nominalmente a la Comisión Militar. En otoño comenzaron a vivir juntos, y en noviembre Mao ofreció una serie de cenas a sus compañeros del Politburó en las que Jiang Qing ofició como anfitriona.[94] Era la consumación de su «matrimonio». No hubo ceremonia oficial, y aún menos divorcio oficial. Ni había verdad alguna en la historia que circuló profusamente después de la muerte de Mao de que sus compañeros impusieron tres condiciones antes de acceder a que se «casase» con Jiang Qing: ella no podía ocupar cargo alguno en el partido, desempeñar funciones públicas; en lugar de ello, debía dedicarse en exclusiva a sus asuntos privados.[95]

Las principales preocupaciones giraban en torno al pasado de Jiang Qing. Teniendo en cuenta su promiscuo círculo de Shanghai, las persistentes incertidumbres sobre cómo había ingresado en el partido, y los constantes rumores de que había llegado a un acuerdo con el Guomindang para librarse de la prisión. ¿Era una compañera apropiada para Mao? Xing Ying, responsable de la ciudad de Shanghai a través de la Oficina Oriental, estaba lo suficientemente alarmado como para escribir al secretario personal de Mao, Ye Zilong, advirtiéndole de los rumores que sobre su conducta circulaban por la ciudad. Concluyó con rotundidad: «Esta persona no es adecuada para casarse con el presidente». Otros eran más circunspectos, pero albergaban las mismas dudas.[96]

La respuesta de Mao llegó en dos entregas.

Oficialmente defendió que Kang Sheng, como jefe del aparato de seguridad del partido, había dirigido una exhaustiva investigación y no había encontrado en Jiang Qing mayores problemas. Kang, por supuesto, tenía sus propios planes. Apoyar a su compañera no sólo era una manera de congraciarse con Mao (y con la misma Jiang Qing), sino que además le aseguraba un privilegiado canal de acceso al presidente a través de la compañera de almohada de Mao.[97]

Por todo ello, y para mayor seguridad, Mao decidió que su nueva esposa debía permanecer a su alrededor, dirigiendo su secretaría privada, como He Zizhen y Yang Kanghui habían hecho antes que ella, sin responsabilidades oficiales.[98] Jiang Qing muy probablemente se ofendió por ese nombramiento, pero era lo que Mao necesitaba. Él se sentía atraído por su juventud y su sexualidad, como le había ocurrido con Lily Wu. Pero quería una esposa, no una compañera de pantomima. A pesar de todo su intelectualismo sobre la igualdad de la mujer, Mao no toleraba a los rivales, y aún menos en su alcoba nupcial.

Durante un tiempo las dudas quedaron silenciadas. Jiang Qing tejía los jerséis de Mao y cocinaba para él las picantes especialidades de Hunan que tanto le gustaban.[99] Su guardaespaldas de aquella época, Li Yinqiao, recordaba:

> Tenía el pelo negro como el azabache, arreglado con un flequillo y una diadema, largo en la espalda; las cejas eran delicadas y sus ojos brillantes, la nariz bonita, y la boca generosa ... En Yan'an la mirábamos siempre como a una estrella. Su caligrafía era buena, especialmente en estilo cursivo. Le gustaba montar a caballo y jugar a cartas ... Cortaba sus propios vestidos, y eran hermosos ... En aquella época se sentía muy próxima al pueblo llano. Cortaba el pelo a los guardaespaldas y les enseñaba a coser. En los días de marcha, les animaba, y les explicaba acertijos ... En invierno todos llevábamos vestidos gruesos. Pero ella confeccionaba los suyos de modo que se ajustasen perfectamente a su cuerpo y realzasen su figura ... Era muy orgullosa; le gustaba estar en el centro de la escena. Realmente disfrutaba exhibiéndose.[100]

En agosto de 1940, para regocijo de Mao, dio a luz una niña, Li Na (que tomó su apellido, como la hija de He Zizhen, Li Min, del alias de Mao en el partido, Li Desheng). Era el noveno hijo de Mao, de los cuales cuatro habían sobrevivido. Sin embargo, la educación de los hijos no formaba parte de los gustos de Jiang Qing, y dejó bien claro que no se sometería al proceso de constantes embarazos que He Zizhen había tenido que soportar. Un año después, cuando volvía a estar encinta, insistió en abortar. La operación se realizó toscamente. Padeció de fiebre alta, y poco después se descubrió que además tenía tuberculosis. Entonces optó por esterilizarse.[101]

Mao, que, a pesar de sus ideas progresistas en otros ámbitos, conservaba la actitud tradicional de asimilar el número de descendientes a la felicidad, se sintió afligido.

Surgieron otras diferencias. Con frecuencia Mao trabajaba durante toda la noche y dormía durante el día. Zizhen se había adaptado a sus costumbres. Pero Jiang Qing rehusó hacerlo. En Yangjialing Mao tenía una cama preparada en su estudio para poder trabajar con tranquilidad. Después de 1942, cuando se trasladaron a Zaoyuan (Jardín del Dátil), otro valle situado tres kilómetros a las afueras de Yan'an, donde tenían su base Zhu De y la comandancia del Ejército Rojo, Jiang Qing y él ocuparon habitaciones separadas.[102]

De cara al exterior, ella se mostraba como una joven esposa y madre entregada. Pero, en privado, su relación con Mao era a menudo turbulenta. Su importuna insistencia en que él intercediera ante la jerarquía del partido y le consiguiese un trato especial enfurecía particularmente a Mao. En esos momentos le gritaba furiosamente, calificándola de puta y ordenándole que se alejase de su presencia.

Aparte de Kang Sheng, Chen Boda y unos pocos más, el resto de la elite del partido nunca acabó de aceptarla. Li Yinqiao, guardaespaldas de Mao, compartía una comida con ella cuando de repente exclamó: «¡Monstruos, hijos de puta!». Al observar su aturdida expresión, le explicó que no se estaba refiriendo a él, sino a «quienes en el partido» se negaban a aceptar su buena fe política. Veinticinco años después, cuando durante la Revolución Cultural consiguió por sí misma asir el poder, se vengaría de estas comprensibles humillaciones.

También confesó Mao a Li Yinqiao, un día de 1947, su paulatino desencanto. «No me casé como es debido», dijo apesadumbrado. «Lo hice demasiado a la ligera.» Entonces suspiró. «Jiang Qing», dijo, «es mi esposa. Si simplemente fuese miembro de mi personal, me libraría de ella tan pronto como tuviese una oportunidad ... Pero no hay nada que pueda hacer. Simplemente tengo que aguantarla.»[103] En aquel momento, tanto el hijo de Mao, Anying, como Li Min vivían en su hogar.[104] Él no habría sido un ser humano si esos dos recuerdos de carne y hueso de sus pasados y más felices matrimonios no le hubiesen obligado a realizar comparaciones de las que Jiang Qing no podía salir airosa. No obstante, incluso sin su presencia, su relación era cada vez más agria. En público, las apariencias se mantenían, pero a partir de finales de la década de 1940 Mao se dedicó a buscar, en cualquier ocasión, y con cada vez mayor frecuencia, otras compañías femeninas.

Mientras, según admitía él mismo, la vida personal de Mao era un auténtico caos, su causa política prosperó como nunca.

Tal como había vaticinado en el Sexto Pleno, al cabo de poco tiempo el Guomindang demostró ser un aliado muy poco digno. Pasados apenas dos meses, en enero de 1939, los dirigentes del partido nacionalista aprobaron en una decisión secreta «corroer, reprimir, limitar y combatir» el Partido Comunista.[105] La contraorden de Mao de aquel mismo mes rezaba: «No atacaremos a menos que seamos atacados. Pero si somos atacados, sin duda contraatacaremos».[106]

A lo largo del siguiente año, se multiplicaron las «fricciones», tal como eran eufemísticamente llamados los enfrentamientos entre las tropas del Guomindang y el Ejército Rojo.[107]

Ninguno de los dos bandos era inocente. Los comunistas ampliaban su área base a expensas del Guomindang; los nacionalistas estaban decididos a detenerles. Pero ninguno quería que la alianza se rompiese por completo. Mao temía que el Guomindang, dejado a su antojo, pudiese firmar por su propia iniciativa una tregua con Japón. Y Chiang no deseaba perder el apoyo militar de Rusia. No obstante, los nacionalistas impusieron restricciones a los comunistas en las áreas que ellos controlaban; y se impuso un bloqueo no declarado en la región fronteriza alrededor de Yan'an.

Las tensiones llegaron a su cúlmen después de una ofensiva comunista a gran escala,[108] la llamada «campaña de los cien regimientos», desplegada en otoño de 1940.[109]

Desde el punto de vista de la guerra contra Japón, se desarrolló con gran éxito. Veintiséis mil soldados japoneses resultaron heridos o muertos. Pero Chiang lo interpretó como una advertencia de que los comunistas estaban creciendo con demasiada fuerza. Aquel invierno decidió que era el momento de darles una lección. En enero, el nuevo Cuarto Ejército de los comunistas, formado por antiguas guerrillas de las viejas bases del sur, fue destinado a posiciones del otro lado del río Amarillo. En Anhui fue víctima de una emboscada perpetrada por una fuerza muy superior del Guomindang. Después de una semana de duros combates, hasta nueve mil comunistas resultaron capturados o fallecieron.

Aquello representó la ruptura de las relaciones. Se suspendieron los contactos directos entre Yan'an y los cuarteles de Chiang Kai-shek en Chongqing, y las oficinas de enlace de otras provincias fueron clausuradas. Pero incluso en medio de estas adversidades, el frente unido seguía siendo demasiado valioso para los comunistas como para abandonarlo. La legitimación que el frente les otorgaba había permitido que el Ejército Rojo creciese desde los cincuenta mil hasta el medio millón de hombres. La militancia del partido crecía tan velozmente que el Politburó se vio obligado a denegar nuevas admisiones; la estructura existente no podía ya ocuparse de todas ellas.[110] Para Mao, el frente había sido un «arma mágica» que había allanado el camino de los comunistas hacia el poder.[111] Chiang Kai-shek lo sabía. Pero estaba atado de pies y manos. La guerra con Japón, que inicialmente había motivado la alianza, suponía que él no podía acabar unilateralmente con esta última sin volver a suscitar las acusaciones de que estaba más interesado en combatir a los rojos que a los japoneses.

Finalmente, en junio de 1941, la entrada de la Unión Soviética en la guerra, seguida en diciembre de la de Estados Unidos, no les dejó otra opción que mantenerse unidos. China entró a formar parte de una emergente alianza en el Pacífico que, temporalmente, enmascaró los imperativos de las rivalidades domésticas. Ambos bandos mantuvieron encendido el fuego, intentaron conservar sus fuerzas y se prepararon para el conflicto que sabían que estallaría después de la todavía lejana pero ya previsible derrota de Japón.

En el caso de Mao, ello supuso un nuevo impulso para someter al partido a su voluntad.

El método, en esta ocasión, representó una vuelta atrás en la historia del partido, con el propósito de mostrar incluso a los más escépticos que Wang Ming y sus aliados estaban equivocados, no sólo por lo que se refería a la política sobre el frente unido, sino a todas las decisiones tomadas desde 1931, y que Mao, en cambio, se había mantenido firme en la verdad.

En los primeros cuatro años que siguieron al inicio de la guerra con Japón se había realizado ya mucho trabajo de campo. El propio Mao había escrito, en octubre de 1939, sobre la necesidad de llegar a un consenso común sobre la historia del partido, para conseguir su consolidación «ideológica, política y organizativa», y «evitar la repetición de errores históricos». Sólo después de Zunyi, afirmó, el partido había conseguido mantenerse «firmemente en la vía bolchevique».[112] Para Wang Ming, cuyos valedores se habían conservado en el poder durante los cuatro años anteriores a Zunyi, la advertencia era perfectamente visible: lo único que pretendía Mao era repudiar las decisiones políticas que ellos habían apoyado.

Para intentar cortarle el paso, Wang esbozó la base de un pacto.[113] No intentaría disputar la primacía actual de Mao. Pero Mao tampoco debía intentar negar las aportaciones del propio Wang.

Durante un tiempo pareció que el compromiso se mantenía. Pero entonces, en diciembre de 1940, Mao publicó una lista exhaustiva de lo que él consideraba que habían sido los «errores ultraizquierdistas» del grupo de Wang Ming en Jiangxi:

> Hubo la eliminación económica de la clase capitalista (la política ultraizquierdista sobre el trabajo y los impuestos) y de los campesinos ricos (concediéndoles tierras baldías); la eliminación física de los terratenientes (al no concederles tierras); el ataque a los intelectuales; la desviación «izquierdista» en la eliminación de contrarrevolucionarios; la monopolización de los órganos de poder político por parte de los comunistas ... la política militar ultraizquierdista (de atacar grandes ciudades, y negar la importancia de la guerra de guerrillas) ... y la política interna del partido contra los camaradas abusando de las medidas disciplinarias. Estas políticas ultraizquierdistas ... causaron graves pérdidas al partido y la revolución.[114]

Tampoco en esta ocasión ofreció Mao nombre alguno. Y cuando Liu Shaoqi le animó a definir los errores como «errores de una línea política», él prudentemente rehusó.[115] «Los melones maduran», anotó Kang Sheng como respuesta de Mao.[116] «No se pueden golpear cuando no están maduros.

Cuando estén a punto, caerán por su peso. No hay que ser demasiado rígido en la batalla.»

No obstante, aquel otoño, mientras el Partido Comunista Chino y el Guomindang retrocedían hasta las posiciones previas al nadir en que se había convertido la masacre del nuevo Cuarto Ejército, Mao decidió que había llegado el momento de lanzar la gran ofensiva política que había estado preparando tan cuidadosamente.

La «campaña de rectificación» de Yan'an, como sería conocida, se prolongó durante casi cuatro años. Cuando llegó a su fin, Mao había dejado de ser el primero entre sus iguales. Él sería el único hombre que lo decidiría todo; un demiurgo, sentado sobre un pedestal, avistando por encima de sus compañeros, más allá de todo control institucional.

Inició su ataque en una reunión plenaria del Politburó, inaugurada el 10 de septiembre de 1941, con una crítica al «subjetivismo», término empleado para designar la incapacidad de adaptar las políticas del partido a la situación real de China.[117] Como proposición abstracta, éste había sido uno de los temas de las charlas de Mao desde la pasada primavera. Pero ahora asumió mayor concreción. La «línea Li Lisan» de 1930 había sido un ejemplo, dijo. Las políticas adoptadas por los dirigentes del Cuarto Pleno, desde 1931 a 1934, habían resultado aún más perjudiciales. Más aún, el problema no había quedado solucionado. El subjetivismo, el sectarismo y el dogmatismo continuaban haciendo mucho daño, y era necesario iniciar un movimiento de masas para combatirlos.

Cuando la reunión finalizó, seis semanas después, Mao había conseguido casi todo lo que se había propuesto. Wang Ming y Bo Gu habían sido condenados por su «errónea línea izquierdista» de Jiangxi, y muchos de sus antiguos asociados, incluyendo Zhang Wentian, habían realizado autocríticas. El único desacuerdo marginal se refería al momento exacto en que habían comenzado los errores de los estudiantes retornados: durante el mismo Cuarto Pleno, en enero de 1931, como argumentaba Mao; o, como prefería Wang Ming, en septiembre del siguiente año, después de que Wang hubiese vuelto a Moscú dejando a Bo Gu al mando. Pero incluso esto tuvo la feliz consecuencia de enfrentar a los dos principales dirigentes de los estudiantes retornados.

Diversos factores intervinieron para hacer posible esta ruptura. A fuerza de repetirlo durante los años anteriores, las llamadas de Mao a seguir una vía distintivamente china habían calado en la conciencia colectiva del partido. Él mismo ejemplificaba aquella visión, y ya en 1941 sus acciones hablaban por sí mismas. Desde la reunión de Zunyi, el partido había prosperado; antes había llegado, con los estudiantes retornados en el poder, al borde de la destrucción. Además, Mao prometía a sus compañeros que el siguiente movimiento estaría dirigido a «rectificar» las ideas equivocadas, no

Arriba. Yan'an a finales de los años treinta, con su distintiva pagoda de la dinastía Song.

Izquierda. Zhang Guotao, cuyo desafío a Mao fracasó en 1937 con la destrucción del Cuarto Ejército en Gansu.

Wang Shiwei, joven y galardonado escritor cuya persecución en la campaña de rectificación de Yan'an delimitó el patrón a seguir en todos los posteriores intentos llevados a cabo por Mao de acabar con los intelectuales disidentes.

La cuarta esposa de Mao, Jiang Qing, cuando era actriz en Shanghai.

[De izquierda a derecha] Zhou Enlai, Mao y Zhu De en Yan'an, 1946.

Derecha. Mao pasando revista al ejército victorioso de Lin Biao, después de la rendición de Pekín en marzo de 1949.

Abajo. Un terrateniente del norte de China en un juicio ante sus convecinos durante la reforma de la tierra posterior a la toma de posesión de los comunistas.

Mao proclamando la República Popular, en Tiananmen,
1 de octubre de 1949.

Gao Gang, jefe del partido en
Manchuria, purgado en 1954.

[De izquierda a derecha] Mao, Bulganin, Stalin y el jefe del partido de la Alemania del Este, Walter
Ulbricht, celebrando el septuagésimo aniversario del líder soviético en el Kremlin, diciembre de 1949.

Mao relajándose con su sobrino, Yuanxin, y sus hijas, Li Min y Li Na, en Lushan, 1951.

[De izquierda a derecha] Jiang Qing; Li Na; Mao; su hijo mayor, Anying, poco antes de morir en Corea; y la esposa de Anying, Li Songlin.

Mao con el Dalai Lama (*derecha*) y el Panchen Lama en Pekín en 1954.

Una reunión de lucha para criticar a los intelectuales burgueses a inicios de la campaña antiderechista, julio de 1957.

La separación de los caminos: Mao y Khruschev se reúnen por última vez en Pekín en octubre de 1959.

Peng Dehuai (*el segundo por la izquierda*) conversando con los campesinos de Hunan durante el Gran Salto Adelante, 1959.

a quienes las habían encumbrado. La pauta sería «curar la enfermedad para salvar al paciente», y no la de «dura lucha y golpes sin piedad» que había caracterizado las anteriores campañas políticas.

Mao describiría tiempo después este encuentro del Politburó de septiembre de 1941 como uno de la media docena de pasos fundamentales en su ascensión al poder supremo.[118] Alineó al resto de la cúpula junto a él (con la excepción de Wang y Bo, que rehusaron admitir sus errores), y aprobó los mecanismos prácticos para el movimiento de rectificación que estaba a punto de desplegar.[119]

Hasta ese momento todas las maniobras de Mao habían estado dirigidas hacia los escalafones más altos de la elite del partido.[120] Probablemente menos de ciento cincuenta personas, en un partido que entonces contaba con ochocientos mil miembros, eran conscientes de la lucha que se estaba desarrollando. Incluso Peng Dehuai, miembro plenario del Politburó, admitió tiempo después que él no había ni imaginado lo que estaba en juego hasta pasado más de un año.[121] Los miembros de menor rango no tenían la más mínima sospecha de lo que se estaba preparando.

Pero en febrero de 1942 el movimiento de rectificación llegó a ser de dominio público.

Aquel mes Mao dio dos destacadas conferencias en la Escuela Central del Partido en las que determinó los propósitos del movimiento.[122] «Somos comunistas», les dijo, «por lo que debemos mantener nuestras filas en orden, debemos marchar al unísono.»[123] Y entonces explicó la naturaleza de la música que debía marcar su paso:

> Al igual que una flecha con su blanco, así es el marxismo-leninismo con la revolución china. Algunos camaradas, sin embargo, «disparan sin diana» ... inopinadamente ... Otros simplemente acarician la flecha con ternura, exclamando, «¡Qué flecha tan delicada!», pero nunca quieren lanzarla ... La flecha del marxismo-leninismo se puede emplear para lanzar contra una diana ... ¿Para qué, si no, querríamos estudiarlo? No estudiamos el marxismo-leninismo porque place a la vista, o porque tiene un valor místico, como las doctrinas de los sacerdotes taoístas que ascienden el monte Maoshan para aprender a dominar los demonios y los malos espíritus. El marxismo-leninismo no posee ninguna belleza, ni tiene ningún valor místico. Es sólo extraordinariamente útil ... Los que contemplan el marxismo-leninismo como si fuese un dogma religioso muestran ... una ciega ignorancia. Debemos decirles abiertamente: «Tu dogma no sirve para nada», o hablarles cruelmente, «Tu dogma vale menos que el excremento de perro». El excremento de perro sirve para fertilizar los campos, y el del hombre puede alimentar a los perros. Pero ¿los dogmas? No pueden fertilizar los campos ni alimentar a los perros. ¿Para qué sirven?[124]

En el futuro, declaró, los oficiales del partido serían juzgados por su aptitud para aplicar «la visión, los conceptos y los métodos del marxismo-leninismo» en la resolución de problemas prácticos, no por su capacidad para «leer diez mil volúmenes de Marx, Engels, Lenin y Stalin, y ... recitar cada frase de memoria».[125]

La erudición, desde siempre una de las *bêtes-noires* de Mao, entró en escena para ser objeto de una memorable acometida:

> Cocinar para preparar la comida es realmente un arte. Pero ¿y el estudio de los libros? Si no haces nada más que leer, lo único que sabrás es reconocer unos tres o cinco mil caracteres chinos ... [y] sosteniendo algunos libros con tus manos, el público te concederá los medios para vivir ... Pero los libros no pueden andar ... [Leerlos] es ... muchísimo más fácil que cocinar para un cocinero, mucho más fácil para él que matar un cerdo. Él tiene que coger el cerdo. El cerdo puede escaparse. (*Risas en la sala*) Lo mata. El cerdo chilla. (*Risas*) Cuando está encima de la mesa, un libro no puede correr, y aún menos gritar ... (*Risas*) ¿Existe algo que pueda ser más sencillo? De modo que aconsejo a aquellos de vosotros que sólo estudiáis libros sin mantener contacto alguno con la realidad ... que seáis conscientes de vuestros defectos y tengáis una actitud un poco más humilde.[126]

Había mucho más de este tenor. Las conferencias vacías y abstractas, que eran «como el vendaje de los pies de una pazpuerra, largos y malolientes»; el «individualismo», que violaba la disciplina del partido; y el «formalismo extranjero», fueron vigorosamente denunciados:

> Debemos apuntalar nuestras espaldas sobre la superficie de China. Debemos estudiar capitalismo y socialismo mundiales, pero si queremos estar seguros sobre su relación con la historia del partido chino, todo depende de dónde situamos nuestra base ... Cuando analizamos China, debemos tomar a China como nuestro centro ... Tenemos algunos camaradas que padecen una enfermedad, consistente en situar los países extranjeros en el centro y actuar como fonógrafos, concediendo crédito a todo lo extranjero y aplicándolo a China.[127]

Estas críticas estaban menos dirigidas a Wang Ming y los incondicionales que todavía le quedaban, que eran entonces como juncos rotos, que a la mentalidad que ellos representaban. Durante los doce meses siguientes, el centro de gravedad intelectual del partido chino se fue desplazando, mientras sus miembros absorbían las ideas y la visión de la historia del partido que surgían en las charlas y pequeños grupos de discusión. La fuente de sabiduría marxista-leninista ya no estaba en Moscú, sino en Yan'an.

En marzo de 1943 la composición de los órganos de gobierno del partido quedó tardíamente ajustada a la nueva realidad política configurada como consecuencia de la campaña de rectificación.[128] Mao fue designado presidente del Politburó, y de un nuevo Secretariado formado por tres hombres, en el que se le unieron Liu Shaoqi, confirmado entonces, *de facto* aunque no nominalmente, como dirigente de segundo rango del partido, y Ren Bishi, el compañero de Wang Jiaxiang cuando promocionó en Moscú la causa de Mao. El propio Wang se convirtió en segundo director del Departamento de Propaganda, por debajo de Mao, mientras Kang Sheng, cuya carrera había despegado desde que en 1938 se había alineado con Mao, pasó a ser segundo director, por debajo de Liu, de la otra entidad central, el Departamento de Organización. Wang Ming, miembro de la cúpula de dirigentes desde 1931, fue desposeído de cualquier cargo que implicase toma de decisiones.

Las auténticas innovaciones, no obstante, aparecían en la letra pequeña. Al igual que antes, el Secretariado quedó habilitado para tomar decisiones cuando el Politburó no estuviese en sesión. Pero en esta ocasión se afirmó explícitamente que, en caso de que sus miembros no consiguiesen llegar a un acuerdo, Mao tendría la última palabra. Esto era mucho más que simplemente una manera de concederle el voto de castigo o incluso el poder de veto. Significaba que, en el caso de que los otros dos miembros del Secretariado no estuviesen de acuerdo, las ideas de Mao prevalecerían.

En tiempos de guerra, quizá una concentración extraordinaria de poder como aquélla en manos de un solo hombre pudo parecer justificada. Los compañeros de Mao podían asegurarse a sí mismos que el Politburó y el Comité Central, ambas instituciones colegiadas, retenían el poder último. Pero la verdad era que todos apostaban al caballo ganador. Para entonces Bo Gu había capitulado. Sólo Wang Ming se mantenía como último escollo desafiante, un ejemplo a evitar para los demás. El resto de dirigentes, habiendo contemplado la ascensión de Mao, y sabiendo que sus propios futuros dependerían del modo en que manejasen sus relaciones con él, tenían muy poco interés en enfrentarse a lo que la mayoría de ellos consideraban de todos modos una acumulación inevitable de poder.

En 1943, Mao adquirió un estatus en el partido que ningún otro dirigente comunista había alcanzado hasta entonces.

Pero sus atribuciones estaban todavía limitadas a las regiones controladas por los comunistas, apenas una pequeña parte del país. El siguiente paso supondría la creación de una nueva mitología alrededor de su personalidad y sus ideas que le permitiría, durante los siguientes seis años, inspirar y dirigir una lucha armada que acabaría por otorgarle el apoyo mayoritario de la población, unificando, en esta ocasión, no sólo el partido, sino toda China bajo la causa comunista.

Al igual que la Revolución Cultural, veinticinco años después, la campaña de rectificación de Yan'an fue mucho más que una simple lucha por el poder. Se convirtió en un intento de introducir cambios fundamentales en la manera en que la gente pensaba.

Sus raíces se aferraban a la lógica de la política del frente unido, que había obligado al partido a ampliar extraordinariamente sus presupuestos. En Wayaobu, en diciembre de 1935, el Politburó había aceptado, a instancias de Mao, que la militancia del partido debía abrirse a «todos los que desean luchar por las ideas del Partido Comunista, sin importar su origen de clase».[129] Después de que el Comintern pusiese reparos, la medida fue retirada. Pero la política de puertas abiertas continuó vigente. Para lograr ganarse a las llamadas «clases medias» —la burguesía patriótica, los pequeños y medianos terratenientes y los intelectuales— que constituían el grueso del electorado político del Guomindang, el Partido Comunista Chino moderó su posicionamiento. En un artículo de marzo de 1940 titulado «Sobre la nueva democracia», Mao apuntó que a pesar de que el socialismo continuaba siendo el fin último, todavía quedaba un largo camino por recorrer. La tarea, que podía perdurar varios años, consistía en combatir el imperialismo y el feudalismo.

Esta política de colaboración entre clases tuvo mayor éxito del esperado. En los tres años que siguieron al incidente del Puente de Marco Polo, a mediados de los años cuarenta, los miembros del partido se multiplicaron casi por veinte. Pero muchos de los nuevos reclutamientos, si no la mayoría, eran fruto del patriotismo, más que de las convicciones comunistas.[130]

El siguiente problema, por lo tanto, consistía en hallar un método para fusionar esta enorme y dispar militancia y convertirla en una fuerza política disciplinada.

A principios de los años treinta, el Partido Comunista había sido «bolchevizado» por el miedo. Pero la ola de repulsa que generó descartaba cualquier repetición de lo ocurrido, incluso en el caso de que Mao lo hubiese deseado así, aunque a finales de la Larga Marcha también él había admitido que debía de existir un método mejor para resolver las diferencias en el seno del partido.[131] Hombres que habían compartido dificultades tan extraordinarias, dijo en 1935 a Xu Haidong, no podían ser por definición desleales. Por consiguiente se realizaron varios intentos para ingeniar nuevos métodos, incluyendo «nuevas reuniones de contrición», en las que los camaradas descarriados confesaban sus faltas y suplicaban públicamente que se les concediese la posibilidad de comenzar de nuevo. Pero Mao al fin encontró una solución que brotaba de las enseñanzas clásicas de su juventud.[132]

«Si el modo de proceder de nuestro partido es completamente ortodoxo», anunció a principios de la campaña de rectificación, «toda la nación aprenderá de nosotros.»[133] La fuerza del ejemplo virtuoso, como Confucio había escrito —del «rojismo», como lo había designado en Jiangxi y volvería a hacerlo de nuevo durante la Revolución Cultural—, era la clave para influir en la mente del pueblo.[134] No obstante, allí donde Confucio afirmaba que a las masas «se les puede obligar a seguir el curso de la acción, pero no se les puede obligar a comprenderlo», Mao, como buen comunista, insistía en que «las masas son los auténticos héroes», capaces de concebir ideas revolucionarias:[135]

> Todo liderazgo correcto necesariamente «emana de las masas y fluye hacia las masas». Esto significa que toma las ideas de las masas ... [y] a través del estudio, las convierte en ideas concretas y sistemáticas, después se dirige a las masas y explica y difunde esas ideas hasta que las masas las adoptan como propias, se acogen a ellas y ... prueban [su] validez a través de la acción. Después, una vez más, reúnen las ideas de las masas y las entregan de nuevo a las masas ... y así, una y otra vez en una espiral sin fin, y las ideas son cada vez más correctas, más vitales y ricas en cada ocasión.[136]

Este modelo se aplicó durante la campaña de rectificación en las filas del partido. El «movimiento de iluminación» que Mao proponía se debía aplicar de manera voluntaria por los miembros del partido: «Los miembros del Partido Comunista deben preguntar "¿por qué?" ante cualquier fenómeno, subvertir todas las cosas en su mente y preguntar si se adaptan a la realidad. Evidentemente no deben seguir a los otros ciegamente. Ni deben favorecer el servilismo».[137] Pero, al mismo tiempo, insistió en la necesidad de uniformizar el pensamiento.[138] «La sumisión al liderazgo central» quedó ratificada de manera explícita.[139]

La predilección de Mao por las contradicciones de este tipo se convirtió en un sello distintivo de su estilo político. Se trataba de una estratagema perversamente inteligente, aunque extraordinariamente simple, que le permitía dominar el progreso de una campaña ideológica para que se acomodase a sus necesidades políticas, cambiar su orientación a voluntad, y tentar a los rivales, supuestos o reales, para que formulasen sus opiniones y, en el mejor de los casos, para refutarlas.

La rectificación nunca estuvo pensada como un proceso amable y benigno. Debía ser la lucha final, no ya contra Wang Ming y las ideas que él representaba, sino, más ampliamente, contra quienes en el partido eran de algún modo reacios a aceptar la hegemonía del pensamiento de Mao. «Curar la enfermedad para salvar al paciente» era un bello principio, pero Mao no había prometido que no fuese un proceso doloroso. «El primer paso», había explicado, «consiste en producir en el paciente una fuerte conmoción. Decirle, "¡Estás enfermo!". Después le asaltará el miedo y romperá a llorar. En ese momento se puede iniciar el camino de la recuperación.»[140] Más aún, la persuasión a la manera confuciana podía ser el método principal; pero, al igual que sus predecesores imperiales, Mao reservaba la coacción legista para aquellos que rechazasen someterse; no los dirigentes veteranos como Wang Ming, cuya posición les protegía de la represión más cruda, sino las almas más pequeñas y vulnerables, cuyas súplicas servirían de advertencia a los demás.

En Yan'an, en 1942, el más destacado entre estos irreductibles fue un joven e idealista escritor llamado Wang Shiwei.[141]

La sinceridad, por no mencionar la credulidad, ha sido una de las más destacadas y perdurables características de los intelectuales chinos a lo largo de los siglos. Las llamadas de Mao al debate interno del partido y a cuestionar verdades aceptadas desde tiempo inmemorial provocaron entre los escritores que desde el principio de la guerra se habían aproximado a las formas comunistas una nueva efervescencia de boletines murales —con nombres como *Shiyudi* (*Flecha y Diana*), *Qing qibing* (*Caballería ligera*), *Tuo ling* (*Campanas de camello*) o *Xibei feng* (*Viento del Noroeste*)— similares a los del movimiento del 4 de mayo, veinte años antes.

La feminista Ding Ling había dirigido un denigrante ataque contra la hipocresía del partido ante las mujeres. Su colega, el poeta Ai Qing, se lamentó cáusticamente de que los comisarios culturales de Mao pretendieran que «describiese las úlceras de la tiña como si fuesen flores». Pero el artículo más devastador, con mucho, fue el ensayo satírico de Wang Shiwei, «Azucena salvaje», que apareció en el mes de marzo en el periódico del partido, el *Jiefang ribao* (*Diario de la Liberación*). Denunciaba el «lado oscuro de Yan'an»: las «tres clases de vestidos y los cinco grados de comida» que se repartían entre los oficiales veteranos, mientras que «los enfermos no disponen ni de un cuenco de fideos, y los jóvenes cuentan sólo con dos cuencos de gachas al día»; el acceso privilegiado a las chicas jóvenes de que gozaban los que controlaban el poder político; el elitismo y el alejamiento protagonizado por los cuadros respecto de los miembros de a pie.

En la actualidad, pasado medio siglo, los chinos todavía discuten si Mao preparó deliberadamente una trampa, en la que cayeron Wang Shiwei y otros, o si la reacción de los escritores le cogió desprevenido.

En un gesto típico, él favoreció ambas interpretaciones, describiendo a Wang, en un primer momento, como un blanco lamentablemente útil para la campaña de rectificación y, en otro, como una distracción, minimizando su objetivo político.[142] Pero, de manera premeditada o no, el calvario de Wang se convirtió en un modelo para la represión de los intelectuales disidentes, cuya lecciones se aplicarían, casi inalteradas, a los escritores y artistas de China durante la vida de Mao, y aún más allá.

Éstas fueron dictadas por Mao en un foro especialmente convocado en mayo sobre literatura y arte.[143] La sátira y el criticismo son necesarios, dijo, pero los escritores y artistas deben comprender a qué lugar de la divisoria revolucionaria pertenecen. Aquellos (como Wang Shiwei) que dedicaban sus energías a exponer «la llamada "oscuridad" del proletariado» eran «individualistas pequeñoburgueses», «meras termitas en las filas revolucionarias». El propósito del arte, continuó, era servir la política proletaria. La «tarea fundamental» de los escritores y artistas consistía en convertirse en «leales portavoces» de las masas, sumergiéndose en sus vidas y ensalzando sus luchas revolucionarias.

Cuatro días después, Wang fue sometido a un ficticio juicio ideológico, un prototipo, aunque atenuado, de las reuniones de confrontación de los años sesenta. Durante dos semanas, sus compañeros de partido debatieron sus errores. El secretario político de Mao, Chen Boda, comparó a Wang con una sanguijuela, al referirse a él como «camarada olor-de-mierda», un juego de palabras con los caracteres que formaban su nombre. El osado poeta Ai Qing entonó: «Su punto de vista es reaccionario y sus remedios venenosos; este "individuo" no merece ser calificado de "humano", mucho menos de "camarada"». Incluso la rebelde Ding Ling decidió que lo más prudente era denunciarle. En la lógica de la rectificación no bastaba con que Wang fuese simplemente purgado. Sus compañeros escritores le debían humillar en público. Su «juicio» marcó el inicio de una práctica de denuncia que perduraría durante décadas como parte esencial del trato de los comunistas chinos a los disidentes.

Wang fue destituido de la Asociación Literaria, lo que significaba que no se le permitía seguir escribiendo. «Todos los demás», recordó un participante, habiéndose «liberado de su culpa ideológica» —en otras palabras, habiendo salvado su propia piel— respiraron con alivio y decidieron mantener sus cabezas inclinadas en el futuro.

Sin embargo, Mao no había quedado todavía convencido de que los escritores hubiesen aprendido la lección. El propio Wang había rechazado retractarse, afirmando que lo que él había escrito tenía como propósito el beneficio del partido. De acuerdo con Kang Sheng, el 90 por 100 de los intelectuales de Yan'an habían simpatizado inicialmente con él. De este modo se extendió la campaña de rectificación, y los esfuerzos por demonizar a Wang alcanzaron una escala mayor. Ya durante su «juicio» había sido acusado de trotskismo, de albergar «pensamientos contra el partido», poseer una «mente sucia y repugnante» y habitar en el universo mental de un «hoyo de mierda contrarrevolucionaria». Sin embargo, su caso había sido tratado como el de un camarada descarriado que todavía puede ser redimido. A partir de octubre, todo cambió. Wang fue formalmente acusado de ser un espía del Guomindang y de liderar una «banda de cinco miembros contra el partido» de orientación trotskista que se había «infiltrado en el partido para destruirlo y consumirlo». Por consiguiente, pasó a ser custodiado por oficiales del Departamento Social, la policía de seguridad del partido, junto con otros doscientos intelectuales más, considerados políticamente poco fiables, y retenido en una prisión secreta del Partido Comunista Chino en Zaoyuan.

La «banda contra el partido» fue, pura y simplemente, una treta fraudulenta de una especie en la que Kang Sheng llegaría a despuntar. Wang y los otros cuatro supuestos miembros, dos jóvenes matrimonios, se conocían de un modo somero y compartían las mismas ideas liberales. Esa fue toda su «conspiración». El propio Mao, que había aprobado la operación, intentó posteriormente ignorarlo como un simple «error». Pero aquellos acontecimientos no fueron menos fundamentales para su estrategia que otros aspectos más sutiles de la campaña de rectificación, en tanto que mostraron al partido en su conjunto los límites de la tolerancia de los dirigentes, y que aquellos que traspasasen la empalizada —cuyos cargos, como Mao posteriormente indicaría, pasaban de ser «contradicciones entre el pueblo» a ser «contradicciones entre el enemigo y nosotros mismos»— descubrirían que el guante aterciopelado del confucianismo se transformaba en el hacha legista.

A partir de otoño de 1942, a Kang Sheng se le concedió carta blanca por vez primera (aunque de ningún modo última) para demostrar su destreza como ejecutor de Mao.

Se inició una «movimiento de criba de oficiales» para extirpar los «espías y malos elementos», con el pretexto de que el aumento de miembros del partido había permitido a los servicios de inteligencia de Chiang Kai-shek infiltrar agentes secretos. «Los espías», advirtió Mao melodramáticamente, se habían convertido en «sarro incrustado». Pero, como el caso de Wang Shiwei, la palabra «espía» se interpretaba de un modo muy libre. Reproducir opiniones disidentes, mantener una actitud «liberal» ante elementos no ortodoxos, mostrar falta de entusiasmo al poner en práctica la campaña de rectificación, tener familiares que fuesen miembros del Guomindang, todo era motivo de sospecha. De modo que, en diciembre, con la aprobación de Mao, el «movimiento de criba» se convirtió en un «movimiento de redención», en el cual los sospechosos eran torturados hasta que confesaban para poder ser «salvados». Esto era totalmente coherente con la máxima original de Mao, «curar la enfermedad para salvar al paciente», pero tergiversada de una forma nueva y brutal que pocos en el partido podían prever.

En julio de 1943 alrededor de un millar de «agentes enemigos» habían sido detenidos, y casi la mitad había confesado. Kang informó de que el 70 por 100 de los cuadros del partido reclutados recientemente eran poco fiables. En una escuela de comunicaciones del ejército, ciento setenta entre doscientos estudiantes fueron acusados de ser «agentes especiales». Incluso en el seno del Secretariado del partido, núcleo del aparato de poder de Mao, se consideró que diez de los sesenta oficiales tenían «problemas políticos».

Se produjeron decenas de suicidios, y unas cuarenta mil personas (el 5 por 100 del total de afiliados al partido) fueron expulsadas.

Todos estos sucesos recordaron la campaña de Mao contra la AB-*tuan* en Futian de 1930. El número de muertos fue mucho menor, pero el abuso de la tortura y las confesiones fue esencialmente el mismo.

Así pensaban también los compañeros de Mao. Zhou Enlai, que volvió a Yan'an desde Chongqing durante el verano de 1943, puso en duda las afirmaciones de Kang que sostenían que el partido, en la clandestinidad de las zonas blancas, estaba minado de traidores. Aquello motivó que Ren Bishi comenzase a investigar. El informe que dirigió a Mao nunca se hizo público, pero fue según parece muy crítico con los métodos de Kang, ya que, en agosto, el presidente puso freno a los investigadores del Departamento Social. Dos meses después anotó: «No deberíamos matar a nadie. La mayoría de la gente no debería ser arrestada. Ésta es una política que debemos combatir». De este modo finalizó el «movimiento de redención». En diciembre de 1943, un año después de que el movimiento comenzase, salió a la luz que el 90 por 100 de los acusados eran inocentes y que estaban siendo rehabilitados, en algunos casos a título póstumo.[144]

Los motivos de Mao para permitir que el «movimiento de redención» se le escapase con tan pésimas consecuencias de las manos ofrecen una luz esclarecedora sobre su estilo de gobernar.

La presión de los nacionalistas fue un factor, como lo había sido en Futian. Pero mucho más importante fue su convicción de que un líder no se debía mostrar débil. En 1943, mientras se preparaba para celebrar su quincuagésimo aniversario, Mao había alcanzado el final de su largo aprendizaje sobre el uso del poder. Sus reveses de los años veinte y principios de los treinta le habían enseñado que, en política, como en la guerra, el objetivo era aniquilar a los rivales, nunca dejarles heridos para que pudiesen recuperarse y continuar luchando. Esto no significaba un retorno a la vieja y desacreditada política de «dura lucha y golpes sin piedad» con la que Mao había perseguido a Wang Ming. Pero implicaba un reconocimiento de que la persuasión debía estar respaldada por el temor. La revolución *no* era una invitación para un banquete.

Wang Shiwei fue una víctima arquetípica de esta consciente ambigüedad. Después de su arresto, Mao dio orden de que no fuese liberado ni ajusticiado. Continuó detenido —«un joven con una mirada gris y mortecina en su rostro» que hablaba «como si recitase un libro»— para servir de ejemplo vivo a los miembros del partido si se apartaban del camino trazado por Mao.

He Long ejercía de comandante militar local cuando, durante la primavera de 1947, los comunistas se retiraron de Yan'an. Los occidentales normalmente le describían como el Robin Hood del Ejército Rojo, una figura temeraria y romántica que odiaba a los ricos y defendía a los pobres. Pero al igual que los otros generales compañeros suyos, He Long eran un hombre tosco y despiadado. Odiaba a los intelectuales como Wang que gimoteaban por las libertades literarias mientras los jóvenes soldados morían en el frente. En cumplimiento de las órdenes de He, Wang Shiwei fue decapitado una mañana de un hachazo en un pueblo de las proximidades del río Amarillo. Cuando Mao fue informado, se mordió los labios, pero no dijo nada.

La emergencia de Mao como líder supremo del partido llegó acompañada de un creciente culto a su personalidad. Ya a finales de los años veinte, los aldeanos de lengua cantonesa del sur de China tejieron diversos mitos sobre un líder de bandidos llamado Mo Tak Chung, al que las autoridades nunca consiguieron matar. Pero la decisión de promover nacionalmente su figura como el portador del estandarte del comunismo chino llegó una década después con la publicación de *Red Star Over China*, de Edgar Snow. Éste escribió que percibía en Mao «una cierta fuerza del destino».

Como es evidente, Mao también lo sentía así. En verano de 1935 mostró el amplio alcance de sus ambiciones en un poema que describía el paisaje del norte de Shaanxi. Los versos iniciales rezan:

> Cien leguas cubiertas de hielo,
> mil leguas de remolinos de nieve...
> Los montes danzan como serpientes de plata,
> las laderas se revuelven como elefantes de cera blanca
> desafiando los cielos.[145]

Mao pasaba después a dedicar sus pensamientos a los dirigentes chinos de la antigüedad que habían contemplado antes que él ese mismo escenario; los emperadores que fundaron las dinastías de los Qin, los Han, los Tang y los Song; y Gengis Kan, el mongol. Todos habían triunfado, escribió, pero todos habían sido derrotados. «Debemos buscar en nuestra época», declaró Mao, «para encontrar auténticos héroes.»

La comparación era sobrecogedora.

En una época en que el Ejército Rojo podía reunir apenas unos millares de hombres pobremente armados, Mao se veía a sí mismo como la figura fundadora de una nueva era comunista, preparado para asumir el cetro de la grandeza heredada del pasado imperial.

De este modo, desde finales de la Larga Marcha, Mao era proclive a la idea de que él era un hombre extraordinario, destinado a interpretar un papel excepcional. Sólo faltaba dar un pequeño paso, tan pronto como la situación madurase, para iniciar un rendido culto al líder.

En junio de 1937, el nuevo semanario del Partido Comunista Chino, *Jiefang* (*Liberación*), publicó por vez primera su imagen. Se trataba de una talla de madera, con el rostro de Mao iluminado por los rayos del sol, un motivo tradicionalmente asociado en China con el culto al emperador. Seis meses después apareció impresa en Shanghai la primera recopilación de sus escritos.[146] En verano de 1938 se superó un nuevo hito cuando el fiel acólito de Mao, Lin Biao, escribió sobre su «liderazgo genial», una frase de la que se realizó un uso tan abusivo durante los últimos años de vida de Mao que incluso él mismo acabó aborreciéndola.[147]

Al mismo tiempo, las relaciones de Mao con los que le rodeaban experimentaron un cambio sutil.

Los visitantes occidentales de los primeros tiempos de Yan'an se habían sentido fascinados por la naturalidad del lugar. Mao aparecía sin previo aviso para unírseles durante la cena o en medio de una partida de cartas. «Allí desarrollaba», escribió el consejero del Comintern, Otto Braun, «lo que se podría casi denominar una vida social.»[148] Se celebraban bailes los sábados por la noche, que Mao —a pesar de que Agnes Smedley comentó que no poseía «ritmo»—[149] paladeaba con fruición por las oportunidades que le proporcionaban para cultivar las compañías femeninas. El comunista norteamericano Sidney Rittenberg recordaba una ocasión en que llegó tarde, al anochecer:

> Pude oír desde el exterior el sonido de un bajo, un par de violines y quizá un saxofón y un clarinete ... Alguien empujó, abriendo la puerta, y eché una ojeada al interior. Allí, justo al otro lado de la habitación, vi un retrato de tamaño real del presidente Mao Zedong. Reconocí inmediatamente la amplia frente y el entrecejo, y la boca minúscula, casi femenina. Enmarcada por el portal, sobre los muros blanqueados, su leonina cabeza se mostraba severa, casi funesta. La viveza del cuadro sólo duró un momento fugaz. Entonces la banda entonó un foxtrot, y el retrato tomó vida, se revolvió, se dirigió a su pareja, y comenzó a deslizarse sobre el pavimento.[150]

Pero en aquella época, detrás de la fachada del compañerismo —el ambiente de resurgimiento norteamericano, plagado de palmadas en la espalda y buenos deseos, tal como lo describió un visitante—, comenzaron a desarrollarse unas formalidades hasta entonces desconocidas.

En la primavera de 1938, Violet Cressy-Marcks, perteneciente a la destacada generación de intrépidas viajeras que dedicaron los años de entreguerras a vagar en solitario por Oriente, fue escoltada al patio de Mao en Fenghuangshan y halló la entrada exterior vigilada por un soldado armado con una ametralladora y un segundo guardia en la puerta interior, blandiendo «la más grande espada desenfundada que jamás hubiese visto en mi vida».[151] Habían pasado a la historia los días de Jinggangshan, o incluso

Ruijin, menos de diez años antes, cuando Mao y los otros dirigentes vivían junto a los campesinos. Se había instaurado un penetrante sentimiento de jerarquía. Mao ya no visitaba a los demás; ellos acudían a él.[152] Posteriormente, aquel mismo año, requisó el único vehículo de la ciudad, una camioneta Chevrolet fruto de una donación, adornada con las palabras «Ambulancia: obsequio de la Asociación de Salvación Nacional de los Lavanderos Chinos de Nueva York», para usarla como medio de transporte personal.[153] El resto del Politburó iba a pie.

No todos recibieron con agrado la plétora de superlativos —«el más creativo», «el más cualificado», «el más talentoso», «el más autoritario»— que les vinculaba con Mao. Incluso Liu Shaoqi, que se contaba entre sus más acérrimos seguidores, lanzó una cauta advertencia. Al sinificar el marxismo, escribió, «no debemos someternos ciegamente ni venerar ídolo alguno».

Pero en noviembre de 1942 llegaron noticias desde Europa que silenciaron las dudas. La batalla de Stalingrado, el «Verdún rojo», como la calificó Mao, representó un punto de inflexión en la guerra, anunciando el inminente derrumbe del Eje fascista y la aproximación del momento en que se reanudaría el conflicto entre los nacionalistas y los comunistas chinos.[154]

Aquello dirigió la atención en ambos cuarteles hacia la necesidad de construir una capital simbólica para la futura batalla por la fidelidad del país. El 10 de marzo de 1943, Chiang Kai-shek publicó su obra *El destino de China*, en la que proclamaba sus pretensiones de convertirse en el líder de China. La ascensión de Mao para transformarse en presidente del Politburó, y así en el paladín del Partido Comunista, llegó unos pocos días después. La extensión de territorio y población que cada bando controlaba se decantaba todavía con mucha diferencia en favor de Chiang. Pero la distancia se iba recortando progresivamente. El libro de Chiang se convirtió en lectura obligatoria en las escuelas y universidades de las zonas blancas. Y los escritos de Mao sobre la sinificación del marxismo pasaron a ser las doctrinas impuestas en las áreas rojas.[155]

Dos meses después, la posición de Mao se fortaleció aún más cuando Stalin, en una concesión a los aliados occidentales, disolvió el Comintern. El Partido Comunista Chino se convirtió entonces, en la teoría y en la práctica, en un partido nacional independiente.

Mientras los aspectos personales de la rivalidad entre los dos partidos se agudizaban, el culto a la personalidad de Mao alcanzaba nuevas cimas. En julio, Liu Shaoqi, apaciguadas sus dudas, encendió la mecha de la adoración sin freno. En un artículo hagiográfico, afirmó que la única manera de garantizar que el partido no cometiese errores en el futuro era asegurarse de que «el liderazgo de Mao Zedong penetrase hasta la última capa».[156] Aquello fue la señal para sus compañeros del Politburó, de Zhou Enlai y Zhu De hacia abajo, para unirse a un delirante coro de alabanza. Dos periodistas norteamericanos, Theodore White y Annalee Jacoby, que visitaron Yan'an unos meses después, informaron que Mao «se había instalado en un púlpito de adoración», y era objeto de «panegíricos de la más excelsa y casi nauseabunda elocuencia servil». Incluso más sorprendente, escribieron, era la práctica de los dirigentes, compañeros de Mao, «hombres de alto rango, de realizar ostentosos ademanes ante los improvisados discursos de Mao, como si estuviesen bebiendo de la fuente de la sabiduría».

Fue en esta época cuando se acuñó la expresión «pensamiento de Mao Zedong» (*Mao Zedong sixiang*), y se compilaron las primeras versiones de sus *Obras escogidas*.[157] Fue entonces, también, cuando se escribió el himno maoísta, *El Este es Rojo*:

> El Este es Rojo, el sol se eleva.
> En China ha nacido un Mao Zedong.
> Procura por la felicidad del pueblo.
> Es el Gran Sabio del pueblo.

Se decoraron las murallas de los pueblos y los edificios públicos de toda China con el retrato de Mao.[158] Las escuelas tomaban su nombre: la Escuela Zedong de Jóvenes Cuadros en Yan'an, la Escuela de Jóvenes de Shandong.[159] Se enseñó a los niños la salmodia: «Somos los obedientes retoños del presidente Mao».[160]

Al invierno siguiente, los héroes obreros lanzaron mensajes saludando a Mao como «la estrella de la salvación» de China, un término que, en las mentes chinas, conjuraba la antigua unión entre el emperador y el Cielo. Durante la primavera de 1944, Mao fue invitado a plantar los primeros granos de mijo, al igual que el emperador, en épocas pasadas, había arado simbólicamente el primer surco.[161]

No obstante, aún faltaba un elemento.

A lo largo de la historia de China, la asimilación del pasado había jugado un papel fundamental en la creación de la base política necesaria para la asunción del poder de una nueva dinastía.[162] Mao contaba además con el ejemplo añadido del gobierno de Stalin en Rusia. Una de las primeras acciones del dictador soviético después de la Gran Purga, en la que perecieron sus últimos adversarios, había consistido en publicar su propia versión, en 1938, de la historia del partido soviético, *Breve curso de la historia del PCUS* (*Bolchevique*). Fue traducida al chino y señalada, un año más tarde, para el estudio de los cuadros en Yan'an. Consecuentemente, se incluyó entre los textos usados durante la campaña de rectificación, un mensaje que no pasó inadvertido entre los colegas de Mao.

Pero la «clarificación de la historia del partido», como fue delicadamente llamada, seguía sin hacer alusiones a él.

El quid de la cuestión era que Mao, de igual modo que Stalin —y los dirigentes chinos de todas las épocas—, no estaba dispuesto a tolerar ninguna fuente rival de autoridad.[163] No era suficiente que los primeros dirigentes del partido, Chen Duxiu y Li Lisan, hubiesen sido ya desacreditados (al igual que sin duda lo habría sido Qu Quibai, si no hubiese muerto como un mártir). Ni era suficiente que la línea política de Wang Ming y Bo Gu hubiese quedado repudiada. El desenmascaramiento y la refutación de las ideas alejadas del maoísmo debían llevarse hasta las últimas consecuencias. No faltaban precedentes en el pasado imperial de China. El gran emperador de la dinastía Qing, Qianlong, en el siglo XVIII, dirigió una de las más terribles inquisiciones literarias de todos los tiempos para acabar de raíz con todo pensamiento sedicioso. Del mismo modo, Mao comprendía instintivamente que su dominio no estaría asegurado hasta que todas las alternativas intelectuales dentro del partido quedasen clausuradas, y los oficiales más veteranos, comenzando por sus propios y más íntimos compañeros, confesasen públicamente sus errores del pasado, cuando apoyaron las equivocadas políticas asociadas a sus rivales.

Pasarían otros dieciocho meses antes de que finalmente se sintiese plenamente seguro de que poseía el grado de control que él deseaba.

Desde finales de 1943 hasta la primavera de 1944, Liu Shaoqi, actuando como un arma en manos de Mao, dirigió un ataque contra el Cuarto Pleno, el mismo que había encumbrado a Wang Ming en el poder. Todos los que habían estado asociados en alguna ocasión con Wang, comenzando por Zhang Wentian y Zhou Enlai, tuvieron que enfrentarse a una humillante autocrítica, además de ser en su momento criticados por sus compañeros.

En el caso de Zhou, el proceso fue particularmente doloroso. Por lo menos en dos ocasiones, Mao en persona dirigió furibundos ataques contra la trayectoria de Zhou, su falta de principios y su predisposición a apoyar cualquier facción que ostentase el poder. En Jiangxi, Zhou había estado del lado de los estudiantes retornados. Después de 1937 apoyó a Wang Ming. Mao albergaba la firme voluntad de que Zhou aprendiese la lección de una vez por todas.[164] A Ren Bishi, entonces uno de los más íntimos aliados del presidente, se le requirió igualmente que repudiase sus antiguos lazos con Wang Ming. Kang Sheng fue criticado por la manera de organizar el «movimiento de redención», junto con otras figuras menores como Deng Fa (su predecesor como jefe de Seguridad, y arquitecto en Fujian de la sangrienta purga de 1931). Exceptuando los miembros ausentes, como Wang Jiaxiang (que estaba de nuevo en Moscú) y Wang Ming (enfermo), todos los líderes pasaron por el ritual de arrepentimiento y obediencia a las ideas de Mao, con una sola excepción: Liu Shaoqi que, en un anuncio de la arrogante presunción que con el tiempo causaría su caída, alegó haber estado del lado de Mao desde el principio.

En abril de 1944, con toda la oposición apaciguada, Mao estaba ya preparado para poner fin a la orgía de autoflagelación. Wang Ming y Bo Gu, anunció, no serían castigados por sus crímenes contra el partido, a diferencia de lo ocurrido con los viejos bolcheviques rusos. La política del partido giraba para retroceder hacia una nueva conciliación.

Mao realizó además una disculpa tácita por los excesos del «movimiento de redención», postrándose ante los cuadros reunidos como signo de expiación. El hecho de que, a pesar de su estatus divino dentro del partido en aquel período, Mao tuviese que humillarse, no una sino tres veces, antes de que la audiencia aplaudiese, como muestra de que sus disculpas eran aceptadas, fue una muestra de la profundidad del odio que aquella campaña había sembrado.

En la nueva versión autorizada de la historia del partido, la lucha de Mao contra las «ideas equivocadas» de Chen Duxiu, Qu Qiubai, Li Lisan y Wang Ming, y el triunfo a partir de 1935 de su propio y certero pensamiento, fueron descritos como elementos unidos entre sí en un proceso único y continuo. El mito que en aquellas circunstancias se creó resonaría incluso hasta los años sesenta y, para muchos chinos, aún más allá de aquel período: si Mao se había mostrado siempre acertado en el pasado, ¿como podía no estarlo en el futuro?

Transcurrió todavía un año más antes de que la «Resolución sobre ciertas cuestiones de la historia del partido», que abrazaba este principio, quedase formalmente aprobada, en abril de 1945, por el pleno del Comité Central. Necesitó ser revisada hasta en catorce ocasiones, ya que casi todos los comunistas veteranos mantenían su propia posición sobre la interpretación de unos hechos de los que habían participado personalmente. De hecho, algunos de los detalles fueron objeto de tal disputa que el debate tuvo que ser trasladado del Séptimo Congreso, donde originalmente se debía mantener, al pleno posterior, de menores dimensiones y de más fácil control. En interés de la unidad, Bo Gu fue designado miembro de la comisión de redacción (lo que significaba que se adhería al criticismo contra su antigua política), y se persuadió a Wang Ming para que escribiese una carta reconociendo sus errores. El sentimiento de unidad restablecida impregnó el congreso. Bajo la insistencia de Mao, tanto Bo como Wang fueron reelegidos miembros del Comité Central, si bien es cierto que en último y penúltimo lugar. El ausente Li Lisan, denunciado por sus desviaciones izquierdistas, entonces en la Unión Soviética, donde había estado viviendo relegado al ostracismo durante los últimos quince años, y desconocedor incluso de que se estaba celebrando el congreso, también conservó su afiliación.

Mao se convirtió en el presidente del partido, no sólo, como hasta entonces, meramente del Secretariado y el Politburó. Liu Shaoqi fue ratificado como segundo de a bordo y heredero putativo. Zhou Enlai ocupó el tercer lugar del orden de rango, a pesar de que, como señal de que todavía continuaba en período de observación tras la campaña de rectificación, Mao se las ingenió para que fuese incluido en una posición bastante más rezagada dentro de la lista del Comité Central, en un recordatorio no muy sutil de que Zhou mantenía su cargo por voluntad del presidente, no porque él contase con el suficiente apoyo. Zhu De, comandante en jefe, era el cuarto, y Ren Bishi, el quinto.

Cuando el Séptimo Congreso llegó a su fin, Mao había finalmente conseguido la fusión de poder, ideología y carisma que había estado anhelando desde Zunyi. A lo largo de los años, los más avispados de sus visitantes habían percibido oscuramente los cambios que se estaban gestando. Edgar Snow, en 1939, le describió adquiriendo la serenidad de los sabios.[165] Evans Carlson se refirió a su aire de abstracción.[166] Pero Sidney Rittenberg dio en el blanco cuando comparó a Mao y Zhou Enlai. «Con Zhou», escribió, «me sentía como con ... un camarada. Con Mao, me sentía como si estuviese sentado junto a la historia.»[167]

Durante el verano de 1944, la corriente de la guerra en Europa fluía a favor de los aliados. Italia había capitulado. Las fuerzas comandadas por norteamericanos y británicos habían desembarcado en Normandía. El otrora invencible ejército alemán estaba siendo arrinconado desde el este hacia sus propias fronteras por las irresistibles fuerzas rusas. En Asia, también Japón comenzaba a vacilar. En territorio chino continuaban los nipones con su descomunal ofensiva, pero en todos los otros rincones del escenario del Pacífico las fuerzas del emperador emprendían la retirada. Mientras la Alta Comandancia de Tokio comenzaba a considerar lo impensable, la defensa del propio archipiélago, Stalin y Roosevelt centraban su atención en la conformación del nuevo orden que emergería al terminar la guerra.

El 22 de julio de 1944, un avión con el emblema de Estados Unidos apareció en los cielos de Yan'an.[168] Provocó casi la misma expectativa que la llegada, cinco años y medio antes, de Wang Ming, porque cuando se disponía a aterrizar, la rueda izquierda golpeó contra una sepultura ubicada justo en la entrada de la pista de aterrizaje, obligándolo a inclinarse violentamente hacia abajo, mientras el propulsor izquierdo se desprendía, chocaba con fuerza contra el compartimento del piloto y provocaba un enorme agujero en el fuselaje, forzando al avión a detenerse en medio de un gran estrépito. Así comenzó la llamada «misión Dixie», el primer y último intento oficial norteamericano (hasta principios de los años setenta) de establecer líneas de comunicación oficiales con los comunistas chinos. Sorprendentemente, nadie resultó herido, y después de ser recibidos por Zhou Enlai, el pequeño grupo de oficiales de enlace norteamericanos fue escoltado hasta sus aposentos, donde comenzó una experiencia de aprendizaje en ambas direcciones. Fue necesario recordar a los norteamericanos que no vociferasen «¡chico!», cada vez que necesitaban alguna cosa, sino que avisasen educadamente a sus *zhaodaiyuan*, los «oficiales de recepción». Los chinos se encontraron por vez primera inmersos en una relación semidiplomática con un grupo de occidentales no comunistas. Mao ordenó que las palabras «Nuestros amigos» fuesen insertadas en el titular del *Jiefang ribao*, dando la bienvenida a la misión.[169] Él y el resto de dirigentes fueron invitados a presenciar pases de musicales de Hollywood en un proyector alimentado con petróleo, y durante algún tiempo películas como *Tiempos modernos* de Charles Chaplin sustituyeron los bailes del sábado por la noche como la principal atracción social de Yan'an.

La decisión de enviar la misión de observación de Estados Unidos, como fue oficialmente designado aquel grupo, formaba parte de las maniobras a tres bandas entre Roosevelt, Stalin y Chiang, cuando cada uno de ellos procuraba imponer sus intereses en detrimento de los otros dos.

Los norteamericanos se sentían frustrados ante la incapacidad mostrada por el corrupto, autoritario y cada vez más impopular régimen del Generalísimo para proseguir con la guerra. Deseaban que nacionalistas y comunistas llegasen a un acuerdo, para que en lugar de andar mermando unos las fuerzas de los otros, unieran sus contingentes para expulsar al invasor.

Stalin, que temía la creación de un protectorado norteamericano en China, quería establecer relaciones, reguladas mediante tratados, con el gobierno nacionalista que garantizasen la neutralidad de China en cualquier futura disputa entre potencias, así como el reconocimiento de los «intereses especiales» de Rusia en Manchuria, especialmente en forma de concesiones ferroviarias y portuarias. También él estaba a favor del acuerdo entre el Guomindang y los comunistas.

La posición del Generalísimo era diametralmente contraria a cualquier negociación entre el Guomindang y el Partido Comunista Chino. Pero bajo las presiones tanto de Washington como de Moscú, aunque a regañadientes, accedió a ello. El 7 de noviembre de 1944, el emisario personal del presidente Roosevelt, el teniente general Patrick J. Hurley, partió hacia Yan'an para iniciar su trabajo de mediador.[170]

Desafortunadamente, nadie recordó ponerles sobre aviso de que el general estaba en camino. Cuando llegó como cada semana desde Chongqing un aeroplano de Estados Unidos con las provisiones de la misión Dixie, Zhou Enlai, que se encontraba casualmente en la pista de aterrizaje, quedó desconcertado al ver emerger de su interior a «un hombre alto, de pelo cano, militar y realmente atractivo, enfundado en un uniforme bellamente confeccionado ... con suficientes galones en su pecho como para simbolizar, parecía, todas las guerras ... en las que Estados Unidos había participado». Al ser informado de quién era el distinguido visitante, Zhou se apresuró en busca de Mao, y ordenó reunir una compañía para formar una improvisada guardia de honor. Pero las sorpresas del día apenas habían comenzado. Hurley, un huérfano de Oklahoma convertido en magnate del petróleo, era la encarnación del capitalismo estadounidense, vanidoso como un pavo real, y amante de actuar ante las cámaras. Al oír las salvas, recordaban algunos miembros de la misión, «se irguió con su impresionante altura, se hinchó como un cachorro rabioso, [agitó su sombrero en el aire] ... y quebró la quietud del norte de China con un alarido de los indios choctaw, un "¡yahuuu!" que nos heló la sangre». Mao y Zhu De le observaban boquiabiertos con asombrada incredulidad.[171]

Los tres días de la visita de Hurley resultaron ser una lección paradigmática sobre la falta de comprensión de la realidad china que caracterizó la política de Estados Unidos hasta que Richard Nixon se convirtió en presidente, veinticinco años más tarde.

Hurley ofreció a Mao una propuesta de pacto, repleta de frases grandilocuentes sobre «el establecimiento de un gobierno del pueblo, para el pueblo y por el pueblo» que él mismo había redactado, al parecer convencido de que si los comunistas lo firmaban, Chiang, con la presión norteamericana, no tendría más opción que hacer lo mismo. Pero la premisa era falsa. El Generalísimo pronto dejó claro que él no estaba dispuesto a aceptar algunas de las estipulaciones del texto de Hurley —como la legalización del Partido Comunista o la distribución igualitaria de los suministros militares entre las fuerzas comunistas y nacionalistas— y mucho menos la versión revisada de Mao, que proponía un gobierno de coalición. La metedura de pata de Hurley quedó aún más al descubierto por el hecho de que él había afirmado públicamente en Yan'an que consideraba las contrapropuestas de Mao «razonables y justas», y ambos habían firmado el texto final como muestra de buena voluntad.

Dos semanas después, los intentos de llegar a un acuerdo se estancaron. Cuando el comandante de la misión Dixie, el coronel David Barrett, hizo en diciembre un último esfuerzo para revivirlos, fue objeto de desatadas recriminaciones por parte de Mao:

> El general Hurley llegó a Yan'an y preguntó en qué condiciones cooperaríamos con el Guomindang. Le ofrecimos una propuesta de cinco puntos ... El general Hurley estuvo de acuerdo en que las condiciones eran eminentemente justas ... El Generalísimo ha rechazado esas propuestas. Ahora Estados Unidos llega y nos pide encarecidamente que aceptemos unas contrapropuestas que nos obligan a sacrificar nuestra libertad. Es para nosotros muy difícil de entender ... Si ... Estados Unidos desea continuar respaldando la cáscara podrida que es Chiang Kai-shek, están en su derecho ... No somos como Chiang Kai-shek.

No es necesario que nación alguna nos sostenga. Podemos mantenernos erguidos y avanzar por nuestros propios medios como hombres libres.

La actitud de Mao, informó Barrett, era «en extremo recalcitrante», y en varias ocasiones estalló violentamente presa de la rabia. «Continuaba imprecando, una y otra vez, "¡no cederemos más!", "¡ese bastardo de Chiang", y "¡si estuviese [él] aquí le respondería en su mismo rostro!" ... Zhou Enlai respaldaba con palabras calmadas y frías todo lo que apuntaba el presidente Mao. Salí de la entrevista con la sensación de haber estado hablando infructuosamente con dos líderes inteligentes, despiadados y decididos que se sentían plenamente seguros de la firmeza de su posición.»[172]

Esa era precisamente la impresión que pretendía provocar la actitud histriónica de Mao. Pero las conclusiones de Barrett daban demasiado crédito a los comunistas. A finales de 1944 poseían apenas setecientos mil soldados y el territorio que controlaban albergaba una población de noventa millones. Las tropas de Chiang Kai-shek llegaban al millón y medio, y su control se extendía sobre doscientos millones de habitantes. Las fuerzas del Guomindang «seguían siendo formidables», advirtió Mao unos meses después, y el Ejército Rojo no acertaba a valorar el auténtico peligro que representaban.[173]

Ante esta situación, las acciones del general Hurley en favor de la paz, por muy torpes que fuesen, hicieron un gran servicio a Mao. Sumieron a Chiang en discusiones que contribuyeron a legitimar la causa comunista y de las que no se pudo librar sin enfrentarse tanto a sus aliados norteamericanos como a todos aquellos chinos que le apoyaban por motivos más patrióticos que políticos.

La mediación de Estados Unidos concedió a Mao una oportunidad para depurar la imagen de los comunistas fuera de las fronteras de China, persuadiendo a los extranjeros que aterrizaban en Yan'an y cortejaban la misión Dixie de que el Partido Comunista Chino era un partido moderado, constituido esencialmente por reformadores agrarios que eran poco más que comunistas de nombre. La liebre la había soltado Stalin seis meses antes, cuando comunicó al embajador de Estados Unidos, Averill Harriman, que Mao y sus compañeros eran buenos patriotas, pero «comunistas de mantequilla»,[174] dejando entrever que no eran marxistas-leninistas auténticos (una idea que no sólo se ajustaba a sus intentos de llegar a un acuerdo de paz entre el Partido Comunista Chino y el Guomindang, sino que además reflejaba sus dudas reales sobre la ortodoxia doctrinal de Mao). Ello estaba de acuerdo, además, con la plataforma de la «Nueva Democracia» de Mao, que afirmaba que el objetivo inmediato del Partido Comunista Chino no era el comunismo de estilo soviético, sino una economía mixta. Después de los intercambios con Hurley, esta «campaña de moderación» adquirió un vigor renovado, y siguió una tendencia fuertemente proamericana. Mao se cuestionaba en voz alta si «no sería más apropiado que nos denominásemos partido democrático», despojándose completamente del término «comunista».[175] Opinaba que Estados Unidos era «el país más adecuado» para contribuir a la modernización de China, y sorprendió a un periodista norteamericano al preguntarle si pensaba que a Sears Roebuck le interesaría ampliar sus negocios de envíos postales hasta China.

Sus palabras eran completamente insinceras. Pero resultaron una propaganda muy efectiva. En enero de 1945 se realizaron aproximaciones secretas hacia el Departamento de Estado, proponiendo que Mao y Zhou visitasen Washington para entrevistarse con Roosevelt.[176] La pretensión de Chiang de ser el único líder de China que cualquier país extranjero que se preciase pudiese apoyar comenzaba de repente a mostrarse deslavazada. Mao comenzó a albergar la esperanza de que Estados Unidos quizá se mantuviese neutral ante el conflicto entre los comunistas y los nacionalistas que en uno u otro momento acabaría por llegar, estaba convencido, después del fracaso de la misión de Hurley.

Un mes después, la conferencia de Yalta enturbió aún más las aguas.[177]

Roosevelt y Stalin acordaron tratar al régimen de Chiang como un estado tapón que separaba el Pacífico, dominado por los norteamericanos, del noroeste de Asia, dominado por los soviéticos. Como parte del acuerdo, el líder soviético, sin conocimiento de Mao, prometió no ofrecer su apoyo a los ataques del Partido Comunista Chino contra el gobierno nacionalista. De acuerdo con ello, Estados Unidos y Rusia comenzaron a presionar a sus respectivos clientes para que aceptasen algún tipo de coalición.

Mao se mostró receptivo, fijando en su informe al Séptimo Congreso una estrategia global para una vía alternativa y pacífica hacia el poder.[178] Pero su escepticismo era demasiado evidente. Aquel mismo día, en una charla distendida y confidencial con los delegados, comparó a Chiang —al que describió como un «sinvergüenza»— con un hombre con la cara sucia. «Nuestra política ha sido, y todavía sigue siendo», declaró, «invitarle a lavarse la cara [en otras palabras, a reformarse] y no la de cortarle la cabeza ... [Pero] cuanto mayor se hace uno, menos dispuesto está a cambiar sus hábitos y más improbable es que lo haga. [De modo que] decimos, "si te limpias, podemos casarnos, porque todavía nos amamos ardientemente" ... Pero debemos mantener alta la guardia. Cuando seamos atacados ... debemos acabar completamente con el enemigo, a conciencia, con resolución y premura.»

Con aquel fin, el congreso impulsó el crecimiento del Ejército Rojo, desde los novecientos mil (en julio de 1945) hasta el millón de hombres; promovió la organización de alzamientos urbanos; y puso un énfasis renovado en la guerra móvil, en detrimento de la guerra de guerrillas. Mao advirtió, en telegramas codificados a los comandantes militares, que era inevitable una nueva guerra civil.[179] Tenían que aprovechar el tiempo que todavía quedaba para llevar a cabo los arreglos necesarios.

Tres meses después, cuando todos los preparativos estaban en su apogeo, los rusos finalmente declararon la guerra a Japón. Al día siguiente, el 10 de agosto, Zhu De ordenó que las tropas comunistas aceptasen la rendición de las tropas japonesas. Chiang entonces dio instrucciones a los comandantes japoneses para que se rindiesen sólo a las fuerzas nacionalistas. Mao no cedió y telegrafió a Stalin en busca de apoyo. A continuación, el día 15, el líder soviético lanzó una granada. A las tres de la madrugada, hora de Moscú, apenas horas antes de la capitulación japonesa, Wang Shijie, ministro de Asuntos Exteriores de Chiang, y Vyancheslav Molotov firmaron un tratado de alianza.

Para Mao, aquello era una repetición de la perfidia mostrada por Stalin en 1936, cuando pidió la liberación de Chiang durante el incidente de Xi'an. Una vez más, el dirigente soviético había vendido al Partido Comunista Chino en favor de los intereses nacionales de Rusia. Mao tenía conocimiento de las conversaciones entre los rusos y el Guomindang. Pero ignoraba el acuerdo a que habían llegado en Yalta. Ahora, finalmente, todo estaba muy claro: si estallaba una guerra civil, el Partido Comunista Chino estaría solo.

La política comunista cambió de la noche a la mañana. Se puso fin a todas las críticas al Guomindang, así como a Estados Unidos. Los planes de alzamientos urbanos quedaron congelados. Se indicó a las unidades del Ejército Rojo que cooperasen con las tropas norteamericanas en el desarme de las formaciones japonesas. El 28 de agosto, Mao partió hacia Chongqing a bordo de un avión de las fuerzas aéreas de Estados Unidos, acompañado por el general Hurley, para iniciar las negociaciones de paz con los nacionalistas, dejando a Liu Shaoqi al mando del partido mientras él estuviese ausente. Pyotr Vladimirov, un corresponsal de TASS que actuaba como representante de Moscú en Yan'an, escribió en su diario que Mao se asemejaba a un hombre dirigiéndose a su propia crucifixión.[180]

Tenía por delante un duro papel que interpretar. Chiang contaba con el apoyo férreo de Estados Unidos y la benevolente neutralidad de la Unión Soviética. Durante todo el tiempo que duraron las conversaciones, los ejércitos del Guomindang pudieron avanzar gradualmente hasta tomar posesión de las zonas ocupadas por los japoneses, mientras el Ejército Rojo no avanzaba más allá de sus territorios. Y si las negociaciones fracasaban, Chiang podía acusar a los comunistas de intransigentes y optar por una solución militar.

Su último encuentro había tenido lugar en Cantón, cuando Mao dirigía el Instituto de Instrucción Campesina del Guomindang, diecinueve años antes. Nada había ocurrido desde entonces que posibilitase un acercamiento en sus posiciones. Sus personalidades eran muy diferentes: los fotógrafos contemporáneos mostraban a Mao enfundado en un amplio traje añil de cuello redondo estilo Sun Yat-sen, y un casco rígido gris lustroso muy poco apropiado cubriendo su enmarañada y larga cabellera, mientras el generalísimo Chiang, ataviado inmaculadamente, iba engalanado en un tieso y ajustado uniforme militar.[181] Sus políticas eran diametralmente opuestas. Y, en buena medida, se detestaban mutuamente. Mao, le acusaba Chiang, era un traidor: si individuos como él no recibían castigo alguno, nadie obedecería su gobierno.[182] A Chiang le irritaba en especial que, aviniéndose a negociar, se había visto forzado a admitir —en palabras de Mao— que existía «un patrón de igualdad» entre ambos partidos, lo que los comunistas valoraron como un logro significativo.

Durante las seis semanas que duraron las conversaciones, los dos hombres se reunieron en cuatro ocasiones, aprobando un memorando de entendimiento mutuo, en el que ambos convinieron «evitar decididamente la guerra civil»;[183] y Chiang se comprometió a convocar un Congreso Consultivo Político con la participación de todos los partidos para debatir una nueva constitución. Pero la insistencia de Chiang, y el rechazo de Mao, en que el Partido Comunista Chino pusiese bajo control del Guomindang el ejército y los gobiernos locales que controlaba como condición previa a un arreglo global impidió que se alcanzasen mayores acuerdos.

Aún más importantes, no obstante, fueron los cambios acaecidos en el contexto internacional mientras se llevaban a cabo las reuniones.

En agosto, cuando se iniciaron las negociaciones en Chongqing, tanto Estados Unidos como la Unión Soviética se comprometieron a no intervenir en los asuntos de China. En octubre, cuando finalizaron los encuentros, cincuenta mil marines de Estados Unidos habían comenzado a tomar tierra en la costa del norte de China, supuestamente para colaborar en el desarme de los japoneses, pero en realidad para ocupar Pekín, Tianjin y otras ciudades importantes en nombre del Guomindang, previniendo el avance ruso hacia el sur; al tiempo que las tropas rusas consentían discretamente la toma comunista de Manchuria. Ocho meses después de Yalta, la idea de una China neutral taponando las ambiciones soviéticas y norteamericanas había comenzado a perder su significado. La guerra fría, concebida en Europa, avanzaba a pasos agigantados hacia el este.

Manchuria se convirtió en el punto caliente de esas nuevas rivalidades.

El 14 de noviembre, las tropas nacionalistas, con el apoyo militar de Estados Unidos, atacaron las unidades comunistas que defendían Shanhaiguan, el estratégico enclave situado al final de la Gran Muralla que controla la principal ruta terrestre hacia el norte. Seis días después, Lin Biao informó que la ciudad había caído y que no podía ser recuperada. La situación volvía a estar en el mismo punto que en el verano anterior. Ambos bandos avanzaban inexorablemente hacia una guerra civil.

Una vez más, Stalin minó el terreno que se extendía ante los pies de los comunistas.

En esta ocasión su preocupación consistía en reducir las tensiones que se habían desarrollado entre la Unión Soviética y Estados Unidos a lo largo de los dos meses anteriores. Había llegado el momento, decidió, de mostrar a Washington su buena voluntad, en detrimento del Partido Comunista Chino. Se ordenó a los comandantes soviéticos que informasen a sus camaradas chinos de que se debían retirar de todas las ciudades y vías de comunicación principales en el plazo de una semana. «Si no os marcháis», advirtió un general soviético al líder de la China del norte, Peng Zhen, «emplearemos los tanques para echaros.» A los zapadores comunistas, enfrascados en tareas de sabotaje de las líneas de ferrocarril para ralentizar el avance nacionalista, se les comunicó que desistiesen o serían desarmados por la fuerza.

Por aquel entonces, los dirigentes del partido chino ya estaban acostumbrados a las traiciones soviéticas. Pero, aun así, aquello fue un golpe difícil de encajar. Peng, normalmente el menos visceral de entre los hombres, explotó: «¡El ejército de un partido comunista utilizando los tanques para expulsar el ejército de otro! Nunca habían ocurrido semejantes barbaridades». Pero no había nada que pudiese hacer el partido chino. Al igual que en agosto, tuvo que aceptar la situación.

Mao tuvo un papel menor en todos estos sucesos. Había vuelto a caer preso de su neurastenia.[184]

Por vez primera desde 1924, cuando se había retirado desesperadamente de Shaoshan, el embrujo político de Mao le había abandonado. Era incapaz de divisar una salida.

Después de haber asumido plenos poderes en verano y haber alcanzado una significación casi divina en un partido más liberado que nunca del control soviético, descubrió repentinamente que, después de todo, se sentía impotente, atado de pies y manos por los intereses dominantes de las grandes potencias. El tratado de agosto entre Stalin y Chiang había bloqueado una guerra civil para la que, psicológicamente, estaba preparado, y le había despojado de todo su ropaje político para enfrentarse al generalísimo Chiang en Chongqing. Las únicas opciones políticas que se abrían ante él —luchar contra el Guomindang intentando evitar el enfrentamiento con Estados Unidos; o procurarse el apoyo soviético para impulsar una política que los dirigentes soviéticos desaprobaban— eran tan flagrantemente contradictorias que estaban destinadas a fracasar.

Mientras Mao languidecía preso de la depresión, Liu Shaoqi continuaba como sustituto en el cargo de jefe en funciones del Comité Central. Se explicó a los visitantes que Mao sufría de agotamiento.[185] «A lo largo de todo el mes de noviembre», recordaba su intérprete, Shi Zhe, «le veíamos, día tras día, postrado sobre la cama, tembloroso. Sus manos y sus piernas se movían convulsamente, bañado en frío sudor ... Nos pedía que le pusiéramos toallas frías en la frente, pero no servía de nada. Los doctores no podían hacer nada.»[186]

Fue el presidente Truman el que finalmente sacó a Mao del agujero negro en el que estaba sumido.[187]

El Congreso de Estados Unidos había caído presa de la ansiedad ante el espectáculo de unos marines norteamericanos que se estaban viendo succionados por la guerra civil de un país extranjero. El 27 de noviembre, Hurley presentó su renuncia, enojado tras una resolución del Congreso que reclamaba la retirada inmediata del conflicto de Estados Unidos. Truman anunció el nombramiento del general George C. Marshall, artífice del programa de préstamos destinados a Europa, para ocupar su lugar. La nueva política que seguiría Marshall tenía dos principios cardinales: un alto el fuego entre los nacionalistas y los comunistas que desembocase en un acuerdo político; y la expulsión de los rusos de Manchuria.

Cuando estas noticias llegaron a Yan'an, Mao pudo contemplar por primera vez desde hacía meses un resplandor de esperanza.[188] Si los norteamericanos buscaban la paz de China, tendrían que presionar a Chiang para que detuviese su ofensiva contra las posiciones comunistas.

Marshall llegó a Chongqing el 21 de diciembre.[189] Diez días después había logrado persuadir a ambos contendientes de que pusiesen sobre la mesa sus propuestas de paz. Zhou Enlai, siguiendo las instrucciones de Mao, aceptó la principal condición de los nacionalistas: libertad de movimiento de las tropas del gobierno para poder atacar las áreas de control soviético de Manchuria y desarmar las fuerzas japonesas en el sur. El 10 de enero de 1946 se firmó un alto el fuego, que tres días después comenzó a tener efecto. Mientras tanto, en un nuevo guiño a Marshall, Chiang Kai-shek convocó la Conferencia Política Consultiva, a cuya creación había dado su consentimiento el pasado octubre pero a la que todavía no había permitido reunirse. Pretendía que fuese una hoja de parra que concediese al gobierno un aura de legitimación democrática. Pero, en lugar de ello, una improbable coalición de comunistas, figuras de terceros partidos y moderados del Guomindang consiguió arrebatarle el control de las manos y, valiéndose de la situación originada con el acuerdo de alto el fuego, aprobaron resoluciones que reclamaban, entre otras cosas, una asamblea nacional electa y la participación de los comunistas en un gobierno de coalición, en el cual no se aceptaría que el Guomindang controlase más de la mitad de los cargos ministeriales.

Mao estaba extasiado.[190] Sus intuiciones sobre la misión de Marshall se habían mostrado acertadas. El péndulo había oscilado desde la confrontación militar hasta la política. «Nuestro partido se unirá pronto al gobierno», proclamó en una directriz de principios de febrero de 1946. «En líneas generales», la lucha armada había llegado a su fin. La mayor tarea que debían afrontar ahora, aseveró Mao, era superar la pertinacia que provocaba que «algunos camaradas» dudasen de que «había llegado una nueva era de paz y democracia».

Aquella noche ofreció un banquete a un periodista norteamericano, John Roderick, de Associated Press, el primer reportero extranjero que veían desde hacía varios meses. Fue un encuentro festivo, y Mao se deshizo en elogios a Truman, cuya iniciativa, dijo, había contribuido enormemente a la amistad chino-americana. Roderick quedó sorprendido por la manera en que Mao dominaba a los que le rodeaban, mostrándose henchido por «un aire de confianza en sí mismo y autoridad, sin arrogancia alguna». Era la clase de hombre, pensó Roderick, que sobresaldría en una estancia repleta de gente, cualquiera que fuese el lugar, por el aura de liderazgo que exudaba, similar a la «que debieron de emanar hombres como Alejandro Magno, Napoleón o Lenin».[191]

Muy a pesar de esta imagen heroica, los partidarios de la política de la puerta cerrada resultaron estar en lo cierto. Chiang Kai-shek no estaba dispuesto a poner en práctica las resoluciones del Partido Comunista Chino, y Estados Unidos no estaba dispuesto a obligarle a hacerlo. Mao había cometido un grave error de cálculo.

Durante unas semanas más, el impulso que había suscitado Marshall permitió que las negociaciones continuasen avanzando. A finales de febrero, ambos bandos se sorprendieron mutuamente cuando alcanzaron un acuerdo sobre la integración de las fuerzas comunistas en un nuevo ejército nacional no partisano, una cuestión que, incluso en el período álgido del frente unido en tiempos de guerra, se había mostrado inabordable.

Pero pronto aparecieron señales de alarma indicando que el proceso de paz se estaba descomponiendo.

En marzo Winston Churchill pronunció el discurso sobre el «telón de acero» en Fulton, Missouri. Las tensiones globales entre Estados Unidos y la Unión Soviética comenzaban a agudizarse. Cuando los rusos iniciaron su retirada de Manchuria —que había quedado excluida del alto el fuego de enero—, Chiang convenció a la Casa Blanca de que, a menos que los ejércitos nacionalistas avanzasen para asegurar la soberanía china en aquellos territorios, todo el noreste de China caería bajo el dominio de los comunistas. Mao, obsesionado todavía por la posibilidad de un acuerdo político inminente, pensó inicialmente que el Generalísimo sólo intentaba fortalecer su posición negociadora. Pero el 16 de marzo, mientras continuaba el avance nacionalista, se refirió por vez primera a la posibilidad de la reanudación de las hostilidades.[192] Una semana después expidió instrucciones a Lin Biao para lanzar una contraofensiva, sin importarle las consecuencias que aquello pudiese tener para las negociaciones de paz.[193] El 18 de abril, Changchun caía a manos de las fuerzas de Lin; al igual que Harbin, diez días después.[194]

La lucha por Manchuria había comenzado, pero no se trataba todavía de un conflicto generalizado. Durante un mes más Mao continuó insistiendo a los comandantes comunistas de otras regiones en que no abriesen fuego a menos que los nacionalistas atacasen primero. [195]

«El Guomindang se prepara activamente para iniciar una guerra civil de alcance nacional», escribió en una directriz del Comité Central del 15 de mayo, «pero Estados Unidos no está de acuerdo con ello ... La política de nuestro partido debería [por lo tanto] consistir ... en prevenirla o, por lo menos, aplazarla.» Pero, dos semanas después, incluso estas últimas esperanzas habían sido abandonadas. El esfuerzo mediador de Marshall había resultado un fracaso. Los «reaccionarios del Guomindang» gobernaban China mediante el terror, y Estados Unidos les apoyaba.

En junio estallaron graves enfrentamientos. Un mes después, tras otra breve tregua, la lucha se extendió hasta inundar toda la China norte y central.[196]

Considerándolo en retrospectiva, Mao había superado un año profundamente insatisfactorio.

Su liderazgo continuaba intacto. Para el partido en general, así como para el campesinado que constituía la masa de sus seguidores, era todavía la «estrella de la salvación», el Sol Rojo del Este. Sus compañeros podían murmurar, lejos de oídos indiscretos, sobre la actitud zigzagueante de su política —que pasaba de la guerra a la paz, para volver de nuevo a la guerra—, pero nadie le desafiaba. Mao se había vuelto indispensable, la guía irreemplazable y el símbolo del futuro de la causa comunista.[197]

Pero su inexperiencia en el trato con las grandes potencias, que durante el otoño y la primavera le había llevado de un error a otro, le había dejado mortificado.

Chiang Kai-shek, que encabezaba un gobierno reconocido, había dispuesto de quince años para aprender a utilizar las potencias una en contra de la otra. En cambio, Mao dirigía un movimiento rebelde. Nunca había viajado al extranjero. No había mantenido ningún contacto personal, ni siquiera con los dirigentes soviéticos. Hasta la llegada de la misión Dixie, dieciocho meses antes, nunca había tratado con un representante occidental. Pasados veinte años, todavía le dolía su ingenuidad al haber creído que los norteamericanos forzarían al gobierno nacionalista a asumir un compromiso, y es una de las razones que explican sus precauciones en los contactos con las potencias occidentales cuando, una vez derrotado Chiang, surgió la cuestión de las relaciones diplomáticas.[198]

Desvanecida la neblina de la política extranjera, completada la retirada soviética, y el foco de rivalidad entre las grandes potencias trasladado hasta Europa, retornó la vieja seguridad en las aptitudes de Mao. Se sentía a sus anchas enfrentándose a un enemigo —los nacionalistas— en un terreno —el campo chino— que conocía a la perfección. En una serie de directrices del Comité Central reiteró los viejos principios de batalla, largamente puestos a prueba, que se habían mostrado tan efectivos en Jiangxi y contra los japoneses; engañar al enemigo, y concentrar las fuerzas más capaces para enfrentarse con las más débiles. Abandonar un territorio para preservar la integridad de las tropas era «no sólo inevitable, sino necesario», dijo aquel verano a sus compañeros, «de lo contrario será imposible alcanzar la victoria final».[199]

Durante la primavera siguiente, cuando incluso la ciudad de Yan'an resultó amenazada, su intérprete, Shi Zhe, le preguntó abatido qué podían hacer para evitar la caída de la ciudad. Mao lanzó una carcajada. «Lo que dices no es muy inteligente», dijo. «No deberíamos intentar detenerles... Chiang cree que cuando haya tomado la guarida de los demonios habrá ganado. Pero, en realidad, lo perderá todo. [Está escrito en las *Analectas*:] "Si algo viene a mí, y no ofrezco nada a cambio, es contrario al decoro." Vamos a darle Yan'an a Chiang. Y él nos dará China.»[200]

Dos semanas después, en el crepúsculo del 18 de marzo de 1947, la columna que escoltaba a Mao y los otros dirigentes del Comité Central abandonaba la capital roja.[201] El interludio de Yan'an había llegado a su fin. Había comenzado la batalla final.

12

Tigres de papel

El conflicto que, consumiendo a China por entero, se extendió entre el verano de 1946 y la primavera de 1950 fue radicalmente distinto de cualquier otra guerra anterior en la que Mao hubiese participado. En Jinggangshan, en Jiangxi y en el noroeste el objetivo del Ejército Rojo había sido asegurar y defender las zonas rurales. Durante el período de Yan'an, éste había consistido «en un 70 por 100 en expandir nuestras propias fuerzas, en un 20 por 100 en resistir ante el Guomindang, y en un 10 por 100 en luchar contra Japón». Ahora, por vez primera, el objetivo de Mao no era dominar el campo, sino tomar el control de las ciudades de China, los centros proletarios de los que los comunistas habían sido brutalmente excluidos veinte años antes.

Durante los nueve primeros meses, el Ejército Rojo —ahora bautizado con el nombre de Ejército Popular de Liberación— estuvo en constante retirada. En Manchuria, donde Chiang había destinado la elite de sus tropas, los comunistas perdieron casi todas sus ganancias anteriores, reteniendo únicamente Harbin, cerca de la frontera soviética. En la China oriental fueron expulsados del norte de Jiangsu. Las áreas base dolorosamente reconstruidas en los distritos de E-Yu-Wan, en el norte de Wuhan, fueron invadidas, y las fuerzas nacionalistas se hicieron con el control de algunas partes de la región fronteriza situada entre Shanxi, Hebei, Shandong y Henan. En diciembre de 1946, Chiang se sentía lo suficientemente confiado como para asegurarle a Marshall que la amenaza militar de los comunistas sería neutralizada durante el otoño siguiente, una aseveración que repitió públicamente, con gran alharaca, tras la caída de Yan'an. Las advertencias del enviado norteamericano de que las fuerzas de Mao, aunque en retirada, no mostraban signo de inminente rendición, cayeron en oídos sordos.

La estrategia de Chiang consistía en recuperar las principales ciudades y líneas de ferrocarril al norte del Yangzi, y sólo después de que éstas hubiesen quedado aseguradas, avanzar hacia las zonas rurales y ocupar las sedes de distrito, utilizando finalmente las milicias de los terratenientes para retomar el control en los pueblos.[1] Mao ordenó que sus fuerzas evitasen la batalla a menos que estuviesen seguros de vencer, y después procurasen la rápida aniquilación de las fuerzas que habían atacado.

> Cuando hemos conseguido rodear ... a uno de los destacamentos enemigos (una brigada o un regimiento), debemos abstenernos de eliminar todos a un mismo tiempo al enemigo cercado ... y así dividirnos nosotros mismos ... haciendo difícil la consecución de los objetivos. En lugar de ello, debemos reunir una fuerza seis, cinco, cuatro o, como mínimo, tres veces [mayor que] la del enemigo, concentrando toda o la mayor parte de nuestra artillería, seleccionando uno (y no dos) de los flancos débiles de las posiciones enemigas, atacándolo fieramente y estando seguros de la victoria ... Cuando aniquilemos un regimiento, [el enemigo] poseerá un regimiento menos. Cuando acabemos con una brigada, contará con una brigada menos ... Con este método alcanzaremos la victoria. Ignorándolo, perderemos.[2]

En febrero de 1947, más de cincuenta brigadas nacionalistas (de las doscientas dieciocho que participaban en la campaña) habían quedado inutilizadas siguiendo este procedimiento.[3] Al igual que en Jiangxi, quince años antes, la mayoría de las tropas del Guomindang que se rendían eran asimiladas por las unidades comunistas, convirtiéndose en la principal fuente de fuerza humana de refresco del Ejército Popular de Liberación.

Como precaución de seguridad, los dirigentes del partido se dividieron en dos grupos después de abandonar Yan'an.[4] Mao encabezaba el llamado Comité de la Línea del Frente, que permaneció en el norte de Shaanxi. Liu Shaoqi asumió el cargo de una Comisión de Trabajo del Comité Central de la base de Jin-Cha-Ji, en el actual Hebei, a poco menos de cuatrocientos kilómetros al este. Sydney Rittemberg, que avanzaba con la columna de Mao, quedó fascinado por las tácticas del presidente, aunque las consideraba terroríficas:

> Mao [jugaba] ... a un macabro juego del gato y el ratón con su adversario. Telegrafiaba deliberadamente sus movimientos, y ... los ponía en práctica en un lugar que nunca se hallaba a más de un día de marcha de las posiciones del Guomindang. Sabía que [el comandante nacionalista] Hu Zongnan se convertiría en el héroe de Chiang si era capaz de capturar a Mao en persona, y Mao apostaba a esa carta siempre que podía serle de algún provecho. Esperaba en cada campamento a que sus espías le trajesen noticias de que el enemi-

go se encontraba a sólo una hora de marcha antes de que metódicamente se enfundase su abrigo, montase en su caballo y dirigiese su pequeña columna, con su cuartel general, hacia el camino ... [Entonces], cuando las tropas del Guomindang habían quedado exhaustas ... y enfermas por toda la campaña, Peng Dehuai escogía el flanco más vulnerable ... y lanzaba [a sus hombres] sobre él.[5]

La sabiduría de Ju, el Viejo Sordo, que Mao había aprendido en Jinggangshan, y que tan buenos resultados le había dado durante la Larga Marcha, seguía mostrándose útil. En un telegrama enviado a Peng en abril, lo describió como «la táctica del desgaste y el desgarre», diseñada para fatigar al enemigo y esquilmar sus provisiones de alimentos.[6]

Por aquel entonces, la ofensiva nacionalista ya había comenzado a estancarse. Mao (y, por separado, los norteamericanos) así lo habían predicho el otoño anterior.[7] Las fuerzas de Chiang se habían expandido con demasiada ligereza, y las líneas de comunicación se habían dispersado demasiado. El Generalísimo reconoció posteriormente que el envío de sus mejores tropas al noreste, sin asegurar primero las provincias intermedias del norte y centro de China, había resultado un error estratégico fundamental.[8] Su falta de confianza en los nativos manchúes no contribuyó a mejorar la situación. Cuando los nacionalistas impusieron forasteros en la administración de la región perdieron el apoyo de la elite local.[9] Pero el factor crucial para el cambio de corriente fue la facilidad con que el Ejército Popular de Liberación se adaptó, después de las tácticas de guerrilla, al uso de grandes formaciones movibles. La experiencia adquirida en la guerra contra Japón, y la mejorada disciplina y la «unidad de propósito» impuesta durante la campaña de rectificación resultaban ser ahora muy valiosas.

Aquel verano finalizó la retirada comunista y comenzó el contraataque.

Lin Biao lanzó una ofensiva triple que atacó con intensidad los enlaces por ferrocarril entre las principales ciudades de Manchuria e hizo retroceder el frente nacionalista hasta doscientos veinticinco kilómetros más al sur. Liu Bocheng, el «Dragón de un Ojo», atacó cruzando el río Amarillo hasta penetrar en Hebei, mientras Chen Yi hacía lo propio en Shandong. Más al norte, Nie Rongzhen tomaba Shijiazhuang, la primera gran ciudad nacionalista en caer en territorio propiamente chino, concediendo a los comunistas el control del principal ferrocarril entre Pekín, en el norte, y Wuhan, en el sur.[10] En diciembre de 1947, Mao pudo anunciar que seiscientos cuarenta mil soldados nacionalistas habían sido heridos o muertos, y más de un millón se había rendido.

La guerra, dijo exultante, había llegado a su punto de inflexión. «[Un año antes] nuestros enemigos se mostraban jubilosos ... [y] también los imperialistas americanos bailaban de alegría ... [Ahora] están dominados por el pesimismo. Exhalan grandes suspiros [y] se lamentan de la crisis.»[11]

A lo largo de la primavera y el verano de 1948 los comunistas lograron imponer su ventaja.[12] A finales de marzo, la mayor parte de Manchuria, además de Changchun y Shenyang, estaba en manos de Lin Biao, y consiguieron cortar tanto las posibilidades de reclutamiento nacionalista como su retirada. Más al sur, los comandantes del Ejército Popular de Liberación recuperaron buena parte de las provincias de Henan y Anhui. En una victoria de importancia simbólica, Yan'an fue reconquistada por las fuerzas comunistas el 25 de abril. Mao comenzó a calcular el número de brigadas nacionalistas que debían ser eliminadas para alcanzar la victoria final. En marzo de 1948 vaticinó que el gobierno nacionalista sería derrocado a mediados de 1951.[13] Ocho meses después avanzaba su previsión hasta el otoño de 1949.[14]

La velocidad con que se resquebrajaba la resistencia nacionalista sorprendió al propio Mao.[15]

Un elemento decisivo fue el deterioro de la calidad de los ejércitos del Guomindang, que se inició tras la entrada de Estados Unidos en la guerra del Pacífico.[16] Los generales nacionalistas perdieron su interés en expulsar a los japoneses, creyendo que, tarde o temprano, sus aliados lo harían por ellos. En palabras de uno de los comandantes de Chiang: «Nuestras tropas ... se volvieron débiles y sólo preocupadas por el placer ... Carecían de espíritu de lucha y no estaban dispuestas a sacrificarse». La incompetencia del liderazgo hacía las cosas aún más difíciles. El comandante de Estados Unidos en China, el general Wademeyer, calificó al cuerpo de oficiales de Chiang de «incapaz, inepto, falto de práctica, insignificante [y] ... absolutamente ineficaz». El propio Generalísimo admitió: «Tengo que pasar las noches en vela preguntándome qué locuras van a hacer ... Son tan estúpidos ... que debes imaginarte todas las equivocaciones que pueden llegar a cometer y advertirles de ello». Pero las constantes intervenciones de Chiang únicamente arrebataban a sus comandantes las pocas iniciativas que pudiesen tener.

La ineptitud de los servicios de información complicaba las dificultades nacionalistas. Las campañas de Kang Sheng contra los agentes especiales del Guomindang, a pesar de su carácter grotesco, impidieron que los hombres de Chiang pudiesen introducirse, incluso a niveles inferiores, en las unidades comunistas. Contrariamente, el comando nacionalista estaba infiltrado en todos los niveles de simpatizantes comunistas. El adjunto a Chiang, el general Liu Fei, a todas luces un típico soldado de carrera del Guomindang, pomposo y burócrata, era un topo comunista. Al igual que el jefe de la Oficina de Planificación de Guerra del Guomindang, Guo Rugui. En las principales batallas de finales de la guerra civil, los comandantes del Ejército Popular de Liberación conocían por anticipado todos los movimientos nacionalistas.

La moral —o la falta de ella— fue un factor igualmente importante. El de Chiang era un ejército reclutado. Grupos de presión se desplazaban a los pueblos y se llevaban a los hombres de los campos, dejando morir de hambre a sus familias. En los centros de recepción, donde se suponía debían recibir una instrucción básica, eran mantenidos bajo estrecha vigilancia. En algunos lugares, incluso en lo más crudo del invierno, eran despojados de sus vestidos durante la noche para intentar prevenir su huida. «Los pobres desgraciados dormían desnudos», explicaba un observador norteamericano, «unos treinta o cuarenta hacinados en un reducto de aproximadamente tres metros por cinco. El sargento nos explicó que cuanto más juntos ... se mantenían más calientes y dormían mejor.» Después de ser alistados, se los hacía marchar, atados unos a otros como prisioneros, hasta sus unidades, a menudo a centenares de kilómetros, en el frente. Frecuentemente no disponían de comida o agua, ya que sus raciones habían sido «esquilmadas» por oficiales corruptos. En una marcha que se desarrolló entre Fujian y Guizhou, sólo un centenar del millar de reclutas que partió llegó a su destino; en otro caso, sólo sobrevivieron diecisiete de setecientos. No se puede decir que éstos fuesen casos atípicos. Hubo un año en que casi la mitad del millón seiscientos setenta mil nuevos reclutas falleció o desertó antes de llegar a sus unidades. Cuando los supervivientes llegaban al frente, muchos aprovechaban la más mínima oportunidad para escapar. No era infrecuente que una unidad nacionalista perdiese el 6 por 100 de sus hombres mensualmente a causa de las deserciones. Los que se quedaban sufrían de malnutrición crónica, sin la posibilidad de disponer de tratamiento médico alguno. El coronel Barrett, de la misión Dixie, informó que había visto soldados nacionalistas que «se desplomaban y morían después de avanzar poco más de un kilómetro».[17]

Habiendo sido tratados como bestias salvajes, las tropas se comportaban de la misma manera. Otro oficial norteamericano informó:

He visitado pueblos [en las áreas procomunistas] que los soldados de Chiang han ocupado y saqueado. Todo lo que no pueden llevarse en carretas de bueyes y animales de carga robados lo inutilizan ... Mezclan el maíz, el trigo y el mijo con la intención de impedir que el grano sea comestible. Los pozos de agua subterránea .. fueron cegados con tierra ... Los soldados nacionalistas defecaron en una escuela del pueblo, al igual que habían hecho en todas partes, y restregaron los excrementos humanos por las paredes. Una joven ... me explicó que había sido arrastrada de un búnker a otro y violada durante varios días. En un pueblo evacuado por los nacionalistas justo antes de que nosotros llegásemos, la única que quedaba con vida era una anciana que pasaba de los setenta y cinco años. Estaba sentada, incapaz de pronunciar palabra, después de que también ella hubiese sido violada repetidamente.[18]

En algunos distritos, la incapacidad comunista de proteger a la población de represalias de este tipo volvió a los campesinos en su contra. Los nacionalistas habían empleado las mismas tácticas en Jiangxi, con efectos similares, a principios de los años treinta.

Mao respondió poniendo en práctica la reforma de las tierras, aplazada mientras el frente unido se había mantenido vigente.[19] «Los tiranos locales y la malvada burguesía» eran expuestos ante congregaciones de masas para someterlos a un juicio sumario y ejecutarlos. Las relaciones entre clases en el campo resultaron deliberadamente polarizadas, concediendo a los elementos más pobres del campesinado un incentivo para comprometerse con la causa comunista.

En las ciudades la situación no era mejor: la tiranía del unipartidismo, apoyado por la policía secreta; la represión de los disidentes liberales; una inflación galopante y salarios recortados como consecuencia de que el gobierno estaba imprimiendo dinero para financiar la guerra civil; y una corrupción que lo permeaba todo y hacía de los negocios legales un imposible, todo ello tornó en contra del Guomindang a los muchos colectivos que anteriormente habían sido sus seguidores más fervientes.[20]

Éstos eran los síntomas de la enfermedad nacionalista. Pero la incurable raíz de toda dolencia residía en la naturaleza del sistema de gobierno que Chiang Kai-shek había creado. Era demasiado débil y dominado por las facciones para poder imponer su voluntad por la fuerza, demasiado corrupto y poco preocupado por el bienestar público para conseguir una amplia base de apoyo.

Todo ello provocaba que la situación fuese muy compleja. Además de las hambrientas y desafectas tropas regulares, Chiang contaba con unidades de elite bien entrenadas y equipadas que sirvieron con ardor contra los japoneses, al igual que contra los comunistas. Estados Unidos las abasteció con armas y equipamiento valorados, según los cálculos del Departamento de Estado, en unos trescientos mil millones de dólares, una cifra que pudo ser superior según los informes comunistas. El propio Chiang declaró en junio de 1947 que sus fuerzas tenían una «superioridad absoluta» sobre el Ejército Popular de Liberación en técnicas y experiencia de combate, y eran «diez veces más ricas ... en términos de abastecimiento militar».

Mao, frente a todo ello, sólo confiaba en la «voluntad colectiva de las masas». Pero resultó más que suficiente.

Dos años antes, en el Séptimo Congreso, había relatado el antiguo cuento popular del anciano loco de la montaña del norte, cuya casa carecía de vistas al exterior en el sur a causa de dos grandes montes.[21] Sus hijos y él tomaron sus azadones y comenzaron a excavarlos. Cuando otro aldeano se mofó de él, el anciano loco contestó: «Cuando me muera, mis hijos continuarán el trabajo; y cuando mueran, estarán mis nietos, y sus hijos y nietos ... Por muy altas que sean, las montañas no pueden crecer aún más, y cada porción que cavamos son una porción más bajas. ¿Por qué no podríamos acabar con ellas?». Mientras continuaba excavando, dijo Mao, Dios se sintió conmovido por su fe, y envió a dos ángeles, que cargaron los dos montes sobre sus espaldas.

Ahora, esos dos montes descansan, como un peso muerto, sobre el pueblo chino. Uno es el imperialismo, el otro es el feudalismo. El Partido Comunista Chino ha estado largo tiempo excavándolos. Debemos perseverar y trabajar sin descanso, y así también nosotros alcanzaremos el corazón de Dios. Nuestro Dios no es otro que el pueblo chino. Si éste cava junto a nosotros con determinación, ¿por qué no podríamos acabar con esos dos montes?

Durante el resto de su vida, la historia del anciano loco le serviría como metáfora de sus esfuerzos para transformar China. La abrupta caída de Japón en agosto de 1945, al igual que el derrumbe nacionalista, tres años y medio después, simplemente reforzó su convicción de que, ante el poder de la voluntad humana, todo lo demás era secundario. No fue la bomba atómica lo que derrotó a los japoneses, insistía Mao, sino la lucha encabezada por las masas.[22]

La bomba atómica es un tigre de papel que los reaccionarios de Estados Unidos utilizan para atemorizar al pueblo. Parece terrible, pero en realidad no lo es. Es evidente que la bomba atómica es un arma de exterminación masiva, pero el resultado de una guerra lo decide el pueblo, no una o dos armas modernas.

Todos los reaccionarios son como tigres de papel ... Hitler ... fue un tigre de papel. Al igual que Mussolini, o el imperialismo japonés ... Chiang Kai-shek y sus seguidores ... todos son tigres de papel ... Nosotros sólo disponemos de mijo y rifles en los que confiar, pero la historia demostrará que éstos son más poderosos que los aeroplanos y los tanques de Chiang Kai-shek ... La razón es muy simple: los reaccionarios representan la reacción, nosotros representamos el progreso.[23]

Con esta invencible convicción en la justicia de su causa, los ejércitos comunistas comenzaron a preparar, durante el otoño de 1948, las tres críticas batallas que marcarían el destino de la China moderna.[24]

El plan general de campaña fue elaborado por Mao a principios de septiembre.[25] Lin Biao fue el primero en atacar, en Jinzhou, un enclave fuertemente fortificado de la línea férrea que unía Manchuria y Pekín, con una fuerza de setecientos mil hombres. Después de una dura batalla que duró treinta y una horas, el 15 de octubre la ciudad fue tomada. Pero los acontecimientos evolucionaron de un modo que Mao no había previsto. Una columna nacionalista de refresco, unos cien mil hombres, partió de Shenyang. Fingiendo avanzar hacia el sur, Lin envió su fuerza principal hacia el norte. La columna nacionalista resultó completamente aniquilada. Changchun, a la que las fuerzas de Lin también asediaban, se rindió al mismo tiempo. Shenyang aguardaba sólo con la mitad de su guarnición, y fue la siguiente en caer, el 2 de noviembre. No en vano Lin era considerado el más grande comandante comunista. En el espacio de siete semanas, Chiang había perdido toda Manchuria y medio millón de sus mejores tropas. De la noche a la mañana, la coyuntura militar se había transformado. No sólo los nacionalistas estaban en franca retirada, sino que, por vez primera desde que había comenzado la guerra, los comunistas les sobrepasaban en número.

Zhu De ordenó entonces a Lin que emprendiese una marcha forzada de novecientos kilómetros hacia el sur, para asediar Tianjin y Pekín. Allí, su Ejército del Noreste se unió al Ejército de Campaña del Norte de China de Nie Rongzhen, resultando una fuerza combinada de casi un millón de hombres, la más amplia que jamás habían conseguido reunir los comunistas. Los nacionalistas contaban con seiscientos mil.

Una vez más, Mao diseñó el plan de operaciones.[26] Se indicó a Lin que la principal tarea consistía en cortar la huida del enemigo. Los nacionalistas, advirtió Mao, eran «como pájaros confundidos por la vibración de la cuerda de un arco». Sólo cuando se hubiese completado el cerco se podía dar inicio al ataque, y el objetivo entonces sería Tianjin, no Pekín, como esperaría Chiang.

Mientras tanto, los Ejércitos de la Planicie Central y del Este de China, comandados por Liu Bocheng y Chen Yi, habían iniciado la tercera gran batalla, seiscientos kilómetros más al sur.

La campaña de Huaihai, como se la denominó, se desarrolló a lo largo de cuatro provincias diferentes —Anhui, Henan, Jiangsu y Shandong— en un área limitada al este por el Gran Canal y por el río Huai en el sur. Duró cerca de dos meses. Cada uno de los contrincantes disponía aproximadamente de medio millón de tropas, pero los comunistas contaban con la ayuda de dos millones de campesinos que les auxiliaban, dirigidos por un Comité del Frente *ad hoc*, comandado por Deng Xiaoping, para proporcionar apoyo logístico. Al igual que en Manchuria, la batalla comenzó con la destrucción de una de las unidades más débiles de Chiang. Las columnas de refresco quedaron bloqueadas por las acciones de la guerrilla comunista, y cuando partieron los refuerzos de mayores dimensiones, avanzaron hacia una celada inmensa que Liu Bocheng desplegó cerca de Xuzhou. El 10 de enero, cuando la campaña de Huaihai llegó a su fin, unos doscientos mil soldados nacionalistas habían caído heridos o muertos, y otros trescientos mil se habían rendido.

Cuando Chiang todavía estaba intentando digerir aquella derrota, Lin Biao estrechó el cerco en las dos ciudades del norte. Tianjin cayó el 15 de enero. Una semana después, el comandante nacionalista de Pekín, el general Fu Zuoyi, negoció la rendición de la capital, evidentemente para salvarla del bombardeo comunista. Sus doscientos mil hombres se integraron en el Ejército Popular de Liberación, y a él se le concedería más tarde una sinecura en el nuevo gobierno comunista.

Al día siguiente de la rendición de Pekín, Chiang Kai-shek dimitió de la presidencia (aunque continuó como líder de su partido).[27]

Había perdido un millón y medio de hombres en sólo cuatro meses. Los comunistas, que dos años y medio antes habían estado dispuestos a aceptar un papel menor en una administración de coalición, exigían ahora que Chiang fuese castigado como criminal de guerra, que el gobierno dimitiese, la constitución fuese abrogada y los restos del ejército nacionalista quedasen absorbidos por el Ejército Popular de Liberación. Las conversaciones de paz se iniciaron con el sucesor de Chiang, Li Zongren, como interlocutor, pero pronto se vinieron abajo. El 21 de abril, el ejército de Li Bocheng inició el cruce del Yangzi. Nanjing fue conquistada tres días después; Hangzhou el 3 de mayo; Shanghai el 27. Para entonces, Chiang ya había decidido que abandonaría el continente y trasladaría su cuartel general a Taiwan. Allí aguardaría la llegada de la guerra que, estaba seguro, estallaría algún día entre Estados Unidos y Rusia, momento en que él y su ejército proamericano retornarían triunfantes a China para reconquistar sus tierras perdidas.

Junto con el Generalísimo se fueron la armada y las fuerzas aéreas nacionalistas, algunas de las mejores divisiones del ejército y trescientos millones de dólares en reservas de oro, plata y divisas extranjeras. Privado de fondos y de municiones, la resistencia nacionalista se desvaneció. En todos los sentidos, la batalla por China había finalizado.

El derrumbe nacionalista representó para Mao, y para el partido en su conjunto, el desafío de asumir la administración no sólo de una región fronteriza o una zona base, sino de un país tres veces mayor que Europa occidental, devastado por décadas de guerra, y que albergaba una cuarta parte de la población de la humanidad. Y, sobresaliendo entre sus preocupaciones, estaba la de cómo gestionar las ciudades recién conquistadas.

Las inquietudes de Mao ante la vida urbana tenían sus raíces en las experiencias de su juventud en Pekín o Shanghai. Nunca se despojó completamente del sentimiento de ser un patán de campo, el hijo de un campesino entre embaucadores.[28] Había estudiado en una gran metrópoli, Changsha, y había vivido y trabajado, aparentemente feliz, en otras dos, Cantón y Wuhan. Pero siempre consideraría la ciudad como un lugar más bien ajeno a él. A lo largo de la guerra civil la estrategia de Mao había consistido en obtener el control en el campo; el avance hacia las ciudades llegaría después. Exceptuando un momento de pánico, en agosto de 1945, cuando, durante una reacción descontrolada en las últimas etapas de la guerra, Mao ordenó la preparación de apresurados alzamientos urbanos en ciudades como Shanghai o Pekín, ocupadas por los japoneses (de los cuales, por fortuna para él, se desdijo antes de que se hubiese producido daño alguno), este enfoque gradualista se mantuvo hasta finales de 1948.[29] Se ordenó al Ejército Popular de Liberación la «ocupación primero de las ciudades pequeñas y medianas, y las grandes zonas rurales; después la de las grandes ciudades».[30]

No obstante, en marzo del año siguiente la cuestión de «cambiar el centro de gravedad de las zonas rurales a las ciudades» ya no podía ser aplazada.[31]

Aquel mes Mao se enfrascó en una serie de discursos que determinaron, ante la jerarquía del partido, el programa económico y político que seguiría el nuevo régimen.[32] Se debía mejorar el nivel de vida en las ciudades, dijo, para ganarse la lealtad de la población urbana. Las grandes industrias y las empresas de propiedad extranjera serían nacionalizadas, pero las restantes formas de capitalismo continuarían activas. China sería dirigida por un gobierno de coalición que, aunque encabezado por el Partido Comunista, incluiría cierto número de pequeños partidos progresistas, la mayoría vástagos nacidos de los antiguos izquierdistas del Guomindang, para representar a los simpatizantes no comunistas de la burguesía y la intelectualidad liberal.[33] El nuevo sistema sería conocido como «dictadura democrática del pueblo», lo que significaba que, al igual que en la República Soviética China de hacía veinte años, no todos compartirían los frutos de la democracia.

> [Los reaccionarios dicen:] «Sois unos dictadores.» Estimados caballeros, ustedes tienen razón, eso es exactamente lo que somos ... Sólo el pueblo puede disfrutar del privilegio de decir sus opiniones. ¿Quién es «el pueblo»? En la China actual, es la clase obrera, la clase de los campesinos, la pequeña burguesía y la burguesía nacional. Bajo el liderazgo del ... Partido Comunista, estas clases se unen para ... poner en práctica una dictadura por encima de los lacayos del imperialismo —la clase terrateniente, la clase burocrática capitalista, y los reaccionarios del Guomindang y sus secuaces— para acabar con ellos y [asegurarse] de que actúan con decoro ... El sistema democrático debe aplicarse a las filas del pueblo ... El derecho a voto se concede sólo al pueblo, y no a los reaccionarios. Estos dos elementos, es decir, la democracia para el pueblo y la dictadura para los reaccionarios, se combinan para formar la dictadura democrática del pueblo.[34]

Estas palabras no entusiasmaron a quienes estaban en el bando equivocado de esta división de clases.[35] Mao insistió en que el pueblo sólo sería castigado si infringía la ley. Pero también describió la administración de la justicia como un instrumento de la violencia de clases.

A pesar de ello, en 1949, la mayoría de los ciudadanos de China, así como no pocos residentes extranjeros, no percibieron el advenimiento de la administración comunista como algo represivo, sino más bien como una liberación de la corrupción y la malversación que habían marcado las últimas etapas del gobierno nacionalista.

Alan Winnington, un periodista británico que entró en la ciudad junto con el primer destacamento del Ejército Popular de Liberación que penetró en Pekín, encontró las calles tomadas por una multitud de «personas gritando, riendo y vitoreándoles».[36] Derk Bodde, investigando entonces en la Universidad de Qinghua, escribió en su diario sobre «un nuevo sentimiento de liberación» que inundaba la ciudad.[37] «No albergo duda alguna», añadió, «de que los comunistas llegan aquí con la gran mayoría de la población de su lado.» El capitán extranjero de un vapor de alquiler de Hong Kong, uno de los primeros barcos en amarrar en Tianjin después de la llegada de los comunistas al poder, quedó estupefacto al encontrarse con un puerto sin «restricciones».[38] No sólo se rechazaron los sobornos, informó, nadie hubiese aceptado ni siquiera un cigarrillo.

El mantenimiento de este clima de probidad, arduo trabajo y vida marcada por la sencillez, en un país en el que, a lo largo de toda la historia, los funcionarios habían sido sinónimo de corrupción, era de importancia vital para Mao. El partido, advirtió, se estaba dirigiendo hacia un territorio inhóspito en el que afrontaría nuevos y desconocidos peligros:[39]

> Con la victoria, pueden surgir algunos vicios en el seno del partido: arrogancia, dárselas de héroe, anhelo de dormirse en los laureles en lugar de esforzarse para progresar aún más, búsqueda de placer y aborrecimiento de las dificultades ... quizá existan algunos comunistas que nunca fueron conquistados por las armas enemigas, y que bien se merecen el nombre de héroes por su resistencia, pero que no pueden superar las balas azucaradas [de la burguesía] ... Debemos guardarnos de ello. La consecución de la victoria nacional es sólo el primer paso de una Larga Marcha de cinco mil kilómetros. Es estúpido enorgullecernos de este único paso. Lo que realmente sería digno de nuestro orgullo todavía queda lejos ... La revolución china es una gran revolución, pero el camino que se extiende más allá es extenso, y el trabajo que nos aguarda es aún mayor y más dificultoso ... Deberíamos ser capaces no sólo de destruir el viejo mundo. Debemos también ser capaces de construir el nuevo.[40]

Con ese objetivo, dijo Mao, los dirigentes deberían dejar a un lado aquellos asuntos que conociesen a la perfección, y aprender los que no comprendiesen. Los rusos, les dijo, también lo ignoraban todo sobre la construcción económica cuando triunfó su revolución, pero ello no les impidió construir «un gran y brillante Estado socialista». Y lo que Rusia había conseguido, también China lo podía alcanzar.

En la tarde del 1 de octubre de 1949, Mao ascendió a la Puerta de la Paz Celestial y, avistando la plaza de Tiananmen de Pekín, rodeado por la cúpula del partido y sus aliados progresistas, anunció formalmente la fundación de la República Popular de China.[41]

Diez días antes —en una reunión convocada para aprobar la nueva constitución, que designaba Pekín, capital de las dinastías Ming y Qing, como nueva sede del gobierno (sustituyendo a Nanjing), y a Mao como jefe del Estado—, había proclamado:

> El pueblo chino, que representa una cuarta parte de la humanidad, acaba de alzarse. China siempre ha sido una gran nación, valerosa y trabajadora; sólo en los tiempos modernos ha decaído ... [Hoy] nos hemos unido y hemos derrotado a los agresores, tanto internos como extranjeros ... Nuestra nación no estará nunca más sujeta al insulto y a la humillación.[42]

Diez días después, bajo el cálido sol de finales de otoño, con los enormes faroles de seda roja meciéndose en la brisa, frente a los rojizos muros de la Ciudad Prohibida, Mao repitió, con su fuerte acento hunanés, y ante la multitud de cien mil personas que abarrotaba la angosta plaza amurallada que se extendía abajo: «Nosotros, los cuatrocientos setenta y cinco millones de chinos, nos hemos alzado, y nuestro futuro resplandece sin límites».[43]

Los nuevos administradores comunistas de Pekín habían dedicado meses a la preparación de este momento, en el que, como anotaron los lugareños, el nuevo gobierno de Mao «se ponía ropa nueva». La plaza había sido ampliada. Se habían talado unas arboledas de viejas moreras, se había cubierto de hormigón y se habían instalado reflectores sobre torretas de acero. Se sustituyó un descolorido retrato de dos plantas de altura de Chiang Kai-shek, pintado sobre una plancha de acero formada por barriles de petróleo prensados y soldados, que había adornado la Puerta durante el período nacionalista, por un retrato de Mao de las mismas dimensiones, colgado de los baluartes hacia uno de los lados. Los discursos dejaron paso a un desfile militar, encabezado por la caballería del Ejército Popular de Liberación y largas hileras de camiones y tanques norteamericanos que habían sido capturados. Después llegaron los civiles, entonando: «¡Larga vida al presidente Mao! ¡Una muy larga vida al presidente Mao!», mientras la voz de Mao, respondiéndoles, lo inundaba todo desde los altavoces: «Larga vida a la República Popular». Cuando se cernió la noche, hubo un extraordinario espectáculo de fuegos artificiales que pudo ser contemplado en toda la ciudad. Unos bailarines, que portaban faroles marcados con la hoz y el martillo y la estrella roja, formaron un friso en la plaza, dibujando lo que un alma poética describió como «un enorme barco de fuego, el barco del Estado chino, meciéndose sobre brillantes olas esmeraldas», mientras el sonido de los címbalos, las trompetas y los tambores, entremezclado con el cántico del nombre de Mao, reverberaba en los tejados amarillentos de la vieja ciudad imperial.[44]

Al día siguiente, la Unión Soviética se convirtió en el primer país en reconocer el nuevo Estado.[45] Un abigarrado número de partidos comunistas menores y estrellas de la extrema izquierda, que abarcaba desde el Comité Obrero del Partido Comunista de Tailandia, hasta la parlamentaria del Partido Laborista Británico, Connie Zilliacus, enviaron mensajes de felicitación. Mao comenzó a preparar su primera visita al extranjero: Moscú.[46]

Su disposición a abandonar China, incluso antes de la finalización de la guerra civil, da testimonio tanto de su confianza en sus compañeros, como de la importancia primordial que concedía a ese viaje. Cuando el año 1949 se acercaba a su fin, la mayor parte del suroeste de China continuaba todavía en manos de los nacionalistas, y el intento fallido del Ejército Popular de Liberación de tomar la isla de Jinmen (Quemoy), frente a la costa de Fujian, se saldó con nueve mil bajas comunistas. A mediados de noviembre, Chiang Kai-shek regresó a Sichuan desde Taiwan, donde el Guomindang había establecido su capital temporal.[47] Cuando Mao subió a un tren especial con destino a Rusia, el 6 de diciembre, Chiang continuaba allí.[48]

También deja muy claro cuáles eran las prioridades de Mao en materia de política exterior.[49]

Para el nuevo gobierno comunista, no era cuestión simplemente de heredar las relaciones diplomáticas legadas por los nacionalistas. Mao perseguía una ruptura, un corte evidente con las potencias occidentales, para acabar con los últimos residuos de un siglo de humillación. Aquel mismo año había explicado a Anastas Mikoyan, un veterano miembro del Politburó soviético al que Stalin había enviado a China en una misión a la espera de los acontecimientos, que la política de «inclinarse hacia un lado» que el gobierno pretendía adoptar implicaba un cierto grado de aislamiento diplomático.[50] El apoyo ruso sería bienvenido, dijo. Pero hasta que China no hubiese «puesto su casa en orden», los otros se deberían mantener a una distancia prudencial. Sólo cuando China decidiese que había llegado el momento se autorizaría a los países imperialistas a establecer misiones diplomáticas. Hasta entonces se presionaría a sus antiguos representantes y sus ciudadanos para que abandonasen el país.

La nueva China, el nuevo «Reino del Centro», haría esperar a los bárbaros en la entrada, como la vieja China de antaño.

En un discurso pronunciado aquel verano, Mao detalló las consecuencias de estas decisiones:

> [Los reaccionarios afirman:] «Os inclináis hacia un lado.» Exacto ... Sentarse en el cercado es imposible ... En el mundo, sin excepción alguna, sólo es posible inclinarse hacia el lado del imperialismo o hacia el del socialismo. La neutralidad es un simple disfraz, y no existe una tercera vía ... Pertenecemos al frente antiimperialista que encabeza la URSS, y sólo podemos esperar una ayuda realmente amistosa de ese frente, no del imperialista.[51]

Pero había un matiz importante. Mao hablaba de *inclinarse*, no de convertirse en una pieza de un bloque monolítico. China podría pasar a formar parte del «frente antiimperialista» dirigido por la Unión Soviética (al igual que el Partido Comunista Chino anteriormente había pertenecido al «frente unido» del Guomindang), pero aquello en ningún caso significaba que sus políticas fuesen idénticas. Para Mao, la pertenencia a un frente implicaba tanto unidad como lucha.

Las traiciones de Stalin al Partido Comunista Chino no habían quedado en el olvido.

El líder soviético en persona se aseguró de que así fuese: aquella misma primavera había reclamado a Mao que no enviase sus fuerzas más allá del Yangzi, sino que se contentase con controlar la mitad norte de China.[52] Era lo más prudente, explicó, para evitar provocar a Estados Unidos. Pero Mao sabía, al igual que Stalin, que una China dividida entraba en los planes de Rusia, no en los de China. «Existen amigos auténticos y falsos amigos», dijo lleno de intención a Mikoyan. «Los falsos amigos sólo son amigos en apariencia, pero dicen una cosa y pretenden otra muy distinta. Te toman el pelo ... Debemos defendernos de ellos.»[53]

Cinco meses después, cuando el Ejército Popular de Liberación avanzaba triunfalmente hacia el sur en medio de la huida en desbandada de los nacionalistas, Stalin ofreció lo que se consideró una disculpa. Dijo a Liu Shaoqi, entonces de visita en Moscú para debatir futuras ayudas soviéticas: «Los vencedores siempre tienen la razón. Creemos que quizá en el pasado os hemos podido ofender ... No sabemos demasiado acerca de vosotros, y por ello es posible que hayamos cometido equivocaciones».[54]

Cuando sonaban las doce del mediodía en el reloj de la Torre Spassky, en el amargo frío del 16 de diciembre de 1949, el tren de Mao penetró en la estación de Yaroslav, cerca del muro del Kremlin, con su fachada estucada como panes dorados y punteada de pintura blanca y ocre, en medio de un fuego de banderas rojas.

La ansiedad le corroía las entrañas. Unos días antes, en Sverdlovsk, mientras paseaba por el andén de la estación, se tambaleó repentinamente, con el rostro blanquecino como la ceniza y sudoroso. Después de que le ayudasen a volver a su compartimento, se informó a los rusos de que estaba afectado por un resfriado. Pero en realidad fue un ataque de neurastenia.[55] Stalin, a pesar de todas sus equivocaciones, representaba todavía para Mao el máximo pontífice comunista. La relación que se forjase durante las siguientes semanas entre ellos determinaría si el «inclinarse hacia un lado» se acabaría traduciendo o no en alguna política de tipo práctico.

Para los dirigentes soviéticos, Mao era un enigma: el segundo líder comunista más poderoso del mundo, y uno de los pocos que había alcanzado el poder sin contar con ayuda rusa destacable. ¿Sería simplemente un comunista auténtico (que, en tal caso, no encajaría fácilmente en el orden soviético)? ¿O sería quizá un nuevo Tito, cuyo desafío había provocado, un año antes, su excomulgación del mundo comunista?[56] También Stalin deseaba que la relación entre ambos se desarrollase por cauces correctos.

Aquel anochecer, a las seis de la tarde, se abrieron las puertas del Salón de Santa Catalina, en el Kremlin, y Mao encontró a Stalin y todo el Politburó en pie para recibirle. Era, tal como se pretendía, un gesto excepcional para un invitado de excepción.[57]

El líder ruso lo recibió efusivamente como al «buen hijo del pueblo chino». Pero las tensiones latentes afloraron a la superficie instantes después, cuando el líder soviético, creyendo que Mao se disponía a hacer alusión a sus diferencias,[58] le interrumpió con las mismas palabras que había dirigido a Liu Shaoqi: «Ahora eres un vencedor, y los vencedores siempre tienen la razón. Ésta es la regla».[59] A ello siguió una conversación afectada, en la que Stalin preguntó a Mao qué pretendía conseguir con su visita. «Algo que no [sólo] parece bueno, sino que además sabe bien», replicó Mao. El jefe del KGB, Lavrentii Beri rió tontamente cuando tradujeron aquellas palabras. Stalin insistió en saber su significado. Pero Mao declinó ser más explícito y, cuando la reunión de dos horas de duración finalizó, el dirigente soviético se limitó a preguntar si China contaba con servicio meteorológico, y si Mao estaría de acuerdo con que sus obras fuesen traducidas al ruso.

De hecho, Stalin sabía perfectamente lo que Mao deseaba. China esperaba que Rusia abrogase el tratado de amistad chino-soviético firmado con Chiang Kai-shek y negociase una nueva alianza, más apropiada para una relación fraternal entre potencias comunistas.

Y esto era precisamente a lo que Stalin se resistía. El pretexto era que el convenio con Chiang emanaba de los acuerdos conjuntos de Yalta con la Gran Bretaña y Estados Unidos. Por ello, dijo a Mao, «un cambio, aunque fuese en un punto, podría proporcionar a Inglaterra y Norteamérica la base legal para cuestionar [otros puntos]», como los derechos soviéticos en los antiguos territorios japoneses de los Kuriles y el sur de Sakhalin. Era un farol, y con mucha intención. Era la manera que empleaba Stalin de decirle a Mao que si quería una relación nueva con Moscú, debería regirse por los términos que impusiese Rusia. El tratado ya existente continuaría formalmente teniendo efecto y, al aceptarlo, Mao estaría reconociendo la supremacía de Stalin. Todo lo que concedería el líder soviético, añadiendo simplemente azúcar a la medicina, era que no había nada que pudiese frenar a los dos gobiernos a modificar informalmente sus contenidos.

Mao conocía perfectamente aquel juego.

En 1938, cuando Stalin apoyó su liderazgo, el *quid pro quo* simbólico había consistido en que Mao reconociese públicamente que Stalin había estado en lo cierto al considerar el incidente de Xi'an como una conspiración de inspiración japonesa. Mao pagó con los elogios requeridos. Con Stalin, dijo posteriormente, mantenía «una relación como la existente entre un padre y un hijo, o entre un gato y un ratón».

Pero en esta ocasión los obstáculos eran mucho mayores. Las relaciones con Rusia eran la piedra de toque de la política de Mao hacia el resto del mundo. Si continuaban basadas en el servilismo chino, ¿qué se había conseguido con la revolución? Si Rusia insistía en perpetuar tratados anticuados, ¿por qué deberían estar de acuerdo los países occidentales en situar sus relaciones con China en un nuevo orden?

Mao no estaba dispuesto a ceder. En su estilo elíptico habitual, evitó enfrentarse directamente con Stalin, centrándose en su lugar en una cuestión en apariencia menor: si Zhou Enlai debía o no reunirse con él en Moscú. (Si Zhou acudía, significaría que los rusos aceptaban negociar un nuevo tratado; si no, el viejo tratado continuaría vigente.)

Durante las dos siguientes semanas, se suspendieron las conversaciones. Se dejó que Mao, a medio camino entre un prisionero y un invitado agasajado, se inquietase en la fastuosa elegancia de la dacha personal de Stalin, en medio de un bosque de abedules situado a pocos kilómetros al oeste de Moscú. El 21 de diciembre asistió a las ceremonias del septuagésimo aniversario del líder soviético, y realizó el discurso adulador que requería la ocasión. Pero fue un acto meramente formal; y el ruso canceló de improviso las conversaciones que se habían programado provisionalmente para el día 23. Mao explotó de indignación. «Aquí sólo tengo tres cometidos», vociferó a sus asistentes soviéticos, golpeando la mesa. «El primero es comer, el segundo es dormir, y el tercero es defecar.» Así, cuando Stalin le telefoneó dos días después, Mao se mostró evasivo y rechazó abordar cuestiones políticas. Cuando, a su vez, él llamaba a Stalin, se le informaba de que el dirigente soviético no estaba.

Esta bizantina batalla de voluntades, cada uno a la espera de que el otro vacilase primero, podría haber continuado indefinidamente si los periodistas occidentales, desconcertados por la aparente desaparición de Mao, no hubiesen comenzado a especular sobre su posible arresto domiciliario. Aquello provocó que Stalin enviase un corresponsal de Tass para que le entrevistase. Mao entonces declaró que él estaba dispuesto a permanecer en Moscú tanto tiempo como fuese necesario para alcanzar un acuerdo. Poco después, Stalin cedía. El 2 de enero de 1950 se enviaba a Molotov para comunicarle que Zhou podía trasladarse a Moscú: acabarían con el viejo tratado y en su lugar se firmaría uno nuevo. «¿Y qué pasa con Yalta?», preguntó maliciosamente Mao cuando volvió a reunirse con Stalin. «¡Al infierno!», replicó el líder soviético.

No están claros los motivos de su cambio de opinión. Mao creía que la decisión británica del reconocimiento inminente de la legitimidad del gobierno de Pekín jugó un papel determinante, al avivar la paranoia de Stalin sobre la posibilidad de que China se decantase a favor de Occidente. Pero, quizá, simplemente reconoció que Mao nunca se echaría atrás en lo referente a aquella cuestión.

Fueran cuales fuesen sus razones, seis semanas después, el 14 de febrero, los dos ministros de Asuntos Exteriores, Zhou y Vyshinsky, firmaron el nuevo tratado de amistad, alianza y asistencia mutua, con el beneplácito de Stalin y de Mao. Aquella noche, en un nuevo gesto sin precedentes, el líder soviético asistió a una recepción que Mao ofreció en el salón de bailes del Hotel Metropol. Era tan inusual que abandonase el Kremlin que los oficiales de seguridad rusos insistieron en instalar un cristal antibalas entre los dirigentes y sus invitados, de modo que nadie pudo oír los brindis hasta que Mao no pidió que el muro de cristal fuese retirado.

Una vez más, las apariencias fueron engañosas. Los entresijos de la negociación habían resultado dolorosamente difíciles. El intérprete de Stalin, Nikolai Fedorenko, recordaba la estancia en que se habían desarrollado como «un escenario en el que tenía lugar un espectáculo demoníaco». Mao presionó para que los soviéticos adquiriesen el compromiso firme de acudir en ayuda de China en el caso de producirse un ataque de Estados Unidos, consiguiendo sólo que Stalin añadiese maliciosamente como condición la declaración previa del estado de guerra. Aún estaba más furioso por las exigencias de Stalin de conceder privilegios especiales en Xinjiang y Manchuria. Stalin, por su parte, continuaba convencido de que Mao era un comunista artificial, una versión china de Pugachev, dirigente campesino ruso del siglo XIX. «Stalin desconfiaba de nosotros», se lamentaba Mao tiempo después. «Creía que nuestra revolución era una impostura.»[60]

A pesar de ello, se había alcanzado un *modus vivendi*. Cuando Mao comenzó su largo viaje en tren de regreso a casa, se pudo sentir satisfecho por el hecho de que la nueva posición de China en el mundo se apoyaba en unos sólidos cimientos. Concluida la guerra civil, el gobierno podía dirigir su atención a la reconstrucción de su derruida economía, y realizar los primeros e inexpertos pasos en el camino del socialismo.

Cuatro meses después, a las cuatro y cuarenta de la madrugada del 25 de junio de 1950, estallaba la guerra de Corea.[61]

Mao había sido avisado con anterioridad. El líder de Corea del Norte, Kim Il Sung, había acudido a Pekín para comunicarle que Moscú había aprobado una iniciativa militar para reunificar la península.[62] Stalin, tan astuto como siempre, había impuesto una condición: Kim debía obtener primero el visto bueno de Mao. «Si te pega una patada en el culo», le dijo el dirigente soviético, «no moveré ni un dedo.» Ello implicaba que Mao tendría que hacer de valedor de los coreanos. Durante sus encuentros en China, Kim omitió esa parte de la conversación con Stalin.[63]

En Pekín, la guerra fue muy mal recibida.[64] No sólo existía incertidumbre sobre la reacción de Estados Unidos, sino que los chinos estaban en aquel momento preparándose para invadir Taiwan. Mao fue lo suficientemente suspicaz ante la historia de Kim como para enviar un mensaje a Stalin, pidiéndole que le confirmase que él había aprobado el ataque. Así lo hizo Stalin, pero puso cuidado en poner la pelota en el campo de Mao: la decisión final, dijo, la deben tomar «conjuntamente los camaradas chinos y coreanos». Si los chinos no estaban de acuerdo, la decisión debía ser pospuesta.[65] Aquello no dejaba opciones reales a Mao. Cien mil coreanos habían luchado junto a las tropas chinas en Manchuria.[66] ¿Cómo decirle a Kim que no debía intentar «liberar» su propia tierra? El norcoreano fue informado de que contaba con la conformidad de China.

Pero la desconfianza continuó anidando en ambos bandos. Kim decretó que debía ocultarse a los chinos la fecha del ataque y que debían ser excluidos de la planificación militar.[67]

Para Chiang Kai-shek, la guerra fue una bendición divina. Seis meses antes, Truman había dejado bien claro que, en el caso de un ataque a Taiwan, Estados Unidos no intervendría para proteger a los nacionalistas. En abril, las tropas chinas protagonizaron un ambicioso desembarco anfibio en la isla de Hainan, enfrente de la costa de Guangdong, aniquilando en dos semanas la resistencia nacionalista y matando o hiriendo a unos treinta y tres mil soldados del Guomindang. Parecía, como en realidad fue, un ensayo general de la invasión de Taiwan. El paso siguiente debía consistir en atacar Quemoy y las otras islas de la costa, seguido del asalto final, previsto para el año siguiente.[68]

Corea lo trastornó todo. Estados Unidos podía cerrar los ojos ante lo que desde todos los bandos se consideraba la continuación de la guerra civil china. Pero difícilmente podían hacer lo mismo cuando un Estado aliado de la Unión Soviética del norte de la península coreana llevaba a cabo una agresión armada contra lo que en realidad era un protectorado de Estados Unidos en el sur. El 27 de junio, Washington anunció que enviaría tropas para respaldar a Syngman Rhee de Corea del Sur y que la Séptima Flota estadounidense casi al completo haría del Estrecho de Formosa una zona neutral.

La reacción inicial de Mao fue muy prudente. Las unidades antiaéreas chinas se trasladaron hasta la zona norcoreana de la frontera para defender los puentes que cruzaban el río Yalu, y se enviaron refuerzos desde el sur de Manchuria, argumentando que, como indicó un comandante chino, «uno ha de procurarse un paraguas antes de que comience a llover». El plan de atacar Quemoy fue aplazado de forma indefinida.[69]

Sin embargo, a finales de julio, cuando las fuerzas norcoreanas comenzaron su marcha triunfante hacia el sur, Mao comenzó a alarmarse. Pudo comprobar, a diferencia de Kim Il Sung, que las líneas coreanas se habían extendido demasiado y que eran vulnerables en caso de contraataque norteamericano. En una reunión del Politburó del 4 de agosto, Mao sugirió por primera vez la posibilidad de que el ejército chino tuviese que intervenir directamente para ayudar a los norcoreanos, a riesgo incluso de un desquite nuclear de Estados Unidos. El problema, dijo a sus colegas, era que si los norteamericanos vencían, su apetito sería mayor después de probar la comida. China se tendría que enfrentar a la amenaza de ataques aéreos por parte de Estados Unidos contra las ciudades chinas de Manchuria y la costa del noreste; de ataques anfibios por parte de las unidades nacionalistas cruzando el Estrecho de Formosa; e incluso, quizá, de una operación combinada de las fuerzas francesas combatiendo los ejércitos de Ho Chi Minh en los territorios chinos de la frontera sur con Vietnam.

Dos semanas después, los temores de Mao aumentaron. Uno de los analistas militares de Zhou Enlai estaba convencido de que el comandante de Estados Unidos, el general Douglas MacArthur, iniciaría sus acciones en Inchon, en la cintura de Corea, justo al sur del paralelo treinta y ocho, la teórica línea divisoria entre el norte y el sur. Cuando Mao observó el mapa, el joven analista logró convencerle también a él. Ordenó al Ejército Popular de Liberación que dispusiese medio millón más de hombres a lo largo de la frontera de Manchuria, y comenzase a preparar una guerra de al menos un año de duración.

Al mismo tiempo, envió una advertencia urgente a Kim.

Estratégicamente hablando, dijo, Estados Unidos era en realidad un tigre de papel. Pero operativamente «Estados Unidos es un auténtico tigre, capaz de devorar carne humana». Los coreanos debían reagruparse y prepararse para lanzar un ataque anfibio: «Desde un punto de vista táctico, en algunas ocasiones la retirada es mejor que el ataque ... El tuyo no es un enemigo sencillo. No lo olvides, estás luchando contra el principal poder imperialista. Hay que estar preparado para lo peor».

Kim le ignoró. Al igual que hizo Stalin. El 15 de septiembre comenzaron los desembarcos de Inchon, y el ejército norcoreano se desintegró. En Pyongyang cundió el pánico. Kim envió a dos de sus principales lugartenientes hasta Pekín para suplicar desesperadamente su ayuda. Stalin se unió a sus voces, ofreciendo cobertura aérea soviética en caso de que Mao enviase fuerzas de infantería para evitar el derrumbe coreano.

Las semanas que siguieron fueron las peores que Mao tuvo que afrontar desde los traumáticos meses posteriores a la rendición japonesa de 1945. Apenas conciliaba el sueño. Por un lado, dijo a Gao Gang, al que había concedido el mando de los preparativos de guerra en Manchuria, no parecía existir posibilidad alguna de evitar la intervención. Por otro, China necesitaba imperiosamente la paz para iniciar la reconstrucción económica. El país había quedado desolado por las guerras desde la caída de la dinastía Qing, hacía casi cuarenta años. A los comunistas todavía les quedaba reconquistar el Tíbet y Taiwan, y, ya propiamente en China, se estimaba que había cerca de un millón de bandidos rondando por las zonas rurales; la industria estaba en ruinas, el desempleo era absolutamente generalizado en las ciudades, al igual que el hambre en la planicie central.

Incluso en Pekín, la comida era un bien escaso. Los incidentes de sabotaje, atribuidos a los agentes del Guomindang, se multiplicaron. Las reservas de buena voluntad que el gobierno había acumulado al acabar con la corrupción nacionalista, estabilizando el valor de la moneda y restituyendo los servicios básicos, ya se habían agotado.

Pero a pesar de todo ello, a finales de septiembre, la suerte ya estaba echada.

Los planificadores militares de Mao calcularon que China sufriría sesenta mil bajas y ciento cuarenta mil heridos durante el primer año de campaña. Los norteamericanos disfrutaban de superioridad armamentística; pero el Ejército Popular de Liberación estaba más motivado, contaba con mayores reservas humanas, y era superior en el juego de la «guerra de rompecabezas» que tendría lugar cuando no hubiese un frente definido. Los ejércitos chinos debían adoptar la tradicional táctica maoísta de «concentrar las fuerzas superiores contra las más débiles» y llevar a cabo batallas de aniquilación, para aumentar al máximo las bajas norteamericanas y hacer tambalear el apoyo de la opinión pública estadounidense a la continuación de la guerra. El mejor momento para el inicio de la participación china, concluyeron, llegaría poco tiempo después de que las unidades de Estados Unidos cruzasen el paralelo treinta y ocho en dirección al norte, ya que en ese punto las líneas de aprovisionamiento norteamericanas se habrían estrechado al máximo, las fuerzas chinas estarían todavía cerca de su base de retaguardia, y la intervención china sería políticamente fácil de justificar.

El 30 de septiembre, las primeras unidades surcoreanas penetraron en Corea del Norte. Veinticuatro horas después, mientras los dirigentes chinos celebraban el primer aniversario de la República Popular, Kim envió un avión especial a Pekín con un mensaje, entregado en mano, que admitía que se encontraba al borde de la derrota. «Si continúan los ataques al norte del paralelo treinta y ocho», escribió pesaroso, «seremos incapaces de sobrevivir confiando únicamente en nuestras propias fuerzas.»

Al día siguiente, Mao explicó en una reunión ampliada del Secretariado:[70]

> La cuestión no es ahora si debemos enviar tropas a Corea, sino cuándo debemos enviarlas. Un día de diferencia puede ser crucial ... Hoy discutiremos dos cuestiones apremiantes: cuándo deben penetrar nuestras tropas en Corea, y quién debe comandarlas.

No obstante, si bien la intervención era inevitable para Mao, ello no significaba que el resto de la cúpula dirigente se adhiriese inmediatamente a sus puntos de vista. Cuando se reunió el Politburó en pleno, el día 4 de octubre, la mayoría estaba en su contra, a causa de la misma comunión de condicionantes económicos y políticos que él mismo había sopesado en agosto.

Lin Biao se mostraba particularmente escéptico. Si Kim estaba cerca de la derrota, argumentaba, China haría mejor en disponer una línea de defensa a lo largo del río Yalu y permitir a los norcoreanos que organizasen acciones de guerrilla desde Manchuria para recuperar el territorio perdido. Pero no convenció a Mao. En tal caso, replicó, China perdería la iniciativa. «Tendríamos que esperar [ante el río Yalu] un año tras otro, sin saber nunca el momento en que atacará el enemigo.» Lin había sido la primera opción de Mao para comandar la fuerza de intervención china, pero declinó excusándose en su mala salud. Mao entonces propuso en su lugar a Peng Dehuai para asumir el mando. Peng llegó tarde a la reunión, al desplazarse desde Xi'an. Pero estuvo de acuerdo con el análisis de Mao de que Estados Unidos no se detendría a cambio de concesiones, y cuando las discusiones se reanudaron, por la tarde, su apoyo contribuyó a asegurar un consenso a favor de la intervención militar.

Dos días después, las primeras tropas de Estados Unidos —la Primera División de Caballería Americana— cruzaron el paralelo treinta y ocho, y Washington persuadió a las Naciones Unidas para que ratificasen la unificación de Corea como su propósito último. El domingo 8 de octubre, Mao publicó el decreto oficial que disponía que una fuerza expedicionaria china acudiese en ayuda de Corea del Norte. Sería conocida como los Voluntarios del Pueblo Chino, para subrayar que su misión era por naturaleza una cruzada moral, basada en la solidaridad comunista y, lo que era más importante, para mantener la ficción de que la intervención de Pekín no era oficial, e impedir que las hipotéticas represalias norteamericanas contra ciudades chinas quedasen justificadas. La fuerza debía comenzar a cruzar el río Yalu el 15 de octubre.

Entonces, de improviso, tres días antes de que la expedición se pusiese en marcha, Mao ordenó que todos los movimientos de tropas se detuviesen y requirió que Peng volviese a Pekín «para reconsiderar la decisión [de intervenir]».

El problema, como siempre, era Moscú. Había estallado una crisis sobre la cuestión del apoyo militar soviético. El 1 de octubre Stalin había telegrafiado a Mao desde su residencia de Sochi, en el mar Muerto, donde estaba pasando sus vacaciones: «Por lo que veo, la situación de nuestros amigos coreanos es cada vez más desesperada ... Creo que deberías movilizar inmediatamente al menos cinco o seis divisiones hasta el paralelo treinta y ocho». Aquello disparó la alarma en la mente de Mao. El problema no era la sugerencia de Stalin. Lo que le preocupaba era el silencio del líder soviético sobre las garantías de dar cobertura aérea y suministros militares a que los rusos, durante los días de pánico que siguieron a los sucesos de Inchon, se habían comprometido

Mao optó por preparar una celada. Respondió que la mayoría de los miembros del Politburó chino se oponían a la intervención, y que enviaba a Zhou Enlai para realizar consultas de urgencia.

Se reunieron el 10 de octubre en Sochi. Siguiendo las instrucciones de Mao, Zhou presentó lo que resultó ser un ultimátum. China, dijo a Stalin, respetaría los deseos de la Unión Soviética. Si los rusos deseaban proporcionar cobertura aérea y una cantidad importante de armamento, los chinos intervendrían. De lo contrario, Mao se sometería al juicio de Stalin y daría marcha atrás. Entonces Zhou se sentó en espera de la respuesta del viejo dictador.

Para horror de Zhou, Stalin se limitó a asentir con la cabeza.

Si los chinos creían que la intervención era demasiado arriesgada, dijeron en esencia sus palabras, debían abandonar Corea a su suerte. Kim Il Sung podía recurrir a una guerra partisana lanzada desde sus bases en Manchuria.

La jugada de Zhou había acabado en derrota. En las consiguientes diez horas de conversaciones, que finalizaron en un banquete de alcohol que se prolongó hasta las cinco de la madrugada, consiguió obtener algunas nuevas garantías, transmitidas a Mao en un telegrama que tanto él como Stalin firmaron, de que Rusia proporcionaría el armamento y la cobertura aérea necesarias para la defensa de las ciudades chinas. Pero no habría cobertura aérea para Corea, al menos durante los dos primeros meses. La excusa de Stalin era que las fuerzas aéreas soviéticas necesitaban algún tiempo para prepararse. Pero en realidad albergaba algunos temores. Incluso contando con apoyo chino, decidió, Corea del Norte sería probablemente derrotada. Si los pilotos soviéticos tomaban parte en la contienda, el riesgo de conflicto con los norteamericanos sería demasiado elevado.

Para Mao, la decisión de renegar de los compromisos de ayuda militar contraídos apenas unas semanas antes fue la más amarga de las traiciones de Stalin.

En Xi'an, en 1936, y en Manchuria, en 1945, lo que había estado en juego habían sido los intereses políticos de un partido chino en lucha todavía por el poder. Pero ahora China era un Estado soberano, y Rusia un aliado que había firmado un tratado. «Inclinándose hacia un lado» o no, concluyó Mao, la Unión Soviética nunca sería un compañero en el que China pudiese confiar.

Como venía siendo habitual, los dirigentes chinos finalmente tuvieron que doblegarse. La celada de Mao había quedado al descubierto.[71] China estaba demasiado implicada para tener posibilidades reales de cambiar su decisión. El Politburó estuvo de acuerdo. El viernes 13 de octubre, Mao telegrafió a Zhou comunicándole que, a pesar de todo, la intervención se desarrollaría según lo previsto. Stalin, muy a su pesar, quedó impresionado. «¡Así que los chinos son realmente unos buenos camaradas!», se rumoreaba que afirmó. Pero los problemas de Mao todavía no habían llegado a su fin. Los comandantes militares del noroeste se sentían terriblemente alarmados ante la perspectiva de exponer a sus hombres a los bombardeos norteamericanos sin ningún tipo de cobertura aérea. El día 17 enviaron un mensaje conjunto a Peng Dehuai en el que proponían que la entrada de China en la guerra se demorase hasta la primavera. Pero con los surcoreanos a las puertas ya de Pyongyang, aquélla era una posibilidad inviable. Al día siguiente, después de oír el informe de Peng, Mao dijo a sus colegas: «No importan las dificultades que existan, no podemos cambiar [nuestra] decisión ... no podemos retrasarla». A sugerencia de Mao, se acordó que los Voluntarios comenzasen a penetrar en territorio coreano bajo la oscuridad de la noche del 19 de octubre. Treinta horas después, alrededor de la medianoche, el jefe del Estado Mayor, Nie Rongzhen, informaba que las tropas estaban cruzando el río Yalu, según lo planeado. Por primera vez en varias semanas, Mao pudo conciliar plácidamente el sueño.

Tomadas ya todas las decisiones, el desarrollo de la guerra fue de una simpleza brutal.

Después de algunas escaramuzas defensivas iniciales de finales de octubre y principios de noviembre, Peng ordenó la retirada general. MacArthur había iniciado una ofensiva total para llegar al río Yalu, con el eslogan: «¡Que los chicos vuelvan a casa por Navidad!». Como pronto descubrirían los norteamericanos, Mao estaba recreándose con el viejo juego de «seducir al enemigo». Al atardecer del 25 de noviembre, los chinos contraatacaron. Diez días después, con treinta y seis mil bajas enemigas (incluyendo veinticuatro mil norteamericanos), las fuerzas de Peng tomaban Pyongyang.

No resultó una campaña perfecta. El número de bajas chinas fue muy elevado, y los hombres sufrieron espantosamente los rigores del frío y la falta de comida. Pero, a pesar de ello, siete semanas después de entrar en la guerra, los Voluntarios de Peng habían virtualmente recuperado la totalidad de Corea del Norte.

En ese punto, Peng propuso un alto hasta la primavera siguiente. Pero Mao presionó para que continuase el avance. Los rusos habían comenzado a suministrar cobertura aérea limitada y, con la campaña alcanzando sus objetivos, Stalin había prometido mejoras en el reabastecimiento militar. Peng se resistió a cambiar de opinión, pero, ante la insistencia de Mao, ordenó a regañadientes que en la vigilia del Año Nuevo comenzase una nueva ofensiva, coincidiendo con la luna llena, lo que facilitaría las operaciones nocturnas, y las celebraciones del fin de año, que mantendrían ocupados a los norteamericanos. Cinco días después, las fuerzas conjuntas chinas y norcoreanas capturaron la capital de Corea del Sur, Seúl, entonces un esqueleto de edificios incendiados y calles llenas de escombros, y obligaron a los norteamericanos a retroceder ciento veinte kilómetros más hacia el sur. Pero, una vez más, Peng decidió detener su avance. Kim Il Sung estaba furioso y se lamentó de ello a Stalin. A pesar de ello, el líder soviético apoyó la decisión de Peng.

Un mes después, los norteamericanos contraatacaron. Peng propuso la retirada, trocando territorio a cambio de tiempo, y siguiendo el precepto santificado por Mao, que tan útil había sido a los comunistas en su lucha contra Chiang Kai-shek y Japón. Pero Mao no se lo permitió. Pretendía aferrarse a Seúl y al paralelo treinta y ocho, que, tras su captura, se habían convertido, tanto en casa como en el extranjero, en un vigoroso símbolo del recién conquistado poder de la China roja.

Telegrama tras telegrama, Peng intentó explicar la inviabilidad de semejante operación. «No se nos ha proporcionado calzado, comida ni municiones», le dijo a Mao. «Los hombres no pueden marchar con los pies desnudos sobre la nieve.» Con temperaturas que caían hasta los treinta grados bajo cero, miles murieron a la intemperie.

Por primera vez en su larga carrera, Mao había permitido que las consideraciones políticas nublasen su sabiduría militar.

Al final, no sólo Seúl fue abandonada, sino también la parte este del paralelo treinta y ocho y una gran franja de territorio que se extendía más al norte. En poco menos de cuatro meses, el cuerpo de Voluntarios chinos perdió ciento cuarenta mil hombres. Los norteamericanos construyeron una línea de defensa fortificada a lo largo del paralelo treinta y ocho, y la guerra se convirtió en una serie de batallas fluctuantes que se desarrollaban en las inmediaciones de las posiciones de ambos contendientes. En julio de 1951 se iniciaron conversaciones para alcanzar una tregua, pero ninguno de los contrincantes estaba todavía dispuesto a admitir que ya había tenido suficiente. No fue hasta dos años después, tras la muerte de Stalin y la elección de Dwight D. Eisenhower, un republicano, como nuevo presidente de Estados Unidos, cuando norteamericanos y chinos estuvieron preparados, a pesar de las objeciones de sus respectivos clientes coreanos, para poner fin a la sangría y permitir que se firmase un armisticio.[72]

Peng y el resto de comandantes chinos, que habían experimentado en sus carnes los efectos de la tecnología militar moderna, volvieron de Corea convencidos de que la esencia de la guerra había cambiado.[73] Durante los cinco años siguientes, Peng se consagraría a su cargo de ministro de Defensa, intentando transformar el Ejército Popular de Liberación en un cuerpo moderno y profesional.

Pero no así Mao. Para él, el hecho de que unas tropas chinas pobremente armadas hubiesen luchado hasta el último momento contra la elite del ejército de Estados Unidos simplemente confirmaba su creencia en que el poder de la mente, no las armas, decidía el resultado de las guerras. «Hemos conseguido una gran victoria», dijo exultante aquel otoño:

> Le hemos tomado la medida a las fuerzas armadas de Estados Unidos. Cuando no lo has hecho nunca, es normal sentirse asustado por éstas ... [Ahora sabemos] que el imperialismo de Estados Unidos no es tan terrible, nada de lo que tengamos que preocuparnos ... El pueblo chino está ahora organizado, no permitirá que jueguen con él. Cuando provoquen su ira, las cosas se pondrán muy difíciles.[74]

La impaciencia de Mao durante las primeras etapas del conflicto para alcanzar resultados rápidos y drásticos formaba parte de un esquema de acontecimientos más amplio. Ahora que China se había «alzado», Mao ansiaba renovar su antiguo esplendor. Corea, al igual que Vietnam, había sido durante siglos un Estado tributario. En otoño de 1950, China había entrado en la guerra no únicamente para impedir que un gobierno hostil y proamericano asumiese el poder al otro lado del río Yalu. La seguridad nacional, en un sentido amplio, exigía la restauración de esa relación de soberanía. Por la misma razón, Mao había enviado consejeros militares para colaborar con los ejércitos de Ho Chi Mihn. También Vietnam debía volver al abrigo de China.[75]

Después de la guerra de Corea, Estados Unidos dejó de ser un «tigre de papel» en los escritos de Mao. La actitud de China ante la Unión Soviética también experimentó un enorme cambio.[76] Al impedir la derrota norcoreana, China había acudido al rescate de Rusia. Los sucesores de Stalin contemplaron al régimen de Mao con mayor respeto, y con cierta aprensión. Si la débil China podía llevar a cabo acciones tan poderosas, ¿qué ocurriría con su asociación con Rusia una vez se convirtiese en poderosa? Por otro lado, para Mao, la cotización de Rusia había caído. Los rusos no sólo habían actuado erráticamente, comprometiendo a China en un conflicto que hubiese preferido evitar, sino que se habían mostrado traicioneros y, en último término, débiles.

En apariencia, nada había cambiado. China anhelaba desesperadamente la ayuda soviética para reconstruir su economía. En la guerra fría de los años cincuenta, no había ningún otro lugar al que acudir. Pero ya se habían sembrado las semillas del menosprecio.

Según el recuento final, China había sufrido en Corea cuatrocientas mil bajas, incluyendo ciento cuarenta y ocho mil cuatrocientos muertos.[77] Entre los últimos estaba el hijo mayor de Mao, Anying.[78]

Después de su vuelta de Moscú, Anying había trabajado entre los campesinos —renovando sus raíces chinas, como afirmó su padre— y después en una fábrica de Pekín, donde se convirtió en subsecretario de la delegación del partido. En otoño de 1950, con el consentimiento de Mao, se presentó voluntario para servir en Corea. Peng Dehuai desestimó su petición de alistarse en un regimiento de infantería, al considerarlo demasiado peligroso, y en su lugar lo designó miembro de su propio personal, como oficial de enlace capaz de hablar ruso. El 24 de noviembre de 1950, cuando aún no hacía cinco semanas desde que las unidades chinas habían cruzado la frontera, el cuartel general de Peng, situado en una mina de oro abandonada, fue atacado por los bombarderos de Estados Unidos. La mayor parte de su personal, junto al mismo Peng, se refugió en un túnel. Pero Anying y otro oficial quedaron atrapados en un edificio de madera situado en la superficie. Fue alcanzado por una bomba incendiaria. Ambos murieron.

Aquella tarde, Peng envió un telegrama a Mao anunciándole la muerte del joven y proponiendo que su cuerpo fuese enterrado en el campo de batalla, como todos los soldados chinos fallecidos en Corea. Cuando el secretario de Mao, Ye Zilong, lo recibió, telefoneó a Zhou Enlai, quien contactó con los otros dirigentes. Ellos autorizaron el entierro, pero decidieron que con la guerra en una coyuntura tan crítica, no debían comunicárselo a Mao.

De este modo, tres meses después, cuando Peng volvió a verse con Mao en Pekín y confesó cuán avergonzado se sentía por no haber protegido mejor a Anying, Mao se enfrentó brutalmente con una noticia para la que no estaba en absoluto preparado; que su hijo mayor había muerto. Se desplomó, recordaba Peng, temblando de un modo tan violento que fue incapaz de encender un cigarrillo. Durante algunos minutos permanecieron sentados en silencio. Entonces Mao alzó su cabeza. «En la guerra revolucionaria», dijo, «siempre hay que pagar un precio. Anying fue sólo uno entre miles ... No debes tomártelo como algo extraordinario sólo porque era mi hijo.»

La revolución ya le había arrebatado a sus hermanos: su hermana adoptiva, Zejian, había sido ejecutada en 1930 junto a Yang Kaihui; el menor de sus hermanos, Zetan, había muerto en 1935 en Jiangxi, en un enfrentamiento con las tropas nacionalistas; el segundo de sus hermanos, Zemin, fue asesinado por un señor de la guerra de Xinjiang, Sheng Shicai, en 1942. Su otro hijo, Anqing, aún vivo, era mentalmente inestable. Sus hijas, Li Min y Li Na, estaban bajo la influencia de Jiang Qing, un vínculo que cada vez le disgustaba más.

La relación de Anying con su padre no había sido fácil.[79] Mao era un hombre exigente que insistía en que sus hijos se comportasen de manera irreprochable y recibiesen el mismo trato que cualquier otra persona. Su guardaespaldas, Li Yinqiao, le recordaba diciéndoles: «¡Sois los hijos de Mao Zedong, y esto es una auténtica mala suerte para vosotros!». Pero desde el retorno del joven a China, su relación se había estrechado. Cuando murió, a los veintiocho años, con él se deshizo el último lazo humano capaz de evocar en Mao una auténtica fidelidad personal.

La matanza que marcó el nacimiento de la nueva China no se limitó a la guerra de Corea. El número de civiles muertos en los movimientos políticos y económicos que la acompañaron fue varias veces más elevado.

En la primavera de 1950, Mao comenzó a movilizar al partido para realizar el ingente esfuerzo de imponer el dominio comunista en las amplias áreas del centro y el sur de China, que albergaban una población de más de trescientos millones, y que el Ejército Popular de Liberación había ocupado en el transcurso de los últimos doce meses. El primer paso, había decretado, consistía en «estabilizar el orden social». Ello requería «eliminar con determinación a los bandidos, los espías, los pendencieros y los déspotas», junto a los agentes secretos nacionalistas que, decía, difundían rumores anticomunistas, saboteaban las tareas de reconstrucción económica y asesinaban a los trabajadores del partido. Eran acusaciones que tenían algún fundamento. Aquel mismo año, unos tres mil funcionarios habían sido asesinados en las zonas rurales mientras intentaban recaudar los impuestos del grano.[80]

La intención original consistía en proceder cautelosamente. «Los principales culpables» debían ser castigados; con el resto podían mostrarse indulgentes.[81]

La guerra de Corea lo cambió todo.[82] Por toda China, cientos de miles de personas se congregaron para organizar manifestaciones antiamericanas.[83] Se erigió un cartel enorme en el centro de Pekín, mostrando a Truman y MacArthur, con el rostro verde y sin afeitar, mirando a China con las garras ensangrentadas, y repelidos por un fornido miembro de los Voluntarios chinos.[84] Se animó al pueblo para que enviase pequeños obsequios a los soldados del frente, acompañados de mensajes de ánimo, del estilo: «He guardado esta pastilla de jabón para ti, para que puedas limpiarte la sangre del enemigo, esparcida por tu ropa, y te prepares para otra batalla». Los obreros entregaban una parte de sus sueldos para contribuir a la guerra; los campesinos se esforzaron para aumentar la producción y donar los excedentes de la cosecha. Para fomentar el activismo, se les explicó que las armas adquiridas gracias a ese esfuerzo llevarían inscrito el nombre de los donantes.[85]

Los extranjeros también tomaron parte en esta fiebre, pero como ejemplos negativos. Un italiano, residente largo tiempo en China, fue acusado de conspirar para asesinar a Mao durante el desfile del primero de octubre. Lo encarcelaron por dirigir una red de espionaje norteamericana, ayudado por su vecino, un japonés. Después de un juicio sumario, ambos fueron conducidos por toda la ciudad, de pie sobre la parte trasera de un jeep descapotable, hasta un campo de ejecución situado junto al Templo del Cielo. Los fusilaron. Otros dos extranjeros, un obispo italiano y un francés propietario de una librería, fueron encarcelados como supuestos cómplices. Que el complot fuese una maquinación de los chinos es algo irrelevante. Divulgado a través de las páginas del periódico del partido, el *Renmin ribao* (*Diario del Pueblo*), contribuyó a justificar la imposición de controles sociales aún más estrictos.[86]

Las posteriores denuncias chinas de que Estados Unidos estaba utilizando armas químicas en Corea, y de que los militares norteamericanos embarcaban a los prisioneros de guerra chinos con destino a Nevada para experimentar sobre los efectos de las armas nucleares, añadieron leña al fuego.[87] En todos los rincones de la ciudad, los chinos protestaban indignados por las atrocidades imperialistas. Los que no actuaban de este modo eran sospechosos de deslealtad.

En medio de este ambiente enrarecido, la campaña para acabar con los contrarrevolucionarios ardió con más violencia.[88] En el transcurso de un período de seis meses, setecientos diez mil chinos, la mayoría de ellos vinculados, aunque tenuemente, con el desaparecido Guomindang, fueron ejecutados o inducidos al suicidio.

Al menos un millón y medio más desaparecieron en los recién creados campos de «reforma a través del trabajo», construidos *ex profeso*, para su reclusión.

El mismo Mao dirigió la operación, publicando entre el invierno de 1950 y el otoño siguiente un dilatado caudal de directrices.[89] De este modo, en enero de 1951, cuando parecía que la campaña estaba debilitándose, insistió en que se cumpliese con las sentencias de muerte, argumentando: «Si nos mostramos débiles e indecisos, y demasiado indulgentes ... con la gente malvada, sobrevendrá el desastre». Dos meses después, tiró de los frenos. «Nuestro mayor peligro es la precipitación», advertía entonces. «No importa que un contrarrevolucionario sea ejecutado unos días antes o después. Pero ... arrestar y ejecutar erróneamente puede acarrear consecuencias muy perniciosas.» En mayo defendió la suspensión de las sentencias de muerte, ya que, de lo contrario, «nos privará de una gran cantidad de mano de obra [convicta]». Un mes más tarde, volvía a ser necesario darle un nuevo empujón a la campaña. «Las personas que ... han de ser ejecutadas para apaciguar la rabia del pueblo», declaró Mao, «sólo por este propósito deben morir.»

También la reforma de las tierras se tambaleaba violentamente hacia la izquierda.[90]

Mao instauró una política de «no corregir los excesos prematuramente». En casi cada pueblo, como mínimo uno, y en ocasiones varios terratenientes eran arrastrados ante congregaciones masivas, organizadas por los equipos de trabajo del partido, y cada uno de ellos era golpeado por los enfurecidos campesinos hasta morir allí mismo, o esperaban hasta ser después ejecutados públicamente. En el momento en que la reforma de la tierra quedó completada, a finales de 1952, hasta un millón de terratenientes y miembros de sus familias habían sido asesinados. De hecho, ésta es una cifra meramente estimativa. En realidad, el número de muertos pudo llegar a ser dos, y posiblemente incluso hasta tres, veces superior. Durante los tres años que habían transcurrido desde la fundación de la Nueva China, los terratenientes, en cuanto a clase cohesionada que había dominado la sociedad rural desde la dinastía Han, simplemente habían dejado de existir.

A diferencia de las prácticas soviéticas, Mao insistió en que estas acciones debían ser llevadas a cabo, no por los organismos de seguridad pública, sino por el vulgo. La lógica había sido la misma que la que se había impuesto en Hunan en 1927 y en las áreas base soviéticas en los años treinta: los campesinos que mataban con sus propias manos a los terratenientes que les habían oprimido, se unían al nuevo orden revolucionario de un modo que los espectadores pasivos nunca podrían igualar.

El partido tuvo que afrontar un desafío aún mayor al intentar llevar a cabo una transformación social comparable en las ciudades; «purificar nuestra sociedad», como Mao la definió, «de la suciedad y el veneno que queda del antiguo régimen».[91]

Con tal propósito, comenzando en otoño de 1951, Mao lanzó de manera sucesiva otras tres campañas políticas: los «tres antis» (anticorrupción, antidespilfarro y antiburocratismo), cuyo propósito era, según explicó, prevenir «la corrupción de los cuadros a manos de la burguesía»; los «cinco antis» (antisobornos, antievasión de impuestos, antifraude, antidesfalcos y antifiltraciones de los secretos de Estado), que apuntaba a las clases capitalistas, cuyas «balas cubiertas de azúcar» eran la primera causa de corrupción; y un movimiento de reforma del pensamiento, modelado según la campaña de rectificación de Yan'an, y diseñado para reformar a los intelectuales urbanos, especialmente los educados en Occidente, para imponer la obediencia y erradicar las ideas burguesas.[92]

Una vez más, los actores principales no eran el Estado o las delegaciones del partido, sino los hombres y las mujeres blanco de semejantes campañas, así como las «amplias masas» movilizadas que debían juzgarlos. Durante los «tres» y los «cinco antis», los trabajadores denunciaron a sus patrones, los cuadros se acusaron unos a otros, se animó a que los niños informasen sobre sus padres, y las mujeres se pusieron en contra de sus esposos. Los activistas formaron «equipos para la caza del tigre», para arrastrar a los culpables, reales o presuntos, ante reuniones masivas y ser humillados.

Se forjó un nuevo clima de terror. Los infractores menores, declaró Mao, debían ser criticados y reformados, o enviados a los campos de trabajo, mientras que «los peores de ellos debían ser fusilados». Para muchos, la presión psicológica fue insoportable. En conjunto, las dos campañas se llevaron varios cientos de miles de vidas más, la gran mayoría víctimas del suicidio, al tiempo que fueron recaudados unos dos mil millones de dólares estadounidenses, una cifra asombrosa para aquella época, en concepto de multas por actividades ilícitas a las compañías privadas. Los cuadros supervivientes, los hombres de negocios privados y la población urbana en general habían recibido una lección memorable sobre los límites de la bondad comunista.

La burguesía, explicó Mao durante el verano de 1952, no debía ser considerada por más tiempo como un aliado del proletariado. Se había convertido, ya entonces, en el principal objetivo de la lucha desarrollada por la clase obrera.[93]

Los intelectuales recibieron un trato diferente.[94] Debían ser purificados de ideología burguesa, especialmente de individualismo, proamericanismo, objetivismo (en el sentido de indiferencia ante la política) y «menosprecio de las masas obreras». Estas cuestiones eran discutidas en pequeños grupos en los que se realizaban continuas autocríticas, hasta que, capa a capa, se despojaban de todo lo que podía suponer un pensamiento independiente, incompatible con la ortodoxia maoísta.

Incluso si no hubiese estallado la guerra de Corea, Mao habría tenido, tarde o temprano, que asegurar el control del partido sobre la población urbana. El número de muertos no habría sido necesariamente menor si lo hubiese hecho en tiempos de paz. Al fin y al cabo, el poder de los terratenientes debía llegar a su fin; y se tenía que poner en su sitio a los funcionarios, los capitalistas y los intelectuales. Con o sin una guerra en el extranjero, se habría puesto en funcionamiento el mismo y penetrante sistema de registros policiales obligatorios, de residencias asignadas bajo la vigilancia de comités de vecindario, o de informes personales conservados en departamentos de seguridad adscritos a las unidades de trabajo de todos los ciudadanos.

A pesar de ello, para los comunistas chinos, el conflicto coreano tuvo una significación especial.[95]

Provocó un sentimiento de regeneración y de orgullo nacional que infundió un respeto forzado incluso entre los que de otro modo no habrían albergado ninguna simpatía por el régimen. La sensación de heroico sacrificio en el campo de batalla permitió explicar las duras medidas aplicadas en casa. La amenaza externa de Estados Unidos incentivó las transformaciones internas. Ante todo, permitió a Mao avanzar aún más rápido. En otoño de 1953, cuatro años y, por lo menos, dos millones de muertos después de la proclamación de la República Popular,[96] el Estado maoísta se había afianzado con mayor seguridad de la que cabía imaginar cuando Zhou Enlai partió de sus cuarteles provisionales en Shijiazhuang para entrar en la recién conquistada Pekín, sintiéndose, como anotó Mao, «como los estudiantes de los tiempos antiguos, cuando iban a la capital para enfrentarse a los exámenes [imperiales]».[97] Según su punto de vista, Mao había pasado la primera prueba con buena nota. Después de tantos años de revolución y guerra, el coste en sufrimiento humano era irrelevante.

13

El aprendiz de brujo

La economía no era una de las virtudes de Mao.[1]

Los estudios que realizó en Jiangxi a principios de los años treinta estaban centrados en las relaciones de clase existentes en el campo, no en la dinámica del comercio rural. Incluso cuando el objetivo manifiesto era describir la vida mercantil de las pequeñas ciudades comerciales, el resultado era un listado exhaustivo de cientos de oscuros productos locales, meticulosamente recopilados, pero sin apenas una mínima comprensión de lo que motivaba que la economía creciese, generando empleo y prosperidad, o lo que, en los malos tiempos, la hacía tambalearse.[2]

En Yan'an, hacía una década, la plataforma para la Nueva Democracia de Mao, condicionada por los imperativos políticos del frente unido y la guerra contra Japón, concibió un sistema de economía mixta con un fuerte componente capitalista. Las dos principales aportaciones que los comunistas introdujeron a principios de los años cuarenta en la esfera económica, la implantación de cooperativas y el avance hacia la autosuficiencia del Ejército Rojo, tenían igualmente objetivos políticos: por un lado, el paso de la propiedad campesina individual al sistema colectivizado, y por otro, la disminución de la carga que los militares imponían a la población civil.[3] Ambas se mantuvieron vigentes durante la República Popular. Cuando el Ejército Popular de Liberación ocupó el Tíbet, durante el invierno de 1951, la principal preocupación de Mao consistió en que el ejército produjese suficientes alimentos para cubrir sus propias necesidades.[4] De lo contrario, advirtió, sería imposible ganarse a los tibetanos y éstos, con el tiempo, acabarían rebelándose.

La insistencia de Mao en la autosuficiencia era consecuencia del sistema de economía campesina en que había sido educado, ratificado por su experiencia en las regiones base, sujetas a la amenaza constante del bloqueo enemigo. La autarquía económica, tanto a nivel provincial como nacional, era un dogma de fe. La experiencia histórica de China había mostrado que los países extranjeros eran explotadores, y debían ser mantenidos a distancia. A lo largo del período maoísta, el comercio extranjero se mantuvo bajo mínimos, y la balanza de pagos fue claramente positiva. China sólo aceptó préstamos extranjeros de la Unión Soviética, y únicamente en cantidades muy limitadas, si exceptuamos las provisiones militares durante la guerra de Corea. Cuando, en 1949, los rusos ofrecieron un crédito de cinco años por valor de sólo trescientos millones de dólares, una suma muy modesta incluso en aquella época, se aludió a la tacañería de Stalin.[5] Pero Mao, en privado, se sintió aliviado de que los préstamos a China fuesen pequeños.

Poco después de alcanzar la victoria a nivel nacional, Mao habló públicamente de sus preocupaciones sobre las tareas de índole económica que les aguardaban. «Debemos dominar lo que no conocemos», advirtió.[6] «Debemos aprender economía de todos aquellos que ahora la comprenden, quienesquiera que sean ... Debemos reconocer nuestra ignorancia, y no pretender saber lo que no conocemos.»

Tres años después, cuando él y sus compañeros se enfrentaron con la tarea de elaborar una estrategia de desarrollo global para su vasto y recién pacificado país, actuaron precisamente en consecuencia: pidieron ayuda a los expertos rusos. Se elaboró un Plan Quinquenal, configurado a partir de la experiencia soviética, con más de cien grandes plantas de industria pesada de construcción soviética como base de partida.[7]

Tiempo después, Mao se lamentaba de que el «dogmatismo» tomó en aquel período las riendas.[8] «Como no entendíamos de ello y no teníamos ninguna experiencia», se quejaba, «todo lo que en nuestra ignorancia podíamos hacer era importar métodos del extranjero ... No preocupaba que un detalle [impuesto por los rusos] fuese o no correcto, los chinos igualmente escuchaban y obedecían respetuosamente.» Pero la guía ofrecida por los rusos era, en 1953, lo que Mao exactamente necesitaba. Aquella primavera reclamó personalmente a los funcionarios que contribuyesen a «levantar una gran marea de aprendizaje de la Unión Soviética por todo el país».[9]

China se apartó del camino ruso en sólo dos aspectos importantes. En lugar de un programa estalinista de colectivizaciones forzadas, Mao impuso un enfoque voluntario y gradual.[10] Se animó a los aldeanos a formar primero equipos de ayuda mutua, a los que se unieron un buen número de familias para mancomunar animales de tiro, herramientas y mano de obra; después llegaron las cooperativas de productores agrícolas de bajo nivel, cuyos miembros eran remunerados en proporción a la cantidad de tierras y trabajo que habían aportado; y, finalmente, las cooperativas de productores agrícolas de alto nivel, en las que las tierras y el equipamiento de un pueblo entero se convertían en propiedad colectiva, y sus miembros eran pagados en virtud únicamente de su trabajo. De manera similar, en el comercio y la industria, la «directriz general para la transición al socialismo», que Mao presentó el verano de 1953, mantenía los elementos fundamentales de la plataforma para la Nueva Democracia.[11] Para construir una economía socialista, declaró, serían necesarios «quince años, o algo más» en las ciudades,[12] y dieciocho años en el campo.[13] Mientras tanto, los empresarios privados de China (cuyas esperanzas habían sido aniquiladas ya entonces por la campaña de los «cinco antis») tendrían que transformar sus empresas en sociedades mixtas con participación del Estado, de las que podrían retirar una cuarta parte de los beneficios.

Todo ello parecía, ante todo, razonable. Demasiado razonable, no hay duda, para un país de enconados odios de clase, liderado por un grupo de revolucionarios partidarios de los cambios radicales. En cualquier caso, resultó ser demasiado razonable para durar.

Ya en 1951 había emergido una disputa sobre el camino que debían seguir las transformaciones que intentaban poner en práctica. Aquel mismo año, el ministro de Hacienda, Bo Yibo, apoyado por Liu Shaoqi, había hablado vehementemente en contra de los intentos de acelerar demasiado la colectivización rural. Doce meses antes, con la aprobación de Mao, Gao Gang, entonces miembro veterano del Politburó y jefe del partido en Manchuria, había presentado la opción opuesta. Las rápidas colectivizaciones eran un imperativo, dijo, ya que si la «tendencia espontánea de los campesinos hacia el capitalismo» continuaba sin restricciones, el futuro de China no sería ya socialista, sino más bien capitalista. Aquellos hombres volvieron a enfrentarse posteriormente, en esta ocasión a causa de la política de impuestos. Bo proponía un trato idéntico a las firmas estatales y privadas. Gao le acusó de estar abogando por la «paz de clases». Una vez más, Mao respaldó a Gao. Bo, dijo, había recibido el impacto de una «bala espiritual recubierta de azúcar» que le había hecho sucumbir a la influencia de las ideas burguesas. Para que la causa del partido triunfase, era necesario corregir semejantes «desviaciones oportunistas derechistas» y «clarificar la cuestión del camino socialista frente al camino capitalista».[14]

De este modo quedaron fijadas las líneas de combate. El dilema planteado en estos oscuros debates de principios de los años cincuenta —el crecimiento económico frente al capitalismo espontáneo; los imperativos ideológicos frente a la realidad objetiva; la vía socialista frente a la vía capitalista— resonaría a lo largo de los grandes trastornos políticos de años posteriores: la campaña antiderechista, el Gran Salto Adelante y la Revolución Cultural. Las semillas del caos no se sembraron al final, sino al principio del mandato de Mao.

La disputa entre Bo y Gao también proporcionó el trampolín de la primera gran lucha interna entre los dirigentes chinos desde que Mao, a finales de los años treinta, había desahuciado a Zhang Guotao y Wang Ming.[15]

Gao era una estrella emergente dentro de la jerarquía comunista. Seis o siete años más joven que Liu Shaoqi y Zhou Enlai, era poco sofisticado, enérgico, capaz y —lo que era más importante— gustaba a Mao. Era también terriblemente ambicioso. En Manchuria se esforzó por cultivar a los oficiales rusos, y por lo que parece se valió de este canal para difundir rumores de que Liu y Zhou eran proamericanos. Liu además fue el auténtico blanco que se escondía tras sus ataques contra Bo Yibo. A finales del otoño de 1952, Gao y él evidentemente no sentían el más mínimo aprecio por el otro, en un momento en que Mao convocó a Gao en Pekín para dirigir la Comisión de Planificación Estatal, una tarea especialmente importante en un momento en que China se estaba preparando para su transición hacia una economía planificada. En primavera, Gao estaba ya ideando planes para suplantar a Liu.

Mao animó a Gao a actuar así, aunque continúa siendo un misterio saber hasta qué punto. Estaba irritado con Liu y Zhou a causa de lo que él consideraba la ralentización de la transición hacia el sistema socialista. Aquel mismo invierno se quejó de ellos privadamente ante Gao, que quedó convencido de que el presidente lo situaba en un lugar de privilegio para ascender a un rango de mayor eminencia.

Existieron otros factores que concurrieron en esta situación. Cumplir con sus deberes de estado hacía que Mao se sintiese exhausto. En 1952 comenzó a hablar de «retirarme al segundo frente», lo que quería decir ceder los quehaceres diarios del partido y el gobierno a sus compañeros más jóvenes, de modo que pudiese concentrarse en grandes cuestiones estratégicas y teóricas. Esto no implicaba disminución alguna del control de Mao. Al contrario, durante ese período su dominio en la toma de decisiones aumentó de modo aún más pronunciado. En mayo de 1953 se irritó al descubrir que Yang Shangkun, director de la Oficina General del Comité Central, la espina dorsal del partido, había publicado algunas directrices sin su previo consentimiento. «Esto es un error y una violación de la disciplina», explotó. «Los documentos y los telegramas enviados en nombre del Comité Central sólo se pueden despachar después de que yo los haya examinado, de lo contrario no son válidos.»[16] Su reacción mostraba hasta qué punto había cambiado la concepción de su propia posición. En 1943 sus compañeros le habían concedido el poder de tomar decisiones, en casos excepcionales, con independencia del resto del Secretariado. Ahora, diez años después, se arrogaba una autoridad total sobre cualquier asunto: sus compañeros no podían realizar absolutamente nada sin su explícito consentimiento.

Para Gao Gang, oír hablar de «un segundo frente» representó una señal para actuar con velocidad, antes de que la retirada de Mao permitiese a Liu posicionarse como su sucesor. Los acontecimientos de Moscú, donde, tras la muerte de Stalin, el comparativamente joven Malenkov había heredado su cetro, dejando de lado a otros miembros más veteranos del Politburó, como Molotov y Kaganovich, alimentaron aún más sus esperanzas. Si Malenkov lo había conseguido en Rusia, se preguntaba Gao, ¿por qué no podía hacer él lo mismo en China?

Resultado de ello: se fraguó una conspiración de palacio.

Gao comenzó por ganarse la confianza del líder de la China oriental, Rao Shushi, a quien ofreció la posibilidad de convertirse en primer ministro. Después, por un extraño golpe de fortuna, consiguió la copia de un listado provisional de miembros para un nuevo Politburó, preparado por uno de los socios de Liu Shaoqi integrado en el aparato del Comité Central, como documento de trabajo previo al inminente Congreso del partido. Proponía incrementar la representación de figuras que, como Liu, habían pasado la mayor parte de la guerra civil en las zonas «blancas» controladas por el Guomindang, incluyendo, notablemente, a Bo Yibo, en detrimento de los que habían luchado en las zonas rojas. Armado con esta pistola de humo y clamando que Mao le respaldaba, Gao comenzó a labrarse el apoyo de los indignados antiguos compañeros de las áreas rojas.

Peng Dehuai cayó en su trampa. Al igual que Lin Biao. Pero Deng Xiaoping, después de comenzar a negociar con Gao el futuro de los cargos del partido, percibió algunas irregularidades y envió un informe a Mao. Chen Yun, que había afilado sus antenas políticas en Moscú observando el trabajo de Stalin durante las purgas, también se resistió. También informó al presidente, quien ordenó callar a ambos.

Mao preparó entonces una de sus emboscadas. Cuando el Politburó se reunió en diciembre, anunció que pretendía descansar algunas semanas en el sur, y propuso que, como era habitual, Liu actuase en su lugar. Gao se tragó el anzuelo. ¿Por qué no alternar esa responsabilidad, en ausencia del presidente, entre algunos de los otros miembros veteranos del Politburó?, sugirió. Mao indicó que consideraría la idea, y durante las posteriores semanas Gao cabildeó a sus compañeros frenéticamente para promover otros cambios en el liderazgo, incluyendo su propia promoción como vicepresidente o, en su defecto, secretario general.

El 24 de diciembre, cuando el Politburó volvió a reunirse, Mao decidió que ya había oído demasiado. Acusó a Gao de faccionalismo sin principios, de llevar a cabo «actividades clandestinas» e intentar acrecentar su poder personal. La conspiración había fracasado.

En los meses siguientes, vencedores y vencidos recibieron sus recompensas.

Gao estaba convencido de que Mao le había traicionado, y en febrero de 1954 intentó infructuosamente acabar con su vida. En agosto lo volvió a intentar, y lo consiguió, en esta ocasión con veneno. Rao Shushi fue arrestado, sólo para morir de neumonía, todavía en la cárcel, veinte años después.

Peng Dehuai y Lin Biao fueron exonerados, después de alegar que ellos habían pensado que Gao actuaba con la aprobación de Mao (aunque la relación de ambos con Liu se deterioró sin remedio). Deng Xiaoping fue designado secretario general del Comité Central, y posteriormente fue ascendido al Politburó. También Chen Yun prosperó. En el Octavo Congreso, dos años después, se convirtió en vicepresidente del partido, al tiempo que Deng era nombrado secretario general.

En la primavera de 1954, el «siniestro viento» contra el partido de Gao Gang y Rao Shushi, como lo llamó Mao, se había desvanecido por completo.[17] Oficialmente no tuvo mayor significación. Pero si, como evidentemente había ocurrido, Mao había infundido en la mente de Gao la idea de que Liu y Zhou eran prescindibles, sus motivos debía de tener. Ambos eran extraordinariamente competentes, entregados a Mao, no menos que a la causa comunista. Él sólo tenía que dar la orden y ellos harían cualquier cosa que desease. Retrospectivamente, es evidente que no tuvo intención alguna de librarse de ellos. Pero esto no significa que no pretendiese desestabilizar a sus dos compañeros más próximos. Mao descubrió en las ambiciones de Gao Gang un instrumento para desconcertarlos, obligándoles a conocerse mejor, a estar más en sintonía con sus pensamientos. Gao no había sido tan estúpido como para malinterpretar las intenciones de Mao: él, simplemente, había ido demasiado lejos.[18]

La purga proyectó una larga sombra. Que Peng Dehuai, Lin Biao e inicialmente Deng Xiaoping hubiesen podido creer que Mao estaba conspirando a espaldas de Liu y Zhou expresa muy claramente el nivel de desconfianza que había fomentado su estilo imperial de liderazgo. La preeminencia y el sentido de misión nacional que Mao se arrogaba supuso que la única lealtad que todavía albergaba estuviese ligada a su visionario proyecto para el futuro de China. Sus compañeros —hombres y mujeres con los que, en algunos casos, había compartido treinta años de lucha— estaban siendo reducidos a meros instrumentos para la construcción de sus sueños.[19]

El debate sobre los cambios que Bo Yibo había iniciado finalizó sin un claro consenso sobre el ritmo que debería seguir la colectivización.[20] El instinto de Mao le sugería avanzar más rápido. Pero cada vez que forzaba la marcha, los funcionarios locales, demasiado ávidos, coaccionaban a la población rural para que formasen cooperativas mal preparadas en las que el socialismo era visto como «comer de un gran cazo», los pobres vivían de los ricos hasta que sus recursos se agotaban, y entonces toda la aventura se arruinaba bajo una montaña de deudas.

Durante la primavera de 1953 se lanzó una campaña, que contaba con la bendición de Mao, contra el «avance temerario». Pero tan pronto como la situación se estabilizó, el «capitalismo espontáneo» hizo su aparición: los campesinos mejor situados comenzaron a contratar mano de obra, prestar dinero, y comprar y vender tierras. Ello trajo a escena una nueva campaña. En esta ocasión contra el «retroceso temerario». La colectivización volvió a rugir, con unos resultados aún más nocivos; los campesinos acaudalados sacrificaron a sus reses, en lugar de compartirlas con sus vecinos pobres. Después, en 1954, las severas inundaciones que afectaron todo el curso del Yangzi mermaron la cosecha del verano. Los cuadros locales, dispuestos a mostrar su valía, insistieron en mantener las previsiones de grano. Estallaron disturbios originados por la escasez de alimentos. En las provincias del sur, los campesinos acusaban a los comunistas de ser peores que el Guomindang.

De este modo, en enero de 1955, Mao volvió a tirar de las riendas por tercera vez. Las exigencias de la colectivización, admitió, no se correspondían con las posibilidades reales del campesinado. La nueva política debía ser un «clásico de tres caracteres: "parar, contratar, desarrollar".». El número de cooperativas de productores agrícolas se había incrementado de las cuatro mil del otoño de 1952 a las seiscientas setenta mil de aquel invierno, comprendiendo una de cada siete familias campesinas. Entonces Mao decretó que durante los dieciocho meses siguientes dejasen de expandirse. Liu Shaoqi autorizó un plan para desmantelar más de una cuarta parte de las cooperativas de productores agrícolas existentes, destinado a estabilizar la situación, y las expectativas de producción de grano se redujeron drásticamente.

Si Mao hubiese tenido la voluntad de dejarlo de aquel modo, todo habría ido bien. Sin embargo, en abril, partió en un viaje de inspección al sur para ver la situación con sus propios ojos. Allí, incitado por los oficiales locales, cuyos intereses personales estaban íntimamente vinculados con la campaña de colectivización —y que por tanto estaban deseosos de decir a Mao lo que él quería oír—, el presidente concluyó que la resistencia campesina había sido vencida.

Sólo Deng Zihui, un leal aliado desde finales de los años veinte, a quien Mao había designado para supervisar el impulso de la colectivización, tuvo el coraje de encararse al presidente y decirle que estaba equivocado.

En el fondo, Mao sabía que Deng tenía razón. En una reveladora concesión, admitió: «Los campesinos quieren ser libres, pero nosotros queremos el socialismo».[21] Sin embargo, Mao estaba demasiado encorsetado en su visión de una agricultura socializada para permitir que los obstáculos materiales, incluso cuando reconocía su existencia, impidieran su avance. El problema, dijo Deng inflexiblemente a sus subordinados, era que el presidente creía que «las condiciones [materiales] para poner en marcha las cooperativas son innecesarias».[22] Pero sus objeciones quedaron arrinconadas a un lado. «Tu mente necesita ser bombardeada con artillería», se encolerizó

Mao.[23] Y eso hizo en una conferencia de secretarios provinciales del mes de julio:

> Es inminente la irrupción en todo el país de un renovado oleaje socialista de masas. Pero algunos de nuestros camaradas, vacilantes como una mujer con los pies vendados, se lamentan continuamente: «Vas demasiado rápido, demasiado rápido». Demasiados reparos, quejas sin fundamento, preocupaciones desmesuradas e incontables tabúes; con todo ello elaboran su correcta política para guiar el movimiento socialista de masas en las áreas rurales.
>
> Pero no, ésta no es la política correcta. Es la equivocada...
>
> [Éste] es un ... movimiento que involucra una población rural de más de quinientos millones y tiene una importancia extraordinaria a nivel mundial. Deberíamos liderar este movimiento activa [y] entusiastamente, en lugar de intentar refrenarlo por todos los medios.[24]

Acalladas las dudas del propio Mao, y con toda la oposición silenciada, los objetivos se ampliaron exponencialmente. Él mismo habló de colectivizar la mitad de la población rural para finales de 1957. Los oficiales provinciales estaban decididos a ir aún más rápido. En julio de 1955, diecisiete millones de familias pertenecían a las cooperativas de productores agrícolas. Seis meses después, la cifra había alcanzado los setenta y cinco millones, el 63 por 100 de la población campesina. Mao comunicó a su secretario que no se había sentido tan feliz desde la victoria sobre Chiang Kai-shek.[25] Mientras se preparaba para celebrar su sexagésimo segundo aniversario, se regocijó:

> Durante la primera mitad de 1955, el ambiente estaba viciado y poblado de amenazadoras nubes negras. Pero durante la segunda mitad se ha producido un cambio drástico, las circunstancias son completamente diferentes ... Este [movimiento cooperativista] es como una marea enfurecida, que barre todos los demonios y los monstruos ... Cuando el año termine, la victoria del socialismo estará plenamente asegurada.[26]

Efectivamente, en diciembre de 1956 sólo el 3 por 100 de los campesinos continuaba laborando individualmente.[27] La transformación socialista de la agricultura, que no debía ser completada hasta 1971, había cumplido con sus objetivos quince años antes de lo previsto.

Desde el punto de vista ideológico fue un éxito tremendo. Políticamente, representó una bendición múltiple. Pero, económicamente hablando, escondía las semillas del desastre, ya que convenció a Mao, y a otros líderes, de que, contando con una firme voluntad para alcanzar el éxito, las condiciones materiales no tenían por qué ser decisivas.

La colectivización agotó las energías de toda una generación de campesinos, causando un retroceso en la sociedad rural que ahogó la iniciativa independiente, desmotivó a los más productivos, recompensó a los menos capaces, y sustituyó el dominio de los terratenientes y los intelectuales por el de las delegaciones del partido, cuyos miembros disfrutaban de poder y privilegios sin los condicionantes derivados del bandidaje y las rebeliones que, durante siglos, habían mantenido a sus predecesores en jaque.

Con las zonas rurales en manos socialistas, Mao dirigió su atención hacia las ciudades, donde debían solucionar «de una vez por todas» el problema de la burguesía, ya por completo aislada. Su promesa de hacía dos años de que la economía mixta continuaría vigente hasta mediados de los años sesenta quedó convenientemente olvidada:

> ¡A este respecto, somos unos desalmados! Por lo que a esto se refiere, el marxismo es incluso cruel y no muestra la menor piedad, ya que está decidido a acabar de un puntapié con el imperialismo, el feudalismo, el capitalismo y la pequeña producción ... Algunos de nuestros camaradas son demasiado amables, no son lo suficientemente severos, en otras palabras, no son lo marxistas que deberían ser. La exterminación de la burguesía y el capitalismo en China es algo bueno, y también muy lleno de significado ... Nuestro objetivo es exterminar el capitalismo, borrarlo de la faz de la tierra y convertirlo en algo propio del pasado.[28]

Este discurso pertenece a una reunión restringida de dirigentes del partido celebrada en octubre de 1955. En sus encuentros con los empresarios chinos, Mao comprensiblemente adoptaba una postura más sutil, que algunas mentes ingeniosas y anónimas pertenecientes a la esfera capitalista de Shanghai resumieron como el enfoque de «cómo hacer que el gato coma pimienta».[29]

Liu Shaoqi, se decía, abogaba por la firmeza: «Consigues que alguien coja el gato», dijo, «le atiborras la boca de pimienta, y se la haces engullir con un palillo». Mao estaba horrorizado. La violencia, declaró, era antidemocrática: se debía persuadir al gato para que comiese voluntariamente. Después lo intentó Zhou Enlai: «Dejaría morir de hambre al gato», dijo el primer ministro. «Entonces envolvería la pimienta en un filete. Si el gato tiene el hambre suficiente, se lo tragará entero.» De nuevo, Mao meneó la cabeza. «No se puede usar el engaño», dijo. «¡Nunca engañéis al pueblo!» Su respuesta, explicó, era muy simple. «Restriegas la pimienta por la espalda del gato. Cuando comience a abrasarle, el gato se lamerá —y se sentirá feliz de que le dejen actuar así.»

De acuerdo con ello, en lugar de nacionalizar por decreto, Mao pidió a sus interlocutores en el sector privado que le aconsejasen qué hacer.[30] Los empresarios, cuyas espaldas abrasaban por la pimienta que habían recibido durante la campaña de los «cinco antis», compitieron para decirle que la nacionalización era lo que ellos deseaban, y cuanto más rápida, mejor.

Aun así, la velocidad con que se realizó fue sorprendente.[31]

El 6 de diciembre de 1955 Mao afirmó que los negocios privados debían pasar a manos del Estado antes de finalizar el año 1957, doce años antes de lo marcado en el calendario original. Pero en la práctica, toda la industria y el comercio privado de Pekín habían quedado convertidos en una copropiedad, de titularidad privada y estatal, antes de que transcurriesen los doce primeros días del año. Para conmemorar el acontecimiento, Mao y el resto de la cúpula presidieron el 15 de enero una celebración que congregó a doscientas mil personas en la plaza de Tiananmen. Otras grandes ciudades siguieron apresuradamente el ejemplo. A finales de enero de 1956, la economía urbana se había unido a las áreas rurales en la camisa de fuerza tejida por el partido y el control estatal.

Aquello, por su parte, fue la señal para un nuevo salto adelante que desafiaba la gravedad.

Al declarar que el «conservadurismo derechista» era el principal obstáculo para el progreso, Mao se estaba planteando una serie de nuevos objetivos.[32] En las próximas décadas, dijo, China debía convertirse en «el primer país del mundo», superando a Estados Unidos en desarrollo cultural, científico, tecnológico e industrial.[33] «No creo que [los logros de los norteamericanos] sean algo tan asombroso», dijo con indiferencia. Si Estados Unidos produce anualmente cien millones de toneladas de acero, «China debería producir varios centenares de millones de toneladas».

Como paso previo, exigió que el Primer Plan Quinquenal quedase completado antes de lo previsto, y desveló su Plan Agrícola en Doce Años que proponía doblar la producción de grano y algodón.[34] El eslogan «más, más rápido, mejor» que había usado en los últimos meses de 1955,[35] durante el momento álgido de la marea de colectivizaciones, se modificó para convertirse en «más, más rápido, mejor y más económico», como si ello de algún modo lo hiciese más racional.[36] El socialismo saltacionista, como lo ha definido algún especialista extranjero, se había impuesto como el modelo preferido de Mao para el avance económico.[37]

El 25 de febrero de 1956, Nikita Sergéievich Khruschev, que doce meses antes se había convertido en sucesor del efímero Malenkov, se alzó ante sus compañeros en el blanco y dorado salón de banquetes de estilo barroco del Kremlin donde se estaba celebrando el Vigésimo Congreso del partido soviético, y les dijo lo que todos sabían en el fondo de su corazón pero nadie esperaba oír: Stalin, ante cuya presencia se habían estremecido durante tan largo tiempo, había sido un psicópata brutal, impulsado por «una manía persecutoria de increíbles dimensiones», cuyo culto a la personalidad había ocultado un gobierno caprichoso y despótico; cuyo «genio militar» había llevado a Rusia al borde de la derrota contra Alemania; y cuya suspicacia y desconfianza enfermizas habían enviado a millones de hombres y mujeres inocentes a una muerte cruel e innecesaria.[38]

El «discurso secreto», tal como fue conocida su intervención, se pronunció el día antes de que el Congreso finalizase en una sesión cerrada en la que se denegó el acceso a los representantes de los partidos fraternales. Una semana después, Deng Xiaoping, quien, junto a Zhu De, había encabezado la delegación china, voló de vuelta a casa con una copia del discurso, traducida apresuradamente.[39]

Teniendo en cuenta los problemas personales de Mao con Stalin, se podía esperar que diese la bienvenida a ese colofón póstumo del dictador. Y en un importante aspecto, así lo hizo: semejantes críticas, dijo, «han destruido mitos y abierto cajas. Esto conlleva la liberación ... [permitiendo al pueblo] abrir su mente y ser capaz de pensar por sí mismo»[40]. En general, sin embargo, Mao mantenía serias dudas ante el enfoque de Khruschev. En una reunión con el embajador soviético, a finales de marzo, habló largo y tendido sobre los errores que Stalin había cometido con China, pero dijo muy poco sobre el culto a la personalidad —la esencia del ataque de Khruschev—, enfatizando en su lugar que Stalin había sido «un gran marxista, un revolucionario bueno y honesto» que había cometido errores «no en todo, sino [sólo] en determinadas cuestiones».[41] Estas ideas quedaron pronto reflejadas en un editorial del *Diario del Pueblo*, titulado «Sobre la perspectiva histórica de la dictadura del proletariado», en el que, casi seis semanas después de la intervención de Khruschev y mucho después de que el resto del bloque comunista hubiese ratificado la nueva línea soviética, mostró por vez primera públicamente la posición del partido chino:

> Cualesquiera sean los errores [que se hayan cometido], la dictadura del proletariado es siempre, para las masas populares, muy superior a la dictadura de la burguesía ... Hay quien considera que Stalin se equivocó en todo: éste es un grave malentendido ... Deberíamos considerar a Stalin desde una perspectiva histórica, realizar un análisis coherente y multifacético para lograr comprender cuándo estuvo en lo cierto y cuándo se equivocó, y extraer de ello lecciones de utilidad. Tanto lo que hizo bien como lo que hizo mal son fenómenos del movimiento comunista internacional, y llevan la impronta de los tiempos.[42]

Bajo el liderazgo de Stalin, insistió Mao, la Unión Soviética había alcanzado «logros gloriosos», en los que tuvo una «participación indeleble», mientras que sus errores quedaron confinados al último período de su vida.

El editorial fue el primer paso del lento desguace de la alianza chino-soviética. Estaba claro que, en el futuro, China imitaría la experiencia soviética sólo de manera selectiva. Ello planteaba cuestiones, aunque implícitas, sobre el papel que habían interpretado los subordinados de Stalin, ahora sus sucesores, en los crímenes de los que se le acusaba; desencadenando, no mucho después, un mordaz intercambio entre Mikoyan y Peng Dehuai. «¡Si hubiésemos hablado, habríamos sido ejecutados!», admitió el armenio. «¿Qué clase de comunista teme a la muerte?», replicó desdeñoso Peng.[43] Pero, lo más importante de todo, los comentarios del *Diario del Pueblo* representaron un cambio en la actitud de China hacia Moscú. No habían sido escritos siguiendo los puntos de vista de un socio menor, sino los de un semejante. Mao se erigía como juez de las precipitadas acciones de unos inexpertos dirigentes soviéticos.

Mucho más allá de las diferencias ideológicas, sería esta afirmación de igualdad, por un lado, y los esfuerzos de Khruschev y sus colegas por mantener la vieja posición de «hermano mayor», por otro, lo que encaminaría a Pekín y Moscú, antes de que la década se extinguiese, hacia un punto sin retorno.[44]

A medida que el año 1956 avanzaba, el temor que Mao albergaba de que Khruschev estuviese «tirando al bebé comunista junto con el agua de la bañera estalinista», como anotó un escritor contemporáneo, parecía ampliamente justificado.[45] Después de los disturbios acaecidos en Polonia durante el verano, la cúpula de Varsovia, que contaba con el respaldo soviético y que Khruschev había impuesto personalmente hacía apenas medio año, fue sustituida, a pesar de la fuerte oposición rusa, por un nuevo grupo «liberal», encabezado por una de las víctimas de Stalin, Wladyslaw Gomulka.[46] Poco después llegó desde Hungría un desafío a Moscú aún mayor, cuando el primer secretario, el estalinista Matyas Rakosi, fue depuesto por los reformistas liderados por Imre Nagy.

En Polonia, Mao apoyó a Gomulka, aduciendo que la raíz del problema era el mismo «chovinismo de gran potencia» que China había tenido que soportar durante tanto tiempo.[47] Liu Shaoqi fue enviado a Moscú, donde persuadió en octubre a Khruschev de que no realizara una intervención armada. Pero cuando Hungría anunció que abandonaba la alianza militar del bloque soviético, el pacto de Varsovia, Mao adoptó una posición muy distinta. Apoyar el derecho de un partido hermano a escoger su propio camino hacia el socialismo era una cosa; sentarse con los brazos cruzados ante la contrarrevolución era otra muy distinta. Una vez más, Liu presionó a Khruschev, en esta ocasión para que enviase tropas para acabar con la revolución por la fuerza.

La confusión que los dirigentes soviéticos habían provocado en su propio terreno europeo contribuyó a desarrollar aún más el menosprecio que Mao sentía por ellos.

El 15 de noviembre de 1956, poco después de que el ejército ruso ocupase Hungría, Mao concedió al Comité Central chino, elegido unas pocas semanas antes durante el Octavo Congreso, el privilegio de oír sus reflexiones sobre los sucesos de los últimos años:

> Creo que existen dos «espadas»: una es Lenin y la otra es Stalin. Los rusos han desechado ahora la espada de Stalin ... Pero los chinos no lo hemos hecho. Nosotros protegemos primero a Stalin y, además, al mismo tiempo, criticamos sus errores...
>
> Y sobre la espada de Lenin, ¿acaso no es verdad que algunos de los dirigentes soviéticos se han despojado también de ella? Según mi punto de vista, la han dejado de lado en muchos aspectos. ¿Continúa siendo válida la Revolución de Octubre? ... El informe de Khruschev del Vigésimo Congreso del Partido Comunista de la Unión Soviética dice que es posible tomar el poder estatal por la vía parlamentaria, lo que es lo mismo que decir que ya no es necesario para ningún país aprender de la Revolución de Octubre. Una vez se ha abierto esta puerta, el leninismo ha quedado completamente abandonado...
>
> ¿De cuánto crédito disponen [los rusos]? Sólo de Lenin y Stalin. Ahora han abandonado a Stalin, así como prácticamente todo lo de Lenin —un Lenin sin pies, o quizá conservando sólo su cabeza, o con una de sus manos cortada. Nosotros, en cambio, seguimos fieles al estudio del marxismo-leninismo y al aprendizaje de la Revolución de Octubre.[48]

Eran las palabras más duras que jamás hasta entonces hubiese pronunciado Mao, incluso para la privacidad del Politburó. A pesar de que sus observaciones fueron mantenidas en secreto, sirvieron de inspiración para un segundo editorial del *Diario del Pueblo*, publicado a finales de diciembre con el título «Más sobre la experiencia histórica de la dictadura del proletariado».[49] El camino seguido por la Revolución de Octubre y, más específicamente, la violenta llegada del proletariado al poder, arrancando a la burguesía de su trono, declaró, eran «verdades universalmente aplicables». Cualquier intento de «eludir este camino» constituía un acto de revisionismo.

Cuando Zhou Enlai visitó Moscú en enero de 1957 descubrió que, como era previsible, los dirigentes soviéticos estaban «molestos».[50]

Por aquel entonces habían surgido cuatro grandes cuestiones de disputa entre los dos partidos, todas derivadas del Vigésimo Congreso. En primer lugar, existía la de la valoración de Stalin: Mao insistía en que tenía «tres partes malas y siete buenas».[51] Después, había la discusión sobre «la vía parlamentaria al socialismo» de Khruschev, muy relacionada con la tercera problemática, la coexistencia pacífica. El imperialismo, según la visión de Mao, era irremisiblemente hostil al mundo socialista. El editorial de diciembre había llegado a la conclusión de que «los imperialistas están siempre dispuestos a destruirnos. Por ello, nunca debemos dejar de lado ... la lucha de clases a nivel mundial».[52] Para China, esto tenía todo el sentido del mundo: su escaño en las Naciones Unidas continuaba todavía ocupado por Taiwan;[53] el último contacto mantenido con Estados Unidos había tenido lugar en el campo de batalla de Corea. Pero la posición de los dirigentes soviéticos era bastante diferente. Efectuaban acuerdos con Estados Unidos y las otras potencias capitalistas de un modo rutinario, en el marco de las Naciones Unidas y a través de los canales diplomáticos. Para el Kremlin, esa razonable mezcla de competencia y contactos con Occidente era mucho más atractiva que el estéril inmovilismo de la guerra fría.

En último lugar, y en cierto sentido el más problemático para los rusos —a causa de que era imposible predecir hacia dónde les encaminaría—, estaba la insistencia de Mao en las contradicciones. Ésta nunca fue demasiado bien vista en Moscú. El propio Stalin la había criticado aduciendo que era contraria al marxismo. Pero allí estaba Mao proclamando ahora que los abusos de poder de Stalin mostraban que las contradicciones aparecían incluso bajo el cielo socialista. En diciembre, el *Diario del Pueblo* había afirmado la existencia «en los países socialistas de contradicciones entre diferentes secciones del pueblo, entre camaradas del partido socialista, [y] entre el gobierno y el pueblo», así como «contradicciones entre los países socialistas, [y] las contradicciones entre partidos comunistas».[54] Desde el punto de vista ruso, que sostenía que la unidad monolítica era la mayor de las dichas posibles, aquello era como una lata llena de gusanos que nadie desea abrir. El comunicado publicado tras la visita de Zhou Enlai era diáfano: «No ha habido ni hay contradicciones esenciales ... en la relación entre los estados socialistas. Incluso si en el pasado existieron ... negligencias, están siendo ahora rectificadas y eliminadas».[55]

Sin embargo, a pesar de esas diferencias, a principios de 1957 no existía apenas nada que pudiese sugerir una ruptura inminente.

Mientras Zhou se lamentaba de la falta de voluntad de los líderes soviéticos para enfrentarse a sus propios errores, así como de su «subjetividad [y] estrechez de miras ... y [su] tendencia a patrocinar a unos e interferir en los asuntos internos de otros partidos y gobiernos hermanos», al mismo tiempo añadía cuidadosamente que «a pesar de lo anterior, las relaciones chino-soviéticas son ahora mucho mejores que durante la época de Stalin».[56] También Mao se mostró bastante vehemente. «¡No todos los pedos soviéticos huelen bien!», señaló. Khruschev era un engreído y estaba cegado por el poder, y si los rusos persistían en sus errores, «seguro que, algún día, todo saldrá a la luz».[57] Pero las disputas entre los partidos comunistas eran inevitables, y Pekín y Moscú siguieron cultivando los nexos de unión entre ambos.

A lo largo de la primera mitad de los años cincuenta, los intelectuales de China habían sido tratados como una de las «clases negras», hostiles o como mínimo indiferentes a la revolución comunista.

El movimiento de reforma del pensamiento que había acompañado la guerra de Corea destacó por los ataques personalizados contra individuos señalados y sus obras, entre ellos el filósofo Hu Shi, a cuyas conferencias Mao había asistido cuando era asistente de biblioteca en Pekín.[58] Hubo no pocas campañas contra diversas películas, como *La historia secreta de la dinastía Qing*, ambientada en la rebelión de los bóxers, y denunciada por representar una capitulación ante el capitalismo;[59] o *La vida de Wu Xun*, sobre un mendigo del siglo XIX que empleó sus ahorros en construir escuelas para los pobres, acusada de fomentar la capitulación ante el feudalismo.[60] Otro esfuerzo importante por poner límites a los intelectuales afectó a Liang Shuming, un pensador liberal que había cometido la temeridad de criticar a los comunistas por cargar a los campesinos con impuestos demasiado elevados.[61] En un encuentro del Consejo del Gobierno Central, al que Liang asistió como invitado, se convirtió en el objeto de los ataques de Mao durante más de una hora:

> El señor Liang se considera a sí mismo un «hombre íntegro» ... ¿Realmente eres «íntegro»? Si lo eres, confesémoslo sinceramente todo sobre tu pasado —cómo te opusiste al Partido Comunista y al pueblo, cómo asesinaste con tu pluma ... Hay dos maneras de matar a la gente: la primera es esgrimiendo las armas y la segunda utilizando la pluma. Lo más habilidosamente disimulado y menos sangriento es matar con la pluma. Ésta es la clase de asesino a la que perteneces.
>
> Liang Shuming es un reaccionario total, pero él lo niega decididamente ... ¿Qué servicio realizas, Liang Shuming? A lo largo de tu vida, ¿qué servicio has hecho al pueblo? Ni el más mínimo, ni siquiera un poco ... Liang Shuming es un intrigante ambicioso, un hipócrita.

Estaba utilizando un yunque para cascar una nuez. Para Mao, cualquier expresión de pensamiento heterodoxo podía esconder las semillas de una oposición futura. Liang escapó con sólo un varapalo verbal. Pero dos años después, cuando Mao decidió que los intelectuales se merecían una lección más severa, el guante abrasivo de la persuasión dejó paso a una manifiesta represión.

En un caso que mostró un claro paralelismo con la persecución de Wang Shiwei en Yan'an, un escritor de izquierdas llamado Hu Feng fue acusado de liderar una «camarilla contrarrevolucionaria» y fue encarcelado.[62] Durante el segundo semestre de 1955 se lanzó una caza de brujas por todo el país en busca de los «elementos de Hu Feng», que provocó numerosos suicidios en los círculos literarios y académicos. Al igual que Wang, una década antes, la ofensa de Hu había consistido en el rechazo a someterse a la voluntad del partido. Como Wang, su destino ofreció una advertencia terrorífica a los intelectuales en su conjunto sobre los peligros de no obrar según la línea del partido.

No debió de ser una sorpresa que, cuando en abril de 1956 Mao impulsó una nueva primavera del debate intelectual con el eslogan «Dejemos que cien flores florezcan, dejemos que cien escuelas compitan»,[63] ésta cayese en un terreno realmente pedregoso.[64] Después del varapalo que habían recibido durante los seis años anteriores, lo último que querían los intelectuales chinos era erguir públicamente sus cabezas y volver a mostrar abiertamente sus mentes.

Diversos factores se combinaron para producir este abrupto —y, en aquel momento, poco convincente— cambio de acontecimientos.

La paz reinaba en China. El partido estaba bajo un firme control. La transición hacia un sistema de economía socialista estaba ya muy avanzado. El dominio excesivamente rígido que el régimen había mantenido en todos los aspectos de la vida nacional, justificable, quizás, durante los primeros años, se había tornado improductivo. El principal tema de los discursos de Mao de aquella primavera fue la necesidad de descentralizar el poder. «Debemos abolir aquella disciplina que inhibe la creatividad y la iniciativa», dijo en una ocasión. «Necesitamos un poco de liberalismo para facilitar la consecución de los objetivos. Ser siempre estrictos no nos va a funcionar.»[65]

Tarde o temprano era inevitable que comenzasen a soltarse las cadenas, fuese cual fuese la causa. Tal como lo habría dicho Mao, ello era una parte de la dialéctica inherente en todas las cosas. «Si la guerra no se tejiese en tiempos de paz, ¿cómo podría estallar tan repentinamente? Si la paz no se gesta durante la guerra, cómo puede llegar de manera tan súbita?»[66]

Pero en el primer semestre de 1956, dos fuerzas adicionales comenzaron a presionar al partido para que avanzase hacia la liberación. Una fue la escasez de mano de obra cualificada —especialmente, científicos e ingenieros—, que bloqueaba los planes de Mao de acelerar el desarrollo económico.[67] Para intentar remediarlo, se elevaron los salarios de los intelectuales; se les permitió poseer mejores viviendas; y se realizaron intentos para atraer a los profesores chinos que vivían en Estados Unidos y en Europa. Pero Mao pronto reconoció que, si querían resolver el problema, los burócratas del partido tendrían que dejar de interferir en unas cuestiones académicas que no comprendían; y se debería conceder a los intelectuales más libertad para trabajar como juzgasen mejor.[68] La segunda fuerza fue el Discurso Secreto y, consecuencia suya, la decisión de China de dejar de copiar mecánicamente los métodos soviéticos. Repentinamente, en cuestiones de educación, dirección de fábricas, y en campos tan diversos como la genética o la música, los intelectuales y directivos chinos se encontraron, por primera vez en muchos años, con el suficiente margen de movimiento como para experimentar.

Ninguno de estos cambios pudo ser descrito como drástico durante el verano de 1956. El efecto más visible de la relajación política fue la concesión de nuevo colorido y vitalidad a la espartana austeridad de la vida cotidiana china. Las jóvenes comenzaron a vestirse con blusas floreadas. Los extranjeros describían la menos frecuente *cheong-sam*, la tradicional camisa larga china, abierta decorosamente una pulgada por encima de la rodilla. Se permitieron los bailes, desde música de Gershwin a Strauss. El *Diario del Pueblo* pasó de las cuatro a las ocho páginas, y Liu Shaoqi exhortó a los periodistas para que escribiesen historias menos monótonas.[69]

Por lo que se refiere a la política, las repercusiones fueron mínimas. El culto a la personalidad de Mao sobrevivió intacto.[70] El único cambio significativo llegó en el Octavo Congreso de septiembre, cuando se excluyeron de la constitución del Partido Comunista Chino las referencias al «Pensamiento de Mao Zedong» como ideología rectora del partido.[71] Pero esto fue considerado un inconveniente ocasionado por los cambios que estaban teniendo lugar en la estructura de liderazgo del partido cuando Mao comenzó a poner en marcha su plan, objeto de discusión desde 1952, de retirarse hasta el «segundo frente». Comenzaba a percibir el peso de su edad, escribió ese mismo año a la viuda de Sun Yat-sen, Soong Ching-ling. «Uno debe reconocer los síntomas de que ya está en declive.»[72] Se creó el nuevo cargo de presidente honorario del partido, vacante hasta el momento en que Liu Shaoqi asumiera su cetro (generalmente esperado para 1963, cuando Mao debía llegar a su septuagésimo aniversario).[73]

Entonces llegó la crisis de las revoluciones de Polonia y Hungría.

Los regímenes comunistas de todo el mundo la observaron aterrados, temiendo que la epidemia se expandiese, mientras el bloque socialista amenazaba con implosionar. China no era una excepción.[74] Durante el invierno de 1956, Mao pronunció un discurso tras otro, asegurando al partido, y a sus aliados no comunistas, que no había posibilidad alguna de que ellos estuviesen expuestos a un desasosiego similar.

Continuó preguntándose la causa de las convulsiones de la Europa oriental. Parte de la respuesta, dijo al Comité Central, residía en el hecho de que los partidos comunistas de Polonia y Hungría habían fallado en su cometido de eliminar a los contrarrevolucionarios. China no había cometido ese error. Pero un segundo factor era el burocratismo, que había llevado a los dirigentes de ambos países a alejarse de las masas. Era un problema que China todavía no había solucionado.

Actualmente hay ciertas personas que actúan como burócratas ociosos, y tratan sin escrúpulos al pueblo, ahora que tienen al país en sus manos. Esta gente cuenta con la oposición de las masas, que [desean] lanzar piedras contra ellos y golpearles con sus azadones. Desde mi punto de vista, eso es lo que se merecen y creo que hay que aceptarlo gratamente. Hay ocasiones en que sólo los golpes pueden solucionar los problemas. El Partido Comunista ha de aprender de esta lección ... Debemos estar vigilantes, y no debemos permitir que se desarrolle un estilo de trabajo burocrático. No debemos contribuir a formar una democracia disociada del pueblo. La actitud de las masas está plenamente justificada cuando expulsan a los que siguen los métodos burocráticos ... Creo que lo mejor es destituir a este tipo de personas, tienen que ser depuestas.

La respuesta, dijo Mao, debía ser otra campaña de rectificación, pero con unas características que proporcionasen una válvula de seguridad ante el descontento popular. El problema en Hungría, argumentó, residía en el hecho de que allí el partido había fracasado en su deber de afrontar en el momento oportuno las contradicciones existentes entre los gobernantes y los gobernados, y en consecuencia éstas se habían emponzoñado y convertido en antagónicas. «Si hay una pústula, desprenderá pus», afirmó Mao.[75] «Debemos extraer precisamente de estos acontecimientos nuestra lección.» Añadió que en China se debía permitir a los trabajadores ir a la huelga, ya que «esto será útil para resolver las contradicciones entre el Estado, los directores de las fábricas y las masas», y se debía extender la autorización a los estudiantes para que se manifestasen. «Son simplemente contradicciones, nada más. El mundo está lleno de contradicciones.»[76]

De este modo, a finales de 1956 ya estaban decididos los dos componentes principales de lo que acabaría siendo la «campaña de las cien flores»: un movimiento de rectificación para que el partido se mostrase más sensible a los deseos del pueblo, y la remisión del control para permitir la expresión de la insatisfacción pública. Las únicas incertidumbres se referían al momento en que debía iniciarse (Mao sugirió el siguiente verano), y a las dimensiones que debía alcanzar.

En esta coyuntura, intervino un nuevo factor.

Algunos de los jóvenes escritores, animados por las continuas muestras de liberalización, habían al menos recuperado los ánimos y comenzaron a poner a prueba los límites de la nueva tolerancia del partido.[77] Los conservadores se sintieron ultrajados. El 7 de febrero de 1957, un grupo de comisarios culturales del Ejército Popular de Liberación publicó una carta en el *Diario del Pueblo* en la que se lamentaba del resurgimiento de las formas literarias tradicionales, en detrimento del realismo socialista, y de que el principio del arte al servicio de la política, enunciado por Mao en Yan'an, estaba siendo transgredido. La consiguiente avalancha de comentarios favorables mostró que sus ideas eran ampliamente compartidas.

Como era habitual, cuando sintió que sus propósitos podían verse frustrados Mao actuó con decisión.

Su reacción pública fue moderada. Cinco días después de que apareciese la carta, envió una selección de sus poemas, escritos en estilo clásico, para que fuesen incluidos en el primer número de la revista *Shikan* (*Poesía*).[78] El mensaje implícito era que, al contrario de lo que afirmaban los miembros del grupo del Ejército Popular de Liberación, las formas literarias tradicionales todavía conservaban su lugar en China.

En privado, Mao fue mucho más espontáneo. Las críticas habían empeorado la situación, dijo, avanzado aquel mes, en un congreso de oficiales veteranos del partido.[79] No había demasiada libertad, sino demasiado poca. Los escritos hostiles al marxismo, como las obras de Chiang Kai-shek, debían ser abiertamente publicados en China, ya que «si no has leído nada escrito [por él], serás incapaz de enfrentarte correctamente a él». La distribución del *Cankao xiaoxi* (*Noticias de referencia*), un compendio de noticias extranjeras de uso restringido para los oficiales veteranos, debía centuplicarse para «hacer público [el pensamiento] imperialista y burgués».[80] Incluso se debía permitir que hombres como Liang Shuming divulgasen sus ideas: «Si quieren tirarse un pedo, ¡pues que se lo tiren! Cuando esté fuera, ya decidiremos si huele bien o mal ... Si el pueblo cree que el pedo apesta, quedarán marginados».[81]

Era un error poner las cosas en cuarentena, declaró Mao. Mucho mejor era «vacunar» a las masas exponiéndolas a ideas perniciosas, para que su inmunidad política se viese fortalecida.[82] El principio esencial podía ser:

> La verdad se muestra por contraste con la falsedad y se desarrolla a partir de la lucha contra ella. La belleza aparece por contraste con la fealdad, y se desarrolla a partir de la lucha con ella. Lo mismo cabe decirse de las cosas buenas y malas ... En resumen, las flores aromáticas se distinguen de las malas hierbas, y crecen a partir de la lucha con ellas. Prohibir al pueblo encontrarse cara a cara con lo falso, lo feo y lo antagónico es una política muy peligrosa ... Semejante política podría redundar en ... un pueblo incapaz de enfrentarse al mundo exterior, e incapaz de superar el desafío de los rivales.[83]

En el seno del partido había sido habitual el uso de «materiales de enseñanza negativa» ya desde los años treinta. Pero en esta ocasión Mao proponía que se aplicase el mismo método a toda la población. No debían temer al hecho de que pudiesen producirse alborotos:

> ¿No sería muy extraño que nosotros, los comunistas, que nunca hemos temido al imperialismo o al Guomindang de Chiang Kai-shek ... estuviésemos ahora asustados porque los estudiantes causasen problemas o los campesinos provocasen alborotos en las cooperativas? El miedo no es ninguna solución. Cuan-

to más asustado estás, más fantasmas se acercarán a visitarte ... Creo que se debería permitir que todos los que quieran provoquen problemas tanto tiempo como deseen. Si un mes no es suficiente, les daremos dos meses. Y si no son suficientes, no los frenaremos hasta que hayan tenido suficiente. Si detienes sus acciones demasiado pronto, tarde o temprano volverán a causar problemas ... ¿Qué sacaremos de todo esto? Pues que dejaremos bien claro cuál es el problema y distinguiremos lo correcto de lo erróneo ... No podemos sofocar todas las llamas a un mismo tiempo ... Hay que mostrar las contradicciones para que los problemas se puedan solucionar.[84]

La audiencia de Mao, los secretarios provinciales del partido, los hombres que debían enfrentarse a los «problemas», en el caso de que apareciesen, se sentían claramente abrumados. Unas semanas después el propio Mao admitió que «el 50 por 100 o 70 por 100» del partido,[85] y el 90 por 100 de los dirigentes, no estaba de acuerdo con él.[86] Sus indolentes afirmaciones de que «con una población de seiscientos millones, consideraría algo normal que cada año hubiese un millón causando alboroto»,[87] y que incluso, en el peor de los casos, si tenían lugar desórdenes de grandes dimensiones, «tendríamos que volver a Yan'an; al fin y al cabo, ¡es de allí de donde venimos!»,[88] sólo consiguieron alarmarles aún más.

Diez o doce años antes, sus oponentes le habrían detenido. Pero en 1957, Mao estaba muy por encima de ellos. Las dos grandes decisiones que había tomado desde la fundación de la República Popular desatendiendo las dudas de sus compañeros —la participación en la guerra de Corea y la aceleración de la colectivización— habían quedado triunfalmente justificadas. Que en esta ocasión el partido se mostrase reacio, sólo conseguiría que él deseare presionar aún más. En los discursos pronunciados durante aquella primavera, parafraseó una de las afirmaciones favoritas de Stalin, que Mao había citado por primera vez en 1937: «La unidad de contrarios es temporal; la lucha antagónica es absoluta».[89] La armonía era transitoria; la lucha, eterna. Aquel estudiante que, cuarenta años antes, había escrito «no es que nos atraiga el caos, sino simplemente que ... la naturaleza humana se siente complacida con los cambios repentinos», ahora decía a sus compañeros: «Es bueno que la vida sea un poco más complicada, de lo contrario es demasiado aburrida ... Si sólo existiese la paz sin problemas ... padeceríamos de indolencia mental».

Había otras razones más prácticas en la determinación de Mao por seguir adelante. La carestía de ingenieros y técnicos, que había contribuido en primer término a desatar el movimiento de liberalización, era sólo la punta del iceberg. China poseía doce millones de proletarios y quinientos cincuenta millones de pequeñoburgueses (incluyendo al campesinado). Todas sus energías eran necesarias para el desarrollo económico de China. Pero ello, argumentaba Mao, requería una política de supervisión mutua, en la que los intelectuales pequeñoburgueses tuviesen la libertad de criticar a los comunistas, y ellos, a su vez, «educasen» a la pequeña burguesía.[90]

Estas ideas fueron por primera vez formuladas formalmente ante un público muy amplio, en un discurso titulado «Sobre el tratamiento correcto de las contradicciones en el seno del pueblo», celebrado el 27 de febrero de 1957. Duró cuatro horas, y fue pronunciado ante una audiencia invitada de cerca de dos mil personas, incluyendo a científicos, escritores y dirigentes de los partidos democráticos.[91]

Mao comenzó a hablar en términos laudatorios del proceso de transformación y perfeccionamiento en el crisol de la causa comunista que los intelectuales habían experimentado. Todavía era necesario, dijo, el modelado del pensamiento, pero en el pasado se había hecho «con cierta brusquedad, [y] el pueblo estaba herido». A partir de ahora, la política sería distinta.

> [El eslogan que reza] «dejemos que florezcan cien flores, que compitan cien escuelas» ... se empleó en reconocimiento de las diferentes contradicciones de la sociedad ... Es imposible regar sólo las [flores fragantes] y no las malas hierbas ... ¿Es posible proscribir las malas hierbas e impedir que crezcan? La realidad dice que no. Continuarán creciendo ... Es difícil distinguir entre las plantas aromáticas y las ponzoñosas ... Tomad, por ejemplo, el marxismo. Hubo un tiempo en que se consideraba al marxismo como algo venenoso ... La astronomía de Copérnico ... la física de Galileo, la teoría de la evolución de Darwin, fueron todas ellas inicialmente rechazadas ... ¿Por qué deberíamos temer el crecimiento de flores fragantes y hierbas venenosas? No hay nada que temer ... Entre las malas flores puede haber algunas buenas ... [como] Galileo [y] Copérnico y, a la inversa, las flores que los marxistas contemplan no son sólo como estas últimas.

El empleo de «métodos coercitivos» para resolver los problemas ideológicos, añadió Mao, generaba más daño que bien. ¿Qué hacer si se producían disturbios? «Yo digo: dejemos que se agiten para solaz de sus corazones ... También yo provoqué alborotos en la escuela cuando no se podían resolver los problemas ... La expulsión es el método del Guomindang. Nosotros queremos hacer lo contrario que el Guomindang.»[92]

El discurso no fue publicado de inmediato, pero se escuchó en algunas reuniones de intelectuales y cuadros del partido, por todo el país, en forma de grabación magnetofónica.

Las reacciones fueron muy diversas. Un hombre se sintió «tan estimulado por la intervención de Mao que no pudo dormir en toda la noche».[93] Robert Loh, un empresario de Shanghai, recordaba: «Yo estaba deslumbrado. Después del discurso de Mao todo parecía posible. Por primera vez en varios años, me permití el lujo de tener esperanzas».[94] Pero la mayoría se mostraba indecisa. Como indica un proverbio chino, «un hombre que ha sido mordido por una serpiente tiene miedo de una cuerda». Fei Xiaotong, antropólogo, escribió sobre un «temprano tiempo primaveral» que traía el riesgo de heladas repentinas.[95] El historiador Jian Bozan fue más brusco. Los intelectuales, dijo, no sabían si confiar o no en Mao. «Tienen que adivinar si [su] llamada es sincera o si simplemente se trata de un ademán. En caso de que sea sincera, tienen que adivinar hasta qué punto permitirán a las flores que florezcan, y si [se mantendrá esta política] una vez las flores hayan florecido. Tienen que adivinar si [ésta] es el fin, o simplemente un medio ... para desenterrar pensamientos [ocultos] y rectificar a los individuos. Tienen que adivinar qué problemas pueden discutirse y qué cuestiones no se pueden discutir.» El resultado, añadió, era que la mayoría había decidido permanecer en silencio.[96]

Su prudencia habría sido aún más acentuada si hubiesen sabido lo que Mao había dicho en el secreto de las reuniones del partido que habían precedido el inicio público de la campaña de las cien flores. Públicamente había declarado que la burguesía y los partidos democráticos habían realizado un «gran progreso»;[97] en privado dijo que eran poco dignos de confianza.[98] En público había hablado de estudiantes «amantes de su país»;[99] privadamente se lamentó de que el 80 por 100 de ellos proviniese de un entorno burgués, por lo que no era «nada extraño» si se oponían al gobierno.[100] En público había insistido en que se tenía que permitir que las «malas hierbas venenosas» creciesen;[101] en privado dijo que había que arrancarlas y convertirlas en estiércol.[102] Públicamente había afirmado que existían «únicamente unos pocos» contrarrevolucionarios; en privado, que debían ser «eliminados sin contemplaciones».[103] En público había hablado de tolerar los disturbios;[104] en privado, de permitir a «la mala gente» que «por sí misma se ponga en evidencia y se aísle».[105]

Para la mentalidad dialéctica de Mao, todo ello constituía las dos caras de una misma moneda. «En la unidad de los opuestos», explicó, «siempre hay un elemento principal y uno secundario.»[106] El problema era que, con Mao, uno y otro podían oscilar.

A lo largo de marzo y abril, Mao trabajó para hacer realidad la campaña de las cien flores. Resultó una ardua tarea. Más allá de las ambigüedades de su propia posición (que, en la medida que los intelectuales las percibían, alimentaban sus temores), los oficiales del partido de medio y bajo rango se mostraron marcadamente hostiles. Ellos eran, al fin y al cabo, el blanco de cualquier campaña contra el burocratismo, y una vez comenzase la rectificación, ellos estarían en el campo de batalla donde se desplegarían la agitación y los disturbios que Mao había prometido.

En la cúspide de la jerarquía, el Politburó se mantenía curiosamente silencioso. Las «cien flores» eran el espectáculo de Mao. «Estamos solos el pueblo y yo», diría tiempo después, y en cierto sentido así era.[107] Mientras sus colegas le apoyasen públicamente (como de hecho hacían), poco importaba que Liu Shaoqi y Peng Zhen, el líder del partido en Pekín, se mostrasen en privado indiferentes, o que Zhou Enlai y Deng Xiaoping estuviesen entusiasmados.[108] «Florecimiento y competencia», como acabó siendo conocida la campaña, no era algo susceptible de formar parte de la esfera administrativa. Se tenía que persuadir al pueblo para que abriera su mente, y se debía convencer a los oficiales de menor rango para que no le pusieran impedimentos.

Con tales perspectivas, Mao emprendió un viaje de tres semanas por China occidental, en el que actuó, según sus propias palabras, como un «cabildero errabundo».[109] La mitad de su tiempo lo dedicó a convencer a los cuadros del partido de que el movimiento que estaba a punto de llegar sería «calmado y pausado», «un rocío finísimo, no como las lluvias torrenciales», y no permitiría que se desarrollase hasta convertirse en una lucha de masas a gran escala.[110] La otra mitad del tiempo estuvo consagrada a calmar los ánimos de los grupos hostiles al partido. En el proceso, los cimientos de la campaña —y los medios por los que se desarrollaría— quedaron definidos más nítidamente.

En aquel momento, cuando la lucha de clases contra los terratenientes y la burguesía había llegado básicamente a su fin, explicó Mao, las diferencias entre el partido y el pueblo se habían hecho naturalmente patentes. «En el pasado, luchamos junto al pueblo contra el enemigo. Ahora, como ya no existe enemigo alguno ... sólo quedamos nosotros y el pueblo. Si no regaña con nosotros cuando existen agravios, ¿con quién regañará?»[111] Si se querían disolver esas diferencias, debían incitar al pueblo a pensar por sí mismo.[112] «Si nosotros ... se lo impedimos, nuestra nación quedará sin una gota de su vitalidad.»[113] El método a seguir era la crítica y la autocrítica, y los partidos democráticos debían ocupar una posición fundamental. «[Deben realizar] comentarios mordaces que muestren nuestras flaquezas», declaró Mao.[114] «Debemos cobrar ánimo y permitirles que nos ataquen ... El Partido Comunista debe aceptar que lo reprendan por algún tiempo.»[115]

En apariencia —y, finalmente, muchos intelectuales lo tomaron como mera apariencia—, se trataba de una orientación temeraria, especialmente cuando Mao siguió hablando de permitir que se produjese una erosión significativa, al menos en los círculos académicos y periodísticos, del monopolio de poder del partido. Hasta entonces, reconoció, alguien que no era comunista podía convertirse en el rector de una universidad, o en editor de un periódico «que no perteneciese al partido», pero en realidad el poder lo detentaba un delegado que era miembro del partido. En el futuro, los que no fuesen comunistas deberían ocupar «los cargos y el poder *de ipso*, no sólo en la forma. A partir de ahora, no importa dónde o quién es el responsable al cargo».[116]

A mediados de abril, los esfuerzos de Mao comenzaron a dar frutos.

Había creído necesario prometer a los oficiales del partido que, como regla general, el «florecimiento y [la] competencia» estarían limitados a las críticas que «reforzasen el liderazgo del partido, y no se permitiría que produjesen «confusión y desorganización».[117] También se refirió al temor de los intelectuales de que se tratase de una trampa del partido; y los oficiales atentos debieron de advertir que él *no* negaba tal extremo.[118] Alentada por esas promesas, la jerarquía del partido dejó de resistirse a sus planes.[119]

Incluso el *Diario del Pueblo*, cuyo silencio ante la nueva política había reflejado fielmente las dudas del partido, se ciñó a la pauta, aunque no antes de que Mao convocase al editor, Deng Tuo, a una lacerante sesión de reproches, celebrada en su dormitorio, mientras Mao continuaba recostado sobre su desmesurada cama, cubierta de montones de libros.[120] Uno de los comisarios de Mao, Wang Ruoshi, un hombre pulcro y puntilloso, que fue requerido a media reunión para unirse a ellos, recordaba haberse sorprendido por lo desaseado de la escena, cuando el presidente, entonces ya una figura fláccida que había pasado el ecuador de su vida, ataviado con su pijama, se enfureció con ellos: «¿Por qué mantenéis la política del partido en secreto? Aquí hay algo sospechoso. Antes, este papel lo hacían los pedantes. Ahora lo hace un cadáver». Observando a Deng, continuó: «¡Si eres incapaz de defecar, déjate de secretos y deja paso a alguien que pueda!». Cuando el acorralado editor ofreció su dimisión, Mao la desestimó. Le ordenó a Wang que escribiese un editorial promoviendo las «cien flores», que apareció el 13 de abril. A partir de entonces, comenzó a difundirse ampliamente entre la población la noticia de que serían bienvenidas las críticas no comunistas al régimen.

Una semana después, el Politburó se reunió y decidió dar oficialmente inicio a la campaña.[121] Los dirigentes provinciales fueron avisados para que informasen sobre la evolución del «florecimiento y [la] competencia» en un plazo de quince días. Pero Mao no quería esperar ni siquiera ese tiempo. En la práctica, dijo, la rectificación «ya ha estado en funcionamiento durante dos meses».[122] Mientras los chinos celebraban la festividad del Primero de Mayo, el eslogan de las «cien flores» fue proclamado en la portada del *Diario del Pueblo*, siendo imitado por todos y cada uno de los periódicos del país, en tanto que, dentro y fuera del partido, el movimiento había emprendido oficialmente su camino.[123]

La campaña de las cien flores fue el intento más ambicioso jamás acometido por un país comunista de combinar un sistema totalitario con restricciones y contrapesos democráticos. El propio Mao no estaba seguro de las consecuencias que podía acarrear. «Probémoslo y veamos cómo funciona», dijo en una ocasión.[124] «Si nos gusta, ya no tendremos de qué preocuparnos.» Lo que ocurriría si al partido «no [le] gustaba» que le criticasen quedó discretamente sin contestar.

A medida que transcurría el mes de mayo, los académicos, escritores y artistas no comunistas, los miembros de los partidos democráticos, los empresarios, e incluso algunos trabajadores y oficiales rurales hicieron paulatino acopio de coraje y decidieron hablar, o, más a menudo, fueron persuadidos para hacerlo en contra de su más acertado juicio.

A pesar de que el Comité Central había afirmado que la participación de los que no fuesen comunistas sería voluntaria, los oficiales locales del partido recibieron fuertes presiones para que procurasen que el «florecimiento y [la] competencia» fuesen un éxito en sus respectivas unidades.[125] Wu Ningkun, profesor de inglés de una elitista escuela del partido, de educación norteamericana, recordaba que le abordó un compañero de más edad y se lamentó de que, en las reuniones del departamento, «parece que nadie quiere hacer públicas sus opiniones ... Lo que sale a la superficie no son más que plumas de pollo y piel de ajo [es decir, trivialidades]».[126] Después de nuevas provocaciones, explicaba Wu, «yo no albergaba ya ninguna duda de su sinceridad, así que hablé». A una oficial del Departamento de Policía de Changsha se le comunicó que si quería unirse al partido, debía mostrar su deseo y «ofrecer algo a cambio».[127] Por su parte, el secretario local del partido reclamó a uno de los líderes de la asociación de comerciantes de la principal calle comercial de Pekín, Wangfujing, que hablase «para convertirse en ejemplo para los demás».[128] También ellos traicionaron sus pensamientos y cumplieron. Como hicieron millones de personas como ellos.

La mayoría de las críticas que siguieron arremetían contra el hecho de que los comunistas, a quienes los intelectuales habían recibido en 1949 como a los liberadores del desgobierno del Guomindang, se habían convertido, después de ocho años escasos de administración, en una nueva clase burocrática que monopolizaba el poder y los privilegios y que se había alejado de las masas. Mao, se decía, no se había equivocado en sus conclusiones sobre la revuelta húngara: a los ojos de los no comunistas, los oficiales del partido se habían convertido realmente en «una aristocracia divorciada del pueblo». Una de las críticas más mordaces llegó de Chu Anping, editor de un influyente periódico no controlado por el partido, *Guangming ribao*, que afirmó que los comunistas habían convertido a China en un «dominio familiar, pintado todo con el mismo color».[129]

La figuras de menor relevancia fueron más radicales. Los miembros del partido se comportaban como «una raza aparte», señaló un profesor. Recibían un trato preferencial, y se dirigían al resto de la población como si no fuesen más que «sujetos obedientes o, para usar una palabra más dura, esclavos». Un catedrático de economía se lamentó: «Los miembros y cuadros del partido que en el pasado no tenían ni zapatos viajan ahora en vagones de lujo y llevan uniformes de lana ... Hoy en día, la gente común huye del partido como de una plaga».[130] Y continuó:

> Si el Partido Comunista desconfía de mí, se trata de un sentimiento mutuo. China pertenece a [todos sus] seiscientos millones de habitantes, incluyendo los contrarrevolucionarios. No sólo pertenece al Partido Comunista ... Si vosotros [los miembros del partido] trabajáis satisfactoriamente, todo irá bien. Pero si no es así, las masas os derribarán, os matarán y os derrocarán. Y no se podrá describir como un acto carente de patriotismo, ya que los comunistas habréis dejado de ser los servidores del pueblo. La caída del Partido Comunista no significará la caída de China.

Otro tema recurrente consistió en el maltrato del partido a los intelectuales, que eran considerados, durante «un instante, un excremento de perro, y al siguiente, como si fuesen diez mil monedas de oro».[131] Si el partido te necesita, escribió un periodista, no importa que seas un asesino; pero si no te necesita, te deja tirado en la cuneta sin importar la lealtad con que te hayas entregado. Un ingeniero se lamentó de que los intelectuales se sentían entonces más subyugados que durante el período de ocupación japonesa. Los miembros del partido fisgoneaban por todas partes, informando a los oficiales de su circunscripción sobre el comportamiento de sus colegas no comunistas. El resultado era que «nadie se atreve a desahogarse ni siquiera en privado, en compañía de los amigos íntimos ... Todos han aprendido la técnica de la doble cara: lo que uno dice es una cosa y lo que piensa es otra».[132]

El 4 de mayo, apenas tres días después del inicio de la campaña, Mao distribuyó una directriz secreta en la que afirmaba que, a pesar de que algunas de las ideas que estaban aflorando eran equivocadas, no debían ser refutadas inmediatamente.[133] «No debemos detenerlas a medio camino», escribió. «Si la sociedad no ejerce presión alguna, será muy difícil para nosotros obtener de la rectificación los resultados que deseamos.» Durante «al menos algunos meses», por tanto, las críticas debían continuar sin revisión. Después, una vez el partido hubiese sido rectificado, podría ampliarse el movimiento y las críticas se podrían aplicar a los partidos democráticos, a los intelectuales y a la sociedad en general.

Pero a medida que el torrente de enojo, desconfianza y acritud popular se embravecía, Mao comenzó a albergar segundos pensamientos.

El 15 de mayo, en un memorando titulado «Las cosas se están convirtiendo en sus opuestos», distribuido de manera restringida entre los oficiales del Comité Central y de rango superior, Mao señaló que su actitud estaba cambiando.[134] Aquí, por vez primera, aplicó el término «revisionismo» a los acontecimientos que estaban teniendo lugar en todo el país. Los revisionistas, dijo, negaban la naturaleza clasista de las críticas; admiraban el liberalismo burgués y la democracia, y rechazaban el liderazgo del partido. Semejantes individuos eran el principal peligro existente en el seno del partido, y estaban trabajando mano a mano con los intelectuales de derechas. Eran estos «derechistas» (otro término que utilizaba por vez primera) ajenos al partido los responsables del «actual alud de furibundos ataques»:

> Los derechistas no comprenden absolutamente nada de dialéctica —las cosas se transforman en sus opuestos cuando alcanzan el extremo último. Dejaremos durante algún tiempo que los derechistas nos ataquen ciegamente, hasta que alcancen el clímax ... Algunos dicen que tienen miedo de tragarse el anzuelo ... o de ser completamente seducidos, cercados y aniquilados. Ahora que ha subido hasta la superficie, por su propia voluntad, un gran número de peces, no hay ninguna necesidad de poner cebo al anzuelo ... Hay dos posibilidades para los derechistas. La primera es ... enmendar su trayectoria. La segunda consiste en continuar causando problemas y buscarse la ruina. Caballeros derechistas, la elección es suya, la iniciativa (no durante mucho tiempo) está en sus manos.

Esto no representaba un cambio tan drástico en el posicionamiento de Mao como podía parecer. Ya a principios de abril, discutiendo sobre las ponzoñosas opiniones que podrían llegar a expresarse, dijo a los cuadros del partido en Hangzhou: «Esto no es como preparar una emboscada para el enemigo, sino más bien se trata de dejarle caer por sí mismo en el lazo».[135] Lo que era ciertamente novedoso era el cambio de énfasis. El centro de la atención de Mao se estaba desplazando, agorero, desde el «florecimiento de las flores» hacia la siega de las «malas hierbas venenosas».

Al tratarse de un documento secreto, el público en general, así como los «derechistas», continuaron ignorantes del nuevo cariz que tomaban los acontecimientos.

El movimiento se extendió a continuación hasta el campus de la Universidad de Pekín, donde se instaló un «muro de la democracia», cubierto de varias capas de carteles, en la parte exterior de la cantina.[136] Oradores estudiantiles arengaban a las multitudes sobre miles de temas diferentes, que abarcaban desde las elecciones plurales a los méritos respectivos del socialismo y el capitalismo. El movimiento encontró a su *pasionaria* en una estudiante de literatura de veintiún años llamada Lin Xiling, que acusó al partido de practicar el «socialismo feudal» y reclamó reformas radicales que garantizasen las libertades básicas. Se formaron asociaciones estudiantiles con nombres como «Medicina Amarga, Voces del Estrato más Bajo, Hierbas Salvajes o Trueno de Primavera», que publicaron revistas mimeografiadas y enviaron activistas para «intercambiar experiencias» con compañeros de fuera de la ciudad.

Tras aguardar a que transcurriese un nuevo mes, Mao volvió a intervenir, en esta ocasión públicamente. En una reunión con una delegación de la Liga de las Juventudes, advirtió: «Toda palabra o acto que se aparte del socialismo es completamente erróneo».[137] Estas palabras fueron inmediatamente escritas en gigantescos caracteres blancos en el lateral de un edificio del campus.

Pero la hoguera que el presidente había encendido no iba a ser tan fácil de extinguir. Los líderes estudiantiles reclamaron abiertamente el fin del régimen del Partido Comunista. Sus profesores, inspirados por su ejemplo, avivaron aún más las llamas. El gobierno de Mao era «arbitrario y desconsiderado», declaró un profesor de Shenyang.[138] Si no existía democracia en China era por culpa de la central del partido. Otros hablaron de una «tiranía malévola» que empleaba los «métodos fascistas de Auschwitz».[139] En Wuhan, los estudiantes de secundaria tomaron las calles y asaltaron las oficinas del gobierno local. Llegaron noticias de disturbios en Sichuan y Shandong.[140]

El 8 de junio, cuando aún no se habían cumplido seis semanas desde el inicio de la rectificación, Mao lanzó la contraofensiva del partido.

«Ciertas personas», publicó el *Diario del Pueblo*, estaban usando la campaña de rectificación como pretexto para intentar «derrocar al Partido Comunista y la clase obrera, y destruir la gran causa del socialismo».[141] El propio Mao, en una directriz del Comité Central de aquel mismo día, habló de una pequeña sección del partido que estaba pudriéndose por efecto de las ideas reaccionarias; lo que significaba, añadió con aprobación, que «está aflorando el pus».[142] Su discurso, pronunciado en febrero, sobre las «contradicciones» fue publicado por vez primera diez días después, aunque en una versión profundamente revisada que establecía seis criterios para distinguir las «flores fragantes» de las «malas hierbas venenosas».[143] Esto reafirmaba efectivamente la garantía que Mao había ofrecido en privado a los oficiales del partido antes de que se iniciase el movimiento: a saber, que las críticas eran sólo aceptables si contribuían a fortalecer, y no debilitar, el liderazgo del partido.

Finalmente, el 1 de julio, en otro editorial del *Diario del Pueblo*, Mao acusó a los ministros de Silvicultura, Luo Longji, y Comunicaciones, Zhang Bojun, ambos líderes de un pequeño partido de coalición denominado Liga Democrática, de formar alianzas contrarrevolucionarias para promover una «línea burguesa anticomunista, antipopular y antisocialista».[144] Esto suponía que la política de las «cien flores» había sido correcta, pero había sido saboteada por un pequeño grupo de extremistas que no aceptaba la victoria comunista y pretendía atrasar el reloj.

Todo esto fue una maniobra deshonesta y sensata a partes iguales. La Alianza Luo-Zhang resultó ser una maquinación —una más en la lista que se había iniciado en 1934 con las «brigadas de exterminación» de Yudu y había continuado con la «conspiración contrarrevolucionaria de Wang Shiwei», en 1943, y con la «camarilla de Hu Feng», en 1955—, cuyo único propósito consistió en justificar la represión que ya estaba en marcha. En el mismo sentido, el *Guangming ribao*, al que Mao ahora acusaba de servir «de portavoz de los revolucionarios», no había hecho más que lo que le habían exigido. Al igual que la mayoría de «derechistas».[145]

Los seis criterios eran tan restrictivos que si hubiesen estado vigentes durante el discurso inicial el «florecimiento y [la] competencia» no habrían tenido lugar. De hecho, Mao había dicho repetidamente, a lo largo de la campaña, que no se debía imponer límite alguno, ya que «el pueblo [por sí solo] tiene capacidad para discernir ... [Debemos] confiar en éste ... para lograr comprender».[146]

¿Por qué decidió, entonces, que la represión era necesaria?

La respuesta no es sencilla.[147] Las «cien flores» no fueron, como clamaban por igual las víctimas y los partidarios de Mao, una medida cuidadosamente urdida desde el principio, un ejemplo de la destreza del presidente en «hacer salir a la serpiente de su agujero». Ni tampoco fue un «disparate colosal», como argumentan la mayoría de los especialistas occidentales.

Mao siempre había desconfiado de los intelectuales; su comportamiento en Yan'an había confirmado su convicción de que eran por esencia indignos de su fe, y nada había ocurrido desde entonces, en las repetidas campañas de reforma de principios de los años cincuenta, que le impulsase a alterar esta visión. No hay que suponer que decidiese de modo repentino, al llegar la primavera de 1957, que finalmente se podía confiar en ellos. Desde el inicio creía que existían algunos casos de «extremistas», aunque sólo unos pocos, que llegarían a traspasar los límites razonables y a los que se debía eliminar. De ahí su negativa a ofrecer garantías globales de que no se llevarían a cabo represalias. Y de ahí, también, un revelador *lapsus linguae* durante una conferencia del partido de marzo, cerca de dos meses antes de que el movimiento comenzase, cuando, al hablar sobre la lucha contra la ideología burguesa, se refirió a los intelectuales como a «los enemigos», más que los aliados en potencia a los que había que convencer.[148]

Por otro lado, la base económica de la sociedad china había sido transformada y, por lo tanto, según la teoría marxista, la «superestructura ideológica» debía adaptarse a ella.

A lo largo del período de las «cien flores», Mao empleó la metáfora del pelo y la piel, argumentando que ahora que la vieja y burguesa «piel» de la economía había muerto, los intelectuales, el «pelo» ideológico, no tenían más opción que cambiar su lealtad y adherirse a la nueva «piel» de la economía del proletariado.[149]

La cuestión nunca aludida era la de qué número alcanzarían los «extremistas» y cuánta presión ejercerían. En este punto Mao realizó, no uno, sino dos errores de juicio. Minusvaloró el volumen y la acritud de las críticas, así como la capacidad de los cuadros para resistirlas. Lo que había nacido como un intento de establecer un puente sobre el vacío que se extendía entre el partido y el pueblo (y que sólo incidentalmente era un intento de localizar y castigar a un pequeño número de anticomunistas irreductibles) experimentó un giro radical.[150] Se convirtió en una trampa, no para una minoría, sino para la mayoría, para los cientos de miles de leales ciudadanos que habían hecho del partido su mundo.

Este giro absoluto fue única y exclusivamente obra de Mao. Pero obviamente lo realizó con cierta repugnancia.[151] Posteriormente explicó que había estado «confundido por las falsas apariencias»[152] en un momento en que el partido y la sociedad en general sentían pánico ante la amenaza de disturbios generalizados.[153] En los discursos del verano y el otoño siguientes, dejó claro que continuaba creyendo que la política original de las «cien flores» era correcta. Los «derechistas» dijo, eran contrarrevolucionarios, pero deberían ser tratados con clemencia. «Las políticas extremas no habían obtenido buenos resultados [en el pasado]. Nosotros debemos ser [en esta ocasión] más clarividentes.»[154]

La clemencia, en el léxico de Mao, era un término relativo.[155]

Los «derechistas» no fueron ejecutados. De hecho, algunos de los más veteranos entre ellos, incluyendo a Luo Longji, Zhang Bojun y otro ministro, Zhang Naiqi, fueron amnistiados dos años después. Pero unos quinientos veinte mil peces más pequeños —uno de cada veinte intelectuales y oficiales no comunistas de China— fueron objeto de reformas laborales o resultaron exiliados al campo para aprender de la conciencia de clase de los campesinos. En algunas unidades, los secretarios locales del partido ordenaron que se aplicase una cuota fija: debían acusar de ser «derechistas» al 5 por 100 de los cuadros. Aquellos de origen sospechoso, o los que en el pasado se habían enfrentado a la jerarquía del partido, eran invariablemente designados en primer lugar.[156]

Wu Ningkun, el profesor de inglés (educado en Occidente), fue arrestado y estuvo tres años prisionero en diversos campos, primero en Manchuria, después cerca de Tianjin.[157] La oficial de policía de Changsha (que había criticado a su jefe de sección) fue enviada a trabajar en los suburbios para reformarse; su marido se divorció entonces en un infructuoso intento por evitar que el estigma «derechista» se aplicase a sus hijos y a él mismo.[158] El líder de los comerciantes de Wangfujing (un capitalista) pasó los siguientes veinte años entrando y saliendo de las instituciones penales. Ellos y otro medio millón de infelices como ellos contemplaron cómo sus vidas y las de sus familiares quedaban lastimosamente quebrantadas. A diferencia de los terratenientes y los contrarrevolucionarios, ellos no fueron castigados por sus acciones (pasadas o presentes, reales o imaginarias), sino sólo por sus ideas.

Mao era consciente de esa acusación. «Esta gente no sólo habla, también actúa», reclamaba. Pero la suya era una defensa muy pobre: «Son culpables. El proverbio que reza "los que hablan no deben ser culpados", no se les puede aplicar».[159]

La tragedia de las «cien flores» consistió en el hecho de que Mao realmente deseaba que los intelectuales «pensasen por sí mismos», para unirse a la revolución por decisión propia, en lugar de ser obligados a hacerlo. Su propósito, dijo a los cuadros del partido, era «la creación de un entorno político en el que reinarían tanto el centralismo como la democracia, tanto la disciplina como la libertad, tanto la unidad de voluntades como la naturalidad en el pensar y el vivir».[160]

Pero la fórmula, en términos prácticos, resultó estar abocada al fracaso. A mediados de la década de 1950, Mao estaba tan convencido de la infalibilidad de su propio pensamiento que no lograba comprender por qué, si los ciudadanos gozaban de libertad para pensar por sí mismos, éstos pensaban lo que *ellos* querían, no lo que *él* quería, por qué, mientras mantuviesen una pizca de independencia intelectual, generaban ideas que él desaprobaba y que tendría necesariamente que suprimir. En la práctica, la disciplina siempre vence; y la independencia de pensamiento acabó aplastada. La supresión de las «malas hierbas venenosas» acabaría produciendo el absurdo más absoluto.

Pero además hubo otro efecto más inmediato.

Los intelectuales resultaron tan agostados en la campaña antiderechista que nunca más volverían a creer a Mao. Un cuarto de siglo después, cuando el viejo comerciante de Wangfujing yacía en su lecho de muerte, las últimas palabras que dirigió a su familia fueron: «¡Nunca creáis al Partido Comunista!». El mismo pueblo que Mao necesitaba para construir la nueva y poderosa China en la que había estado soñando desde su juventud se había alejado definitivamente de él.

En los ocho años que habían pasado desde el establecimiento del régimen comunista, la vida de Mao había cambiado hasta lo inimaginable. No se trataba únicamente de su enaltecido poder. Como líder supremo de seiscientos millones de personas, se había convertido en una figura augusta y aislada, envuelta en un aura imperial, distante de sus propios colegas y ajeno a sus súbditos.

Un mes después de la proclamación de la República Popular, había fijado su residencia en Zhongnanhai (literalmente, «los mares del centro y el sur»), un recinto amurallado que albergaba la morada de los antiguos príncipes manchúes, junto a mansiones tradicionales dotadas de patio, en medio de un parque situado en el *enceinte* de la Ciudad Prohibida, y separado de ésta por los lagos artificiales de los que toma el nombre.[161] Había caído en desuso mientras los nacionalistas estaban en el poder y mantenían su capital en Nanjing, pero en 1949 los antiguos palacios fueron renovados para el uso de los miembros del Politburó, y se construyeron modernos bloques de tres plantas para albergar las oficinas del Comité Central y el Consejo de Estado. Mao y sus adláteres se alojaron en la antigua biblioteca imperial, construida en el siglo XVIII por el emperador Qianlong, un espléndido edificio de tejas grises cuyo nombre, Fengzeyuan, Salón de la Abundancia Benéfica, fue esculpido según la caligrafía del emperador en un tablero de madera, situado encima de la maciza y endoselada puerta sur. En el patio interior, recortado por pinos y cipreses centenarios, Mao tenía sus estancias privadas, el Juxiang Shuwu, o Estudio de la Fragancia de Crisantemo, que incluía una amplia habitación de alta techumbre que servía al mismo tiempo de dormitorio, estudio y salón; un gran comedor; y en la parte posterior, el dormitorio de Jiang Qing, situado en un edificio contiguo, comunicado con sus estancias por un pasillo balaustrado y cubierto. Las hijas de Mao, Li Min y Li Na, vivían en un patio cercano, al cuidado de la hermana mayor de Jiang Qing; mientras el hijo huérfano de Mao Zemin, Mao Yuanxin, vivía en unas habitaciones contiguas a las suyas.

Para Mao, y para los emperadores chinos antes que él, Zhongnanhai era como un caparazón. En lugar de eunucos, estaba rodeado de secretarios y guardaespaldas. Para su protección, se habían dispuesto tres anillos concéntricos de tropas del servicio especial, discretos pero omnipresentes. Su comida llegaba de una determinada granja de seguridad, y era probada antes de que él la ingiriese como precaución para prevenir envenenamientos. Tras la muerte de Ren Bishi, en octubre de 1950, a Mao y los otros máximos dirigentes se les asignó un médico personal. Mientras que en Yan'an y en Shijiazhuang Mao se había sentido libre para moverse a su antojo, aunque con una escolta de seguridad, en Pekín no podía ni siquiera moverse sin que cada detalle de su ruta hubiese sido planeado y reconocido de antemano. Cuando viajaba, siempre lo hacía a bordo de un tren especial. Raramente volaba, para evitar que los nacionalistas de Taiwan intentasen sabotear o derribar su avión.[162]

Durante los primeros años, Mao intentó repetidamente romper el muro preventivo que sus protectores habían levantado a su alrededor. En general, esos intentos terminaron mal.

El jefe de su cuerpo de guardaespaldas, Li Yinqiao, rememoraba una de esas ocasiones, en Tianjin, cuando Mao insistió en comer en un restaurante. Se avisó con antelación. Los encargados desalojaron a los clientes, y el lugar fue ocupado por policías de paisano. Pero cuando Mao se detuvo ante una ventana del piso superior para observar la calle fue descubierto por una mujer que colgaba la colada en un balcón. Sus gritos atrajeron a una multitud tan densa que a la comandancia de la guarnición local le llevó seis horas persuadir al gentío para que se dispersara y Mao pudiese salir. A partir de entonces, siempre que Mao deseaba romper con la ruta que los oficiales de seguridad habían establecido, se mencionaba este incidente como una razón para no hacerlo.[163]

El aislamiento de Mao quedó acentuado por la ausencia de una familia que llenase su entorno. Anying estaba muerto, y Anqing en un hospital psiquiátrico de Dalian.[164] Jiang Qing estuvo postrada en la cama durante la mayor parte de los años cincuenta —inicialmente por enfermedades psicosomáticas, la naturaleza de las cuales no pudo ser descubierta ni por los médicos chinos ni por los rusos, y después por un cáncer uterino— y realizó varias estancias prolongadas en Moscú, la más larga de cerca de un año de duración, para recibir tratamiento médico.[165] Pero Mao se sintió tan complacido al librarse de ella que, cuando pidió permiso para retornar, él insistió en que residiese allí hasta que estuviese completamente repuesta. Según su doctor, Li Zhixun, en 1955 llevaban ya vidas separadas. se había desvanecido, ya hacía mucho, cualquier afecto que hubiesen sentido en el pasado el uno por el otro.[166] Incluso Li Yinqiao, que intentaba ser misericordioso, concluyó que a mediados de los años cincuenta el matrimonio estaba ya arruinado.[167] Comían, dormían y trabajaban por separado. En las raras ocasiones en que pasaban el tiempo juntos, Jiang desquiciaba los nervios de Mao, y éste, poco después, gruñía a los guardias que no quería volver a verla nunca más.

Su alejamiento le hizo recordar con nostalgia a sus anteriores esposas: a He Zizhen, a la que volvió a ver por primera vez en veintiún años;[168] y a Yang Kaihui, cuya memoria emergió en un poema romántico y sorprendentemente bello que tituló «Los inmortales».[169] Estaba dirigido a una antigua amiga, Li Shuyi, la mujer que, treinta años antes, se había puesto en pie, con su bebé en brazos, cuando comenzó la masacre del Día del Caballo. El marido de Li, Liu Zhixun, fue asesinado poco después que Kaihui. Sus nombres, en chino, significan «sauce» y «álamo»,* un juego de palabras que Mao entrelazó con la leyenda de Wu Gang, una figura similar a Sísifo, condenado a cortar eternamente un osmanto en la luna.

---

* Concretamente los apellidos, *liu* (álamo) y *yang* (sauce). (*N. del t.*)

He perdido mi orgulloso álamo, y tú tu sauce;
el álamo y el sauce se elevan hasta el cielo,
Wu Gang, requerido a ofrecerles un presente,
les agasaja humildemente con licor de flores de osmanto.
La solitaria diosa de la luna agita sus amplias mangas
para danzar en el cielo infinito en honor a estas bellas almas.
Llegan repentinas nuevas de la derrota del Tigre en la tierra
las lágrimas caen como de un cuenco de lluvia al quebrantarse.

Las lágrimas (ante la derrota de Chiang Kai-shek) eran agridulces, reflejando el estado de ánimo del propio Mao durante aquel verano, cuando lanzaba su recuerdo hasta unos tiempos pasados mucho más ingenuos.[170]

En el vacío dejado por aquella soledad y un pasado que nunca podría recuperar, Mao atrajo, inicialmente, una sucesión de amantes que, con el tiempo, cuando había pasado de los sesenta años, cedieron terreno a los placeres más terrenales y anónimos que le ofrecía la compañía de mujeres mucho más jóvenes.

La tradición de los bailes del sábado noche de Yan'an había sobrevivido hasta instaurarse en Zhongnanhai. Desde la pista de baile, Mao y sus jóvenes parejas gravitaban hasta su estudio, donde hacían el amor junto a montones de libros apilados sobre su enorme camastro. Las chicas provenían de compañías de baile organizadas por la división cultural del Ejército Popular de Liberación, escogidas tanto por su aspecto como por su fidelidad política. La capacidad amatoria de Mao, al igual que su aptitud para el baile, era torpe, según una antigua compañera suya, pero variada e infatigable. Maurice Faure, el político francés, señaló en una ocasión de Mitterrand: «Il a besoin des fluides feminines». Igual que Mao.

Entre la vasta colección de volúmenes de historia y literatura que se alineaban en sus anaqueles había copias de los manuales taoístas que usaban los literatos chinos, desde tiempos inmemoriales, para iniciar a sus descendientes masculinos en las artes amatorias. Entre ellos había un texto de la dinastía Han, «Los métodos secretos de la joven sencilla», de especial relevancia para los hombres mayores:

La unión entre el hombre y la mujer es como el apareamiento entre el Cielo y la Tierra. Gracias a su correcto apareamiento el Cielo y la Tierra perduran eternamente. Sin embargo, el hombre ha olvidado este secreto. Si los hombres pudiesen aprenderlo, alcanzarían la inmortalidad ... Este método consiste en mantener frecuentes relaciones con muchachas jóvenes, pero eyacular sólo en raras ocasiones. Este método provoca que el cuerpo del hombre sea ligero y expulse todas las enfermedades ... Todos los que pretenden prolongar su vida deben buscar la fuente misma de la vida.[171]

Los chinos son un pueblo práctico y, más allá de su aparente mojigatería, son mucho más tolerantes por lo que a libertades sexuales se refiere que los norteamericanos o los británicos. Si Mao se entregaba a las pasiones, nadie pensaría lo peor de él. Incluso Jiang Qing sufría sus flirteos en el más absoluto silencio. La única crítica real en China ante tal comportamiento, sólo aireada mucho después de su muerte, se refería a la hipocresía de Mao: en un país donde las relaciones ilícitas eran motivo suficiente para enviar a los ciudadanos corrientes a los campos de trabajo, el presidente podía llenar su alcoba, como de hecho hacía, con tantas jóvenes como desease. La «joven sencilla» y otros textos antiguos le ofrecían la bendición de la autoridad clásica, justificando sus costumbres libertinas como la acumulación de *yin*, la esencia femenina, para restaurar su *yang*, en una tradición milenaria de conservación de la potencia y la salud masculinas. Sus guardaespaldas tenían otra explicación mucho más sencilla: él tenía el poder, y era su derecho.

Los encuentros satisfacían a ambas partes. Las jóvenes de Mao no eran concubinas en el antiguo sentido imperial. Eran más bien *groupies*, congregadas alrededor del presidente, al igual que algunas jóvenes occidentales van en busca de pilotos de carreras o cantantes de pop. Durante un breve espacio de tiempo, se regodeaban en la refulgente gloria de su cama, infinitamente orgullosas de su buena fortuna. Los ayudantes de Mao se aseguraban después de que se casasen con buenos maridos comunistas.[172]

Entre los que le rodeaban, algunos conjeturaron que se estaba obsesionando con la edad, rechazando los síntomas de la vejez.[173] Pero probablemente Li Yinqiao se aproximaba más a la verdad cuando afirmó que Mao se rodeaba de gente joven para escapar de la soledad.[174] Las jóvenes muchachas contribuían a satisfacer esa necesidad. Al igual que los jóvenes que actuaban como sus sirvientes personales. En los últimos veinte años de su vida, admitió el mismo Mao, ellos se convirtieron en una familia sustitutiva.[175] Les veía mucho más que a sus propias hijas, que pasaban la mayor parte del tiempo en un internado. Sus guardias personales le proporcionaban somníferos todas las noches y combatían su insomnio con masajes; le ayudaban a vestirse; le servían la comida; vigilaban todos sus movimientos. Pero eran una familia transitoria, cuyos miembros podían ser destituidos por un antojo; una familia simulada, que no comportaba responsabilidades, preocupaciones, ni ataduras.

Más allá de este estrecho y reducido círculo, Mao, durante sus años de poder ilimitado, se vio privado de todos los contactos humanos habituales. Sus relaciones con el resto del Politburó eran estrictamente políticas. A diferencia de Stalin, que se había dedicado a rondar la noche con sus camaradas, Mao se retiraba a una lejanía cada vez mayor, recluido en sus propios pensamientos. La amistad quedó totalmente descartada.[176] «La relación entre los hombres y un "dios" está marcada por la oración, y por la respuesta a las oraciones», escribió años después Li Yinqiao.[177] «No puede existir ningún intercambio en pie de igualdad entre ambas partes.» Tiempo atrás, buena parte de la atención de Mao había estado dedicada a las cuestiones militares: la guerra civil, la guerra con Japón, nuevamente la guerra civil y la guerra con Corea. Pero, a partir de 1953, sólo le quedaba la política.

El movimiento de las «cien flores» había sido el primer intento llevado a cabo por Mao de liberarse del rígido sistema jerárquico de gobierno del comunismo soviético, y de encontrar un camino distintivamente chino para el Estado que él entonces gobernaba. Khruschev lo había desaprobado.[178] En privado, Mao replicó que la mente de los rusos se había petrificado, y que estaban abandonando los fundamentos del marxismo-leninismo.[179]

Cuando el experimento llegó a su doloroso final en plena campaña antiderechista, Mao comenzó a anhelar un retorno a la vieja y tantas veces probada estrategia de la movilización de las masas, que había mostrado sus posibilidades durante el movimiento de colectivización.

Durante la primavera de 1956, había intentado aplicar este principio a la economía. Pero el llamado «pequeño salto adelante» se había ido a pique cuando los cuadros locales se fijaron objetivos imposibles, y los campesinos y los disgustados obreros dejaron sus herramientas como protesta. Cuando Zhou Enlai demandó una reducción de la velocidad, Mao, remiso, se mantuvo al margen. Un editorial del *Diario del Pueblo* que le habían remitido para su aprobación sobre el tema de «oponerse a un avance precipitado», fue retornado con dos palabras escritas de su propio puño y letra: «sin leer».[180]

En aquel momento, Mao justificó este revés argumentando que en la construcción económica, al igual que en la guerra, el avance nunca es como una línea recta, sino que se produce en distintas etapas.[181] «Siempre hay altibajos», dijo, «una ola persigue a la otra ... Las cosas deben desarrollarse y avanzar según las leyes del oleaje.» El «pequeño salto» había fracasado, sugirió, porque había coincidido con la recesión de una ola; en un momento más apropiado del ciclo habría alcanzado logros mucho mayores.

En otoño de 1957, Mao decidió que había llegado el momento de volver a intentarlo.

En esta ocasión, la mayor parte de la cúpula estuvo de acuerdo. Comenzaban a comprender que el modelo soviético estaba fracasando. Las cooperativas no generaban los excedentes agrícolas necesarios para financiar un programa de industrialización de estilo soviético;[182] los intelectuales, necesarios para ponerlo en práctica, se habían mostrado indignos de su confianza;[183] no disponían de la ayuda financiera soviética, indispensable para pagar una parte de su coste, a causa de que los rusos destinaban su dinero a reflotar sus clientes de la Europa del Este.[184] Emergió un consenso sobre la necesidad de encontrar medios alternativos para activar la economía de China que tradujese el excedente de mano de obra rural en capital industrial.

Al igual que estos imperativos prácticos, el contexto político también había cambiado.

A lo largo de la primavera que coincidió con las «cien flores», Mao había repetido constantemente la fórmula aprobada durante el Octavo Congreso de que la lucha de clases había «fundamentalmente finalizado».[185] Después de que en junio se diese inicio a la campaña antiderechista, argumentó que mientras que «la turbulenta lucha de clases a gran escala» había llegado «en esencia, a su fin», la lucha de clases *per se*, en cambio, se desarrollaba con aún mayor viveza.[186] La principal contradicción de la sociedad china, afirmaba ahora, no era la economía, como erróneamente había argumentado el Congreso, sino la vieja y fundamental línea divisoria entre «los caminos socialista y comunista».[187] En breve estaría preparado el escenario para una renovada irrupción del izquierdismo.

En un pleno del Comité Central del mes de octubre, Mao vislumbró un radiante futuro basado en la revolución económica en el campo.[188] China, dijo, alcanzaría los niveles de producción agrícola más altos del mundo. La producción de acero llegaría a los veinte millones de toneladas en un plazo de quince años (cuatro veces el nivel de 1956). Con mayor extravagancia, también insistió en que se debían eliminar las «cuatro plagas», convirtiendo a China en «el país de los cuatro "sines": sin ratas, sin gorriones, sin moscas y sin mosquitos». Como respuesta a esa llamada, por todo el país, los ciudadanos se organizaron. Un experto ruso de visita recordaba:

> Unos gritos de mujer que helaban la sangre me despertaron de buena mañana. Me apresuré hasta la ventana y vi a una joven corriendo de un lado a otro sobre el tejado del edificio contiguo, agitando frenéticamente una vara de bambú que tenía un gran trapo atado a la punta. La mujer se detuvo repentinamente ... pero un momento más tarde, en la calle, comenzó a sonar un tambor, y ella reanudó sus terroríficos chillidos y los enajenados movimientos de su peculiar bandera ... Me di cuenta de que en los pisos superiores del hotel había mujeres dispuestas para la ocasión agitando sábanas y toallas que se suponía que servían para evitar que los gorriones se posasen sobre el edificio.[189]

El plan funcionó. Miles de gorriones murieron de fatiga.[190] Otro extranjero informó algunos meses después que no había visto un solo gorrión en cuatro semanas, y sólo en quince ocasiones había encontrado moscas, por lo general aisladas. Desafortunadamente, Mao desoyó las advertencias que decían que el gorrioncidio causaría la proliferación de orugas (comida habitual de los gorriones) en la cosecha.[191] Al año siguiente, las chinches sustituyeron a los pájaros como blanco.

El vigor revolucionario en casa vino acompañado de los acontecimientos que se sucedían en el extranjero. El 4 de octubre, mientras el pleno del Partido Comunista Chino estaba reunido, la Unión Soviética lanzó el primer Sputnik, en un momento en que, como lo expresó Mao, Estados Unidos «no había lanzado ni siquiera una patata».[192]

Poco después, Khruschev habló de superar los niveles de producción cárnica y lechera de Occidente, insistiendo en que no se trataba de «un asunto de aritmética; es una cuestión política»[193] —una frase que sonaba como música celestial a oídos de Mao, ya que él había afirmado recientemente ante su propio Comité Central que, en la dicotomía entre la política y la tecnología, «la política es lo principal y [siempre] ocupa el lugar de privilegio».[194] Al mes siguiente, mientras Mao se encontraba en Moscú para tomar parte en la Conferencia de los Partidos Comunistas del Mundo, el líder soviético anunció sus planes de sobrepasar a Estados Unidos, en el plazo de quince años, en la producción de hierro, acero, energía eléctrica, aceite y varias clases de bienes de consumo.[195] Mao, poco dispuesto a dejar pasar un desafío, informó rápidamente a los dirigentes del mundo comunista allí reunidos que China superaría en quince años a Gran Bretaña.[196]

Después les ofreció sus ideas sobre el estado contemporáneo del mundo, refiriéndose a una sentencia de la novela *El sueño del Pabellón Rojo*: «O el viento del este predomina sobre el del oeste, o el viento del oeste predomina sobre el del este»:

> Actualmente, siento que la situación internacional ha llegado a un punto de inflexión ... Se caracteriza por el hecho de que el viento del este prevalece sobre el viento del oeste. Esto es lo mismo que decir que el socialismo es absolutamente superior a las fuerzas del imperialismo ... Creo que podemos [afirmar] que el mundo occidental ha quedado por detrás nuestro. ¿Están lejos de nosotros? ¿O sólo un poquito por detrás? Tal como lo veo —y quizá sea en ello un poco aventurero—, afirmo que han quedado definitivamente por detrás.[197]

Mao regresó a Pekín, a finales de noviembre, en este acalorado estado de ánimo, por no decir eufórico, para enfrentarse a los desafíos económicos que le esperaban en su tierra. La dirección a seguir había quedado delimitada. Al prometer dejar atrás a Gran Bretaña, Mao había comprometido a China a producir cuarenta millones de toneladas de acero a principios de los años setenta (el doble de la ya desmesurada cifra aprobada algo menos de dos meses atrás por el pleno del Comité Central), además de tener que superar la producción británica de cemento, carbón, fertilizantes químicos y maquinaria industrial.[198] La única cuestión era cómo conseguirlo.

Para hallar la respuesta, Mao inició un viaje que se prolongó durante cuatro meses por diversas provincias de China y que le llevó desde el sur del país hasta Manchuria; de allí, en el mes de marzo, hasta Sichuan, en el oeste; después, en un vapor por el río Yangzi, hasta Wuhan; y, finalmente, en abril, hasta Hunan y Guangdong.

De manera ostensiva, Mao estaba «buscando la verdad en los hechos», llevando a cabo investigaciones en las raíces antes de proceder a formular una nueva política, al igual que había hecho en Jiangxi durante los años treinta. Pero había una diferencia crucial. En la «República Soviética China», un cuarto de siglo antes, Mao se había sentido libre para investigar a su antojo. En 1958, en la República Popular, todos sus movimientos eran coreografiados con días e incluso semanas de antelación. El significado de «buscar en las raíces» había pasado ya entonces a designar un sinfín de reuniones con los primeros secretarios provinciales y visitas a granjas cuidadosamente seleccionadas en las que todo el mundo había sido instruido para decirle a Mao sólo lo que las autoridades provinciales querían que oyese. Mao no disponía de información precisa y de primera mano. En lugar de ello, creyó en la ilusión de estar bien informado, lo que se mostraría mucho más peligroso que la ignorancia.

En todas las etapas de su peregrinación, Mao convocó conferencias de la cúpula dirigente, en las que se fue forjando gradualmente la base teórica de lo que sería el «Gran Salto Adelante».

En Hangzhou, el cuatro de enero de 1958, presentó por vez primera su idea de una «revolución ininterrumpida» (concepto que, como pronto explicaría, no tenía nada que ver con la herejía trotskista), por medio de la cual la «revolución socialista» (la colectivización de los medios de producción), que ya entonces había sido completada en China, sería irremisiblemente culminada por una «revolución ideológica y política» y por una «revolución tecnológica».[199]

Diez días después, en Nanning, dio rienda suelta a su cólera contra los que, dieciocho meses antes, le habían persuadido de abortar el «pequeño salto».[200] «Yo soy el "principal culpable" del progreso precipitado», anunció desafiante. «Estáis en contra del progreso precipitado. Pues bien, ¡yo estoy en contra vuestra!» Zhou Enlai realizó una autocrítica, confesando que «había vacilado sobre la política a seguir» y había cometido «errores de conservadurismo derechista».[201] En Chengdu, en marzo, Mao castigó a los ministros encargados de la planificación por haberse adherido servilmente a las prácticas soviéticas, y al partido, por mostrar una «mentalidad de esclavo» ante los «expertos» en general y los expertos burgueses en particular.[202] Un mes después, en Hankou, fue más allá, declarando que los intelectuales burgueses constituían una clase explotadora a la que se debía combatir, y que China no debía quedar amordazada por las leyes económicas que ellos habían diseñado:

Debemos acabar con la superstición, creyendo a —y también no creyendo a— los científicos ... Siempre que se discute un problema, debemos también discutir sobre ideología. Cuando estudiamos un problema, debemos someter los [hechos] a una idea, y dejar que la política articule el asunto en cuestión ... ¿Cómo se puede [resolver cualquier cosa] sólo cuando se discute de números, prescindiendo de la política? *La relación entre la política y los números es como la que existe entre los oficiales y los soldados: la política es el comandante* (la cursiva es mía).[203]

La exaltación de la voluntad política era bastante habitual, pero Mao raramente había afirmado con tanto descaro que podía hacerse caso omiso de los hechos y las cifras. A finales de la primavera de 1958 vivía un punto álgido en su euforia, impelida por la visión sin límites de un brillante futuro comunista en el que nada podría resistirse al esfuerzo unido de seiscientos millones de personas.

Su confianza se había inflamado con un proyecto de irrigación iniciado durante el invierno anterior.[204] En el espacio de cuatro meses, cien millones de campesinos habían cavado diques y depósitos de agua hasta casi alcanzar los ocho millones de hectáreas, sobrepasando con mucho el objetivo inicialmente fijado. Sólo era necesario «levantar la tapa, echar abajo las supersticiones, y dejar que irrumpiesen la iniciativa y la creatividad del laborioso pueblo», y así se conseguirían milagros, dijo en la segunda sesión del Octavo Congreso, celebrado en mayo, que oficialmente lanzó el Gran Salto. Y añadió, en lo que casi fue una ocurrencia de última hora: «¡No, no estamos locos!».[205]

Locos o no, los objetivos marcados aquel año, tanto para la producción agrícola como para la industrial, se elevaron exponencialmente.

En la reunión celebrada en marzo en Chengdu, Mao había reclamado a los dirigentes provinciales que se mantuviesen en el reino de lo posible. «El romanticismo revolucionario es bueno», les dijo, «pero no sirve para nada si no existe algún modo de ponerlo en práctica.»[206]

En mayo, Mao había incrementado el objetivo de producción de acero de los seis a los ocho millones de toneladas, y recortó a la mitad el lapso de tiempo necesario para superar a Gran Bretaña (fijándolo en siete años), y en quince años, el mismo plazo que Khruschev había propuesto en el caso de Rusia, para hacer lo propio con Estados Unidos. De hecho, sugirió Mao, era posible que China pudiese llegar primero a esa meta y «consiguiese encabezar el programa comunista».[207] Finalmente, se dejaron de lado todas las reservas. En otoño de 1858, la estimación de acero se encaramó hasta la cifra de diez millones setecientas mil toneladas, y tres semanas después hasta «los once o doce millones». En aquel momento Mao preveía que en 1959 la producción anual de acero sería de treinta millones (superando a Gran Bretaña); en 1960, de sesenta millones (superando a Rusia); en 1962, de cien millones (superando a Estados Unidos); y a principios de los años setenta, de setecientos millones, varias veces la producción del resto del mundo. La previsión para el grano se elevó en 1958 de manera similar, primero hasta los trescientos millones (incrementando en más de la mitad el mejor registro anterior de cosechas), y después hasta los trescientos cincuenta millones.[208]

El propósito, como siempre, era hacer de China una gran nación. «A pesar de que contamos con una gran población», dijo Mao al Politburó, «todavía no hemos demostrado cuál es nuestra fuerza.[209] Cuando alcancemos a Gran Bretaña y a Estados Unidos, [incluso el secretario de Estado norteamericano] Dulles nos respetará y reconocerá nuestra existencia como nación.» Pero eso no era todo. La nueva China comunista sería además elegante. «Los franceses», apuntó Mao, «han creado sus calles, sus casas y sus avenidas con gran belleza: si el capitalismo lo puede hacer, ¿por qué no nosotros?»[210] Y estaría también plena de comodidades. Tan Zhenlin, antaño uno de los comandantes de batallón de Mao en Jinggangshan, que había sustituido a su contemporáneo, el desapasionado Deng Zihui, como ministro de Agricultura, desveló una visión de opulencia que ponía en evidencia al «comunismo goulash» de Khruschev:

> Al fin y al cabo, ¿qué significa el comunismo? ... En primer lugar, comer buenos alimentos, y no simplemente llenarse la panza. En cada comida, se disfruta de una dieta cárnica, comiendo pollo, cerdo, pescado o huevos. Las exquisiteces como las manos de mono, el nido de golondrina o los hongos blancos se sirven «a cada uno según sus necesidades» ... En segundo lugar, ropa. Todo lo que el pueblo anhele debe estar disponible. Vestidos de varios diseños y estilos, no [sólo] una masa de atavíos azules ... Después de la jornada de trabajo, el pueblo se vestirá con sedas, satenes ... y abrigos de piel de zorro ... En tercer lugar, la vivienda ... Se proporcionará calefacción en el norte y aire acondicionado en el sur. Todo el mundo vivirá en edificios elevados. No hace falta decirlo, estarán dotados de luz eléctrica, teléfono, agua corriente [y] televisión ... En cuarto lugar, comunicaciones ... Se abrirán servicios aéreos en todas las direcciones, y todos los distritos tendrán su aeropuerto ... En quinto lugar, educación superior para todos ... La suma total de todo esto es el comunismo.[211]

Tan no era el único que se dejaba llevar por tan extravagantes especulaciones. El propio Mao imaginaba autopistas de asfalto que servirían al mismo tiempo de pistas de aterrizaje, con cada municipio disponiendo de sus propios aviones, y sus propios filósofos y científicos residiendo en él.[212] «Es como jugar al mahjong», exclamó deleitado mientras contemplaba la gran opulencia de China: «¡Simplemente, doblad vuestras apuestas!».[213] Los otros líderes se unieron a él. Incluso Deng Xiaoping, siempre con los pies en el suelo, previó que todos los chinos poseerían su bicicleta, y que las mujeres llevarían tacones altos y usarían pintalabios.[214]

¿Cómo pudo llegar a producirse este extraordinario cambio de actitud?

¿Cómo Mao, quien para llegar al poder había dedicado toda su vida adulta a realizar juicios rigurosamente calibrados sobre lo que era y lo que no era posible, pudo suspender repentinamente todos los criterios racionales para arriesgarse en un sueño utópico que incluso la reflexión más sumaria debería haber mostrado que era imposible? ¿Cómo hombres como Zhou Enlai y Bo Yibo, que sólo un año antes se habían opuesto a previsiones mucho más modestas, pudieron entonces apoyar unos planes que, tal como debería haber sido obvio, no eran más que meras fantasías?

Incluso en la actualidad, casi medio siglo después, no es fácil aportar una respuesta plenamente satisfactoria.

El catalizador fue sin duda el exitoso lanzamiento ruso del Sputnik, que representó para Mao un despertar ante las posibilidades abiertas por el avance tecnológico.[215] La ciencia, una vez atraído su interés, le fascinaba, pero en un sentido más medieval que moderno. Leía ávidamente, pero no tanto en busca de nuevas ideas sino más bien para fortalecer su propia visión del mundo. Sus discursos se amenizaron pronto con analogías científicas que ilustraban sus ideas políticas: la estructura del átomo demostraba las contradicciones inherentes en todas las cosas; la proliferación de elementos químicos mostraba que «la materia siempre cambia y se convierte en su contrario»; el metabolismo era un ejemplo de la tendencia de todas las cosas a dividirse. Para Mao, el progreso científico justificaba su creencia, largo tiempo postulada, de que la mente puede triunfar sobre la materia (o, según lo había definido en 1937, su tesis de «la acción de la mente sobre las cosas materiales»).[216] Como una piedra filosofal de los tiempos modernos, la ciencia transmutaría la realidad de aquella China, acuñada en la miseria, para convertirla en un resplandeciente nuevo mundo en el que no se conociese la escasez ni el hambre. La rigurosa disciplina del análisis y el experimento no estaba hecha para Mao. China no contaba con un Galileo, un Copérnico, un Darwin o un Alexander Fleming que alentase la investigación escéptica. La ciencia moderna, al igual que la industria moderna, era una importación reciente y ajena, sin raíces en la cultura china, y Mao admitía sin rubor que no sabía nada de ninguna de aquellas dos disciplinas.[217] Se limitó a tomar el concepto: la perspectiva de un progreso ilimitado a través de la revolución técnica.

En un país con una tradición de expertos en ciencia e industria, los objetivos planteados en el Gran Salto habrían sido desestimados como las utopías ociosas que de hecho eran.

Pero no en China. En el seno del Politburó, sólo Chen Yun lanzó preguntas comprometidas sobre cuestiones económicas, pero desde principios de

1958 quedó sistemáticamente marginado. Quizá Zhou Enlai albergaba reservas. Pero, de ser así, se las guardaba para él: ya se había pillado los dedos en una ocasión por oponerse al anhelo de Mao de un «avance poderoso».

Entre los otros dirigentes, Liu Shaoqi tenía sus propias razones para apoyar la causa del presidente. Su relación con Zhou Enlai tenía un componente de rivalidad mucho mayor de lo que ninguno de los dos estaba dispuesto a admitir. El Gran Salto debía ser impulsado por la sección del aparato del partido que dependía de Liu, no por el Consejo de Estado de Zhou: los errores de uno iban en beneficio del otro. Más aún, dos años antes Mao había informado a los miembros del Comité Permanente que pretendía dejar el cargo de jefe de Estado.[218] En la segunda sesión del Octavo Congreso, celebrada en el mes de mayo, se anunció oficialmente que Liu le sucedería. En caso de que Liu hubiese albergado dudas con respecto al Gran Salto —de lo que no existe indicio alguno—, las perspectivas de poder señalar su toma de posesión del más alto cargo del Estado con un crecimiento espectacular de la economía habrían sido una razón más que suficiente para haber cerrado sus ojos ante las posibles vacilaciones.

El resto del Politburó estaba formado por figuras leales de la vieja guardia, como Lin Boqu, que había estado junto a Mao en Cantón a mediados de los años veinte, y Li Fochun, ahora presidente de la Comisión Económica del Estado, cuya relación con Mao se remontaba a los días de la Asociación de Estudios del Nuevo Pueblo; por algunos hombres recientemente ascendidos, como los primeros secretarios de Shanghai y Sichuan, cuyos nombramientos Mao había ratificado precisamente por razón de su entusiasmo ante el Gran Salto; y por figuras militares, encabezadas por Lin Biao (recientemente promocionado como miembro del Comité Permanente del Politburó) y el ministro de Defensa, Peng Dehuai, quienes habían aprendido, en las dificultades de tantos años, que en todas las grandes cuestiones Mao invariablemente tenía razón.

Ninguno de estos hombres estaba en 1958 preparado para desafiarle. La mayoría estaban convencidos de que se aproximaba una nueva era de prosperidad. El único corpúsculo que les podría haber salvado del engaño —los intelectuales burgueses— había quedado desacreditado.

Cuando llegó el verano, Mao sabía lo que quería; conocía el porqué; pero todavía no sabía cómo llevarlo a cabo. En mayo se preguntaba todavía lamentándose: «Al margen del método soviético, ¿no es posible encontrar algo mejor e incluso más rápido?».[219]

De hecho, a pesar de que no era consciente de ello, el germen de la respuesta estaba muy próximo. El proyecto de irrigación del invierno anterior había iniciado una reacción en cadena de fusión de cooperativas, con el fin de que los cuadros estuviesen capacitados para movilizar las enormes cantidades de mano de obra necesaria para construir las redes de diques y canales.[220]

De este modo habían quedado ya elaborados los ladrillos con los que se edificaría la sociedad comunista del futuro. A finales de junio, Mao hurgó en su memoria para encontrar un nombre, y un concepto, originario de los días premarxistas, que llevaría el proceso un paso más allá. Lo que se necesitaba, dijo, era una forma de «gran comuna» que combinase la agricultura, la industria, el comercio, la cultura, la educación y la autodefensa.[221] El nombre derivaba de la Comuna de París de 1871, a cuyo «profundo significado» se había referido en un artículo de 1926;[222] el concepto emergió de las experiencias de vida comunitaria que había probado cuando era un joven estudiante y profesor, en sus días anarquistas de finales de la primera guerra mundial.

El 9 de agosto de 1958, Mao proclamó formalmente que «las comunas populares son buenas», un veredicto elevado a los altares tres semanas después en una reunión plenaria del Politburó celebrada en el complejo turístico costero de Beidaihe, a orillas del mar Amarillo, al norte de Tianjin.[223] La comuna, afirmó el Politburó, era «la mejor forma de organización para edificar el socialismo y la paulatina transición hacia el comunismo».[224] El jefe de la policía secreta de Mao desde la época de Yan'an, Kang Sheng, que se había mantenido como uno de los confidentes del presidente, lo resumió sucintamente en un pueril pareado que compuso y que en otoño era entonado por los campesinos de toda China:

> El comunismo es el paraíso,
> las comunas populares son el camino para llegar hasta él.[225]

El mismo Mao era aún más temerario. «El espíritu comunista es muy bueno», dijo a sus colegas en Beidaihe. «Si los seres humanos viviesen sólo para comer, ¿no sería como si los perros se dedicasen a comer mierda? ¿Qué sentido tiene la vida si no pones en práctica ... un poco de comunismo? ... Deberíamos poner en práctica algunos de los ideales del socialismo utópico.»[226] El camino hacia delante, argumentaba, consistía en una vuelta al «sistema de aprovisionamiento» que los comunistas habían utilizado en Yan'an. De manera progresiva, China avanzaría hacia una economía no monetaria, donde se proporcionarían la comida, la ropa y la vivienda de manera gratuita. «El comunismo consiste en alimentarse en comedores públicos sin tener que pagar por ello», declaró.[227] Cuando llegase el momento, incluso el dinero quedaría abolido.[228]

Durante los dos meses siguientes, el Salto, que había estado inexorablemente tomando impulso desde la primavera, explotó en un frenesí de agitación que cambió para siempre la faz del mundo rural chino.

Unos quinientos millones de personas, muchos de ellos todavía intentando adaptarse a la vida en las cooperativas, creadas sólo dos o tres años antes, vieron que ahora pertenecían a algo llamado *renmin gongshe*, literalmente «organizaciones comunes del pueblo», donde debían compartir riquezas e infortunios con miles de completos extraños originalmente repartidos por diferentes pueblos. La comuna se convirtió en la unidad básica de la sociedad rural, así como en el supuesto modelo para el resto del país. «En el futuro», dijo Mao, «todo será designado con el nombre comuna, [incluidas] las fábricas ... y las ciudades.»[229]

Para muchos, especialmente para las familias adineradas, la transición fue dolorosa.

Los terrenos y el ganado de titularidad privada fueron confiscados, normalmente sin compensación alguna. En el sur de China, incluso los giros postales de los familiares de ultramar quedaron absorbidos por el fondo público. Se obligó a las familias a entregar sus enseres de cocina, en tanto que los comedores públicos los habían convertido en superfluos. Se promovieron «casas de felicidad» para los ancianos, e internados de infancia para los más jóvenes. Se exigió a los padres que abandonasen «los apegos emocionales burgueses» en favor de un estilo de vida colectivizado y militarizado, en el que la unidad familiar ideal estaba constituida por una pareja sana, deseosa y capaz de trabajar con eficiencia ejemplar como miembros de las brigadas de choque.

Se suponía que oficialmente todos podían disponer de seis horas de sueño cada dos días, pero algunas brigadas se enorgullecían de trabajar cinco o seis días sin descanso. Al tratarse de una situación imposible de mantener, se generalizaron las artimañas. Los campesinos dejaban los faroles encendidos en los campos durante toda la noche mientras dormían, con un vigía para dar la alarma en caso de que algún funcionario se acercase. Se abolieron los incentivos materiales al considerarlos innecesarios, dado el sistema de aprovisionamiento gratuito, pero muchas comunas comprobaron que sus miembros declinaban trabajar sin ellos. Sólo las unidades más avanzadas podían ofrecer las «diez garantías» que sintetizaban el fin último del sistema: asegurar a sus miembros «comida, vestidos, vivienda, escolarización, atención médica, entierros, peluquerías, entretenimientos teatrales, dinero para la calefacción y dinero para las bodas».[230]

Todo ello estaba en gran parte animado por la nostalgia de la simplicidad y el fervor de los primeros años de revolución comunista.[231]

Se ordenó a los cuadros del partido que laborasen codo con codo con el pueblo. El propio Mao, junto a Zhou Enlai y otros miembros del Politburó, emergieron como ejemplos al ser fotografiados «trabajando arduamente» en los terrenos de un nuevo embalse cerca de Pekín.[232] Se ordenó a los oficiales del Ejército Popular de Liberación, comenzando por los generales, que dedicasen un mes cada año a servir junto a la soldadesca.[233] Se lanzó una vigorosa campaña militar con el lema «Todos somos soldados», gracias a la cual los campesinos trabajaban en los campos con anticuados rifles dispuestos junto a ellos.[234]

Sin embargo, el fundamento del Gran Salto lo constituían los objetivos de producción de grano y acero.

Cuando se hizo evidente que las grandes y medianas acererías del país serían incapaces de satisfacer los nuevos objetivos, Zhou Enlai, a quien Mao había puesto a la cabeza de la campaña del acero, propuso una campaña popular para usar «hornos de patio trasero», similares a las pequeñas plantas locales de fundición de hierro usadas en el campo para fabricar herramientas agrícolas.

Los resultados fueron inmediatos y espectaculares. El campo chino se convirtió en una celosía de chimeneas humeantes. Sydney Rittenberg, que se había unido al partido en Yan'an y que entonces trabajaba para Radio Pekín, cayó presa del entusiasmo. «Cada colina, cada campo», escribió, «reluce con la luz de los hornos caseros que producen acero en lugares donde hasta entonces no se había fabricado ni un dedal de metal.»[235] Albert Belhomme, otro norteamericano que había abrazado la causa comunista, ofreció una visión bastante distinta. Cuando se ordenó que su fábrica de papel de Shandong construyese hornos, «los miembros de los comités de barrio del partido iban de casa en casa, confiscando ollas y calderos, arrancando cercados de hierro e incluso las cerraduras de las puertas».[236] Un visitante inglés de la provincia de Yunnan, en el lejano sureste, describió que, en una aldea donde se habían equipado cuatro improvisados hornos ennegrecidos, halló «una furiosa, agitada y alborotada escena de embriaguez ... El pueblo cargaba cestos de mineral, el pueblo lo almacenaba, el pueblo arreaba los búfalos que tiraban de las carretas, el pueblo inclinaba los calderos de metal calentado al rojo, el pueblo aguardaba sobre las desvencijadas escaleras y observaba fijamente lo que sucedía en el interior de los hornos, el pueblo tiraba de carretillas llenas de metal crudo».[237] El presidente de la comuna le explicó que habían aprendido a fabricar acero al leer un artículo de un periódico.

La misma escena se repetía en todas las ciudades y aldeas de China. En Pekín, las fábricas, las oficinas gubernamentales, las universidades e incluso las asociaciones de escritores crearon primitivas fundiciones. Los editores de la *Revista de Pekín* informaron:

En respuesta a la llamada del gobierno ... también nosotros nos hemos dedicado a la fabricación de acero en nuestro propio patio ... Algunos trajeron calderos rotos; otros contribuyeron con ladrillos viejos y cemento; y otros incluso aportaron todo tipo de cachivaches. En cuestión de horas, hemos construido un horno de reverbero de estilo chino cubierto de arcilla ... La única persona del grupo que podía afirmar que tenía algún conocimiento técnico era un joven que había visitado varios hornos construidos en oficinas similares antes de emprender la construcción del nuestro.

En septiembre de 1958, el 14 por 100 de la producción de acero de China provenía de pequeños hornos locales; en octubre, la cifra había alcanzado el 49 por 100. Cuando la campaña llegó a su culminación, noventa millones de personas, cerca de una cuarto de la población activa, habían abandonado sus tareas habituales para participar en ella.[238]

El resultado, inevitable, fue una acuciante carestía de mano de obra agrícola que puso en entredicho la cosecha de otoño. En octubre se ordenó el cierre de las escuelas, y los estudiantes y todo personal no esencial, incluidos los asistentes de las tiendas, fueron enviados a trabajar a los campos. Una vez más, las brigadas campesinas de choque trabajaron duramente durante toda la noche.

Mao y el resto de dirigentes estaban convencidos que se estaba recogiendo una cosecha extraordinaria. Los cultivos cerrados, combinados con técnicas de arado profundo, habían sido motivo de extraordinarios informes de producción en terrenos experimentales. Un emprendedor campesino modélico hizo creer a Deng Xiaoping que había obtenido el equivalente de quinientas toneladas por hectárea. Se estimaba que incluso los campos de alta producción más «normales» producían setenta y cinco toneladas, y los ordinarios entre veintidós y treinta y siete toneladas; en un país en que la producción media, incluso en los años benignos, se había elevado sólo hasta las *dos toneladas y media por hectárea*. El Politburó habló de incrementos de producción del «cien por cien, de algunos cientos por cien, por encima del mil por cien, y de algunos millares por cien». A principios de invierno, algunas de las pretensiones llegaron a ser tan extravagantes que incluso Mao comenzó a dudar de ellas. Pero continuaba albergando la suficiente confianza en el sorprendente crecimiento de la productividad que su revolución verde supuestamente había desencadenado como para proponer que dos tercios de la tierra cultivable fuesen reforestados o se los dejase en barbecho.[239]

El inconveniente de la labranza era que requería gran cantidad de mano de obra. Ello impulsó a Mao a tomar la funesta decisión de abandonar el programa de control de la natalidad de China, quizás la más crítica, en último término, de todas las consecuencias del Gran Salto.[240]

Mientras tanto, los dirigentes de China, en un olvido colectivo de su desconfianza, saboreaban lo que estaban convencidos de que sería un futuro radiante.

Cuando el Comité Central se reunió en diciembre en Wuhan, Mao anunció que la producción de grano alcanzaría unos asombrosos cuatrocientos treinta millones de toneladas, doblando con mucho la mejor de las cosechas jamás habidas. Como medida de «prudencia», la cifra anunciada públicamente fue un 15 por 100 más moderada; y a pesar de que el objetivo de diez millones setecientas mil toneladas fijado para el acero también había sido satisfecho, Mao reconoció que sólo nueve millones de toneladas (cifra posteriormente revisada y rebajada hasta los ocho millones) eran de calidad aceptable. Aquello le obligó a admitir que las cifras de producción de acero impuestas en Beidaihe eran poco realistas. «Cometí un error», dijo al pleno. «En aquel momento [también] me mostré demasiado entusiasmado, y fracasé a la hora de combinar el fervor revolucionario con el espíritu práctico.» Pero su misma disposición a criticarse en estos términos era la prueba más evidente de que creía que el Salto había sido un logro enorme. Además, era igualmente obvio por los nuevos objetivos de producción de acero que propuso; a pesar de que más moderados que en Beidaihe, eran decididamente optimistas: veinte millones de toneladas para 1959, y sesenta millones para 1962.[241]

Cuando el año 1958 se acercaba a su fin, Mao volvió su vista con satisfacción para contemplar lo que se había conseguido. «Durante este [pasado] año han ocurrido muchas cosas positivas», reflexionó. «Se han superado las pruebas. Se han alcanzado muchas metas, metas en las que antes ni siquiera nos atrevíamos a soñar.»[242] Comenzaba a hacerse realidad su visión de una China avanzando como pionera en su propio camino hacia el comunismo. Los rusos se habían quedado atrás.[243]

Dos años antes, al inicio del «pequeño salto», Mao había calificado al pueblo chino de «pobre y en blanco». Esto era una ventaja, defendía, ya que «una vez se ha escrito en una hoja de papel, ya no se puede hacer nada con ella». A lo largo del Gran Salto Adelante, la pobreza y la «blancura» fueron temas constantes.[244] Tal como anotó en un artículo del mes de abril:

> Los seiscientos millones de chinos tienen dos peculiaridades destacables: son, ante todo, pobres, y, en segundo lugar, están en blanco. Puede parecer algo malo, pero en realidad es algo muy positivo. La gente pobre quiere cambiar, quiere hacer cosas, quiere la revolución. En una hoja de papel en blanco no hay borrones, de modo que se pueden escribir las palabras más nuevas y bellas, se pueden dibujar los más novedosos y hermosos dibujos.[245]

Esta aseveración, con su pasmosa arrogancia, su megalómana ambición de moldear, como el barro, la vida y los pensamientos de casi un cuarto de la humanidad, ofrece una alarmante visión de las elucubraciones de Mao en un momento en que éste se aproximaba a su vejez. Una insolencia de semejante desmesura presagiaba la catástrofe. No tardaría en llegar.

Los rusos observaban estos acontecimientos con creciente desasosiego. Ya en noviembre de 1957, la visita de Mao a Moscú durante la Conferencia Mundial de Partidos Comunistas había dejado residuos de inquietud. A su llegada, Khruschev le había recibido con una oferta demasiado buena para rechazarla: un acuerdo secreto para proporcionar a China tecnología para el desarrollo de armas nucleares, incluyendo una muestra de bomba atómica, a cambio del apoyo personalista de Mao al líder soviético y a la continuada primacía de Rusia en el movimiento comunista internacional.[246] Mao se sintió feliz por cumplir ambas condiciones. El «nuevo» Khruschev que pretendía superar a Estados Unidos era más de su agrado que el autor del discurso secreto; y Mao nunca había puesto en duda que el comunismo internacional necesitase un núcleo dirigente (aunque él podría haber añadido que no tenía por qué ser siempre Rusia).

Pero el acuerdo nuclear estaba destinado a hacer avanzar las vacilantes relaciones chino-soviéticas hasta un punto demasiado cercano del abismo.

Henchido por su convicción de que «el viento del este prevalecerá sobre el del oeste», Mao ofreció a los líderes del mundo comunista una visión apocalíptica de su futuro triunfo. Si se podía mantener la paz, dijo, la esfera socialista sería invencible. Pero había otra posibilidad:

> Permitidnos especular. Si estalla una guerra, ¿cuánta gente morirá? Hay dos mil setecientos millones de personas en el mundo, y un tercio puede fallecer ... Si ocurre lo peor, quizás morirá la mitad. Pero todavía quedará la mitad; el imperialismo acabará completamente arrasado y el mundo entero será socialista. Pasados algunos años, la población mundial alcanzará de nuevo los dos mil setecientos millones, y sin duda sobrepasará esa cifra.[247]

No había nada particularmente nuevo en sus palabras: Mao ya había expresado las mismas ideas a Nehru, en 1954, cuando las tensiones por Taiwan llevaron a Estados Unidos a insinuar el posible uso de armas atómicas, y unos pocos meses después lo repitió, en términos aún más catastrofistas, a un diplomático finlandés. «Si Estados Unidos tuviese bombas tan poderosas que ... pudiesen agujerear la tierra de un extremo a otro», dijo al boquiabierto enviado, «eso apenas significaría nada para el universo en su conjunto, a pesar de que sería un importante acontecimiento para el sistema solar.»[248] Sin embargo, una cosa era embarcarse en especulaciones vacías en una conversación privada, y otra hacerlo en una reunión a la que habían acudido funcionarios comunistas de más de sesenta países. A ellos, las palabras de Mao les produjeron escalofríos. Los dirigentes soviéticos comenzaron a preguntarse si realmente se le podía confiar un arsenal atómico a un hombre que hablaba del armamento nuclear con tanta ligereza. En aquel momento, sin embargo, el acuerdo sobre tecnología ya había sido firmado.

Durante la primavera siguiente, Mao se sumergió en el Gran Salto Adelante, seguro en su conocimiento de que una alianza nuclear con la URSS le ahorraría a China la necesidad de un ejército convencional de costosa construcción.

Mientras tanto, Khruschev comenzó a buscar los medios para consolidar el liderazgo soviético ante la política de armas atómicas de Pekín. Con este objetivo propuso una intensificación aún más amplia de la cooperación militar, incluyendo un acuerdo para el establecimiento de una estación de radio de onda ultralarga de propiedad compartida que comunicase con la flota de submarinos soviéticos del Pacífico (con el 70 por 100 de los costes debiendo ser satisfechos por Rusia y el resto a cargo de China), y otro para la construcción de una flotilla chino-soviética de submarinos nucleares.

Para su sorpresa, Mao reaccionó muy negativamente. En un encuentro con el embajador ruso, Pavel Yudin, el presidente expulsó con ponzoñosos términos todo el sentimiento que había acumulado ante lo que él consideraba era el despotismo de Moscú:

¡Nunca confiáis en los chinos! Sólo os fiáis de los rusos. Para vosotros, los rusos son ciudadanos de primera clase, y los chinos son uno de aquellos pueblos inferiores, estúpidos y descuidados. Ésta es la razón por la que me venís con la cuestión de la posesión y las decisiones compartidas. Muy bien, si es eso lo que queréis, no obtendréis nada en absoluto; ¡tengamos nosotros posesión y capacidad compartida para decidir sobre vuestro ejército, vuestra armada, vuestra fuerza aérea, la industria, la agricultura, la cultura y la educación! ¿Os parecería bien así? ¿O es que vosotros podéis poseer los diez mil kilómetros de costa de China, y nosotros conformarnos con una fuerza guerrillera? Sólo porque vosotros tenéis unas pocas bombas atómicas os creéis que estáis en posición de controlarnos procurándoos arriendos. ¿De qué otro modo podríais justificar vuestro comportamiento? ... Quizá mis palabras no os suenen demasiado bien ... [Pero] habéis desplegado el nacionalismo ruso hasta la misma costa de China.[249]

Para Mao, la «posesión compartida» olía a los tratados desiguales impuestos durante la humillación de China a manos de las potencias occidentales, y a las pretensiones de privilegios especiales de la Unión Soviética en Manchuria y Xinjiang. Khruschev, dijo Mao a Yudin, había tenido el buen criterio de anular los acuerdos impuestos por Stalin, pero ahora estaba actuando exactamente del mismo modo que éste.

Khruschev recordó en sus memorias que el informe de Yudin sobre su reunión con Mao cayó «como un relámpago en un cielo claro y azul», y no hay ninguna razón para no creerle.[250] Antes de que hubiesen transcurrido diez días, voló secretamente a Pekín, acompañado del ministro de Defensa, Rodion Malinovsky, para intentar aclarar la confusión.

Fracasó. Mao no sólo se mostró intransigente, rechazando la aprobación de convenios incluso sobre la licencia de desembarque de los submarinos soviéticos, sino que, en un desaire de simbolismo malicioso, las conversaciones sobre las cuestiones navales se celebraron junto a una piscina descubierta que Mao se había hecho construir en Zhongnanhai, donde se broncearon, según recordaba Khruschev, «como focas sobre la arena caliente», y el líder ruso, que no sabía nadar, se vio obligado a sufrir la humillación de revolcarse en el agua con la ayuda de un flotador de goma.[251]

Tres días después estalló otro importante conflicto, esta vez referido a Taiwan.

En enero de 1958, el Ejército Popular de Liberación había comenzado a prepararse para un renovado intento de ocupar las islas de Quemoy y Matsu. Aquel verano, un golpe de Estado izquierdista en Irak, que motivó el envío de tropas norteamericanas y británicas a Oriente Medio, concedió a Mao la oportunidad que llevaba tiempo esperando. El 17 de julio explicó al Politburó que un ataque sobre los fortines nacionalistas distraería la atención norteamericana de la cuestión iraquí y mostraría al mundo que China apoyaba seriamente los movimientos de liberación nacional. El plan inicial consistía en un bombardeo de Quemoy y Matsu, y debía comenzar nueve días después —poco antes de la llegada de Khruschev—; pero, con su visita, se pospuso hasta finales de agosto. Por aquel entonces, el líder soviético había propuesto una cumbre de las cuatro grandes potencias, junto a los representantes norteamericanos, británicos y franceses, para aplacar la tensión en Oriente Medio, lo que llevó al *Diario del Pueblo* a realizar cáusticos comentarios «sobre la incoherente creencia de que se puede alcanzar la paz simplemente adulando y comprometiéndose con los agresores».

Tal como quedó demostrado, Mao juzgó mal la firmeza de propósitos de los norteamericanos. Después de diez angustiosos días, durante los cuales Estados Unidos dio claras muestras de estar dispuesto a emplear armas nucleares, los chinos se vieron obligados a retroceder. Khruschev, una vez se hubo asegurado de que Rusia no se arriesgaba implicándose, prometió a China toda su colaboración. Dos meses después, la crisis llegó a su fin cuando do el Ejército Popular de Liberación anunció, como si se tratase de la mejor tradición de ópera de Pekín, que continuaría bombardeando la isla, pero sólo en los días impares.[252]

A corto plazo, el efecto de estas disputas fue el de recordar a China y la Unión Soviética que el mantenimiento de una relación normal de cooperación formaba parte de los intereses nacionales de ambos. China permitió que se enfriase su retórica sobre el inminente salto hacia el comunismo, que había llevado a los rusos a la desesperación; y Khruschev aprobó un préstamo de cinco mil millones de rublos destinado a los proyectos chinos de desarrollo industrial.

Pero, más allá de esta fachada de renovada amistad, la desconfianza mutua se agudizó aún más. Para Khruschev, el rechazo de Mao a aceptar una mayor cooperación militar, a pesar del acuerdo de Moscú de ayudar a China en la construcción de armas atómicas, su altiva actitud hacia la destrucción nuclear y sus alocados brotes de heterodoxia doctrinal, hacían de él un socio errático, ingrato e impredecible. Para Mao, la prioridad de Khruschev de mejorar las relaciones con Estados Unidos era una traición al movimiento comunista internacional y a la causa revolucionaria que éste se había comprometido a propagar. La conversación que el líder ruso mantuvo aquel mismo invierno con un eminente político norteamericano, el senador Hubert Humphrey, durante la cual habló con menosprecio sobre las comunas chinas, no fue más que un ejemplo, a los ojos de Mao, de la traición moscovita a la más básica solidaridad socialista.[253]

A lo largo de la primavera de 1959, la campaña de consolidación del Gran Salto, que Mao había lanzado en Wuhan durante el mes de diciembre, avanzó firmemente. El movimiento de los hornos de patio quedó abandonado al reconocerse que buena parte de lo que en ellos se fundía era inservible —dejando el paisaje rural señalado por la pústula que representaban los herrumbrosos esqueletos de metal refundido, monumentos románticos a la locura nacional. A principios del verano, Mao reconoció que el objetivo de producción de acero para 1959 debía volver a rebajarse, de los veinte a los trece millones de toneladas, y se comenzaba a ser consciente de que la producción de grano del año anterior, aunque buena, había sido inflada con exagerada desmesura.[254] «Al igual que un niño juega con el fuego ... y sólo conoce el dolor cuando se quema», reconoció afligido, «del mismo modo, con la construcción económica, hemos declarado la guerra a la naturaleza, como un niño inexperto, desconocedor de la estrategia y la táctica.»[255] Se ordenó a los dirigentes provinciales que no presionasen demasiado a los campesinos. De lo contrario, advirtió con frialdad, el Partido Comunista Chino podría acabar igual que las antiguas dinastías Qin y Sui, que consiguieron unificar China sólo para perder el poder unas décadas después a causa de la crueldad de su gobierno.[256]

Era, además, una cuestión de ajustes, no de cambios en los principios básicos; el comunismo no llegaría al día siguiente, dijo Mao, pero era posible alcanzarlo en el plazo de quince años, «o quizá un poco después».[257] A pesar de todo lo ocurrido, parecía que, finalmente, comenzaban a tener de nuevo los pies en el suelo.

Con este estado de ánimo relativamente sobrio, el Comité Central se reunió en julio en el complejo montañoso de Lushan, justo al sur del Yangzi. En el camino, Mao visitó su antiguo hogar de Shaoshan por primera vez desde 1927.[258] Lo que allí pudo ver reforzó su convicción de que el Gran Salto estaba teniendo éxito, pero también la de que las aventureras ideas de los izquierdistas utópicos de las provincias debían ser mitigadas; y poco después de llegar a Lushan comenzó a entregarse a ese propósito.

Mao no era, sin embargo, el único dirigente chino que aquel año retornó a sus raíces.[259] El ministro de Defensa, Peng Dehuai, había viajado unos meses antes, también por vez primera desde los años veinte, hasta su pueblo natal, Niaoshi, no lejos del lugar de nacimiento de Mao, en el mismo distrito de Xiangtan, pero había vuelto de allí con unas impresiones muy distintas.

Lo que había alterado la mente de Peng fueron los detritus de la campaña del acero: fragmentos de lingotes de hierro oxidándose inútiles en los campos; el armazón de las casas desiertas, despojadas de toda madera para poder alimentar los hornos; árboles frutales talados con el mismo propósito. En las llamadas «casas de la felicidad» para la gente mayor, encontró a ancianos enflaquecidos, subsistiendo de raciones mínimas sin ni siquiera mantas para luchar contra el frío. «Los viejos pueden hacer rechinar sus dientes», dijo uno de los ancianos, «pero a los bebés sólo les queda llorar.» Los campesinos estaban dispuestos a amotinarse, concluyó Peng. Odiaban la militarización de la vida diaria, las obligadas comidas comunales en los comedores públicos, la destrucción de la vida familiar. Los cuadros locales estaban bajo la constante presión de superar las comunas rivales, lo que les obligaba a exagerar sistemáticamente las cifras de producción agrícola, a menudo hasta diez o veinte veces. La alternativa, se les había dicho, consistía en ser estigmatizados como derechistas.

Peng no era el compañero preferido de Mao. Se habían enfrentado en demasiadas ocasiones en el pasado, remontándose todo al invierno de 1928, cuando Peng y su pequeño ejército de compatriotas de Hunan fueron abandonados en la retaguardia de Jinggangshan, y Mao no consiguió llevar a cabo una maniobra de distracción que les permitiese escapar. La lealtad del ministro de Defensa estaba consagrada al partido, no a la figura individual de Mao.

En Shaoshan, el presidente se había sentido impulsado a escribir un poema, elogiando el «ondeante arroz y las legumbres en crecimiento, y los héroes retornando desde todos los lugares a sus casas en el humeante ocaso». También Peng, en su última noche en Hunan, había puesto sus pensamientos en verso. Pero él había visto «mijo esparcido y mustias patateras», y había realizado una promesa solemne de «hablar en nombre del pueblo».

No obstante, Peng finalmente no hizo nada de eso. Durante el primer semestre de 1950 no pronunció una sola palabra sobre el Gran Salto. Esto se debió quizá en parte a que su atención se centró en la rebelión del Tíbet, iniciada en marzo; y en parte a que el mismo Mao, ya en aquel momento, había comenzado a predicar sobre las virtudes de la moderación de un modo que prometía solucionar los errores más clamorosos. Pero la razón principal fue la enorme dificultad existente, incluso para un hombre de la categoría de Peng, que había estado junto a Mao durante tres décadas, en el hecho de poner en cuestión unas decisiones políticas en las que el presidente estaba tan implicado.

Cinco años antes, Gao Gang había traspasado los límites establecidos por Mao y ello le costó la vida. En 1955, Deng Zihui se había enfrentado a Mao —en términos técnicos, más que políticos— sobre el ritmo de la colectivización; Deng había sobrevivido pero había perdido gran parte de su poder. Al año siguiente, Zhou Enlai había cuestionado el pequeño salto, sólo para verse obligado a realizar, dieciocho meses después, una humillante autocrítica. Y el destino de los que se habían atrevido a hablar durante las «cien flores» estaba muy lejos de ser una invitación a la franqueza.

En 1959 era obvio que la única persona que podía criticar con impunidad a Mao y su política era el mismo Mao; para los demás suponía un riesgo. Cuando volvió a Pekín, las ansias de Peng de «hablar claramente» se habían desvanecido. Como los otros dirigentes que albergaban dudas, las guardó en su interior.

En estas circunstancias, un nuevo factor entró en juego.

Había comenzado a hacerse patente la escasez de alimentos. Inicialmente se limitaba a las ciudades. Se redujeron las raciones de arroz. Los vegetales y el aceite para cocinar desaparecieron. Después, cuando el gobierno favoreció el abastecimiento de comida para la mano de obra industrial, engrosada por el Gran Salto, la carestía llegó al campo. La cosecha de 1958 no había sido de trescientos setenta y cinco millones de toneladas, ni siquiera de doscientos sesenta, que era la nueva y más precisa estimación del gobierno, sino de hecho (aunque no se admitiría hasta después de la muerte de Mao) de sólo doscientos millones de toneladas.[260] Aun así, era todavía un récord. Pero las grandilocuentes pretensiones de la cúpula de que China había entrado en una era de abundancia en la que el pueblo podría comer tanto como le apeteciera había impulsado a los campesinos a hacer justamente aquello: habían literalmente devorado sus casas y sus hogares. En muchas zonas de China habían comenzado las penurias.

Peng estaba mejor informado que la mayoría sobre la situación real de la cosecha. Se utilizaba el transporte militar para hacer llegar grano a las regiones en peores condiciones, y cuando los reclutas, predominantemente campesinos, recibían noticias de sus hogares sobre la hambruna por la que pasaban sus familias, se extendían por el Ejército Popular de Liberación rumores ominosos.

Mientras tanto, como parte del esfuerzo por poner al Gran Salto dentro de unos parámetros más racionales y combatir las pretensiones exageradas de producción, Mao comenzó a reclamar a los oficiales que expresasen con franqueza su opinión. «En ocasiones, un individuo vence a la mayoría», había dicho en abril al Comité Central.[261] «La verdad a veces está en las manos de una sola persona ... Hablar abiertamente no puede implicar castigo alguno. Según las normas del partido, el pueblo está autorizado a expresar su propia opinión.» Había citado el ejemplo de Hai Rui, paradigma de burócrata confuciano, de la dinastía Ming, modelo de probidad que había sido destituido de su cargo por censurar a un emperador del siglo XVI. China, declaró Mao, necesitaba de más hombres como Hai Rui. A partir de junio, los propagandistas del partido comenzaron a difundir antologías, artículos y obras de teatro elogiando las virtudes del funcionario Ming. El 2 de julio, el día en que quedó inaugurada la conferencia de Lushan, Mao ratificó sus garantías de que nadie sería castigado por «realizar críticas y ofrecer sus opiniones».

Inicialmente, Peng intentó no asistir a la reunión. Acababa de volver de un viaje de seis semanas por Europa oriental, y se sentía exhausto. Pero, a instancias de Mao, acudió y, una vez allí, decidió que era el lugar correcto para cumplir el compromiso adquirido el invierno anterior y «habló abiertamente».

El ministro de Defensa, como era habitual en él, se expresó sin rodeos. En un grupo de discusión con varios oficiales del noroeste de China, declaró que «todos somos responsables de los errores cometidos durante el [Gran Salto] ... incluido el camarada Mao Zedong». Una semana después decidió expresar sus preocupaciones al propio Mao. Pero cuando apareció en las estancias de Mao, la mañana del lunes 13 de julio, se le comunicó que el presidente estaba durmiendo. Aquella noche, por consiguiente, expresó sus ideas en una «carta de opinión», pidió a su asistente que la transcribiese y, a la mañana siguiente, la despachó para que Mao la leyera.

La misiva de Peng mezclaba elogios considerables por los logros del Salto —en especial un índice de crecimiento sin precedentes que, escribió, probaba que la línea estratégica de Mao era «correcta ... en lo principal»— con críticas sobre errores específicos. Individualmente, éstas eran irreprochables. A Mao podía no gustarle oír que «el fanatismo pequeñoburgués» había generado errores izquierdistas; que en la campaña de los hornos de patio se habían producido tanto «pérdidas como ganancias» (implicando que las primeras predominaban); que «no hemos comprendido suficientemente las leyes socialistas del desarrollo proporcional y planificado»; y que la construcción económica se había organizado con menor eficacia que el bombardeo de Quemoy o el fin de la revuelta del Tíbet. Sin embargo, eran todas ellas cuestiones que él mismo podría haber planteado. El problema era que, en conjunto, tenían un efecto devastador. Para Mao, el tema del mensaje de Peng era que el Gran Salto, a pesar de estar teóricamente justificado, había desembocado en un desastre. Entretejidos en el texto, había pasajes que vinculaban personalmente al presidente con los errores que se habían cometido, incluido uno relacionado con las pretensiones de Mao de que «la política es la que manda»:

Según el punto de vista de algunos camaradas, al situar la política al mando, ésta ocupa el lugar de todo lo demás. Han olvidado [que] su objetivo es ... dar rienda suelta al entusiasmo y a la creatividad de las masas para poder acelerar la construcción económica. [La política] no puede ocupar el lugar de los principios económicos, y aún menos puede sustituir las medidas concretas del trabajo económico.[262]

Pero mucho más irritante que cualquier cosa que escribiera Peng fue la manera en que se arrogó a sí mismo el derecho a ejercer de juez. A pesar de los elogios que Mao había dedicado a Hai Rui, para él criticar puntualmente los errores políticos era una cosa, y «censurar» al emperador otra muy distinta.

Tres días después, el 17 de julio, el secretariado de la reunión, siguiendo las instrucciones de Mao, distribuyó el texto de la carta de Peng a todos los delegados. Esto fue interpretado entonces como un símbolo, si no de la aprobación de Mao, sí al menos de que las opiniones de Peng eran una base admisible para iniciar la discusión. Durante los días posteriores, algunos otros miembros del comité —entre ellos Zhang Wentian, aliado de Mao a mediados de los años treinta, que había permanecido en el Politburó como suplente— realizaron intervenciones apoyando sus ideas. Otros dos miembros del Politburó, Li Xiannian y Chen Yi, mostraron su acuerdo, mientras un número importante se mostraba dubitativo.

En este punto intervino Mao, y la vida de Peng se convirtió en un pozo sin fondo.

Como la mayoría de los discursos del presidente de años posteriores, fue una declaración divagadora e inconexa, repleta de pensamientos a medio terminar tangenciales al tema principal. Pero delimitó dos aciagas cuestiones. La carta de Peng Dehuai, dijo, representaba un error de línea política, similar a los cometidos tiempo atrás por Li Lisan, Wang Ming y Gao Gang. Peng y los que le respaldaban eran derechistas. Y los otros estaban, también, «en el filo de la navaja». Los que vacilaban, advirtió, debían decidir inmediatamente de qué lado deseaban estar. En segundo lugar, añadió Mao, si no había más que críticas, el poder comunista se derrumbaría. Y si eso ocurría, él se «iría hasta el campo, para liderar a los campesinos y derrocar al gobierno» nuevamente, y así restablecer el régimen. Añadió amenazadoramente, en un desafío directo a los mariscales del Ejército Popular de Liberación, que eran de hecho los aliados naturales de Peng: «Si vosotros, los dirigentes del Ejército Popular de Liberación, no me seguís, iré a buscar un nuevo Ejército Rojo. [Pero] creo que el Ejército Popular de Liberación me seguirá».

Cuando Mao acabó su intervención, Peng regresó a su casa, tal como describiría tiempo después, «con el corazón encogido». Perdió el apetito y se hundió en su cama durante horas, observando el vacío. Su guarda personal llamó a un médico, que llegó a la conclusión de que Peng debía de estar enfermo. El ministro de Defensa le sacó del error: «Si estoy enfermo», dijo, «por ahora no hay nada que se pueda curar».

La conferencia finalizó el 30 de junio. Al día siguiente, Mao convocó una reunión plenaria del Comité Permanente del Politburó para decidir el destino de Peng.[263]

Una vez más, Khruschev había simplificado su tarea.[264] Seis semanas antes, en vísperas del planeado embarque de la muestra de bomba atómica que el líder soviético había prometido a Mao, los rusos habían informado a Pekín que cancelaban el acuerdo sobre tecnología nuclear. Ahora, en la misma semana que Peng entregó su «carta de opinión», Khruschev condenó públicamente las comunas. A Mao le faltó tiempo para distribuir un informe de las observaciones del líder ruso publicado por la Agencia Central de Noticias de Taiwan. ¿Qué mejor prueba podía existir de que Peng y los suyos estaban ayudando «objetivamente» a los enemigos de China, si es que, de hecho, no estaban confabulados con ellos? Al fin y al cabo, Peng y Zhang Wentian habían visitado Moscú muy recientemente.

Ante este escenario de insinuaciones, Mao no tuvo dificultad alguna para convencer a sus compañeros de que se estaban enfrentando a una conspiración contra el partido, y de que Peng y su «camarilla militar» debían ser expulsados hasta las tinieblas.[265]

El tema en cuestión ya no era si el presidente tenía razón, sino si alguien tenía el suficiente coraje para decirle que se equivocaba. Ciertamente, no sería el maleable Zhou Enlai, para el cual la premisa más básica para la supervivencia política consistía en evitar cualquier enfrentamiento con Mao. Ni tampoco Liu Shaoqi: no había perdonado a Peng por haber concedido a Gao Gang una audiencia favorable en 1953. Chen Yun estaba ausente con un permiso médico, y Deng Xiaoping, oportunamente, se había roto la pierna jugando al ping-pong. Lin Biao detestaba a Peng, y estaba dispuesto a hacer todo lo que Mao le pidiese. En el círculo más interno, sólo el venerable almirante Zhu De, que entonces tenía setenta años, fue lo suficientemente directo —u honesto— como para hablar en defensa de Peng, aconsejando moderación, y posteriormente se le requirió que realizase una autocrítica como castigo. El resto formó un pelotón de linchamiento político. El registro textual de la reunión del Comité Permanente, tomado por uno de los secretarios personales de Mao, Li Rui, poco después también purgado, ofrece una mirada reveladora del nido de serpientes en que se había convertido la vida entre la elite de la China de Mao:[266]

MAO: Cuando hablas de «fanatismo pequeñoburgués», estás dirigiendo la punta de la lanza sobre todo hacia los órganos centrales de liderazgo. No es hacia los líderes provinciales ni a las masas. Es lo que creo... De hecho, apuntas la lanza de tu ataque hacia el centro. Quizá lo admitas, aunque lo más probable es que no lo hagas. Pero creemos que te estás enfrentando al centro. Estabas dispuesto a publicar tu carta para convencer al pueblo y organizarlo [en contra nuestra] ...

PENG: Cuando escribí sobre el fanatismo pequeñoburgués ... debería haber reconocido que se trataba de un problema político. No lo comprendí demasiado bien.

MAO (interrumpiéndole):   Ahora que la carta ha sido hecha pública, todos los revolucionarios han de venir y aplaudirte.

PENG: Fue una carta que te envié personalmente ... Escribí en ella: «Por favor, revísala y mira si estoy en lo cierto, y dedícame tus comentarios». Mi única intención con esta carta consistía en que yo quizás tenía algunas consideraciones valiosas, y quería que las tomases en cuenta.

MAO: Esto no es cierto ... Cuando ha surgido algún problema, nunca te has mostrado directo ... La gente [que no te conoce] cree que eres sencillo, franco y abierto. Cuando te conocí por primera vez, fue todo lo que vi. [Pero después] se dan cuenta de que ... eres mucho más tortuoso. Nadie sabe lo que hay en el fondo de tu corazón. Dicen que eres un hipócrita ... Eres un oportunista derechista. [Decías en tu carta que] la dirección del partido no es buena. Quieres usurpar el estandarte del proletariado.

PENG: Te envié la carta sólo a ti. No he promovido ninguna actividad [faccional].

MAO: Sí lo has hecho.

PENG ZHEN: En los grupos de discusión dijiste que todo el mundo era responsable por lo ocurrido, incluido el camarada Mao Zedong ... ¿A quién atacabas entonces?...

HE LONG: Albergas profundos prejuicios en contra del presidente. En tu carta muestras que estás lleno de ideas preconcebidas...

ZHOU ENLAI: Has adoptado una posición oportunista derechista. El blanco de tu carta era la política general del partido...

MAO: Querías provocar la desmembración del partido. Tienes un plan, y tienes una organización, has realizado preparativos, has atacado la línea correcta desde un posicionamiento derechista ... [Dices que] en [Yan'an] estuve cuarenta días dándote por el culo. De modo que ahora te faltan todavía veinte días. Como venganza, esta vez quieres darme por el culo durante cuarenta días. Pues te lo advierto, ya has jodido lo suficiente...[267]

PENG: Si todos pensáis así, es muy difícil que yo pueda decir nada ... [Pero] no os preocupéis, no me suicidaré; nunca seré un contrarrevolucionario; todavía puedo salir de aquí y trabajar en los campos.

El 2 de agosto, el Comité Central se reunió para confirmar el veredicto del Comité Permanente. Algunos de los militares más jóvenes compañeros de Peng hablaron en su defensa (y fueron pronto purgados en consecuencia). El ministro de Defensa se humilló en un discurso de autodegradación en el que denunció su carta a Mao como «una serie de absurdos», y confesó que, motivado por «prejuicios personales que iban totalmente desencaminados», había dañado el «sublime prestigio» de Mao.[268] Su intervención fue un gesto insustancial del que posteriormente se arrepentiría.

El Comité Central, en su resolución, le acusó de encabezar una «banda derechista oportunista contra el partido»; de dirigir «ataques viciosos» contra Mao; de haber concentrado su atención en «carencias transitorias y parciales» para poder «dibujar una pintura negruzca de la situación actual»; de haber formado una «alianza contra el partido» con Gao Gang; y de implicarse en «actividades contra el partido vigentes desde hace largo tiempo».[269] Por si no era suficiente, él, Zhang Wentian y los otros miembros de la supuesta banda, fueron descritos como «representantes de la burguesía» que se habían introducido en el partido durante el período de la guerra civil.

Pero entonces surgió una contradicción. Tras detallar un listado de ofensas que justificaban sobradamente la expulsión del partido (y que, en el caso de los oficiales de menor rango, significaban un largo período en campos de trabajo, o incluso la ejecución), el Comité Central decretó que los «conspiradores» no sólo podían mantener su militancia en el partido, sino que Peng y Zhang Wentian, a pesar de perder sus responsabilidades gubernamentales, conservaban sus cargos en el Politburó.

Esto fue presentado como una muestra de la política de Mao, vigente desde hacía mucho tiempo, de «curar la enfermedad para salvar al paciente».[270] Aunque, en realidad, tenía más que ver con el alto estatus de Peng en el seno del Ejército Popular de Liberación y entre los rangos del partido. Incluso para Mao no era fácil desacreditar a uno de los grandes héroes de la guerra revolucionaria, el comandante de los Voluntarios en Corea; un hombre que gozaba de una reputación de incorruptibilidad, que había vivido como un asceta y era moralmente inexpugnable. De cara al exterior, el presidente no tenía otra posibilidad que aparecer magnánimo, incluso cuando, en privado, continuase echando pestes sobre el «ataque por sorpresa» de Peng.

Un mes después, Lin Biao, a quien Mao había estado mimando desde 1956 como eventual sucesor de Peng, fue nombrado ministro de Defensa en su lugar. Lin tenía una salud quebradiza y desde 1949 había interpretado un papel público menor. Pero era leal a Mao, y se aplicó al trabajo con la voluntad de extirpar la influencia de Peng en el ejército, durante los años cincuenta y sesenta, no menos que durante la guerra civil, todavía el fundamento sobre el que se apoyaba el poder político de Mao. Peng abandonó su casa de Zhongnanhai, y durante seis años llevó a cabo una hermética existencia bajo arresto domiciliario virtual en un edificio del viejo Palacio de Verano, en las afueras del norte de Pekín. A pesar de que había conservado formalmente su rango, no volvió a asistir a ninguna reunión del Politburó, ni desempeñó ninguna otra función oficial. Su carrera había finalizado.

No fue simplemente la cobardía personal y el egoísmo político la causa de que los compañeros de Peng se alineasen para atacarle con denuedo. Si el Politburó actuaba de ese modo era porque Mao lo orquestó así.

Criticar al presidente no *tenía* por qué ser sinónimo de derrocar al gobierno del partido. Desde 1949 no siempre había sido así. Pero ahora, después de meses de reclamar a todos que hablasen abiertamente, garantizando que no se tomarían represalias, cuando por fin alguien actuaba según sus requerimientos, Mao no conseguía digerirlo. Zhang Wentian se había lamentado en Lushan, en un pasaje que había irritado especialmente a Mao, de que todos los problemas del Gran Salto tenían una causa básica: la falta de democracia interna en el partido, lo que significaba que una sola persona tomaba todas las decisiones. «Si alguien realiza observaciones diferentes, es calificado de escéptico, de alarmista, o de "bandera blanca" a la que hay que derribar», había dicho en la conferencia. «¿Por qué? ¿Por qué no se toleran opiniones negativas? ... ¿Qué es lo que debemos temer?»[271]

Y, de hecho, ¿por qué? ¿Por qué Mao no aceptaba las críticas que él mismo había reclamado?

En el caso de Peng, había algunos factores específicos en juego. Dentro de la olla a presión que era el círculo interno, el presidente estaba abierto a las influencias de aquellos cuyas ideas ratificaban las suyas. En los dos cruciales días en que decidió la manera en que se debía responder la carta de Peng, Ke Qingshi, izquierdista y primer secretario de Shanghai, y Kang Sheng, quienes habían estado al frente del Gran Salto y eran por tanto vulnerables a cualquier cambio de política, alimentaron hábilmente las sospechas de Mao de que el ministro de Defensa estaba orquestando una meditada campaña de oposición. Más aún, el hecho de que fuese el terco e independiente Peng, con quien Mao había forcejeado durante décadas, en lugar de cualquier otra figura más afín, el que se atrevió a criticar su política, provocó que su reacción fuese aún más furibunda.

El mismo día en que la carta fue distribuida dijo a su personal: «Por lo que se refiere a Peng Dehuai, yo siempre he mantenido una máxima. Si ataca, yo contraataco ... [Con él] hay un 30 por 100 de cooperación y un 70 por 100 de conflicto —y ha sido así durante treinta y un años».[272]

Pero incluso sin estos agravantes, Mao también habría actuado del mismo modo. A medida que la década de los cincuenta se acercaba a su conclusión, el término «desacuerdo» se convirtió en su mente en sinónimo de «oposición», fuese el desacuerdo de los intelectuales, durante el movimiento de las cien flores, o el del partido.

Después de las «cien flores», Mao había advertido que la lucha de clases entre el proletariado y la burguesía continuaría presente en la sociedad china durante algunos años más. Ahora, aseguraba que esto también era cierto en el seno del partido:

La lucha en Lushan era una lucha de clases, una continuación de la lucha a vida o muerte entre dos grandes clases antagónicas, el proletariado y la burguesía. Este tipo de lucha se prolongará ... en nuestro partido durante al menos veinte años más, y es posible que durante medio siglo ... Las contradicciones y la lucha permanecerán por siempre, de lo contrario no valdrá la pena que el mundo siga existiendo. Los políticos burgueses dicen que la filosofía del Partido Comunista es una filosofía de la lucha. Es cierto, sólo el estilo, y no la lucha, cambia con los tiempos.[273]

De este modo quedaron establecidos los fundamentos de la idea —dominadora de los últimos años de la vida de Mao— de que existía una «burguesía» dentro del partido que debía ser desenmascarada, costase lo que costase, si se quería preservar la pureza revolucionaria.

Al igual que con las «cien flores», y a través de la campaña antiderechista, se silenció a los intelectuales de China, también la conferencia de Lushan, mediante la purga de Peng Dehuai, amordazó a los compañeros de partido de Mao. Zhu De había preguntado al Comité Permanente: «Si personas como nosotros no hablamos claramente, ¿quién se atreverá a hacerlo?». Ahora ya tenía la respuesta del presidente. Nunca más en vida de Mao un miembro del Politburó desafiaría abiertamente su política.

Existía aún otro paralelismo deprimente. La campaña antiderechista se había arrogado medio millón de víctimas. La campaña contra el «oportunismo derechista», tal como fue conocido el movimiento contra las críticas al Gran Salto, desató una sangría política diez veces mayor: seis millones de personas, la mayoría de ellas miembros del partido u oficiales de bajo rango, fueron purgadas y combatidas por supuestamente oponerse a las decisiones de Mao.[274] En Sichuan, el 80 por 100 de los cuadros de rango más bajo fueron depuestos. Al igual que en 1957, los secretarios locales del partido asignaron cuotas de víctimas que cumplir. En algunas áreas, más que a individuos, se acusó a grupos enteros. Una vez más se produjeron numerosos suicidios. «Todo el mundo estaba en peligro», recordaba un primer secretario provincial, «madres y padres, maridos y mujeres, no se atrevían a hablar entre ellos.»[275]

Pero lo que aguardaba en el futuro iba a ser mucho peor.

El ataque a los supuestos «derechistas» produjo, como había ocurrido dos años antes, un nuevo resurgimiento del izquierdismo. Los esfuerzos de Mao por moderar el Gran Salto tomaron repentinamente la dirección contraria. Para probar que Peng estaba equivocado, la política que éste había condenado fue alentada con redoblado vigor. Una vez más, Mao soñaba en voz alta con fabulosas cifras de producción: seiscientos cincuenta millones de toneladas de acero anuales a finales de siglo, y quizá mil millones de toneladas de grano.[276]

Esta renovada visión de abundancia coincidió con un deterioro aún más dramático de los suministros de comida. Las inundaciones en el sur, acompañadas de sequías en el norte, hicieron de la cosecha de 1959 la peor de los últimos años. El gobierno anunció que se habían recogido doscientos setenta millones de toneladas; pero la cifra real, nunca revelada hasta después de la muerte de Mao, fue de ciento setenta millones.[277] El hambre en China no había finalizado en 1949. Muchos inviernos se habían producido bolsas de miseria en una u otra provincia.[278] En 1959, mientras se llevaban a acabo las celebraciones que marcaban el décimo aniversario de la fundación de la China roja, cientos de millones de personas pasaban hambre. Por vez primera desde la victoria comunista, apareció la amenaza de una hambruna colectiva.

Las relaciones con la Unión Soviética —todavía, a pesar de las tensiones mutuas, el principal aliado de China— empeoraron en aquellas circunstancias de forma abrupta. La revuelta tibetana de la primavera, y la consiguiente huida del Dalai Lama, originaron fricciones con la India; y en agosto, cuando aún no habían transcurrido diez días desde el pleno de Lushan, se produjo un enfrentamiento fronterizo en el que resultó herido un soldado indio. Khruschev tomó una posición de neutralidad, desatando la furia de Mao. Un mes más tarde, tras su retorno de la triunfal visita a Estados Unidos, que consagró la política de coexistencia pacífica que Mao tanto detestaba, voló hasta Pekín, en apariencia para asistir a las celebraciones del décimo aniversario, pero en realidad para realizar un último intento de reubicar las relaciones con China en una base más sólida. Sin embargo, la iniciativa estaba condenada desde el principio. La decisión del líder ruso de revocar el acuerdo de cooperación nuclear; sus cortejos con el imperialismo norteamericano; su insistencia, durante los últimos meses, en que la isla de Taiwan fuese recuperada por medios pacíficos; por no mencionar su actitud ante la disputa con India; todo esto, desde el punto de vista de Mao, eran demasiados actos deliberados de traición.

Durante tres días, ambos bandos dialogaron. Pero no se alcanzó ninguna solución.

La sospecha que en 1956 se había comenzado a fraguar en la mente de Mao de que la cúpula soviética estaba abandonando «la espada del leninismo» quedó entonces cristalizada en certeza. Al igual que en los días de Stalin, concluyó, Rusia pondría siempre sus propios intereses en primer lugar, y los de China en segundo. También para Khruschev la visita significó el alejamiento definitivo de sus caminos. Llegó a la conclusión de que Mao era belicoso, hipócrita y nacionalista. Ya no existía base alguna para una relación fraternal simple.

En febrero de 1960, en una reunión en Moscú del pacto de Varsovia, ambos contendientes airearon sus diferencias sobre la coexistencia pacífica ante los miembros del bloque de la Europa oriental. En abril, en un artículo para conmemorar el noventa aniversario del nacimiento de Lenin, el *Diario del Pueblo* fijó la base ideológica de la actitud de China. En tanto que existiese el imperialismo, decía, habría guerras; la competencia pacífica era un fraude, perpetrado por «los viejos revisionistas y sus modernos imitadores». Ambos bandos comenzaron a procurarse el apoyo de otros partidos comunistas. Era inevitable la llegada de un enfrentamiento abierto. En el Congreso del Partido Rumano del mes de junio, Khruschev denunció a Mao, por primera vez mencionando su nombre, por ser «un ultraizquierdista, un ultradogmático y un izquierdista revisionista» que, al igual que Stalin, se había vuelto «negligente ante todo excepto lo que era de su propio interés, ideando teorías totalmente alejadas de la realidad del mundo moderno». Peng Zhen, representante de China, respondió con la misma moneda. Khruschev, dijo, se comportaba de un modo «patriarcal, arbitrario y tiránico» para imponer ideas no marxistas.

Tres días después, la cúpula soviética informó oficialmente a China que, en breve, todos los expertos rusos abandonarían su territorio y que la ayuda rusa había llegado a su fin. Las fábricas quedaron a medio edificar; se rompieron las cianotipias, se abandonaron los proyectos de investigación. Alrededor de mil cuatrocientos especialistas soviéticos y sus familias se embarcaron en trenes especiales con destino a Moscú.

Si la intención de Khruschev había sido obligar a Mao a recapitular, como aseguraban sus asistentes, cometió un grave error de cálculo. Incluso aquellos dirigentes chinos que en privado albergaban dudas sobre las comunas y la estrategia de Mao en el Gran Salto Adelante, se unieron en su defensa. La traición de Rusia había demostrado que la insistencia de Mao en la necesidad de que China encontrase su propio camino independiente hacia el comunismo estaba totalmente justificada. Nunca más se permitirían volver a confiar en una potencia extranjera.[279]

No obstante, la acción soviética infligió un enorme daño económico a China en el momento en que era menos capaz de soportarlo.

En el mes de julio era ya evidente que la cosecha de 1960 sería aún peor que la del año anterior.[280] Era en parte atribuible a las inclemencias del clima. Cuarenta millones de hectáreas, más de un tercio de la tierra cultivable, estaban bajo los efectos de la peor sequía del siglo. En Shandong, ocho de los doce ríos principales quedaron secos. Incluso el río Amarillo llegó a un punto en que los hombres podían caminar a través del agua y cruzar sus tramos más bajos, algo nunca visto en lo que alcanzaba la memoria. Después llegaron las inundaciones. Otros veinte millones de hectáreas quedaron devastadas. Después de un invierno de hambre, el campesinado no tenía ni la fuerza para reponerse ni —lo que era más importante— los medios con que lograrlo, a causa del desequilibrio provocado por el delirio del Gran Salto. «El pueblo está demasiado hambriento para trabajar, y los cerdos están demasiado famélicos para ponerse en pie», se quejó un joven soldado. «Los miembros de la comuna se preguntan: "¿Nos dejará morir el presidente Mao?".» Aquel año, China agonizaba de hambre. El grano que pudo ser recogido totalizó unos insignificantes ciento cuarenta y tres millones de toneladas. Incluso en las afueras de Pekín, la gente comía las cortezas de los árboles y las malas hierbas. El índice de mortalidad anual de la capital, la ciudad mejor aprovisionada de China, se multiplicó por dos y medio. En algunas zonas de Anhui, Henan y Sichuan, donde los secretarios provinciales izquierdistas habían aplicado con mayor intensidad el Gran Salto, una cuarta parte de la población murió de inanición. Los hombres vendían a sus esposas, en caso de que existiesen compradores; y las mujeres se sentían afortunadas de ser compradas, ya que su adquisición significaba su supervivencia. Reapareció el bandidaje. El canibalismo era endémico, como lo había sido durante las hambrunas acaecidas durante la juventud de Mao. Los campesinos se comían a los hijos de los demás para evitar comerse a los propios.

Las cifras exactas, que mostraban la extensión de la catástrofe a nivel nacional, fueron negadas a los miembros del Politburó; sólo se informó de ellas al Comité Permanente.

Entre 1959 y 1960 murieron de hambre unos veinte millones de chinos, y nacieron quince millones menos de niños, debido a que las mujeres estaban demasiado débiles para concebir.[281] Otros cinco millones murieron en 1961 de inanición. Fue el peor desastre humanitario jamás acontecido en China —peor incluso que la gran hambruna de 1870; y peor que la rebelión de los Taiping.[282]

Mientras contemplaba la ruina que sus engaños habían producido, Mao comenzó sombríamente a hacer realidad su promesa, largo tiempo pospuesta, de retirarse al «segundo frente». El Gran Salto había resultado ser una equivocación apocalíptica. Su sueño grandilocuente de abundancia universal se había metamorfoseado en una épica del horror más puro. A finales de 1960 dejó de lado, definitivamente, la idea de hacer de China una gran potencia económica para no volver a ocuparse nunca más de ella.

14

Reflexionando sobre la inmortalidad

Después de la hemorragia de riqueza y población que había provocado la asombrosa locura de Mao, fueron necesarios cinco años hasta conseguir recuperar una apariencia de normalidad.

El primer año de recuperación —o, como se denominó oficialmente, de «ajuste, consolidación, mejora y consumación»— se afrontó como una lucha desesperada por hallar algunas medidas temporales que sirviesen para evitar que la República Popular se desintegrase.[1] En Sichuan y en otras tres provincias occidentales, así como en el Tíbet, fue necesario ordenar al Ejército Popular de Liberación que acabase con rebeliones armadas, impulsadas por los hambrientos campesinos.[2] En Henan, la milicia, creada para proporcionar medios de autodefensa a las comunas, provocó alborotos, cometiendo robos, violaciones y asesinatos. Los campesinos se referían a los milicianos como a «reyes de los bandidos», «bandas de tigres» o «bandas de matones». Allí y en Shandong, donde los excesos del Gran Salto habían alcanzado mayor severidad, la autoridad del gobierno en diversos distritos quedó totalmente desintegrada.[3] Liu Shaoqi advirtió que China se enfrentaba a la anarquía, similar a lo que la Unión Soviética había experimentado durante la guerra civil, a principios de los años veinte.[4]

Para disminuir la presión que representaban los abastecimientos urbanos de alimentos, se obligó a veinticinco millones de habitantes a desplazarse de las ciudades al campo; una proeza que Mao describió con admiración indicando que era «equivalente a deportar la población de un país mediano como Bélgica». Pero incluso así fueron necesarias importaciones masivas de grano para conseguir alimentar a los que subsistían en las urbes. En 1961, se adquirieron en el extranjero cerca de seis millones de toneladas de trigo, la mayoría en Australia y Canadá, e incluso una parte en Estados Unidos, enmascarada a través de Europa.[5] Este nivel de importaciones se mantendría hasta los años setenta.

Al margen de estas medidas puntuales, Liu y sus compañeros comenzaron a reexaminar las falsas suposiciones que constituían la base del Gran Salto.

Como siempre, la principal dificultad era Mao.

Su retiro al «segundo frente» no representó una renuncia al poder, sino sólo un cambio en el modo de ejercerlo. Mientras que antes el presidente marcaba el paso y todos los demás debían seguirlo, ahora esperaba que fuesen los otros miembros del Comité Permanente del Politburó los que tomasen la iniciativa, pero siguiendo los mismos derroteros que él tenía en mente. Peng Dehuai ya había experimentado en sus propias carnes que sólo Mao tenía la potestad de cuestionar las decisiones políticas que él mismo había elaborado. Liu y Deng Xiaoping, a su vez, descubrieron entonces los peligros de estar en el «primer frente». «¿Qué emperador ha tomado jamás esta decisión?», preguntó Mao en marzo de 1961, después de que Deng hubiese propuesto (sin haberse procurado primero su aquiescencia) que la política agraria se debía aplicar de un modo diferente en el norte y en el sur.[6]

Como resultado, se impuso la cautela más extrema. Se evitó por todos los medios la revisión de las «cosas recientemente nacidas» del Gran Salto Adelante —las comunas, los comedores colectivos, el sistema de abastecimiento gratuito—, a menos que no existiese duda alguna de lo que estaba tramando el presidente. Así, en marzo de 1961, el Comité Central ratificó con firmeza el valor del sistema de comidas comunales.[7] Pero cuando, un mes después, Mao apoyó un informe que afirmaba que los comedores comunitarios se habían convertido en «un impedimento para el desarrollo de la producción y en un cáncer para la relación entre el partido y las masas», sus camaradas cambiaron inmediatamente de actitud.[8] En pocos días, Liu Shaoqi, entonces enfrascado en un viaje de inspección por Hunan, comenzó a hacerse eco de la nueva línea del presidente; al igual que Zhou Enlai, de visita en Hubei; seguidos, en una rápida sucesión, por Deng Xiaoping, Peng Zhu y Zhu De.[9] Las repercusiones se percibieron incluso en los campos de trabajo, adonde se enviaba a los prisioneros chinos para producir utensilios de aluminio para cocina que debían ocupar el lugar de los de hierro, fundidos durante la campaña del acero de los patios traseros, de modo que las familias campesinas dispusieran una vez más de los medios con que poder cocinar para ellos mismos, ahora que el catering colectivo había llegado a su fin.[10]

En junio desapareció, además, el sistema de abastecimiento.[11] Y también se incrementó la superficie de tierra que se podía asignar como parcela privada. Se restableció el principio de «a más trabajo, mejor salario», junto con la máxima leninista de «el que no trabaje, no comerá»; una advertencia siniestra en un período de hambruna generalizada. Se volvieron a autorizar las ferias y los mercados rurales, prohibidos durante el Gran Salto, y reaparecieron los buhoneros y los vendedores ambulantes.

Finalmente, en el mes de septiembre, Mao realizó una última concesión.[12] Durante el verano, contando con la aprobación de la cúpula, muchas comunas habían sido subdivididas hasta alcanzar la mitad, o un tercio, de su dimensión original, en un intento de hacerlas menos ingobernables. Ahora Mao informó a sus colegas que había decidido que la unidad básica de gestión, que asignaba a cada familia sus tareas y distribuía los frutos de la cosecha, también debía reducirse, retrocediendo de la «brigada», que agrupaba a varias aldeas, al «equipo de producción», equivalente a las cooperativas de una sola aldea fundadas hacía cinco o seis años. El propósito era recuperar la motivación de los campesinos vinculando sus recompensas directamente a sus propios esfuerzos y a los de sus vecinos, en lugar de mancomunar sus recursos con familias de otras comunidades.

Esto estaba muy lejos de los principios que Mao había dictado en 1958. En aquel momento había proclamado que la superioridad de las comunas consistía en que eran «en primer lugar, grandes; en segundo lugar, de propiedad pública». Pero ahora lo único que podía anhelar era que el concepto comuna pudiese sobrevivir a los furiosos ataques del hambre y la desmoralización nacional.

Sin embargo, una vez más, la preventiva retirada del presidente resultó insuficiente.

El problema, en parte, era que en el pasado más reciente se habían producido demasiados giros y requiebros, de modo que los cuadros locales eran reacios a cambiar el curso de los acontecimientos, a pesar de que el Politburó así lo ordenase, a menos que los vientos cambiasen una vez más y fuesen denunciados como derechistas.

Otros —no sólo a nivel local, sino incluyendo miembros radicales del Politburó como Kang Sheng, Ke Qingshi en Shanghai, o el líder de Sichuan, Li Jingquan— estaban tan identificados con la política izquierdista que cualquier repudia pública del Gran Salto representaba para ellos una amenaza política. Por ello se resistían a avanzar; hasta el punto, en el caso de Li Jingquan, de defender los comedores comunales después incluso de que el mismo Mao los hubiese condenado.

Más aún, ambos grupos notaron que el presidente se mantenía profundamente ambivalente ante el cambio de dirección que imponían los acontecimientos. No sólo se negó a admitir que las decisiones políticas previas habían sido equivocadas —lo más lejos a lo que llegaría sería a decir que nadie era inmune al error—, sino que además los nuevos planes trazados aquel mismo año para reactivar el comercio y la industria, y proporcionar un nuevo impulso a la ciencia, la educación, la literatura y las artes, contenían todos ellos ambigüedades inherentes que podían ser interpretadas de un modo tan radical como moderado (y debía ser así si se quería obtener la aprobación de Mao), dependiendo de hacia dónde soplasen los vientos políticos. Zhou Enlai resumió el inestable compromiso en que se basaba la nueva política cuando reclamó a los oficiales: había que, «con una mano, hacer realidad la lucha de clases, con la otra consolidar el frente unido», una cuadratura del círculo ideológico que, como él sabía perfectamente, era imposible.[13]

En estas circunstancias, los colegas de Mao continuaron adhiriéndose rigurosamente a los parámetros marcados por el presidente.

Las previsiones de acero y carbón quedaron recortadas hasta unos niveles que, por primera vez desde 1957, tenían alguna relación con la realidad. Se concedieron gratificaciones a los obreros industriales, y se retornaron sus antiguos poderes a los dirigentes de las fábricas. Deng, Liu, y el ministro de Asuntos Exteriores, Chen Yi (aunque no el siempre prudente Zhou Enlai) ahondaron en la tácita admisión de Mao de que se habían cometido errores —citando tanto Deng como Liu a campesinos de las áreas que habían visitado, quienes habían indicado que la hambruna se debía «en un 30 por 100 a las calamidades naturales y en un 70 por 100 a los errores humanos».[14] Pero nadie dijo en qué consistían los errores, y aún menos quién los había cometido.

De este modo, el problema continuaba sin resolver.

Durante el resto del otoño, Mao, sintiéndose cómodo en su nueva posición en el «segundo frente», permaneció silencioso. Sus compañeros demandaban un mayor realismo, pero en unos términos tan equívocos que no convencían a nadie. Los oficiales de menor rango mantenían su fuego, a la espera de señales más claras.

El resultado fue que, en diciembre, no había todavía ninguna evidencia de recuperación económica. En Anhui y en otras provincias gravemente dañadas, los cuadros comenzaron a experimentar con los llamados «sistemas de responsabilidad familiar», según los cuales la tierra era arrendada a las familias para su explotación individual.[15] Zhu De, durante una visita a su provincia natal, Sichuan, se topó con casos de campesinos que habían abandonado las comunas para labrar por su cuenta, y cuestionó si, en las extremas dificultades del momento, no sería mejor aprobar oficialmente tales procedimientos, teniendo en cuenta que «si no lo escribes, pasará de todos modos».[16]

A los ojos de Mao, aquello reavivó el espectro del desmoronamiento total de la colectivización en el campo.

De acuerdo con esa visión, Mao convocó en enero de 1962 una conferencia de trabajo del Comité Central en Pekín, a la que asistieron no sólo los dos o tres centenares de oficiales veteranos normalmente presentes en ese tipo de reuniones, sino más de siete mil cuadros, llegados desde los comités del partido de los distritos y las comunas de toda China.

La idea de fondo de esta excepcional reunión era que ésta debía convertirse en un punto de inflexión. Pero mientras Mao pretendía que la conferencia se transformase en una llamada para detener la erosión de los valores socialistas, Liu Shaoqi y los otros dirigentes del «primer frente» la entendieron como un momento para la verdad, en el que, después de una larga espera, se podrían extraer lecciones de los errores del pasado y el partido conseguiría volver a empezar desde la base de un consenso político que los cuadros locales que asistiesen transmitirían directa y convincentemente a las raíces, a las masas.

Antes de entrar propiamente en materia, Liu marcó el tono del encuentro con un informe pródigo en decididos elogios sobre la correcta guía de Mao en «todos los momentos críticos».[17] «Es necesario señalar», reconoció, «que la responsabilidad máxima de las carencias y los errores de nuestras acciones durante los últimos años residen en la central del partido.» Aquellas palabras suscitaron en su audiencia la demanda de precisar la identidad de los culpables. Pero ni Liu ni ningún otro estaban preparados para comprometerse a sí mismos en una sesión pública. Sin embargo, unos días después, reunido en comité, el dirigente de la China Septentrional, Peng Zhen, fue mucho más directo: la central del partido, precisó, incluidos Mao, Liu Shaoqi y el resto del Comité Permanente del Politburó.[18] Cada uno de ellos debía compartir la culpa según su grado de responsabilidad. El propio Mao, continuó Peng, no era inmune al error. Había sido él el que había hablado de realizar la transición al comunismo en «tres o cinco años», y el que había impulsado la creación de los ya abandonados comedores comunitarios. Incluso si el presidente se hubiese equivocado «sólo una diezmilésima parte», sería algo «repugnante que él no realizase una autocrítica».

Mao le respondió diez días después:

> Todos los errores que ha cometido la central son mi responsabilidad inmediata, y comparto indirectamente la culpa, porque soy el presidente del Comité Central. No quiero que los demás eludan su responsabilidad. Existen otros camaradas que comparten la carga, pero yo debo ser el principal responsable.

Como «autocrítica», sus palabras eran superficiales en extremo. Mao no sólo fue incapaz de reconocer el más mínimo error de juicio personal, sino que no había ningún indicio de querer realizar una disculpa, ni de admitir la verdadera extensión de las calamidades que su política había provocado. En lugar de ello, procuró relativizar su falta, insistiendo en que, en todos los niveles de la jerarquía, «todo el mundo tiene su porción de responsabilidad», y reclamando a los demás que también afrontasen sus errores.

Aquellos de vosotros que ... sentís temor ante el hecho de asumir vuestra responsabilidad, que no permitís que los demás hablen, que creéis que sois tigres, y que nadie se atreverá a tocar vuestro trasero, aquellos que tengáis esta actitud, diez de cada diez vais a fracasar. Al fin y al cabo, la gente hablará. ¿De verdad creéis que nadie se atreverá a tocar los traseros de tigres como vosotros? ¡Vaya si lo harán![19]

Por insignificante que fuese, el reconocimiento de Mao de su propia responsabilidad magnetizó la reunión. No necesitaba añadir nada más: que hubiese admitido el haber cometido algunos errores, en un partido que había aprendido a considerarle infalible, era realmente un hecho sin duda extraordinario.

Durante la semana siguiente, un tigre tras otro, comenzando por Zhou Enlai y Deng Xiaoping, se flagelaron ritualmente con detalladas confesiones de sus errores.[20] Cuando el encuentro llegó a su fin, el 7 de febrero, en el Politburó y en las delegaciones regionales dominaba un nuevo sentimiento: se había pasado una página, y era finalmente posible poner en práctica las pragmáticas decisiones políticas planteadas durante el año anterior.

Para Mao, la «gran conferencia de los siete mil cuadros», como fue posteriormente conocida, fue una experiencia profundamente desagradable. No disfrutó criticándose a sí mismo (a pesar de reconocer que era esencial para poder trazar una línea de separación con el pasado). Había quedado aterrado por la hostilidad mostrada hacia la política del Gran Salto Adelante por los delegados de base, y por las exigencias de la audiencia reclamando una explicación del porqué del desastre. «Se quejan todo el día y miran obras de teatro por la noche, toman tres comidas completas cada día, y se tiran un pedo, eso es lo que significa el marxismo-leninismo para ellos», refunfuñó.[21] Aún menos le habían satisfecho las censuras de Peng Zhen, a pesar de que las diferentes circunstancias, tras tres años de hambrunas y ruina económica, le obligaron a reaccionar de diferente modo a como lo había hecho con Peng Dehuai. La reunión también había suscitado una preocupante contracorriente a favor de la rehabilitación del mariscal en desgracia, ahora que su crítica al Gran Salto se había mostrado tan justificada. Liu Shaoqi, que sabía que su propia posición quedaría amenazada si se restituía a Peng, aniquiló enérgicamente toda sugerencia de su retorno, pero de un modo que dejaba entender a la audiencia que las críticas de Peng habían sido correctas; sus errores consistían en haberse «aliado con Rusia» y «tramar en contra de la cúpula del partido».[22]

La misma intervención de Liu en la conferencia puso también a Mao en un aprieto.

Al tiempo que solícitamente recitaba el mantra de «desde 1958, nuestros logros son lo principal, y las carencias son secundarias», había reconocido, como nunca lo haría Mao, que en algunas partes del país el retroceso había sido real, y fijó la ratio nacional de éxito y fracaso no en una proporción de nueve a uno, como había hecho Mao, sino de siete a tres.[23]

No obstante, más que por todo lo anterior, el presidente estaba preocupado por el hecho de que la reunión no había contribuido en nada a reafirmar las verdades socialistas básicas. «Si nuestro país no establece una economía socialista», advirtió a los delegados, «nos convertiremos ... en otra Yugoslavia, que en la actualidad es un país burgués.»[24] No hubo respuesta. En medio del colapso económico, la preservación de las consignas de identidad socialistas no era para la mayoría de los delegados un asunto fundamental.

En consecuencia, cuando la reunión llegó a su fin, Mao se retiró a Hangzhou, donde permaneció durante la primavera y principios del verano, dejando, por primera vez, al triunvirato formado por Liu Shaoqi, Zhou Enlai y Deng Xiaoping como responsable único del partido y de los asuntos de Estado.[25]

En parte, Mao estaba malhumorado: no tenía deseo alguno de implicarse en decisiones políticas que, en el fondo, desaprobaba. Y en parte, estaba tanteando las aguas: dejando a sus colegas al mando, abandonados a sí mismos, pondría de relieve la materia de la que estaban hechos. Pero además existía un paralelismo con el comportamiento de Mao en un momento mucho más temprano de su carrera política, cuando en los años veinte y treinta, durante los momentos más críticos, se había retirado, voluntaria o involuntariamente, para esperar la llegada de circunstancias más propias en las que efectuar su retorno.

No tuvo que esperar demasiado tiempo.

En marzo envió a su secretario personal, Tian Jiaying, a su pueblo natal de Shaoshan para observar personalmente cómo les iba a los campesinos. Tian quedó boquiabierto al descubrir que de lo único que todos ansiaban hablar era del «sistema de responsabilidad familiar», que tanto él como Mao desaprobaban. Desde la colectivización de 1955, explicaban, la cosecha había disminuido un año tras otro. Laborando por su cuenta, ellos serían capaces de invertir esa tendencia. En el mes de mayo Tian ya había sido convertido: cosechar por familias quizá fuera políticamente incorrecto, pero, en las desesperadas encrucijadas por las que transitaba China, era la mejor manera de incrementar la producción y lo que deseaban los campesinos. Chen Yun y Liu Shaoqi estuvieron de acuerdo. En una reunión del secretariado celebrada en junio, Deng Xiaoping citó un proverbio sichuanés: «No importa si el gato es negro o blanco; si caza ratones es un buen gato». Deng Zizhi, máximo responsable de agricultura que se había enfrentado a Mao con motivo del establecimiento de las cooperativas, elaboró un programa nacional para poner en práctica el «sistema de responsabilidad».[26] Aquel verano, el 20 por 100 de los campos de China fueron labrados siguiendo un sistema individual.[27]

Cuando Tian informó de sus descubrimientos a Mao, la respuesta del presidente fue un eco de las palabras que, siete años antes, había dirigido a Deng Zihui: «Los campesinos desean la libertad, pero nosotros queremos el socialismo». Había ocasiones, dijo ásperamente a Tian, en que «no podemos obedecer plenamente a las masas», y la situación actual era una de ellas.

Durante algunas semanas más, Mao contuvo su ira. La situación en el campo era todavía demasiado crítica para arriesgarse a embarrancar el barco. Pero a principios de julio, cuando era evidente que la cosecha del verano sería mejor que la de los dos años anteriores —y que, por lo tanto, la agricultura se estaba recuperando sin los compromisos ideológicos que comportarían los «sistemas de responsabilidad»—, intervino con decisión.[28] Sin molestarse en informar a los dirigentes del «primer frente» del Comité Permanente del Politburó, regresó a Pekín, donde ordenó a Chen Boda, su antiguo secretario político en Yan'an, entonces miembro suplente del Politburó y destacado radical, que redactase una resolución del Comité Central impulsando el fortalecimiento de la economía colectivista.[29] Cuando se filtró la noticia de que el presidente había regresado, y de la nueva declaración de hostilidades, sus colegas corrieron a cubierto.

Deng Xiaoping emitió, presa del pánico, una instrucción para que el dicho «gato blanco, gato negro» fuese borrado de los textos escritos de sus discursos. Chen Yun partió con un permiso por enfermedad, y durante los quince años siguientes languideció, para retornar a sus tareas sólo después de la muerte de Mao. Liu Shaoqi salió al paso realizando una autocrítica por no ser capaz de prevenir los errores de los otros dirigentes. Incluso al extraordinariamente cauto Zhou Enlai se le reprochó el haber sido presa del pesimismo. «Hemos estado durante dos años argumentando sobre las dificultades y en la más absoluta oscuridad», dijo Mao. «Mirar hacia la luz se ha convertido en un crimen.»[30]

Sin embargo, la labranza privada no era el único motivo de queja de Mao. Se sentía disgustado por la actitud conciliadora que Liu había adoptado ante Estados Unidos y la Unión Soviética. Esta postura se había puesto de manifiesto en un artículo redactado por Wang Jiaxiang, uno de los estudiantes retornados que, a finales de los años treinta, había ayudado a convencer a Stalin de la conveniencia del liderazgo de Mao, y que ahora encabezaba el Departamento de Enlaces Internacionales del partido. En un período de aguda fatiga interna, había justificado Wang, China debía intentar en la medida de lo posible evitar complicaciones internacionales. Liu y Deng habían estado de acuerdo. La primavera mostró algunos signos de liberación en las tensiones con la India y la Unión Soviética, y en junio se alcanzó un entendimiento con los norteamericanos para evitar nuevas fricciones sobre la cuestión de Taiwan.

Para Mao, aquello apestaba a traición.

En la primera ocasión en que había cedido el control a los hombres que él mismo había escogido para dirigir China después de su muerte, éstos se habían mostrado, cuanto menos, capaces de realizar graves errores de juicio en dos cuestiones fundamentales: la oposición al imperialismo y a «su perro faldero, el revisionismo», en el escenario internacional, y la prevención del capitalismo en el doméstico; y en el peor de los casos, eran culpables de asumir compromisos sin principios para fines prácticos a corto plazo.

El presidente lanzó su ataque en la conferencia anual de trabajo, celebrada en verano en Baidaihe. Los «sistemas de responsabilidad», declaró, eran incompatibles con la economía colectivista. El partido, por tanto, se enfrentaba a una difícil elección: «¿Tomaremos el camino del socialismo o el del capitalismo? ¿Queremos o no queremos adoptar el cooperativismo rural?». Era la misma táctica que había empleado en Lushan, cuando se enfrentó al Comité Central con una disyuntiva igualmente maniquea entre Peng Dehuai y él mismo. Con Mao no había posibilidad alguna para el camino del medio.

Habiendo de este modo transferido desde el escenario económico al político la cuestión de las prácticas de labranza, Mao recuperó nuevamente, como había hecho en enero, el ejemplo de Yugoslavia, un país que había «cambiado de color» abandonando la economía socialista. La lucha de clases, recordó a su audiencia, continuaba vigente con el socialismo y, como habían demostrado los acontecimientos en la Unión Soviética, «la clase capitalista puede renacer». Lo mismo, se deducía, podía ocurrir algún día en China.[31]

Un mes después, en el Décimo Pleno del Comité Central, Mao volvió a mencionar esas cuestiones:

Debemos admitir en nuestro país ... la posibilidad de la reaparición de las clases reaccionarias. Debemos mantener la guardia y educar adecuadamente a nuestros jóvenes ... De lo contrario, un país como el nuestro puede oscilar hacia su opuesto. Por ello, a partir de ahora, debemos discutir sobre este tema todos los años, todos los meses, todos los días ... de modo que sigamos el enfoque marxista-leninista más sabio del problema.[32]

Mao añadió, en un tono tranquilizador, que no se produciría ninguna repetición de lo que había ocurrido en Lushan, cuando «todo el dar por culo [de Peng Dehuai] echó a perder la conferencia y afectó el trabajo práctico».[33] En esta ocasión, después de decenas de millones de muertos por el hambre, ni siquiera él deseaba poner la lucha de clases en una posición que pudiese abortar nuevamente la recuperación económica. Aun así, declaró, el oportunismo derechista, o el «revisionismo chino», como ahora lo llamaba, habitaba todavía «en el país y en el seno del partido», y tenía que ser combatido.[34]

De este modo finalizó el breve esfuerzo de Liu Shaoqi por situar la política china sobre una base más racional, guiada no por la lucha de clases, sino por los imperativos económicos.

Nadie en el Politburó intentó refrenar sus pirómanos impulsos ideológicos, y más teniendo en cuenta que ya habían intentado doblegar sus poderes en su momento de mayor flaqueza, durante la «conferencia de los siete mil cuadros» del enero anterior. En consecuencia, la idea de que la burguesía podía emerger en el seno del Partido, que Mao sugirió por vez primera en agosto de 1959 en Lushan, pasó a ocupar nuevamente el centro del escenario, ahora explícitamente vinculada al rechazo a degenerar en un comunismo soviético a través de una proclama de cuatro caracteres: *fan xiu, fang xiu* —«oponerse al revisionismo (en el extranjero), prevenir el revisionismo (en casa)».[35] Ese nexo fatal daría forma al pensamiento de Mao, y dominaría la política de China, durante los últimos catorce años de su vida.

El primer signo externo del nuevo giro izquierdista que durante el otoño de 1962, y con tanto esfuerzo, Mao había provocado en la política china se manifestó en el Himalaya. En julio habían estallado enfrentamientos armados después de que las tropas indias comenzasen a situar controles a lo largo de las disputadas fronteras entre Tíbet y la Agencia Fronteriza Nororiental de la India. En octubre, después de que Nerhu hablase sin cautela alguna de «liberar los territorios indios ocupados», Mao decidió que había llegado el momento de dar una lección a «ese representante de la burguesía nacional reaccionaria». Tras una serie de combates, en los que intervinieron unos treinta mil soldados chinos, las unidades indias fueron definitivamente derrotadas, y en el momento en que los chinos declararon un cese el fuego unilateral, el 21 de noviembre, Nerhu se había visto ya obligado a dirigir una humillante llamada de socorro a Occidente.

En las etapas iniciales del conflicto, Khruschev se había mostrado más receptivo que en la última contienda con India, en 1959. Pero coincidieron con un momento en que él mismo se encontraba sumido en una crisis, la de Cuba, donde la CIA descubrió el emplazamiento de los misiles soviéticos, y necesitaba por tanto del apoyo de China. Una vez superada la amenaza cubana, el líder soviético volvió a su postura más habitual a favor de la India; provocando que Mao se enojase por partida doble, no sólo por la traición de Khruschev a la solidaridad socialista, sino también por la errónea mezcla de aventurismo y capitulación con que se había enfrentado a los norteamericanos.[36] En pocos días, la polémica chino-soviética, acallada desde que los rusos habían excomulgado a Albania a finales de 1961, resurgió con la máxima fuerza, culminando, un año después, en una serie de cartas abiertas muy extensas —conocida como «la polémica sobre la línea general del movimiento comunista internacional»— en las que, por vez primera, los chinos atacaban al partido soviético citándolo por su nombre (y los rusos respondían de igual modo).[37]

Esta renovada agresividad en el escenario internacional tuvo su reflejo en la esfera doméstica.

La decisión de prohibir el trabajo privado en el campo condujo, en invierno de 1962, a un destacable número de iniciativas provinciales que pronto quedaron agrupadas, con el sello personal de Mao, bajo el nombre de Movimiento de Educación Socialista. Su *raison d'être* era muy simple.[38] El campesinado, y los cuadros locales que le habían impulsado a ello, suspiraban todavía por el capitalismo en forma de «sistemas de responsabilidad»; por ello debían reaprender las virtudes de la economía colectiva y la superioridad del socialismo.

En su formulación inicial, la campaña estaba dirigida contra la corrupción de los cuadros y las actitudes contrarias al socialismo, como los matrimonios concertados, la geomancia, la hechicería, los rituales budistas y taoístas, y el culto a los antepasados. Se celebraban reuniones en las que los miembros de las comunas eran incitados a «hablar de sus amarguras», explayándose sobre las miserias de la antigua sociedad, para persuadir así a los jóvenes campesinos de que, incluso durante las hambrunas, la vida con los comunistas era preferible. Los propagandistas del partido crearon un nuevo personaje modélico, un soldado del Ejército Popular de Liberación llamado Lei Feng, que había dedicado su carrera militar a limpiar el lecho de sus camaradas, ayudar a los cocineros a lavar las calabazas y a las ancianas a cruzar las calles, siguiendo el eslogan «Es glorioso ser un héroe desconocido», antes de morir generosamente por el bien de la causa revolucionaria. Lei era la quintaesencia de la abnegación inmarcesible, cuya devoción, inmutable lealtad y obediencia a Mao y al partido fueron recogidas en un dietario de nauseabundo servilismo:

Esta mañana me sentía particularmente feliz cuando me levanté, porque la pasada noche soñé en nuestro gran líder, el presidente Mao. Ha ocurrido hoy, cuando se cumple el cuarenta aniversario del partido. Tengo tantas cosas que decirle hoy al partido, tanto que agradecerle ... Soy como un niño pequeño, y el partido es como la madre que cuida de mí, me guía y me enseña a andar ... Mi amado partido, mi estimada madre, seré por siempre tu leal hijo.[39]

Pero la campaña necesitaba una punta de lanza más afilada que el «hablar de las amarguras» y emular a Lei Feng. En la conferencia de trabajo del

Comité Central, celebrada en febrero de 1963, Mao aseguró que el único camino para evitar el revisionismo era la lucha de clases. «En cuanto [la] hayamos comprendido», declaró, «todo quedará resuelto.» En consecuencia, se acordó que se lanzaría una campaña nacional para llevar a cabo «cuatro limpiezas» en el campo (examinar las cuentas de los equipos de producción, los graneros, los almacenes y la asignación de los puestos de trabajo), y los «cinco antis» en las ciudades (contra los desfalcos, la malversación, la especulación, la extravagancia y el burocratismo). Tres meses después, una nueva conferencia de trabajo, esta vez en Hangzhou, trazó un programa formal para el movimiento, en el que Mao describió con términos apocalípticos los peligros a que se tendrían que enfrentar si no se lograba detener la tendencia hacia el revisionismo:

> Si dejamos que las cosas continúen en esta línea, no estará lejos el día —a unos pocos años, alrededor de diez, o algunas décadas a lo sumo— en que el resurgimiento a nivel nacional de la contrarrevolución será inevitable. Será cierto entonces que el partido del marxismo-leninismo se habrá convertido en un partido del revisionismo, del fascismo. China entera cambiará de color ... El Movimiento de Educación socialista es ... una lucha que exige la reeducación de los hombres ... [y] la confrontación con las fuerzas del feudalismo y el capitalismo, que en la actualidad nos atacan febrilmente. ¡Debemos cortar de raíz la contrarrevolución![40]

Después de esta llamada a las armas, Mao se retiró una vez más del escenario para observar cómo los dirigentes del «primer frente» abordaban la nueva tarea que les había confiado.

Fue una misión delicada. El capitalismo rural debía ser suprimido, pero los mercados rurales y los campos privados, considerados esenciales para la recuperación económica, debían ser fomentados. Se tenía que promover el criticismo de las masas para conseguir purgar a los cuadros corruptos, pero sin ningún efecto pernicioso para la producción.

A medida que el movimiento progresaba, esas cuestiones se desvanecieron en la insignificancia ante la enorme magnitud de la tarea que los dirigentes del partido descubrieron que debían afrontar. Inicialmente, Mao había seguido su regla habitual de sugerir que, a *grosso modo*, quizás el 5 por 100 de la población rural tenía «problemas» que debían ser corregidos. En la primavera de 1964, tanto él como Liu Shaoqi hablaban ya de que un tercio de los equipos de producción rural estaban controlados por fuerzas hostiles. No sólo la corrupción de los cuadros era casi universal, sino que había tantos oficiales de base que habían sido objeto de purga durante los diez años precedentes, en una u otra campaña política, que ya no quedaban más dirigentes locales «limpios» en que apoyarse. Los cuadros externos, en su función de supervisores del movimiento, se encontraron con la responsabilidad de tener que reemplazar un grupo de funcionarios poco íntegros por otro igualmente dudoso a causa de que no quedaba disponible nadie más.

Para manejar la situación, Liu Shaoqi desató, en septiembre de 1964, la purga de las organizaciones rurales del partido más devastadora jamás habida en China.

Un millón y medio de dirigentes locales fueron movilizados, reorganizados en equipos de trabajo de diez mil personas o, en algunos casos, de algunas decenas de miles, y destinados por un mínimo de seis meses a distritos cuidadosamente escogidos, actuando como un oleaje humano purificador de los grupos de liderazgo, comenzando por los de las aldeas. Los blancos de la campaña se ampliaron hasta incluir las ofensas ideológicas, las políticas y las organizativas, así como también las económicas. La violencia se universalizó. Incluso en las fases iniciales, moderadas, unas dos mil personas murieron en un único conjunto experimental de distritos de Hubei, mientras que en Guangdong, unas quinientas se suicidaron. Posteriormente, según las palabras de un cuadro del partido, «todo se transformó en un absoluto infierno».[41] El primer secretario de Hubei, Wang Renzhong, uno de los dirigentes provinciales predilectos de Mao, reclamó una «violenta tormenta revolucionaria», en la que muchas delegaciones del partido de menor rango se arruinaron y el poder tuvo que ser temporalmente cedido a las asociaciones de campesinos pobres. El propio Liu Shaoqi afirmó que la conmoción se prolongaría cinco o seis años más.

Era una perspectiva que debió de extasiar a Mao, siendo, como era, el apóstol de la violencia de clases. Cuando el año 1964 se acercaba a su fin, Liu y él parecían estar más hermanados en sus ideas que en cualquier otra ocasión desde que el más joven se había convertido en el aparente heredero de Mao. Pero, como siempre, las apariencias engañaban.

Mao tomó por vez primera, en 1952, la decisión de retirarse al «segundo frente» en parte para poder escapar de las obligaciones rutinarias de un jefe de Estado, que él detestaba, y concentrarse en las cuestiones estratégicas; y en parte para conceder a sus sucesores putativos la oportunidad de dirigir el partido y el Estado mientras él todavía estaba allí para guiarles. Este segundo motivo se convirtió rápidamente en el principal, teniendo en cuenta los acontecimientos acaecidos en la Unión Soviética. Malenkov, explicó Mao tiempo después, había fracasado en su perpetuación porque Stalin nunca le había permitido ejercer el poder real mientras él estaba con vida. Por esa razón, explicó, «yo quería que [Liu Shaoqi y los demás] pudiesen labrarse un prestigio antes de que yo muriese».[42]

El mal ejemplo de la Unión Soviética no terminaba aquí. Khruschev, según Mao, acabó por ser un candidato aún menos apto para continuar la causa revolucionaria, echando a perder no sólo «la espada de Stalin», sino también «la espada de Lenin». Bajo su liderazgo, la Unión Soviética se había convertido en un Estado revisionista que practicaba el capitalismo. La herencia de Marx y Lenin había sido derrochada; todo a causa de la incapacidad de Stalin para cuidar de sus sucesores revolucionarios en la perpetuación de su causa.

Parece ser que hasta 1961 Mao no había albergado dudas acerca de que Liu Shaoqi fuese la elección más correcta para actuar como delfín de su propio legado revolucionario. Liu era la organización personificada, un hombre apartado e intimidador, sin auténticos amigos, sin intereses extraños y con apenas sentido del humor, cuya fenomenal energía estaba consagrada en su totalidad al servicio del partido; lo que en la práctica significaba que era capaz de convertir en realidad cualquier cosa que Mao desease. Era exigente consigo mismo y con su familia, rehuía todo privilegio, y cultivaba una imagen pública puritana que hablaba de jornadas de trabajo de dieciocho horas y un código de conducta tan rígido que, en una ocasión en que descubrió que se le pagaba un yuan extra (unos treinta peniques de aquel momento) por haber trabajado hasta más allá de la medianoche, él insistió en reembolsar hasta el último céntimo mediante deducciones de su salario.

Cuando, en septiembre de aquel año, Mao explicó al mariscal de campo Montgomery que Liu era su sucesor ya designado, la noticia fue distribuida ampliamente por los escalafones superiores de la jerarquía del partido, aparentemente para preparar el camino de su retirada y convertirse, en el siguiente congreso, en presidente honorario del partido, según preveía la constitución de 1958.[43]

Cada Primero de Mayo y en el Día Nacional, el retrato de Liu era impreso en el *Diario del Pueblo*, junto al de Mao, y al mismo tamaño. Sus obras eran estudiadas con las de Mao (al igual que había ocurrido durante la campaña de rectificación de Yan'an, veinte años antes) y, a sugerencia del presidente, se iniciaron los trabajos para preparar una edición de sus *Obras selectas*, un honor hasta entonces sólo otorgado a Mao. Uno de los ensayos de Liu, escrito en los años treinta, titulado «Cómo ser un buen comunista», fue redistribuido en forma de panfleto en una edición de dieciocho millones de copias.[44]

Esto no significa que no existiesen fricciones entre ellos. A diferencia del complaciente Zhou, que hizo de la lealtad a Mao una religión, o del adulador Lin Biao, Liu tenía criterio propio (que era lo que había impulsado al presidente a escogerle como su primer sustituto). En ocasiones —como en 1947, cuando Mao le reprochó su excesivo izquierdismo en el movimiento de reforma de la tierra, o en 1953, cuando consiguió manipular a Gao Gang para refrenar su independencia— su tendencia a seguir su propio camino le irritaba. Pero nada parecía sugerir que se acercaba una ruptura.

Todo comenzó a cambiar en la primavera de 1962.

Las críticas de Liu al Gran Salto Adelante pronunciadas durante la «gran conferencia de los siete mil cuadros» fueron un primer factor. Pero de lejos más determinante fue la inseguridad que mostró a lo largo de los cinco meses que duró el retiro de Mao. Si Liu perdía tan fácilmente los nervios cuando la economía no respondía a las expectativas —autorizando medidas de emergencia que representaban una traición a los valores comunistas—, ¿cómo se podía confiar en él para que defendiese la política de Mao cuando el presidente ya no estuviese cerca? Era como si, con su retiro, le hubiese dado a Liu suficiente cuerda para ahorcarse a sí mismo, y su heredero le hubiese complacido con prontitud. Durante los siguientes dos años Mao se reservaría su valoración, pero su fe en el joven había quedado resquebrajada.

Nunca más se volvió a hablar de su plan de retirarse como presidente honorario del partido. En su lugar, en un poema escrito en enero del año siguiente, cuando llegaba a su septuagésimo aniversario, celebró nuevamente su implacable determinación de forzar a China para que marchase siguiendo el paso que él había escogido:

> Hay tantas tareas que piden a gritos que sean hechas,
> y siempre con urgencia;
> el mundo se revuelve,
> el tiempo empuja.
> Diez mil años son un tiempo demasiado largo,
> ¡aprovechad los días, aferraos a las horas!
> Los cuatro mares se embravecen, nubes y aguas se enfurecen,
> los cinco continentes se estremecen, vientos y truenos rugen,
> ¡acabemos con todas las pestes!
> Nuestra fuerza es irresistible.

Las «pestes» eran los revisionistas khruschevistas, y quizá también una mirada de reojo a los revisionistas chinos. Pero entre líneas se escondía la toma de conciencia de Mao de que tendría que dirigir el frente en persona, ya que no podía confiar en nadie que pudiese hacerlo en su lugar.

Las dudas de Mao sobre Liu adquirieron además otros matices.

A partir del verano de 1962, comenzó a desarrollar instrumentos alternativos de poder que actuasen como contrapeso de la maquinaria del partido, controlada por Liu —en tanto que primer vicepresidente del partido—, Deng Xiaoping —secretario general—, y el diputado de Deng, Peng Zhen.

Aquel mismo año, Jiang Qing, su esposa, que se había mantenido aleja-da de la vida pública desde su matrimonio en Yan'an, hacía veinticinco años, comenzó por primera vez a desempeñar un papel oficial.[45] En septiembre, su fotografía apareció en la portada del *Diario del Pueblo*, cuando Mao re-cibió al presidente Sukarno de Indonesia. Tres meses después, cuando el presidente lanzó otro furioso ataque contra uno de sus blancos predilectos, los intelectuales de China —esta vez con el pretexto de desterrar el revisio-nismo de la vida cultural de la nación—, Jiang Qing estuvo dispuesta y pre-parada para empuñar el garrote en su nombre. Su relación personal había acabado hacía ya largo tiempo, pero su lealtad estaba fuera de toda cuestión. Lo único que quería de la vida era probar su utilidad a Mao. Según anotó, bastantes años después: «Yo era el perro del presidente. A quienquiera que él quisiese que mordiera, yo mordía».[46] A partir de abril de 1963, animada por el propio Mao y con la discreta ayuda de Zhou, comenzó a buscar las cosquillas de los comisarios culturales de Liu y de todos los que éstos apo-yaban —dramaturgos y cineastas, historiadores y filósofos, poetas y pin-tores—, hasta que toda la vida intelectual de China acabó bajo la misma y monótona coloración maoísta que ella ávidamente impulsaba.

Zhou Enlai, siempre ansioso por defender su esfera de los prejuicios de Mao en contra de la avidez de Liu, se convirtió en otra parte indispensable del nuevo círculo íntimo de Mao. Los dirigentes del partido en Shanghai, bajo la tutela de Ke Qingshi y su protegido, Zhang Chunqiao, sirvieron como célula de acción para promover las políticas que los conservadores di-rigentes de Pekín desaprobaban. El amanuense de Mao, Chen Boda, adqui-rió una mayor preponderancia. Al igual que Kang Sheng, que se convirtió en el confidente de Mao en el Secretariado de Deng Xiaoping.[47] Pronto de-mostró que no había olvidado su vieja destreza como jefe de la policía se-creta de Yan'an al crear un «grupo de casos especiales» para investigar lo que él clamaba que era un intento encubierto de promover la rehabilitación de Gao Gang. En un llamativo precedente a las estrategias que Kang em-plearía en contra de los enemigos de Mao durante los grandes trastornos que les esperaban en el futuro, miles de personas fueron interrogadas y un veterano viceministro purgado, con la única evidencia de una novela histó-rica sin publicar, ambientada en la vieja área base de Gang en Shaanxi, uno de cuyos personajes se le parecía, según se dijo.

Pero el más importante de los lugartenientes de Mao era Lin Biao,[48] que, desde que había tenido lugar su nombramiento en 1959, había traba-jado firmemente para transformar el Ejército Popular de Liberación en la sublimación de la rectitud ideológica,[49] la encarnación de la idea formula-da por Mao de que los hombres eran más importantes que las armas, donde la política era siempre «el comandante supremo, alma y garante de cualquier trabajo», y el pensamiento de Mao Zedong era «la cima máxima del mundo actual ... [y] la culminación del pensamiento contemporáneo».[50] Fue Lin quien publicó el más importante artículo aparecido en el *Diario del Pueblo* elogiando el cuarto volumen de las *Obras selectas* de Mao, cuando fue publicado 1960; y Lin, un año más tarde, fue también quien sugirió que se recopilase un compendio de bolsillo de los aforismos del presidente para que los soldados lo aprendiesen de memoria, propuesta que desembocó en la aparición, en 1964, del *Pequeño Libro Rojo*, la futura Biblia de los jóvenes chinos, talismán y piedra de toque del culto a la personalidad de Mao. Poco después, en un intento de revivir la simplicidad igualitarista de los primeros tiempos del Ejército Rojo, se abolieron los rangos y las insignias; los oficiales sólo podían ser distinguidos del resto de soldados por los cuatro bolsillos que había en sus chaquetas, frente a los dos de los soldados ordinarios. En aquel momento, el Ejército Popular de Liberación era presentado como un modelo para la nación entera, ejemplificando una lealtad, una devoción y una abnegación sin límites.

Ninguna de las acciones de Mao anteriores a la primavera de 1964 ofreció una conclusión definitiva sobre la idoneidad de la sucesión de Liu. Simplemente continuó con la práctica de destacar el nombre de Liu como uno de los dos representantes principales, junto a él mismo, del «marxismoleninismo chino».[51]

Pero durante el verano siguiente sus dudas comenzaron a tomar fuerza.

Un primer factor fue sin duda la toma de conciencia de que, a pesar de su aparente unidad de ideas, los objetivos de Liu con el Movimiento de Educación Nacionalista eran diferentes de los suyos. Deng Xiaoping indicó en febrero de 1964 a un diplomático de Sri Lanka que esperaba que Mao no prestase atención a lo que estaban realizando porque sin duda alguna lo desautorizaría.[52] Liu quería usar el movimiento para hacer del partido un instrumento fiable y disciplinado en las áreas rurales que permitiese poner en práctica las políticas económicas del marxismo-leninismo ortodoxo. Pero Mao quería combatir el revisionismo liberando la energía de las masas.

Cuando Mao tomó conciencia de esta divergencia, recordó el comportamiento de Liu durante la primera mitad de 1962, y comenzó nuevamente a reflexionar sobre algunas de las cosas que su heredero había dicho en aquel momento, incluyendo una observación a la «gran conferencia de los siete mil cuadros» sobre los «tres estandartes rojos» de Mao: la política general del partido, el Gran Salto Adelante y las comunas.[53] «Seguiremos luchando para defender estas tres enseñas», había afirmado Liu, «aunque hay algunas cuestiones que no están todavía claras. Acumularemos experiencias durante cinco o diez años más. Entonces seremos capaces de resolverlas.»[54] En una época en que Mao estaba profundamente implicado en la polémica del partido chino con Moscú, sólo había que dar un pequeño paso para cuestionarse si las palabras de Liu escondían la amenaza implícita de que la política china daría marcha atrás después de su muerte, como había ocurrido con Khruschev tras la desaparición de Stalin. Y Mao recordó además otro hecho. En 1959, Kang Sheng había dicho que Stalin se había equivocado, no por reprimir con demasiada dureza a los «contrarrevolucionarios», sino por no haberlo hecho con la suficiente dureza.[55] Fue precisamente su error de «desenterrar» a hombres como Khruschev lo que les concedió la oportunidad de desacreditarle. Una vez más, la cuestión era: ¿cometería Mao el mismo error?

En julio de 1964, estas ideas habían cristalizado hasta el punto de que Mao aprobó un pasaje, en la novena y última de las «cartas abiertas» de China al partido soviético, que se refería específicamente a la cuestión de la sucesión:

> En último término, la cuestión de preparar a los sucesores de la causa revolucionaria del proletariado consiste en si ... el liderazgo de nuestro partido y nuestro Estado continuará o no en manos de los revolucionarios proletarios, si nuestros descendientes continuarán o no marchando por el camino correcto establecido por el marxismo-leninismo, o, en otras palabras, si podremos evitar o no eficazmente la emergencia del revisionismo de Khruschev en China ... Se trata de un cuestión extremadamente importante, un asunto de vida o muerte para nuestro partido y nuestro país.[56]

Retrospectivamente, estas líneas ofrecen una sorprendente imagen de los mecanismos con que actuaba la mente de Mao. En aquel momento, sin embargo, ninguno de sus colegas percibió amenaza alguna. Ni, según parece, prestaron atención al parágrafo siguiente, que hablaba de la formación de los sucesores a través de la lucha de masas y la necesidad de ser templados en «las grandes tormentas revolucionarias».

Entonces, en octubre, se produjo la caída de Khruschev, acusado por sus sucesores de gobernar rigiéndose por sus antojos personales e imponiendo «medidas irreflexivas» al sufrido pueblo ruso. Si Mao trazó conscientemente un paralelo entre la ascensión de su antiguo adversario y los cargos que se le podían imputar atendiendo a su propio estilo de gobierno es algo incierto. Pero, dadas las diferencias que percibía ahora entre sus propósitos y los de Liu Shaoqi, aquello como mínimo le debió de hacer sentir vulnerable. Un mes después, los sucesores de Khruschev rechazaron un intento chino de renovar el diálogo entre ambas partes, lo que se convirtió en la ratificación final de que el cisma chino-soviético era irrevocable, y el movimiento comunista mundial quedó escindido en dos mitades desiguales e irreconciliables.

La pretensión de Mao de alcanzar la inmortalidad revolucionaria residía entonces, más que nunca, en la forja de un camino chino distintivo, en el que los revolucionarios de todos los lugares podrían inspirarse. Esto estaba implícito en las nueve «cartas abiertas», escritas partiendo de la base de que la fuente de sabiduría revolucionaria —«Mekka», como Sneevliet la había designado cuarenta años antes— se había trasladado de Moscú a Pekín. Cuando 1964 se acercaba a su conclusión, para Mao se trataba de una cuestión explícita, el fin último al que consagraría los últimos años de su vida.

Su propósito ya no era hacer de China un país opulento. Esto pertenecía a la lógica de Liu Shaoqi.

El celo revolucionario era inversamente proporcional a la riqueza. «Asia es políticamente más progresista que Gran Bretaña o Estados Unidos, ya que el nivel de vida de Asia es mucho más bajo», había escrito algunos años antes. «Los que son pobres anhelan la revolución ... [En el futuro] los países orientales seremos ricos. Cuando el nivel de vida [de los países occidentales] decaiga, su pueblo empezará a ser progresista.»[57] El corolario, no explicitado, era que, según comprendía ahora Mao, si China se convertía en un país próspero, dejaría de ser revolucionario. No habría sido políticamente posible decirlo de un modo tan claro —ya que muy pocos chinos estarían dispuestos a abrazarse a las constantes penurias para perseguir unos objetivos ideológicos abstractos—, pero, en términos prácticos, ante la disyuntiva entre la prosperidad y la revolución, Mao se inclinaba por la revolución.

Para convertir a China en un reino de la «virtud roja», en el que la lucha de clases transmutaría la conciencia humana, generando un continuo revolucionario que iluminaría los pueblos de todo el mundo como un faro, Liu, y los que pensaban como él, junto a la ortodoxia que ellos representaban, debían ser barridos a un lado.

En esta disposición mental, la de un iluminado, Mao asistió a finales de noviembre y en diciembre a una serie de reuniones de dirigentes, durante las cuales su comportamiento fue más excéntrico y taciturno de lo normal.

El 26 de noviembre, mientras discutían sobre un plan de defensa a largo plazo, explotó repentinamente: «Tú [Liu] eres el primer vicepresidente, pero siempre puede ocurrir algo inesperado. De modo que, cuado yo muera, podría ser que no me sucedieses. Mejor es que lo cambiemos ahora mismo. Eres el presidente. Eres el primer emperador».[58] Liu declinó cautamente, sin dejarse alterar por los lamentos de Mao de que ya no le quedaban fuerzas para desempeñar su trabajo y que nadie le escuchaba. Dos semanas después, el presidente habló oscuramente de una clase capitalista que emergía en el seno del partido y bebía «de la sangre de los obreros». En aquella ocasión se usó por primera vez la expresión «líderes que siguen el camino capitalista».[59] Después, el 20 de diciembre, habló nuevamente de Liu, en lugar de sí mismo, asumiendo el mando. En esta ocasión argumentó que el Movimiento de Educación Socialista debía ser reconducido; no dirigido contra los cuadros corruptos y los campesinos malversadores, sino hacia la extirpación, mediante el fuego purificador de la lucha de masas, de todo rastro de pensamiento revisionista en la jerarquía del partido. Los «lobos», los «que detentan el poder», debían ser tratados en primer lugar, advirtió amenazador Mao; los zorros —los pequeños ofensores— podían ser dejados para más tarde.[60]

A diferencia de lo que solía ser habitual, Liu se adhirió a la propuesta. Coincidió con Mao en que algunos comités provinciales del partido se habían «podrido» y que se tenía que apuntar como objetivo prioritario a las «pústulas escondidas [de oficiales corruptos] del partido». Pero dejó bien claro que pensaba que ello se debía realizar en el contexto de un movimiento cuyo foco principal continuaba siendo la eliminación de los hábitos corruptos, más que un asalto ideológico al «revisionismo».

Mao expresó su disconformidad durante un banquete celebrado en el Gran Salón del Pueblo para conmemorar su septuagésimo primer aniversario, el 26 de diciembre, cuando, sin mencionar nombres, acusó a Liu de poseer unas opiniones no marxistas, y a Deng de dirigir el Secretariado del partido como si fuese un «reino independiente». Dos días después, en un estallido de ira aún más extraordinario —reminiscencia de su amenaza, cinco años antes, de lanzarse a los montes y fundar un nuevo Ejército Rojo si sus colegas se ponían de parte de Peng Dehuai—, agarró una copia de la constitución del partido y, después de aseverar fríamente que tenía tanto derecho a expresar su opinión como cualquier otro miembro del partido, dio a entender que Deng pretendía impedir que acudiese a las reuniones de la cúpula y que Liu intentaba evitar que hablase. No menos siniestro, evocó la disputa que había mantenido en 1962 con Liu y el resto del Comité Permanente sobre los «sistemas de responsabilidad». Había sido «una especie de lucha de clases», declaró Mao. Ahora se vislumbraba una nueva lucha cuya principal tarea debía ser «rectificar a los que detentan el poder y, dentro del partido, siguen el camino capitalista».

Aquella incendiaria locución estaba incluida en las nuevas directrices del movimiento distribuidas a mediados de enero. Sólo había un pequeño cambio en el fraseo: en lugar de «los que detentan el poder» se empleaba el término «las personas que tienen la autoridad». En el borrador original se especificaba explícitamente que semejantes renegados comunistas debían ser localizados en el seno del Comité Central. Pero Zhou Enlai, que según parece albergaba sagaces sospechas de lo que se estaba gestando en la mente de Mao, se las ingenió para modificarlo, de modo que dijese «departamentos del Comité Central».[61]

Liu Shaoqi —y la mayoría de los otros dirigentes— hizo caso omiso de sus observaciones, considerando que eran monsergas de un anciano quisquilloso, un megalito envejecido, capaz todavía de soltar chispazos, pero cada vez más recluido en los sueños revolucionarios del pasado. Parecía que la crisis amainaba. Pero el destino de Liu estaba irrevocablemente decidido.[62] Lo único que faltaba era que Mao encontrase el medio adecuado para deshacerse de él.

15

Cataclismo

En febrero de 1965, el presidente envió a Jiang Qing a Shanghai. Su misión consistía en extender un rastro de pólvora que, cuando llegase el momento oportuno, él mismo prendería, desencadenando los tortuosos acontecimientos que sumergirían a China en el violento caos de la Revolución Cultural del Gran Proletariado.[1]

El mecanismo que Mao escogió para provocar la amenazadora tormenta se había gestado seis años antes, en su llamada a los miembros del partido a emular a Hai Rui, el burócrata de la dinastía Ming.[2] Peng Dehuai le había obedecido demasiado literalmente, y fue purgado por su empeño. Pero el movimiento continuó y durante 1959 y 1960 se escribió un buen número de obras de teatro que debían ilustrar el pensamiento de Mao, incluida una de un reconocido intelectual llamado Wu Han. Algunos miembros del círculo íntimo de Mao, entre ellos Jiang Qing, habían argumentado que la obra de Wu, titulada *La destitución de Hai Rui*, era una defensa alegórica de Peng. Mao, que apreciaba la obra de Wu, desestimó inicialmente los cargos.[3] Pero a principios de 1965 comenzó a ser consciente de las posibilidades que ofrecían.

Wu Han no era simplemente un historiador. También era segundo alcalde de Pekín y, como tal, protegido de Peng Zhen. Peng era tanto el primer secretario del Comité Municipal del Partido en la capital como diputado jefe del Secretariado del Comité Central, el corazón mismo de la máquina nacional del Partido Comunista Chino. Y como muchos otros dirigentes de alto rango, era una figura remota y bastante solitaria, cuyo aislamiento le hacía vulnerable.

Un ataque contra Wu, comprendió Mao, podía convertirse en la afilada punta de una cuña política capaz de quebrantar el imperio de Peng Zhen. Y, por detrás de Peng, aguardaba Liu Shaoqi.

En Shanghai, Jiang Qing contrató los servicios de un periodista radical del ala izquierda llamado Yao Wenyuan, de quien Mao inicialmente había tenido noticias, durante la campaña antiderechista, como hostigador de la burguesía intelectual. En medio de un secretismo extraordinario —Yao fingió estar enfermo y se retiró a un sanatorio para trabajar—, ella le encargó una diatriba de diez mil palabras de extensión denunciando la obra de Wu por ser una «hiedra venenosa».[4]

Necesitó de todo el verano para completar el escrito. Redactó diez borradores del artículo, en tres de los cuales trabajó Mao personalmente.[5] Cuando al fin, en agosto, fue completado, el presidente aguardó tres meses más, durante los cuales tuvo la precaución adicional de enviar a Peng Dehuai, en arresto domiciliario en la capital desde 1959, a Sichuan para que ocupase un puesto menor de defensa.

El 10 de noviembre de 1965, cuando tanto Peng Zhen como Wu Han estaban de viaje y, por tanto, ausentes de Pekín, el ensayo de Yao apareció publicado en el *Wenhuibao*, periódico de Shanghai. Siguiendo las instrucciones de Mao, no contenía referencia directa alguna sobre el asunto de Peng Dehuai. Lo mantenía en la recámara. En su lugar, Yao acusó a Wu Han de haber descrito el apoyo de Hai Rui al campesinado en unos términos que despertaban simpatías hacia el concepto de labor privada (que, por supuesto, era la cuestión que había encendido la disputa entre Mao y Liu Shaoqi). La obra, declaraba, se debía considerar por tanto como parte de «la lucha de la clase capitalista contra la dictadura del proletariado ... Su influencia es muy destacada y su veneno se ha extendido ampliamente. Si no la purificamos, perjudicará la causa del pueblo».

En el comité del partido de Pekín, el libelo de Yao causó consternación. Los ataques *ad hominem* se suponían prohibidos por las directrices impuestas previamente aquel mismo año por el Departamento de Propaganda. Era imposible descubrir quién lo había autorizado, y Peng Zhen, a su vuelta, ordenó a la prensa de Pekín, incluido el *Diario del Pueblo*, que no lo reimprimiese. Unos días después se negó a autorizar su distribución en forma de panfleto, provocando las retrospectivas quejas de Mao de que el control de Peng en Pekín era tan estrecho que «ni siquiera una aguja puede clavarse, ni una gota de agua filtrarse».[6]

En aquellas circunstancias el presidente podría haber ordenado que el artículo volviese a ser publicado. Pero todavía se resistía a mostrar sus cartas. En lugar de ello, por tanto, puso en escena a su reconciliador, Zhou Enlai. El 28 de noviembre, Zhou convocó una reunión en Pekín, en la cual, después de escuchar las acusaciones de los compañeros de Peng de que Yao había recurrido «al abuso y al chantaje», determinó que el enfoque más correcto en asuntos literarios de ese tipo consistía en «conceder libertad de crítica y contracrítica».[7] Dos días después, acompañado de una nota editorial al efecto, que contaba con la aprobación de Zhou, el artículo de Yao apareció publicado en la sección literaria del *Diario del Pueblo*.

Se había conseguido clavar una aguja.

El mismo día que el artículo de Yao Wenyuan era publicado en Shanghai, Mao anunció al Comité Permanente del Politburó la destitución de Yang Shangkun, el veterano de Zunyi que dirigía la Oficina General del Comité Central.[8] El pretexto era que Yang había autorizado en 1961 las escuchas en el tren de Mao. Pero Mao había conocido la implicación de Yang durante cuatro años y no había emprendido acción alguna. Si se había decidido entonces a actuar era porque la Oficina General era el centro de comunicaciones del partido, y debía asegurarse de que estaba en manos de alguien digno de su confianza. Yang fue sustituido por Wang Dongxing, rechoncho comandante de la División Central de Guardas, conocida como la Unidad 8341, responsable de la seguridad de los dirigentes. Wang había permanecido como miembro del entorno del presidente durante más de veinte años, y su devoción por Mao quedaba fuera de toda cuestión.

Cuatro semanas después fue purgado otro oficial de alto rango. La carrera de Luo Ruiqing se remontaba a los años treinta, en Jiangxi.[9] Cuando Lin Biao se convirtió en ministro de Defensa, Mao designó a Luo para servir como jefe del Estado Mayor. Pero ambos se enfrentaron sobre la cuestión de si el Ejército Popular de Liberación debía ser una fuerza profesional o política, y Luo había sugerido imprudentemente que Lin «debería dedicar más tiempo al descanso» para conservar su salud. Cuando el asunto llegó al Comité Permanente, Mao accedió, ante las reclamaciones de Lin, a que Luo fuese suspendido y se crease un «grupo de investigación», bajo el control de Zhou Enlai y Deng Xiaoping, para «persuadir» a Luo de que confesase que había intentado apartar de su cargo al ministro de Defensa.

De este modo, a mediados de diciembre de 1965, los colegas más veteranos de Mao se vieron inmersos en un esfuerzo por comprender una inexplicable sucesión de acontecimientos. El presidente había disparado contra un veterano del partido, Yang Shangkun, en apariencia por unos errores que había cometido hacía algunos años. Había aprobado la purga de otro, Luo Ruiqing, según parecía para complacer a Lin Biao. Y estaba impulsando una oscura campaña literaria que quizá presagiaba, o quizá no, un ataque a gran escala contra la organización del partido en Pekín.

Liu Shaoqi, por una vez, no concedió ninguna oportunidad.[10] Desde finales de noviembre, en virtud del instinto de supervivencia que compartían todos los subordinados de Mao, se había distanciado de Peng Zhen, decidido a que, fuese cual fuese la disputa política que pudiese llegar, él no se vería implicado en ella.

Aprovechando este tenso ambiente, Mao dio un segundo paso.

Justo antes de Navidad, en Hangzhou, dijo a Chen Boda y a un pequeño grupo de radicales del periódico del partido, *Bandera Roja*, que el artículo de Yao Wenyuan (en el que seguía negando que hubiera tomado parte) había errado el blanco. El auténtico problema de la obra de Wu Han residía en las tres últimas palabras del título: «Hai Rui es *destituido del cargo*». «El emperador Jiaqing depuso a Hai Rui de su puesto», dijo Mao. «Nosotros destituimos a Peng Dehuai de su cargo. Hai Rui es realmente Peng Dehuai.»[11] La importancia de esta aseveración residía en el hecho de que, en el futuro, el caso de Wu Han sería considerado un asunto político, no ya literario.

El mes de enero representó un estancamiento. Las observaciones de Mao no habían sido hechas públicas, ni siquiera en el seno del Politburó, y cuando un miembro del personal de Chen Boda redactó un artículo, detallando por vez primera (sin identificar su fuente) la vehemente alegación del presidente de que Wu había pretendido la rehabilitación de Peng Dehuai, Peng Zhen consiguió que sus aliados del Departamento de Propaganda bloqueasen su publicación. Pero fue incapaz de detener todos los ataques lanzados contra Wu. El mes de febrero trajo nuevamente malas noticias.[12] Jiang Qing, con el apoyo de Lin Biao, había comenzado a trabajar con el Departamento de Asuntos Culturales del Ejército Popular de Liberación para promocionar un nuevo movimiento contra el pensamiento feudal y capitalista. Esto significaba que la campaña contra Wu Han experimentaría una rápida aceleración.

En este punto, el líder de la ciudad de Pekín realizó un intento desesperado, aunque tardío, para recuperar la iniciativa.

Durante los dieciocho meses anteriores había encabezado un «grupo para la revolución cultural» del Comité Central, que Mao había creado para combatir el revisionismo en las artes.[13] A sugerencia de Peng, este cuerpo aprobó unas nuevas directrices que le permitían abordar las divergencias ideológicas. El «compendio de febrero», tal como fue conocido, afirmaba que se preparaba una «gran batalla» entre «el pensamiento de Mao Zedong, por un lado, y las ideas burguesas, por otro», y reconocía que Wu Han había cometido errores políticos.[14] Pero también mantenía que, como había dispuesto Zhou Enlai en noviembre, las disputas académicas debían ser resueltas siguiendo mecanismos culturales, no políticos.

El 8 de febrero, Peng y el resto del grupo volaron hasta Wuhan, donde informaron a Mao de todo ello. El presidente no ratificó explícitamente el «compendio», pero tampoco presentó ninguna objeción. Preguntó a Peng Zhen si creía que Wu Han era un «elemento contrario al partido», y expresó de nuevo su preocupación por el significado de las palabras «destituido del cargo». Pero añadió que si no se encontraban evidencias de la existencia de vinculaciones organizativas entre Wu y Peng Dehuai, el historiador continuaría ejerciendo como segundo alcalde.[15]

Peng regresó a Pekín creyendo que había conseguido apaciguar la tormenta.

En las semanas que siguieron se produjeron algunos alborotos menores. Mao se lamentó de que el *Diario del Pueblo* era únicamente un «periódico semimarxista».[16] Y se quejó a Zhou y Deng Xiaoping de que Peng Zhen estaba gobernando Pekín como si fuese un «reino independiente».[17]

Más preocupante, si Peng lo hubiese sabido, era la aprobación de Mao de un documento programático, elaborado después del foro cultural celebrado por Jiang Qing y el Ejército Popular de Liberación, que afirmaba que, desde 1949, «hemos estado bajo la dictadura de una negra corriente contraria al partido y al socialismo, diametralmente opuesta al pensamiento del presidente Mao».[18] En tanto que Peng había estado al cargo de cultura desde julio de 1964, estaba implicado; al igual que el Departamento de Propaganda, dirigido por un miembro suplente del Politburó, Lu Dingyi; y, del mismo modo, en general, todos los funcionarios de cultura a partir de 1949. Aquí se vislumbraba, por vez primera, y claramente formulada, la perspectiva de un rechazo global de los valores culturales entonces imperantes.

Antes de dar el siguiente paso, Mao esperó hasta finales de marzo, cuando Liu Shaoqi abandonó el país en un viaje por Asia de un mes de duración. Entonces hizo público que quería que se repudiase el «compendio de febrero» a causa de que «oscurecía la separación de clases».[19] Wu Han y los otros intelectuales de sus mismas tendencias eran «dictadores intelectuales», declaró, protegidos por un «tirano del partido», Peng Zhen. Amenazó con disolver no sólo el «grupo para la revolución cultural», sino también el Departamento de Propaganda del Comité Central, al que se refirió con el apelativo de «palacio del rey de los infiernos», e incluso el mismo comité del partido de Pekín.

Las ideas de Mao fueron formalmente divulgadas por Kang Sheng en una reunión del Secretariado presidida por Deng Xiaoping el 9 de abril.[20]

Kang enumeró los «errores» cometidos por Peng en el caso de Wu Han; Chen Boda ofreció un listado de sus «crímenes» de línea política, remontándose hasta la década de 1930. Se decidió traspasar el caso al Politburó en pleno para que decidiese. Dos semanas después, cuando Liu Shaoqi regresó de Birmania, última escala de su periplo asiático, se encontró con que le aguardaba un requerimiento para que se trasladase directamente a Hangzhou, donde Mao había convocado un encuentro del Comité Permanente para pronunciarse sobre el destino de Peng Zhen. Allí el presidente le informó de que Peng y sus supuestos socios debían ser purgados, y que Liu en persona debía entregar el veredicto en una reunión ampliada que, en ausencia de Mao, se celebraría en Pekín al cabo de una mes.

El encuentro comenzó el 4 de mayo y duró más de tres semanas.[21] Kang Sheng, secundado por Chen Boda y el principal radical de Shanghai, Zhang Chunqiao, actuó de nuevo como acusador. La existencia de la «banda contra el partido de Peng Zhen, Lu Dingyi, Luo Ruiqing y Yang Shangkun», afirmó, probaba que el revisionismo había resurgido en el seno del Comité Central, tal como Mao había predicho durante los debates sobre el Movimiento de Educación Socialista, dieciséis meses antes. Sus miembros debían ser públicamente criticados y destituidos de todos sus cargos. Zhou Enlai acusó a los cuatro de «tomar el camino capitalista».[22] Lin Biao habló melodramáticamente del «aroma de la pólvora» y «la palpable posibilidad de un golpe de Estado que conllevaría asesinatos, la toma del poder y la restauración de la clase capitalista».[23]

El 16 de mayo se aprobó en la reunión una circular del Comité Central, aparentemente distribuida para reemplazar el entonces desacreditado «compendio de febrero», pero de hecho fue la primera salva oficial de lo que sería conocido (en chino) como la «gran revolución [para establecer] la cultura proletaria», la Revolución Cultural.[24] Había estado incubándola durante un mes, y Mao en persona la revisó no menos de siete veces. La principal cuestión política, declaraba la circular, consistía en la disyuntiva de «si se optaba por poner en práctica la postura del camarada Mao Zedong sobre la Revolución Cultural o, de lo contrario, por resistirse a ella». Peng Zhen y sus aliados no eran los únicos traidores. Existían otras «personas que ocupan cargos y siguen el camino capitalista» que debían ser desenmascaradas:

> Aquellos representantes de la burguesía que se han introducido furtivamente en nuestro partido ... son de hecho un grupo de revisionistas contrarrevolucionarios. Cuando llegue el momento, intentarán hacerse con el poder, convirtiendo la dictadura del proletariado en la dictadura de la clase capitalista. Algunas de estas personas ya han sido desenmascaradas por nosotros; pero otras no. Algunos todavía gozan de nuestra confianza, y han sido prometidos como nuestros sucesores, gente de la misma calaña que Khruschev que anida junto a nosotros. Los cuadros del partido de todos los rangos deben prestar especial atención a este punto.

La circular anunció la abolición del «grupo para la revolución cultural» de Peng Zhen y la formación de una nueva célula con el mismo nombre, encabezada por Chen Boda, y con Jiang Qing, Zhang Chunqiao y otros dos miembros como sus lugartenientes, contando con Kang Sheng de consejero. Peng y su cohorte fueron arrojados a la oscuridad —el encarcelamiento en algunos casos, y el arresto domiciliario en otros— y se fundó un Grupo para la Investigación de Casos Centrales destinado a investigar su «conducta contra el partido».[25]

De este modo, a mediados de mayo de 1966, Mao había mostrado cumplidamente al partido el vasto propósito de la gran conmoción que estaba diseñando tan concienzudamente: expulsar del poder a «los del camino capitalista» que planeaban traicionar la causa socialista. Con ese propósito estableció un cuartel general encargado de dirigir ese movimiento fuera de la jurisdicción del Politburó y la cadena de control principal del partido, cuyos miembros reproducían el diagrama de influencia radical que Mao había comenzado a acumular en 1962; con la excepción de Lin Biao, para el que reservaba otros planes. Pero no estaban nada claros, ni siquiera para los más próximos, los motivos que le habían impulsado a llevarlo a cabo en la forma que lo hizo, y aún menos cuál iba a ser el resultado final.

Una consideración que Mao había tenido en cuenta para actuar de un modo tan tortuoso y retorcido era la posibilidad del rechazo.

Si el ataque inicial a Wu Han hubiese errado, podría atribuirlo al excesivo celo de Jiang Qing, cuya función pública en los asuntos culturales habría hecho de ella una víctima expiatoria convincente. Fue también muy prudente al ceder a Liu Shaoqi la responsabilidad de dar el *coup de grâce* a Peng Zhen, mientras que él se mantenía al margen. El resto de dirigentes difícilmente se podían alzar para quejarse de que Peng había sido tratado injustamente, cuando ellos mismos habían hecho el trabajo sucio.

Pero había todavía otra razón fundamental.

Cuando se produjo la última confrontación entre los dirigentes, en 1959, el presidente había sido capaz de poner al resto del Politburó de su parte al hacer de ello un voto de confianza a su propia persona. Su adversario, Peng Dehuai, era un viejo soldado irascible y taciturno, cuya afilada lengua le había granjeado más enemigos que amistades. Había sido relativamente simple para Mao presentarlo como una amenaza para la estabilidad del partido. Sin embargo, en esta ocasión, la justificación de sus actos era, siguiendo criterios objetivos, no ya débil, sino totalmente inexistente. Mao deseaba depurar a Liu Shaoqi, cuyo prestigio iba a la zaga del suyo, y al secretario general, Deng Xiaoping; ninguno de los cuales había presentado una oposición abierta a su política, contando ambos además con el apoyo de la mayoría de los dirigentes de la vieja generación. No existía un fundamento lo suficientemente sólido, en un debate cara a cara, para que Mao pudiese persuadir a sus colegas de que Liu y Deng debían irse.

Como el ataque frontal estaba descartado, el presidente retomó la táctica de guerrilla que tan bien conocía. «La guerra es política», había escrito. «La política es la continuación de la guerra por otros medios.» Es evidente que a Liu no se le había pasado por la cabeza que las acciones de Mao podían ser el preludio de un conflicto más amplio. Simplemente vio que el presidente estaba empeñado en lanzar un nuevo movimiento para revolucionar la cultura, y que Peng se había cruzado en su camino.

Si en aquel momento el resto de la cúpula se hubiese unido para detenerle, es posible que hubiesen evitado el desastre que se cernía sobre ellos. Pero para conseguirlo tendrían que haberse enfrentado cara a cara a Mao, en el Comité Permanente del Politburó. Y ninguno de ellos tenía el suficiente estómago para hacerlo.

La misma combinación de cobardía y egoísmo que hicieron posible que Peng Dehuai fuese la víctima en Lushan reapareció en 1966, aunque de un modo aún más pronunciado. La sacralización de Mao y sus escritos, ávidamente impulsada por Lin Biao, había llegado en aquel momento a unas cotas sin precedentes, de modo que oponérsele directamente se había convertido en algo impensable. De todos modos, Mao no dejó nada al azar. La ausencia de Liu Shaoqi hasta la víspera del cónclave de Hangzhou significaba que, incluso si alguien lo hubiese pretendido, no había tiempo para organizar la resistencia. La consiguiente sesión del Politburó celebrada en Pekín fue ampliada, siguiendo las instrucciones de Mao, para poder incluir a dieciséis de sus seguidores, por él seleccionados. A pesar de que no podían votar, su presencia hacía imposible una discusión razonada.

Existían otros signos de alarma que deberían haber alertado de que esta última campaña sería totalmente diferente de cualquier otra que Mao hubiese promovido. El lenguaje utilizado en la polémica era más radical, con mayor carga emocional, pertrechado para instigar a la turba al desenfreno, en lugar de hacer de ello una cuestión política. Los motivos personales y políticos estuvieron desde el comienzo inextricablemente mezclados. El empleo de Jiang Qing y de un círculo de hombres que contaban con la confianza de Mao ratificaba esta tendencia. Lin Biao abrió una reunión del Politburó con la acusación de que un oponente político había denigrado a su esposa, clamando que no era virgen cuando se casaron.[26]

En mayo se produjo otro acontecimiento que podría haber alertado a Liu Shaoqi de la trama que Mao estaba tejiendo.

Yao Wenyuan publicó una nueva polémica, en esta ocasión atacando no sólo a Wu Han sino a dos de sus colaboradores Deng Tuo, en otro tiempo editor del *Diario del Pueblo* al que Mao había censurado en 1957 por no haber divulgado las «cien flores»; y un novelista llamado Liao Mosha, que había colaborado con él a principios de los años sesenta en una columna satírica semanal titulada «Notas de una aldea de tres familias».[27] La columna, proclamaba ahora Yao, se había servido de un lenguaje esópico para atacar a

Mao mediante insinuaciones, siguiendo la largo tiempo honrada tradición china de «señalar el algarrobo para denostar la morera».*

La acusación era, con casi total certeza, infundada. A pesar de ello, leído con perspectiva, piezas como «El camino del rey y el camino del tirano» o «Amnesia» (que describía un desorden mental para el cual la única cura era el «completo reposo») parecían escritas de un modo tal que sólo se podían aplicar a Mao; nadie en China realizó semejante conexión *en aquel momento*, del mismo modo que en su momento nadie había interpretado la «destitución de Hai Rui de su cargo» como una defensa de Peng Dehuai. En lugar de ello, los ensayos se leyeron como ingeniosas caricaturas de los oficiales de bajo rango, cuyas necedades habían contribuido a lo que era eufemísticamente conocido como los «tres años de desastres naturales», de los que nadie albergaba duda alguna de a qué se referían.

Pero el quid del artículo de Yao residía en otro punto.

Si un miembro del Politburó, Peng Zhen, había sido capaz de establecer «una oscura corriente contraria al partido y al socialismo» en oposición a las políticas culturales del presidente; y si un grupo de escritores del partido habían sido capaces, durante cuatro años, de ridiculizarlo groseramente con impunidad desde las imprentas públicas de la capital, ¿por qué el hombre al que Mao había situado en el cargo del partido, Liu Shaoqi, no había hecho nada para detenerles?

Sólo había dos posibles respuestas. O Liu era un incompetente, o actuaba en coalición con los oponentes de Mao.

Habiendo completado las disposiciones preliminares, Mao puso en movimiento la siguiente pieza de su infernal maquinación.

El 14 de mayo, Kang Sheng envió a su esposa, Cao Yiou, a la Universidad de Pekín para contactar con la secretaria del partido del Departamento de Filosofía, una mujer llamada Nie Yuanzi.[20] Diez días más tarde, después de que Cao le diese garantías de su pleno respaldo, Nie y un grupo de seguidores escribieron una pancarta mural acusando al rector de la universidad, Lu Ping, de haber suprimido las directrices elaboradas por Mao sobre la Revolución Cultural, y lo encolaron en el mismo muro, en el exterior de la cantina universitaria, en que había estallado el movimiento de las cien flores, nueve años antes. Reclamaba a los estudiantes y conferenciantes que era necesario «eliminar decidida, concienzuda, pura y completamente a todos los demonios y los monstruos, a todos los revisionistas con-

* Referencia a un refrán chino, *zhisan mahuai*, «señalar la morera para maldecir la acacia», que se aplica para describir los ataques indirectos, a través de terceras personas. (*N. del t.*)

trarrevolucionarios que pertenecen a la misma estirpe que Khruschev, y poner completamente en práctica, hasta sus últimas consecuencias, la revolución socialista».[29]

El comité del partido de la universidad, con Lu Ping en la presidencia, se puso manos a la obra. A la mañana siguiente aparecieron cientos de nuevas pancartas, la mayoría de ellas condenando al grupo de Nie.

El 1 de junio llegó el prometido «respaldo de alto nivel».

Mao en persona sancionó el póster de Nie, y ordenó que fuese retransmitido por las emisoras de radio de todo el país.[30] El *Diario del Pueblo*, ocupado dos días antes por Chen Boda, denunció a la universidad como «un bastión irreductible en contra del partido y el socialismo», y a Lu Bing como al líder de una «banda negra». Nie se convirtió inmediatamente en una celebridad. Llegaron telegramas de apoyo de todo el país. Los estudiantes de otras universidades de China se agolparon para verla, y para encontrar consejo sobre cómo actuar ante los recalcitrantes comités del partido de sus propios institutos de enseñanza superior.

Los estudiantes de las escuelas secundarias de la capital, encabezados por los descendientes de la elite (que habían oído hablar a sus padres de las convulsiones políticas que se avecinaban), se movieron aún con mayor urgencia.

A finales de mayo, un estudiante emprendedor y por siempre anónimo de la Escuela Media de la Universidad de Qinghua acuñó el término *hongweibing*, «guardia rojo».[31] El movimiento a que ello dio lugar se difundió por las escuelas de Pekín como un fuego incontrolado, alimentado por una campaña para adular a Mao que se convertía en más extravagante e insólita cada día que pasaba. Lin Biao la inició con un discurso dirigido el 18 de mayo al Politburó, en el que afirmó: «El presidente Mao es un genio ... Una sola frase suya es mejor que diez mil de las nuestras».[32] El *Diario del Pueblo* siguió con la cantinela: «El presidente Mao es el rojo sol de nuestros corazones. El pensamiento de Mao Zedong es la fuente de nuestra vida ... El que se oponga a él debe ser prendido y aniquilado». Las obras de Mao, añadía, eran «más preciosas que el oro»; «cada frase es un tambor de guerra, cada afirmación, una verdad».[33]

Liu y Deng observaban los acontecimientos con consternación y creciente desconcierto.

Ya durante la primavera se habían producido algunos anticipos de la crueldad con que se iba a desatar la caza de brujas contra los revisionistas. El antiguo jefe de Estado, Luo Ruiqing, había saltado desde la ventana de un piso elevado en un intento de suicidio.[34] Sobrevivió, pero se rompió ambas piernas: las sesiones contra él continuaron. Tras la publicación del artículo de Yao Wenyuan, Deng Tuo se quitó la vida.[35] Menos de una semana después le llegó el turno al secretario de Mao, Tian Jiaying. Se le comunicó que había sido destituido, acusado de derechista; aquella misma noche también él se suicidó.[36] Los suicidas han sido un exponente común en los movimientos políticos de China; pero no se había producido ningún caso entre los oficiales veteranos del partido desde Gao Gang, en 1954. Las muertes de Deng Tuo y Tian Jiaying fueron ampliamente interpretadas como la encarnación del tradicional modo de protesta de los intelectuales chinos ante la injusticia.

A estos siniestros sucesos entre la clase política había que añadir ahora un torbellino de caos en las universidades y escuelas.

Habiendo sido testimonios de los efectos de las «cien flores», nueve años antes, por no mencionar su propia experiencia juvenil como instigadores estudiantiles, Liu y Deng sabían perfectamente cuán rápido se podían extender a todo el país, una vez desbordados, los desórdenes de los recintos universitarios. Además, en esta ocasión, Chen Boda, evidentemente con la aprobación de Mao, publicó editoriales incendiarios que avivaban aún más el fuego. El recurso más habitual en aquellas circunstancias consistía en enviar al exterior equipos de trabajo, que se encargaban de la rectificación y la reorganización de los comités del partido descarriados. Así se había hecho ya en la Universidad de Pekín. Pero ¿era lo que deseaba hacer el presidente?

Liu y los otros dirigentes del «primer frente» se sentían superados por los acontecimientos.

Mao se encontraba entonces en Hangzhou. No había pisado la capital desde el noviembre anterior. Liu le telefoneó para pedirle su regreso y que tomase personalmente las riendas de la campaña.[37] Mao replicó que continuaría en el sur un poco más de tiempo, y que se las debían arreglar para manejar la situación como mejor supiesen. Algunos días después, Liu y Deng tomaron un avión para recibir directamente sus instrucciones. Mao les ofreció la misma respuesta. En esta ocasión se dignó a dejar entrever que no excluía el empleo de las células de trabajo, teniendo siempre en cuenta que, «con independencia de si deben o no deben ser enviadas, no se las puede enviar apresuradamente». La sentencia era ambigua, y esa era la intención.

A pesar de todo, partiendo de ese principio, se destinaron equipos de cuadros del partido y de miembros de la Liga de las Juventudes a todas las instituciones de enseñanza superior de la capital y de las otras grandes ciudades, con el cometido de restaurar el orden y poner el movimiento bajo control.[38]

Este enfoque ortodoxo y jerárquico se contradecía con las ardientes exhortaciones lanzadas por el *Diario del Pueblo* y otros periódicos. También fracasó en su intento de reconocer los genuinos motivos de queja de los estudiantes. En las universidades chinas, en la víspera de la Revolución

Cultural, los problemas que los «derechistas» habían hecho emerger durante las «cien flores» no sólo no se habían disipado; en aquel momento, en la mayoría de los casos, eran mucho más graves. Las acusaciones de Mao de que los burócratas del partido en las universidades actuaban como «tiranos intelectuales» reverberaban entre los que tenían que padecer sus arbitrarios antojos. Se protegía a los miembros incompetentes del personal, se reprimía la originalidad, y el amiguismo y el nepotismo eran generalizados. El método preferido de enseñanza seguía siendo el del «relleno del pato» —al igual que lo había sido durante los años treinta—, a causa de que el estudio memorístico comportaba menos riesgos políticos. Los miembros del partido y la Liga de las Juventudes copaban los cargos de honor; y dado que la economía avanzaba todavía torpemente, éstos eran muy escasos.

A los pocos días, los conflictos se generalizaron.[39] Las células de trabajo trataron a los rebeldes estudiantiles como «elementos contrarios al partido y al socialismo». Pero los radicales arguyeron que los hombres de Liu eran «gángsters negros» en coalición con los desahuciados comités del partido. A finales de junio, cerca de cuarenta células de trabajo habían sido violentamente expulsadas de los recintos universitarios. En respuesta, Liu estigmatizó a miles de estudiantes acusándoles de ser «derechistas» y se organizaron sesiones de lucha contra sus dirigentes.

Retrospectivamente, no es fácil comprender cómo Liu y Deng pudieron valorar tan erróneamente las intenciones de Mao.

En aquella época, no obstante, la dimensión de lo que el presidente vislumbraba estaba más allá de la comprensión no sólo de sus adversarios, sino también de sus aliados. Que hubiese decidido lanzar a las masas contra el mismo partido era algo tan retorcido que nadie en el Politburó lo podía creer. Cuando los radicales de la Universidad de Pekín prepararon teatralmente una sesión de lucha en la que Lu Ping y otros sesenta «elementos de las bandas negras» fueron obligados a arrodillarse, ataviados con ridículos sombreros, las caras tiznadas, las ropas hechas harapos, y carteles pegados por todo el cuerpo, para que los estudiantes les golpearan y patearan, les tirasen del cabello y les atasen con sogas, antes de hacerles desfilar por las calles, no sólo Liu Shaoqi, sino también Chen Boda y Kang Sheng declararon que se trataba de un «incidente contrarrevolucionario» cuyos autores debían ser severamente castigados.[40]

Mientras Mao escondía la mano, todos intentaban comprender a su modo los sucesos que estaban aconteciendo. Para Liu y Deng, era un rebrote siniestro de las «cien flores», para «incitar a la serpiente a salir de su agujero» y poner al descubierto a quienes albergaban ideas capitalistas, al tiempo que representaba una lección para los jóvenes embaucados por éstos. Chen Boda y Kang Sheng comprendieron que Mao pretendía limitar el poder de Liu Shaoqi, pero lo consideraron una parte de un renovado esfuerzo por radicalizar la política, no el punto de partida de un asalto encaminado a demoler el sistema del partido.

Se acercaba rápidamente el momento en que todos ellos saldrían de su engaño.

La trampa de Mao estaba a punto de cerrarse. Tal como había explicado a Kang Sheng en Yan'an, un cuarto de siglo antes: «Los melones maduran. No los recojas cuando no están todavía maduros. Cuando estén a punto, caerán por su peso».

El 16 de julio, Mao nadó durante algo más de una hora en el río Yangzi, en las inmediaciones de Wuhan, flotando cerca de quince kilómetros río abajo mecido por la corriente. Fue una demostración de vigor, una metáfora de su retorno a la lucha.[41] Las fotografías de la hazaña del presidente de setenta y dos años aparecieron impresas en todos y cada uno de los periódicos de China, y en todos los cines se mostró la noticia.

Dos días después, sin informar de ello a Liu Shaoqi, voló de regreso a Pekín.

Aquella noche, en un acto de menosprecio aún mayor, Mao, reunido con Chen Boda y Kang Sheng, se negó a recibir al jefe de Estado.

A la mañana siguiente comunicó a Liu que el envío de células de trabajo había sido un error. Jiang Qing se desplazó hasta la Universidad de Pekín, donde dijo a los estudiantes radicales: «¡El que no se una a la rebelión, que se aparte a un lado! ¡Los que deseen la revolución, que se queden con nosotros!». Chen Boda declaró que la sesión de lucha de masas contra Lu Ping había sido, finalmente, un acto revolucionario, no contrarrevolucionario. El día 25 Mao exigió que todos los equipos de trabajo se retirasen, describiendo las decisiones adoptadas por Liu como «un error político». Dos días después, Jiang Qing, Chen Boda y Kang Sheng encabezaron el Grupo para la Revolución Cultural al completo hasta la Facultad de Pedagogía de Pekín, donde, en una congregación de masas, animaron a los estudiantes a «superar todos los obstáculos, liberar su pensamiento y poner en práctica una revolución a conciencia».[42]

Poco tiempo después, en una reunión de los activistas de la Revolución Cultural, en el Gran Salón del Pueblo, Liu se inculpó de los errores de las células de trabajo. Pero ahora se percibía un punto de resentimiento en sus palabras, una toma de conciencia inicial del hecho de que Mao le había vendido. «Nos preguntáis cómo hay que llevar a cabo esta revolución [cultural]», dijo a los activistas. «Os lo diré francamente, ni siquiera nosotros lo sabemos. Creo que muchos camaradas de la central del partido y muchos miembros de los grupos de trabajo no lo saben.» El resultado, añadió matizadamente, era que «incluso cuando no has cometido ningún error, alguien dice que lo has hecho».[43]

El 1 de agosto, el presidente convocó un pleno del Comité Central —el primero en casi cuatro años—, para aprobar las bases políticas e ideológicas por las que se debía regir la Gran Revolución Cultural del Proletariado.[44] En su informe político, Liu volvió a reconocer los errores de enfoque de las células de trabajo. Pero, al igual que antes, sugirió que éstos eran más el resultado de la falta de claridad (atribuible, según dejó a entender, a Mao) que consecuencia de un error fundamental de la línea política. El debate que siguió dejó bien claro que existían no pocas simpatías por su opinión.

Por ello, tres días más tarde, Mao convocó una reunión ampliada del Comité Permanente del Politburó, donde comparó el envío de los equipos de trabajo con la supresión de los movimientos estudiantiles por parte de los señores de la guerra del norte y el Guomindang de Chiang Kai-shek. Liu y Deng habían llevado a cabo «un acto de exterminio y terror», dijo, añadiendo amenazador: «Hay "monstruos y demonios" entre los aquí presentes». Cuando Liu replicó que estaba dispuesto a asumir su responsabilidad, en tanto que él había estado al mando en la capital durante ese tiempo, Mao se mofó: «Estabais ejerciendo una dictadura en Pekín. ¡Hiciste un gran trabajo!».[45]

Esta provocadora afirmación circuló inmediatamente en un documento de trabajo del congreso. Al igual que su discurso de Lushan, siete años antes, condenando a Peng Dehuai, la ira de Mao sorprendió al pleno.

Al día siguiente, por si todavía no había cundido el mensaje, lo deletreó en una pancarta, titulada «¡Bombardeemos los cuarteles generales!».[46] Desde mediados de junio, aseguró Mao, ciertos «camaradas dirigentes muy importantes», que se habían opuesto a su persona ya en dos ocasiones anteriores —en 1962 (sobre las labores agrícolas privadas) y en 1964 (con motivo del Movimiento de Educación Socialista)— se habían intentado resistir a la Revolución Cultural y pretendían instaurar una dictadura burguesa. «Han subvertido lo bueno y lo malo, y confundido lo blanco y lo negro», clamó. «Han asediado y exterminado a los revolucionarios, y han ahogado las opiniones que divergen de las suyas. Han puesto en práctica el terror blanco, glorificando el capitalismo y denigrando al proletariado. ¡Cuánta maldad!» El título de la pancarta acentuaba el ataque al dejar entrever que los «camaradas dirigentes» sin nombrar habían formado un cuartel burgués en el seno del partido.

El cartel de Mao confirmaba lo que Liu había comenzado a barruntar confusamente algunos días antes: el presidente había decidido librarse de él.

Sus aliados en el Politburó, dirigidos por Deng Xiaoping, y sus seguidores del Comité Central aguardaban a que el hacha cayera sobre sus cabezas. Pero no lo hizo: Mao seguía sin querer asumir riesgos. Siguiendo sus instrucciones, Chen Boda, Kang Sheng, Xie Fuzhi, ministro de Seguridad Pública, y otros portavoces radicales concentraron todo su fuego sobre Liu. Pocos de los presentes comprendían cual había sido el error que había cometido el jefe de Estado. Pero nadie intentó defenderle. En los últimos treinta y dos años, desde el comienzo de la Larga Marcha, nadie se había enzarzado en una pelea con Mao y había salido victorioso. En agosto de 1966, con el presidente fomentando el desorden entre la cúpula y por todo el país, no parecía el mejor momento para intentarlo.

Aquella tarde Mao envió un avión en busca de Lin Biao, entonces en Dalian, adonde había acudido con su familia para eludir el calor del verano.[47] Zhou Enlai se reunió con él en el aeropuerto y, en el trayecto en coche hasta Pekín, le informó de lo que ocurría. El presidente en persona le recibió después, y le explicó que estaba destinado a convertirse en el segundo dirigente del partido en sustitución de Liu. Lin, que conocía demasiado bien los peligros que encarnaba un ascenso tan vertiginoso, intento rechazarlo, excusándose en su delicada salud. Pero Mao ya había tomado una decisión.

El 8 de agosto, el Comité Central aprobó dócilmente —por unanimidad— un documento, del que Mao realizó los arreglos finales, conocido como los «Dieciséis puntos».[48] Fue el anteproyecto para el *dalun*, el «gran caos» en que se sumergiría China durante los tres años siguientes.

La Revolución Cultural, declaró, era «una gran revolución que penetra hasta el alma misma del pueblo», una «tendencia general irrefrenable», destinada a derrotar la ideología feudal y burguesa y propagar la «opinión del proletariado», ilustrada por «el gran estandarte rojo del pensamiento de Mao Zedong». Era una revolución desde la base, en la que las masas se liberarían a sí mismas. «Confiad en las masas», exhortó Mao al partido, «creed en ellas y respetad su iniciativa, desechad vuestros miedos y no temáis los disturbios.» Había dicho lo mismo en 1957. Pero en esta ocasión sus tropas de asalto eran «los jóvenes revolucionarios», «los osados y valientes que abren el camino». Su tarea era además diferente de la de los intelectuales burgueses a los que había dado rienda suelta durante las «cien flores». El blanco no era ahora la pereza y la arrogancia de los cuadros burócratas, sino «todos los que gozan de autoridad y siguen la vía capitalista».

Mao no estaba dispuesto a afirmar abiertamente que Liu Shaoqi era el cabecilla de este colectivo. Pero cuando el pleno eligió un nuevo Politburó —a partir de una lista confeccionada, no por el Departamento de Organización del partido, como exigían las normativas, sino por Jiang Qing, siguiendo los deseos personales de Mao—, Liu pasó del segundo al octavo lugar de la jerarquía.

Desapareció la distinción entre el «primer» y el «segundo» frente. Lin Biao se convirtió en el único lugarteniente de Mao, con el título de vicepresidente. El primer ministro Zhou Enlai, al igual que antes, era el terce-ro, pero, del mismo modo que los achacosos Chen Yun y Zhu De, era úni-camente miembro del Comité Permanente. Se les unieron los aliados radi-cales de Mao, Chen Boda y Kang Sheng, y el líder cantonés, Tao Zhu, que había sustituido a Peng Zhen en el Secretariado. Deng Xiaoping fue as-cendido —a pesar de su vinculación con Liu— del séptimo al sexto lugar en la jerarquía. Su caso simplemente había quedado postergado.

El día en que se inauguró el pleno, el 1 de agosto, Mao escribió una carta expresando su «ardiente apoyo» a los guardias rojos de la Escuela Media de la Universidad de Qinghua, donde había tenido comienzo el movimiento.[49] Era la señal que estaban esperando las organizaciones de guardias rojos, hasta entonces confinadas en la capital, para extenderse por China.

Dos semanas después, un millón de guardias rojos, algunos de lugares tan remotos como Sichuan o Guangdong, convergieron en la capital en la primera de una serie de diez colosales congregaciones en la plaza Tianan-men.[50] En la medianoche del 17 de agosto destacamentos de escolares y es-tudiantes de escuelas superiores, entonando canciones revolucionarias y con banderas de seda roja y retratos del presidente en mano, comenzaron a marchar calle abajo por Chang'an *dajie*, la Avenida de la Paz Eterna, para ocupar sus posiciones. La aparición de Mao estaba prevista para que coin-cidiera con los primeros rayos del sol naciente. Poco después de las cinco de la mañana, caminó hacia el exterior de la Ciudad Prohibida y se fundió bre-vemente con la multitud, antes de retirarse al pabellón situado en lo alto de la puerta para encontrarse con los representantes de los guardias rojos.

Para subrayar el fervor militante, el presidente, como el resto del Polit-buró, se había enfundado el uniforme verde del Ejército Popular de Libe-ración; algo que no había hecho desde 1950, con el despliegue de las fuerzas chinas en Corea.

El encuentro se abrió con las notas del himno de Mao, «El Este es Rojo». Chen Boda y Lin Biao enfervorizaron a la muchedumbre elogiando a Mao como al «gran líder, gran maestro, gran timonel y gran comandan-te». Entonces una estudiante de una escuela media de Pekín fijó con alfileres un brazalete de los guardias rojos en una de las mangas de Mao, desenca-denando escenas de delirio entre los jóvenes que abarrotaban la plaza. Mao no dijo nada. No era necesario.

Dejadme que os explique las grandes noticias —noticias aún más grandes que el cielo [rezaba una tópica carta a la familia] ... ¡Vi a nuestro más, más, más, más tiernamente amado líder, al presidente Mao! Camaradas, ¡he visto al presidente Mao! Hoy me siento tan feliz que mi corazón va a explotar ... ¡Saltamos! ¡Cantamos! Después de ver al sol rojo en nuestros corazones, comencé a deambular como loco por todo Pekín. Le pude ver tan claramente, y era tan impresionante ... Camaradas, ¿cómo os puedo describir aquel momento? ... ¡Cómo podré ir a dormirme hoy? He decidido que haré del día de hoy mi aniversario. ¡¡Hoy comienzo una nueva vida!!⁵¹

Por las calles se extendió febrilmente un clímax de entusiasmo ferviente. Pocos fueron los espíritus independientes que consiguieron ver más allá de la sublime farsa, como el estudiante que, unas pocas semanas después, escribió: «La Gran Revolución Cultural no es un movimiento de masas, sino el de un hombre dirigiendo a las masas mientras empuña un arma».⁵² Pero la inmensa mayoría no pensaba así. Mao había fundado su nueva guerrilla para arremeter contra las altas esferas políticas. Una generación entera de jóvenes chinos estaba dispuesta a morir, y a matar, por él sin cuestionar su obediencia.

Y así lo hicieron.

Comenzaron pocos días después de la reunión del 18 de agosto. Una de las primeras víctimas fue el escritor Lao She, autor de *El tirador de Rickshaw* y *Casa de té*.⁵³ Junto a otras treinta figuras del ámbito cultural, fue conducido hasta el patio del antiguo templo de Confucio de Pekín. Allí se les cortó el pelo al estilo *yin-yang* (la mitad de la cabeza afeitada y la otra sin cortar); se les derramó tinta negra sobre el rostro, y colgaron de sus cuellos carteles tildándolos de «demonios vacunos y espíritus de serpiente». Se les obligó a arrodillarse mientras los guardias rojos les azotaban con palos y cinturones de piel. Lao She, que tenía entonces sesenta y siete años, perdió la conciencia. Cuando fue enviado de vuelta a casa, en las primeras horas de la madrugada del día siguiente, sus ropas estaban tan empapadas de sangre coagulada que su esposa tuvo que cortarlas para poder sacárselas. Al día siguiente se suicidó arrojándose a un lago poco profundo, no lejos de la Ciudad Prohibida.

Miles de víctimas de menor importancia encontraron destinos similares.⁵⁴ Apenas quedó un bloque de casas en Pekín donde los guardias rojos no golpeasen hasta la muerte al menos a una persona. En el plazo de cuatro días, a finales de agosto, en una pequeña área suburbana, trescientas veinticinco personas fueron asesinadas, desde un niño de seis semanas de vida (el hijo de una «familia reaccionaria») hasta un anciano de más de ochenta.

El ritmo al que los pacíficos e idealistas jóvenes estudiantes se transformaron en furias vengadoras sorprendió a los de más edad. Para Mao, fue un signo del «espíritu luchador» del pueblo chino.⁵⁵ ¿Cuántas veces, desde el movimiento del 4 de mayo de 1919 hasta, cuarenta años después, las «cien flores», habían estallado los aparentemente tranquilos campus universitarios para convertirse, en cuestión de horas, en calderos hirvientes de agitación política? En esta ocasión, el hombre más poderoso de la tierra, el presidente, había mostrado personalmente el camino, recordando (en los «Dieciséis puntos») que la revolución era «un acto de violencia con el que una clase arrebata el poder a otra».[56] Lin Biao les había reclamado «acabar con los cuatro viejos»: «el viejo pensamiento, la vieja cultura, las viejas costumbres y las viejas prácticas».[57] El ministro de Seguridad, Xie Fuzhi, había indicado a la policía que concediese total libertad a los guardias rojos:

¿Deben ser castigados los guardias rojos que matan a la gente? Mi opinión es que si la gente muere, muere; no es asunto nuestro ... Si las masas odian a la gente malvada hasta el punto de que no les podemos detener, pues no insistamos ... La policía del pueblo se debe mantener del lado de los guardias rojos, comunicarse con ellos, simpatizar con ellos y proporcionarles información, especialmente sobre las cinco categorías negras —los terratenientes, los campesinos adinerados, los contrarrevolucionarios, los malos elementos y los derechistas[58]

Era poco habitual utilizar un lenguaje tan transparente. Pero las palabras de Xie simplemente se hacían eco de las de Mao cuando, en 1949, al explicar la naturaleza de la «dictadura democrática del pueblo», había declarado: «El aparato estatal, incluyendo la policía y los tribunales ... es el instrumento con que una clase oprime a otra. Es un instrumento ... [de] violencia».[59]

La violencia, la revolución y el poder formaban la trinidad por la que Mao había luchado durante su larga carrera para hacer realidad sus ideas políticas.

Durante los años sesenta, la violencia estaba al servicio del mismo propósito que había orientado el movimiento campesino de Hunan de 1926, el «movimiento de investigación de la tierra» de los años treinta, o la reforma de la tierra de los años cuarenta y cincuenta. Los guardias rojos que torturaban y asesinaban en nombre del presidente —como los campesinos que habían golpeado hasta la muerte a sus terratenientes— estaban irrevocablemente entregados a la causa comunista. Ken Ling, un guardia rojo de Fujian, describió sus comienzos cuando era un estudiante en la escuela secundaria a los dieciséis años:

El profesor Chen, de unos sesenta años y aquejado de hipertensión, fue ... arrastrado hasta el segundo piso de un aulario y ... golpeado con los puños y con palos de escoba ... Se desvaneció en varias ocasiones, pero fue reanimado hasta recuperar la conciencia ... con agua fría derramada sobre su rostro. Apenas podía moverse; habían cortado sus pies con cristales y pinchos. Gritó:

«¿Por qué no me matáis? ¡Matadme!». Así aguantó seis horas, hasta que perdió el control sobre sus excrementos. Intentaron introducirle forzadamente un palo por el recto. Se desmayó por última vez. Volvieron a echarle agua fría por encima. Era demasiado tarde ... Los presentes comenzaron a marcharse, uno tras otro. Los asesinos estaban un poco asustados. Intimaron con el médico de la escuela, [quien] ... finalmente redactó un certificado de defunción: «Muerte a causa de un repentino ataque de hipertensión...». Cuando [su esposa] acudió a la escena, fue obligada a ratificar la causa de su muerte antes de permitirle que se llevase el cuerpo...

Tras una noche de terroríficas pesadillas, hice acopio de suficiente valor para ir al día siguiente a la escuela y ver más de lo mismo ... Después de unos diez días, me acostumbré a ello; un cuerpo embadurnado de sangre o un alarido ya no me hacían sentir incómodo.[60]

Los profesores con vinculaciones burguesas, los miembros de los «partidos democráticos», y los que pertenecían a las «cinco categorías negras» (después ampliadas a siete para incluir a los traidores y a los espías, y finalmente a nueve, añadiendo los capitalistas y los «apestosos intelectuales») —en resumen, los «sospechosos habituales»— fueron los primeros objetivos, a menudo con el aliento tácito de los comités del partido, que de este modo pretendían mantener el fuego de los guardias rojos lejos de ellos mismos. Muy pronto, con el apoyo de la policía y los simpatizantes del ejército, los asesinatos se convirtieron en sistemáticos. Después de la Revolución Cultural, otro profesor, lisiado por las agresiones de sus estudiantes, describió lo que todo eso significó:

Cada pocos días, varios profesores eran conducidos al campo de atletismo y azotados en público ... Algunos maestros fueron enterrados en vida. En el tejado de aquel edificio de allá, se obligó a cuatro profesores a que se sentaran sobre un fardo de explosivos y [los forzaron] a encenderlos ellos mismos. [Se produjo] un ruido extraordinario, y no se veía a ninguno de ellos —sólo piernas y brazos en los árboles y [esparcidos] sobre el tejado ... [En total] murieron unos cien [funcionarios de escuela].[61]

Para aquellos adolescentes, no podía existir símbolo más poderoso del derrocamiento del viejo orden que la destrucción física de quienes representaban la autoridad que se erguía por encima de ellos. «Rebelarse es correcto», había escrito Mao en diciembre de 1939.[62] El *Diario del Pueblo* resucitó la sentencia, y los guardias rojos la hicieron suya. Humillando públicamente a sus víctimas, en los casos en que de hecho no las asesinaran, se aseguraban de que nadie permaneciese indiferente ante los extraordinarios cambios que Mao estaba proyectando. Al igual que las «reuniones de apaleamiento» organizadas en ciertos teatros de Pekín, el terror de los guardias rojos tenía una función educativa, además de punitiva.[63]

Antes de que transcurriese demasiado tiempo, la revolución comenzó a devorar a sus propios vástagos.

Los rebeldes, siguiendo inicialmente divisiones de clase, se fraccionaron entre los hijos de los obreros, los campesinos y los soldados, y aquellos de un entorno menos deseable; después, siguiendo escisiones faccionales, en grupos rivales manipulados por fuerzas políticas y militares en competencia directa a nivel provincial y nacional. La violencia pasó a dirigirse hacia el interior. A mediados de otoño, muchas unidades de guardias rojos habían fundado «reformatorios» y «centros de detención», donde los miembros poco dóciles eran disciplinados y los enemigos castigados. Gao Yuan, que entonces tenía quince años, recordaba haber encontrado a algunos de sus amigos después de que sus compañeros de escuela les hubiesen torturado:

> Algunos yacían sobre el suelo atados con cuerdas. Otros estaban amarrados en las vigas ... El descubrimiento de Songying [una joven de diecisiete años] representó el mayor trauma. Descansaba inconsciente sobre el suelo en medio de un charco de sangre. Le habían arrancado los pantalones. Su blusa estaba rasgada, dejando sus pechos al descubierto. La habían golpeado tan insistentemente que todo su cuerpo era de color púrpura ... Sus torturadores le habían introducido calcetines sucios y ramas por la vagina, haciéndola sangrar gravemente.

Otro joven, Zhongwei, estaba sobre una cama. Gao se apresuró a buscar a la doctora de la escuela:

> Cuando cortó las perneras del pantalón con unas tijeras, se echó atrás. En el momento en que vi las piernas desnudas de Zhongwei comprendí la razón. Estaban acribilladas de agujeros del diámetro de un lápiz, rodeadas de sartas de carne flácida, de la misma consistencia que la carne de cerdo desmenuzada. Las heridas supuraban sangre y pus. «Qué demonios han usado para hacerle esto», murmuró la doctora Yang. Mirando alrededor de la habitación encontré la respuesta: los atizadores para avivar el fuego de la estufa.[64]

Entre los varios millares que murieron aquel otoño estaba el joven que había descrito presa del éxtasis su percepción de Mao en la plaza de Tiananmen. Antes de que hubiesen transcurrido tres semanas, fue apaleado y se suicidó.[65]

El Grupo Central de la Revolución Cultural realizó tímidos intentos para detener las sanguinarias matanzas de los guardias rojos. Mao no mostró la más mínima preocupación; los excesos eran inevitables.

Los dirigentes de los guardias rojos no hacían más que actuar del mismo modo que él cuando ordenó la purga de la AB-*tuan* y la «supresión de los contrarrevolucionarios» en Futian. No era la mejor manera de enfrentarse a los rivales o a los renegados, pero era quizá una parte necesaria e incluso, hasta cierto punto, deseable, de la «gran tormenta revolucionaria» con la que los «jóvenes generales» debían ser templados para convertirse en sus sucesores, al igual que lo había sido, treinta años antes, la generación de Mao.

Los paralelismos con los estadios iniciales de la revolución china eran deliberados. Tanto para Mao como para sus jóvenes seguidores, la Revolución Cultural era en parte un intento de recrear los días de gloria de su propia lucha por el poder.

A finales de agosto, el presidente ratificó un «movimiento en red» de alcance nacional, inspirado en la Larga Marcha, en virtud del cual los guardias rojos obtuvieron pases de tren para viajar por todo el país, difundiendo el evangelio de la Revolución Cultural, al tiempo que los jóvenes de provincias llegaban a la capital para exaltarse en las congregaciones de guardias rojos que Mao presidía.[66] En el proceso, millones de jóvenes chinos visitaron su tierra natal en Shaoshan, la primera área base roja de Jinggangshan, y otros enclaves revolucionarios, realizando a menudo el viaje a pie para revivir las experiencias de sus predecesores.[67]

De manera similar, la campaña contra los «cuatro viejos» emuló la iconoclasta de la década que había llegado a su fin con el movimiento del 4 de mayo.[68]

Al igual que Mao y sus compañeros se habían cortado la trenza manchú, los guardias rojos declaraban la guerra a «los peinados estilo Hong Kong, las ropas estilo Hong Kong, los pantalones vaqueros, los botines en punta y los zapatos de tacón alto», para, como señaló un grupo, «taponar cualquier orificio que apuntase al capitalismo y acabar con todo lo que pudiese incubar el revisionismo». Se crearon puestos de corrección para rasurar las cabezas ofensivas. Allí donde, medio siglo antes, el «movimiento de la nueva cultura» había introducido un cambio en el lenguaje, desde la lengua clásica a la vernácula, ahora se imponía un «movimiento» para transformar los nombres: los viejos letreros «feudales» de las tiendas fueron abandonados en favor de otros términos como *Weidong* (Defender a Mao Zedong), *Hanbiao* (Defender a Lin Biao), *Yongge* (Revolución Eterna), etc. Los niños cambiaron sus nombres de pila por los de *Hongrong* (Gloria Roja) o *Xiangdong* (Contemplando el Este). La calle de la parte exterior de la embajada soviética pasó a ser la «calle del antirrevisionismo»; el Hospital de la Unión de Pekín, fundado en 1921 por la Fundación Rockefeller, se convirtió en el «Hospital Antiimperialismo». Los guardias rojos cambiaron incluso las luces de los semáforos, de modo que el rojo se convirtió en la señal de «paso libre», hasta que Zhou Enlai les explicó que el rojo llamaba más la atención y que, por tanto, debía continuar siendo la indicación de «detenerse». Fue también Zhou quien envió tropas para proteger la Ciudad Prohibida cuando los guardias rojos llegaron con picos para destruir las antiguas esculturas. Pero otros enclaves históricos fueron menos afortunados. Por toda China se demolieron las puertas de entrada a las ciudades y los templos, se profanaron tumbas, se fundieron estatuas y artefactos de bronce, las mezquitas y los monasterios fueron presa del vandalismo, las pinturas y los sutras quedaron destruidos, y a los monjes y las monjas se los despojó del hábito.

Pero allí donde la generación de Mao se había contentado con saquear los lugares públicos de culto (y de hecho el mismo Mao se había opuesto incluso a ello, argumentando que el pueblo entraría por sí mismo en acción cuando creyese que era el momento adecuado), los guardias rojos asaltaron las casas privadas.[69] Durante los meses de otoño de 1966, entre un cuarto y una tercera parte de las viviendas de Pekín fueron objeto de las pesquisas de los guardias rojos.[70] Antigüedades, caligrafías, divisas extranjeras, oro y plata, joyas, instrumentos musicales, pinturas, porcelanas, fotografías antiguas, manuscritos de escritores famosos, libros de notas científicos, todo era sospechoso, estaba expuesto a ser confiscado, robado o destruido en el acto. En Shanghai, tales pesquisas dieron como resultado treinta y dos toneladas de oro, ciento cincuenta de perlas y jade, cuatrocientas cincuenta de joyas de oro y plata, y más de seis millones de dólares norteamericanos en divisas. Los ofensores más serios, normalmente miembros de una de las «clases negras», eran apartados de sus hogares y enviados lejos de la ciudad; los culpables de delitos menores perdían simplemente sus posesiones. Incluso entretenimientos como el cultivo de plantas en macetas, la cría de pájaros enjaulados o de perros y gatos domésticos, objeto de las críticas de Mao, eran condenados como legado del feudalismo.

Los libros eran un objetivo predilecto. En su época de estudiante, Mao había propuesto que «todas las antologías de prosa y poesía publicadas desde la dinastía Tang y Song [debían] ser quemadas» (incluyendo, presumiblemente, sus favoritas, como el *Sueño del Pabellón Rojo* o *A la orilla del agua*), basándose en la idea de que «el pasado oprime al presente», y de que la esencia de la revolución consistía en «sustituir lo viejo por lo nuevo».[71]

Pero, en 1917, Mao únicamente había formulado una propuesta. En 1966, los guardias rojos la cumplieron.

En las ciudades de toda China, el botín acumulado con el saqueo de templos y bibliotecas, librerías y hogares privados, era apilado en las principales plazas. Ken Ling recordaba la escena acontecida en Amoy a principios de septiembre:

Los montones contenían objetos de muy diverso tipo: tablas de madera para el culto a los antepasados, viejos billetes del Guomindang, policromos vestidos de estilo chino, piezas de mahjong,* naipes, cigarrillos extranjeros ... Pero, por encima de todo, ídolos y libros. Allí estaban todos los libros extraídos de las bibliotecas de la ciudad ... los libros amarillos, los negros, los ponzoñosos. La mayoría eran viejos volúmenes cosidos a mano. *El loto dorado* ... *El romance de los Tres Reinos, Cuentos extraños de un estudio chino,* a todos les esperaban las llamas. Poco después de las seis de la tarde derramaron sobre los montones cincuenta kilos de queroseno, y después los prendieron. Las llamas se encaramaban hasta una altura de tres pisos ... Ardieron durante tres días y tres noches.[72]

Con posterioridad, los libros antiguos pasaron a ser enviados para convertirlos en pasta. De este modo se perdieron para siempre muchas copias únicas de textos de las dinastías Song y Ming.

No obstante, la gran diferencia entre la iconoclasia de la juventud de Mao y la de sus sucesores, los guardias rojos, medio siglo después, consistía en que su generación se había rebelado para liberarse de la camisa de fuerza impuesta por la ortodoxia confuciana, desatando una explosión de libertad de pensamiento en la que cada nueva idea, cada moda, cada doctrina social era permitida.

Los guardias rojos recortaron incluso los vestigios de libertad entonces existentes para imponer una nueva ortodoxia maoísta más rígida que ninguna otra vigente hasta entonces. Su objetivo era aniquilar lo viejo, «quemar los libros y enterrar vivos a los intelectuales», como había hecho dos mil años antes el emperador Qing Shihuang, para que China se convirtiese, según el adagio de Mao, en «un papel en blanco», preparado para ser rubricado con la sagrada escritura del pensamiento marxista-leninista de Mao Zedong.

Para llenar el vacío dejado por los «cuatro viejos», se idearon los «cuatro nuevos»: «nueva ideología, nueva cultura, nuevas costumbres y nuevos hábitos».[73] En términos prácticos, esto significó la exaltación de Mao y sus ideas para excluir cualquier otra cosa. Había dejado de ser venerado; era idolatrado.

Cada mañana, en los lugares de trabajo, la gente permanecía en formación y se postraba tres veces ante el retrato de Mao, «pidiendo instrucciones» silenciosamente sobre las tareas del día que tenían por delante.[74] Repetían el mismo ritual cada tarde, para informar de todo lo que habían realizado. Los guardias rojos explicaban a sus víctimas que debían rezar a

---

* El mahjong o *majiang* es un popular juego tradicional chino formado por ciento cuarenta y cuatro piezas y jugado por cuatro personas. (*N. del t.*)

Mao para alcanzar el perdón. En las estaciones de ferrocarril de las ciudades, los pasajeros debían realizar una «danza de lealtad» en el andén antes de que se les permitiese subir al tren. En los distritos rurales existían «cerdos de la lealtad», marcados con el carácter *zhong* (fidelidad) para mostrar que incluso las bestias más inmundas eran capaces de reconocer el genio de Mao. Las obras de Mao eran referidas como los «libros tesoro», y se celebraban ceremonias cuando se ponía a la venta una nueva remesa. Los activistas aprendían de memoria los ensayos de Mao, y se engalanaban con insignias de Mao Zedong en las solapas. Las operadoras de teléfono saludaban a los usuarios con las palabras «Mao Zhuxi wansui» («larga vida al presidente Mao»). Las cartas comerciales estaban encabezadas con citas de los escritos de Mao, impresas en negrita. Al *Pequeño Libro Rojo* de sus aforismos se le atribuyó el poder de obrar milagros. Los periódicos chinos informaban de cómo los obreros médicos, provistos de aquél, habían curado a los ciegos y a los sordos; cómo un paralítico, confiando en el pensamiento de Mao Zedong, había recuperado la funcionalidad de sus miembros; cómo, en otra ocasión, el pensamiento de Mao Zedong había resucitado a un hombre de la muerte.

Nada de esto era completamente nuevo en China. El propio Mao, cuando era un escolar, se había postrado cada mañana ante el retrato de Confucio. En los años veinte, los miembros del Guomindang comenzaban sus reuniones postrándose ante el retrato de Sun Yat-sen. Chiang Kai-shek había intentado, sin éxito, imponer un culto similar a su persona. Las danzas de lealtad se habían representado ya en la corte de los Tang, mil doscientos años antes. Como muestra de reverencia, las palabras del emperador siempre se situaban más alto, y en caracteres de mayores dimensiones, que las de cualquier otra persona (causa, en el siglo XIX, de interminables disputas diplomáticas con las grandes potencias).

Pero la ironía residía en que, para dar a luz su nuevo mundo, el presidente había retrocedido hasta sus raíces, hasta la raíz de su pensamiento, hasta los días en que China estaba gobernada por el Hijo del Cielo —el «rojo sol de nuestros corazones»—, para poder forjar un sistema imperial de poder ilimitado con el que, una vez enjaezado de propósitos revolucionarios, conseguiría edificar la utopía roja a la que había amarrado sus sueños.

Cuando el año 1966 se acercaba a su fin China entera parecía marchar al paso marcado por Mao.

Su estatus imperial, su deificación y el fanatismo de los guardias rojos generaron un clima de militancia y amenaza tan abrumador que nadie podía oponerse a él. El presidente estaba triunfante. En la celebración de su septuagésimo tercer aniversario, propuso un brindis por «el despliegue de una guerra civil en toda la nación».[75] Zhou Enlai resumió el nuevo principio rector en virtud del cual debían actuar los dirigentes del partido: «Todo lo que se ajuste al pensamiento de Mao Zedong es correcto, y todo lo que no se ajuste al pensamiento de Mao Zedong es erróneo».[76]

En el seno del Comité Central, al igual que en el partido en general, los radicales eran una minoría. La mayoría de los funcionarios estaban aterrados ante la perspectiva de otro trastorno que pusiese en peligro su posición. El presidente no albergaba ilusiones a este respecto. «Si se os dice que encendáis una hoguera en la que vais a arder vosotros mismos, ¿obedeceréis?», preguntó escépticamente en julio. «Porque, de hecho, todos vosotros acabaréis en las llamas.»[77] De ahí su decisión de reclutar a los jóvenes para actuar como su nueva vanguardia revolucionaria.

En octubre de 1966 las tácticas del terror de los guardias rojos —cuyo objetivo se había desplazado desde sus profesores hasta los funcionarios de educación de mayor rango y después hasta los comités provinciales del partido— comenzaron a presionar a algunos de los seguidores clave de Liu Shaoqi. Aquel mes, Liu y Deng Xiaoping realizaron autocríticas en una conferencia de trabajo del Comité Central, donde fueron acusados por vez primera de intentar restaurar una «dictadura capitalista».[78] Poco después, el Departamento de Organización del partido distribuyó secretamente carteles, dispuestos en lugares señalados del centro de Pekín, que denunciaban a ambos por su nombre. De manera oficial, mantuvieron sus cargos. Pero en el Día Nacional, mientras Liu, como jefe de Estado, permanecía en pie junto a Mao, saludando a la multitud, Sydney Rittenberg, que estaba junto a ellos en el estrado, observaba sus ojos «empequeñecidos de temor».[79]

A pesar de ello, Mao se vio obligado a reconocer que los guardias rojos carecían, por sí mismos, de la fuerza necesaria para propiciar un cambio decisivo en el equilibrio de fuerzas políticas, como él anhelaba. En agosto había hablado confidencialmente de que serían suficientes «unos pocos meses de desorden» para culminar la caída de casi todos los dirigentes provinciales del partido.[80] Ahora estaba claro que le llevaría mucho más tiempo.

Mao respondió suavizando su hostilidad hacia los cuadros veteranos, pidiendo disculpas, en un discurso memorable, por los perjuicios que había ocasionado:

No me sorprende que [vosotros], viejos camaradas, no lo hayáis comprendido demasiado. El tiempo ha sido muy breve y los acontecimientos demasiado violentos. Ni yo mismo había previsto que el país entero pudiera acabar sumido en el caos ... Ya que soy el causante de todos estos estragos, es comprensible que queráis dirigirme palabras amargas... [Pero] lo que ha sucedido, ha sucedido ... Indudablemente habéis cometido algunos errores ... pero se pueden enmendar, y ¡así se hará! ¿Quién quiere derrocaros? Yo no, y creo que tampoco los guardias rojos ... Creéis que es difícil salirse de este paso, y yo no creo que sea fácil. Estáis ansiosos, al igual que yo. No os puedo culpar, camaradas.[81]

En esa misma ocasión, insistió en que Liu y Deng no estaban en la misma categoría que Peng Zhen.[82] Ellos habían actuado abiertamente, dijo. «Si han cometido equivocaciones, pueden cambiar ... Una vez hayan rectificado, todo estará en orden.»

Al mismo tiempo, tomó una serie de medidas para apoyar a los radicales.

Se ordenó a los guardias rojos que ampliasen sus bases. El eslogan inicial de los guardias rojos, «Si el padre es un héroe, el hijo tiene coraje; si el padre es un reaccionario, el hijo es un bastardo», fue denunciado por encarnar un «idealismo histórico», en nada mejor al feudalismo.[83] Millones de jóvenes que habían sido previamente excluidos del movimiento y que sentían escasa afección por las «clases rojas» tradicionales de la jerarquía del partido se unían ahora a la causa de los radicales.

Varios líderes cuyo celo en la persecución de los que seguían «el camino capitalista» se juzgaba insuficiente fueron purgados como aviso para que el resto mostrase un mayor entusiasmo.[84]

Wang Renzhong, jefe del ala izquierda del partido de Hubei, a quien Mao había designado como uno de los subdirectores del Grupo para la Revolución Cultural, fue el primero —acusado de eliminar «los intercambios de experiencias» entre los guardias rojos. Después Tao Zhu, que ocupaba el cuarto lugar de la jerarquía —por detrás de Mao, Lin Biao y Zhou Enlai— fue acusado de ser un «fiel seguidor de la línea Deng-Liu». Había adoptado una visión de la Revolución Cultural que Mao consideraba demasiado restringida, y había intentado defender a los cuadros veteranos. Para los guardias rojos, ello lo convirtió en un «intransigente protector de emperadores» y un «bribón hipócrita de rango». El mariscal He Long, también miembro del Politburó, fue acusado de estar en coalición con Peng Zhen. Incluso Zhu De, que tenía entonces ochenta años, fue denunciado en los carteles como «un viejo cerdo» y un «comandante negro» que se había opuesto a la política proletaria de Mao. A un nivel algo inferior, un gran número de miembros del Comité Central que trabajaban en la capital fueron conducidos a las sesiones de lucha de los guardias rojos, donde se les obligó a ponerse caperuzas y a resistir abusos verbales y físicos.

Finalmente, en diciembre, Mao accedió a que el Grupo para la Revolución Cultural trajese a Peng Dehuai desde Sichuan. Había permanecido confinado en un barracón militar para ser interrogado sobre sus vínculos con Liu Shaoqi y Deng Xiaoping.

La elección de las víctimas venía determinada en parte por factores personales (Chen Boda albergaba un rencor inveterado por Tao Zhu; Wang

Renzhong había ofendido a Jiang Qing; la mujer de He Long y la de Lin Biao se odiaban mutuamente desde Yan'an) y en parte por egoísmo político; Lin consideraba a los veteranos como He y Zhu De un impedimento para alcanzar el control pleno del Ejército Popular de Liberación. Pero, para todos ellos, existía una única causa primordial. Así lo explicó un radical de Shanghai, Zhang Chunqiao:

> Esta Revolución Cultural precisamente debe derribar a todos esos viejos camaradas, sin excepción alguna. Zhu De, Chen Yi, He Long ¡no hay un solo tipo sano entre ellos! ... Zhu De es un gran señor de la guerra; Chen Yi es un viejo arribista ... He Long es un bandido ... ¿Cuál de ellos vale la pena salvar? No deberíamos proteger a ninguno de ellos.[85]

Todos ellos representaban el «viejo pensamiento» que la Revolución Cultural pretendía destruir. Unos pocos, como Zhu De, se libraron de los maltratos físicos, a causa de que Mao lo prohibió personalmente. Pero para la mayoría de ellos, el presidente obedecía el precepto que él mismo había impuesto a sus seguidores: «Confiad en las masas, creed en ellas y respetad sus iniciativas». Raramente proponía él mismo los arrestos (lo que le permitía, si lo deseaba, desautorizarlos posteriormente), sino que dejaba que los radicales actuasen según juzgasen más conveniente.

A medida que la presión sobre los veteranos del partido aumentaba, Mao ordenó al Grupo para la Revolución Cultural que intensificase la campaña contra Liu y Deng.

En una reunión mantenida el 18 de diciembre con el líder de los guardias rojos de la Universidad de Qinghua, Kuai Dafu, Zhang Chunqiao le comunicó a éste la posición de Mao. «Aquellos dos de la central del partido ... por ahora no se rendirán», explicó. «¡Persígueles! ¡Incórdiales! No te quedes a medias tintas.» El fin de semana siguiente miles de estudiantes, precedidos por camiones dotados de megáfonos, marcharon por las áreas comerciales de Pekín, donde empapelaron las paredes con eslóganes que reclamaban la dimisión de ambos. Jiang Qing persuadió a Liu Tao, hija del jefe de Estado, fruto de un matrimonio anterior y estudiante también de Qinghua, para que se uniese a la campaña, advirtiéndole que si se negaba a ello estaría mostrando su falta de «sinceridad revolucionaria». El 3 de febrero de 1967, un cartel firmado por la joven y su hermano, titulado «Contemplad la despreciable alma de Liu Shaoqi», fue instalado en el interior de los muros de Zhongnanhai. Las organizaciones de guardias rojos realizaron copias y las distribuyeron por todo el país. Aquel mismo día, unos treinta miembros de un grupo rebelde llamado los «Insurrectos de Zhongnanhai», creado, con el estímulo de Mao, por los miembros jóvenes del personal y los guardaespaldas de las oficinas del Comité Central, asaltaron la casa del jefe de Estado, donde le reprendieron durante tres cuartos de hora y le obligaron a recitar citas del *Pequeño Libro Rojo*.

Tres días después, los guardias rojos volvieron a golpear. En esta ocasión una llamada espuria envió apresuradamente a la esposa de Liu, Wang Guangmei, a un hospital de Pekín, donde, según se le había comunicado, otra hija, Pingping, esperaba ser intervenida después de un accidente de tráfico. Al llegar no encontró a ninguna hija herida sino, en su lugar, a una multitud de rebeldes de Qinghua que la trasladaron hasta el campus y organizaron una sesión de lucha en su contra.

Mientras tanto, con la autorización de Mao, el Grupo para la Investigación de Casos Centrales, creado siete meses antes para investigar a Peng Zhen y sus compañeros, formó un equipo especial para investigar el pasado de Wang Guangmei. Ésta provenía de una familia poderosa y había sido educada en la escuela de una misión norteamericana. Para Kang Sheng, a quien Mao había pedido que reasumiese la responsabilidad en cuestiones de seguridad política, aquello ofreció inmediatamente la posibilidad de presentarla como una espía norteamericana. Posteriormente se formó otro Grupo de Casos Especiales para intentar demostrar que Liu había traicionado la causa comunista mientras actuaba durante los años veinte de líder clandestino en las áreas blancas.

Una semana después del incidente del hospital, Mao invitó por última vez a Liu al Estudio de la Fragancia de Crisantemo.

Mao disfrutaba de sus triunfos; gozaba saboreándolos.

Se interesó solícitamente por la salud de Pingping (sabiendo perfectamente que el «accidente» había sido una maquinación), y recordó los viejos tiempos. Liu pidió a Mao que le permitiese dimitir de todos sus cargos oficiales y volver a Yan'an con su familia, o a su pueblo natal de Hunan, para trabajar como campesino en una comuna. El presidente no dio respuesta alguna. Permaneció sentado en silencio, fumando sin parar, y cuando Liu se levantó para marcharse, escuetamente añadió: «Estudia mucho. Cuida de ti mismo». Cinco días después, el 18 de enero, cortaron la línea telefónica especial que unía a Liu con los otros miembros del Politburó, incluyendo a Mao y al primer ministro Zhou. Su aislamiento era completo.[86]

Aquel invierno, Mao añadió una nueva y crucial arma al arsenal de los radicales.

Además de los guardias rojos, los trabajadores militantes de fábricas y oficinas, en muchos casos impulsados por ofensas personales contra los comités del partido de sus unidades de trabajo, comenzaron a formar sus propios grupos rebeldes. A principios de noviembre, un joven trabajador del sector textil de Shanghai, Wang Hongwen, de treinta y tres años, fundó el

Cuartel General Revolucionario de los Trabajadores para coordinar los grupos de obreros radicales de la ciudad. Cuando las autoridades municipales rechazaron extender su reconocimiento a la nueva formación, Wang envió una delegación a Pekín. El comité del partido de Shanghai detuvo el tren en que viajaba antes de que lograse abandonar la ciudad, después de lo cual los obreros se tendieron sobre las vías, bloqueando el movimiento ferroviario durante más de treinta horas. Zhang Chunqiao, que fue enviado para solventar el problema, ratificó inmediatamente las demandas del Cuartel General y ordenó al primer secretario de Shanghai, Cao Diqiu, que pronunciase una autocrítica pública. Dos días después, Mao aprobó la acción de Zhang, y proclamó que los trabajadores de todo tipo de empleo comercial, industrial o gubernamental tenían el legítimo derecho de crear organizaciones de masas.

No obstante, los grupos de trabajadores, al igual que había sucedido con los guardias rojos estudiantiles antes que ellos, pronto se escindieron en facciones rivales: los «rebeldes revolucionarios», que pretendían derrocar todas las estructuras de poder existentes, y los «revolucionarios proletarios», que querían preservar el liderazgo del partido, aunque dotándolo de una apariencia más radical.

Desde finales de noviembre, el Cuartel General de Shanghai, respaldado por el Grupo para la Revolución Cultural de Pekín, se implicó en una lucha de poder cada vez más violenta con su rival conservador, el Destacamento Rojo de Shanghai, apoyado tácitamente por el comité del partido de la ciudad. El 30 de diciembre, decenas de miles de trabajadores lucharon organizando batallas callejeras en el exterior de las oficinas del comité del partido. Comenzaron las huelgas. El puerto quedó paralizado, con más de cien buques extranjeros esperando para la descarga. El transporte ferroviario se detuvo. Los trabajadores que habían sido enviados al campo durante la hambruna que siguió al Gran Salto Adelante comenzaron a reclamar el derecho a retornar. Comenzando el 3 de enero de 1967 —el día que la campaña contra Liu Shaoqi y su mujer alcanzó su cenit en Pekín— los rebeldes de Wang Hongwen tomaron el control de los principales periódicos de Shanghai, primero el *Wenhuibao*, y dos días después, el periódico del partido, el *Jiefang ribao* (*Diario de la Liberación*).

En aquel punto, Mao intervino, enviando a Zhang Chunqiao y Yao Wenyuan a la ciudad con una directriz que afirmaba que el comité del partido de Shanghai caería irremediablemente, y que «una nueva autoridad política» se establecería en su lugar —con lo que la balanza se inclinaría definitivamente en favor de los rebeldes. Dos días después, varios centenares de miles de personas se congregaron en la plaza central, en un encuentro en el que el Cuartel General anunció que no seguiría reconociendo la autoridad del comité del partido y que los «rebeldes revolucionarios» del gobierno de la ciudad asumirían la responsabilidad de los asuntos cotidianos.

La «toma de poder» de Shanghai se convirtió en un modelo para el resto del país.[87] Mao la definió como una «gran revolución» de «una clase derrotando a otra». Citó un viejo proverbio: «No pienses que porque muera el carnicero Zhang tendremos que comer la carne del cerdo llena de pelos».[88] Lo que quería decir era que el país podía continuar avanzando incluso si los comités provinciales caían. Durante las tres semanas posteriores, grupos rebeldes tomaron el poder en otras siete provincias y ciudades, incluyendo Anhui, Guangdong, Heilonjiang y a la misma Pekín.

No obstante, había un problema. Una cosa era echar abajo los comités del partido; y otra muy distinta era qué poner en su lugar.

Ni Mao, ni los mismos grupos rebeldes habían pensado realmente en la cuestión. Zhang Chunqiao estaba inicialmente preocupado por protegerse de la amenaza de los grupos rivales de guardias rojos y facciones revolucionarias, y no fue hasta el 5 de febrero de 1967 cuando, con el apoyo de las unidades locales del Ejército Popular de Liberación, se sintió lo suficientemente al control de la situación como para atreverse a proclamar el establecimiento de la Comuna Popular de Shanghai.[89]

Al dar este paso, Zhang estaba convencido de que contaba con el total respaldo de Mao. Unos días antes, Chen Boda le había telefoneado para explicarle que el presidente estaba cerca de aprobar el establecimiento de una comuna en Pekín, y que Shanghai debía hacer lo mismo.[90] Los «dieciséis puntos» habían reclamado insistentemente «un sistema de elecciones generales, como el de la Comuna de París», para establecer órganos locales de poder que sirviesen como puente entre el partido y las masas.[91] Siendo el más importante de los «nacimientos recientes» del Gran Salto Adelante, las comunas simbolizaron la originalidad de la revolución china. El mismo Mao, en 1958, había vislumbrado un día en que «todo será considerado una comuna ... [incluyendo] las ciudades y los pueblos».[92]

Sin embargo, el presidente cambió inesperadamente de opinión. Se ordenó a otras ciudades y provincias que no siguiesen el ejemplo de Shanghai, y Zhang y Yao Wenyuan fueron convocados para escuchar la explicación de Mao:

> Ha surgido una serie de problemas, y me pregunto si habéis pensado en ello [dijo]. Si China entera funda comunas populares, ¿debería la República Popular de China cambiar su nombre por el de Comuna Popular de China? ¿Extenderán sobre ella su reconocimiento los demás países? Es posible que la Unión Soviética no nos reconozca, mientras Gran Bretaña y Francia sí lo hagan. ¿Y qué haremos con nuestros embajadores en algunos países? Y podríamos continuar.[93]

El razonamiento era espurio, y Mao lo sabía. Un cambio de nombre no representaría ningún cambio en las relaciones internacionales de China. Aun así, esto fue lo que se comunicó a los guardias rojos, y pronto se aceptó universalmente como la razón de que se «rechazase» la forma de organización basada en la «comuna». Suponía una *force majeure*: fuesen cuales fuesen las inclinaciones de Mao, los impedimentos externos así lo recomendaban.

La realidad era muy diferente. La acción de los dirigentes de Shanghai había obligado a Mao a mirar al abismo, y no le gustó lo que vio.

Un sistema basado en la Comuna de París, con elecciones libres y actividad política sin restricciones, significaba permitir a las masas que se gobernasen a sí mismas. Era la lógica de su requerimiento «confiad en las masas y creed en ellas», la lógica, de hecho, en que estaba basada toda la Revolución Cultural. Pero ¿en qué posición quedaba el partido? Como señaló Zhang Chunqiao: «¡De algún modo tiene que existir un partido! Tiene que haber un núcleo, no importa cómo lo llamemos».[94] Las elecciones libres eran un sueño utópico.[95] Prescindir de los dirigentes y «derrocarlo todo» quizá parecía progresista, pero era de hecho reaccionario y podía desembocar en el «anarquismo extremo».

En cierto aspecto, Mao perdió los nervios, al igual que había ocurrido, diez años antes, cuando puso freno a la campaña de las cien flores, sólo para reconocer con posterioridad que se había dejado «engañar por las falsas apariencias» y que quizá había actuado prematuramente.[96]

Desde otro punto de vista, Mao demostró, una vez más, sus habilidades como político consumado. La edad no había embotado la agudeza de las antenas políticas del presidente. La Revolución Cultural podía mostrarse como un descenso hasta la locura, pero Mao había avanzado en sus diferentes etapas con gran prudencia. Había dejado claro desde el principio que a la reconstrucción seguiría la destrucción, que «el gran desorden», como lo había calificado en julio de 1966, engendraría con el tiempo la «gran paz».[97] Por ese motivo se había mantenido en un segundo plano, cediendo a los demás el trabajo sucio, mientras él continuaba con las manos limpias, dispuesto a congregar y rehabilitar a los supervivientes cuando llegase el momento de reconstruir el nuevo partido a partir de las cenizas del viejo. Se trataba de una presunción a la que incluso sus víctimas, como He Long o Peng Dehuai, se suscribieron, ya que sabían que sólo Mao tenía, si así lo deseaba, el poder de redimirles; era parte de sus intereses, al igual que del suyo propio, creer que él era inocente ante los horrores perpetrados en su nombre.

Ya fuese por prudencia o por temor, o por una juiciosa mezcla de ambos, el resultado fue que la visionaria ideología de la Comuna de Shanghai quedó abandonada.

La Revolución Cultural había llegado a su Rubicón, al momento en que perdió su compás, cuando los ideales que había inspirado, sin importar lo espurios que fuesen, quedaron irremediablemente corrompidos. Enfrentado a una elección, Mao prefirió poseer un instrumento defectuoso de gobierno a no tener ninguno. A iniciativa suya, Zhang Chunqiao anunció el establecimiento de un nuevo órgano de poder, conocido como el Comité Revolucionario de Shanghai, formado por una «alianza tripartita» de rebeldes revolucionarios, representantes del Ejército Popular de Liberación y cuadros veteranos. Cuarenta años antes, después de la sublevación de la cosecha de otoño, se había utilizado la misma designación en las administraciones comunistas provisionales establecidas en las ciudades y aldeas.

A pesar del juego de manos de Mao cuando atribuyó el cambio de curso a las presiones diplomáticas, no todo el mundo se dejó engañar. Al tiempo que se multiplicaban los comités revolucionarios, entre los guardias rojos los ultraizquierdistas hablaban oscuramente de «restauración capitalista».[98] Para la mayoría de chinos no era así. Sin embargo, a partir de febrero de 1967, el presidente comenzó una retirada ideológica, y la lucha contra los «seguidores del camino capitalista» pasó a estar cada vez más centrada en cuestiones de poder bruto.

A pesar de las consecuencias a largo plazo que tuvo el sueño de Mao de un «reino de virtud roja», los efectos inmediatos y visibles de la toma de poder de Shanghai consistieron en otorgar a la espiral de violencia revolucionaria un nuevo y potente ímpetu.

En las provincias, los guardias rojos y los obreros revolucionarios redoblaron sus esfuerzos para derrocar a los comités provinciales. Los primeros secretarios de Shanxi y Yunnan se suicidaron, y el líder de Anhui, Li Baohua, fue conducido por todo el centro de Pekín en un camión sin capota, como un criminal que se dirige a su ejecución.[99] Se publicó una nueva directriz del presidente, exigiendo a los «grupos de revolución proletaria que tomasen el poder». En la puerta occidental de Zhongnanhai se congregó una multitud reclamando que Liu, Deng Xiaoping y otros dirigentes de la central fuesen arrastrados hasta el exterior y conducidos a una sesión de lucha. El ministro del Carbón, Zhang Lingzhi, fue obligado por los guardias rojos a llevar un sombrero de hierro de sesenta kilos de peso, siendo después golpeado hasta la muerte.[100]

Al mismo tiempo, el Ejército Popular de Liberación, que hasta entonces se había mantenido claramente alejado de los desórdenes, comenzó a ser tragado por el cenagal. En enero, Mao había aprobado la destitución de Liu Zhijian, jefe del Grupo para la Revolución Cultural del Ejército Popular de Liberación, señalando el inicio del efímero intento de localizar a los seguidores entre los militares de la «línea reaccionaria burguesa» de Liu Shaoqi. Su caso ilustra un dilema con el que Mao forcejearía durante los ocho siguientes meses. ¿Se debía permitir que el ejército se implicase en la Revolución Cultural siguiendo los mismos principios que los grupos civiles? ¿O existía alguna constricción superior, por razones de seguridad nacional, que obligase a mantener la alerta ante la guerra y la disciplina militar?

El delito de Liu, por el que pagó siete años de cárcel, consistía en haber intentado disuadir a los cadetes de los institutos de instrucción militar de todo el país para que no hostigasen a los comandantes regionales del ejército. Al hacerlo, había contado con el apoyo de Ye Jiangying, que estaba al cargo de los quehaceres diarios de la Comisión Militar, y de otros tres mariscales del Ejército Popular de Liberación: Chen Yi, Nie Rongzhen y Xu Xiangqian. Para Jiang Qing y Chen Boda, Liu y, en consecuencia, también los mariscales, estaban «entorpeciendo la Revolución Cultural».

Mao se equivocó. Tres días después de la destitución de Liu, aprobó una directriz de la central prohibiendo a «toda persona u organización atacar los órganos del Ejército Popular de Liberación». Pero, ante la falta de un claro respaldo por parte de la central, tuvo un seguimiento nulo. Los cadetes del ejército capturaron a los dirigentes de la región militar de Nanjing y escenificaron una reunión de lucha contra ellos, motivando la advertencia de su comandante, el general Xu Shiyou, de que si volvía a ocurrir, ordenaría a sus hombres que abriesen fuego. En Fuzhou y Shenyang ocurrieron incidentes similares. Entonces, para ayudar a los radicales de Shanghai, Mao distribuyó la orden de que el Ejército Popular de Liberación debía «respaldar a la izquierda». Aquello incrementó aún más la posibilidad de que el ejército acabase implicado en la política de facciones opuestas de los guardias rojos, lo último que deseaban los oficiales veteranos.

En resumen, a finales de enero de 1967 los veteranos que dirigían el Ejército Popular de Liberación en las regiones militares, muchos de los cuales habían estado junto a Mao desde los días de la Larga Marcha, se sentían profundamente molestos.[101]

Los problemas estallaron en Xinjiang, donde un comandante de regimiento del Ejército Popular de Liberación envió tropas para someter a los radicales de la ciudad de Shihezi, dejando a su paso varios centenares de heridos. En Sichuan, una fuerza de guardias rojos radicales y obreros rebeldes que atacó un barracón del ejército fue desarmada y sus líderes arrestados. En la remota provincia de Qinghai, en la frontera con el Tíbet, el comandante de aquel distrito militar envió soldados para cercar las oficinas del periódico local del partido, donde los radicales habían «tomado el poder» y habían golpeado hasta la muerte a un número nada despreciable de periodistas. Cuando se negaron a rendirse, ordenó un asalto en el que resultaron muertas más de ciento setenta personas y hubo un número similar de heridos. En Wuhan, después de otra disputa en relación con la «toma» de un periódico del partido, un millar de radicales fue detenido, algunos de los cuales fueron encarcelados, y otros liberados después de realizar confesiones públicas. En otras siete provincias ocurrieron incidentes similares.[102]

Paralelamente al «colapso de febrero», tal como fueron conocidos estos acontecimientos, se desarrolló una «contracorriente de febrero».[103] El propio Mao prendió la mecha inadvertidamente al fustigar a Jiang Qing y Chen Boda por su participación en la purga de Tao Zhu.[104] Él había aprobado la destitución de Tao. Pero les recriminó el hecho de haber tomado la iniciativa sin haberle consultado antes a él. Chen era «un oportunista», espetó. Jang Qing era «ambiciosa e incompetente». Incluso Lin Biao, que inicialmente había intentado proteger a Tao, fue acusado de haber sido incapaz de mantener informado al presidente. Los miembros conservadores del Politburó (los cuatro mariscales y varios viceministros), profundamente descontentos ante la purga de cuadros veteranos, lo tomaron como una señal —equivocadamente, como quedaría demostrado— de que Mao estaba perdiendo la paciencia ante los excesos de los radicales. En una reunión de la Comisión Militar celebrada en enero, en la que se mencionó la cuestión por primera vez, Ye Jianying golpeó la mesa con tal fuerza que se rompió un hueso de la mano. Después, en una reunión conjunta del Politburó y el Grupo para la Revolución Cultural mantenida el 14 de febrero, Ye advirtió nuevamente, apoyado por Xu Xiangqian y Chen Yi, del peligro de anarquía. ¿La proclamación de la Comuna de Shanghai significaba, preguntó, que el partido y el ejército eran superfluos? Nadie respondió.

Dos días después, el viceprimer ministro Tan Zhenlin, uno de los más antiguos camaradas de Mao, que en 1927 había presidido el primer soviet de obreros y campesinos del área base de Jinggangshan, se enzarzó en una disputa con Zhang Chunqiao.

«¡Las masas esto, las masas aquello!», gritó Tan.[105] «No deseáis el liderazgo del partido. Insistís en que las masas se liberen a sí mismas, que el pueblo se eduque a sí mismo y dirija la revolución por sus propios medios. ¿Qué es eso sino metafísica?» Y continuó: «Veteranos con cuarenta años de revolución han visto cómo irrumpían en sus hogares y cómo dispersaban a sus seres más queridos ... Éste es el ejemplo más cruel de toda la historia de lucha en el partido». Al día siguiente, dirigió su amargura hacia Chen Boda, Jiang Qing y el resto del Grupo para la Revolución Cultural en una carta a Lin Biao:

> Son absolutamente crueles; una sola palabra y una vida puede apagarse ... Nuestro partido lamentablemente no tiene remedio ... Nos empujarán hasta el precipicio, incluso por la menor de las ofensas. Y aun así ... ¿alcanzarán el po-

der? Lo dudo ... El primer ministro tiene un gran corazón ... Puede esperar hasta que todo acabe. Pero ¿cuánto tiempo vamos a esperar nosotros? ¿Hasta que todos los cuadros veteranos hayan caído? ¡No, no, y diez mil veces no! ¡Me rebelaré![106]

El primer impulso de Mao fue desechar esas críticas como «la pataleta de un soldado».[107] Pero después de reflexionar, cambió de opinión. De los veintiún miembros del Politburó escogidos seis meses antes, cuatro habían sido destituidos (Liu, Deng, Tao Zhu y He Long), y cuatro estaban inactivos o eran neutrales (Chen Yun, Dong Biwu, Liu Bocheng y Zhu De). En los días anteriores, siete de los trece miembros que quedaban se habían manifestado en contra de la política de la Revolución Cultural.

En la medianoche del 18 de febrero, Mao convocó a Ye Jianying y dos de los otros críticos —Li Xiannian, al cargo de Hacienda; y Li Fuchun, ministro de Planificación—, además de a Zhou Enlai y dos destacados radicales.

«¿Qué clase de liderazgo del partido queréis?», preguntó con la impaciencia de un anciano. ¿Por qué no hacían retornar a Wang Ming? ¿O dejaban que los norteamericanos y los rusos gobernasen China? Si pretendían restituir a Liu Shaoqi y Deng Xiaoping, espetó, él volvería a Jinggangshan y comenzaría una nueva guerra de guerrillas.[108] Era la misma amenaza que Mao había proferido ocho años antes en Lushan. Pero, en esta ocasión, había un componente teatral. Después de soltar su ultimátum, partió enojado.

De hecho, en las tres cuestiones básicas a discutir —el papel del partido, el del ejército y el de los dirigentes veteranos—, el presidente albergaba una considerable simpatía por la disputa que Ye y sus compañeros habían suscitado. Dos semanas antes, había condenado a los rebeldes de Shanghai por instaurar el principio de «sospechar de todo el mundo y derrotar a todo el mundo».[109] Ordenó que los cuadros veteranos fuesen incluidos en las «tres alianzas en una» en las que se debían basar los nuevos comités revolucionarios; y lo que era verdad en las provincias no era menos verdad en la central. También sabía que había un límite que no era prudente traspasar cuando se ponía a prueba la lealtad de la elite militar. Por estos motivos, decidió no presionar demasiado a los mariscales. Sólo Tan Zhenlin, que había enojado a Jiang Qing al compararla con la emperatriz Wu, una consorte de la dinastía Tang considerada una de las más pérfidas mujeres de la historia de China, no pudo ser redimido y desapareció de la vida pública.

A lo largo del mes siguiente se obligó a la vieja guardia a asistir a reuniones de estudio que se prolongaban durante toda la noche en las que sus errores eran condenados por los miembros del Grupo para la Revolución

Cultural. En las calles del exterior, las pancartas de los guardias rojos reclamaban su destitución. Pero, a diferencia de Tao Zhu y He Long, no fueron purgados. A finales de abril Mao los convocó a todos, excepto a Tan, a una «reunión de unidad» en la que señaló que no habían «conspirado secretamente» e intentó apaciguar los encrespados ánimos.[110]

A pesar de todo, sus acciones tuvieron importantes consecuencias.

Después de febrero de 1967, el Politburó dejó de funcionar.[111] Mao no deseaba asumir el riesgo de una mayoría enfrentada contra él. En su lugar, convocó reuniones ampliadas del Comité Permanente o del Grupo para la Revolución Cultural, presidido entonces por Zhou Enlai.

Al mismo tiempo, la campaña de carteles murales en contra de los veteranos puso a la jerarquía militar tradicional a la defensiva, al tiempo que incitaba a un renovado resurgimiento de la militancia izquierdista. Mao estaba convencido de que los intentos de los dirigentes militares por restaurar la estabilidad durante el «colapso de febrero» habían sido excesivos. Los oficiales que habían mostrado un celo especial al reprimir los asaltos radicales —incluido el comandante de Qinghai— fueron denunciados como ultraderechistas y juzgados en un consejo de guerra. Lin Biao, que había respaldado inicialmente a los comandantes regionales para limitar los trastornos radicales, comenzó entonces a advertir sobre «una línea armada Deng-Liu».[112] El 1 de abril Mao aprobó una directriz condenando la «arbitraria estigmatización de las organizaciones de masas».[113] A las unidades militares, que previamente habían sido autorizadas a abrir fuego como medio para suprimir a los «reaccionarios» —un término genérico aplicado a casi todos los grupos rebeldes—, o como último recurso para la autodefensa, se les prohibió usar las armas contra los radicales en cualesquiera circunstancias.

Rápidamente estalló una escalada de violencia entre facciones. Grandes cantidades de armas fueron robadas, incluidos algunos cargamentos enviados por ferrocarril a Vietnam. En Yibin, en el curso superior del Yangzi, estallaron batallas campales en las que decenas de millares de personas se vieron implicadas. En Chongqing, los grupos rivales se sirvieron de la artillería antiaérea para bombardear las posiciones del enemigo. En Changsha se utilizaron misiles. Liang Heng, con trece años, se encontró en medio de una de esas batallas:

> Salí a comprar queroseno para cuando hubiese escasez de energía eléctrica ... Entonces, repentinamente, demasiado repentinamente, cincuenta o sesenta hombres armados con metralletas pasaron corriendo por la entrada del [edificio del] *Diario de Hunan* dirigiéndose hacia mí. Un hombre bajo vestido de negro llevaba una bandera con las palabras «Escuadrón de los Guardianes de los Jóvenes», nombre de uno de los grupos de la facción [radical] del Vien-

to y el Rayo del río Xiang ... Cuando esos hombres se encontraban delante de mí abrieron fuego, apuntando hacia abajo, a la carretera, en la distancia...

El enemigo era invisible, pero respondió con fuerza ... El abanderado cayó ante mí y rodó hacia abajo como una bola de plomo. La bandera no llegó a tocar el suelo. Alguien la recogió y la izó. Entonces también éste se retorció y cayó, y otro la agarró y la levantó hacia delante...

Al final ... se retiraron al refugio más cercano ... [donde] los otros miembros del Escuadrón de los Guardianes esperaban con camiones y camillas ... Los que todavía no estaban heridos volvieron insensatamente a la carga, abrieron con vehemencia enormes cajones de madera y diseminaron al azar los largos y puntiagudos proyectiles sobre las elevaciones del terreno...

Mientras tanto, sacaron de los camiones tres relucientes cañones de color negro y los rebeldes intentaron sonsacar a los soldados para que les enseñasen cómo usarlos. Los soldados no querían ... Finalmente decidieron avanzar [de todos modos]. Dispararon tres veces, pero en todas las ocasiones el proyectil erró el blanco ... En aquel momento, encontré la situación vagamente divertida, pero después ... un obrero ... me dijo que había disparado y matado a su mejor amigo a una distancia de medio metro porque no sabía cómo usar la ametralladora ...

[Entonces llegó] alguien que ellos llamaban comandante Tang, un exaltado joven que llevaba dos pistolas en su cinto y un pequeño contingente de guardaespaldas. «Rápido, rápido», decía furiosamente. «Retirada, retirada...» Se amontonaron en los camiones, en una sangrienta montonera de vendajes e inmundicia, los motores rugieron y se fueron...

La ciudad se mantuvo todo el día presa de la agitación, y aquel atardecer el cielo se tiñó de un extraño color anaranjado ... Al día siguiente supimos que los miembros de la organización [radical] Juventud de Changsha habían dirigido misiles antiaéreos hacia el Edificio de Bordados de Xiang de la plaza del Primero de Mayo en un ataque contra la Alianza de los Obreros [conservadores]. El edificio de cuatro plantas ardió hasta los cimientos.[114]

La «guerra civil en toda la nación» por la que Mao había brindado el invierno pasado se había hecho realidad.

En esta coyuntura, el presidente partió en un viaje de dos meses por las provincias para comprobar por sí mismo cómo progresaba la Revolución Cultural.[115] Su primera parada fue Wuhan, donde se habían producido enfrentamientos armados entre un grupo de obreros conservadores, conocido como el «Millón de Héroes», apoyado por el comandante militar de la región, Chen Zaidao, y el radical Cuartel General de los Trabajadores, cuyos líderes estaban en la cárcel desde el «colapso de febrero». En el peor episodio, acaecido en junio, murieron más de cien personas y tres mil resultaron heridas.

La presencia de Mao fue mantenida en secreto, y se puso en marcha un amplio dispositivo de seguridad. Todo el personal de la casa de huéspedes estatal del lago oriental, donde se alojaron, fue sustituido en la víspera de su llegada por si había contrarrevolucionarios infiltrados.

El lunes 18 de julio, después de dos días de conversaciones con los dirigentes locales, Mao llegó a la conclusión de que Chen había cometido errores y debía realizar una autocrítica pública, a pesar de mantener el mando; el Cuartel de los Trabajadores debía ser considerado como el grupo fundamental de la izquierda; y se debía animar al Millón de Héroes a unírseles. Ellos eran, al fin y al cabo, trabajadores, dijo Mao, y no debía existir ningún conflicto fundamental de intereses entre ellos. Así fue anunciado aquella noche por Wang Li, el jefe de propaganda del Grupo para la Revolución Cultural, y se emitió por el sistema de altavoces de las calles de las ciudades de todo el país un resumen de sus observaciones, en el que describía al Millón de Héroes como un grupo conservador. Al día siguiente, el ministro de Seguridad, Xie Fuzhi, pronunció un informe más detallado ante el comité del partido de la región militar.

Chan Zaidao aceptó el veredicto de Mao. El Millón de Héroes, sin saber que aquello venía del presidente en persona, no lo hizo.

La noche siguiente, miles de seguidores del grupo comandaron camiones del ejército y de bomberos y dirigieron el convoy hasta los cuarteles de la región militar, con la exigencia de que Wang Li saliese y dialogase con ellos. Cuando vieron que no aparecía, se dirigieron hacia la casa de huéspedes del lago oriental y asaltaron el edificio en que residía, totalmente inconscientes de que Mao estaba a menos de cien metros de allí. Apoyados por las tropas uniformadas de un regimiento local, forzaron la entrada de la habitación de Wang, lo arrastraron hasta un coche y lo llevaron a una reunión de lucha, donde fue severamente golpeado, hasta romperle una pierna. Durante los tres días siguientes y sus correspondientes noches, varios centenares de personas —miembros del Millón de Héroes y sus seguidores, incluyendo gran cantidad de soldados fuertemente armados— se manifestaron por las calles de la ciudad en una demostración de fuerza, exigiendo la destitución de Wang Li y Xie Fuzhi, y el derrocamiento de los radicales del Grupo para la Revolución Cultural.

Mao nunca estuvo en peligro. Si lo hubiese estado, probablemente no le habría preocupado demasiado. Tres meses antes había aterrorizado a su personal al insistir que se debía permitir que las masas asaltasen Zhongnanhai, si así lo deseaban.[116]

Pero para los radicales, fue una oportunidad enviada por el cielo para promover el inicio de una campaña nacional destinada a acabar, de una vez por todas, con la resistencia conservadora del ejército.

Lin Biao y Jiang Qing retrataron los acontecimientos de Wuhan como un motín de enorme magnitud. El propio Mao, que había volado hacia Shanghai durante las primeras horas de la mañana del jueves —rompiendo, por primera y última vez en su vida, la regla impuesta en 1959 por el Politburó que le prohibía viajar por aire por miedo a un accidente— desestimó esa idea, señalando que si Chen Zaidao hubiese deseado iniciar una rebelión, no se le habría permitido marchar. A pesar de ello, el hecho de que se hubiese visto obligado a partir precipitadamente a causa de unos disturbios militares irritó extraordinariamente a Mao.

Al día siguiente, Wang Li fue liberado, y voló junto a Xie Fuzhi de vuelta a Pekín, donde ambos fueron recibidos como héroes. Lin Biao presidió una congregación de un millón de personas en la plaza de Tiananmen, a la que asistió toda la cúpula (excepto los mariscales, que significativamente no fueron invitados), para denunciar la región militar de Wuhan por «atreverse a emplear métodos bárbaros y fascistas para asediar, raptar y golpear a los representantes de la central».

Chen Zaidao fue convocado a la capital y destituido del mando. Pero, siguiendo las instrucciones de Mao, no recibió la etiqueta de contrarrevolucionario; y cuando miles de cadetes intentaron llevárselo hasta una sesión de lucha, el comandante de la guarnición de Pekín, Fu Chongbi, lo ocultó en un ascensor, inmovilizado durante dos horas entre dos plantas de la casa de huéspedes en que se alojaba, hasta que se dispersaron.[117] El derrotado Millón de Héroes fue menos afortunado. Sus oponentes radicales del Cuartel de Trabajadores iniciaron una matanza en la que, sólo en Wuhan, murieron seiscientos obreros. En toda la provincia, se elevó a ciento ochenta y cuatro mil el número de personas apresadas, golpeadas y mutiladas.

A pesar de la confianza personal en Chen Zaidao, Mao decidió conceder todo su apoyo a los esfuerzos de Lin Biao por «arrancar a ese pequeño puñado [de seguidores del camino capitalista] de las fuerzas armadas», una expresión usada por primera vez por el hijo de Lin, Lin Liguo, en un artículo aparecido en el *Diario del Pueblo* el día después de los hechos de Wuhan.[118] El presidente estaba cada vez más alarmado por la debilidad militar de la izquierda, y a mediados de julio propuso a Zhou Enlai que se debía armar a los obreros y los estudiantes.[119] Zhou no inició acción alguna, pero poco después Jiang Qing hizo público el eslogan «Atacar con la razón, defender con la fuerza», que fue ampliamente usado por los grupos radicales para justificar la lucha armada.[120]

El 4 de agosto, en una carta privada a Jiang Qing —que ella leyó públicamente en un encuentro del Comité Permanente—, Mao llegó aún más lejos. Era imperativo armar a la izquierda, escribió, a causa de que la gran mayoría del ejército respaldaba a los grupos obreros conservadores.[121] Que los obreros robasen las armas no era «un problema serio». Se debía incitar a las masas para que hicieran justicia por su cuenta.

En este clima febril, el diario del partido, *Bandera Roja*, publicó el 1 de agosto un editorial para conmemorar el cuadragésimo aniversario de la fundación del Ejército Rojo, que dejó bien claro que la lucha contra los seguidores, en el seno del ejército, del camino capitalista era la próxima y principal tarea nacional.[122]

Pero cuando Mao lo leyó, cambió de opinión.

Al igual que había hecho después de la proclamación de la Comuna de Shanghai, decidió entonces, por segunda vez, que la Revolución Cultural había llegado a su Rubicón. Nuevamente, ordenó la retirada.

A Mao le gustaba explicar esos giros en términos dialécticos: cuando las cosas llegan a su extremo, vuelven hacia su opuesto. Así, en febrero de 1967, había actuado para preservar el principio del gobierno del partido, anticipándose al día en que quisiese reconstruirlo. Ahora, seis meses después, con la jerarquía del partido virtualmente destruida, reconoció un imperativo superior para preservar el único instrumento de poder que permanecía inalterado: el ejército. En esta ocasión, no era el temor a la anarquía lo que le había obligado a detenerse, sino el instinto político de lo que era factible. En aquel intercambio entre el activismo radical y la estabilidad militar a que había estado jugando desde el verano, había empujado la causa de los radicales hasta el límite. Había llegado el momento de que el péndulo se inclinase decisivamente hacia el otro lado.

El 11 de agosto envió un aviso a Pekín advirtiendo que la política de «arrancar del ejército a los seguidores del camino del capitalismo» era «poco estratégica». Aquello fue suficiente para que Lin Biao y Jiang Qing se alejasen de ésta como si se tratase de un ladrillo ardiendo y comenzasen a buscar cabezas de turco a su alrededor. Poco después, Mao retornó el editorial aparecido en *Bandera Roja* con las siniestras palabras «hierba venenosa» garabateadas sobre el papel.[123] Había sido escrito por el héroe de los acontecimientos de Wuhan, Wang Li, el editor de *Bandera Roja*, Lin Jie, y por otro propagandista del Grupo para la Revolución Cultural llamado Guang Feng. Los tres fueron arrestados. Wang fue acusado además de haber fomentado la disensión en el Ministerio de Asuntos Exteriores, donde, a finales de julio, un grupo ultraizquierdista había tomado el control y había intentado destituir a Chen Yi. Aquello dio paso a un ataque de los guardias rojos a la legación británica, quemada hasta los cimientos como venganza por las detenciones de radicales en Hong Kong, y a incidentes menores en las misiones de Birmania, India e Indonesia. Esto enojó a Mao, ya que mostraba que China era incapaz de cumplir con sus obligaciones internacionales.[124] Y fortaleció su determinación de garantizar que como mínimo el ejército se mantuviese como una fuerza disciplinada.

En febrero, el presidente había justificado su rechazo de la Comuna de Shanghai con pretextos diplomáticos. En agosto empleó otros subterfugios para proteger al ejército.

La ola de ataques radicales se atribuyó a una sombría organización ultraizquierdista llamada el Grupo del Dieciséis de Mayo.[125] No era totalmente ficticio: un corpúsculo de guardias rojos, de unos cuarenta miembros, había sido formado con ese nombre aquella misma primavera en el Instituto del Hierro y el Acero de Pekín, y se distinguió por emprender ataques, empleando pancartas que disponían sobre los muros, contra el primer ministro Zhou Enlai, acusándole de ser el «jefe encubierto» de la «contracorriente de febrero». En aquel momento existían otros grupos radicales que lanzaban acusaciones similares, tácitamente animados por los seguidores de Jiang Qing, que había comenzado a ver a Zhou como un obstáculo para sus ambiciones políticas. Sin embargo, Mao ordenó a Chen Boda que distribuyese una declaración ratificando que Zhou era miembro de los «cuarteles generales proletarios» del presidente, y los disturbios llegaron a su fin. En agosto, el Grupo del Dieciséis de Mayo dejó virtualmente de existir —y, en todo caso, no tenía conexión alguna con Wang Li y Guang Feng, o con ninguna de las veteranas figuras que posteriormente fueron identificadas como sus líderes. Pero eso no tenía importancia. Lo que importaba era el concepto que representaba. A partir de septiembre de 1967, cuando Mao lo estigmatizó calificándolo de «camarilla contrarrevolucionaria y conspiradora» con unos «propósitos terriblemente malvados», el Grupo del Dieciséis de Mayo se convirtió en un arma multiuso para extirpar toda clase de manifestación, real o imaginaria, de disensión política.[126]

Aquel mismo mes, el presidente aprobó una directriz prohibiendo las incautaciones de armas por parte de los rebeldes izquierdistas y autorizando, una vez más, a las tropas a disparar como medio de autodefensa.[127] Siguiendo sus instrucciones, Jiang Qing realizó un discurso condenando la lucha armada y denunciando la idea de «capturar a un pequeño grupo del ejército», por tratarse de un «eslogan equivocado» y «una trampa» de los derechistas para embaucar a la izquierda.[128] «No debemos teñir al Ejército Popular de Liberación de negro», continuó. «Son nuestros propios hijos.» Los problemas de los comandantes del ejército no habían llegado a su fin. Pero la amenaza que se cernía sobre la milicia desde principios de año se había alejado definitivamente.

El repudio de la «contracorriente de febrero» durante la primavera de 1967 no sólo había desencadenado un brote de ataques radicales contra el ejército. También señaló el inicio de una nueva etapa en las críticas a Liu Shaoqi y la ideología burguesa que presuntamente representaba.

Comenzó el 1 de abril de 1967, con un extenso artículo del *Diario del Pueblo*, escrito por un propagandista del Grupo para la Revolución Cultural llamado Qi Benyu, quien inició una nueva batalla al atacar directamente a Liu (aunque todavía sin nombrarle), acusándole de ser «la personalidad de mayor rango dentro del partido que sigue el camino capitalista». El artículo, titulado «Patriotismo o traición nacional», había sido revisado personalmente por Mao. Al igual que en muchas otras polémicas de la Revolución Cultural, se adujo un pretexto oscuro; una película filmada en 1950, ambientada en la época del emperador Guangxu, a la que Mao había calificado en una ocasión de traidora por denigrar la rebelión de los bóxers, y que Liu, según se decía, había autorizado.[129] El peso del artículo insistía en que los bóxers, al igual que los guardias rojos, eran revolucionarios, y que el respaldo de Liu a la película era un ejemplo de sus muchos otros actos de traición. El 6 de abril, los «insurrectos de Zhongnanhai» realizaron un nuevo asalto a la casa de Liu —el primero desde enero— y le interrogaron acerca de las acusaciones de Qi Benyu.[130] Al día siguiente, el jefe de Estado colgó una pancarta en el exterior de su casa desmintiendo cualquier intento de traición. Pocas horas después estaba hecha jirones, y el día 10 su esposa, Wang Guangmei, fue conducida hasta una sesión de lucha ante millares de guardias rojos de la Universidad de Qinghua, donde fue humillada obligándola a vestirse con un traje de seda, medias de seda y zapatos de tacón alto (que había llevado durante una visita de Estado a Indonesia), así como un lazo en el cuello confeccionado con pelotas de ping-pong, para simbolizar sus supuestos gustos burgueses.[131]

La acometida de los medios no se detuvo. En mayo, el libro de Liu, *Cómo ser un buen comunista*, fue denunciado por ser «una enorme hiedra venenosa contraria al marxismo-leninismo y al pensamiento de Mao Zedong».[132] El propio presidente lo describió como «una obra falaz, una forma de idealismo opuesta al marxismo-leninismo».

En julio se llegó al clímax.[133] En la víspera de la partida de Mao a Wuhan, los guardias rojos del Instituto de Ingeniería Aeronáutica de Pekín, respaldados por el Grupo para la Revolución Cultural, establecieron un «puesto de mando del frente para atacar a Liu Shaoqi» en la puerta occidental de Zhongnanhai. Decenas de camiones dotados de altavoces lanzaban día y noche eslóganes maoístas. El 18 de julio, varios centenares de personas se congregaron en las calles del exterior, amenazando con el ayuno hasta que Liu no fuese «arrastrado fuera». No se hizo así porque Mao lo había prohibido expresamente. Pero aquella tarde, los «insurrectos de Zhongnanhai» celebraron una «reunión de acusación» dentro de la zona de los líderes, en la que Liu y su esposa fueron obligados a permanecer silenciosamente dos horas de pie, haciendo una reverencia, mientras sus acusadores les sermoneaban. El médico de Mao vio cómo les azotaban y les daban patadas, mientras los soldados de la Unidad Central de Guardas permanecían a un lado y les contemplaban: la camisa de Liu estaba rasgada, y la gente lo arrastraba de un lado a otro tirándole de los cabellos. Dos semanas después se repitió el episodio. En esta ocasión la pareja tuvo que permanecer de pie en la posición del «aeroplano» de los guardias rojos —inclinados hacia delante con los brazos extendidos a los costados—, mientras Liu volvía a ser interrogado sobre sus supuestas «traiciones nacionales». Deng Xiaoping y Tao Zhu, junto con sus esposas, fueron sometidos a humillaciones similares.

Pero era una minucia comparado con lo que tenían que soportar los oficiales de menor rango. Aun así, Liu, que tenía setenta años, fue obligado a arrodillarse ante las pancartas de los guardias rojos, mientras los rebeldes tiraban de sus cabellos y le golpeaban en la cabeza. Su pierna izquierda resultó malherida y después, cuando iba renqueante hacia su residencia, su rostro estaba hinchado y de color ceniciento.

El 7 de agosto escribió a Mao dimitiendo de su cargo de jefe de Estado. No recibió respuesta alguna. Poco después fue separado de su familia. Wang Guangmei fue encarcelada. Sus hijos fueron enviados a campos de trabajo rurales. Las reuniones de acusación cesaron. A partir de entonces, Liu fue sometido a confinamiento, incomunicado en su casa, mientras el Grupo para la Investigación de Casos Centrales continuaba reuniendo «evidencias» de traición que justificasen su destitución formal.

Estos acontecimientos fueron tomando una importancia cada vez mayor a medida que el torbellino que constituía la Revolución Cultural se hacía aún más complejo. Fue un proceso presidido por Zhou Enlai bajo la responsabilidad directa de Mao. Pero en términos prácticos se convirtió en el imperio personal de Kang Sheng. Junto a los guardias rojos y los destacamentos de obreros rebeldes —los auténticos soldados de infantería de la revolución—, y al Ejército Popular de Liberación, cuyo «apoyo a la izquierda» maquilló la inferioridad numérica de los radicales, la policía política de Kang aportó el filo de gélido acero que aseguraría que, en cualesquiera circunstancias, la «dictadura del proletariado» triunfaría.

A partir de la primavera de 1967, las deliberaciones del Grupo de Examen, originalmente limitadas a la investigación de Peng Zhen y sus asociados, y después a Liu y Wang Guangmi, se ampliaron extraordinariamente.

Uno de los primeros nuevos casos que legisló Kang Sheng fue el de los llamados «sesenta y un renegados». Éste implicó a un grupo de veteranos oficiales del partido, incluyendo al antiguo ministro de Hacienda, Bo Yibo, y al jefe del Departamento de Organización, An Ziwen, encarcelados en Pekín durante los años treinta. Con la aquiescencia del entonces líder del partido, Zhang Wentian, y del resto del Politburó (incluyendo a Mao), Liu Shaoqi, como jefe de la Oficina de la China Septentrional, les había autorizado a renunciar a su militancia en el partido para, a cambio, ser liberados. En el Séptimo Congreso del partido de 1945 se revisó la cuestión, y se acordó que Liu había actuado correctamente.

La primera vez que Kang sugirió que el caso debía ser reabierto, Mao expresó sus reparos.[134] Pero, en febrero de 1967, superó sus escrúpulos.[135] Un mes después, el Grupo para la Revolución Cultural aprobó una directriz calificando a los sesenta y un oficiales de «cuadrilla de traidores» y acusándoles de haber «traicionado al partido» como pago de su libertad.[136] Mao, Zhou Enlai, el propio Kang y el resto de la cúpula sabían perfectamente que todos los cargos eran una completa maquinación. Pero era útil tanto para desacreditar a Liu ante las filas del partido como para eliminar a algunos de sus principales seguidores.

A diferencia de Stalin, parece que Mao no tuvo ningún interés en los sórdidos detalles del trato a las víctimas. Kang tenía las manos libres, empleando una mezcla de la violencia propia de los guardias rojos y las sutiles torturas de los interrogadores profesionales. Bo Yibo realizó un registro de sus tormentos escribiéndolo en fragmentos de papel que esparció por su celda, suponiendo acertadamente que sus perseguidores los preservarían, y que, algún día, cuando los vientos de la política hubiesen cambiado, se convertirían en parte del proceso contra ellos:

Hoy he vuelto a recibir otra tunda de duros golpes [escribió]. Estoy lleno de heridas y lesiones, y toda mi ropa hecha jirones. Hubo un momento, porque me mareé y giré mi cuerpo un par de veces, en que comenzaron a golpearme ... y patearme una vez tras otra ... [En otro momento] pusieron mis brazos por detrás de la espalda, y me colocaron en el «aeroplano», me obligaron a tener las piernas abiertas, mientras presionaban mi espalda para que no tuviese otro remedio que mantener la cabeza alzada y mostrar atención. Después, por turnos, me tiraron de los cabellos al tiempo que me pateaban y me azotaban ... Ya no puedo sostener una pluma con firmeza. ¿Cómo podré escribir una confesión?[137]

Se formaron dos nuevos «Grupos de Casos Especiales» para tratar con Peng Dehuai y He Long. En julio de 1967, Peng fue golpeado con tal crueldad, en un intento de hacerle confesar que había conspirado contra Mao, que los interrogatorios se saldaron con cuatro costillas rotas.[138] He Long murió por las complicaciones de una diabetes al negársele el tratamiento médico.

Se siguieron otras investigaciones acerca de las redes clandestinas del partido de los años veinte y treinta.[139] En el este de Hebei, ochenta y cuatro mil personas fueron arrestadas, de las que dos mil novecientas cincuenta y cinco fueron ejecutadas, torturadas hasta la muerte o abocadas al suicidio. En Guangdong, siete mil doscientas personas fueron interrogadas, y ochenta y cinco, incluido un vicegobernador, azotadas hasta la muerte. En Shanghai hubo seis mil detenidos. La mayoría fueron acusados de trabajar para los nacionalistas (una acusación bastante sencilla teniendo en cuenta que se refería a un período en que el Partido Comunista Chino y el Guomindang habían formado un frente unido), y cerca de la mitad fueron calificados de traidores. Otra pequeña «camarilla de renegados», similar a la de Bo Yibo, fue desenmascarada en Xinjiang. En el noreste se urdió una historia aún más fantástica, en la que se pretendió que un grupo de oficiales veteranos del ejército eran «seguidores residuales» de Zhang Xueliang, el líder manchú, y que habían conspirado contra Lin Biao: también ellos fueron purgados. En Yunnan fueron ejecutados catorce mil cuadros en una investigación para «localizar traidores». Pero el caso más extraordinario fue el de Mongolia Interior. Allí se arrestaron trescientas cincuenta mil personas; ochenta mil fueron tan salvajemente azotadas que quedaron lisiadas de por vida, y más de dieciséis mil murieron, en un esfuerzo por mostrar que el veterano dirigente provincial Ulanfu, miembro suplente del Politburó, había formado un «partido negro» rival para competir por el poder del Partido Comunista Chino.

Ninguno de estos casos tuvo fundamento alguno. Todos estaban basados en confesiones, extraídas bajo tortura, y en el ir tejiendo entre ellos incidentes aislados, sacados de contexto, para crear una trama de sospechas paranoicas. En la nueva «guerra civil en toda la nación» de Mao, él había vuelto a la lógica y los métodos antiguos, a las prácticas de los años treinta, cuando tuvieron lugar las frenéticas purgas de sangre de las asediadas áreas rojas. El terror volvía a ser el medio por el que la China roja debía ser purificada, preparada para la creación de una nueva utopía.

En otoño de 1967, el primer y tormentoso año de la Revolución Cultural llegó a su fin. Liu Shaoqi había sido derrotado. Sus aliados habían sido purgados, y la extensa red de Kang Sheng estaba acabando con sus seguidores, imaginarios o reales. Los guardias rojos y los destacamentos de obreros rebeldes habían acabado con el control en las provincias de los oficiales veteranos del partido.

Según la tríada de «lucha, criticismo y transformación» en que se fundamentaban todos los movimientos políticos impulsados por Mao, se había acabado el tiempo para la lucha; el criticismo debía continuar; pero la prioridad era ahora la transformación, reemplazar lo viejo por lo nuevo.

En medio del caos de un país, y de todas sus principales instituciones, devastado —a excepción del ejército, la policía secreta y los ministerios consagrados a la economía—, se trataba de una cuestión más fácil de decir que de cumplir. En septiembre de 1967, durante su viaje por las provincias, Mao distribuyó una nueva directriz, exigiendo a las facciones rivales de guardias rojos y obreros que se uniesen y formasen «grandes alianzas».[140] En Pekín y Shanghai se consiguió de un modo bastante rápido, a pesar de que las disputas faccionales violentas prosiguieron entre los guardias rojos de las universidades. En otras provincias se instruyó al ejército para que mantuviese una política de neutralidad mientras las organizaciones de guardias rojos enviaban delegaciones a la capital, donde, bajo la atenta mirada del Grupo para la Revolución Cultural, se les ordenaría que negociasen hasta resolver sus diferencias.

Para promover la unidad, las facciones rivales dejaron de ser calificadas de «radicales» y «conservadoras». En lugar de ello, se utilizaron nombres locales. Así, en Anhui existía la «facción buena» (*hao pai*) y la «facción del pedo» (*pi pai*), así llamadas porque los radicales habían afirmado que la toma del poder en la provincia era buena, mientras que los conservadores habían señalado que era «tan buena como un pedo».[141] Pero a pesar de ese estímulo, y de la intervención personal de líderes de tan alto rango como Jiang Qing o Kang Sheng, fueron necesarios catorce meses para que los grupos de Anhui llegasen a un acuerdo. En otoño de 1967 sólo seis provincias habían sido capaces de establecer comités revolucionarios. En el resto del territorio los guardias rojos y las organizaciones de masas discutían todavía sobre cuál de ellas debía formar parte de aquéllos y a qué veterano dirigente provincial —cuya participación era requerida según la fórmula ideada por Mao de «tres en uno»— debían apoyar conjuntamente.

Al mismo tiempo, para poner en práctica la llamada del presidente al orden, se amplió generosamente la campaña contra el grupo ultraizquierdista del Dieciséis de Mayo. Aquel invierno, se arrestó a Qi Benyu, y a sus antiguos compañeros, Wang Li y Guan Feng, como una de las tres «manos negras» que habían actuado supuestamente como jefes encubiertos. En los cuatro años que siguieron, unos diez millones de personas caerían bajo la sospecha de ser «elementos del Dieciséis de Mayo, y más de tres millones de personas serían detenidas, una de cada veinte entre la población urbana adulta.[142] En el Ministerio de Asuntos Exteriores, donde se argumentaba que la influencia de Wang Li había sido mayor, fueron purgados, bajo el estandarte del Dieciséis de Mayo, más de dos mil diplomáticos y funcionarios.[143] Las brutales dimensiones del movimiento muestran que el papel principal en las pesquisas debía ser asumido por el ejército, que tuvo un papel protagonista en una campaña paralela, lanzada durante la primavera de 1968, para «la depuración de los rangos de clase».[144] Ello redundó en el arresto de otro millón ochocientas cuarenta mil personas, la mayoría de ellas supuestos «espías», «malos elementos», «contrarrevolucionarios recién aparecidos» y otros indeseables. Decenas de miles de hombres y mujeres anónimos fueron azotados hasta morir o se suicidaron. Los supervivientes fueron enviados a los campos de trabajo.

Otros, cuyas ofensas estaban directamente vinculadas con las actividades de la Revolución Cultural, fueron detenidos bajo las nuevas regulaciones de seguridad pública que hacían de la crítica a Mao, Lin Biao o, por extensión, a cualquier otro líder radical, un delito contrarrevolucionario. Las regulaciones habían sido promulgadas en enero de 1967, pero no se aplicaron hasta que los intentos por restaurar el orden comenzaron a tomar cuerpo a finales de año.

A pesar de esta batería de armamento represivo, el presidente no tenía el camino completamente despejado. La campaña contra el grupo ultraizquierdista del Dieciséis de Mayo animó a los conservadores a cuestionar determinados aspectos de la política del Grupo para la Revolución Cultural. Noventa y un embajadores chinos y otros diplomáticos veteranos firmaron una pancarta apoyando a los moderados del Politburó que habían sido denunciados durante la «contracorriente de febrero».[145] Un grupo de guardias rojos hizo lo mismo. Xie Fuzhi, a quien Mao había designado para encabezar el Comité Revolucionario de Pekín, fue acusado de izquierdismo radical. Se efectuaron ataques similares contra líderes radicales de Shanghai y Sichuan.

La contraofensiva de Mao llegó, cuando lo hizo, desde el lugar más inesperado.

Lin Biao había usado hábilmente las diferentes etapas de la Revolución Cultural para fortalecer su control sobre el ejército. En 1967 había sido el beneficiario de una secuencia de acontecimientos particularmente extravagante, cuando una compañía de danza del Ejército Popular de Liberación, cuyos miembros apoyaban a los radicales, se amotinaron durante la actuación de una compañía conservadora rival.[146] Aconteció que algunas de las bailarinas de la compañía conservadora eran visitantes regulares de la alcoba de Mao, y rápidamente persuadieron al presidente de la justicia de su causa. Lin Biao (y el resto del Grupo para la Revolución Cultural) mostraron con presteza su adhesión, y el asunto se convirtió en el pretexto para lanzar una purga que le permitió expulsar al jefe del Departamento Político del Ejército Popular de Liberación, el indócil general Xiao Hua.

A principios de 1968, Lin decidió que también quería reemplazar a Yang Chengwu, al que había designado dos años antes para suceder a Luo Ruiqing, caído en desgracia, como jefe del Estado Mayor. Cuando era un joven comandante de batallón, Yang había sido el responsable de dos de las épicas hazañas de la Larga Marcha —el cruce del río Dadu, y el asalto al paso de Lazikou— que habían pasado a engrosar la leyenda del Ejército Popular de Liberación. Al igual que Xiao Hua, había mostrado que tenía su propio criterio, lo que provocó de inmediato las sospechas de Lin. Lin dudaba, además, de la lealtad de otros dos veteranos oficiales. Fu Chongbi, comandante de la guarnición de Pekín, había protegido a Chen Zaidao tras los incidentes de Wuhan; mientras que Yu Lijin, comisario político de las fuerzas aéreas del Ejército Popular de Liberación, se había enfrentado a Wu Faxian, comandante de las fuerzas aéreas y aliado de Lin.

Para Mao, el hecho de que aquellos tres hombres hubiesen perdido la confianza de Lin, en un momento en que necesitaba cabezas de turco que pudiesen servir como objetivos de una nueva campaña contra el desviacionismo derechista, fue suficiente para sellar su destino.

El 21 de marzo de 1968, Jiang Qing y Kang Sheng realizaron sendos discursos clamando que «ciertas personas» estaban intentando «revocar el veredicto» de la «contracorriente de febrero». Al día siguiente se anunció que Yang, Yu y Fu habían cometido «serios errores» y que habían sido destituidos. Cuatro días después aparecieron pancartas murales acusando a los tres de fomentar el renacimiento del «conservadurismo derechista». Aquello marcó el inicio de una campaña a nivel nacional para oponerse a «los vientos derechistas que intentaban revocar veredictos correctos».[147]

Poco después, Yang fue sustituido como jefe del Estado Mayor por Huang Yongsheng, comandante de la región militar de Cantón y uno de los más leales seguidores de Lin. Avanzado aquel mismo mes, Mao dio orden de que las funciones de la Comisión Militar del Comité Permanente fuesen transferidas a la Oficina General, encabezada por Wu Faxian y ocupada exclusivamente por los asistentes de Lin.[148] A partir de entonces, Ye Jianying, Xu Xiangqian y los otros mariscales veteranos perdieron todo protagonismo en la toma de decisiones.

Lin Biao nunca conseguiría el control total del Ejército Popular de Liberación. Sus dimensiones —cinco millones de hombres— y su desarrollo a partir de diferentes regiones base, cada una de ellas con su propia cadena de mando y su propio entramado de lealtades históricas, hicieron que, con la excepción de Mao (y, durante un período, Zhu De), ningún individuo pudiera controlarlo. A pesar de ello, el año 1968 representó el momento en que estuvo más cerca de alcanzar la hegemonía sobre el estamento militar, y el Ejército Popular de Liberación adquirió un protagonismo sin precedentes en la resolución de los asuntos nacionales.

Aquel verano, Mao puso en marcha la restauración decisiva del orden en Shaanxi, en aquel momento sumido en la guerra civil, y en Guangxi, donde se había saqueado armamento pesado de algunos cargamentos camino de la frontera con Vietnam, y donde la lucha entre facciones había reducido algunas partes de la capital provincial, Nanning, a escombros.[149] Se enviaron tropas para separar a los partidos contendientes. El 3 de julio, el presidente puso en circulación una directriz exigiendo el fin inmediato de la violencia. Se establecieron comisiones de control militar en los distritos más afectados para castigar a los que se resistiesen. En Guangxi, aquello encendió una oleada de matanzas indiscriminadas y, en algunas regiones, de canibalismo político:[150] los supuestos traidores eran asesinados y se in-

Miembros del Comité Permanente del Politburó en una infrecuente fotografía sin posar realizada durante la «gran conferencia de los siete mil cuadros» de enero de 1962. [De izquierda a derecha] Zhou Enlai, Chen Yun, Liu Shaoqi, Mao y Deng Xiaoping

Nadando en el Yangzi.

Arriba. Jiang Qing (*centro*) apareciendo por primera vez en público en septiembre de 1962 para recibir a la esposa del presidente Sukarno de Indonesia.

Izquierda. El propagandista de Mao, Yao Wenyuan.

Página opuesta, arriba [De izquierda a derecha]. Mao, junto a Lin Biao, Liu Shaoqi, Zhu De y Dong Biwu, durante las celebraciones del Día Nacional de 1966.

Página opuesta, abajo. En la plaza de Tiananmen, pasando revista a los guardias rojos, en una de las diez gigantescas congregaciones celebradas a comienzos de la Revolución Cultural para animar a los jóvenes de China a rebelarse.

Arriba. Un talismán mágico: el *Pequeño Libro Rojo*.

Página opuesta, arriba. Los guardias rojos cortando al estilo *yin-yang* el pelo del gobernador de Heilongjiang en una reunión de lucha celebrada en septiembre de 1966. El letrero que cuelga de su cuello lo califica de «miembro de la banda reaccionaria».

Página opuesta, abajo. Destruyendo las tallas de piedra del Templo de Confucio de Qufu, durante la campaña contra los «cuatro viejos».

(*Arriba, de izquierda a derecha*) Lin Biao junto a Edgar Snow y Mao en Tiananmen durante las celebraciones del Día Nacional de 1970. Dieciocho meses más tarde, las relaciones chino-americanas habían progresado hasta el punto que (*abajo, de derecha a izquierda*) Henry Kissinger y el presidente Richard Nixon se reunieron con Mao, junto a la intérprete, Nancy Tang, y Zhou Enlai, en la residencia de Mao en Zhongnanhai.

Arriba. El santuario privado del presidente, dominado por su enorme cama, en el Estudio de la Fragancia de Crisantemo.

Abajo. Mao con su compañera, Jiang Yufeng, nueve meses antes de su muerte, diciembre de 1975.

El memorial de Mao en la plaza de Tiananmen, 18 de septiembre de 1976. [De izquierda a derecha] el mariscal Ye Jianying; Hua Guofeng (leyendo el panegírico); Wang Hongwen; Zhang Chunqiao y Jiang Qing.

gería sus hígados, del mismo modo que, cuarenta años antes, los seguidores de Peng Pai en Hailufeng, hacia la costa, habían asesinado y devorado a sus adversarios en «banquetes de carne humana»,[151] y los que rechazaban tomar parte en ellos eran calificados de «falsos camaradas».[152]

También se confió al ejército el restablecimiento de la disciplina en las escuelas y las universidades, hasta donde se enviaron los «equipos de propaganda de los trabajadores» para preparar el reinicio de las clases, suspendidas durante los dos años de rebelión estudiantil.

Esto dio lugar a otro sorprendente acontecimiento, menos terrible pero de inspiración no menos atávica que los sucesos de Guangxi.

A finales de julio, Mao envió un equipo de treinta mil obreros y soldados del Ejército Popular de Liberación a la Universidad de Qinghua, donde los guardias rojos radicales se habían negado a deponer las armas. La lucha finalizó debidamente, aunque no antes de que dos personas muriesen y más de un centenar resultasen heridas. Como símbolo de apoyo, Mao regaló al equipo de trabajo unos mangos que había recibido días antes durante la visita de una delegación pakistaní. El regalo fue recibido con todas las reverencias prescritas por el *Liji*, el clásico de los ritos del siglo V a.C., período de la antigüedad china cuyos preceptos se suponía habían sido eliminados por la Revolución Cultural. Al igual que las reliquias sagradas —un diente de Buda o un clavo de la Cruz—, los mangos fueron venerados y, en su momento, cuando comenzaban a pudrirse, recubiertos de cera para ser preservados, al tiempo que se distribuyeron «réplicas» entre las demás organizaciones.[153]

La reapertura de las escuelas contribuyó a restaurar la paz civil, pero no ayudó a resolver el problema de los millones de jóvenes que se deberían haber licenciado durante los dos años anteriores y que, en lugar de ello, dedicaron su tiempo a vagar por el país como guardias rojos.

Incluso antes de la Revolución Cultural, el desempleo entre los jóvenes en las ciudades había obligado a imponer un programa de ruralización voluntario para aquellos que abandonasen la escuela.[154] A partir de entonces, los disturbios políticos habían complicado aún más el acceso al trabajo. La producción industrial había caído cerca del 14 por 100 en 1967, y continuó descendiendo durante el año siguiente.[155]

De este modo, en otoño de 1968 el programa de ruralización fue retomado con una base más amplia, pero en esta ocasión había pasado a ser obligatorio. Durante los dos años siguientes, cinco millones de jóvenes fueron enviados al campo.[156] En un programa paralelo, varios millones de funcionarios e intelectuales fueron desalojados de las ciudades para vivir en las «escuelas de funcionarios del siete de mayo», así llamadas porque Mao había expuesto la idea del trabajo en el campo como formación en una carta a Lin Biao redactada el 7 de mayo de 1966.[157] Queda fuera de toda duda el hecho de que la mayoría de los campesinos no quiso implicarse con los recién llegados, a los que consideraban una nueva carga, que no era bien recibida. Según Mao, se trataba de una solución hábil: ideológicamente, cumplía con su anhelado ideal de derribar las barreras entre la ciudad y el campo; políticamente, obligaba a la burocracia, la «nueva clase» que él pensaba había degenerado como consecuencia de las comodidades de la vida urbana, a buscar su renovación a través del trabajo físico;[158] y socialmente, alejaba de las ciudades a los antiguos guardias rojos y a muchas de sus antiguas víctimas.

También aquí tuvo el ejército un papel crucial.

Muchos de los jóvenes ruralizados acabaron trabajando en granjas de las regiones fronterizas tuteladas por el ejército. Los oficiales del ejército supervisaron la «depuración de los rangos de clase» en las escuelas de funcionarios. Se implantaron equipos de trabajo militar en todos los departamentos y ministerios del gobierno, en las fábricas y en las oficinas de los periódicos.

Pero la extensión extraordinaria del dominio del Ejército Popular de Liberación se mostró más claramente en la administración provincial. La mitad de los miembros de los nuevos comités revolucionarios eran oficiales del ejército, frente a menos de un tercio integrado por destacamentos de guardias rojos y obreros rebeldes, y sólo un 20 por 100 de funcionarios veteranos. En los comités permanentes —que hacían las funciones de los gobiernos provinciales— casi tres cuartas partes de los miembros eran militares. En el ámbito rural, la proporción era aún más llamativa; en una provincia estándar como Hubei, donde los disturbios no se alejaron de lo común, un sorprendente 98 por 100 de los comités revolucionarios a nivel de distrito estaban presididos por oficiales del Ejército Popular de Liberación.[159] En términos prácticos, la mayor parte de China estaba bajo el gobierno del ejército.

Ése fue el precio a pagar por la caída en la anarquía. La devastación del tejido social había sido demasiado absoluta como para barajar cualquier otra solución.

A principios de septiembre de 1968 se anunció que se habían establecido los últimos de los veintinueve comités revolucionarios provinciales —en Tíbet y Xinjiang. El Grupo para la Revolución Cultural proclamó que «el país entero es rojo»[160] y, en una congregación de masas dos días después, Zhou Enlai declaró: «Hemos acabado finalmente con el complot de ese puñado de individuos que, ostentando el poder, habían tomado el camino del capitalismo».[161] Finalmente estaba preparado el escenario para el desenlace político que Mao había comenzado a preparar hacía casi cuatro años.

El 13 de octubre de 1968 el Comité Central, o lo que quedaba de él, se reunió en Pekín para iniciar su Décimo segundo Pleno. Más de dos tercios de sus miembros originales habían sido purgados, y de los que resistían, sólo cuarenta miembros plenarios estaban presentes —muy pocos para alcanzar el quórum. Para remediarlo, Mao nombró diez miembros adicionales (violando los estatutos del partido, que exigían la promoción de los suplentes, siguiendo el orden de su rango) y atestó el encuentro con unos ochenta oficiales del Ejército Popular de Liberación y dirigentes de los recién formados comités revolucionarios, que participaron en los debates, aunque sin derecho a voto.

El pleno tenía tres cometidos principales: ratificar la destitución de Liu Shaoqi; confirmar la designación de Lin Biao como nuevo sucesor de Mao —algo que en términos prácticos estaba implícito desde agosto de 1966, cuando Lin se había convertido en el vicepresidente único, y que Mao había ratificado en noviembre de 1967—; y condenar la «contracorriente de febrero» y su secuela, el «viento desviacionista derechista» de marzo de 1968.

De éstos, de lejos el más importante era la resolución que condenaba a Liu. Jiang Qing, quien había asumido personalmente el control del Grupo de Casos Especiales que llevaba a cabo las pesquisas, compiló tres volúmenes de evidencias —basadas en confesiones obtenidas mediante tortura— que pretendían demostrar que Lin había traicionado al partido entregándolo a manos del Guomindang en al menos tres ocasiones: en 1925 en Changsha, en 1927 en Wuhan, y en 1929 en Shengyang. Incluso para conseguir esos cargos tan insustanciales, los investigadores de Kang Sheng tuvieron que interrogar a veintiocho mil personas, la mayoría de las cuales fueron después encarceladas acusadas de ser contrarrevolucionarias.[162] Un testigo clave, Meng Yongqian, que había sido arrestado junto a Liu en 1929, fue interrogado durante siete días y siete noches seguidas para obligarle a admitir que mientras eran cautivos se habían convertido en traidores. Cuando se recuperó, se retractó de su «confesión», pero este hecho fue ocultado.

La propia Jiang Qing admitió que todo ello no eran más que menudencias insignificantes, y en su informe acumuló otros ejemplos más recientes de la perfidia de Liu, incluida su confabulación con la «agente secreta de Estados Unidos, Wang Guangmei», el envío de «valiosa información» a la CIA en Hong Kong, y la oposición a la «política revolucionaria proletaria del presidente Mao».[163] Las evidencias que respaldaban estas acusaciones se debían publicar con posterioridad, según Jiang Qing, pero esta promesa nunca se cumplió.

A pesar de ello, el pleno votó «la expulsión de Liu Shaoqi del partido, de una vez por todas»; su destitución de todos sus cargos por tratarse de un «renegado, traidor y esquirol ... [y] lacayo del imperialismo, del revisionismo moderno y de los reaccionarios del Guomindang»; y la «continuación del ajuste de cuentas con él y sus cómplices». No fue un voto unánime. Zhou Enlai, Chen Yi, Ye Jianying y los dirigentes veteranos levantaron sus manos obedientemente para condenar a su antiguo colega. Pero una anciana, miembro del Comité Central, se negó a continuar con la farsa y optó por la abstención. También ella sería posteriormente objeto de purga.

Además se aprobó la nominación de Lin Biao como sucesor de Mao, sin oposición alguna.

La única cuestión sobre la que aparecieron divergencias significativas fue la del trato a los moderados del Politburó. Jiang Qing y Kang Sheng querían que el siguiente Congreso del partido —del que el pleno era un preparativo— redujese sustancialmente el papel de los dirigentes de la vieja guardia. Con semejante propósito, contando con la aquiescencia de Lin, ordenaron a sus seguidores que cuando el pleno se dividiese en grupos de discusión lanzasen un ataque concertado contra ellos. Zhu De fue acusado de ser «un viejo oportunista del ala derecha» que se había opuesto al liderazgo de Mao desde Jinggangshan; se dijo de Chen Yun que se había resistido al Gran Salto Adelante; y que los cuatro mariscales, al instigar la «contracorriente de febrero», habían intentado revocar el veredicto sobre el caso de Liu Shaoqi, Deng Xiaoping y Tao Zhu.

Pero Mao mantenía algunas reservas.[164] Los veteranos, insistió, simplemente habían ejercido su derecho a expresar sus opiniones. Ni siquiera Deng Xiaoping, añadió, pertenecía a la misma categoría que Liu Shaoqi.

Por lo que se refiere a Deng, Mao había albergado esta opinión desde el inicio de la Revolución Cultural. En 1967 ya había rechazado una propuesta de Kang Sheng para establecer un Grupo de Casos Especiales específico para investigar el pasado de Deng, accediendo sólo a que el equipo que indagaba sobre He Long —una investigación relativamente menor— pudiese crear un subgrupo con ese propósito. Ahora Mao rechazaba la sugerencia del Grupo para la Revolución Cultural de que Deng, al igual que Liu, debía ser expulsado del partido. Habría representado una acción arriesgada. «Ese pequeño hombre ... tiene un gran futuro por delante», había dicho en una ocasión a un visitante extranjero. Deng nunca fue atacado nominalmente durante la Revolución Cultural. Mao prefirió mantenerle en la recámara, por si ocurría lo imprevisto y necesitaba recurrir nuevamente a su talento.[165]

Seis meses después, cuando el Noveno Congreso se reunió para dar a la Revolución Cultural una clausura triunfal, el presidente se mantuvo igualmente prudente.[166]

Los dirigentes que habían tomado parte en la «contracorriente de febrero», todos excepto Tan Zhenlin, conservaron su posición como miembros del Comité Central, y dos de ellos, Ye Jiangying y Li Xiannian, fueron readmitidos en el Politburó. Otros tres veteranos —Zhu De; el «dragón de un ojo», el mariscal Liu Bocheng, ahora completamente ciego; y Dong Biwu, quien, junto con Mao, era el único miembro fundador del partido todavía vivo— mantuvieron sus cargos en el Politburó, y dos soldados profesionales de menor edad —Xu Shiyou y Chen Xilian, los comandantes militares de Nanjing y Shengyang— ingresaron por vez primera en el Politburó.

En cierto sentido, estos siete representaron un elemento de estabilidad política.

El poder descansaba en el Comité Permanente, cuyo núcleo de militantes se había mantenido inalterado desde la primavera de 1967 —Mao; Lin Biao, ahora oficialmente definido no sólo como el sucesor del presidente, sino también como su «más cercano compañero de armas»; Zhou Enlai; Chen Boda y Kang Sheng—, y en los dos clanes radicales de la cúpula, dirigidos por Lin y Jiang Qing. Jiang contaba con el apoyo de los radicales de Shanghai, Zhang Chunqiao y Yao Wenyuan, y del ministro de Seguridad, Xie Fuzhi, los cuales se convirtieron todos en miembros plenarios del Politburó. El grupo de Lin incluía a su esposa, Ye Chun; al jefe del Estado Mayor, Huang Yongsheng; al comandante de las fuerzas aéreas, Wu Faxian; y a dos veteranos generales más, que fueron igualmente ascendidos.

Pero la decisión de buscar un sitio para los moderados fue importante. No fue simplemente un gesto de magnanimidad, sino que Mao intentaba —al igual que había hecho en el Séptimo Congreso de 1945— formar una coalición que representase los diferentes grupos de interés que configuraban el Estado comunista. Era lo suficientemente lúcido como para saber que, incluso en un período de dominio radical, hombres como Zhu De y Liu Bocheng (y, más aún, Zhou Enlai) contaban con un apoyo político que Lin Biao y sus seguidores no podían procurarse. Sus cincuenta años de lucha política cuerpo a cuerpo habían enseñado a Mao a no poner todos los huevos en un mismo cesto.

Pero además había otra razón aún más importante.

Oficialmente, la Revolución Cultural había sido un éxito extraordinario. A Mao se le atribuyó el haber elevado al marxismo-leninismo «hasta una cota excelsa y nueva», creando una filosofía que sería la guía para «una era en la que el imperialismo se dirige al colapso total y el socialismo a la victoria mundial». Sus aforismos estaban tan enraizados en la conciencia de la nación que, en las conversaciones cotidianas, habían alcanzado la misma consideración que las citas de los clásicos confucianos en el habla de las generaciones anteriores. El Noveno Congreso había ratificado la lucha de clases como la «línea fundamental [del partido] a lo largo del período del socialismo», y había dictaminado que las futuras generaciones debían dirigir la política siguiendo la rúbrica de «continuar la revolución bajo la dictadura del proletariado».

Pero, después de tres años de caos, ¿qué se había conseguido en realidad? Liu Shaoqi había sido definitivamente purgado. Deng Xiaoping y Tan Zhenlin estaban bajo arresto domiciliario. Otros dos dirigentes veteranos, He Long y Tao Zhu, habían muerto en cautividad. Miles de figuras menores en todos los niveles de la jerarquía del partido habían quedado apartadas del poder, y muchas de ellas, además, continuaban en prisión. Cerca de medio millón de personas habían sido asesinadas, una cifra que se dobló cuando la purga de los elementos del «Dieciséis de Mayo» y la «depuración de los rangos de clase» desenmascaró nuevos «contrarrevolucionarios» y los envió a la muerte.[167] Toda manifestación de pensamiento o comportamiento burgués había sido aniquilada.

En sustitución de Liu, Mao había nombrado a Lin Biao.[168] En un aspecto era un buen candidato a la sucesión: era casi diez años más joven. Pero era un enfermo crónico, e incluso Mao se refería a él jocosamente como el «siempre saludable». Lin padecía un problema nervioso —similar a la neurastenia de Mao— que le hacía sudar profusamente. A diferencia de Mao, era además un hipocondríaco. Odiaba reunirse con otras personas, y el tormento que representaba para él la recepción de una delegación extranjera lo dejaba empapado en su transpiración. Mientras recibía a principios de los años cuarenta tratamiento médico en la Unión Soviética, se convirtió en un adicto a la morfina, y nunca superó por completo ese hábito. Desarrolló aversión a la luz solar. En su despacho, las persianas estaban perpetuamente corridas. Se negaba a salir cuando hacía viento. En el interior, la temperatura se debía mantener constante en los veintiún grados centígrados, tanto en invierno como en verano.

Incluso para los parámetros habituales de una cúpula en la que las relaciones personales eran la excepción, Lin era irracionalmente antisocial. Vivía casi recluido en una mansión fuertemente vigilada de Maojiawan, en el distrito noroccidental de Pekín. Se evitaban las visitas, y nunca iba a ver a los demás, declinando a menudo recibir incluso a sus propios subordinados militares. Se negaba a leer por sí mismo los documentos, obligando a sus secretarios a ofrecerle un resumen oral, que no podía durar más de treinta minutos diarios.

Ninguna de estas excentricidades descalificó a Lin para convertirse en el sucesor de Mao. El papel del presidente del partido no era ejecutivo, sino estratégico. A los ojos de Mao, el mérito supremo de Lin era que, desde que se habían conocido en 1928 en Jinggangshan, se había mostrado como un seguidor leal. Poseía un intelecto extraordinario. Era el único de los subordinados de Mao capaz de amenizar sus discursos más importantes con ocurrentes alusiones históricas (que un equipo de investigadores que había contratado buscaba para él), y cuando no nadaba entre panegíricos en honor al presidente, era capaz de articular las ideas de Mao con una elocuencia y una claridad que nadie podía igualar. Políticamente, contaba con el prestigio de ser el más brillante de los comandantes comunistas de la guerra civil. Ideológicamente, se adhería religiosamente a los preceptos del pensamiento de Mao Zedong.

Pero Lin no era un líder carismático, y sin duda estaba claro para Mao que necesitaría estar bien secundado.

Aquí residía la dificultad. Cuando el presidente dirigió su mirada al auditorio del Gran Salón del Pueblo donde se estaba celebrando el Noveno Congreso, difícilmente pudo dejar de percibir que dos terceras partes de los mil quinientos delegados vestían los uniformes verdes del Ejército Popular de Liberación. Cerca de la mitad del nuevo Comité Central pertenecía al ejército.[169] Menos de una quinta parte eran cuadros veteranos. Los recién llegados podían ser política e ideológicamente fieles, pero muy pocos tenían el calibre de los dirigentes pertenecientes a la primera generación que ellos habían sustituido.

En las zonas rurales en general, los éxitos de la Revolución Cultural habían sido aún más problemáticos. Se trató esencialmente de un fenómeno urbano. La mayor parte de los seiscientos millones de campesinos de China, lejos de ser «tocados en sus propias almas» —como pretendía la propaganda revolucionaria— oyeron apenas rumores distantes de los tumultos de las ciudades.

En la superficie, China se había convertido en un mar de grises edificios y campos de propiedad colectiva, de ropas uniformadas de algodón azul, donde el único colorido provenía de las rojas banderas de los edificios y las brillantes chaquetas y las polainas de los niños. Los ornamentos de cualquier tipo estaban prohibidos. La cultura había sido reducida a las ocho óperas revolucionarias de Jiang Qing. No existían los mercados, ni los puestos callejeros, ni los vendedores ambulantes. Las bicicletas eran todas negras.

Pero erradicar el individualismo del espíritu —alcanzar una «revolución proletaria de la mente», como había expresado Mao— era una empresa mucho más incierta.[170]

En 1966 había escrito que sería necesario promover revoluciones culturales «cada siete u ocho años» para renovar el ardor revolucionario del país e impedir el paso a la decadencia burguesa.[171] Ahora, en abril de 1969, repitió que la tarea no se había completado todavía y que «después de algunos años» la revolución tendría que ser llevada a cabo de nuevo.[172]

Mao nunca admitió, ni entonces ni posteriormente, que la Revolución Cultural se había quedado muy por debajo de su diseño original. Aun así, es difícil creer que un hombre de semejante talante escéptico y dialéctico no fuese capaz de ver que el nuevo «reino de virtud roja», cuyos dolores de parto habían estado tan marcados por el terror, la crueldad y el sufrimiento, era de una superficialidad ridícula. Si lo comprendió, no dio muestra alguna de ello. La Revolución Cultural había provocado una demostración colectiva de los peores instintos de la nación; incluso Lin Biao, privadamente, la descalificó como una «revolución incultural».[173] Pero Mao tenía otros pensamientos. La revolución, le gustaba decir, no era un banquete. La principal prioridad era la perpetuación de la lucha de clases.

Al servicio de esa causa, China se había convertido en una gigantesca prisión de la mente. El viejo mundo había quedado reducido a escombros. Y Mao no disponía de nada que proponer en su lugar a excepción de la vacía retórica roja.

Finalmente, el vacío fue llenado con la sorprendente ayuda de Moscú.

En la noche del 20 de agosto de 1968, las tropas soviéticas invadieron Checoslovaquia para acabar con la «primavera de Praga» y derrocar al reformador gobierno comunista allí existente.[174] Para justificar su acción, los rusos argumentaron que todos los estados del bloque soviético tenían el deber de defender el sistema socialista allí donde estuviese amenazado. La «doctrina Brezhnev», como fue denominada, estaba limitada formalmente a Europa, pero, según Mao, ofrecía la base de un posible ataque ruso a China.

Al llegar la primavera, Mao decidió avanzarse a los acontecimientos.

Durante varios años se habían sucedido fortuitos incidentes menores a lo largo de la frontera chino-soviética. Sin embargo, el enfrentamiento que tuvo lugar el 2 de marzo de 1969 fue premeditado.[175] Trescientos soldados chinos, ataviados con uniforme de camuflaje, avanzaron protegidos por la oscuridad sobre el hielo del río Ussuri hasta la isla de Zhenbao (Damansky), un pequeña extensión de territorio objeto de disputa en la frontera fluvial, doscientos treinta kilómetros al sur de la ciudad siberiana de Khabarovsk. Allí cavaron trincheras en la nieve y prepararon una emboscada. A la mañana siguiente, una unidad china, actuando como señuelo, se trasladó ostentosamente a la isla. Cuando una patrulla rusa llegó para interceptarles, los chinos abrieron fuego. Los soviéticos reunieron después refuerzos y consiguieron forzar la retirada de los chinos, perdiendo a más de treinta hombres, entre muertos y heridos. Otro enfrentamiento aún mayor acontecido dos semanas después en la misma zona concluyó con sesenta bajas rusas y varios centenares de chinas.

El plan de Mao era de una simplicidad asombrosa.[176] Si la Unión Soviética se había convertido en el principal enemigo de China, entonces Estados Unidos, según el principio de que «los enemigos de mis enemigos son mis amigos», se había convertido en un aliado potencial: a pesar de estar implicado en una guerra brutal y destructiva en las fronteras meridionales de China contra otro de los aliados de Pekín, Vietnam.

La batalla de la isla de Zhenbao fue el inicio del prolongado esfuerzo chino por convencer al nuevo presidente de Estados Unidos, Richard Nixon, de que las prioridades en política exterior de Pekín habían experimentado un cambio radical. Los rusos, ignorando los propósitos de Mao, reforzaron sin querer su causa al aumentar la presión militar para intentar obligar a China a iniciar negociaciones. A lo largo de la primavera y el verano, los incidentes fronterizos se multiplicaron, acompañados de advertencias moscovitas sobre la posibilidad de intervención del pacto de Varsovia y el uso de armas nucleares (del mismo modo que los norteamericanos habían esgrimido la amenaza nuclear durante la crisis del estrecho de Formosa en 1958). El Kremlin comenzó a acumular fuerzas soviéticas en Mongolia. China aprobó un incremento del 30 por 100 en el presupuesto militar. En agosto se lanzó en Pekín un programa de defensa civil en el que millones de personas fueron movilizadas para cavar refugios antiaéreos que serían utilizados en caso de ataque nuclear.

Habiendo fijado su objetivo político, Mao accedió, después de la pertinente muestra de reluctancia, a la celebración de un encuentro entre Zhou Enlai y el primer ministro soviético, Andrei Kosiguin —oficiado simbólicamente en el aeropuerto de Pekín para subrayar que el Reino del Centro estaba todavía decidido a mantener a los bárbaros en la entrada. Alcanzaron el acuerdo de mantener el *statu quo* en la frontera, retomar las negociaciones fronterizas, y evitar nuevos enfrentamientos militares.

De este modo, se resolvió la crisis.

Mientras duró, creó un entorno militante apropiado para la celebración del Noveno Congreso. Cuatrocientos millones de personas, la mitad de la población de China, según se afirmaba, habían tomado parte en las manifestaciones en contra de los «nuevos zares». A largo plazo, la escalada de retórica que apuntaba al «social-imperialismo soviético» proporcionó un nuevo foco político para las energías de la nación (al igual que, veinte años antes, la retórica antiamericana había galvanizado China en la época de la guerra de Corea).

También contribuyó a que Mao atase algunos cabos sueltos. A mediados de octubre, Lin Biao, bajo la autoridad del Politburó, ordenó una «alerta roja» en la que millones de tropas fueron desplegadas como ensayo para un posible ataque soviético.[177] No se trataba de una conjetura del todo inverosímil. A pesar de que la crisis fronteriza había llegado a su fin, China acababa de realizar su primer experimento nuclear subterráneo con éxito, suscitando la preocupación de que los rusos pudiesen lanzar un ataque de precisión contra las instalaciones nucleares chinas. No obstante, aun si el presidente realmente creyó en esta posibilidad, como se aseguró posteriormente, que los rusos efectivamente llegasen a desplegar un bombardeo punitivo sobre Pekín era una cuestión muy distinta. Pero le proporcionó un pretexto para dispersar a los dirigentes veteranos del partido y, al mismo tiempo, alejar de la capital —tres años después de su caída— a Liu Shaoqi y Deng Xiaoping.

Deng fue enviado junto a su esposa a Jiangxi, donde vivió bajo vigilancia en barracones del ejército y dedicó sus días a trabajar media jornada en una cercana planta de reparación de tractores.[178]

Liu había estado postrado en la cama desde el verano de 1968, cuando contrajo una neumonía.[179] Había perdido la capacidad del habla y era alimentado por vía intravenosa. No se había cortado en dos años el pelo, que se había tornado blanco, y alcanzaba el medio metro de largo. Siguiendo las instrucciones de Mao, fue sacado en camilla de Zhongnanhai el 17 de octubre y llevado en avión hasta Kaifeng, la capital de Anhui. Allí fue confinado en un edificio vacío sin calefacción dentro de los cuarteles del comité provincial del partido. Volvió a enfermar de neumonía, pero se denegó el permiso para enviarle a un hospital. Murió el 12 de noviembre, casi cuatro años después de que Mao lanzase la campaña contra él.

El presidente no dio la orden directa de su muerte, del mismo modo que no ordenó la muerte de He Long o Tao Zhu, o de Peng Dehuai, que murió algunos años después en un hospital de prisión.

Pero no movió un solo dedo para evitarlo.

16

El desmoronamiento

Seis semanas después de la muerte de Liu Shaoqi, Mao celebró su septuagésimo aniversario. Era un fumador empedernido y sufría de problemas respiratorios. Pero, aparte de esto, su salud era buena. Su médico, después de retornar tras un año de ausencia, descubrió que todavía era servido por un harén de jóvenes mujeres, y que invitaba en ocasiones a «tres, cuatro e incluso a cinco de ellas al mismo tiempo» a compartir su enorme lecho.[1]

Con la edad, se había vuelto cada vez más caprichoso e impredecible. Exigía siempre que sus subordinados compartiesen sus pensamientos, si no anticipándolos, al menos no estando en desacuerdo con ellos. Las principales víctimas de las décadas anteriores, Gao Gang, Peng Dehuai, Liu, Deng y Tao Zhu, habían caído al no superar esa prueba. Pero ahora era aún más difícil adivinar las verdaderas intenciones del presidente. No sólo imponía una política hasta sus límites y después abruptamente la invertía —como había hecho con la Comuna de Shanghai y con la purga en el ejército de los «seguidores del camino capitalista» en 1967—, lo que dejaba a sus seguidores invariablemente perplejos, sino que, aún más a menudo que en el pasado, ocultaba deliberadamente sus auténticos propósitos, o los enmascaraba con fórmulas de ambigüedad délfica, de modo que le permitiesen observar la reacción de los demás.

Del Estudio de la Fragancia de Crisantemo comenzó a emanar un hedor de paranoia. «En sus últimos años», escribió un radical del Politburó, «casi nadie confiaba en él. Muy raramente le veíamos y ... cuando [lo hacíamos], nos aterraba la posibilidad de decir algo equivocado, por si lo consideraba un error.»[2]

El resultado fue que los colegas de Mao asumieron el papel, y los hábitos, de los cortesanos.

Zhou Enlai fue el más hábil de ellos. Fue él quien, en marzo de 1969, comprendiendo que la decisión de Mao de excluir a Jiang Qing del nuevo Politburó estaba destinada simplemente a evitar la sospecha de nepotismo, incluyó de todos modos su nombre (y el de Ye Qun) en la lista. También fue Zhou quien, en su intervención ante el Noveno Congreso, dijo de Mao que había desarrollado el marxismo-leninismo «creativamente» y «con genialidad», términos que el presidente había eliminado de la nueva constitución del partido. Una vez más, juzgó correctamente. Lo que Mao creía inaceptable para los estatutos públicos del Partido Comunista Chino era una cosa; lo que le podía deleitar en un discurso destinado a los fieles del partido era otra muy distinta.

Pero el buen juicio no era suficiente. Las suspicacias de Mao exigían que se le probase constantemente la lealtad de su círculo interno.

Zhou sobrevivió porque traicionó a todo aquel que creyó necesario para mantener la confianza de Mao. Cuando su hija adoptiva fue torturada por los guardias rojos y encerrada en la cárcel, donde murió tiempo después como resultado de los malos tratos, Zhou fue informado, pero se negó a iniciar acción alguna para protegerla. Actuar de otro modo, razonó, le expondría a la acusación de poner la familia por delante de la política. El más virulento ataque contra Deng Xiaoping llevado a cabo por cualquier dirigente durante la Revolución Cultural apareció en una nota anexa a un informe de un «Grupo de Casos Especiales» firmada, no por Jiang Qing o Kang Sheng, sino por Zhou.[3] En sus declaraciones al Grupo para la Revolución Cultural, denunció con términos excepcionalmente crueles los errores de los cuadros veteranos. Incluso su principal guardaespaldas, íntimo compañero suyo desde hacía muchos años, fue abandonado en el mismo momento en que Jiang Qing, en un antojo, la tomó contra él; la esposa de Zhou, Deng Yingchao, exigió que el hombre fuese arrestado porque «no queremos mostrar ningún favoritismo hacia él».

El Grupo para la Revolución Cultural, a finales de los años sesenta, era un nido de víboras aún más terrible que el Politburó de hacía una década.

Esto se debía en parte a la inmoral naturaleza del movimiento, que agotó cualquier vestigio de integridad que pudiese quedar. Pero la presencia de Jiang Qing no ayudó en lo más mínimo. En su madurez, se había vuelto frívola, vengativa y sumamente egoísta. Muchos de los que habían sido de su agrado al comienzo de su carrera eran ahora arrestados y encarcelados para asegurarse de que no podrían divulgar detalles de su pasado como actriz.[4] Cuando supo que Chen Boda se había planteado suicidarse después de que Mao le criticase, se rió en su cara, diciéndole: «¡Venga!, ¡venga! ¿Tienes el coraje suficiente para suicidarte?».[5] Kang Sheng, cuya carrera había prosperado por su temprano apoyo a la unión de Jiang con Mao, la consideraba tan peligrosa como intrigante. Lin Biao no podía sufrirla, y durante una reunión en Maojiawan se encolerizó tanto con ella que dijo a Ye Qun (eso sí, lejos de los oídos de Jiang): «¡Sacad a esa mujer de aquí!».[6] Incluso Mao perdía la paciencia con ella. Pero, al igual que Zhou, le era útil. Y, como acceso hasta Mao, era útil para los demás. Los radicales de Shanghai se aferraron a ella con la devoción de una lapa, actuando como avanzadilla en sus incansables intentos de someter a Zhou Enlai. Al igual que hicieron, en menor grado, Kang Sheng y Xie Fuzhi.

Hasta 1969, estas animosidades personales habían quedado en un segundo plano ante la gran batalla para eliminar a los «seguidores del camino capitalista» y promover la causa radical.

Pero después del Noveno Congreso se institucionalizaron. Dentro del nuevo Politburó, Jiang Qing y Lin Biao contaban con aproximadamente el mismo apoyo. En teoría, Lin era más fuerte. Controlaba el ejército, que a su vez controlaba China. Sin embargo, Jiang Qing mantenía una relación de privilegio con Mao, que lo controlaba todo. A los ojos de Lin, era un arma impredecible. El presidente no siempre estaba del lado de su mujer.

Como no existían diferencias políticas entre ambos, el único terreno para su rivalidad era el poder. Sus batallas se desarrollaron a través de conspiraciones de palacio cuyo único y exclusivo propósito era ganarse el favor del presidente. Éste fue el punto de partida de una sucesión de acontecimientos que, a lo largo de los dos años siguientes, destruiría todos los planes que Mao había elaborado cuidadosamente para garantizar que su política le sobreviviera.

Todo comenzó de un modo muy simple. La caída en desgracia y la muerte de Liu Shaoqi habían dejado vacante el cargo de jefe de Estado. En marzo de 1970, como parte de la reconstrucción general de la política china posterior a la Revolución Cultural, Mao fijó las líneas maestras para una constitución revisada del Estado, según la cual ese cargo sería abolido y las funciones ceremoniales a él vinculadas serían devueltas al Comité Permanente del Congreso Nacional del Pueblo, el parlamento chino. Así quedó aprobado por el Politburó y, poco después, por una conferencia de trabajo del Comité Central.

Lin raramente asistía a las reuniones del Politburó, y estaba ausente cuando se tomaron estas decisiones. No obstante, cinco semanas después, el 11 de abril, envió un mensaje a Mao pidiéndole que reconsiderase la decisión y asumiese el cargo, aduciendo que, de otro modo, «no estaría de acuerdo con la idiosincrasia del pueblo»; en otras palabras, como encarnación de la revolución china, el presidente debía estar rodeado por toda una panoplia de honores de Estado. Al día siguiente, Mao declinó su propuesta.

«No puedo volver a ocupar esta posición», dijo al Politburó. «La sugerencia no es apropiada.» Avanzado ese mismo mes reiteró que no le interesaba el cargo.[7]

Aun así, Mao estaba intrigado.[8] Que Lin hubiese realizado semejante sugerencia era totalmente atípico. Mientras Zhou había hecho de la lealtad a Mao una religión, la obsesión de Lin era la pasividad.[9] «Sé pasivo, pasivo, y aún más pasivo», había dicho a su amigo Tao Zhu, que había acudido en busca de consejo poco antes de su caída. Era tan cauteloso que de hecho había formulado como regla personal el principio «No realices sugerencias constructivas», en tanto que alguien que lo hiciese sería considerado responsable de los resultados. «En cualquier momento, en todas las cuestiones importantes», dijo en el Noveno Congreso, «el presidente Mao traza el itinerario. Nuestro trabajo no debe consistir sino en seguir su estela».

Las antenas políticas de Mao estaban activas también por otras razones. Desde el anuncio de que Lin se había convertido en su «más cercano camarada de armas y sucesor», el solitario mariscal se había vuelto más seguro de sí mismo —«vanidoso», según uno de sus secretarios. Mao lo había notado. «Cuando [ellos] se tiran un pedo», dijo enojado a su personal, «[es] como si anunciasen un edicto imperial.»[10] Se había sorprendido además, durante sus viajes por las provincias, por el gran número de uniformes militares que aparecían en todas partes. «¿Por qué hay tantos soldados a nuestro alrededor?», continuó refunfuñando. Por supuesto, conocía la razón: había sido su propia decisión de utilizar el Ejército Popular de Liberación para restaurar el orden. Pero esto no significaba que le gustase. Después se produjo el descubrimiento de la vinculación de Lin con el cuarto miembro en el orden de la jerarquía de la cúpula, Chen Boda. Justo antes del Noveno Congreso, Chen había discutido con sus antiguos compañeros del Grupo para la Revolución Cultural y había transferido su lealtad a Lin y Ye Qun.[11] Mao instintivamente desconfió de semejante alianza.[12]

Por todo ello, el presidente enmascaró sus sospechas.[13] En lugar de dar una orden categórica que habría acabado con la discusión de manera definitiva —como podría haber hecho fácilmente—, permitió que en cierta medida las sospechas se prorrogasen. Ésa había sido desde siempre una de las tácticas preferidas de Mao: ponía a sus colegas ante una situación en la que debían tomar una decisión, y entonces se retiraba y esperaba para ver qué camino tomaban.

Lin persistió.[14] En mayo, contando con su apoyo, volvió a plantearse la cuestión de la presidencia del Estado, al igual que en julio, cuando Mao desestimó la idea por cuarta vez.

Para entonces era una problemática que se había confundido con la rivalidad entre los seguidores en el Politburó de Lin y de Jiang Qing.[15] En agosto tomó una nueva dimensión. Wu Faxian, respaldado por Chen Boda, propuso añadir en la constitución del Estado una referencia a que Mao había desarrollado el marxismo-leninismo «creativamente», «comprensiblemente» y «con genio». Eran los términos que un año antes Mao había eliminado de los estatutos del partido. Pero Wu argumentaba ahora que sería una equivocación usar el rechazo de Mao a la vanagloria para minimizar la importancia de sus contribuciones teóricas. Kang Sheng y Zhang Chunqiao, que inicialmente se habían opuesto, estaban indudablemente intimidados por este tortuoso argumento, y al día siguiente la proposición fue aprobada.

Mao se guardó sus pensamientos. El culto a su personalidad había resultado un arma de incalculable valor para movilizar al país en contra de Liu Shaoqi. Pero ahora que Liu había sido derrotado, había perdido su utilidad. Por tanto, ¿por qué estaba decidido Lin a perpetuarlo? Para la desconfiada mente de Mao, la insistencia del ministro de Defensa en su «genio» teórico y su pensamiento —y el énfasis en enaltecerle otorgándole el título de jefe de Estado— comenzó a parecer sospechosamente un intento de encumbrarlo a puntapiés.

Existían algunos indicios de ello. El plan original de sucesión, según el cual Mao debía convertirse en presidente honorario del partido, se había dejado a un lado tras la caída de Liu Shaoqi. La idea de que Mao tuviese que retirarse asumiendo un cargo preponderante en el Estado, la posición honorífica de jefe de la nación, tuvo que parecerle a Lin una alternativa razonable.

No era algo que el ministro de Defensa pudiese proponer directamente: conocía demasiado bien a Mao como para comprender que semejante sugerencia, a menos que viniese del propio presidente, sería un anatema. Pero las confusas señales de Mao le hicieron creer que la idea de un cargo solemne, para subrayar la inigualable categoría de Mao en China, podría resultar finalmente aceptable, si es que, de hecho, no era lo que había estado deseando durante todo el tiempo. Al fin y al cabo, Zhou Enlai había demostrado que en ocasiones era mejor no confiar en lo que el presidente decía, sino intuir el camino que seguían sus pensamientos y avanzar de acuerdo con ello.

Lo que Lin con consiguió comprender es que Mao había quedado tan irritado tras su primera experiencia de retirarse al «segundo frente» que cualquier indicio de repetición era totalmente inaceptable.

El resultado fue un colosal malentendido político.

El 23 de agosto de 1970, el ministro de Defensa realizó un discurso exponiendo sus ideas más fundamentales en el pleno del Comité Central en Lushan, el mismo enclave montañoso de infausto destino donde había acabado la carrera de su predecesor, Peng Dehuai, hacía once años.

Mao había aprobado previamente un resumen de lo que Lin tenía que decir, que incluía un convencional canto de alabanza a la grandeza del presidente y la propuesta de que la nueva constitución del Estado encontrase el modo más apropiado de honrar su posición única.[16] Si se sintió molesto por el hecho de que Lin, en sus observaciones orales, hubiese empleado de nuevo el término «genio», no lo mostró en absoluto. El texto fue distribuido con su aprobación como documento del congreso.[17]

Al día siguiente, cuando el pleno se dividió entre los diversos grupos de discusión, todos los seguidores de Lin hicieron de la cuestión del «genio» el tema principal de sus intervenciones.

La bomba de mano, sin embargo, fue arrojada por Chen Boda, que se enfrascó en un airado ataque contra «cierta persona» que, según dijo, se oponía al uso del término «genio», en un intento de hacer desmerecer el pensamiento de Mao Zedong como el adalid ideológico de la nación. Cuando los otros miembros del grupo exigieron conocer el nombre del culpable, indicó que se estaba refiriendo a Zhang Chunqiao.

Viniendo de un dirigente de la veteranía de Chen, aquella acusación era realmente muy grave. Además avivó aún más las llamas al asegurar que «ciertos contrarrevolucionarios» estaban «extasiados» ante la idea de que Mao pudiese rechazar la presidencia del Estado. Aquello les sumió en la confusión. El grupo de Chen redactó un folleto instando a Mao a que se convirtiese en jefe de Estado con Lin como su lugarteniente, y advirtiéndole de las actividades de los «estafadores del partido» (en referencia a Zhang). Cuando sus palabras llegaron a los otros grupos se redactó una segunda carta, también apremiando a Mao para que aceptase la presidencia del Estado.[18]

En cierto sentido, se trataba simplemente de una puntual pelea palaciega. Jiang Qing la describió tiempo después como «una disputa de intelectuales».[19]

Sin embargo, para el presidente tenía serias implicaciones. Para promover el plan de Lin Biao, Chen había lanzado temerariamente un ataque faccional con el objetivo de intentar la caída de un hombre al que Mao no sólo consideraba aliado de su esposa, sino además un miembro fundamental de su propia esfera política.

En la tarde del 25 de agosto, Mao convocó un encuentro ampliado del Comité Permanente, en el que acusó a Chen de violar la unidad del partido.[20] Ordenó que finalizasen las discusiones sobre el discurso de Lin, que había servido de trampolín para las acciones de Chen. Finalmente, después de seis meses de incertidumbre, acabó de una vez por todas con la idea de que pudiese aceptar la presidencia del Estado. Chen, que había estado junto a Mao desde 1937 y había desempeñado un papel central en la difusión de sus ideas, fue acusado entonces de «lanzar un ataque sorpresa», «intentar arruinar la reunión de Lushan» y guiarse por «las habladurías y la sofistería» en lugar de por el marxismo-leninismo.[21] Siguiendo las órdenes de

Mao, Chen fue enviado a una prisión de alta seguridad de Qincheng, en las afueras de Pekín. Dos meses después se inició una campaña en el seno del partido acusándole de ser un «elemento contrario al partido, un marxista fingido, un arribista y un conspirador».[22]

La esposa de Lin, Ye Qun, y otros tres de sus aliados en el Politburó —Wu Faxian; Qiu Huizuo, jefe del Departamento General de Logística del Ejército Popular de Liberación; y Li Zuopeng, comisario de la Armada— fueron obligados a realizar autocríticas ante el Comité Central.[23]

En términos formales, Lin salió del percance ileso.

Pero la pelea desatada en Lushan había sembrado un grano de duda que germinaría para envenenar su relación con Mao de manera tan insidiosa y firme como si le hubiese desafiado cara a cara. El presidente no tenía deseo alguno de ver desmoronarse por segunda vez sus planes para su sucesión. Por ello tendió su mano —«protegiendo» a Lin, como anotó posteriormente— con la esperanza de que el ministro de Defensa encontrara la manera de solucionar la situación.[24] En teoría, todavía era posible. Lin podría haber acudido a Mao y realizar una autocrítica humillante por haber promovido las cuestiones del «genio» y del «jefe de Estado», acusando además a Chen Boda (y, quizá, a Ye Qun) por su ataque faccional contra Zhang Chunqiao. Esto es sin duda lo que habría hecho Zhou Enlai. Pero, fuese porque se sentía demasiado confiado en su nueva posición como sucesor del presidente, o fuese a causa del clima de desconfianza generalizado que imperaba en la cúpula, no lo hizo.

Aquello acabaría siendo su segundo gran error de cálculo.

En octubre, cuando Mao leyó las autocríticas por escrito que Ye Qun y los tres generales habían preparado para el Comité Central, su actitud se endureció.[25] Los cuatro habían admitido formalmente su error, pero lo atribuían a su «bajo nivel de comprensión» y fueron manifiestamente incapaces de explicar por qué habían actuado de manera coordinada. El presidente expresó su irritación con enojados comentarios marginales. Ye Qun, escribió, «se niega a hacerlo cuando yo lo digo, pero danza inmediatamente cuando Chen Boda toca su trompeta»; Wu Faxian «carece de un carácter abierto e íntegro».

En aquel punto, Mao decidió comenzar a crosionar poco a poco el poder militar que Lin Biao había acumulado.[26] En diciembre, el Comité Central celebró una conferencia de trabajo, presidida por Zhou Enlai, en la que la región militar de Pekín fue «reorganizada». Dos de los aliados de Mao sustituyeron a los seguidores de Lin (que fueron acusados de ser partidarios de Chen Boda, caído en desgracia) en los cargos de comandante regional y comisario político. Tres meses después, Ye Qun y los otros realizaron una segunda autocrítica que Mao consideró tan poco satisfactoria como la primera.[27] Entonces añadió nuevos miembros a la Oficina General de la Comisión Militar —«mezclándola con arena», tal como escribió tiempo después— para neutralizar el control de Lin.[28]

En una reveladora decisión tomada aquel mismo invierno, despidió a sus jóvenes acompañantes, llegadas de las compañías de danza del Ejército Popular de Liberación, por miedo a que fuesen espías de Lin.[29]

Pero, más allá de su círculo interno, no se permitió que aflorase a la luz el menor indicio de que se preparaba algo siniestro. Incluso los más próximos a Mao, como Zhou Enlai o Jiang Qing, no estaban seguros de la seriedad con que el presidente afrontaba el problema de Lin.[30] No sólo para el país en general, sino también para los miembros del Comité Central, el ministro de Defensa seguía siendo, como siempre, su «sucesor y más cercano camarada de armas». Y nadie fuera del Politburó sabía que los cuatro generales tenían problemas. Mantuvieron sus cargos y continuaron con sus tareas habituales.

Parece que Lin tuvo la aguda intuición de lo que le esperaba. En marzo de 1971 cayó en una terrible depresión. Aquel mes, su hijo de veinticinco años, Lin Liguo, que ocupaba un importante cargo en las fuerzas aéreas, comenzó a mantener discusiones secretas con un pequeño grupo de compañeros oficiales con miras a salvaguardar la posición de su padre. El ministro de Defensa desconocía según parece la existencia de esas reuniones. Sin embargo, uno de los documentos que redactó el grupo incluyó una afirmación devastadoramente exacta sobre las tácticas políticas de Mao que refleja con claridad las ideas de Lin:

> Hoy utiliza esta fuerza para atacar a aquella otra; mañana utiliza aquélla para atacar a ésta. Hoy destina palabras dulces y un tono melifluo para hablar con los que quiere seducir, y mañana los envía a la muerte por crímenes que son maquinación suya. Sus huéspedes de hoy son sus prisioneros de mañana. Mirando la historia de las décadas pasadas, ¿hay alguien a quien él haya inicialmente respaldado y al que no se le haya entregado finalmente a una sentencia de muerte política? ... Sus antiguos secretarios se han suicidado o han sido arrestados. Sus escasos y más estrechos compañeros de armas o sus ayudantes más leales también han acabado en la cárcel...[31]

El grupo se refería a Mao como B52, a causa de que, al igual que los bombarderos norteamericanos de largo alcance que se empleaban entonces en Vietnam del Norte, él desataba explosiones desde gran altura.

Lin Liguo y sus colegas llegaron a la conclusión de que la posición del ministro de Defensa no estaba bajo amenaza, y que el acontecimiento más probable era la sucesión prevista tras la muerte de Mao.[32] Sopesaron la posibilidad de que Lin asumiese anticipadamente el poder, y elaboraron un violento plan de contingencia con aquel propósito, llamado Proyecto 571.

Sin embargo, la opinión generalizada era que se debían evitar por todos los medios posibles tales extremos porque, incluso si tenían éxito, se tendría que pagar, políticamente hablando, «un precio muy alto».

A pesar de ello, el hecho de que tales discusiones tuviesen lugar —incluso sin el conocimiento de Lin Biao— testifican el enorme malestar existente dentro del círculo del ministro de Defensa.

A finales de abril de 1971, los acontecimientos dieron un giro aún más siniestro.[33] Con la autorización de Mao, Zhou advirtió a los tres generales, Wu Faxian, Li Zuopeng y Qiu Huizuo, además de al jefe del Estado Mayor, Huang Yongsheng, y a Ye Qun, de que eran sospechosos de actividades faccionales y «errores de línea política». Mao además creó una nueva base de poder para Jiang Qing y todos sus aliados, a quienes se concedió el control de dos departamentos clave del Comité Central responsables de la propaganda y las cuestiones de personal.[34]

A medida que el año avanzaba, Lin se replegaba cada vez más. Dejó de trabajar y su comportamiento se volvió más extraño. En la festividad del Primero de Mayo, adujo su mala salud como excusa para no asistir a las celebraciones.[35] Zhou le persuadió para que cambiase de opinión, pero cuando finalmente llegó al lugar —después de Mao, en contra del protocolo—, el presidente, irritado por su tardanza, le ignoró. Al cabo de poco tiempo, Lin se marchó sin haber intercambiado una palabra con él, ni siquiera una mirada.

En algún momento de aquel verano Mao decidió que el enfrentamiento ya no podía ser evitado.

En julio explicó a Zhou Enlai: «El incidente de Lushan no ha terminado, el problema no está totalmente resuelto. Existe un plan siniestro. [Los generales] tienen un jefe en la sombra».[36] Aquel mes, Lin y su familia se trasladaron a Beidaihe para alojarse en una casa de recreo junto al mar. A mediados de agosto, Mao partió hacia Wuhan a bordo de su tren privado, donde celebró la primera de una serie de reuniones para procurarse el apoyo de los dirigentes políticos y militares de las provincias. Fuese adonde fuese, el mensaje era el mismo: en Lushan se había producido una lucha política de alto nivel, esencialmente idéntica a las luchas contra Liu Shaoqi, Peng Dehuai y Wang Ming.[37] «Cierta persona», dijo, «está ansiosa por convertirse en presidente del Estado, dividir al partido y tomar el poder.»[38] La única diferencia en esta ocasión era que todavía no se había obtenido ningún resultado. Por tanto, ¿qué se debía hacer? «El camarada Lin Biao», respondió Mao a su propia pregunta, debería asumir «cierta responsabilidad». Algunos miembros de su camarilla serían capaces de reformarse; otros no. La experiencia pasada había demostrado, señaló secamente el presidente, que «es difícil ... reformarse ... para alguien que ha tomado la iniciativa de cometer equivocaciones mayúsculas».

Como muestra de los pocos aliados reales con que contaba Lin entre los comandantes militares provinciales, no antes de la noche del lunes 6 de septiembre —pasadas ya tres semanas desde que Mao iniciase su periplo— llegaron noticias a Beidaihe de lo que había estado diciendo Mao.[39] Los seis días siguientes fueron una continua muestra de surrealismo.[40]

Lin dedicó buena parte de su tiempo a discutir los planes de boda de sus hijos. Durante la Revolución Cultural había pedido a Xie Fuzhi que organizase en Pekín y Shanghai una búsqueda de universitarias de buen parecer que pudiesen convertirse en candidatas a casarse con Lin Liguo; al igual que en la época imperial se buscaban jóvenes de buena familia para actuar como concubinas del emperador. Se entrevistó a varios centenares de jóvenes, pero Lin Liguo eligió como prometida a una joven de una compañía de danza del Ejército Popular de Liberación. Una búsqueda muy similar se había llevado a cabo para encontrar marido a Lin Liheng, la hija de Lin Biao, pero Ye Qun desaprobó la elección de la joven y ella intentó suicidarse en dos ocasiones. También entonces se estaba preparando su boda. Mientras la carrera política del vicepresidente escapaba de sus manos, los asuntos familiares absorbían su atención.

En sus discusiones, Lin Liguo argumentaba que se debía actuar con decisión. O Mao era atajado por la fuerza, o Lin debía trasladarse a Cantón para fundar un régimen rival. Si aquello fallaba, podía escapar al extranjero, quizá a la Unión Soviética. Lin Liheng propuso que su padre se retirase con un cargo honorífico, al igual que había hecho Zhu De.

Curiosamente, el ministro de Defensa se mantuvo apartado, como si ya hubiese decidido que su suerte estaba echada. En la mañana del miércoles 8 de septiembre accedió a escribir una nota animando a sus seguidores a «actuar de acuerdo con las órdenes de los camaradas Liguo y Yuchi'» —en referencia a Zhou Yuchi, uno de los compañeros en las fuerzas aéreas de su hijo—, pero esto era todo lo lejos que podía ir.

El día anterior, Lin Liguo y sus compañeros oficiales habían comenzado a discutir planes ávidamente para asesinar a Mao, y habían acordado que la mejor opción era atacar su tren privado. Se deliberó sobre diversos planes —la mayoría de ellos tan pueriles que podrían haber aparecido en un tebeo infantil: se debían usar lanzallamas; o artillería antiaérea, apuntando horizontalmente; se provocaría la explosión de un almacén de combustible cercano a las vías; o un asesino armado con una pistola le dispararía. No sólo no se realizó ningún intento para llevar a cabo siquiera alguno de estos ridículos planes, sino que los conspiradores no llegaron tampoco a la etapa de iniciar seriamente los preparativos para hacerlo.

A pesar de las apariencias, Lin Biao no estaba conspirando contra Mao. Era Mao quien estaba acorralando a Lin.

En la tarde del miércoles, el presidente recibió la noticia de que se estaban llevando a cabo actividades poco habituales en los cuarteles de las fuerzas aéreas del Ejército Popular de Liberación. Se reforzó su seguridad personal. Poco después, abandonó Hangzhou con destino a Shanghai. Pero en lugar de permanecer allí varios días, como habían planeado, el sábado por la mañana recibió al comandante de Nanjing, Xu Shiyou, y después partió inmediatamente hacia Pekín, sin detenerse hasta que su tren llegó el domingo por la tarde a Fengtai, una estación suburbana de las afueras de la capital. Aquí permaneció dos horas junto al comandante de la región militar de Pekín, Li Desheng, al que informó en los mismos términos con que había advertido a los comandantes provinciales del sur.

Mientras Mao estaba en Fengtai, Lin Biao y la sollozante Ye Qun asistían a la boda de su hija en su residencia de Beidaihe.

Lin Liguo, al conocer el precipitado regreso de Mao, mantuvo presa del pánico una reunión con sus compañeros de las fuerzas armadas, en la que se decidió que la mejor opción para su padre era trasladarse a Cantón. Inmediatamente pilotó un Trident de las fuerzas aéreas para volar hasta Beidaihe, adonde llegó a las ocho y cuarto de la noche, justo cuando Mao volvía a Zhongnanhai.

El ministro de Defensa tenía previsto dedicar el atardecer a ver películas junto a su familia, con la pareja recién casada y sus amigos. En lugar de ello, Lin Biao se encerró con su mujer y su hijo. Se desconoce hasta qué punto había tenido noticias, con anterioridad a ese momento, de los planes de Lin Liguo. Quizá apenas sabía nada. Cuando su hija, Lin Liheng, comprendió aquella misma tarde, aunque algo después, que su madre, a la que ella odiaba, y su hermano, por el que no albergaba mejores sentimientos, se preparaban para volar y llevarse a su padre con ellos, su suposición más inmediata fue que su padre estaba siendo secuestrado. Pero en realidad estaba equivocada. Lin Biao supo, en el último momento, que Ye Qun y Lin Liguo habían actuado temerariamente y que a toda su familia le esperaba una retribución terrible. Aquella tarde salió finalmente de su letargo y se avino a trasladarse a Cantón. Pero ello no significa que compartiese el optimismo de su hijo sobre las posibilidades de establecer un régimen rival allí. Probablemente lo concibió como una etapa de enlace en su camino a Hong Kong y el posterior exilio al extranjero.

Poco después de las diez de la noche, Lin Liheng, todavía convencida de que su padre era objeto de manipulación, se escabulló para informar al jefe de la unidad de guardia encargada de la seguridad de Lin. Media hora más tarde, Zhou Enlai fue convocado a una reunión en el Gran Salón del Pueblo para realizar una llamada telefónica urgente. Se le informó de que había un reactor de las fuerzas aéreas en Beidaihe sin autorización y que, según la hija de Lin Biao, el ministro de Defensa estaba a punto de poner rumbo hacia un destino desconocido, posiblemente en contra de su voluntad. De inmediato Zhou llamó a Wu Faxian y le dijo que mantuviese el avión en tierra.

Cuando estas noticias llegaron a Lin Biao, comprendió que el juego había llegado a su fin. Fue entonces cuando decidió que debía ir directamente hacia la frontera más cercana, lo que significaba ir hacia el norte, hasta Rusia.[41] En un intento de evitar las suspicacias, Ye Qun telefoneó al primer ministro para informarle que pretendían desplazarse al día siguiente hasta Dalian. A medianoche, la limusina blindada de Lin Biao salió de su residencia, atravesó a toda velocidad un cordón de guardias que intentaron infructuosamente detenerles, y se dirigió hacia el aeropuerto. En el trayecto, uno de los secretarios saltó del vehículo en marcha y fue tiroteado, resultando herido.

A pesar de la orden de Zhou, el Trident había repostado parcialmente. Lin, Ye Qun, Lin Liguo, otro oficial del ejército del aire y su chófer se encaramaron al aparato y, a las doce y treinta y dos minutos de la madrugada del lunes 13 de septiembre, con las luces de navegación apagadas y el aeropuerto en total oscuridad, el aeroplano despegó.

Zhou ordenó la paralización total del tráfico aéreo en toda China, que se mantuvo durante los dos días siguientes. Después informó de todo ello a Mao.

Mientras estaba junto a él, Wu Faxian telefoneó para comunicarle que el avión de Lin se dirigía hacia Mongolia y para preguntar si debía ser derribado. Mao respondió filosóficamente: «Los cielos se llenarán de lluvia; las viudas volverán a casarse; nadie puede impedirlo. Dejémosles huir». A la una y cincuenta minutos de la madrugada el avión salió del espacio aéreo chino.

Mao se desplazó, por razones de seguridad, hasta el Gran Salón del Pueblo, donde, a las tres de la madrugada, el Politburó fue convocado para ser informado de su regreso a la capital y la sorprendente noticia de la huida de Lin.

Treinta horas después se despertó a Zhou para hacerle entrega de un mensaje del embajador de China en Ulan Bator. El ministro de Asuntos Exteriores de Mongolia distribuyó una protesta oficial porque un Trident de las fuerzas aéreas chinas había violado el espacio aéreo de Mongolia durante las primeras horas de la mañana del lunes, y había colisionado cerca de la población de Undur Khan. Las nueve personas que iban a bordo habían muerto.

El reconocimiento del lugar demostró que el avión se había quedado sin combustible, había perdido el control y se había incendiado cuando intentaba realizar un aterrizaje forzoso en la estepa. Los cadáveres, que fueron identificados por expertos forenses del KGB, fueron incinerados en las cercanías.[42]

De todos los dirigentes chinos que Mao purgó durante los años que estuvo en el poder, sólo Lin Biao intentó resistirse. Peng Dehuai y Liu Shaoqi habían asumido dócilmente su destino, manteniendo hasta el final su inmutable devoción por el partido. Ninguno había intentado defenderse; ninguno intentó devolver el golpe. Incluso Gao Gang, que expresó su protesta suicidándose, había confesado primero sus errores.

Lin fue diferente. Al final, la única defensa que pudo encontrar fue lo que Mao denominaba la «última y mejor» de las «treinta y seis estrategias» de los manuales militares de la antigua China: escapar. Pero no se humilló. Ni se sometió a la voluntad de Mao.

El presidente estaba hundido.

Su médico, que estaba presente cuando Zhou le dio la noticia de la huida de Lin, recordó años después que su cara se descompuso por la conmoción.[43] Una vez pasó la crisis inicial, y los aliados del ministro de Defensa —incluidos los cuatro desafortunados generales, Wu Faxian, Lin Zuopeng, Qiu Huizuo y Huang Yongsheng, que habían permanecido tan ignorantes como los demás— fueron arrestados, Mao se dirigió a su camastro, víctima de una profunda depresión. Estuvo postrado allí durante casi dos meses, con hipertensión y una infección pulmonar. Como siempre, eran de origen psicosomático. Pero en esta ocasión, no conseguiría recuperarse. En noviembre, cuando apareció para reunirse con el primer ministro de Vietnam del Norte, Pham Van Dong, los chinos que vieron las imágenes de televisión quedaron sobrecogidos al observar lo mucho que había envejecido. Caminaba encorvado y arrastraba los pies como un anciano. Algunos decían que sus piernas eran como varas de madera tambaleantes.

En enero de 1972 murió Chen Yi. Apenas dos horas antes de la celebración del funeral, Mao decidió que asistiría a los actos, desoyendo las súplicas de sus asistentes, que temían que la fría temperatura, por debajo de los cero grados, pudiese ser demasiado extrema para su debilitada salud. Estaban en lo cierto. Después de permanecer en pie durante las dos horas de la ceremonia, las piernas de Mao temblaban tanto que apenas podía caminar.

Después de ese episodio se rumoreó que aquel mismo mes había sufrido un ataque. En realidad padecía de una insuficiencia cardiaca que empeoró al negarse a recibir tratamiento médico.[44] Pero el problema continuaba teniendo un origen político. A pesar de que Mao se había estado preparando, durante agosto y principios de septiembre, para un enfrentamiento con Lin Biao, no había decidido exactamente la manera en que debía resolverse el problema: si simplemente degradándole dentro del Politburó; criticándole en el seno del partido, pero permitiéndole continuar como miembro nominal de la cúpula, al igual que había hecho con Peng Dehuai en

1959; o purgándole a fondo, una posibilidad preparada concienzudamente, a pesar de que se trataba de la opción menos deseable, dadas sus consecuencias en la opinión pública.[45] Al huir, Lin Biao había arrebatado la iniciativa a Mao.

En cierto sentido, su tarea se simplificó con el descubrimiento de las actividades de Lin Liguo.

A pesar de que Mao había presentado una amenaza para su seguridad, y había tomado precauciones, los detalles del complot de los jóvenes oficiales de las fuerzas aéreas sólo se hicieron evidentes después de la huida de Lin. A pesar de lo infantil de la conspiración, permitió que Mao presentase al ministro de Defensa como un traidor que había intentado llevar a cabo un golpe de Estado.

Ésta fue la línea mantenida en los informes destinados a los funcionarios del partido a partir de mediados de octubre, la misma que se siguió para avisar a la población en general a través de encuentros en las fábricas y con las células de trabajo.[46]

No era una historia fácil de vender. Incluso la credulidad de los sufridos chinos quedaba amenazada por la revelación de que otro de los colegas más íntimos de Mao había resultado un villano. ¿Qué decía ello de la capacidad de juicio de Mao si Liu Shaoqi (un «traidor y renegado»), Chen Boda (un «falso marxista») y Lin Biao (un «arribista contrarrevolucionario»), quienes habían estado junto a Mao durante décadas, eran repentinamente desenmascarados, uno tras otro, como enemigos ocultos? Las «cien flores» y la campaña antiderechista habían costado a Mao la confianza de los intelectuales chinos. El caos y el terror de la Revolución Cultural habían destruido la fe de la jerarquía del partido y de decenas de millones de ciudadanos de a pie. La caída de Lin Biao era lo único que faltaba. Después de 1971 se impuso un cinismo generalizado. Sólo los jóvenes (y no todos ellos) y los que se aprovecharon del brote de radicalismo confiaban todavía en el nuevo mundo revolucionario de Mao.

Los efectos combinados de la enfermedad y el fracaso político llevaron al presidente muy cerca de la desesperación. Por vez primera desde el otoño de 1945, cuando Stalin le había traicionado en el enfrentamiento con Chiang Kai-shek, se sentía entregado. Una tarde de enero de 1972 dijo a un espantado Zhou Enlai, a quien había puesto al cargo del trabajo diario del Comité Central, que ya no podía continuar y que él debía tomar el mando.[47] En 1945 había sido un norteamericano, Harry Truman, el que había sacado a Mao de la depresión al lanzar la misión Marshall para mediar en la guerra civil china. También en esta ocasión sería un norteamericano el que le rescataría de su agujero negro. Para Mao, y para el pueblo chino, el destino de Lin Biao quedaría pronto eclipsado por un acontecimiento aún más sorprendente e impensable: después de veinte años de continua hostilidad, el presidente de los Estados Unidos, Richard Nixon, iba a realizar una visita oficial a Pekín.

Los enfrentamientos en la isla de Zhenbao de marzo de 1969 y las tensiones entre Pekín y Moscú de la primavera y el verano posteriores llamaron sin duda la atención de Washington.[48] Incluso con anterioridad, algunos dirigentes de Estados Unidos comenzaron a pensar en voz alta sobre la posibilidad de una relación más productiva con Pekín. Aproximadamente un año antes, Nixon había escrito sobre la necesidad de sacar a China de su «colérico aislamiento», una locución que repitió en su discurso inaugural. Habían existido conversaciones para intentar avanzar hacia una relación triangular. Pero hasta que los conflictos fronterizos no despertaron el espectro de una guerra chino-soviética, nadie podía imaginar el modo en que se podría hacer realidad.

Las primeras y dubitativas señales comenzaron en julio de aquel mismo año. Estados Unidos modificó su prohibición a los ciudadanos estadounidenses de viajar a China. Tres días después, China liberó a dos marineros norteamericanos de un yate que se había extraviado en aguas chinas. En agosto, el secretario de Estado, William Rogers, afirmó públicamente que Estados Unidos estaba «intentando abrir canales de comunicación». Se pidió a Rumania y Pakistán que enviasen mensajes privados. En octubre, cuando las tensiones chino-soviéticas se moderaron, Nixon realizó un gesto aún más significativo: se informó a los chinos que se retirarían dos destructores de Estados Unidos que habían estado patrullando simbólicamente el estrecho de Formosa desde la guerra de Corea.

Así comenzó lo que Kissinger denominó un «intrincado minueto», que veintiún meses después lo convertiría en el primer funcionario de Estados Unidos desde 1949 que viajaba a China.

Durante todo este proceso se produjeron escenas grotescas: cuando Walter Stoessel, embajador de Estados Unidos en Varsovia, se aproximó a su colega chino en una recepción para expresar su interés en iniciar conversaciones, éste miró de reojo a su interlocutor y se abalanzó por unas escaleras, aterrorizado por la perspectiva de unos contactos sobre los que no había recibido instrucción alguna. Y también escenas trágicas: un empresario norteamericano, que había pasado quince años en las cárceles de China acusado de espía, se suicidó poco antes de ser liberado como gesto de buena voluntad. Se produjeron reveses: los contactos quedaron interrumpidos durante seis meses en 1970 por la ofensiva norteamericana a Camboya. Y hubo confusión: en el Día Nacional de aquel mismo año, en Pekín, Zhou Enlai acompañó a Edgar Snow y su esposa, entonces de visita en China, para fotografiarse con Mao en Tiananmen. Fue un gesto sin precedentes:

ningún extranjero había recibido semejante honor. «Lamentablemente», confesó tiempo después Kissinger, «lo que nos ofrecieron era tan evasivo que nuestras toscas mentes occidentales no entendieron nada.» Sólo mucho tiempo después comprendería que con ese gesto Mao estaba indicando que el diálogo con Estados Unidos contaba con su apoyo personal.

Los elípticos procedimientos de Mao pronto frustraron, por segunda vez, sus propósitos. En una entrevista con Snow realizada en diciembre aludió a la observación de Nixon, pronunciada dos meses antes, de que «si hay una cosa que quiero hacer antes de morir es ir a China». Mao dijo a Snow: «Me sentiría feliz de poder hablar con él, como turista o como presidente». Posteriormente le entregó a Snow la transcripción oficial de la conversación, pero se le pidió que pospusiese algunos meses su publicación. La suposición era que Snow enviaría una copia de la transcripción a la Casa Blanca. Pero no lo hizo, y de nuevo el mensaje del presidente no llegó a su destino.[49]

Por ello, durante la primavera siguiente, Mao realizó un gesto que incluso los obtusos norteamericanos no podían dejar de comprender.

En marzo de 1971, un equipo chino de ping-pong participó en los Campeonatos del Mundo de Nagoya, en Japón. Eran los primeros cuatro deportistas chinos en viajar al extranjero desde hacía años. El 4 de abril, uno de los miembros del equipo de Estados Unidos, un californiano de diecinueve años, mencionó casualmente a un jugador chino que le encantaría visitar Pekín. Se informó de lo ocurrido a Zhou Enlai, que lo comunicó al día siguiente a Mao. Decidieron no tomar cartas en el asunto. Pero aquella noche, después de tomar sus somníferos, Mao llamó a su enfermera y, adormecido, le dijo, antes de caer dormido, que telefonease al Ministerio de Asuntos Exteriores con instrucciones para que invitasen inmediatamente a los jugadores norteamericanos.[50]

La política del ping-pong, como fue llamada, entusiasmó al mundo entero.

Los jugadores de Estados Unidos fueron objeto de una bienvenida deslumbrante. Zhou en persona les recibió en el Gran Salón del Pueblo, y declaró que ellos habían abierto un nuevo capítulo en las relaciones entre los dos países que marcaba el «reinicio de nuestra amistad».

Tres meses después, fue el turno de Kissinger. Su viaje se mantuvo en secreto gracias a la excusa de una dolencia estomacal que supuestamente le obligó a guardar cama en Pakistán. A su vuelta, un radiante Nixon anunció en la televisión estadounidense que se habían iniciado diálogos de alto nivel con China y que la primavera siguiente él mismo viajaría hasta allí. Para concretar los detalles, Kissinger volvió a Pekín en octubre —en esta ocasión con deslumbrante publicidad— y fijó las bases para el comunicado de Shanghai, que se convertiría en el logro culminante de la visita presidencial, delimitando las reglas de las relaciones entre China y Estados Unidos durante el resto del siglo y, sin duda, hasta más allá.

Durante el primer viaje de Kissinger, Mao estuvo preocupado por el asunto de Lin Biao, y durante el segundo, postrado en la cama, con episodios depresivos.[51] A pesar de ello, ordenó mordazmente que ambos lados evitasen «la clase de banalidades que los soviéticos firmarían, pero ninguno desearía ni observaría», lo que acabó confiriendo al comunicado una gran fortaleza. Las diferencias quedaron afirmadas «explícitamente, en ocasiones brutalmente», lo que subrayó el interés común en enfrentarse a la hegemonía soviética. Sólo la crucial cuestión de Taiwan continuó envuelta en la ambigüedad.

Estados Unidos reconoce que todos los chinos de ambos lados del estrecho de Formosa sostienen que existe una sola China, y que Taiwan es una parte de China. Estados Unidos no pretende desafiar esta postura. Y reafirma su interés en un acuerdo pacífico sobre la cuestión de Taiwan entre los propios chinos.

Cuando Kissinger volvió a casa al finalizar su segunda visita, la Asamblea General de las Naciones Unidas votó la expulsión de Taiwan y su sustitución por la República Popular de China. Había finalizado una era en la política de posguerra.

En enero de 1972 ya se habían completado los preparativos diplomáticos del viaje de Nixon.

Pero el personaje central de la obra estaba ausente.[52] La condición física de Mao se estaba deteriorando, y todavía se negaba a que sus médicos le tratasen. El primero de febrero —tres semanas antes de la teórica llegada de Nixon— empeoró, sólo para desmoronarse, inconsciente, después de que la mucosidad obstruyese sus infectados pulmones. La combinación de los antibióticos y la perspectiva de reunirse con el «enemigo más respetado» de China lo sacó del limbo. Sin embargo, su garganta continuaba inflamada, dificultándole el habla, y su cuerpo estaba tan hinchado por la retención de líquidos que tuvieron que confeccionarle un nuevo traje y un par de zapatos. Durante la semana precedente a la llegada de Nixon, su personal le ayudó a practicar el acto de sentarse, alzarse y pasear por su habitación, para ejercitar sus músculos después de los meses que había pasado postrado en cama.

Cuando llegó el gran día, Mao estaba muy inquieto. Se sentó junto al teléfono escuchando los informes, minuto a minuto, del avance del presidente desde el aeropuerto, donde fue recibido por Zhou Enlai, a través de las vacías calles de Pekín, cuyo tráfico se había cortado para la ocasión, y hasta la casa de invitados de Diaoyutai. No había prevista en el programa ninguna reunión con Mao. Pero entonces envió recado de que quería ver al presidente inmediatamente. Con la insistencia de Zhou, se permitió a Nixon que descansase y comiese. Pero después él y Kissinger fueron transportados en una cabalgata de limusinas «bandera roja» hasta Zhongnanhai, donde Mao esperaba con impaciencia. En sus memorias, Kissinger ofreció una descripción sobrecogedora de la escena que les esperaba:

> [En] el estudio de Mao ... los manuscritos se apilaban en los anaqueles por todas las paredes; los libros cubrían la mesa y el suelo; parecía más el retiro de un intelectual que la sala de audiencias del todopoderoso líder de la ciudad más populosa del mundo ... Aparte de lo repentino de la convocatoria, no hubo ceremonial alguno. Mao simplemente estaba allí de pie ... No me había tropezado con nadie, con la posible excepción de Charles de Gaulle, que destilase de aquella manera una voluntad tan obstinada y concentrada. Estaba allí plantado con una asistente femenina junto a él para ayudarle a sostenerse ... Dominaba la estancia, no por la pompa que en la mayoría de estados confiere un grado de majestad a los líderes, sino exudando de una forma casi tangible un arrollador impulso de triunfo.

La descripción de Nixon fue mucho más realista. Pero también él quedó impresionado por lo que Kissinger llamó, en términos casi idénticos a los usados por Sydney Rittenberg en Yan'an treinta años antes, «nuestro encuentro con la historia».

Mao tomó con sus dos manos la de Nixon y la apretó durante casi un minuto.

Uno de ellos presidía la ciudadela del capitalismo internacional, respaldado por la economía y las fuerzas militares más poderosas del mundo; el otro era el patriarca indiscutible de un Estado comunista revolucionario de ochocientos millones de personas, cuya ideología impulsaba la destrucción del capitalismo allí donde éste pudiese surgir.

La fotografía del *Diario del Pueblo* del día siguiente indicó a China, y al mundo entero, que el equilibrio global de poder había quedado transformado.

Sus conversaciones se prolongaron durante una hora, mucho más de lo que preveía el breve encuentro de cortesía que estaba programado. Mao sorprendió a Nixon al decirle que prefería tratar con dirigentes del ala derecha, ya que eran más predecibles. Nixon enfatizó que la mayor amenaza a que ambos tenían que enfrentarse no venía de ellos mismos, sino de Rusia. Kissinger, siempre diplomático, quedó asombrado por la conversación falazmente azarosa de Mao, engastando sus pensamientos en expresiones tangenciales que «transmitían un significado al tiempo que eludían todo compromiso ... [como] sombras que pasan sobre un muro». Zhou se preocupó por la posibilidad de que Mao se agotase. Se le había indicado a Nixon que Mao se estaba recuperando de una bronquitis, y después de que Zhou mirase en diversas ocasiones su reloj, el presidente puso fin a la reunión.

Después de aquello, todo lo demás fue mucho menos alentador. Nixon y Zhou trabajaron sobre los aspectos prácticos de las relaciones chino-americanas. Pero el tono del encuentro ya se había definido.

Para Mao, la visita de Nixon fue un triunfo. Pronto le seguirían otros, cuyas naciones también tenían en China un papel histórico: Kakuei Tanaka, para establecer relaciones diplomáticas con Japón; el primer ministro británico, Edward Heath. Pero nada igualaría en la vida de Mao el momento en que el líder del mundo occidental llegó a la Ciudad Prohibida trayendo como tributo una preocupación compartida por un enemigo común. En 1949 Mao había defendido que China no debía apresurarse a entablar relaciones con las potencias occidentales; primero debía completar su «limpieza doméstica», y después decidir, cuando le conviniese, a qué países deseaba admitir. Durante años, cuando los dirigentes occidentales procuraron aislar la China roja, aquello parecía una excusa vacía. Pero ahora el mejor situado de ellos había llegado a Pekín, en busca de cooperación en base de igualdad. China se había erguido. Era el momento de disfrutarlo.

Pero también marcó un retroceso importante.

Nixon puso el dedo en la llaga en un artículo que había escrito un año antes de su elección.[53] Estados Unidos, dijo, necesitaba entablar relaciones con China, «pero como una nación grande y en desarrollo, no como el epicentro de la revolución mundial». Y eso era realmente lo que había ocurrido. Al abrir la puerta a Estados Unidos, Mao había respondido a unas necesidades geopolíticas; el imperativo de un frente unido para contener los impulsos expansionistas de Rusia. El precio consistía en el abandono de su visión de un nuevo «reino del centro» rojo, fuente de esperanza e inspiración para los revolucionarios del mundo entero. En lugar de ello, llegó una fría política de equilibrio de poderes que no pretendía garantizar la revolución, sino la pervivencia.

En su encuentro con Nixon, Mao así lo reconoció.[54] «La gente como yo suena como un montón de cañones», afirmó. «Por ejemplo, [decimos] cosas como "el mundo entero se debería unir y derrotar al imperialismo...".» Y en ese momento él y Zhou rieron bulliciosamente.

Mao era capaz de dar lógica a semejantes afirmaciones con su habitual argumento de que todo progreso derivaba de las contradicciones. A pesar de ello, representaba un retroceso. Otro de sus temas favoritos durante la década de 1960 —la noción de que China, con la fuerza de su ejemplo, incitaría una revolución mundial— había quedado irremisiblemente comprometido.

El derrumbe de los planes de Mao para su sucesión y el eclipse de las preocupaciones revolucionarias ante las geopolíticas no fueron las únicas grietas que abrieron la Revolución Cultural y su política.

En otoño de 1971, cuando Mao viajó por China central para procurarse el respaldo de los comandantes militares provinciales, se lamentó de que los cuadros veteranos que habían sido injustamente purgados no hubiesen sido todavía rehabilitados.[55] En noviembre, dos meses después de la muerte de Lin Biao, afirmó que las acusaciones contra los mariscales y los otros implicados en la «contracorriente de febrero» eran erróneas; ellos simplemente se habían «opuesto a Lin Biao y Chen Boda».[56] En el funeral de Chen Yi, en enero de 1972, dio nuevas muestras de haberse distanciado de los ataques a la vieja guardia.

Alentado por el desarrollo de los acontecimientos, Zhou Enlai inició un intento a gran escala de reconstruir la administración y restaurar la producción económica.

Ocupaba una posición de una fortaleza mayor que la que había disfrutado desde hacía muchos años. De los cinco miembros del Comité Permanente, Lin había muerto, Chen Boda estaba en la cárcel, y Kang Sheng tenía cáncer. Esto significaba que sólo quedaban él y Mao. Incluso sin tener en cuenta el angustiado arranque de Mao en su cama de enfermo pidiéndole que asumiese el poder, todo se inclinaba enérgicamente a favor del primer ministro. La caída de Lin Biao había puesto a Jiang Qing y sus compañeros radicales a la defensiva. La admisión de China en las Naciones Unidas y la visita de Nixon habían puesto de relieve que una política pragmática podía tener resultados. El descubrimiento de Zhou, en una revisión médica rutinaria realizada en mayo, de que también él estaba enfermo de cáncer, le hizo ser simplemente más decidido.[57] Sabía que ésa era la única oportunidad que tendría para dejar marcado su sello en el progreso de China: encaminar al país hacia un camino de desarrollo ordenado y equilibrado que asegurase a su pueblo un futuro mejor y más dichoso.

La estrategia del primer ministro consistió en servirse del movimiento contra Lin Biao —oficialmente conocido como la «campaña para criticar el revisionismo y rectificar el estilo de trabajo»— para iniciar una ofensiva total contra las políticas y las ideas de extrema izquierda. En abril, el *Diario del Pueblo* lanzó la salva inicial, al describir a los cuadros veteranos como «el tesoro más valioso del partido» y exigir que fuesen rehabilitados y se les concediesen cargos apropiados.[58] Chen Yun, el decano entre los economistas de la vieja guardia, reapareció en público (aunque, prudentemente, argumentó que su mermada salud no le permitiría retomar el trabajo).[59] Se volvió a poner el énfasis en el conocimiento especializado.[60] Una emisora de radio de Pekín comenzó a emitir lecciones de inglés. Por vez primera desde 1966, China envió estudiantes al extranjero. Zhou criticó al ministro de

Asuntos Exteriores por ser incapaz de cambiar sus formas ultraizquierdistas, empleando el ingenioso argumento de que a menos que se denunciase la extrema izquierda, sin duda reaparecería el derechismo.[61]

Pero unas briznas de paja en el viento no podían ocultar el hecho de que Mao se había cuidado notoriamente de apoyar públicamente a Zhou. Una cosa era el pragmatismo en materia de política exterior. Pero destruir la política de la Revolución Cultural era otra muy distinta. En noviembre de 1972, el presidente decidió que el péndulo había llegado demasiado lejos.

El desencadenante fue una página de artículos publicada por el *Diario del Pueblo* condenando el anarquismo. Los temas a los que aludía eran familiares: la persecución de los cuadros veteranos, la destrucción de las funciones del partido, la pérdida y la ruina del «gran caos»; de todo ello se responsabilizaba a la extrema izquierda. Pero, en su conjunto, los artículos ponían en cuestión todo lo que había impulsado la Revolución Cultural. El 17 de diciembre, Mao anunció que los errores de Lin, aunque «de apariencia izquierdista», debían ser considerados a partir de entonces «de esencia derechista», y que el propio Lin había sido un ultraderechista que había urdido conspiraciones, distensiones y traiciones. Criticar el ultraizquierdismo «no era una buena idea».

Dos días después Zhou Enlai mostró de qué materia estaba hecho. Se retractó de sus afirmaciones anteriores, se hizo eco de las revisadas ideas de Mao sobre Lin, y echó a los leones a sus desafortunados aliados del *Diario del Pueblo*.[62]

A partir de entonces, la campaña experimentó un cambio de escenario. A diferencia de Zhou, que la había intentado utilizar como un mecanismo para desactivar las políticas de la Revolución Cultural, los radicales convirtieron a Lin en una cabeza de turco sobre el que recayeron todos los excesos del movimiento. La nueva línea quedó delimitada en un editorial del día de Año Nuevo, que alabó la Revolución Cultural en términos de «muy necesaria y oportuna para consolidar la dictadura del proletariado, prevenir la restauración del capitalismo y edificar el socialismo».[63]

No obstante, el presidente no pretendía volver al punto de inicio.

Quizá el péndulo había oscilado hasta un punto demasiado lejano. Pero existía un límite en la amplitud de su retroceso. Los últimos cuatro años de la vida de Mao estarían dedicados al intento, tan intrínsecamente contradictorio que resultaba casi esquizofrénico, de mantener un equilibrio inestable entre sus anhelos radicales y las necesidades demasiado evidentes de un futuro más predecible y menos tortuoso para el país.

Este conflicto se puso dramáticamente de manifiesto en la cuestión de la sucesión.

En 1972, cuando Mao contempló las ruinas resultantes de la traición de Lin Biao, le quedaban ya muy pocas opciones. Zhou Enlai —dejando de lado sus excesos de pánico— era un anciano, demasiado moderado y, en un análisis final, demasiado débil para ser considerado su posible heredero. Jiang Qing era una radical leal, pero como sabía perfectamente Mao, era casi universalmente odiada; ávida de poder, altanera, ineficaz e incompetente. Yao Wenyuan era un propagandista, no más capacitado para la administración que un hombre como Chen Boda. Entre los miembros más jóvenes del Politburó, el único posible candidato era Zhang Chunqiao. Tenía cincuenta y cinco años. Su lealtad a la Revolución Cultural era incuestionable. Había dado muestras de su capacidad de liderazgo. Mao incluso le había mencionado en una ocasión como potencial sucesor de Lin.

Pero Mao no escogió a Zhang Chunqiao.

En lugar de ello, en septiembre de 1972 convocó desde Shanghai a uno de los lugartenientes de Zhang, Wang Hongwen, cuyo Cuartel General de los Obreros había sido el artífice, seis años antes, de la primera «toma de poder» de la Revolución Cultural.

Wang, miembro ahora del Comité Central, era un hombre alto y proporcionado que, a los treinta y nueve años, conservaba parte del ardor de la juventud. Provenía de una humilde familia campesina, había luchado en la guerra de Corea, y después había sido destinado a una fábrica textil. Para Mao, aquello significaba que él aunaba los tres entornos sociales más deseables: campesino, obrero y soldado. No se le indicó el motivo de su traslado a la capital, y quedó desconcertado cuando el presidente en persona le recibió y le acosó con preguntas sobre su vida y sus ideas. Parece ser que pasó el examen con nota, ya que Mao lo envió a estudiar las obras completas de Marx, Engels y Lenin; una tarea que iba más allá de sus escasas virtudes intelectuales y que él halló angustiosamente aburrida.[64] También encontró problemas al tener que adaptarse a los hábitos de trabajo nocturno de Mao, realizando nostálgicas llamadas telefónicas a sus amigos de Shanghai, lamentándose del tedio que había invadido su vida. A pesar de ello, a finales de diciembre, dos días después del septuagésimo noveno aniversario de Mao, Zhou Enlai y Ye Jiangying lo presentaron en una conferencia del Comité del Partido de la Región Militar de Pekín como «un joven en quien el presidente se ha fijado», añadiendo que Mao pretendía promover a miembros de su generación hasta las vicepresidencias del Comité Central y de la Comisión Militar.[65]

No se trataba de un simple antojo de Mao. Liu Shaoqi y Lin Biao habían contado con la fuerza suficiente para cargar con el partido a sus espaldas. Pero no así Zhang Chunqiao. Estaba demasiado implicado en el faccionalismo radical (y demasiado cerca de Jiang Qing) como para aglutinar la lealtad de la mayoría del partido, y era demasiado sectario en su actitud como para colaborar con los dirigentes moderados que sí eran capaces de ello.

Wang era un desconocido, un corcel negro que, como se había mantenido lejos de la capital, no estaba manchado por el hollín del faccionalismo.

En marzo de 1973, inició una nueva etapa de aprendizaje en el poder cuando, siguiendo las instrucciones de Mao, comenzó a asistir a las reuniones del Politburó.[66] Así lo hicieron también otros dos neófitos: Hua Guofeng y Wu De. Hua había llamado la atención de Mao durante los años cincuenta, cuando era secretario del partido de Xiangtan, distrito natal de Mao. Tras la Revolución Cultural, fue nombrado primer secretario del comité provincial del partido en Hunan, antes de trasladarse a Pekín para convertirse, cuando Xie Fuzhi murió de cáncer, en ministro de Seguridad en funciones. We De había sucedido a Xie como primer secretario del comité del partido en Pekín. Ambos eran mayores que Wang: Hua tenía cincuenta y un años, Wu sesenta. Al igual que él, poseían unas impecables credenciales de radicalismo y estaban lo suficientemente alejados de los extremos como para crearse una base de apoyo más allá de los movimientos faccionales. Ellos representaban una segunda posibilidad, en el caso de que la estrategia principal de Mao se viese frustrada.

Sólo faltaba colocar una pieza más en el rompecabezas del presidente.

El 12 de abril, un hombre bajo y fornido con la cabeza en forma de bala y el pelo entrecano asistió a un banquete celebrado en honor del jefe de Estado de Camboya, el príncipe Sihanouk, en el Gran Salón del Pueblo, como si nunca se hubiese alejado de allí.[67] Deng Xiaoping, la «segunda persona con autoridad en el partido en tomar el camino capitalista», había sido silenciosamente rehabilitado un mes antes para retomar su trabajo como viceprimer ministro.

A Deng le faltaba entonces muy poco para cumplir sesenta y nueve años, casi el doble que Wang Hongwen. Su vuelta había estado en parte motivada por el cáncer de Zhou, que había hecho necesaria la búsqueda de un suplente, y en parte por una sagaz petición que él mismo había enviado el agosto anterior a Mao, elogiando la Revolución Cultural como «un inmenso espejo que muestra a los monstruos» que había desenmascarado a estafadores como Lin Biao y Chen Boda (mencionando, de paso, que desearía retornar para poder trabajar).[68] Pero la razón fundamental del retorno de Deng fue que Mao comprendió que Wang no sería capaz de asumir la sucesión sin ayuda. El gran plan del presidente preveía que ambos trabajasen juntos, dirigiendo Wang el partido y Deng el gobierno, hasta que el más joven adquiriese suficiente experiencia y conocimiento, tras diez o quince años de formación, para dirigir personalmente China. Deng poseía el prestigio necesario para mantener al ejército en orden; Wang, como sabía perfectamente Mao, no. Deng tenía la capacidad de mantener en funcionamiento la maquinaria de la administración; Wang, una vez más, no. Pero si se podía situar a Wang, antes de que Mao muriese, como heredero al trono del partido, su juventud y su compromiso con los valores de la Revolución Cultural hacían de él la mayor esperanza que albergaba el presidente de asegurarse de que su legado ideológico le sobreviviría.

Con este propósito, se concedió a Wang un papel estelar en el Décimo Congreso del partido, una reunión inusualmente abreviada y ritual celebrada con el más absoluto secreto entre el 23 y el 27 de agosto de 1973 en el Gran Salón del Pueblo.[69] Presidió el Comité de Elección, con Zhou Enlai y Jiang Qing actuando como diputados suyos; presentó la nueva constitución revisada del partido (que eliminaba la referencia a Lin Biao como sucesor de Mao); y, en el nuevo Politburó, para asombro de los miembros y los no miembros del partido por igual, pasó a ocupar el tercer lugar en la jerarquía, por detrás del propio Mao y de Zhou Enlai, con el rango de vicepresidente.

Deng fue restituido en el Comité Central, aunque no, en esa etapa, en el Politburó, según parece para evitar menoscabar el esplendor de la consagración de Wang. Su momento llegaría más tarde.

El Congreso además dio forma a la nueva fórmula ideada por Mao de que, tras su muerte, China debía estar gobernada por una combinación de cuadros radicales y veteranos. En el Comité Permanente del Politburó se llegó aproximadamente a un equilibrio entre el grupo de Jiang Qing, por un lado, y la vieja guardia, encabezada por Zhou Enlai y Ye Jianying, por otro. Al igual que Deng, un buen número de otros veteranos eminentes fueron reelegidos miembros del Comité Central, incluyendo a Tan Zhenlin, atacado por Jiang Qing en la época de la «contracorriente de febrero»; al líder de Mongolia Interior, Ulanfu, que había sobrevivido a una purga regional en la que decenas de miles de sus seguidores resultaron muertos o heridos; y Wang Jiaxiang, seguidor inicial de Mao en Zunyi que había reñido con el presidente al abogar, a principios de los años sesenta, por una modernización que apuntaba hacia Estados Unidos y Rusia.

Aquel otoño Mao envió a Deng y Wang Hongwen a un periplo por las provincias para comprobar si podían trabajar conjuntamente.[70] A su vuelta, Deng le dijo, con su característica aspereza, que se había topado con la amenaza de la aparición de algunos señores de la guerra. Veintidós de los veintinueve comités provinciales del partido estaban encabezados por oficiales del ejército en servicio.

Mao había llegado a la misma conclusión. En diciembre de 1973 ordenó que fuesen redestinados los comandantes de ocho regiones militares de China. Explicó al Politburó y a la Comisión Militar que en el futuro se debía trazar una distinción más clara entre las responsabilidades políticas y militares, y que Deng, a quien describió como «un hombre de talento inusual»,[71] debía participar a partir de entonces en las reuniones de ambos organismos, además de asumir los deberes de jefe de organización general.[72]

Más tarde, en abril, Deng fue el hombre designado por Mao para liderar la delegación china en las Naciones Unidas, donde desveló las últimas tesis de Mao en materia de política internacional, la llamada teoría de los «tres mundos», según la cual las dos superpotencias, Estados Unidos y la Unión Soviética, eran considerados el «primer mundo»; las otras naciones industrializadas, comunistas y capitalistas por igual, el «segundo mundo»; y los países en vías de desarrollo el «tercer mundo».[73]

Dos meses después, cuando un Zhou Enlai muy enfermo ingresó en el hospital para un lento tratamiento de cáncer, Mao señaló a Wang Hongwen para asumir el trabajo cotidiano del Politburó y a Deng para dirigir las tareas de gobierno.

De este modo, en junio de 1974, Mao había situado en su lugar correspondiente al círculo político que deseaba que continuase con su trabajo después de él. Pero se trataba de algo todavía muy provisional. Deng ni siquiera era miembro del Politburó. Y Wang existía políticamente sólo porque Mao lo había creado. Pero parecía que finalmente se había alcanzado un consenso, aunque frágil, para la sucesión ordenada que en el pasado había esquivado ya en dos ocasiones a Mao.

Una vez más, acabaría convirtiéndose en un castillo de naipes.

La grieta fatal en la lógica de los preparativos de Mao se originó con una tensión generada por sus contradictorias tendencias hacia el radicalismo y la razón. Mientras Mao sostuviese con su mano el látigo —como había hecho en 1973 y 1974—, los corpúsculos rivales de la cúpula que encarnaban ese conflicto ideológico podrían trabajar juntos en una embarazosa coalición. Pero su fortaleza se iba desvaneciendo, y su debilidad física le obligó a estar cada vez menos presente para imponer su autoridad, con lo que ambos grupos paulatinamente se convirtieron en facciones irreconciliables.

En lugar de dominar esta lucha, como era la esperanza de Mao, Wang y Deng quedaron absorbidos por ella.

Como ocurría tan a menudo, fue Mao quien eligió el escenario. En mayo de 1973, en una conferencia de trabajo del Comité Central, propuso una campaña para criticar a Confucio (que, por supuesto, había muerto dos mil quinientos años antes). El pretexto era que Lin Liguo había comparado a Mao con Qin Shihuang, el primer emperador de la dinastía Qin, que había «quemado los libros [confucianos] y enterrado vivos a los intelectuales». Mao normalmente recibía con gratitud la comparación. Pero en esta ocasión decidió interpretarla como si significase que Lin Biao y sus partidarios —porque se habían opuesto a Qin Shihuang— eran seguidores de Confucio, y por tanto del sistema feudal de terratenientes que el Sabio había elogiado en sus escritos. No obstante, las cosas no eran lo que parecían.

Al asociar a Confucio con Lin Biao, Mao estaba jugando al viejo juego de «señalar el algarrobo para denostar la morera». El verdadero objetivo del nuevo movimiento no eran ni Confucio ni Lin Biao, sino Zhou Enlai.

Esta conexión con Zhou nunca fue abiertamente reconocida. Sin embargo, Mao ofreció indicios muy claros en un encuentro con Wang Hongwen y Zhang Chunqiao celebrado aquel mismo verano, en el que reiteró la necesidad de criticar a Confucio al tiempo que, casi en el mismo instante, se quejaba de que el ministro de Asuntos Exteriores no tratase de «asuntos importantes con él», y advertía que si continuaba así, «volverá a brotar el revisionismo». El ministro era responsabilidad de Zhou. Hacía un año que el primer ministro había hablado públicamente en contra del ultraizquierdismo. Mao no lo había olvidado. La campaña contra Confucio era en este sentido una advertencia ante cualquier nuevo intento de poner en cuestión los logros de la Revolución Cultural.[74]

Los ataques, llegados cuando la enfermedad del primer ministro acometía con mayor fuerza, minaron su fortaleza. Cuando Kissinger llegó a Pekín en su sexta visita a China, en noviembre de 1973, halló a Zhou «insólitamente vacilante».[75] Su antigua agudeza y su brillo se estaban apagando. Durante sus discusiones sobre Taiwan, escribió posteriormente Kissinger, percibió, por vez primera, la voluntad de ver normalizadas las relaciones chino-americanas sin una ruptura formal entre Washington y Taipei (una impresión que Mao, según parece, ratificó al día siguiente). Sin embargo, algo en sus negociaciones —las transcripciones chinas de la conversación no dejan claro exactamente qué—[76] llevaron a los dos oficiales del ministro de Asuntos Exteriores que asistieron a las conversaciones (la allegada de Mao, viceministra de Asuntos Exteriores, Wang Hairong, y Nancy Tang, directora del Departamento Americano y Oceánico del ministro) a informar al presidente que el primer ministro había realizado «manifestaciones no autorizadas».[77] En diciembre, Mao dispuso que Zhou fuese sacrificado, para lo cual se convocó una reunión del Politburó en la que Jiang Qing le acusó de traición y de «ser demasiado impaciente para esperar el momento de sustituir al presidente Mao», una imputación singularmente absurda ante un hombre aquejado de un avanzado cáncer. Ella reclamó entonces una campaña de lucha a gran escala en su contra, similar a las de Liu Shaoqi y Lin Biao.

En aquel punto, Mao intervino indicando a Zhou y Wang Hongwen que la única persona ávida de reemplazarle era la misma Jiang Qing. Zhou había cometido errores, indicó, pero su posición estaba asegurada.[78]

A pesar de ello, el primer ministro abandonó sus responsabilidades en Asuntos Exteriores (que fueron asumidos por Deng Xiaoping)[79] y la campaña de «criticar a Lin Biao y Confucio», que hasta entonces se había mantenido relativamente restringida, se convirtió en un movimiento a escala nacional.[80]

Para Mao, los objetivos continuaban inalterados: combatir el revisionismo y proteger los logros de la Revolución Cultural. Pero para Jiang Qing y sus aliados, se trataba de un medio para debilitar al primer ministro; y de este modo bloquear el ascenso de Deng Xiaoping, a quien los radicales consideraban el principal impedimento para que ellos pudiesen asumir el poder tras la muerte de Mao.

El resultado fue una mezcla confusa de rebuscadas insinuaciones históricas, acompañado de ataques menores a la política de Zhou; basados en incidentes simbólicos, como por ejemplo el de un estudiante que entregó un examen en blanco en protesta contra el nuevo énfasis concedido a los criterios académicos, con la rúbrica: «Luchando contra la corriente». El objetivo era fomentar un nuevo brote de conflictividad, del mismo modo que la afirmación de Mao «es correcto rebelarse» había movilizado hacía siete años a los guardias rojos;[81] y se convirtió en lo suficientemente amenazador, con informes de enfrentamientos armados en diversas regiones, como para que el presidente juzgase necesario distribuir una directriz que concedía a los comités provinciales del partido plena responsabilidad ante el movimiento y prohibía la fundación de organizaciones de masas.[82]

Mao estaba disgustado por estos intentos de apropiarse de la campaña con fines faccionales, y el 20 de marzo de 1974 escribió recriminando a Jiang Qing, a la que identificaba, certeramente, con el afanoso espíritu que se escondía tras las acciones de los radicales:

> Durante años te he advertido sobre muy diversas cuestiones, pero tú las has ignorado en su mayoría. Por tanto, ¿qué sentido tiene que nos veamos? ... Tengo ochenta años y estoy seriamente enfermo, pero no muestras preocupación alguna. Gozas ahora de muchos privilegios, pero tras mi muerte, ¿qué vas a hacer? ... Piensa en ello.[83]

La referencia de Mao a su débil salud era una admisión poco característica de la decadencia que le afectaba desde la visita de Nixon, dos años antes. Había perdido más de quince kilos; sus ropas colgaban de sus enflaquecidos hombros y todo su cuerpo flaqueaba. El menor esfuerzo físico le agotaba. Cuando asistió al Décimo Congreso, se instalaron bombonas de oxígeno en el coche que lo transportó en el trayecto de tres minutos hasta el Gran Salón del Pueblo; las había en sus aposentos, e incluso en la tribuna desde la que habló. Babeaba incontroladamente. Su voz se había vuelto baja y gutural, y su intervención resultó casi ininteligible incluso para aquellos que le conocían bien.[84]

Kissinger recordaba el esfuerzo que le costaba expresar sus pensamientos: «Parecía que las palabras abandonaban su cuerpo de mala gana; emergían de sus cuerdas vocales a través de espasmos, cada uno de los cuales parecía requerir un nuevo acopio de fuerzas físicas, hasta que reunía la suficiente fortaleza como para acometer un nuevo asalto de pungentes declaraciones».[85]

La vista de Mao comenzó a fallar.[86] Se le diagnosticaron cataratas. En el verano de 1974 estaba casi ciego, apenas capaz de distinguir un dedo frente a su rostro hasta que, un año después, una operación en su ojo derecho restableció parcialmente la visión.

Sus dolencias le hicieron cada vez más retraído. Tres años antes había tomado como compañera a una joven inteligente y algo altanera llamada Zhang Yufeng, a la que había conocido cuando ella trabajaba como asistente en su tren particular antes de la Revolución Cultural.[87] Ella comenzó a actuar como su secretaria confidencial (y después asumió el cargo de manera permanente), acumulando en el proceso una influencia considerable. Después de que la vista de Mao comenzase a fallar, le leía los documentos del Politburó en voz alta. Como nadie más era capaz de entender lo que él decía, transmitía sus instrucciones. Cuando él no pudo continuar tomando alimentos sólidos, ella lo alimentaba. Le ayudaba a lavarse y a bañarse.

Pero, incluso en su decadencia física, Mao ejercía un poder ilimitado, como mostró dramáticamente durante los meses siguientes en su trato a Deng Xiaoping y Wang Hongwen.

Suscitando la repugnancia y la desesperación de Mao, su joven protegido de Shanghai, en lugar de establecerse como una fuerza independiente en el liderazgo, se alineó neciamente (aunque, dada su procedencia, de manera previsible) con Jiang Qing y el resto del grupo de los radicales.

En una reunión del Politburó del 17 de julio de 1974, el presidente reiteró su insatisfacción con su esposa, de la que afirmó que «no me representa, se representa únicamente a ella misma», y por vez primera reprendió a Wang y al resto de radicales por formar una «pequeña facción de cuatro personas», denominación que posteriormente se conocería como la «banda de los cuatro».[88]

Inmediatamente después abandonó Pekín para dirigirse a Wuhan y Changsha, donde pasó el otoño y el invierno. En aquellas circunstancias, sus médicos descubrieron que, además de todas sus otras dolencias —que incluían úlceras, una infección pulmonar, un corazón enfermo y anoxia (insuficiencia de oxígeno en la sangre)—, Mao sufría también la enfermedad de Lou Gehrig, un raro e incurable trastorno nervioso que causa parálisis en la garganta y el sistema nervioso. El equipo médico estimó que, como mucho, le quedaban dos años de vida.[89]

A Mao no se le comunicó el diagnóstico. Pero su creciente debilitamiento le debió dejar claro que si pretendía hacer nuevos preparativos para su sucesión, sería conveniente hacerlos cuanto antes mejor.

Una vez tomada la decisión, los acontecimientos se desarrollaron rápidamente.

El 4 de octubre, Mao otorgó a Deng Xiaoping el cargo de primer vice-primer ministro, convirtiéndole en el sucesor inmediato de Zhou Enlai.[90] Jiang Qing se sintió ultrajada, y en una reunión del Politburó celebrada dos semanas más tarde, ella y los otros radicales lanzaron un ataque concertado contra la política exterior de Deng que sólo terminó cuando él se levantó y abandonó el lugar. Al día siguiente Wang Hongwen voló a Changsha, donde informó a Mao de que, sin notificar de ello al resto del Politburó, había acudido secretamente a él en representación de Jiang Qing, Zhang Chunqiao y Yao Wenyuan, movidos por la inquietud que les suscitaban las actividades de Deng y Zhou Enlai. Zhang Chunqiao, creían, estaba mejor cualificado que Deng para dirigir el gobierno; y Zhou, aunque afirmaba estar enfermo, conspiraba secretamente con otros veteranos dirigentes, creando un ambiente de usurpación similar al de Lushan en 1970.

Si Mao necesitaba pruebas de que el sucesor que había designado era un necio, Wang no lo podría haber hecho mejor. Fue despachado con una severa reprimenda y una advertencia de que no dejase que en el futuro Jiang Qing le desorientase.

Durante los dos meses y medio siguientes, la esposa de Mao intentó en otras tres ocasiones persuadirle de que Deng representaba un riesgo y que, en lugar suyo, debía promover a sus incondicionales. El resultado fue que el presidente se mostró aún más categórico. Además de nombrar a Deng primer viceprimer ministro, decidió que además debía ocupar los cargos de vicepresidente del partido y de la comisión militar, y ser confirmado como jefe de organización. Jiang Qing, apuntó, era ambiciosa y deseaba convertirse ella misma en presidenta del partido. «No organices un gabinete en la sombra», le dijo. «Has suscitado demasiadas hostilidades.» En cambio, elogió a Deng como «una persona de habilidad extraordinaria y de firmes convicciones ideológicas.»[91]

A principios de enero de 1975, las decisiones de Mao quedaron ratificadas en un pleno del Comité Central, presidido, por última vez, por Zhou Enlai.[92] Representó un punto de inflexión. A partir de entonces, las reuniones de la cúpula no iban a ser presididas por Zhou o Wang Hongwen, sino por Deng.[93]

En todos los sentidos y para toda perspectiva de futuro, Mao había dejado de lado a Wang.

Sin embargo, no había abandonado completamente la idea de un liderazgo compartido. Aun así, el joven radical de Shanghai no tendría ningún papel en él; había demostrado que era demasiado ignorante. Jiang Qing tampoco estaba entre las posibilidades. En una autocrítica que envió en noviembre al presidente, ella escribió: «Soy una estúpida, incapaz de manejar correctamente y de un modo objetivo las situaciones reales».[94] Mao estuvo de acuerdo. Era leal a él, pero brutalmente ambiciosa, incompetente y desesperante. En una ocasión le contó a un perplejo Henry Kissinger que China era un país pobre, pero «lo que tenemos en exceso son mujeres».[95] Si Norteamérica deseaba importar algunas, estaría encantado; así podría provocar algunos desastres en aquel país y dejar a China en paz. En enero de 1975, Mao no se hacía ilusión alguna de que Jiang Qing pudiese convertirse en el beso de la muerte de ningún proceso de sucesión en el que pudiese tomar parte.[96]

Sólo quedaba Zhang Chunqiao.[97] Precisamente, sus dudas sobre Zhang habían llevado a Mao a encumbrar a Wang Hongwen. Sin embargo había que encontrar a alguien para actuar como contrapeso de Deng. De modo que Zhang fue nombrado segundo viceprimer ministro y jefe del Departamento Político del Ejército Popular de Liberación.

La formación de un nuevo gobierno y la renovación de los cargos del Estado,[98] cinco años después de que la Revolución Cultural hubiese llegado formalmente a su fin, dirigieron los pensamientos de Mao hacia la economía. En el proceso insistió una vez más en los peligros del revisionismo, citando el aforismo de Lenin de que «la producción a pequeña escala engendra el capitalismo ... de manera continuada, día a día, hora tras hora».[99] Aquello desencadenó nuevas acciones correctivas en los campos privados de los campesinos y los mercados rurales. De todos modos, Mao insistió en que la prioridad eran «la unidad, la estabilidad y el desarrollo». Con su apoyo, Zhou Enlai presentó ante el Congreso Nacional del Pueblo un programa de «modernización de la agricultura, la industria, la defensa, y la ciencia y la tecnología antes del fin de siglo, para que nuestra economía nacional esté ... entre las primeras del mundo».[100] Deng, respaldado por Li Xiannian y Ye Jiangying, dedicó los diez meses siguientes a trabajar infatigablemente para ponerlo en práctica. Jiang Qing y sus aliados obstruyeron sus esfuerzos, pero Mao se mostró muy poco receptivo a sus intereses.

La campaña para criticar a Confucio y Lin Biao se debilitó. Zhou estaba demasiado enfermo para seguir siendo el objetivo de los radicales.

En lugar de ello, Zhang Chunqiao y Yao Wenyuan iniciaron un nuevo movimiento en contra del «empirismo», palabra clave para designar el énfasis de Deng en la resolución de los problemas prácticos, por delante de la política y la ideología.[101] Pero Mao atacó su «nula comprensión del marxismo-leninismo», declarando que el dogmatismo era tan peligroso como el empirismo, y que el auténtico problema, el revisionismo, los incluía a ambos.[102]

Así lo reiteró ante el Politburó el 3 de mayo de 1975, poco después de su regreso de Changsha, que él presidió por última vez.[103] Reprendió nuevamente a los radicales, en presencia de sus colegas, por formar la «banda de los cuatro», y señaló el paralelismo existente entre su conducta y la de su antiguo adversario, Wang Ming. Repitió fatídico la advertencia que había realizado en Lushan justo antes de la purga de Chen Boda: «Practicad el marxismo, no el revisionismo; unidos, no os separéis; sed abiertos y honestos, no intriguéis ni conspiréis».

Aquel verano representó el nadir del destino de los radicales.

A finales de mayo y en junio, Jiang Qing y sus tres aliados, siguiendo las órdenes de Mao, realizaron autocríticas ante el Politburó. Alrededor de esas fechas, Mao supo que Roxane Witke, feminista y sinóloga norteamericana, estaba preparando un libro sobre Jiang Qing, basado en las entrevistas que había concedido, sin su autorización, hacía tres años.[104] Aquello desató en él otro ataque de furia. «Es una ignorante desinformada», la injurió. «¡Sacadla inmediatamente del Politburó! Nos vamos a separar y seguiremos caminos distintos.» Kang Sheng, en su lecho de muerte afectado de cáncer, tomó a Mao al pie de la letra, y escribió una carta al presidente en la que pretendía haber descubierto pruebas de que tanto Jiang como Zhang Chunqiao habían sido en los años treinta agentes del Guomindang en Shanghai. Pero nadie se atrevió a entregársela; Kang murió poco después, y Mao nunca se enteró.[105]

Pero si una cosa caracterizaba a Jiang Qing era su tenacidad. Sabía, al igual que Mao, que ella y sus seguidores radicales eran los únicos en los que el presidente podía confiar para mantener viva la llama de la Revolución Cultural después de su muerte. Por mucho que la pudiese maldecir, la necesitaba.

En septiembre, los radicales lanzaron un nuevo intento para mostrar que el esfuerzo de modernización de Deng avanzaba en dirección contraria a la «línea proletaria» de Mao. Aquel verano el presidente había dedicado algunas semanas a escuchar la lectura de una de sus novelas favoritas, *A la orilla del agua*.[106] La historia relata las hazañas de un grupo de bandidos, los «ciento ocho héroes de Liangshanpo», cuyo líder, Song Jiang, traicionó en una ocasión a su cabecilla, Chao Gai, y aceptó una amnistía del emperador. Mao comentó que Song Jiang era un revisionista, y que el valor del libro residía en la descripción del sometimiento.

Aquello sirvió de excusa para una marea de abstrusos artículos, supuestamente eruditos, que dejaban entrever que los impulsos de Deng por restaurar el orden económico representaban una capitulación ante el capitalismo y una traición a la Revolución Cultural. El apogeo llegó cuando Jiang Qing pronunció un mes después una conferencia: «Song Jiang hizo de Chao Gai una figura decorativa. ¿Hay quienes quieren hacer del presidente Mao una figura de paja? ¡Yo creo que sí!».[107]

El presidente garabateó sobre el texto escrito de su discurso: «¡Una mierda! ¡Está totalmente desorientado!», y prohibió su distribución.[108]

Pero la situación estaba cambiando lentamente. A pesar del manifiesto desdén que albergaba hacia las retorcidas intrigas urdidas por los radicales, Mao comenzaba a preocuparse por la posibilidad de que Deng estuviese yendo demasiado lejos.[109] Insistía demasiado en la mejora de las condiciones de vida y demasiado poco en la lucha de clases. El sobrino del presidente, Mao Yuanxin, que actuó a partir de finales de septiembre como su oficial de enlace con el Politburó, en sustitución de Wang Hairong, se aprovechó de esos temores, insinuando que Deng planeaba abandonar la Revolución Cultural y sus valores en cuanto el presidente muriese y no pudiese defenderlos.[110]

Deng percibió el cambio de escena.[111] En octubre de 1975 le dijo a un grupo de cuadros veteranos: «Hay quien dice que [representamos] ... el viejo orden ... Que digan lo que quieran ... Lo peor que puede pasar es que nos derroten por segunda vez. No hay de qué temer. Si cumplís con vuestro deber, ¡no habrá ninguna situación en que os vuelvan a derrotar!». También el personal de Mao percibió los cambios. Durante aquel mes, Mao se mostró intranquilo e irritable.[112]

Fue un incidente menor lo que finalmente desató la crisis. Mao pidió a Deng que presidiese una discusión en el Politburó para evaluar la Revolución Cultural. Según él estimaba, empleando su regla habitual del ojeo, aquélla había tenido un 70 por 100 de aciertos y un 30 por 100 de errores.[113] Deng educadamente declinó la propuesta, aparentemente porque había estado «ausente» durante la mayor parte del tiempo, pero en realidad, como comprendió de inmediato Mao, porque no deseaba estar asociado con ninguna valoración que encumbrase positivamente la Revolución Cultural. Mao nunca hizo alusión a este incidente. Pero posteriormente explicó a su sobrino: «[Entre] algunos camaradas veteranos ... observo dos diferentes actitudes ante la Revolución Cultural: una es el descontento; la otra es ... el rechazo».[114]

Llegado a este punto, a Mao sólo le faltaba dar un pequeño paso para declarar que «los que seguían el camino capitalista continúan avanzando por él».[115]

Una disputa similar en la Universidad de Qinghua, donde el secretario del partido era un aliado de Jiang Qing, llevó al presidente a acusar a Deng de apoyar a los que, con el pretexto de atacar las políticas educativas radicales, estaban de hecho «dirigiendo la punta de la lanza contra mí».[116] A finales de noviembre, sus ideas fueron comunicadas al Politburó y la comisión militar en una reunión presidida por uno de los pocos miembros de la cúpula que no pertenecía ni a la facción de los radicales ni a la de la vieja guardia, el ministro de Seguridad, Hua Guofeng.[117] Siguiendo las instrucciones de Mao, en la reunión se indicó que «hay personas que no están satisfechas con la Revolución Cultural [y que] ... quieren ajustar las cuentas con ésta y revocar la sentencia». Era la señal para una nueva campaña contra la «tendencia del desviacionismo derechista a revocar las sentencias correctas», con Deng como blanco principal.

A finales de año comenzaron a aparecer en la prensa los primeros asomos de la nueva campaña,[118] y en términos prácticos Deng quedó apartado del ejercicio de sus responsabilidades.[119] Una vez más, la estrategia de sucesión ideada por Mao había fracasado. Wang Hongwen era una caña vacía, y Deng, dejado a su propio criterio, se había mostrado poco digno de confianza.

En medio de estas circunstancias murió Zhou Enlai.[120]

Al igual que muchos acontecimientos largamente esperados, cuando ésta se produjo tuvo graves e inmediatas repercusiones. En términos políticos, no se podía posponer por más tiempo la elección de un nuevo primer ministro. Por lo que se refiere a las emociones, la efusión de desconsuelo masivo que la noticia de su muerte provocó —como si abruptamente hubiesen cedido los diques de contención del cinismo que con la Revolución Cultural habían reprimido el auténtico sentimiento popular— mostró la adhesión a la personalidad de Zhou, a los valores que se creía que representaba y a las políticas que había promovido; demostraciones que el régimen ignoraría con riesgo propio. Desde el 9 de enero de 1976, cuando se anunció su muerte por radio y televisión, los ciudadanos de Pekín portaron coronas y flores de papel blanco hasta el Monumento de los Héroes del Pueblo, en la plaza de Tiananmen, en un gesto espontáneo de respeto. Dos días después, cuando un séquito trasladó su cuerpo para ser incinerado, un millón de personas se alinearon en las calles para dedicarle un último adiós.

Mao nunca sintió afección personal por Zhou, y tampoco la mostró a su muerte. Se prohibió a los miembros del personal de Zhongnanhai llevasen brazaletes negros de luto. No existió duelo oficial. La cobertura del caso en la prensa se mantuvo bajo mínimos, y se disuadió a las fábricas y las células de trabajo de celebrar actos en su memoria.

En el funeral, celebrado el 15 de enero en el Gran Salón del Pueblo, se permitió a Deng que leyese el panegírico, pero fue su última aparición. Mao estaba demasiado enfermo para asistir, lo que le salvó de tener que tomar la decisión de mantenerse apartado; en lugar de ello, envió una corona.

El paso siguiente consistía en nominar a un nuevo primer ministro. La mayor parte de la población, al igual que el resto del mundo, desconocedora de la nueva campaña que se estaba tramando, esperaba confiada que se designaría a Deng. Pero los radicales, mejor informados, ponían sus esperanzas en Zhang Chunqiao.

Mao no nombró a ninguno de los dos.

En su lugar, el 21 de enero, informó al Politburó de que su intención era respaldar a Hua Guofeng.[121]

En realidad, no se trató de una acción tan sorprendente como debió de parecer en aquel momento. Durante la primavera de 1973, Mao había señalado a Hua como un posible sucesor, en caso de que Wang Hongwen defraudase sus expectativas. Posteriormente, aquel mismo año, Hua se unió al Politburó, y en enero de 1975, Mao lo situó como uno de los doce vice-primer ministros de China. Era un hombre sociable e imperturbable, que se había distinguido por ser un administrador capaz del gobierno, y tenía la capacidad —infrecuente entre los rangos más altos de la jerarquía del Partido Comunista Chino— de llevarse bien con sus colegas. Era capaz de mantener buenas relaciones, como había reconocido Mao cuando le pidió que presidiese la reunión del noviembre anterior en la que Deng había sido criticado, y de ser neutral. A diferencia de Wang y Deng, Hua era capaz de mantenerse por encima de la lucha entre facciones.

A pesar de ello, el presidente procedió con cautela. Cuando el 3 de febrero se anunció oficialmente el ascenso de Hua, se hizo sólo en tanto que asumiendo el cargo en funciones. Deng continuaba oficialmente siendo el primer suplente del primer ministro. A pesar de que estaba ya en marcha una gran campaña para criticarle por ser un «seguidor empedernido del camino capitalista», su nombre no había quedado identificado como el blanco de la operación; y Mao dejó claro que consideraba que su caso era «no antagonista», lo que significaba que todavía podía ser redimido. Hua, Deng y los radicales formaban parte de la ecuación de su sucesión, y Mao todavía no había decidido exactamente cómo debía encajarlos entre sí.

Para Deng, aquella primavera tuvo un curioso regusto a *déjà vu*. Diez años antes, durante los primeros meses de la Revolución Cultural, se había visto en una situación muy similar: siendo nominalmente todavía miembro del Comité Permanente del Politburó, pero sometido a enconados ataques radicales, mientras Mao, inescrutable y mordaz, sostenía su destino en sus manos. En esta ocasión, sin embargo, existía una diferencia fundamental. En 1966 Mao se mantenía todavía vigoroso dirigiendo un inmenso cataclismo que cambiaría para siempre la faz de China. En 1976, en cambio, era un moribundo.

La mente del presidente se mantenía clara. Pero ya no podía mantenerse en pie sin ayuda; tenía medio cuerpo parcialmente paralizado, y apenas podía hablar.

Nixon, que le visitó en febrero, escribió que «era doloroso verle» pronunciar «aquella serie de gruñidos y gemidos monosilábicos».[122] Zhang Yufeng había aprendido a leer sus labios.[123] Pero en los peores días ni siquiera eso servía de ayuda, y Mao tenía que garabatear sus pensamientos en una libreta para que ella pudiese comprender el significado. Tiempo después, ella escribió una emotiva descripción del modo en que celebraron el Año Nuevo chino:

No hubo visitante alguno, ni miembros de la familia. El presidente Mao consagró su última Fiesta de la Primavera a los que le servían. Como no podía servirse de sus manos, tuve que darle la cena de Año Nuevo con una cuchara. Para él, el mero hecho de abrir la boca y tragar era ya una empresa difícil. Le ayudé a andar desde la cama al sofá de su estudio. Apoyó su cabeza largo rato sobre el respaldo de la silla sin pronunciar palabra ... De repente, en algún lugar, a lo lejos, oímos petardos. En voz baja y ronca, Mao me pidió que encendiese algunos por él ... Una desdibujada sonrisa asomó en su anciano y agotado rostro cuando oyó el estallido de los petardos en el patio.[124]

La conciencia de que la muerte de Mao era cuestión de meses convenció a Deng de que debía mantenerse firme. Mientras que en otoño de 1966 había admitido sus errores y realizado una completa autocrítica, ahora mostraba a sus acusadores su desdén. En un encuentro del Politburó convocado en marzo para criticarle, apagó su audífono y se negó a contestar, escudándose en que no podía oír lo que decían.[125]

El equilibrio finalmente lo rompió aquel que Mao siempre había reivindicado como el verdadero héroe que hacía avanzar la historia, pero cuyos deseos habían sido tan a menudo ignorados: el pueblo. No se trataba ya del pueblo de antes de la Revolución Cultural. Las continuas llamadas a «rebelarse» y a «ir contracorriente» habían conseguido finalmente socavar la tradición de fe ciega en la autoridad que había caracterizado a las generaciones anteriores de chinos.

En una época de embotadoras campañas propagandísticas, de estériles movimientos políticos y de periódicos ininteligibles, Zhou Enlai había representado para muchos un auténtico héroe popular, el más querido a causa de que no había sido impuesto por el régimen, sino que se había ganado un lugar en sus corazones por evidentes méritos propios. Durante la primavera de 1976 se extendió por toda China la irritación ante el sumario trato que su funeral tuvo en la prensa y la brevedad del luto oficial. El resultado fue un movimiento espontáneo, que comenzó a finales de marzo, para honrar la memoria de Zhou durante el Qingming, la Fiesta de los Difuntos, a principios de abril. Como medida preventiva, los radicales ordenaron la clausura del cementerio en que había sido incinerado, y oficialmente se reprimieron las ceremonias conmemorativas.

La llama para encender este polvorín salió del *Wenhuibao*, periódico de Shanghai que, siguiendo las instrucciones de Zhang Chunqiao, publicó un artículo en primera plana acusando implícitamente a Zhou de haber seguido la vía del capitalismo.

Esto provocó manifestaciones en varias ciudades del valle del Yangzi, incluyendo Nanjing, donde cientos de estudiantes pegaron eslóganes atacando a Zhang Chunqiao y honrando la memoria de la primera esposa de Mao,

Yang Kaihui, en una burla no demasiado sutil a Jiang Qing. Fueron inmediatamente tapados y se acusó a sus autores de perpetrar una «restauración contrarrevolucionaria». Se prohibió a los medios oficiales mencionar el incidente. Pero los estudiantes habían pintado lemas en los vagones de tren y en los autobuses de larga distancia. El 31 de marzo la noticia de sus acciones llegó a Pekín, donde, en la plaza de Tiananmen, se estaban desarrollando ritos funerarios no oficiales. A partir de entonces los encomios y los poemas fueron cada vez más hostiles, atacando no sólo a la «emperatriz loca», Jiang Qing, y a los «lobos y chacales» de sus aliados, sino también a Mao. Las autoridades de la ciudad anunciaron que se prohibía la colocación de coronas. Se hizo caso omiso. El domingo 4 de abril, el día de la festividad del Qingming, se habían depositado tantas coronas en memoria de Zhou que formaban un enorme montículo, cubriendo la base del Monumento a los Héroes del Pueblo y alcanzando veinte metros desde sus extremos. Se estima que, al anochecer, unos dos millones de personas habían visitado la plaza.

El Politburó se reunió aquella tarde. Deng estuvo ausente, al igual que sus principales aliados, Ye Jianying, Li Xiannian y el comandante militar de Guangzhou, Xu Shiyou. Algunos de los que intervinieron, incluyendo el alcalde de Pekín, Wu De, acusaron a Deng de promover los disturbios. Era falso. Pero reflejaba la percepción de que, ahora que la salud de Mao era tan precaria, el trasfondo de apoyo popular a Zhou y a sus ideas políticas fortalecería excesivamente la posición de Deng si se dejaba que continuase desarrollándose. Ninguno de los presentes lo deseaba.

La reunión llegó a la conclusión, por tanto, de que las manifestaciones eran «reaccionarias» y que se debían destruir las coronas funerarias. Se informó a Mao de ello y, con su permiso, la plaza quedó vacía de la noche a la mañana.

A la mañana siguiente, temprano, una multitud airada y rebelde de varios miles de personas se congregó en el exterior del Gran Salón del Pueblo exigiendo que se les devolviesen las coronas. A medida que avanzaba el día, los ánimos eran cada vez más crispados. La multitud volcó un furgón de la policía e incendió varios jeeps y otros vehículos. También ardió un edificio que la policía empleaba como oficina de comandancia. A las seis y media de la tarde Wu De emitió mediante el sistema de altavoces un llamamiento a que la multitud se dispersase. Muchos lo hicieron. Pero un millar de irreductibles resistió. Tres horas más tarde se encendieron repentinamente los reflectores y, al tiempo que sonaba por los altavoces una música marcial, la policía y el ejército intervinieron realizando varios centenares de arrestos.

El Politburó se volvió a reunir esa misma noche y decidió que había tenido lugar «un incidente contrarrevolucionario», del que Deng Xiaoping debía ser considerado responsable.[126]

Dos días después, Mao dictó sentencia.[127]

El motín fue condenado como un «acontecimiento reaccionario». Deng fue destituido de todos sus cargos, pero se le permitió mantener su militancia en el partido «para ver cómo actúa». Parece ser que Mao no había abandonado por completo su esperanza de que algún día podría volver a ser de utilidad. El propio Deng había huido ya en aquel entonces de Pekín para ocultarse en Cantón, donde permaneció hasta el otoño, amparado bajo la protección de Xu Shiyou, a pesar de los intensos esfuerzos de los radicales para localizarle.[128]

Pero la decisión más importante consistió en la confirmación de Hua Guofeng como primer ministro y su nominación como primer vicepresidente del partido. Mao había tomado finalmente la decisión. Hua sería la cuarta y última elección para su sucesión.

Tres semanas después, el 30 de abril de 1976, el presidente santificó el nuevo nombramiento con una sentencia de seis caracteres garabateados que Hua citaría a partir de entonces como su legitimación: «Ni banshi, wo fangxin», «contigo al cargo, estoy tranquilo».[129]

Los cuatro meses que siguieron fueron un velatorio.[130]

El 12 de mayo, después de una breve reunión con el primer ministro de Singapur, Lee Kwuan Yew, Mao sufrió un leve ataque al corazón. Se recuperó, y dos semanas después recibió durante algunos minutos al primer ministro de Pakistán, Zulkifar Ali Bhutto. Pero se mostraba exhausto, con el rostro inexpresivo y los ojos entornados. Después decidió que no se reuniría más con dirigentes extranjeros. A finales de junio tuvo un nuevo ataque al corazón, esta vez de mayor seriedad. Entonces, el 6 de julio, murió Zhu De, a la edad de ochenta y nueve años. Tres semanas después se produjo el terrible terremoto de Tangshan, en el que murieron un cuarto de millón de personas. Pekín tembló. Mao fue trasladado en camilla desde el Estudio de Fragancia de Crisantemo hasta un edificio cercano más moderno del interior de Zhongnanhai, del que se decía había sido construido a prueba de bombas.

En algún momento de aquel verano, probablemente en junio, convocó a Hua, Jiang Qing y algunos miembros del Politburó junto a su cama. Allí les dijo, como si hiciese entrega de su último testamento:

> He hecho dos cosas en mi vida. Primero luché contra Chiang Kai-shek durante décadas, y le arrinconé en unas pocas islas diminutas ... Luchamos en nuestro camino hasta Pekín y finalmente hasta la Ciudad Prohibida. Muy pocos son los que no reconocen esos logros ... Todos sabéis la segunda cosa que he hecho. Fue lanzar la Revolución Cultural, que cuenta ahora con el respaldo de unos pocos y la oposición de muchos. Pero éste es un asunto que no está todavía sentenciado. Es una herencia que se debe transmitir a la siguiente ge-

neración. ¿Cómo legarlo? Si no puede ser pacíficamente, que sea en medio del caos. Si ello no se realiza adecuadamente puede producirse una matanza. Sólo el cielo sabe lo que haréis vosotros.[131]

A medida que la vida le abandonaba, Mao se hacía muy pocas ilusiones de que el legado de la Revolución Cultural sobreviviese intacto. Su corazón así lo deseaba. Pero su cabeza, lúcida hasta el último momento, le decía que, incluso si se conseguía salvar algo, la esencia de su delirio moriría con él.

Jiang Qing, con su arrogancia y su estupidez, se aseguró de que así ocurriese.

Mao había concedido una importante ventaja a los radicales. Su principal contrincante, Deng Xiaoping, había sido destituido. El aliado de Deng, Ye Jianying, a pesar de que continuaba ocupando el cargo de ministro de Defensa, había perdido el control material de la comisión militar. Entre Hua y ellos existía una comunión de intereses lo suficientemente importante como para alcanzar un entendimiento, en detrimento de la vieja guardia.

Pero Jiang Qing y Zhang Chunqiao, henchidos de su propio poder y su excelencia, no tenían interés alguno en las alianzas tácticas. Jiang se consideraba la presidenta del partido, una emperatriz roja que sucedería a Mao al igual que la emperatriz Lu de la dinastía Han había sucedido, dos mil años antes, al fundador de los Han, Liu Bang.[132] Zhang sería su primer ministro y Wang Hongwen el jefe de Estado. Hua, «un hombre encantador de la misma raza que Malenkov», como desdeñosamente le definió, era un obstáculo para sus planes.[133] A lo largo del verano —con Mao demasiado enfermo para saber lo que estaba tramando, sin control alguno— trabajó incansablemente para debilitarle.

Eso arrojó a Hua en brazos de los oponentes de Jiang Qing. En julio, después de que ella le atacase en una reunión de planificación del Consejo de Estado, habló con Wang Dongxing, jefe de la Unidad Central de Guardias que controlaba la seguridad de los dirigentes, sobre las posibilidades de librarse de ella. Ye Jianying mantuvo conversaciones similares con el mariscal Nie Ronzhen y un grupo de generales veteranos.

Por caminos independientes, llegaron a una misma conclusión. No podía hacerse nada mientras Mao continuase con vida.[134]

El 2 de septiembre, el presidente sufrió otro grave ataque al corazón.[135] Durante la tarde del día 8, los miembros del Politburó desfilaron pausadamente ante el lecho de Mao. Cuando Ye Jianying estaba a punto de abandonar la estancia, Zhang Yufeng le pidió que volviese.[136] Mao tenía los ojos abiertos e intentaba pronunciar algunas palabras. Pero sólo emergió un sonido ronco. Tres horas después, poco después de la medianoche, durante las primeras horas de la madrugada del 9 de septiembre, su arrogante voluntad cedió. El trazo del electrocardiógrafo dejó de oscilar. Se había acabado.

Epílogo

Cuando se emitió la noticia por Radio Pekín, ésta causó conmoción y temor, pero no aflicción. No hubo nada parecido al estallido emocional que había marcado la desaparición de Zhou Enlai. La extinción de un titán no conlleva sentimiento alguno de pérdida personal.

No obstante, la historia raramente cumple su trabajo con pulcritud. Mao había dejado algunos asuntos sin concluir.

En la noche del miércoles 6 de octubre, cuatro semanas después de su muerte, Hua Guofeng convocó a Wang Hongwen, Zhang Chunqiao y Yao Wenyuan a una reunión del Politburó que se debía celebrar en el Gran Salón del Pueblo.[1]

Wang fue el primero en llegar, sólo para encontrarse a Hua y Ye Jianying esperando. Cuando entró, cuatro soldados de la Unidad Central de Guardias de Wang Dongxing corrieron una mampara por detrás suyo y lo capturaron. Hua leyó una pequeña declaración: «Has entrado a formar parte de una alianza antisocialista contra el partido ... en un fútil intento de usurpar el liderazgo del partido y asumir el poder. Tu ofensa es muy grave. La Central ha decidido que debes ser confinado e interrogado escrupulosamente». Zhang Chunqiao y Yao Wenyuan fueron detenidos después siguiendo el mismo procedimiento. Una hora más tarde, Jiang Qing fue arrestada en Zhongnanhai, hasta donde se había mudado con su séquito poco después de la muerte de Mao. Dice la leyenda popular que, mientras se la llevaban, uno de sus sirvientes le escupió.

Ninguno de los cuatro intentó resistirse. Ni se produjeron disturbios tras sus arrestos. Antes de que hubiese transcurrido un mes desde su fallecimiento, el gran experimento de Mao había llegado a su fin.

Era una posibilidad que ya le había asaltado a principios de los años sesenta, cuando comenzó a albergar dudas sobre Liu Shaoqi. Pero en aquel momento estaba todavía convencido de que, sin importar los reveses que aguardasen en el camino, el triunfo último del comunismo era ineludible. «Si la generación de nuestros hijos cae en el revisionismo», dijo al Comité Central, «de modo que sean socialistas sólo en el nombre y capitalistas de hecho, entonces nuestros nietos se alzarán inexorablemente en revolución y derrocarán a sus padres, porque [de lo contrario] las masas no se sentirán satisfechas.»[2] Cuatro años después, en 1966, era menos visceral.[3] Si los derechistas tomaban el poder después de su muerte, escribió entonces, su régimen «muy probablemente» será breve. «Los derechistas pueden prevalecer durante algún tiempo empleando mis palabras, pero los izquierdistas también pueden utilizar mis palabras para destronarles.» Pero en sus años finales incluso esa convicción le abandonó.

En cierto aspecto, los vaticinios de Mao era prodigiosamente certeros. Durante los dos años que siguieron a su muerte se produjo realmente una «guerra de palabras», en la que los beneficiarios de la Revolución Cultural, dirigidos por Hua y Wang Dongxing, utilizaron los escritos de Mao para repeler los esfuerzos de las víctimas de la campaña —la vieja guardia— por conseguir el control sobre el legado ideológico del presidente. Deng, cuya rehabilitación Hua pospuso aunque era inevitable, estableció un régimen que, «nominalmente socialista», era capitalista en todos los demás aspectos. Mao había estado en lo cierto acerca de Deng Xiaoping: por improbable que pareciese en aquel momento, era realmente «un seguidor del camino capitalista», y en cuanto alcanzó una posición que le permitió hacerlo realidad, comenzó a desmantelar el sistema socialista que Mao había edificado y a instaurar en su lugar una dictadura de la burguesía. Existió realmente una clase burguesa dentro del Partido Comunista, y el país ciertamente «cambió de color político».

El único elemento sobre el que Mao no estuvo en lo cierto fue la reacción de las masas. Lejos de rebelarse contra el capitalismo, la inmensa mayoría del pueblo chino respondió a las nuevas políticas de Deng con evidente regocijo.

Despojado de su jerga peyorativa, el «camino capitalista» representó para China poner la prosperidad en primer lugar y la ideología en último. El resultado fue un incremento sin precedentes del desarrollo económico, que creó una elite profesional y comercial cuyas aspiraciones y modos de vida —desde los teléfonos móviles a los Porsches— fueron cada vez más difíciles de distinguir de los de sus correligionarios de Hong Kong, Singapur o Taiwan. La nueva riqueza se expandía gota a gota, creando desigualdades junto a nuevas oportunidades. La corrupción y el crimen aumentaron, al igual que el consumo de drogas, el sida y la prostitución. En un espacio de tiempo prodigiosamente breve, China conquistó los problemas, y muchas de las alegrías y libertades, de que gozan los países normales.

Quizá Deng Xiaoping ordenase la matanza de cientos de estudiantes en la plaza de Tiananmen, haciendo añicos las ilusiones de los liberales occidentales, pero los chinos que compararon su mandato con el terror desalmado que le había precedido no albergaron duda alguna sobre lo que preferían.

Los perdedores en las batallas políticas ya no desaparecerían en el olvido. Hua y Wang Dongxing, a pesar de haberse opuesto al retorno de Deng, gozaron de un retiro honroso. Jiang Qing se suicidó en la cárcel en 1995. Pero su aliado, Yao Wenyuan, fue liberado después de cumplir una sentencia de quince años y se le permitió volver a su antiguo hogar de Shanghai. Lo mismo ocurrió con Chen Boda y otros paladines de la Revolución Cultural, incluyendo los supuestos líderes del gupo ultraizquierdista del «Dieciséis de Mayo». China no era una democracia. Pero era un lugar más grato y más tolerante. La cortina de miedo que había acallado incluso las libertades más insignificantes en tiempos de Mao se había descorrido.

En esas circunstancias, cuando gran parte de lo que Mao había hecho estaba siendo subvertido e implícitamente condenado, no fue fácil para sus sucesores realizar una valoración sobre su papel histórico. Después de más de un año de discusiones, el Comité Central del Partido Comunista Chino aprobó en 1981 una resolución que afirmaba que, a pesar de los «graves errores» de la Revolución Cultural, «sus méritos son lo principal y sus equivocaciones algo secundario», en una proporción de siete a tres, la misma regla que Mao en persona había aplicado a Stalin.[4] Chen Yun lo describió con mayor perspicacia, dos años después, indicando a sus colegas: «Si Mao hubiese muerto en 1956, sus logros se habrían convertido en imperecederos. De haberlo hecho en 1966, todavía habría sido un gran personaje. Pero murió en 1976. Así que, ¿qué puede uno decir?».[5] A pesar de ello, la fórmula de «siete a tres» se ajustaba a las necesidades del partido. Permitió que Deng y la vieja guardia pudiesen repudiar cualquier política de Mao que no fuese de su agrado sin plantear un desafío a la legitimidad del liderazgo del Partido Comunista.

Desde entonces, China se ha aferrado a esa afirmación. Habiendo abandonado su ideología, el Partido Comunista Chino no se podía permitir el lujo de negar el mito de su fundador.

Compromisos políticos aparte, evaluar al devorador monstruo que arrancó a China de su letargia medieval y la obligó a adoptar el perfil de una nación moderna es una tarea formidable.

Los logros de los grandes contemporáneos de Mao —Roosevelt, Churchill y De Gaulle— se miden en contraste con los de sus semejantes. Incluso Stalin edificó sobre los éxitos de Lenin. Pero la vida de Mao se desarrolló en un lienzo mucho más extenso. Fue el líder indiscutible de casi la cuarta parte de la humanidad, en un territorio de la extensión de Europa. Acumuló un poder sólo igualado por los más autoritarios emperadores chinos, en una época en que la historia de China estuvo tan comprimida que se produjeron en una sola generación cambios que en Occidente habían necesitado siglos. En vida de Mao, China pasó de ser una semicolonia a convertirse en una gran potencia; desde la autarquía milenaria hasta el Estado socialista; de ser una arruinada víctima del saqueo imperialista a convertirse en miembro permanente del Consejo de Seguridad de las Naciones Unidas, provisto de bombas atómicas, satélites de reconocimiento e ICBM.*

Mao poseía una combinación extraordinaria de talentos: era un visionario, un hombre de Estado, un político y estratega militar de genio, un filósofo y un poeta. Los extranjeros quizá lo menospreciaron. En una humillación memorable, Arthur Waley, distinguido traductor de poesía de la dinastía Tang, describió los poemas de Mao como «no tan malos como las pinturas de Hitler, pero no tan buenos como los de Churchill». Según el juicio de otro historiador del arte occidental, su caligrafía, a pesar de ser «sorprendentemente original, desenmascarando un egoísmo palmario, hasta el punto de la arrogancia, si no la extravagancia ... [y] una falta total de atención a la disciplina formal del pincel», era «esencialmente desarticulada».[6] La mayoría de los intelectuales chinos no están de acuerdo. Los poemas de Mao, al igual que el trazo de su pincel, sintetizaron el espíritu tormentoso e inquieto de su época.

A estos dones, Mao añadió una mente sutil y atenta, un carisma capaz de inspirar temor y un talento cruel.

La filípica compuesta por el hijo de Lin Biao —«hoy emplea palabras dulces y un tono melifluo para hablar con los que quiere seducir, y mañana los envía a la muerte por crímenes que son maquinación suya»— se hacía eco inconscientemente de la opinión, hacía dos mil años, de un consejero sobre Qin Shihuangdi, el más grande de los emperadores fundadores de China: «El rey de los Qin es como un ave de rapiña ... No hay benevolencia en él y posee el corazón de un tigre o un lobo. Cuando se topa con dificultades, fácilmente cae presa del desfallecimiento. Pero cuando ha alcanzado su objetivo, lo considera tan fácil como devorar a un ser humano ... Si consigue hacer realidad todas sus ambiciones por el imperio, todos los hombres se convertirán en sus esclavos».[7]

Mao conocía de memoria las lecciones de las historias dinásticas. No fue la casualidad lo que le llevó a escoger, entre todos sus predecesores imperiales, al primer emperador de los Qin —quien a lo largo de la historia

---

* Acrónimo de «Inter Continental Ballistic Missiles» (Misiles Balísticos Intercontinentales). (*N. del t.*)

china había sido temido y ultrajado como epítome del gobierno inicuo— para convertirlo en el hombre con quien él pretendía competir. «Nos acusáis de actuar como Qin Shihuangdi», dijo en una ocasión a un grupo de intelectuales. «Os equivocáis. Le aventajamos hasta en un centenar de veces. Cuando nos reprendéis por imitar sus métodos despóticos, ¡nos sentimos felices de daros la razón! Vuestro error es que no lo habéis dicho con la suficiente insistencia.»[8]

Para Mao, la muerte de los adversarios —o, simplemente, de los que no estaban de acuerdo con sus propósitos políticos— era un ingrediente inevitable, de hecho necesario, de las campañas políticas más ambiciosas.

Raramente dio instrucciones directas para la eliminación física de sus contrincantes.[9] Pero su régimen, más que el de cualquier otro líder de la historia, comportó el número más elevado de muertos entre sus propios ciudadanos.[10]

Las víctimas de la reforma agraria, de sus campañas políticas —el «movimiento para eliminar a los contrarrevolucionarios»; los «tres antis»; los «cinco antis»; la campaña antiderechista; el movimiento contra el «oportunismo derechista»; la campaña contra los elementos del Dieciséis de Mayo; y la «depuración de los rangos de clase», para mencionar las más importantes— y de las hambrunas provocadas por el Gran Salto Adelante, han sido superadas en una sola ocasión: por la cifra total de muertos de la segunda guerra mundial.

En términos comparativos, la exterminación de los gulags y la destrucción de la intelectualidad rusa en los campos de trabajo perpetrados por Stalin se supone que causó entre doce y quince millones de víctimas; el holocausto de Hitler, menos de la mitad de esa cifra.

Estos paralelismos, aunque contundentes, son, en cierto sentido, falsos. Stalin planeó deliberadamente la exterminación física de los que obstruyeron su paso. Durante la Gran Purga, Mólotov y él firmaron personalmente listas de la NKVD que contenían los nombres de miles de altos cargos que debían ser arrestados y ejecutados. La «solución final» de Hitler estuvo diseñada para eliminar en las cámaras de gas un grupo racial al completo —los judíos— cuyo legado genético manchaba su nuevo orden mundial ario.

La inmensa mayoría de los que murieron sacrificados por las decisiones políticas de Mao fueron víctimas del hambre. El resto —tres o cuatro millones— fueron el residuo humano de su épica batalla para transformar China.

Fue un frío consuelo para sus víctimas; y tampoco disminuye en lo más mínimo la extraordinaria miseria que causó el colosal esfuerzo de ingeniería social perpetrado por Mao. Pero ello lo sitúa en una categoría diferente de la de los otros tiranos del siglo XX. Al igual que, legalmente, hay una distinción capital entre el asesinato, el homicidio y la muerte por negligencia, también en política existen grados de responsabilidad, en relación con la motivación y los propósitos, para los líderes que provocan un sufrimiento masivo en su pueblo.

Stalin se preocupaba por lo que hacían (o podían hacer) sus súbditos; Hitler, por lo que eran. Mao se preocupó por lo que pensaban.

Los terratenientes de China fueron eliminados como clase (y muchos de ellos murieron en el proceso), pero no fueron exterminados como pueblo, a diferencia de los judíos en Alemania. Incluso cuando sus ideas políticas causaban la muerte de millones de personas, Mao nunca perdió del todo su creencia en la eficacia de la reforma del pensamiento y la posibilidad de la redención. «Las cabezas no son como los cebollinos», dijo. «No vuelven a crecer.»[11]

¿Qué se logró a cambio de tanta sangre y dolor?

La propia valoración de Mao, que explicaba que sus dos mayores logros eran su victoria ante Chiang Kai-shek y el lanzamiento de la Revolución Cultural, ofrecen una respuesta parcial a la pregunta, aunque no exactamente en el sentido que él le dio. Por lo que se refiere al primero, consiguió reunificar China después de un siglo de división, y restaurar su soberanía; en cuanto al segundo, concedió al pueblo chino una sobredosis tal de fervor ideológico que inmunizó a las generaciones venideras. La tragedia y la grandeza de Mao consistieron en que él permaneció hasta el final al servicio de sus sueños revolucionarios. Mientras Confucio había predicado sobre la armonía —la doctrina del medio—, Mao disertó sobre una interminable lucha de clases, hasta que se convirtió en una jaula de la que ni él ni el pueblo chino pudieron escapar. Liberó a China de la camisa de fuerza de su pasado confuciano. Pero el brillante futuro rojo que había prometido resultó ser un estéril purgatorio.

De este modo culminó un proceso de desilusión nacional que había comenzado en el período en que se produjo el nacimiento de Mao, cuando los reformadores del siglo XIX, respondiendo a la confrontación con Occidente, desafiaron por vez primera las creencias que habían mantenido al sistema chino entumecido en la inmovilidad durante dos mil años.

Después de Mao, no hubo un nuevo emperador; simplemente una sucesión de líderes falibles, ni mejores ni peores que los de cualquier otro país. La fe ciega y la ideología habían muerto. El pueblo comenzó a pensar por sí mismo. El viejo mundo había desaparecido; el nuevo resultaba imperfecto. Después de un siglo de caos, China estaba preparada para comenzar de nuevo.

La revolución tiene más que ver con la destrucción de lo viejo que con la dolorosa construcción de lo nuevo. El legado de Mao consistió en allanar el camino a unos hombres menos visionarios y más prácticos que construyesen el resplandeciente futuro que él nunca pudo alcanzar.

Anteriormente, ya en dos ocasiones a lo largo de la historia de China los despotismos radicales habían anunciado largos períodos de paz y prosperidad. El primer emperador Qin unificó los reinos feudales en el siglo III a.C., pero su dinastía sólo sobrevivió quince años. Cimentó el camino de los Han, la primera edad de oro de la antigüedad china, que se prolongó durante cuatro siglos. En el siglo VI y principios del siglo VII, los Sui, que reunificaron China después de un período de desunión e inestabilidad conocido como de las Seis Dinastías y los Tres Reinos, gobernaron durante treinta y nueve años. Fueron seguidos por los Tang, la segunda edad de oro, que duró tres siglos.

Mao gobernó durante veintisiete años. Si el pasado es, como él creía, el espejo del futuro, ¿será el siglo XXI el inicio de una tercera edad de oro, para la que la dictadura maoísta habrá abierto el camino?

¿O su destino será recordado como un coloso inacabado, que trajo cambios fundamentales de una escala que sólo unos pocos habían alcanzado a lo largo de la historia de China, pero que después no logró culminar hasta sus últimas consecuencias?

En diciembre de 1993, durante las celebraciones que conmemoraban el centenario del nacimiento de Mao, se celebró una reunión nocturna en Maxim's, situado en el distrito de negocios del nuevo Pekín capitalista.[12] Es una copia del restaurante de la Rue Royale de París, con los mismos y cargantes revestimientos *belle époque*, la orfebrería rococó y las colgaduras de terciopelo, y precios muy similares. Los doscientos invitados eran una representación de la aristocracia adinerada de la ciudad: empresarios privados enfundados en trajes oscuros con ostentosas marcas extranjeras cosidas en los puños y gruesos relojes de oro en las muñecas; estrellas de la nueva industria cinematográfica de China; actrices de pelo rizado; esbeltas maniquíes del mundo de la moda. Entre ellos había un hombre muy parecido a Mao llamado Gu Yue, que había interpretado al insigne héroe en una serie de televisión hagiográfica que describía la lucha por el poder de los comunistas. La diversión oficial de aquella velada, para crear el ambiente idóneo de nostalgia e ironía, fue una de las aburridas óperas revolucionarias de Jiang Qing. Cuando hubo finalizado, Gu y media docena de amigos, bajo el influjo del champán y el coñac, se encaramaron a la tarima y comenzaron a entonar juntos el viejo lema de los guardias rojos, «el pensamiento de Mao Zedong ilumina el camino». Mientras lo hacían, se trastabillaban como si fuesen ciegos tropezando unos con otros en la oscuridad. La audiencia sucumbió. El líder que antaño habían reverenciado era ahora fuente de carcajadas.

Para otros, Mao se convirtió en un icono.[13] Los taxistas colgaban su retrato de sus parabrisas, pendiendo como una imagen de buda en una cadena de cuentas de rosario. Los adolescentes chinos, demasiado jóvenes para recordar cómo era realmente la vida con el presidente, intercambiaban insignias y recuerdos de Mao. Los cantantes de pop parodiaban sus poemas; los pintores reconfiguraban su imagen; los diseñadores la estampaban en cualquier lugar, en vestidos y edredones.

En el campo, el rostro barbilampiño e inescrutable de Mao continúa ocupando un lugar de honor en innumerables hogares. En Hunan, un templo con una estatua suya de casi siete metros de altura, flanqueado por efigies sedentes de Zhou Enlai y Zhu De, encargada por las asociaciones campesinas locales a un escultor del monasterio budista de Wutaishan, atraía a decenas de miles de visitantes cada año; hasta que el partido ordenó que fuese clausurado por incitar a la «superstición feudal».

La rueda ha completado la vuelta. Mao ha entrado en el panteón de los dioses y los héroes populares, proscritos y bandoleros, que habían poblado los sueños de su infancia en los inicios de su propia vida de rebelión, hace cien años.

La historia se dicta lentamente en China. Queda todavía un largo camino por recorrer hasta llegar al veredicto final sobre el lugar que debe ocupar Mao en los anales de la historia de su país.

Dramatis Personae

Mao Zedong (1896-1976):
    1.er matrimonio = Señorita Luo   (matr. 1908)
    (sin consumar)
    2.º matrimonio = Yang Kaihui   (n. 1901, matr. 1920-1930, m. 1930)
        hijos: Anying   (1922-1951)
                Anqing   (1923-)
                Anlong   (1927-1931)
    3.er matrimonio = He Zizhen   (n. 1909, matr. 1928-1938, m. 1984)
        hijos: Xiao Mao   (1932-desaparecido en 1934)
                Li Min   (1936)
                [hijo]   (1939-1940)
                Dos hijos abandonados de recién nacidos (en 1929 y 1935)
    4.º matrimonio = Jiang Qing   (n. 1914, matr. 1938-1976, m. 1991)
        hijos: Li Na   (1940-)

Bo Gu (1907-1946): Miembro formado en Moscú de la facción de los «estudiantes retornados» que fue líder del partido *de facto* desde 1931 hasta 1935. Fue apartado después de la conferencia de Zunyi, aunque continuó siendo miembro del Comité Central hasta su muerte, a raíz de un accidente de aviación.

Bo Yibo (1908-): Joven dirigente de Shanxi que estableció fuertes vínculos con Liu Shaoqi. Con posterioridad a 1949 ocupó diversos cargos de alto nivel con relación a la economía. Fue purgado durante la Revolución Cultural y rehabilitado tras la muerte de Mao.

Cai Hesen (1895-1931): Uno de los mejores amigos de Mao en la Primera Escuela Normal de Changsha. Miembro fundador de la Sociedad de Estudios del Nuevo Pueblo. Fue miembro de la Oficina Central (posterior Politburó) desde 1923 a 1927; posteriormente secretario de la Oficina del Norte de China del Partido Comunista Chino. Arrestado por la policía británica en Hong Kong y entregado a las autoridades nacionalistas de Cantón, murió ejecutado.

Chen Boda (1904-1989): Principal secretario político de Mao en Yan'an; posteriormente miembro del círculo de confianza del presidente. Director del Grupo para la Revolución Cultural desde mayo de 1966; ocupó el cuarto lugar en la jerarquía durante el Noveno Congreso. Fue purgado en 1970. Sentenciado a dieciocho años de cárcel en 1981 por crímenes políticos, fue tempranamente liberado por problemas de salud.

Chen Duxiu (1978-1942): Intelectual radical cuyo periódico, *Nueva Juventud*, preparó el camino del movimiento del 4 de mayo de 1919. Uno de los dos padres fundadores (junto a Li Dazhao) del movimiento comunista chino. Secretario General del Partido Comunista Chino de 1921 a 1927; posteriormente lideró un grupo trotskista de oposición.

Chen Yi (1907-1972): Participante de la sublevación de Nanchang. Estuvo con Mao en Jinggangshan. Uno de los diez mariscales del Ejército Popular de Liberación nombrados en 1955. Participó en la «contracorriente de febrero». Fue criticado durante la Revolución Cultural, pero no depurado. Murió de cáncer.

Chen Yun (1905-1995): Obrero de imprenta de Shanghai. Veterano de Zunyi; miembro del Politburó desde 1934. Se convirtió en uno de los vicepresidentes del Comité Central en 1956, con responsabilidad plena sobre las cuestiones de economía. Se retiró con la excusa de su mala salud durante los excesos de los radicales, por lo cual sobrevivió ileso a la Revolución Cultural. Recuperó su función política tras la muerte de Mao.

Chiang Kai-shek (1887-1975): Oficial del ejército de formación japonesa que se unió a los nacionalistas de Sun Yat-sen en 1922 y, durante los ocho siguientes años, dirigió el Guomindang hacia la victoria nacional. Presidente del régimen del Guomindang en Taiwan desde 1949 hasta su muerte.

Deng Xiaoping (1904-1997): Veterano de Zunyi. Secretario general y miembro del Comité Permanente del Politburó desde 1956. Fue purgado a comienzos de la Revolución Cultural por ser la «segunda persona con autoridad en el partido en tomar el camino capitalista», pero se le permitió mantener la militancia en el partido. Rehabilitado en 1973; purgado nuevamente en 1976; rehabilitado un año después para convertirse en el líder supremo de China desde 1978 hasta su muerte.

Deng Zihui (1896-1972): Estuvo junto a Mao en Ruijin. Responsable de la colectivización agrícola a principios de la década de 1950. A partir de 1956 fue criticado repetidamente por ser un «conservador derechista», pero sobrevivió a la Revolución Cultural sin ser depurado.

Gao Gang (1905-1954):   Dirigente del Partido Comunista Chino de la China noroccidental que ascendió hasta convertirse en el sexto miembro de la jerarquía. Fue purgado después de un intento en 1953 de derribar a Liu Shaoqi; se suicidó un año después.

He Long (1896-1969):   Participó en el levantamiento de Nanchang. Uno de los diez mariscales del Ejército Popular de Liberación nombrados en 1955. Miembro del Politburó y vicepresidente de la comisión militar del Comité Central. Purgado a principios de la Revolución Cultural. Murió a causa de una deliberada negligencia médica.

He Shuheng (1870-1935):   Uno de los profesores de Mao en la Primera Escuela Normal de Changsha, miembro fundador de la Sociedad de Estudios del Nuevo Pueblo y del Partido Comunista Chino. Estuvo junto a Mao en Ruijin. Al permanecer en Jiangxi en la época de la Larga Marcha, fue capturado y asesinado.

Hua Guofeng (1921-):   Secretario del Partido Comunista Chino en Xiangtan, distrito natal de Mao. Nombrado primer secretario de Hunan después de la Revolución Cultural y señalado por Mao como posible sucesor suyo en 1973. Se convirtió en presidente del partido después de la muerte de Mao, pero resultó derrotado en una lucha de poder con Deng Xiaoping en el invierno de 1978, y optó por un retiro parcial tres años después.

Jiang Qing (1914-1991):   Actriz de Shanghai. Se casó con Mao en Yan'an en 1938. Comenzó a asumir un papel político significativo a principios de los años sesenta. Como esposa de Mao, se convirtió en un poder principal durante la Revolución Cultural. Miembro del Politburó desde 1969, dirigió la izquierdista «banda de los cuatro», cuyos elementos fueron arrestados cuatro semanas después de la muerte de Mao. Fue sentenciada a muerte en 1981, aunque la pena fue conmutada, por sus crímenes políticos. Se suicidó en la cárcel.

Kang Sheng (1898-1975):   Jefe de seguridad del Partido Comunista Chino en Shanghai a principios de los años treinta que posteriormente recibió instrucción en Moscú sobre la organización de los servicios secretos. Miembro del Politburó desde 1935. Ejecutor de Mao en Yan'an y durante la Revolución Cultural. En 1973 se convirtió en vicepresidente del Comité Central, ocupando el noveno lugar de la jerarquía. Murió de cáncer; fue expulsado del partido póstumamente por sus crímenes políticos.

Li Lisan (1899-1967):   Conoció a Mao en 1917 siendo estudiante en Changsha; se detestaban mutuamente. Actuando como líder *de facto* del partido desde

1928, se opuso vigorosamente a la estrategia guerrillera de Mao en Jiangxi, exigiendo al Ejército Rojo que atacase las ciudades como parte de una insurrección de alcance nacional. Destituido por mandato de Stalin en otoño de 1930, pasó quince años en el exilio en Rusia. Con posterioridad a 1949 ocupó cargos menores; se suicidó durante la Revolución Cultural.

Li Weihan (1896-1984): Miembro de la Sociedad de Estudios del Nuevo Pueblo. Sucedió a Mao como secretario del partido en Hunan en 1923. En 1927 fue elegido miembro del Politburó; posteriormente ocupó diversos cargos menores. Fue criticado, aunque no purgado, durante la Revolución Cultural.

Li Xiannian (1909-1992): Comisario político del Cuarto Ejército de Zhang Guotao. A partir de mediados de los años cincuenta actuó como viceprimer ministro y ministro de Hacienda durante un largo período. Sobrevivió ileso a la Revolución Cultural. Después de la muerte de Mao se convirtió en vicepresidente del partido y jefe del Estado.

Lin Biao (1907-1971): Participó de la sublevación de Nanchang. Estuvo con Mao en Jinggangshan. Veterano de Zunyi. Miembro del Politburó desde 1956. Nombrado vicepresidente del Comité Central en 1958, y ministro de Defensa un año después. Brillante estratega militar e hipocondríaco crónico, fue el artífice del extravagante culto a Mao de los años sesenta. Fue designado sucesor de Mao a inicios de la Revolución Cultural; posición que quedó confirmada en la constitución del partido de 1969. Perdió la confianza de Mao en 1970. Murió en un accidente aéreo un año después cuando huía a la URSS.

Liu Shaoqi (1898-1969): Comunista de Hunan de formación moscovita que dedicó gran parte de su carrera previa a 1949 a las redes clandestinas del partido en el norte y el centro de China. Veterano de Zunyi. Trabajó junto a Mao en 1922 en Anyuan y nuevamente en Yan'an. Segundo dirigente en la jerarquía y heredero de Mao a partir de 1943. En 1959 le sucedió en el cargo de jefe de Estado. Purgado en la Revolución Cultural por ser la «persona con mayor autoridad en el partido que toma el camino capitalista»; expulsado del Partido Comunista Chino en 1968 por ser un «renegado, traidor y esquirol». Murió un año más tarde a causa de una deliberada falta de atención médica. Fue enterrado bajo un nombre falso. Fue rehabilitado póstumamente después de la muerte de Mao.

Liu Bocheng (1892-1986): Legendario comandante del Ejército Rojo conocido como el «Dragón de un Ojo». Veterano de Zunyi. Uno de los diez mariscales del Ejército Popular de Liberación nombrados en 1955; un año después entró a formar parte del Politburó. Totalmente ciego y políticamente inactivo a partir de mediados de la década de 1960, se mantuvo como miembro nominal de la cúpula hasta después de la muerte de Mao. Sobrevivió ileso a la Revolución Cultural.

Luo Ruiqing (1906-1978): Oficial de seguridad política del Ejército Rojo a principios de los años treinta. Ministro de Seguridad Pública; posteriormente jefe del Estado Mayor del Ejército Popular de Liberación bajo las órdenes de Lin Biao. Purgado en diciembre de 1965, en los albores de la Revolución Cultural. Tres meses después se rompió ambas piernas en un intento de suicidio. Rehabilitado en 1975.

Nie Rongzhen (1899-1992): Participó en la sublevación de Nanchang. Veterano de Zunyi. Dirigió el área base de Jin-Cha-Ji, en el norte de China, durante la guerra contra Japón. Uno de los diez mariscales del Ejército Popular de Liberación nombrados en 1955, responsable del programa de armamento nuclear de China. A pesar de interpretar un papel destacado en la «contracorriente de febrero», salió ileso de la Revolución Cultural.

Peng Dehuai (1898-1974): Estuvo junto a Mao en Jinggangshan. Veterano de Zunyi. Comandante en el frente durante la guerra contra Japón; comandante chino en la guerra de Corea. Miembro del Politburó desde 1945. Destituido en 1959; purgado en diciembre de 1966. Murió en el hospital de una prisión por una deliberada negligencia médica. Enterrado con un nombre falso. Rehabilitado póstumamente después de la muerte de Mao.

Peng Shuzhi (1895-1983): Comunista hunanés de instrucción moscovita. Miembro del Politburó desde 1925 a 1927, expulsado del partido dos años después, tras fundar un grupo de oposición trotskista. Murió en el exilio, en Los Ángeles.

Peng Zhen (1902-1997): Líder del partido clandestino en el norte de China durante los años treinta y cuarenta; estrecho aliado de Liu Shaoqi. Miembro del Politburó desde 1945, posterior alcalde de Pekín. Purgado en los inicios de la Revolución Cultural. Sobrevivió a diez años de cárcel. Fue rehabilitado después de la muerte de Mao.

Qu Quibai (1899-1935): Literato de talento que se convirtió, casi por accidente, en dirigente *de facto* del partido entre agosto de 1927 y junio de 1928. Al igual que Li Lisan, reclamó una política de insurrección nacional. Apartado en 1931. Se rezagó en la Larga Marcha; fue capturado y ejecutado por los nacionalistas.

Ren Bishi (1904-1950): Miembro de la Sociedad de Estudios Rusos fundada por Mao en Changsha en 1920. Estudió en Moscú. Retornó para dirigir la Liga de las Juventudes del Partido Comunista Chino. Se unió al Politburó en enero de 1931, permaneciendo como miembro hasta su muerte, consecuencia de un ataque. A partir de 1943 ocupó la quinta posición en la jerarquía.

Sun Yat-sen (1866-1925): Dirigió la campaña de un gobierno republicano que preparó el camino para derrocar el imperio manchú en 1911. Actuó brevemente como primer presidente de China antes de ceder el poder a Yuan Shikai. Un año después fundó el Guomindang (Partido Nacionalista), que formó una alianza táctica en 1923 con el flamante Partido Comunista Chino. Murió en Pekín cuando intentaba negociar con los señores de la guerra del norte.

Tan Yankai (1880-1930):   Literato de una familia aristocrática progresista de Hunan que entre 1911 y 1920 actuó en tres ocasiones de gobernador militar provincial. Posteriormente se unió a Sun Yat-sen y en 1927 se convirtió en presidente del Comité Político del Guomindang.

Tan Zhenlin (1902-1983):   Estuvo con Mao en Jinggangshan. En los años cincuenta, fue viceprimer ministro con la cartera de Agricultura. Miembro del Politburó desde 1958. Duramente criticado por su participación en la «contracorriente de febrero», abandonó la vida pública en 1967. Reapareció en el Décimo Congreso del partido, seis años después.

Tao Zhu (1908-1969):   Dirigente del partido del sur de China que ascendió al Comité Permanente del Politburó a principios de la Revolución Cultural, en agosto de 1966. Aquel otoño pasó a ocupar el cuarto lugar de la jerarquía del partido. Purgado cuatro meses después. Murió de cáncer cuando era mantenido en custodia. Rehabilitado póstumamente después de la muerte de Mao.

Wang Hongwen (1933-1992):   Funcionario de las fábricas textiles de Shanghai que dirigió la «toma de poder» rebelde en esa ciudad en enero de 1967. Elegido por Mao en 1972 como posible sucesor suyo. En 1973 se convirtió en el vicepresidente del Comité Central y en tercer dirigente en la jerarquía del partido. Arrestado junto a Jiang Qing y los otros miembros de la «banda de los cuatro» un mes después de la muerte de Mao. Sentenciado a cadena perpetua en 1981 por sus crímenes políticos. Murió de cáncer de hígado.

Wang Jiaxiang (1906-1974):   Formado en Moscú junto a Wang Ming, aunque rompió con el resto de los «estudiantes retornados» a principios de los años treinta para convertirse en uno de los principales partidarios de Mao. Después de 1949 sirvió como viceministro de Asuntos Exteriores. Purgado durante la Revolución Cultural, reapareció en el Décimo Congreso del partido de 1973.

Wang Jingwei (1883-1944):   Estrecho colaborador de Sun Yat-sen. En 1910 dirigió un intento frustrado de asesinar al príncipe regente. Tras la muerte de Sun, pasó a ser el máximo dirigente civil del Guomindang, cuando actuó como mecenas de Mao. Derrotado en una lucha por el poder con Chiang Kai-shek, retuvo una importante adhesión faccional en el seno del partido. En invierno de 1938 rompió con Chiang y partió para encabezar un gobierno títere de los japoneses en Nanjing.

Wang Ming (1904-1974): Líder del grupo de «estudiantes retornados» de formación moscovita a quien en enero de 1931 el Comintern situó al frente del Partido Comunista Chino. Después de llegar a Yan'an en 1937, se convirtió en el principal rival de Mao para el liderazgo del partido. Su derrota, acaecida antes de que transcurriese un año, dio pie a una larga campaña de Mao contra el desviacionismo izquierdista y el dogmatismo (el apoyo ciego a la política soviética). Wang perdió su posición en el Politburó en 1945, pero continuó como miembro del Comité Central hasta finales de los años cincuenta, cuando abandonó China para exiliarse en la URSS.

Wang Zuo (1898-1930): Líder de un grupo de bandidos de Jinggangshan. En la primavera de 1928 incorporó a sus hombres al estandarte de Mao. Murió junto a Yuan Wencai en una disputa interna del partido.

Wu Faxian (1915-): Comandante de las fuerzas aéreas del Ejército Popular de Liberación. Uno de los cuatro oficiales militares (junto a Huang Yongsheng, Li Zuopeng y Qin Huizuo) que formaron la facción de Lin Biao después del Noveno Congreso de 1969. Fueron todos purgados tras la muerte de Lin Biao; sentenciado en 1981 a una larga reclusión en la cárcel por sus crímenes políticos, pero puesto poco después en libertad a causa de su mala salud.

Xiang Ying (1889-1941): Organizador obrero comunista que ascendió hasta alcanzar en 1928 el tercer escalafón de la jerarquía del Partido Comunista Chino. Perdió paulatinamente su poder después de que Wang Ming y sus aliados tomasen el control del partido en enero de 1931. Se mantuvo en la retaguardia durante la Larga Marcha para liderar la resistencia de la Región Soviética Central.

Xiang Zhongfa (1880-1931): Secretario general titular del Partido Comunista Chino desde 1928 a 1931, cuando Li Lisan y Wang Ming se convirtieron en líderes de facto del partido. Entregado al Guomindang por un comunista renegado, fue ejecutado.

Xie Fuzhi (1900-1972): Ministro de Seguridad Pública desde 1959, miembro del Politburó desde el Noveno Congreso. Presidente del Comité Revolucionario de Pekín. Apoyó a Kang Sheng en la persecución de los dirigentes de la vieja guardia durante la Revolución Cultural. Murió de cáncer; expulsado póstumamente del partido por sus crímenes políticos.

Xu Xiangqian (1901-1990): Dirigió la base guerrillera roja en el norte del Yangzi a principios de los años treinta. Uno de los diez mariscales nombrados en 1955. Vicepresidente de la Comisión Militar del Comité Central. Criticado durante la Revolución Cultural, aunque no fue purgado.

Yang Shangkun (1907-1998): Veterano de Zunyi. Director de la Oficina General del Comité Central hasta noviembre de 1965. Purgado a inicios de la Revolución Cultural. Rehabilitado después de la muerte de Mao; posteriormente llegó a ser jefe del Estado.

Yao Wenyuan (1925-):   Crítico literario radical que alcanzó notoriedad durante la campaña antiderechista. Elaboró para Mao la polémica que desencadenó la Revolución Cultural. Miembro del Politburó desde 1969. Fue arrestado con el resto de la «banda de los cuatro» un mes después de la muerte de Mao. Sentenciado a veinte años de cárcel en 1981 por sus crímenes políticos, se le concedió posteriormente la libertad condicional. Actualmente vive en Shanghai.

Ye Jianying (1897-1986):   Oficial nacionalista del ejército que en 1927 se unió al Partido Comunista Chino. Participó en el levantamiento de Cantón y sirvió después durante algunos años como jefe del Estado Mayor del Ejército Rojo. Uno de los diez mariscales nombrados en 1955 y dirigente clave de la Comisión Militar del Comité Central. Se unió en 1966 al Politburó. Salió ileso de la Revolución Cultural (a pesar de tener una importante participación en la «contracorriente de febrero»). Tras la muerte de Mao, fue el responsable del arresto de la «banda de los cuatro» y el retorno al poder de Deng Xiaoping.

Yuan Wencai (1898-1930):   Líder de un pequeño grupo de bandidos de Maoping, al pie de Jinggangshan. Se unió al Partido Comunista Chino en 1926 y un año después sometió a sus hombres a la disciplina de Mao, convirtiéndose en el presidente del gobierno soviético del área fronteriza.

Zhang Chunqiao (1917-):   Oficial radical de propaganda en Shanghai que ascendió hasta convertirse en subdirector del Grupo para la Revolución Cultural y presidente del Comité Revolucionario de Shanghai. Miembro del Politburó desde 1969 y de su Comité Permanente desde 1973. Fue detenido con el resto de la «banda de los cuatro» un mes después de la muerte de Mao. Le fue conmutada la pena de muerte a la que había sido sentenciado en 1981 por sus crímenes políticos.

Zhang Guotao (1897-1979):   Dirigente estudiantil de la Universidad de Pekín. Miembro fundador del partido, miembro del Comité Central desde 1921, y de la Oficina Central (el posterior Politburó) desde 1925. Dirigió el área base de E-Yu-Wan, al norte del Yangzi. Después de una lucha de poder con Mao durante la Larga Marcha, perdió la mayor parte de su ejército. En 1937 fue apartado de la política; un año después desertó al Guomindang. Murió exiliado en Canadá.

Zhang Wentian (1900-1976):   «Estudiante retornado» de formación moscovita que sirvió como segundo de Bo Gu entre 1931 y 1934, pero que cambió su adhesión para apoyar a Mao poco antes de la Larga Marcha. Tuvo un papel crucial en el ascenso de Mao en Zunyi. Posteriormente se convirtió en líder provisional del partido (hasta noviembre de 1938). Apartado a partir de 1949;

fue destituido junto a Peng Dehuai después del pleno de Lushan. Encarcelado durante la Revolución Cultural. Fue póstumamente rehabilitado.

Zhao Hengti (1880-1971): Gobernador Militar de Hunan entre 1920 y 1926. Ordenó el arresto de Mao y su ejecución durante los levantamientos campesinos de 1925. Murió en Taiwan.

Zhou Enlai (1898-1976): Fundó la rama europea del Partido Comunista Chino. Miembro suplente del Politburó en 1927; miembro pleno de manera ininterrumpida desde 1928 hasta su muerte, representando el período más largo de entre todos los miembros del partido. Inicialmente hostil, después mantuvo una relación ambivalente con Mao hasta Zunyi, donde apoyó el liderazgo de Mao en detrimento de Bo Gu y del consejero del Commintern, Otto Braun. Apoyó a Wang Ming en 1938; a partir de entonces hizo de la lealtad a Mao su religión. Fue un político demasiado útil para Mao como para purgarlo. Primer ministro desde 1949 hasta su muerte. Jugó un papel vital en la puesta en práctica del Gran Salto Adelante y la Revolución Cultural. Murió de cáncer.

Zhu De (1886-1976): Participó en la revolución de 1911 bajo las órdenes del gobernador militar de Yunnan, Cai E. Se convirtió en un pequeño señor de la guerra. Se unió al Partido Comunista Chino en Europa. Fue uno de los líderes de la Sublevación de Nanchang. Estuvo junto a Mao en Jinggangshan. Comandante en jefe del Ejército Rojo, miembro del Politburó desde 1945 hasta su muerte. Se retiró con un cargo de veterano estadista a partir de 1949. Protegido durante la Revolución Cultural por órdenes de Mao. Presidente del Congreso Nacional del Pueblo (jefe de Estado *de facto*) entre 1975 y 1976.

Notas

ACLARACIÓN

A partir de finales de los años setenta comenzó a estar disponible en China una enorme cantidad de nuevos materiales sobre la vida y la época de Mao. Hasta ahora esto ha tenido un efecto doble: en primer lugar, ha invalidado muchas de las interpretaciones sobre la política china del período anterior a la muerte de Mao vigentes en los escritos publicados en Occidente; y, en segundo lugar, a causa de que pocas de las nuevas investigaciones han sido traducidas, ha obligado a que cualquier intento serio de tratar de comprender la personalidad y la política de Mao parta de las fuentes en lengua china. Esto es especialmente cierto cuando hablamos del período anterior a 1960, ya que las autoridades chinas actuales han concedido a los investigadores del partido un amplio acceso a algunos archivos cerrados hasta ese momento, al tiempo que se han mantenido mucho más cautas en lo referente a la década final, de 1966 a 1976, cuando Mao desarrolló una política en abierta contradicción con la seguida en la actualidad. En cambio, los últimos años los especialistas occidentales han centrado sus esfuerzos en el período posterior a 1960. En las notas de este libro se citan las referencias en lengua inglesa siempre que existen traducciones o fuentes secundarias fiables. Cuando una referencia aparece por vez primera, se ofrecen los detalles bibliográficos completos; después, en la primera cita que aparece en cada uno de los capítulos, se ofrece la referencia en forma abreviada. Pero en el caso de las colecciones de documentos en lengua china se repite el título completo. Se utilizan también las siguientes abreviaturas: *CHOC* (*Cambridge History of China*); *JYMZW* (*Jianguo yilai Mao Zedong wengao* [Los manuscritos de Mao Zedong después de la liberación]); *NCH* (*North China Herald*); *SW* (*Selected Works*); *ZZWX* (*Zhongyang zhonggong wenxian xuanji* [Selección de documentos del Comité Central]).

PRÓLOGO

1. Pang Xianzhi, ed., *Mao Zedong nianpu* [Biografía cronológica de Mao Zedong], Renmin chubanshe, Pekín, 1991, vol. 1, pp. 439-440. La fecha más común, el 11 de diciembre, es incorrecta. El Centro de Investigaciones Históricas del Partido de la CCP CC, en su *History of the Chinese Communist Party: A chronology of Events, 1919-1990* (Foreign

Languages Press, Pekín, 1991, p. 93), afirma que el Ejército Rojo «tomó el paso de Hunan el día 11». La reunión de Tongdao se realizó al día siguiente. Véase también Ma Qibin, Huang Shaoqun y Liu Wenjun, *Zhongyang geming genjudi shi*, Renmin chubanshe, Pekín, 1986, pp. 528-529; Guofang daxue dangshi zhenggong jiaoyanshi, *Changzheng xintan*, Jiefangjun chubanshe, Pekín, 1986, pp. 39-40; y Otto Braun, *A Commintern Agent in China: 1932-1939*, C. M. Hurst, Londres, 1982, pp. 92-93.

2. Exhibido en el Museo de Zunyi en enero de 1995.

3. Harrison Salisbury, *The Long March*, Harper & Row, Nueva York, 1985, pp. 109 y 364, n. 10.

4. Agnes Smedley, *Battle Himn of China*, Victor Gollancz, Londres, 1944, pp. 121-123.

5. La Internacional Comunista (Comintern) fue establecida por Lenin en marzo de 1919, como un instrumento mediante el cual Moscú podría controlar las actividades de los partidos comunistas extranjeros. Éstos eran tratados como ramificaciones del Comintern a las órdenes de un Comité Ejecutivo dominado por rusos.

6. *North China Herald* (en adelante *NCH*), Shanghai, 14 de noviembre de 1934. Véase también Anthony Garavente, «The Long March», *China Quarterly* (en adelante *CQ*), 22, pp. 102-105; Benjamin Yang, *From Revolution to Politics*, Westview Press, Boulder, CO, 1990, p. 103; y Salisbury, pp. 92-93. Los nacionalistas tomaron Ruijin poco después de que los comunistas partieran el 10 de octubre. Pero mientras que Chiang sabía que el Ejército Rojo estaba en marcha, no sabía si era porque abandonaba su base o porque simplemente se reagrupaba para llevar a cabo una nueva ofensiva.

7. La mejor noticia del suceso se encuentra en Salisbury, *The Long March*, pp. 91-104.

8. Benjamin Yang, «The Zunyi Conference as One Step in Mao's Rise to Power», *CQ*, 106, p. 264.

9. Tras la finalización de la reunión, a las siete de la tarde del 12 de diciembre, el Consejo Militar emitió la siguiente orden: «Máxima prioridad. Las tropas enemigas de Hunan y la fuerza principal de[l señor de la guerra] Tao Guang se acercan a Tongdao. Otras fuerzas enemigas continúan avanzando hacia Hongjiang y Jiangxian [en la frontera entre Guizhou y Hunan, más al norte]. Quieren impedir que avancemos al norte. Por ello, hay que prepararse para penetrar en Guizhou ... Mañana, día 13, nuestro Ejército Rojo debe continuar su despliegue hacia el oeste ... El Primer Ejército debe ... ocupar Liping» (*Nianpu*, 1, pp. 439-440).

10. Agnes Smedley, *The Great Road*, Monthly Review Press, Nueva York, 1956, pp. 313-314.

11. Aleksandr Martynov, *Velikii Pokhod*, Izdatelstvo Inostrannoi Literatury, Moscú, 1959, pp. 170-176.

12. Smedley, *Great Road*, pp. 315-316.

13. Gu Zhengkun, ed., *Poems of Mao Zedong*, Peking University Press, Pekín, 1993, pp. 68 y 70 (hay trad. cast.: *Poemas de Mao Tse Tung*, Ediciones Mateu, Barcelona, 1970).

14. *Nianpu*, 1, pp. 440-441. *Changzheng xintan*, pp. 41-42. Li Wenhan, *Huiyi yu yanjiu*, Zhonggong dangshi ziliao chubanshe, Pekín, 1986, pp. 350-351. Braun, p. 93.

15. El texto se exhibió en el Museo de Liping en enero de 1995.

16. *Changzheng xintan*, pp. 43-44; *Wenxian he yanjiu*, n.º 1, 1985, pp. 20-21; *Nainpu*, I, p. 442. El texto de la resolución dc Houchang fue exhibido en el Museo de Zunyi en enero de 1995.

17. Exhibida en el Museo de Zunyi en enero de 1995.

18. Gran parte de los detalles de la reunión de Zunyi es todavía objeto de discusión entre los especialistas. Yang, *CQ*, 106, pp. 235-271; y Thomas Kampen, «The Zunyi Conference and Further Steps in Mao's Rise to Power», *CQ*, 117, pp. 118-134, ofrecen los es-

tudios publicados más fiables de los sucesos. Véase también *Zunyi huiyi ziliao xuanbian*, Guizhou chubanshe, Guiyang, 1985; y Braun, pp. 94-108.

19. El lugar de la reunión es actualmente un museo, al igual que la casa en que se alojó Mao. Salisbury (*Long March*, p. 118) estaba curiosamente confundido por lo que se refiere a la residencia de los dirigentes, afirmando que «Bo Gu y Otto Braun estaban ... viviendo aislados del resto». De hecho, Bo y Braun estaban a menos de cien metros del CCP HQ [Chinese Communist Party Head Quarters]. Mao, Wang y Zhang eran los únicos que vivían en la otra parte de la población.

20. Braun, p. 96.

21. *Ibid.*, p. 98.

22. No se ha conservado el texto del discurso de Mao, pero las dos versiones de la resolución aprobadas en la reunión se basan claramente en él (Yang, *CQ*, 106, pp. 262-265; y Jerome Chen, «Resolutions of the Zunyi Conference», *CQ*, 40, pp. 1-17).

23. Véase Kampen, p. 123; y Yang, *CQ*, 106, pp. 265-271, especialmente la frase «El camarada Bo Gu ... al parecer no dejó esta cuestión en un lugar secundario» (p. 267).

24. Braun, p. 104.

25. *Ibid.*, pp. 108-118; *Nianpu*, I, pp. 445-459; Kampen, pp. 124-134.

26. *Dangshi ziliao tongxun*, n.º 10, 1987, p. 39.

27. Li Zhishui, *The Private Life of Chairman Mao*, Chatto & Windus, Londres, 1994, pp. 365-369 (hay trad. cast.: *La vida privada del presidente Mao. Memorias del médico personal de Mao*, Planeta, Barcelona, 1995).

28. *Ibid.*, pp. 355-364. Véase también Harrison Salisbury, *The New Emperors*, HarperCollins, Londres, 1992, pp. 134, 217-219 y 221. Cuando yo vivía en Pekín a principios de los años ochenta, la promiscuidad sexual de Mao era bien conocida, y objeto de regocijo (mezclado con envidia) entre los hijos e hijas de la elite comunista.

29. El doctor Li cita las palabras de Mao diciendo «Me lavo en el cuerpo de mis mujeres». Según una de sus antiguas acompañantes, Mao usaba esta frase con frecuencia, y no en la forma censurada del doctor Li.

30. *Ibid.*, p. 366.

31. *Ibid.*, pp. 292-293 y 365-369.

32. Yang, *CQ*, 106, p. 263.

33. La frase es de Lenin (y Clausewitz). Mao la convirtió en uno de los temas centrales de su ensayo «Sobre la guerra permanente» (*SW*, II, pp. 152-153) de 1938. Su formulación era la siguiente: «La guerra es política ... La política es guerra sin derramamiento de sangre, mientras que la guerra es política con derramamiento de sangre».

CAPÍTULO I

1. Derk Bodde, *Annual Customs and Festivals in Peking*, Henri Vetch, Pekín, 1936, p. 87.

2. Emi Siao, *Mao Tse-tung: His Childhood and Youth*, Bombay, 1953, p. 2.

3. Henri Dore, SJ, *Recherches sur les Superstitions en Chine*, vol. 1, Shanghai, 1911 (Variétés Sinologiques, n.º 32), pp. 8-17; A. Cormack, *Chinese Births, Weddings and Deaths*, Pekín, 1923, pp. 2-5.

4. Es un error intentar traducir los nombres chinos. El nombre Mao Zedong significa literalmente «cabello que unge el este», que es lo que los caracteres *mao, ze* y *dong* significan individualmente. Usados conjuntamente en un nombre, no obstante, tienen tan poca significación para los chinos como los nombres Philip o Pierre, que significan «amante de los caballos» y «piedra», para ingleses y franceses. Existen algunas excepciones, tanto en la antigüedad como en tiempos recientes (durante la Revolución Cultural, por ejemplo, mu-

chos chinos transformaron sus nombres para convertirlos en revolucionarios), pero incluso en los casos de nombres con significado ambiguo, generalmente no se lo entiende como tal. Shaoshan, como muestra, tiene un significado literal, «Montaña de la Música», pero para sus habitantes éste es simplemente el nombre del pueblo.

5. La principal fuente de información de la vida de Mao en su hogar durante su niñez es su propio relato recogido por Edgar Snow durante el verano de 1936, cuando tenía cuarenta y dos años (Snow, *Red Star Over China*, edición revisada, Pelican Books, Londres, 1972, pp. 151-162). Entre las fuentes secundarias hay que incluir los libros de los hermanos Xiao, amigos íntimos de Mao cuando era veinteañero (Emi Siao, *Mao Tse-tung*, y Siao (Xiao) Yu, *Mao Tse-tung and I were Beggars*, Syracuse University Press, Nueva York, 1959). Las partes del libro de Xiao Yu que tratan de los primeros años de Mao parecen ser fundamentalmente ficticias. La biografía semioficial de Li Rui (*The Early Revolutionary Activities of Comrade Mao Tse-tung*, M. E. Sharpe, White Plains, Nueva York, 1977), cuando trata de la niñez de Mao, se basa en los recuerdos que Mao relató a Snow.

6. El distrito de Xiangtan se contaba, en aquel entonces, entre los más productivos de Hunan, la tercera de las provincias productoras de arroz de China (Angus W. McDonald, Jr., *The Urban Origins of Rural Revolution*, University of California Press, Berkeley, 1978, pp. 7 y 275).

7. Yang Zhongmei, *Hu Yaobang: a Chinese biography*, M. E. Sharpe, Armonk, Nueva York, 1988, p. 5.

8. La casa tenía un ala adicional de tres habitaciones, ocupada por la familia del trabajador que el padre de Mao había contratado.

9. Según las cifras que aportó Mao, la familia tenía unos ingresos monetarios derivados de las plantaciones de al menos cincuenta dólares de plata por año cuando poseían una hectárea de tierras (1.250 kilos de superproducción de arroz, a cuarenta monedas el kilo), a los que había que añadir los originarios de otros negocios. En un año de escasez, cuando los precios se disparaban, ganaban probablemente el doble o triple de esa cantidad. A ello había que añadirle los beneficios del comercio de arroz de su padre y el interés que recibía de las hipotecas que había adquirido.

10. Mao casi lo reconoció cuando dijo a los cabecillas de los guardias rojos en julio de 1968: «Mi padre fue malo. Si todavía estuviese vivo, sería [perseguido]» (*Miscellany of Mao Tse-tung Thought*, II (JPRS-61269-2), Joint Publications Research Service, Arlington, VA, febrero de 1971, p. 389).

11. Mortimer O'Sullivan, «Report of a Journey of Exploration in Hunan from 14th December 1897 to March 1898», Shanghai, North China Herald Office, 1898, p. 4. Algunas fuentes sugieren que la población era de unos trescientos mil habitantes.

12. Quan Yanchi, *Mao Zedong: Man not God*, Foreign Languages Press, Pekín, 1992, pp. 90-94.

13. Tanto el doctor Zhisui Li en los años sesenta (*Private Life of Chairman Mao*, pp. 77 y 103) como Edgar Snow en los años treinta señalaron que «tenía las costumbres personales de un campesino» (*Red Star Over China*, pp. 112-113). Su antiguo guardaespaldas, Li Yinqiao, lo calificó de «rústico» (Quan Yanchi, p. 90).

14. Archibald J. Little, *Through the Yang-tse Gorges, or Trade and Travel in Western China*, Londres, 1898[3], pp. 167-168.

15. Li Zhisui, pp. IX, 100 y 107. Li Yinqiao confirma la aversión de Mao al baño, asegurando que sólo utilizaba jabón «para quitarse la grasa o las manchas de tinta de las manos (Quan Yanchi, p. 96). Véase también Siao Yu, pp. 85-86, 152 y 257.

16. Quan Yanchi, p. 65; Siao Yu, p. 86; Li Zhisui, p. 103.

17. Snow, pp. 112-113.

18. Quan Yanchi, pp. 111-112.

19. En el relato de su infancia (Snow, pp. 151-162), Mao no deja claro si su edad se cuenta según el sistema occidental o el chino (que añade un año). Tomo por válido el primero. Los seis años era la edad habitual en que los hijos de los campesinos comienzan a ayudar a sus padres.

20. S. Wells Williams, *The Middle Kingdom*, edición revisada, Nueva York, 1883, vol. 1, p. 525.

21. Rev. John Macgowan, *Lights and Shadows of Chinese Life*, Shanghai, North China Daily News y Herald Press, 1909, pp. 57-58.

22. Williams, p. 544. Arthur H. Smith, *Chinese Characteristics*, Shanghai, 1890, p. 386.

23. Williams, p. 542: «Los comerciantes, los mecánicos y los hidalgos locales ... hacen entrar a sus hijos en tiendas o casas de contabilidad para que aprendan los entresijos de los negocios conociendo los números y el estilo para escribir cartas; no permanecen en la escuela más de tres o cuatro años, a menos que pretendan participar en los exámenes».

24. Snow, pp. 153-156 y 159.

25. Macgowan, pp. 59-63. Smith, *Chinese Characteristics*, p. 220, también indica que «la dureza extrema es realmente normal» entre los maestros de escuela.

26. Snow, p. 153.

27. Emi Siao, p. 15.

28. *Chinese Repository*, vol. IV, Cantón, julio de 1835, pp. 105-118.

29. Macgowan, p. 64. *Chinese Repository*, IV, p. 105.

30. Arthur H. Smith, *The School System of China*, East of Asia, vol. III, p. 4, Shanghai, 1904.

31. Williams, I, pp. 526-527.

32. *Ibid.*, p. 541. Macgowan, p. 66. Justus Doolittle, *Social Life of the Chinese*, Nueva York, 1865, p. 378.

33. *Chinese Repository*, IV, pp. 153-160, 229-243, 287-291 y 344-353; V, pp. 81-87 y 305-316; VI, 185-188, 393-396 y 562-568. Williams, pp. 527-541.

34. Smith, *Chinese Characteristics*, p. 323. Claude Cadart y Cheng Yingxiang, *L'Envol du Communisme en Chine (Mémoires de Peng Shuzhi)*, París, 1983, pp. 14 y 36-37.

35. Sobre la duración de la escuela primaria, véase Williams, I, p. 541; Macgowan, p. 66; Cadart y Cheng, p. 37. El propio Mao recordaba que, cuando abandonó la escuela, había comenzado ya a leer *A la orilla del agua* y otros romances históricos populares (Snow, pp. 153-156).

36. En el *Clásico de los tres caracteres* (*Chinese Repository*, IV, p. 111).

37. Snow, p. 153.

38. *Ibid.*, pp. 154 y 156.

39. De las *Odas para niños* (*Chinese Repository*, IV, p. 288).

40. Snow, p. 156 (hay trad. cast.: *Viaje al oeste*, 3 vols., Editorial Siruela, Madrid, 1992).

41. *Sanziqing*, Pekín, 1979 (mimeografiado), líneas 258-263. Esta traducción se basa en el *Chinese Repository*, IV, p. 110 (hay trad. cast.: *El Clásico de tres caracteres: el umbral de la educación china*, Editorial Trotta, Madrid, 2000).

42. Snow, p. 156.

43. Vsevolod Holubnychy, «Mao Tse-tung's Materialistic Dialectics», *CQ*, 19 (1964), pp. 16-17.

44. Mao no leyó ninguna obra marxista hasta que tuvo veintiséis años.

45. El profesor Lucian Pye ha basado un libro entero en la suposición de que el carácter y el comportamiento de Mao durante su vida adulta estuvieron influidos de manera decisiva por sus sentimientos de abandono tras el nacimiento de su hermano menor. Desarrolla el argumento inteligentemente, pero no consigue explicar por qué otros niños pri-

mogénitos chinos, privados del cariño maternal tras la aparición de un hermano, no se convirtieron en líderes revolucionarios (Lucian W. Pye, *Mao Tse-tung: The Man in the Leader*, Basic Books, Nueva York, 1976). De hecho no existen evidencias que demuestren que Mao quedó más afectado que cualquier otro niño normal por el nacimiento de su hermano.

46. «Mao Zedong's funeral oration in honour of his mother» (8 de octubre de 1919), en Stuart R. Schram, ed., *Mao's Road to Power*, vol. I: *The Pre-Marxist Period: 1912-1920*, Nueva York, 1992, p. 419.

47. *Chinese Repository*, VI, pp. 130-142.

48. Smith, *Chinese Characteristics*, p. 202.

49. Snow, pp. 154-155.

50. La mayor evidencia de ello es que Mao afirma que la única manera de silenciar a su padre era asegurarse de que no pudiese encontrar nada que criticar. Lo repite constantemente; en una ocasión, Mao hace referencia a la «acusación preferida» de su padre, lo que presupone una búsqueda sistemática de sus faltas.

51. «A una nuera se la considera como la sirvienta de toda la familia, que es de hecho su posición, y cuando se consigue una sirvienta, lo más deseable es obviamente que sea fuerte y bien formada» (Smith, *Chinese Characteristics*, p. 292).

52. Williams, p. 787.

53. Snow, p. 172. Mao simplemente afirmó: «Mis padres ... me casaron». Pero el matrimonio en China, en aquella época, no consistía en una ceremonia única sino en una serie de pasos, comenzando por el intercambio de los horóscopos y la elección de un día propicio, continuando con el intercambio de regalos y el pago, por parte de la familia del novio, de una dote matrimonial. Sólo se consideraba que la pareja estaba casada cuando la novia se había trasladado a la casa de los suegros, donde viviría, había libado del vino junto a su nuevo marido y, a su lado, se había postrado ante el Cielo, la Tierra y las tablas ancestrales (ceremonias que se continuaban practicando en la China de los años noventa).

54. Snow, p. 157.

55. Fuentes orales, en Shaoshan, mayo de 1999.

56. En 1915, Mao explicó a Xiao Yu que no tenía especial interés en volver a casa durante las vacaciones de verano (Schram, *Mao's Road*, I, p. 62); el propio Xiao, comentando este asunto, escribió que Mao «no albergaba ningún tipo de sentimientos cálidos por su hogar» (*Mao Tse-tung and I*, p. 84). Su madre enfermó al año siguiente (Schram, I, p. 92) y, aparentemente, retornó a Xiangxiang en otoño de 1917. En agosto de 1818, Mao escribía a sus tíos maternos: «Siento profundamente que mi madre haya vivido un tiempo tan largo en vuestra casa». Ella se desplazó en verano de 1919 a Changsha en busca de tratamiento médico (*Ibid.*, pp. 174 y 317).

57. *Ibid.*, p. 317.

58. Snow, pp. 157 y 159-160. La escuela, situada en un distrito vecino a Xiangxiang, estaba clasificada oficialmente como «Escuela Primaria Superior».

59. *Ibid.*, p. 156.

60. *Ibid.*, pp. 160, 168, 170 y 175.

61. O'Sullivan, p. 2.

62. *NCH*, 22 de abril de 1910.

63. O'Sullivan, p. 7.

64. William B. Parsons, «Hunan: the Closed Province of China», en *National Geographic Magazine*, vol. XI, Nueva York, 1900, pp. 393-400.

65. «Hunan: A Record of a Six Weeks' Trip», *NCH*, 12 y 19 de junio, 3, 10 y 17 de julio de 1891.

66. O'Sullivan, p. 2; Hillman, Lt.-Com. H. E., RN, *Report on the Navigation of Tung Ting Lake and the Siang and Yuan Rivers (Upper Yangtse) with descriptions of the three prin-*

cipal towns, Changsha, Siangtan, Chang Teh, in the province of Hunan, China, Londres, HMSO, 1902, p. 17. La unanimidad de los primeros escritores occidentales sobre el carácter de los hunaneses y el contraste con otras partes de China es sorprendente.

67. *Lettres Edifiantes et Curieuses*, vol. XXII, París, 1736, pp. IX ss.

68. *NCH*, 22 de abril de 1910.

69. Sir Claude Macdonald, ministro británico en Pekín, al Zongli Yamen, 19 de febrero de 1898, citado por Little, pp. XXI-XXIV.

70. Cadart y Cheng, pp. 28 y 50.

71. *Ibid.*, pp. 42-43; Snow, p. 161. Peng Shuzhi era dos años más joven que Mao. Su pueblo, Tongluocun, en el distrito de Shaoyang, era más pequeño y remoto que Shaoshan, pero, por lo que parece, no estaba peor informado. A diferencia de Mao, Peng recordaba que una proclamación sobre la muerte del emperador fue colgada en un lugar público.

72. Stuart R. Schram, *Mao Tse-tung*, edición revisada, Penguin, Harmondsworth, 1967, p. 21 (hay trad. cast.: *Mao-Tse-Tung*, Cid S. A., Madrid, 1967). Mao probablemente consiguió este libro a través de su primo (Schram, *Road to Power*, I, p. 59).

73. Una planta eléctrica, pequeña y privada, comisionada por el gobernador provincial, funcionó en Changsha de manera discontinua desde 1897. Ese mismo año se estableció el servicio telegráfico hasta Xiangtan, a pesar de la oposición de la burguesía conservadora, que temía que los postes pudiesen interferir con el *fengshui*, la armonía geomántica del viento y el agua. El primer vapor extranjero, el remolcador alemán *Vorwaerts*, llegó a Xiangtan en 1900. Mao pudo oír rumores de «barcos extranjeros de fuego», pero no pudo verlos hasta que visitó la ciudad cuando tenía diecisiete años. Changsha contó con una red de teléfonos en 1910; el ferrocarril llegó siete años después (T. J. Preston, «Progress and Reform in Hunan Province», *East of Asia*, vol. IV, pp. 210-219, Shanghai, 1905; *NCH*, 29 de abril de 1910, p. 249; Hillman, p. 3; O'Sullivan, pp. 6-7).

74. Snow, pp. 156-157 y 159.

75. *Ibid.*, p. 156.

76. *Ibid.*, p. 158. Mao da a entender que el levantamiento (del que ofrece una visión algo distorsionada) se produjo cuando tenía catorce años, en 1908. Pero, de hecho, fue dos años después.

77. *NCH*, 10 de junio de 1910, p. 616; 1 de julio de 1910, pp. 23-24; Joseph W. Esherick, *Reform and Revolution in china: The 1911 Revolution in Hunan and Hubei*, University of California Press, Berkeley, 1976, p. 130.

78. *NCH*, 22 y 29 de abril de 1910. La ración mensual de un trabajador de veintitrés kilos de arroz costaba en aquel momento dos dólares de plata, en un tiempo en que los trabajadores más pobres ganaban menos de un dólar de plata al mes, del que además habían de alimentar a sus familias.

79. Esherick, p. 126.

80. Noticia de Xiangtan, datada el 22 de abril, en el *NCH* del 6 de mayo de 1910. La misma historia se remitió desde Hankou (Wuhan), en el *NCH* del 29 de abril de 1910. La más completa relación es de Esherick, pp. 130-138. El incidente del suicidio del portador de agua está ratificado en informes contemporáneos del cónsul japonés en Changsha.

81. Esherick, p. 133.

82. *NCH*, 29 de abril de 1910.

83. *NCH*, 6 de mayo de 1910.

84. *NCH*, 29 de abril y 13 de mayo de 1910.

85. Snow, p. 158.

86. Mao indica que este incidente tuvo lugar en Shaoshan (*ibid.*, pp. 158-159), pero si en realidad hubiese estallado una rebelión en el pequeño pueblo de Mao, sin duda lo habría descrito de otra manera. Las noticias aparecidas en el *North China Herald* (17 de junio

y 1 de julio de 1910) se refieren, según parece, a los incidentes acaecidos en Huashi, en el distrito de Xiangtan, cerca de Liushan.

87. Snow, p. 159.

88. *Ibid.*, p. 160.

89. Emi Siao, p. 18; y Xiao Yu, pp. 20-21.

90. Mao dijo simplemente: «Fui a la escuela con mi primo y me inscribí». Pero Xiao Yu (pp. 21-26) ofrece una descripción más detallada de Mao, llegando con un fardo colgado de una pértiga y suplicando al director que lo aceptase para un período de prueba de seis meses. Una versión más creíble propone que Mao llegó a la escuela en agosto de 1909, cuando sólo quedaban cinco meses de curso. El propio Mao afirma que entró en la escuela a los dieciséis años, lo que situaría su llegada en la primavera de 1910; pero, en tanto que permaneció allí durante dos años, sin duda debió de llegar antes de esa fecha. Xiao Yu indica que Mao llegó a la escuela con quince años.

91. Esta descripción del comportamiento de Mao escrita por Xiao Yu parece bastante convincente (pp. 27-30).

92. Snow, p. 161.

93. *Ibid.*, pp. 161-162.

CAPÍTULO 2

1. Esherick, *Reform and Revolution in China*, pp. 179-182; *NCH*, 14 de octubre de 1911, p. 105.

2. *Ibid.*, pp. 153-155.

3. *NCH*, 21 de octubre de 1911, pp. 143 y 152.

4. *Ibid.*, p. 143; *The Times*, Londres, 15 de octubre de 1911.

5. *NCH*, 11 de noviembre de 1911, p. 354.

6. *Ibid.*, 28 de octubre de 1911, p. 227.

7. *The Times*, Londres, 14 de óctubre de 1911.

8. *NCH*, 14 de octubre de 1911, p. 103; 21 de octubre, p. 143; y 11 de noviembre, p. 360 (sobre la caza de mujeres manchú en Yichang). La seriedad con que el trono tomó el levantamiento se muestra en el abyecto edicto imperial emitido el 30 de octubre (*NCH*, 4 de noviembre, p. 289).

9. Emi Siao, *Mao Tse-tung: His Childhood and Youth*, p. 22. Mao afirmaba que había andado el camino hasta Changsha (Snow, *Red Star Over China*, p. 163).

10. Snow, p. 163.

11. Para descripciones del Changsha de principios del siglo XX, véanse Edward H. Hume, *Doctors East, Doctors West: An American Physician's Life in China*, Allen & Unwin, Londres, 1949 (hay trad. cast.: *Doctores en Oriente, doctores en Occidente*, Noguer y Caralt Editores, Barcelona, 1949); William B. Parsons, *An American Engineer in China*, McClure, Phillips, Nueva York, 1900; y Alice Tisdale Hobart, *The City of the Long Sand*, Macmillan, Nueva York, 1926. Información más amplia aparece en Mortimer O'Sullivan, «Journey of Exploration», y en Anson Phelps Stokes, *A Visit to Yale in China: June 1920*, Yale Foreign Missionary Society, New Haven, 1920.

12. El doctor Hume indica que los «jinrickshas» [*rickshaws*] no se hicieron populares en Changsha hasta después de la revolución de 1911 (p. 113). Según Stokes, había apenas unos pocos en 1920 (p. 6). [Los *rickshaws* eran pequeños vehículos de dos ruedas para un solo pasajero tirados por un hombre que se utilizaban en las grandes ciudades de algunos países de Extremo Oriente. (*N. del t.*)]

13. Hume, p. 98.

14. Snow, p. 163.
15. Esherick, pp. 141 y 162.
16. Snow, pp. 163-164.
17. Esherick, p. 162, citando *Minli bao*, 4 de enero de 1911.
18. Esherick, pp. 165-168; Snow, p. 164.
19. Schram, *Mao's Road*, I, pp. 405-406 (4 de agosto de 1919)
20. Hume, pp. 160 y 235.
21. Esherick, pp. 199-201.
22. *NCH*, 14 de octubre de 1911, p. 105; 21 de octubre, pp. 144-145 y 152.
23. El 12 de octubre, el cónsul japonés en Hankou informó que las líneas del telégrafo que llegaban hasta Changsha habían sido «cortadas» (*NCH*, 14 de octubre de 1911, p. 104). El 14 de octubre continuaban todavía «gravemente deterioradas» (*NCH*, 21 de octubre de 1911, p. 131).
24. *NCH*, 4 de noviembre de 1911, p. 295.
25. Bertram Giles, telegrama n.º 22 del 16 de octubre de 1911, FO 228/1798, Public Records Office, Londres.
26. Esherick, p. 200.
27. Giles, despacho n.º 44 del 2 de noviembre de 1911, FO 228/1798.
28. Snow, pp. 164-165.
29. Esherick, p. 200; Giles, despacho n.º 44; *NCH*, 4 de noviembre de 1911, p. 288.
30. Giles, despacho n.º 44.
31. Snow, p. 165.
32. Giles, despacho n.º 44.
33. Véase También Schram, *Mao Tse-tung*, p. 33.
34. Giles, despacho n.º 44. *NCH*, 4 de noviembre de 1911, p. 288.
35. Esherick, pp. 182-186.
36. *Ibid.*, pp. 204-210; Edward A. McCord, *The Power of the Gun: The Emergence of Modern Chinese Warlordism*, University of California Press, Berkeley, 1993, pp. 74-76.
37. Esherick, pp. 58-65 y 155-157.
38. Giles, despacho n.º 44.; véase también Esherick, p. 209.
39. Giles, despacho fechado el 17 de noviembre de 1911, FO 228/1798.
40. Snow, p. 166.
41. *NCH*, 4 de noviembre de 1911, p. 289.
42. *NCH*, 11 de noviembre de 1911, pp. 361-362, 364 y 366.
43. A finales de la primera semana de noviembre, los revolucionarios habían ocupado Wuchang, Changsha, Xi'an (que cayó el mismo día que Changsha) y Yunnan-fu. Fuzhou y Cantón fueron sometidas una semana después.
44. *NCH*, 11 y 18 de noviembre de 1911.
45. Snow, p. 166.
46. McCord, p. 120. El cónsul británico estimaba que a finales de noviembre cincuenta mil soldados de Hunan habían partido de Changsha para Wuchang, Shasi, Chenzhou y Sichuan, y se habían quedado en la provincia entre veinte y treinta mil (Giles, despacho n.º 49 de 1 de diciembre de 1911, FO 228/1798).
47. *NCH*, 2 de diciembre de 1911, p. 594.
48. Giles, despacho n.º 50 del 20 de diciembre de 1911, FO 228/1798.
49. Considero que Mao perteneció al quincuagésimo regimiento, pues cuando él se alistó, el cuadragésimo noveno estaba en Hubei (Esherick, p. 238). Giles (depacho n.º 50) parece haber confundido las dos unidades.
50. Li Yuanhong, citado en McCord, p. 135.
51. Emi Siao, p. 28.

52. McCord, p. 135.
53. Snow, p. 166.
54. *NCH*, 24 de febrero de 1912, p. 506, y 18 de mayo de 1912, p. 467.
55. Giles, despacho n.º 50 del 20 de diciembre de 1911, FO 228/1798.
56. Hume, p. 165.
57. *NCH*, 13 de enero de 1912, p. 105.
58. *NCH*, 17 de febrero de 1912, p. 441; Snow, p. 167.
59. McCord, pp. 119-120; McDonald, *Urban Origins*, pp. 22-23.
60. Snow, p. 167.

CAPÍTULO 3

1. *Selected Works of Mao Tse-tung* (*SW*), vol. IV, p. 412, Pekín, 1967.
2. Esherick, *Reform and Revolution*, pp. 237-249.
3. *NCH*, 30 de diciembre de 1911, p. 872.
4. Hume, *Doctors East, Doctors West*, pp. 159 y 165-166.
5. *NCH*, 30 de diciembre de 1911, p. 872; 20 de enero de 1912, p. 173.
6. Snow, *Red Star Over China*, pp. 167-170. Mao le dijo a Snow que había entrado en la Escuela Normal en 1912 (p. 174), pero en éste, como en otros muchos casos, Mao se equivocaba por un año.
7. *Ibidem*.
8. *Ibid.*, p. 162.
9. Li Rui, *Early Revolutionary Activities*, p. 8; Snow, p. 169.
10. *Miscellany of Mao Tse-tung Thought*, II, pp. 496-497.
11. Traducido a menudo como *Espejo general para el auxilio de los que gobiernan*. Theodore V. De Bary, ed., *Sources of Chinese Tradition*, Columbia University Press, Nueva York, 1960, pp. 493-495.
12. *Mémoires concernant l'Histoire... des Chinois*, vol. I, p. 86, París, 1776.
13. Snow, p. 166.
14. Robert A. Scalapino y George T. Yu, *The Chinese Anarchist Movement*, University of California Press, Berkeley, 1961, p. 38 (hay trad. cast.: *El movimiento anarquista en China*, Tusquets Editores, Barcelona, 1975); Arif Dirlik, *Anarchism in the Chinese Revolution*, University of California Press, Berkeley, 1991, pp. 121-123.
15. Snow, p. 170.
16. *Ibid.*, p. 171.
17. Schram, *Mao's Road*, I, pp. 9 n. y 487-488.
18. *Ibid.*, I, pp. 175-313 (invierno de 1917).
19. *Ibid.*, pp. 5-6 (junio de 1912).
20. *Ibid.*, p. 63 (25 de junio de 1915).
21. *Ibid.*, p. 139 (23 de septiembre de 1917).
22. *Ibid.*, p. 132 (23 de agosto de 1917).
23. *Ibid.*, p. 66 (verano de 1915).
24. *Ibid.*, p. 67 (julio de 1915).
25. *Ibid.*, pp. 61-65 (mayo y junio de 1915).
26. *Ibid.*, p. 103 (25 de julio de 1916).
27. *Ibid.*, p. 113 (1 de abril 1916).
28. *Ibid.*, pp. 121 y 124 (1 de abril de 1917).
29. *Ibid.*, pp. 117 y 120 (1 de abril de 1917).
30. *Ibid.*, pp. 133-134 (23 de agosto de 1917).

31. *Ibid.*, p. 138 (16 de septiembre de 1917).

32. *Ibid.*, pp. 201, 204-205, 208, 251 y 273 (invierno de 1917). (Véanse también pp. 280-281.) Esta cita es el resultado de una combinación de fragmentos de un texto mucho más amplio, ya que Mao, en diferentes momentos de su escrito, retorna a la misma idea desde diferentes puntos de vista.

33. *Ibid.*, p. 310 (invierno de 1917).

34. *Ibid.*, p. 77 (6 de septiembre de 1915).

35. *Ibid.*, pp. 263-264 (invierno de 1917).

36. *Ibid.*, p. 118 (1 de abril de 1917).

37. *Ibid.*, p. 69 (julio de 1915).

38. *Ibid.*, pp. 237-238 y 247 (invierno de 1917).

39. *Ibid.*, p. 130 (23 de agosto de 1917).

40. *Ibid.*, p. 62 (25 de junio de 1915).

41. *Ibid.*, pp. 77-79 (6 de septiembre de 1915).

42. *Ibid.*, pp. 128-129 (verano de 1917).

43. *Ibid.*, p. 132 (23 de agosto de 1917).

44. *Ibid.*, p. 249 (invierno de 1917).

45. *Ibid.*, p. 139 (23 de septiembre de 1917).

46. El término *Xinhai*, al igual que cualquier otro nombre de ciclo anual, no se acostumbra a traducir. *Xin* es el octavo de los troncos celestes, relacionado con el hierro; *hai* es la décima de las doce ramas terrestres representadas por los animales zodiacales, que denota el año del cerdo.

47. Snow, p. 169.

48. Véase *NCH*, 8 de mayo de 1915, p. 422; 5 de junio, p. 715.

49. Li Rui, p. 25.

50. *Ibid.*, p. 50; Schram, I, p. 85 (invierno de 1915).

51. McDonald, *Urban Origins*, pp. 26-28. Acerca del motín, véase también *NCH*, 20 y 27 de mayo de 1916; sobre la actitud de Tang, *NCH*, 23 de septiembre, p. 617, y Hume, p. 241; sobre las sangrientas matanzas, *North China Daily News*, Shanghai, 20 y 21 de julio de 1916. Este mismo periódico informó en un despacho del 29 de julio que «la situación en Hunan ha mejorado» (31 de julio).

52. Schram, I, pp. 92 (24 de junio), 93 (26 de junio) y 7 (18 de julio de 1916).

53. Hume, pp. 238-240.

54. McDonald (p. 25) indica que ello tuvo lugar en «el salón de los exámenes provinciales que tanto hacía que no se utilizaba». Pero el salón ya había sido derribado años antes, donde fueron levantados, en su lugar, algunos edificios nuevos pertenecientes a la Asociación Educativa de Hunan (Hume, p. 160).

55. Li Rui, p. 47. McCord (*Power of the Gun*, p. 96, n. 125) cita dos fuentes chinas con cifras de quince y dieciséis mil muertos. Mao (Schram, I, p. 95) habla de «bastantes más de diez mil».

56. El periódico de Shanghai *Shibao*, definió a Hunan como «un mundo de terror» (14 de marzo de 1914, citado por McCord, p. 198, n. 136). Hume (p. 240) dijo que el gobierno de Tang era «un reino del terror». Los miembros hunaneses del parlamento telegrafiaron al presidente Li Yuanhong tras la caída de Tang con «acusaciones muy poderosas y realmente sorprendentes» de su estilo «gobernando con mano de hierro» (*North China Daily News*, 15 de julio de 1916) y, en consecuencia, le procesaron (*Shibao*, 29 de noviembre de 1916).

57. *NCH*, 15 de mayo de 1915, p. 449.

58. McCord, pp. 193 y 195-198; véase también *NCH*, 23 de septiembre de 1916, p. 616. La cita que comienza «había detectives por todas partes» es de *Shibao*, 31 de julio de 1914.

59. Li Rui, p. 47.

60. Schram, I, pp. 94-98 (18 de julio de 1916).

61. *Ibid.*, p. 95.

62. *Ibid.*, p. 6 (junio de 1912).

63. *Ibid.*, pp. 100-101 (25 de julio de 1916).

64. Escribía Mao en 1917: «Aquellos que pueden ser hoy llamados con justicia hombres son sólo tres: Yuan Shikai, Sun Yat-sen y Kang Youwei» (*ibid.*, p. 131; véase también p. 76, 6 de septiembre de 1915).

65. En sus notas al márgen al *System der Ethik* (*ibid.*, invierno de 1917, p. 276), Mao escribió el nombre de Yuan junto a la afirmación de Paulsen: «Lo que hace que un tirano sea un tirano es que ... lo único que persigue es el placer y el poder». En septiembre de 1920, Mao estaba hablando del «bandido Yuan» y el «carnicero Tang» (*ibid.*, p. 552, 6-7 de septiembre de 1920; véase también p. 529, n. 15).

66. *Ibid.*, p. 141, n. 1 (septiembre de 1917).

67. Siao Yu, *Mao Tse-tung and I*, pp. 37-40.

68. Schram, I, p. 63 (25 de junio de 1915).

69. Años después Mao dijo a Edgar Snow que había insertado un anuncio en un periódico de Changsha (*Red Star*, p. 172). Pero en aquel momento indicó a los amigos que simplemente lo había «colgado en varias escuelas» (Schram, *Mao's Road*, I, pp. 81-82 y 84).

70. Snow, p. 172.

71. Li Rui, p. 74; Schram, I, p. 81 (27 de septiembre de 1915).

72. Se trata de una cita textual del *Shijing*, el clásico de la poesía (hay trad. cast.: *Romancero chino*, Editora Nacional, Madrid, 1984).

73. Snow, p. 172.

74. Mao escribió aquel otoño que «seis o siete personas respondieron» (Schram, I, p. 84, 9 de noviembre de 1915).

75. Snow, p. 172.

76. Li Rui, p. 29.

77. Snow, p. 173.

78. Schram, I, p. 69 (julio de 1915).

79. *Ibid.*, p. 60 (5 de abril de 1915).

80. *Beijing daxue yuekan*, 28 de enero de 1920.

81. Schram, I, p. 84 (9 de noviembre de 1915).

82. *Ibid.*, p. 72 (agosto de 1915).

83. Li Rui, pp. 44-46.

84. Schram, I, pp. 73-74 (agosto de 1915).

85. Siao Yu, p. 36.

86. Li Rui, pp. 41-42. Snow (p. 175) cita a Mao al decir que gastó un total de ciento sesenta dólares mientras estuvo en la Escuela Normal (de hecho durante los seis años y medio que van de 1912 a 1915, ya que incluye explícitamente el período en que pagó sus «numerosos desembolsos de matrícula»).

87. Snow, *ibid.*; Li Rui, p. 23.

88. Véase Schram, I, pp. 9-56 (octubre-diciembre de 1913); pp. 141-142 (septiembre de 1917) y pp. 175-310 (invierno de 1917).

89. Snow, p. 170; véase también Schram, I, p. 62 (25 de junio de 1915).

90. Schram, I, p. 62 (25 de junio de 1915).

91. *Ibid.*, p. 84 (9 de noviembre de 1915).

92. *Ibid.*, p. 85 (invierno de 1915).

93. *Ibid.*, p. 105 (25 de julio de 1916).

94. *Ibid.*, p. 130 (23 de agosto de 1917).

95. Li Rui, pp. 52-53.

96. Schram, I, p. 129 (verano de 1917).

97. Mao dijo a Edgar Snow que fue a él a quien se le ocurrió la idea de hacer el viaje, que les llevó por cinco distritos distintos, al leer un artículo del *Minbao* (Snow, p. 171; véase también Siao Yu, p. 96-202). A pesar de las afirmación de Mao de que «los campesinos nos alimentaban y nos daban cobijo», sus contactos se limitaron casi exclusivamente a la burguesía local, los comerciantes y los funcionarios.

98. Schram, I, p. 159 (1917).

99. *Ibid.*, pp. 106 y 131 (9 de diciembre de 1916 y 23 de agosto de 1917).

100. *Ibid.*, p. 135 (23 de agosto de 1917).

101. Su elección fue, en principio, independiente de la de «estudiante del año» que tuvo lugar en junio (*ibid.*, p. 145, noviembre de 1917). Mao se convirtió en «secretario de asuntos generales» de la sociedad, lo que le convirtió *de facto* en el jefe, bajo la responsabilidad nominal del censor de la escuela (*ibid.*, p. 143 n.; Li Rui, pp. 54-55).

102. Schram, I, p. 145 (noviembre de 1917).

103. *Ibid.*, pp. 145-146.

104. *Ibid.*, p. 68 (julio de 1915).

105. *Ibid.*, p. 235 (invierno de 1917).

106. *Ibid.*, p. 115 (abril de 1917).

107. *Ibid.*, p. 157 (invierno de 1917).

108. Ochenta y cinco personas acudieron a los primeros días de clase, de los que un 30 por 100 eran adolescentes (*ibid.*, pp. 152-153, noviembre de 1917).

109. *Ibid.*, pp. 143-156. Incluso una publicación progresista como *Nueva Juventud* no se adhirió completamente al uso de la lengua vernácula hasta enero de 1918.

110. *Ibid.*, p. 142. Al planear los cursos de la escuela nocturna, Mao insistió en que las lecciones de historia, que impartiría él mismo, debían intentar inculcar el «espíritu patriótico» (p. 149).

111. McCord, pp. 245-256; *NCH*, 15 de septiembre de 1917, p. 594; 20 de octubre, p. 85.

112. McCord, pp. 256-257. Véase también *NCH*, 6 de octubre de 1917, pp. 17-18; 13 de octubre, pp. 72 y 85-86; 20 de octubre, pp. 152-153; 3 de noviembre, pp. 253-254 y 272-273.

113. Schram, I, p. 144 (30 de octubre de 1917).

114. McCord, pp. 257-259; *NCH*, 10 de noviembre de 1917, pp. 333-334; 24 de noviembre, p. 463; 1 de diciembre, pp. 518-520.

115. Li Rui, pp. 48 y 50-51; Schram, *Mao Tse-tung*, p. 43.

116. Schram, *Mao's Road*, I, p. 19, n. 52.

117. Snow, pp. 169-170. En una carta dirigida a Xiao Yu durante los disturbios de julio de 1916, Mao escribió: «Estaba en Xiangtan y era demasiado tímido para aventurarme a ir a la capital, de modo que esperé las noticias de algunos amigos antes de tomar la decisión de hacer el viaje. Estaba realmente asustado» (Schram, I, p. 97).

118. Li Rui, p. 48.

119. McCord, pp. 259-263.

120. *NCH*, 6 de abril de 1918, p. 21.

121. *Ibid.*, 13 de abril, pp. 78-79.

122. Hume, p. 260.

123. *NCH*, 13 de abril de 1918, p. 80.

124. *NCH*, 20 de abril de 1918, p. 137.

125. *Ibid.*, *NCH*, 13 de abril de 1918, p. 79.

126. *NCH*, 25 de mayo de 1918, pp. 452-453.

127. *NCH*, 1 de junio de 1918, pp. 501-502.

128. McCord, pp. 263-264 y 284.

129. Li Rui, pp. 48-49 y 59; Schram, I, pp. 167-168 (29 de mayo de 1918).

130. *NCH*, 18 de mayo de 1918, pp. 398-399.

131. *Ibid.*, 14 de septiembre de 1918, p. 626.

132. Li Rui, p. 85.

133. Schram, I, p. 136 (23 de agosto de 1917). A pesar de que esto fue escrito nueve meses antes de la graduación de Mao, evidentemente no ocurrió nada durante ese tiempo que hiciese cambiar su situación.

134. Li Rui, pp. 85-86.

135. Li Rui, pp. 75-76. Mao dijo a Edgar Snow (*Red Star*, p. 173) que la Asociación se fundó en 1917, pero parece ser otro ejemplo de cálculo erróneo. La afirmación de Xiao Yu de que él mismo fue elegido como secretario está indirectamente confirmada por Li Rui, que escribe que Mao «declinó modestamente» el cargo, pero omite quién fue elegido en su lugar (teniendo en cuenta que Xiao se había convertido en un personaje sin nombre en la China de los años cincuenta). Mao, según Li, era el subsecretario. Véase Schram, I, pp. 81-82 y 164, n. 1; Siao Yu, pp. 71-76.

136. Carta de Luo Xuezan a su abuelo (verano de 1918), exhibida en la exposición del «Centenario del nacimiento de Mao», Museo de Historia Natural, Pekín, diciembre de 1993.

137. Véase Li Rui, p. 76.

138. Schram, I, p. 152 (9 de noviembre de 1917).

139. Por ejemplo, en agosto de 1917, Mao escribía que las buenas acciones confucianas eran tan «elogiables» como la construcción de puentes o la reparación de los caminos; y en 1918, que no tenían «valor alguno» (*ibid.*, pp. 135 y 211).

140. *Ibid.*, p. 208 (invierno de 1917).

141. *Ibid.*, p. 208 (invierno de 1917).

142. *Ibid.*, p. 132 (23 de agosto de 1917).

143. *Ibid.*, pp. 249-250 y 306.

144. *Ibid.*, pp. 131-132 (23 agosto de 1917).

145. *Ibid.*, p. 164, n. 1.

146. Li Rui, p. 87.

147. Schram, I, p. 174 (agosto de 1918).

CAPÍTULO 4

1. Schram, *Mao's Road*, I, p. 83 (9 de noviembre de 1915).

2. *Ibid.*, pp. 172-173 (11 de agosto de 1918). Véase también Siao Yu, *Mao Tse-tung and I*, pp. 215-216, y Smedley, *Battle Hymn of China*, p. 123.

3. Snow, *Red Star Over China*, p. 176. Véanse también Li Rui, *Early Revolutionary Activities*, p. 85.

4. Snow, p. 176; Siao Yu, p. 210.

5. Schram, I, p. 317 (28 de abril de 1919).

6. Snow, p. 176.

7. Schram, *Mao Tse-tung*, p. 48.

8. Snow, p. 176.

9. Siao Yu, p. 210; Snow, pp. 176-177. Véase también George Kates, *The Years That Were Fat*, Harper, Nueva York, 1952, pp. 20-22; y David Strand, *Rickshaw Beijing*, University of California Press, Berkeley, 1989, pp. 29-30.

10. Snow, pp. 177. Véase también Li Rui, p. 95.

11. Snow, pp. 179-180.

12. Li Rui, p. 93.

13. Snow, p. 177.

14. *Ibid.*, p. 174.

15. Dirlik, *Anarchism and the Chinese Revolution*, pp. 135-136.

16. Véase Frederik Wakeman, Jr., *History and Will*, University of California Press, Berkeley, 1973, pp. 115-136.

17. Schram, I, p. 135 (23 de agosto de 1917).

18. *Ibid.*, pp. 237-239 (invierno de 1917).

19. Véase Wakeman, pp. 140-146.

20. *Ibid.*, pp. 15-52 (Liang Qichao); pp. 156-157; pp. 238-243, 251 y 257 (Wang Yangming); pp. 82-85 (Wang Fuzhi). Véase también Li Rui, pp. 17-19 y 24-27.

21. La aceptación y posterior rechazo del pensamiento utópico de Kang Youwei en el otoño de 1917 es un ejemplo; sus ideas sobre la inmortalidad son otro. En diciembre de 1916 escribía: «La cantidad de logros de cada uno [es] lo realmente inmortal» (*ibid.*, p. 107); un año después calificaba de «estúpido» el deseo de dejar tras de sí una reputación (*ibid.*, p. 240; véase también p. 253).

22. Schram, I, p. 130.

23. Aparecieron diversos artículos en los dos primeros números de *Laodong* (*Trabajo*) de marzo y abril de 1918 (Michel Y. M. Luk, *The Origins of Chinese Bolchevism*, Oxford University Press, 1990, pp. 18-19). Véase también Arif Dirlik, *The Origins of Chinese Communism*, Oxford University Press, 1989, pp. 26-28. Li Dazhao publicó un estudio comparativo de las revoluciones francesa y rusa en *Nueva Juventud* en julio de 1918, pero era menos específico y le dedicaba menos atención que en su artículo de noviembre.

24. De Bary, *Sources of Chinese Tradition*, pp. 863-865.

25. Dirlik, *Anarchism*, pp. 176-177. Véase también Scalapino y Yu, *The Chinese Anarchist Movement*; y Peter Zarrow, *Anarchism and Chinese Political Culture*, Columbia University Press, Nueva York, 1990.

26. De Bary, pp. 864-865.

27. Dirlik, *Anarchism*, pp. 172-175; Chow Tse-tung, *The May Fourth Movement: Intellectual Revolution in Modern China*, Harvard University Press, Cambridge, Massachusetts, 1960, p. 97. Véase también Li Rui, p. 96. La Sociedad de los Gallos Cantores en la Oscuridad se fundó en 1912. Aunque Liu Shifu murió en 1915, sus seguidores continuaron activos hasta 1922; ellos a su vez fundaron la revista *Laodong* en la primavera de 1918.

28. Scalapino y Yu, p. 40.

29. Snow, p. 177.

30. Schram, I, p. 380 (21 de julio de 1919).

31. Strand, pp. 1-46; Ellen N. LaMotte, *Peking Dust*, Century Publishing, Nueva York, 1919, pp. 16-21; Harry Frank, *Wandering in North China*, Century, Nueva York, 1923, pp. 196-203. George Kates, en *The Years That Were Fat*, describe la ciudad a principios de los años treinta, pero en muchos aspectos apenas había cambiado.

32. Strand, p. 42.

33. Kates, p. 87.

34. Snow, pp. 177-178.

35. Schram, I, p. 93 (26 de junio de 1916).

36. *Ibid.*, p. 9.

37. Según sus propias anotaciones, Mao abandonó Pekín el 14 de marzo y llegó a Shanghai dos días después. A Changsha llegó el 6 de abril (*ibid.*, p. 317). El vapor que transportaba a sus amigos partió el 19 de marzo (Li Rui, p. 97), por lo que es posible que,

después de dejar Shanghai, Mao se entretuviese algunos días en Nanjing. No obstante, la mayor parte de los lugares que dijo a Edgar Snow que había visitado en ese viaje (pp. 178-179), los visitó de hecho un año después. Véase también Zhong Wenxian, *Mao Zedong: Biography, Assesment, Reminiscences*, Foreign Languages Press, Pekín, 1986, p. 41 n.

38. Zhong Wenxian, p. 234.

39. Schram, I, p. 174 (agosto de 1918).

40. *Ibid.*, p. 317 (28 de abril de 1919).

41. *Ibid.*, p. 504 (14 de marzo de 1920).

42. Snow, p. 175.

43. Li Rui, p. 97.

44. La mejor descripción de los incidentes del 4 de mayo y las consecuencias que tuvo aparece en Chow Tse-tung, pp. 84-116. Véase también *NCH*, 10 de mayo de 1919, pp. 345-349, y 17 de mayo, pp. 413-419.

45. Kiang Wen-han, *The Chinese Student Movement*, New Republic Press, Nueva York, 1948, p. 36.

46. Chow Tse-tung, pp. 107-108.

47. *NCH*, 10 de mayo de 1919, p. 348.

48. Chow Tse-tung, p. 108 (traducción corregida).

49. *NCH*, 10 de mayo de 1919, pp. 348-349; Chow Tse-tung, pp. 111-115; Dirlik, *Anarchism*, pp. 148-149. Los extranjeros que vivían en China albergaban profundos recelos ante las ambiciones de Japón, que consideraban una amenaza a sus intereses (*NCH*, 17 de mayo de 1919, pp. 418-419).

50. McDonald, *Urban Origins*, p. 97.

51. Treinta mil personas se manifestaron en Jinan, veinte mil en Shanghai, «más de cinco mil» en Nanjing, cuatro mil en Hangzhou (*NCH*, 17 de mayo de 1919, pp. 413-414; Chow Tse-tung, p. 130).

52. McDonald, pp. 97-103, y Li Rui, pp. 103-104. Véase también *NCH*, 17 de mayo de 1919, pp. 415-417; 24 de mayo, p. 507.

53. *NCH*, 28 de junio de 1919, p. 837. Véase también *NCH*, 21 de junio, p. 765.

54. Emi Siao, *Mao Tse-tung: His Childhood and Youth*, pp. 69-70.

55. Mao apenas menciona el problema en la *Revista del río Xiang*. En cambio, un año después escribiría que los incidentes como el del boicot eran «sólo medidas circunstanciales que responden a la situación actual», y que las verdaderas necesidades de China iban «más allá» de esas cuestiones puntuales (Schram, I, p. 611, noviembre de 1920).

56. McDonald, pp. 103-104; Li Rui, pp. 104-105.

57. Schram, I, pp. 318-320 (14 de julio de 1919).

58. *Ibid.*, pp. 378-389 (21 y 28 de julio, y 4 de agosto de 1919).

59. Chow Tse-tung, pp. 178-182; McDonald, p. 105.

60. Li Rui, p. XXIX.

61. *Xinchao*, vol. II, n.º 4, p. 849 (1 de mayo de 1920); Véase Stuart R. Schram, *The Political Thought of Mao Tse-tung*, Pall Mall Press, Londres, 1963, p. 104.

62. Schram, *Mao's Road*, I, pp. 319 y 372; pp. 379-380.

63. *Ibid.*, pp. 234-235: «Allí donde el río emerge desde la garganta de Tong, por el obstáculo que representa el monte Hua, la fuerza de la corriente es mucho mayor ... El gran poder se enfrenta a grandes obstáculos, y los grantes obstáculos se enfrentan a grandes poderes».

64. *Ibid.*, p. 367 (21 de julio de 1919). Véanse también pp. 357-366 (21 de julio); pp. 334, 337-378 y 343 (14 de julio de 1919).

65. *Ibid.*, p. 392 (28 de julio de 1919).

66. Li Rui, pp. 125-126.

67. McDonald, p. 106.

68. Schram, I, pp. 396-398 (30 de julio de 1919).

69. *Ibid.*, p. 377 (21 de julio de 1919).

70. Li Rui, p. 116.

71. Schram, I, p. 479 (19 de enero de 1920); véase también MacDonald, p. 106.

72. Schram, I, p. 418 (septiembre de 1919); véanse también pp. 414-415 (5 de septiembre).

73. *Ibid.*, p. 383 (28 de julio de 1919).

74. *Ibid.*, pp. 421-449 (16 al 28 de noviembre de 1919), especialmente pp. 421-422, pp. 434-438.

75. *Ibid.*, p. 428 (21 de noviembre de 1919).

76. *Ibid.*, pp. 611-612 (noviembre de 1920).

77. McDonald, pp. 108-109; *NCH*, 20 de diciembre de 1919; Li Rui, p. 127.

78. *NCH*, 25 de octubre de 1919, pp. 215-216.

79. *Ibid.*, 4 de octubre de 1919.

80. *Ibid.*, 22 de noviembre de 1919, pp. 482-483.

81. McDonald, pp. 110-112; Li Rui, pp. 127-129.

82. Snow, p. 179; Schram, I, p. 457 (24 de diciembre de 1919).

83. Schram, I, pp. 457-459, 463-465 y 469-471 (24 y 31 de diciembre de 1919, 4 de enero de 1920).

84. *Ibid.*, pp. 457-490 y 496-497 (del 24 de diciembre de 1919 al 28 de febrero de 1920).

85. McDonald, pp. 112-113.

86. Mao inicialmente pensaba abandonar la ciudad a principios de febrero (Schram, I, p. 494, 19 de febrero de 1920), pero lo pospuso hasta marzo y finalmente se fue en abril.

87. *NCH*, 29 de mayo de 1919, p. 509, y 12 de junio, p. 649.

88. *Ibid.*, 19 de junio, p. 708.

89. *Ibid.*, 26 de junio, p. 774.

90. Schram, I, pp. 407-413 (1 de septiembre de 1919).

91. Maurice Meisner, *Li Ta-chao and the Origins of Chinese Marxism*, Harvard University Press, Cambridge, Massachusetts, 1967, pp. 90-95 y 280, n. 2. Dirlik sugiere que la primera parte del artículo, aunque fechada en mayo de 1919, no fue publicada hasta septiembre (*Origins of Communism*, p. 47), en cuyo caso Mao no la habría leído hasta después de fundar la Asociación para el Estudio de los Problemas.

92. Schram, I, p. 453 (1 de diciembre de 1919).

93. *Ibid.*, pp. 432-433 (21 de noviembre de 1919).

94. *Ibid.*, pp. 453-454 (1 de diciembre de 1919).

95. Chow, pp. 209-214. La Declaración de Karakhan, que determinaba esa decisión política, fue promulgada el 25 de julio de 1919 y publicada en los periódicos soviéticos tres semanas después. Pero no fue ratificada oficialmente en Pekín hasta el 21 de marzo de 1920.

96. Snow, p. 181, y Schram, I, pp. 493-518 *passim*.

97. *Ibid.*, p. 506 (14 de marzo de 1920).

98. *Ibid.*, p. 494 (19 de febrero de 1920).

99. *Ibid.*, p. 518 (7 de junio de 1920).

100. *Ibid.*, pp. 504-507.

101. *Ibid.*, pp. 494, 506-507 y 518.

102. Dirlik, *Origins of Communism*, pp. 32-38 y 98-110.

103. Partió el 11 de abril y llegó a Shanghai el 5 de mayo (*Nianpu*, I, p. 57).

104. Snow, pp. 182-183.

105. *Ibid.*, pp. 180 y 183.

106. Luk, pp. 30-31.

107. Schram, I, pp. 450-456 (1 de diciembre de 1919). Véanse también pp. 458-500 (5 de marzo de 1920).

108. Luk, pp. 30-31. Véase también Chow Tse-tung, pp. 190-191. Deng Zhongxia y Luo Zhanglong (miembro fundador de la Asociación de Estudios del Nuevo Pueblo), ambos amigos de Mao, participaron en el Jardín de la Mañana, comunidad fundada por los estudiantes de la Universidad de Pekín en 1919. A principios de 1920 llegó a su fin (véase Schram, I, p. 494, 19 de febrero de 1920).

109. Schram, I, p. 518 (7 de junio de 1920).

110. *Ibid.*, p. 494 (19 de febrero de 1920) y p. 506 (14 de marzo de 1920); Brantly Womack, *The Foundations of Mao Zedong's Political Thought, 1917-35*, University Press of Hawaii, Honolulu, 1982, pp. 25-26; Li Rui, pp. 170-171.

111. Schram, I, pp. 534-535 (31 de julio de 1920); pp. 583-587 (22 de octubre de 1920) y pp. 589-591 (10 de noviembre de 1920); y Womack, p. 25.

112. Schram, I, p. 519 (7 de junio de 1920).

113. Snow, p. 181.

114. Schram, I, p. 505 (14 de marzo de 1920).

115. *Ibid.*, pp. 518-519 (7 de junio de 1920).

116. *Ibid.*, p. 505.

117. *Ibid.*, p. 586 (22 de octubre de 1920).

118. Snow, pp. 178-179.

119. Shram, I, p. 501 (12 de marzo de 1920).

120. *Ibid.*, pp. 510-511 (1 de abril de 1920). Sobre la función de Peng Huang, véase p. 503 (12 de marzo).

121. *Ibid.*, p. 523 (11 de junio de 1920).

122. *Ibid.*, pp. 526-530 (23 de junio de 1920).

123. *Ibid.*, p. 543 (3 de septiembre de 1920); *Nianpu*, I, p. 82.

124. Angus W. McDonald Jr., «Mao Tse-tung and the Hunan Self-government Movement», *CQ*, 68, abril de 1976, pp. 753-754.

125. Schram, I, pp. 543-553 (3, 5 y 6-7 de septiembre) y p. 580 (10 de octubre de 1920).

126. McDonald, «Mao Tse-tung», pp. 754-755.

127. Shram, I, pp. 559 (27 de septiembre), 565-571 (5-6 de octubre) y 573-574 (8 de octubre de 1920).

128. *Ibid.*, pp. 577-578 (10 de octubre de 1920); McDonald, «Mao Tse-tung», p. 765.

129. Schram, I, p. 572 (7 de octubre de 1920).

130. McDonald, «Mao Tse-tung», p. 765; *NCH*, 23 de octubre de 1920, p. 223.

131. *NCH*, 6 de noviembre de 1920, pp. 387-388.

132. Schram, I, pp. 544 (3 de septiembre), 546 (5 de septiembre), 556 (26 de septiembre), 558 (27 de septiembre), 561-562 (30 de septiembre), 572 (7 de octubre) y 578 (10 de octubre).

133. McDonald, «Mao Tse-tung», pp. 765-766; Li Rui, p. 144.

134. Li Rui, pp. 145-146; McCord, pp. 301-302; McDonald, «Mao Tse-tung», p. 767.

135. Schram, I, p. 562 (30 de septiembre de 1920).

136. *Ibid.*, p. 595 (25 de noviembre de 1920).

137. *Ibid.*, pp. 608 y 610 (noviembre de 1920).

138. Schram, I, pp. 491-492 (19 de febrero de 1920).

139. *Ibid.*, pp. 505-506 (14 de marzo de 1920).

140. *Ibid.*, II, p. 26 (invierno de 1920).

141. *Ibid.*, I, p. 612 (noviembre de 1920).

142. *Ibid.*, p. 524 (16 de mayo de 1920).

143. *Ibid.*, p. 556 (20 de septiembre de 1920).

144. *Ibid.*, I, p. 600 (25 de noviembre de 1920).

145. *Ibid.*, II, p. 29 (invierno de 1920).

146. *Ibid.*, pp. 5-14 (1 de diciembre de 1920). Li Rui indica que un total de catorce miembros asistieron a la reunión (pp. 149-150).

147. Schram, II, p. 7 (1 de diciembre de 1920).

148. *History of the CCP, Chronology*, pp. 6-7; Hans J. van de Ven, *From Friend to Comrade: The Founding of the Chinese Communist Party, 1920-1927*, University of California Press, Berkeley, 1991, pp. 21 y 59.

149. Schram, I, pp. 554-555 (23 de septiembre de 1920).

150. Peng Shuzhi dice que eran dieciséis los estudiantes de Hunan (Cadart y Cheng, *L'Envol du Communisme en Chine*, p. 196), pero algunos de ellos, como Liu Shaoqi, ya estaban en Shanghai.

151. Cadart y Cheng, pp. 153-162. No existe unanimidad sobre la función de He Minfan. Apoyó la Asociación de los Libros Culturales en noviembre de 1920 y enero de 1921 (Schram, II, pp. 49 y 58), y en marzo de 1921 jugó un papel destacado en la Sociedad de Ayuda Mutua entre China y Corea, en Changsha, que Mao y otros habían fundado para apoyar la lucha coreana por la independencia de Japón (*Nianpu*, I, p. 82). Peng Shuzhi, que detestaba a Mao, describió a He Minfan como el principal interlocutor de Chen Duxiu en Changsha. Sin embargo, Zhang Guotao (Chang Kuo-t'ao), fuente igualmente hostil, dice que Chen escribió directamente a Mao para animarle a fundar el grupo en Changsha (*The Rise of the Chinese Communist Party*, University Press of Kansas, Kansas, 1971, vol. I, p. 129). Teniendo en cuenta que Mao había estado en contacto con Chen desde 1918, habían trabajado juntos en Shanghai y que el primero era un conocido colaborador de *Nueva Juventud* y editor de la *Revista del río Xiang*, esto último parece mucho más probable. No obstante, Chen pudo pedir a He Minfan que buscase estudiantes para enviar a Rusia. La Asociación de Estudios Rusos, la Sociedad Wang Fuzhi y la Academia Wang Fuzhi mantenían vínculos muy estrechos.

152. Schram, I, p. 594 (21 de noviembre de 1920).

153. Schram, II, p. 9 (1 de diciembre de 1920). Hans van de Ven ofrece una traducción totalmente diferente de este pasaje (p. 52).

154. Schram, II, pp. 62 y 68 (1-2 de enero de 1921).

155. *Ibid.*, pp. 8-11 (1 de diciembre de 1920).

156. *Ibid.*, pp. 59-71 (1-2 de enero de 1921).

157. *Nianpu*, I, pp. 73, 75 y 79. Ha habido mucho debate entre los especialistas sobre si existió formalmente un «grupo comunista» en Changsha aislado de la Liga de las Juventudes. Las evidencias de que así fue son apabullantes (véase Zhang Guotao, I, pp. 130-131; Cadart y Cheng, pp. 155-156). Aún más, si no hubiese existido un grupo en Changsha, Mao y He Shuheng difícilmente habrían podido acudir en su representación al Primer Congreso de julio de 1921 (*Nianpu*, I, p. 86; Tony Saich, ed., *The Rise to Power of the Chinese Communist Party: Documents and Analysis*, M. E. Sharpe, Nueva York, 1996, p. 14).

158. Saich, pp. 11-13.

159. Schram, II, pp. 35-36 (21 de enero de 1921).

160. Snow, p. 178.

161. Li Rui, p. 134.

162. *Nianpu*, I, p. 67.

163. *Ibid.*, p. 76.

164. Dirlik, *Anarchism*, p. 120, y Scalapino y Yu, pp. 37-38.

165. Schram, II, p. 20.
166. Schram, I, p. 64 (25 de junio de 1915).
167. *Ibid.*, pp. 263-264 (invierno de 1917).
168. *Ibid.*, p. 256.
169. Snow, p. 181.
170. Siao Yu, p. 51.
171. Schram, I, pp. 445-446 (28 de noviembre de 1919).
172. Esta expresión era sinónimo de relaciones amorosas ilícitas desde los tiempos antiguos. La frase deriva del *Liji*, el Libro de los Ritos, que relaciona el desenfreno a orillas del río Pu con la ruina del estado de Wei.
173. *Ibid.*, p. 491; Siao Yu, pp. 52-53.
174. Li Rui, p. 164.
175. Schram, I, pp. 608-609 (26 de noviembre de 1920).
176. Schram, I, pp. 443-444 (27 de noviembre de 1919).
177. *Nianpu*, I, p. 88.

CAPÍTULO 5

1. Zhang Guotao, *Rise of the Chinese Communist Party*, I, p. 139.
2. Tony Saich, *The Origins of the First United Front in China: The Role of Sneevliet (Alias Maring)*, E. J. Brill, Leiden, 1991, I, pp. 31-33.
3. De lejos, la mejor descripción de la ciudad en los años veinte se encuentra en el espléndido libro de Harriet Sergeant, *Shanghai*, Crown Publishers, Nueva York, 1990.
4. Saich, I, p. 35.
5. *Ibid.*, I, pp. XXV y 21.
6. *Ibid.*, I, pp. 254 y 263-265.
7. *Ibid.*, I, pp. 43-47 y 52; Dirlik, *Origins of Chinese Communism*, pp. 191-195; Saich, *Rise to Power*, p. 25. Peng Shuzhi cita un detallado informe de Li Dazhao de la visita a Pekín de un emisario ruso llamado (en la transcripción francesa) «Hohonovkine» (quizá Khokhonovkin) en enero de 1920 (Cadart y Cheng, *L'Envol du Communisme en Chine*, pp. 162-165). Hay noticias fidedignas que confirman que Li discutió ese mismo mes con Chen Duxiu sobre la posible formación de un partido (Dirlik, pp. 195 y 293, n. 14).
8. Zhang Guotao, I, pp. 137 y 139.
9. *Nianpu*, I, p. 85.
10. Li Rui, *Early Revolutionary Activities*, p. 166.
11. Zhang Guotao, I, pp. 136-151; Saich, *Origins*, I, pp. 60-69; Van de Ven, *From Friend to Comrade*, pp. 85-90.
12. Chen Gongbo (Ch'en Kung-po), *The Communist Movement in China*, Octagon, Nueva York, 1966, p. 102.
13. Saich, *Rise to Power*, p. 16.
14. Chen Gongbo, p. 82.
15. *Ibid.*, p. 105; véase también p. 102.
16. Saich, *Origins*, I, pp. 12-21.
17. *Ibid.*, I, p. 102; véase también p. 105.
18. *Ibid.*, I, pp. 73-77.
19. El primer día, «el congreso escuchó los informes sobre las actividades de los pequeños grupos locales» (Saich, *Rise to Power*, p. 14). Sólo se han conservado los informes de los grupos de Pekín y Cantón (*ibid.*, pp. 19-27).
20. *Ibid.*, p. 14; Zhang Guotao, I, p. 141.

21. *Nianpu*, I, p. 85.

22. Zhang Guotao, I, p. 140.

23. Véase Saich, *Origins*, I, pp. 64-67.

24. Siao Yu, *Mao Tse-tung and I*, p. 256.

25. *Nianpu*, I, p. 87.

26. *Ibid.*, p. 88.

27. Chen Gongbo, pp. 102-103; Saich, *Rise to Power*, pp. 27-28.

28. Saich, p. 77, n. 22.

29. Esta noticia es de la manifestación de 1922 (*Minguo ribao*, 15 de noviembre de 1922, reimpreso en Leon Wieger, *Chine Moderne*, vol. III: *Remous et Ecume*, Xianxian, 1922, pp. 433-434). Encaja minuciosamente con la descripción de Mao que se halla en Snow, *Red Star Over China*, pp. 180-181, siendo la única diferencia significativa que Mao fecha el episodio, erróneamente, en 1920. Una descripción de la manifestación de 1921, de idéntico formato y también dispersada por la policía, aparece en *Nianpu* (I, p. 89).

30. Li Rui, pp. 170-173; *Nianpu*, I, p. 86; Schram, II, pp. 91 y 97; véanse también pp. 156 y 162-163 (10 de abril de 1923).

31. *Nianpu*, I, p. 87.

32. He Minfan quedó estupefacto cuando, en un día especialmente caluroso, Mao «fue a cumplir con sus tareas docentes y visitó a sus compañeros ataviado con apenas una toalla en su cintura, en otras palabras, virtualmente desnudo, paseando por nuestra distinguida institución como si fuera la cosa más normal del mundo». Cuando He le reconvino, Mao replicó: «¿Cómo puedes armar tanto jaleo por una cosa de tan poca importancia? ¿Qué habría de escandaloso si me paseara desnudo? Tienes suerte de que lleve esta toalla». Aunque tanto el propio He como Peng Shuzhi, que relata el incidente en sus memorias, albergaban un fuerte resentimiento hacia Mao, todo parece indicar que la historia es verdadera (Cadart y Cheng, pp. 159-160).

33. Chen Gongbo, p. 103.

34. Jean Chesneaux, *The Chinese Labour Movement: 1919-27*, Stanford University Press, 1968, pp. 41-47.

35. Wieger, *Chine Moderne*, vol. IV: *L'Outre d'Eole*, XianXian, 1923, pp. 434-437.

36. Li Rui, pp. 192-194; Lynda Shaffer, *Mao and the Workers: The Hunan Labour Movement, 1920-23*, M. E. Sharpe, Armonk, 1982, pp. 45-49.

37. *Nianpu*, I, p. 86; Saich, *Origins*, I, pp. 70-72.

38. Schram, II, p. 176 (1 de julio de 1923).

39. Li Rui, p. 195.

40. *Ibid.*, p. 197; Shaffer, pp. 44-45 y 85. No hay evidencia alguna de que la Asociación de Trabajadores estableciera en esa época su presencia en Anyuan; sin embargo, el Sindicato de Mecánicos, un grupo rival más reducido fundado en noviembre de 1920, estableció allí una delegación en septiembre de 1921. Este grupo invitó a Mao a realizar una segunda visita a Anyuan tres meses después.

41. Schram, II, pp. 100-101 (21 de noviembre de 1921).

42. Li Rui, p. 197.

43. *Nianpu*, I, p. 90.

44. Wieger, IV, pp. 441-443; Shaffer, pp. 54-56; Li Rui, p. 197; McDonald, *Urban Origins*, pp. 164-165; *NCH*, 25 de febrero de 1922, p. 512.

45. Shaffer, pp. 56-57; *NCH*, 29 de abril de 1922, p. 299.

46. *Nianpu*, I, pp. 92-93.

47. *NCH*, 25 de febrero de 1922, p. 512.

48. *NCH*, 29 de abril de 1922, p. 299.

49. *Nianpu*, I, p. 23; Shaffer, pp. 57-61; Li Rui, pp. 184-187.

50. Shaffer, pp. 71-89. Véanse también *Nianpu*, I, pp. 91, 95 y 98; McDonald, pp. 166-168; y Li Rui, pp. 199-206.

51. A finales de abril fue a las minas de plomo y cinc de Shuikoushan (*Nianpu*, I, p. 93); en mayo, junto a Yang Kaihui, a Anyuan; y «a principios de verano», a Yuezhou (p. 95).

52. Saich, *Rise to Power*, pp. 27-28.

53. *Nianpu*, I, pp. 94-95.

54. McDonald, pp. 172-178; Li Rui, pp. 229-238. Véanse también Shaffer, p. 91; Chesneaux, pp. 190-191; y Schram, II, pp. 122-124 (8 y 10 de septiembre de 1922).

55. Schram, II, pp. 125-126 (12 de septiembre de 1922). Los grupos obreros de Changsha distribuyeron una enorme cantidad de llamamientos, incluido uno, al parecer no escrito por Mao, que urgía a los trabajadores a «combatir el mal y la violencia de los caciques militares» y «destrozar a esos ladrones rompedores de huesos y chupadores de médulas» (*Hunan jinbainian dashi jishu*, Hunan renmin chubanshe, Changsha, 1979, pp. 493-494; traducido en McDonald, p. 177).

56. Li Rui, p. 234; McDonald, p. 175.

57. Shaffer, p. 91. El relato de la huelga, tal como sigue, lo tomo de Shaffer, pp. 88-98; McDonald, pp. 169-172; y Li Rui, pp. 206-210.

58. McDonald, p. 177; Li Rui, pp. 238-239.

59. Shaffer, pp. 109-143; McDonald, pp. 180-186; Li Rui, pp. 213-229. A menos que indique lo contrario, la descripción que se sigue está elaborada a partir de estas tres fuentes.

60. *Hunan jinbaian dashi jishu* (pp. 496-504) indica que los trabajadores comenzaron el día 22 de mayo pidiendo un aumento de las pagas, y que se publicó que el aumento comenzaría a ser efectivo a partir del 1 de junio. De hecho, los trabajadores seguían el calendario lunar, según el cual «el primer día de la sexta luna» era el 24 de julio (*NCH*, 4 de noviembre de 1922, p. 288).

61. Schram, II, pp. 117-119 (5 de septiembre de 1922).

62. Shaffer (pp. 116-117) y McDonald (p. 181) afirman que el magistrado rechazó el aumento poco después de haberlo concedido. No fue hasta el 4 de octubre, «el décimo cuarto día del octavo mes», que emitió una comunicación rescindiendo formalmente el aumento (*NCH*, 4 de noviembre de 1922, p. 288). El objetivo de la huelga pasó a partir de ese momento a ser el desmentido de esa comunicación (Schram, II, pp. 129-131, 24 de octubre de 1922).

63. Schram, II, p. 127 (6 de octubre de 1922).

64. Véase *NCH*, 14 de enero de 1922, p. 83.

65. *Ibid.*, 4 de noviembre de 1922, p. 288.

66. *Ibid.*, 11 de noviembre de 1922, p. 370.

67. *Ibidem.*

68. *Nianpu*, I, p. 103.

69. McDonald, pp. 186-187; Li Rui, pp. 255-259.

70. *Nianpu*, I, pp. 103-104. Véase también Li Rui, pp. 259-261.

71. McDonald, p. 188.

72. Schram, II, pp. 132-140. Véase también Li Rui, pp. 263-265.

73. Shaffer, pp. 164-192; McDonald, pp. 188-191; Li Rui, pp. 239-244.

74. Zhang Guotao, I, pp. 271-273. Véase también Saich, *Origins*, I, pp. 148-149.

75. Véase Schram, II, pp. 141-144 (14 de diciembre de 1922). El *Dagongbao*, en un artículo que, según Li Rui, fue escrito por el aliado de Mao, el editor jefe Li Jiangong, acusaba de manera implícita de usar a los obreros para «experimentos ideológicos» (Li Rui, pp. 248-253), imputación que Mao rebatió con enojo.

76. Saich, *Origins*, I, pp. 121-132 y 149; Zhang Guotao, I, pp. 273-277; Chesneaux, pp. 191-192. Véase también Saich, *Rise to Power*, p. 35.

77. Schram, II, pp. 111-116 (julio de 1922).

78. C. Martin Wilbur y Julie Lien-ying How, *Missionaries of Revolution: Soviet Advisers and National China, 1920-1927*, Harvard University Press, Cambridge, Massachusetts, 1987, pp. 54-57 y 60-63; Saich, *Origins*, I, pp. 126-129.

79. Chesneaux, pp. 206-210; Saich, *Origins*, I, pp. 151-154; McDonald, pp. 195-197; Zhang Guotao, I, pp. 277-291.

80. Chesneaux, pp. 212-219.

81. *Ibid.*, pp. 221; McDonald, pp. 199-200; Li Rui, p. 262.

82. Schram, II, pp. 147-154.

83. McDonald, pp. 171-172 (Mao Zemin); *Nianpu*, I, p. 111, y Li Rui, p. 244 (Mao Zetan).

84. McDonald, p. 201.

85. *Ibid.*, pp. 202-205.

86. A pesar de las afirmaciones de McDonald (p. 205) y Li Rui (p. 270), parece ser que no se firmó orden para el arresto de Mao (véase *Hunan jinbainian dashi jishu*, pp. 516-520).

87. *Nianpu*, I, pp. 109-110 y 113.

88. Saich, *Origins*, I, pp. 79-85.

89. *Ibid.*, 256-257. No se incluyó el nombre de los que aprobaron la resolución, pero Mao era el único «camarada de Changsha» presente entonces en Shanghai. El *Nianpu* (I, p. 93) indica que él volvió de Shanghai durante «la segunda decena de abril».

90. Saich, *Rise to Power*, pp. 34-38. Véase también Saich, *Origins*, I, p. 90, n. 21.

91. Saich, *Rise to Power*, pp. 38-40.

92. *Ibid.*, pp. 43 y 49.

93. *History of the CCP, Chronology*, p. 14.

94. Snow, pp. 184-185. El *Nianpu* cita la explicación que Mao ofreció a Snow sin ningún comentario (I, p. 96 n.); no añade ninguna otra actividad de Mao entre el 5 de julio y el 7 de agosto. Teniendo en cuenta que Mao había estado en Shanghai sólo tres meses antes y que el secretismo se hizo real en el Partido Comunista Chino sólo a partir de enero de 1923 (*Nianpu*, I, p. 109, y Schram, II, p. 155; Zhang Guotao, I, p. 296), es difícil de tomar en serio esta versión.

95. Zhang Guotao, I, p. 247.

96. «Instructions to a Representative of the ECCI in South China» (agosto de 1922), en Alexander Pantsov y Gregor Benton, «Did Trotsky Oppose Entering the Guomindang "From the First"?» (*Republican China*, XIX, II, pp. 61-63). La directriz, de Karl Radek, insta a que los comunistas simplemente «creen grupos de seguidores dentro del Guomindang»; la fórmula del «bloque infiltrado» que el Partido Comunista Chino terminó por adoptar pudo venir del propio Sneevliet. Véase también Saich, *Origins*, I, p. 117; *Ibid.*, p. 338 (el mismo Sun Yat-sen); *Ibid.*, pp. 119-120 (*Xiangdao zhoubao*); Wilbur y How, pp. 54-57 (Adolf Joffe).

97. «Chen Duxiu»s report to the Third Party Congress» (junio de 1923), en Saich, *Origins*, II, pp. 572-573.

98. Saich, *Origins*, II, p. 612. Se produjeron dos grandes escisiones en verano y en otoño de 1922; Zhang Guotao formó lo que se calificó un «pequeño grupo» faccional (*ibid.*, II, pp. 115-116; Zhang Guotao, I, pp. 250-252; Cai Hesen, «Zhongguo gongchandang de fazhan [tigang]», en *Zhonggong dangshi baogao xuanbian*, Zhonggong zhongyang dangxiao chubanshe, Pekín, 1982, p. 43); y el comité del partido en Cantón rechazó la decisión del pleno de Hangzhou de cooperar con el Guomindang, provocando, en noviembre, la renuncia de Chen Gongbo y la expulsión de Tan Zhitang (Cai Hesen, p. 69; Chen Gongbo, pp. 10-12; Zhang Guotao, I, p. 249).

99. Saich, *Origins*, II, p. 611 (20 de junio de 1923). Con anterioridad había escrito a Bujarin que el movimiento chino era «muy débil y ligeramente artificial» (*ibid.*, II, p. 476, 21 de marzo de 1923).

100. *NCH*, 3 de febrero de 1923, p. 289.

101. Saich, *Origins*, II, p. 577. Sneevliet también informó aquel mismo mes al Comintern de que «Hunan tiene la mejor organización» (*ibid.*, p. 617). En una nota dirigida a Zinóviev de noviembre de 1922 (*ibid.*, pp. 344-345) había descrito a Hunan como poseedor tanto del mejor comité del partido como de la mejor delegación de la Liga de las Juventudes (con doscientos treinta miembros, frente a los ciento diez de la de Shanghai, los cuarenta de Cantón, los veinte de Jinan y los quince de Anhui).

102. *Ibid.*, II, p. 590.

103. *Ibid.*, I, p. 449.

104. *Ibid.*, II, p. 642; II, p. 573. Véanse también *ibid.*, I, pp. 175-186, y II, pp. 565-566; Zhang Guotao, pp. 296-316; y Van de Ven, *From Friend to Comrade*, pp. 122-126.

105. Existen divergencias alrededor de esta cuestión. Sneevliet informó que el resultado de la votación fue de veintiuno a dieciséis, y «entre los dieciséis [opositores] había [los] seis votos de Hunan»; entonces identificó a Mao como al «representante» de Hunan (Saich, *Origins*, II, p. 616). Zhang Guotao afirmó en sus memorias que él, Cao y Mao fueron los principales contendientes de Sneevliet (I, p. 308); Mao (y Cai Hesen) se sometieron a la decisión mayoritaria, escribió Zhang, sólo después de saberse el resultado de la votación (p. 311). Stuart Schram confía en la cita de Sneevliet de la observación de Mao, «no deberíamos temer nuestra unión [con el Guomindang]», para afirmar que Mao apoyaba la política del Comintern (*Mao's Road*, II, pp. XXIX-XXX). Pero la cuestión de la «unión» se había asumido ya en Hangzhou en agosto de 1922; el debate del Tercer Congreso se centraba en las condiciones y las consecuencias de la misma, y Mao mantuvo fuertes reservas al respecto.

106. Schram, II, pp. 157-161; Saich, *Origins*, II, pp. 448-449, 580 y 590; y Zhang Guotao, I, pp. 308-309.

107. Saich, *Origins*, II, p. 590.

108. *Ibid.*, II, p. 616. Véase también Zhang Guotao, I, p. 310.

109. Saich, *Rise to Power*, pp. 76-79.

110. *Nianpu*, I, p. 114; Saich, *Origins*, II, pp. 642-643.

111. El Primer y el Segundo Comité Central estaban formados por tres y cinco miembros, respectivamente, sin Oficina Central. El Segundo Congreso, que reclamó «centralización y disciplina de hierro» para prevenir el individualismo y el anarcocomunismo, promulgó reglas organizativas muy detalladas, pero en su mayoría se convirtieron en papel mojado hasta el Tercer Congreso, que amplió el Comité Central hasta nueve miembros y cinco suplentes.

112. Saich, *Origins*, II, pp. 539-540 y 643.

113. *Ibid.*, p. 576.

114. En junio de 1923, Sneevliet dijo a Zinóviev que «el único camarada capaz de un análisis marxista de la realidad» era Qu Qiubai, un periodista de veintitrés años que había regresado a China tras dos años en Moscú. Qu fue elegido suplente del Comité Central en el Tercer Congreso (Saich, *Origins*, II, p. 615).

115. *Nianpu*, I, p. 115.

116. Tanto Sneevliet (Saich, *Origins*, II, p. 659) como *Nianpu* (I, p. 115) indican que Mao era ya miembro del Guomindang el 25 de junio de 1923. Véase también Li Yongtai, *Mao Zedong yu da geming*, Sichuan renmin chubanshe, Chengdu, 1991.

117. Saich, *Origins*, II, pp. 657-661, 678 y 690; *Nianpu*, I, p. 115.

118. Saich, *Origins*, II, p. 696.

119. Schram, II, pp. 178-182 (11 de julio de 1923).

120. Saich, *Origins*, II, pp. 554-555 y 695-698; *Nianpu*, I, p. 116.

121. Saich, *Origins*, II, pp. 679 y 695. En aquel momento no poseía ninguna organi-

zación que no perteneciese al sur. La célula del Guomindang de Hunan que Mao organizó era tan favorable al comunismo que, posteriormente, un historiador del Guomindang calificó su existencia de «complot comunista» (McDonald, p. 138).

122. *Nianpu*, I, p. 118.

123. McDonald, pp. 53-58.

124. Hobart, *City of the Long Sand*, pp. 237-238.

125. McDonald, p. 58.

126. Schram, II, pp. 192-194 (28 de septiembre de 1923).

127. McDonald, pp. 58-59.

128. Schram, II, pp. 183-185 (15 de agosto de 1923).

129. *Ibid.*, p. 194.

130. Mao informó al Departamento de Asuntos Generales del Guomindang que él y Xia Xi habían comenzado a discutir a finales de septiembre sobre el establecimiento de una organización provincial del partido, y que un órgano preparatorio para la delegación de Changsha se iba a crear «en unos pocos días» (Schram, II, p. 193, 28 de septiembre de 1923; véase también Saich, *Rise to Power*, p. 85). Según el *Nianpu*, las delegaciones de Anyuan, Changsha y Nianxiang fueron fundadas entre mediados de septiembre y diciembre de 1923.

131. La directriz n.° 13 del Comité Central del Partido Comunista Chino, anunciando que el Congreso del Guomindang tendría lugar en enero, está fechada el 25 de diciembre. No se sabe qué día partió Mao de Changsha, pero salió de Shanghai con destino a Cantón el 2 de febrero de 1924 (*Nianpu*, I, pp. 119-120).

132. Nada se sabe de esta carta o de la clase de disputa que ésta provocó, pero teniendo en cuenta el uso en plural de la palabra «malentendidos», además de la referencia a «una vez más los sentimientos amargos», no se trataba de algo que su esposa pudiese perdonar con facilidad.

133. Schram, II, pp. 195-196 (diciembre de 1923).

134. Wilbur y How, pp. 87-92; Lydia Holybnychy, *Michael Borodin and the Chinese Revolution, 1923-1925*, Columbia University Press, Nueva York, 1979, pp. 212-219.

135. Cadart y Cheng, p. 335.

136. *Ibid.*, p. 340.

137. *Nianpu*, I, p. 121; McDonald, p. 137. De acuerdo con Wilbur y How (p. 97) y otras fuentes, las delegaciones provinciales generalmente incluían tres miembros nombrados por Sun y tres miembros elegidos por las delegaciones provinciales. La delegación de Hunan era más extensa, al parecer, porque incluía hombres como Lin Boqu, que ya estaba en Cantón trabajando como suplente del Departamento de Asuntos Generales del Guomindang (Luo Jialun *et al.*, compiladores, *Gemin wenxian*, vol. VIII, Taipei, 1953, pp. 1.100-1.103).

138. Wilber y How, pp. 93 y 97-99.

139. Zhang Guotao, I, p. 332.

140. *Ibid.*, p. 100.

141. Los comunistas, ocupando diez de las cuarenta plazas del Comité Central Ejecutivo, estaban desproporcionadamente bien representados, teniendo en cuenta que el Guomindang tenía más de cien mil miembros, mientras que el Partido Comunista Chino sólo contaba con unos quinientos (V. I. Glunin, «Politika Kominterna v Kitae», en R. A. Ulyanovsky, ed., *Komintern I Vostok: Kritika Kritiki-Protiv Falsifikatsii Leninskoi Strategii i Taktiki v Natsionalnovo-osvoboditelnovo Dvizhenii*, Glavnaya Redaktsiya Vostochnoi Literaturi, Moscú, 1978, p. 243). Sin embargo, Sun lo entendió como parte de una negociación más amplia que incluía la obtención de asistencia rusa. Sólo los miembros plenarios comunistas del Comité Central Ejecutivo tenían derecho a voto, y algunos de ellos habían sido

en el pasado aliados suyos: Tan Pingshan era un antiguo miembro de la Tongmenhui, y Lin Boqu, inicialmente suplente pero después miembro plenario, había pertenecido al Partido Revolucionario de Sun, predecesor del Guomindang.

142. *Nianpu*, I, pp. 118 y 123.

143. Luo Zhanglong, «Zhongguo gongchandang dasanci quanguo daibiao dagui he dayici gougong hezuo», parte 2, en *Dangshi ziliao*, n.º 17, 1983, p. 14.

144. *Nianpu*, I, pp. 122-123. Este órgano tenía cinco miembros plenarios, encabezados por Wang Jingwei y Hu Hanmin, y cinco suplentes, que incluían a Mao y Qu Qiubao,

145. Cadart y Cheng, p. 374; Peng Shuzhi, en Les Evans y Russell Block, eds, *Leon Trotsky on China*, Monad Press, Nueva York, 1976, p. 44.

146. Voitinsky retornó a China en abril de 1924 y atendió al pleno del Partido Comunista Chino de Shanghai al mes siguiente (V. I. Glunin, «The Comintern and the Rise of the Communist Movement in China», en R. A. Ulyanovsky, *The Comintern and the East: The Struggle for the Leninist Strategy in National Liberation Movements*, Progress Publishers, Moscú, 1981, p. 267).

147. Wilbur y How, pp. 100-105; Zhang Guotao, I, pp. 338-345.

148. Wilbur y How, p. 105.

149. Schram, II, pp. 215-217 (21 de julio de 1924).

150. Cadart y Cheng, p. 373.

151. *Ibid.*, pp. 374 y 381.

152. *Nianpu*, I, p. 130.

153. Véase Schram, II, p. 214 (26 de mayo de 1924), donde Mao indica que sus «achaques mentales son cada vez peores». El *Nianpu* (I, p. 134) cita un pasaje del diario (según parece sin publicar) de He Erkang del 12 de julio de 1925: «Después de la finalización de la reunión [de la delegación del Guomindang] a la una y cuarto de la madrugada, Mao quiso volver a su casa para descansar. Pero dijo que sufría de neurastenia ... y que sabía que sería incapaz de conciliar el sueño. La luna estaba en su cenit. Así que paseamos dos o tres *li*, hasta que nos cansamos y nos detuvimos, y nos fuimos al [cercano pueblo de] Tangjiawan para descansar». Sufrió una recaída en septiembre (*ibid.*, p. 137). Véase también la descripción de Li Zhisui de los síntomas de Mao en *Private Life*, pp. 109-110.

154. La evidencia más clara es la exclusión de Mao de la cúpula del Cuarto Congreso celebrado en enero del año siguiente. Zhang Guotao y Qu Qiubai, que también estaban ausentes cuando el congreso tuvo lugar, fueron a pesar de ello elegidos para el Comité Central y la Oficina Central.

155. Van de Ven, pp. 143-144. Sobre las tareas organizativas de Mao, véase *Nianpu*, I, pp. 128-129.

156. *Nianpu*, I, p. 130. Yang Kaihui se había unido a él en Shanghai a principios de junio (*ibid.*, p. 127).

157. Li Zhisui, p. 110.

158. *Nianpu*, I, pp. 131-132.

159. V. I. Lenin, *Collected Works*, Progress Publishers, Moscú, 1966, 31, p. 241.

160. Saich, *Rise to Power*, pp. 40-43.

161. *Ibid.*, p. 59.

162. *Ibid.*, p. 77.

163. Fernando Galbiati, *Peng Pai and the Hailufeng Soviet*, Stanford University Press, 1985, pp. 44-151.

164. Zhou Enlai escribió, en un artículo conmemorativo de Peng, que se había vinculado con el trabajo con el campesinado «antes de entrar en el partido», al que se unió «en 1924» (Yi Yuan [pseud.: Zhou Enlai], «Peng Pai tongzhi zhuanlue», en *Beifang hongqi*, n.º 29, agosto de 1930).

165. Zhang Guotao, I, p. 309. El 15 de julio de 1923, Sneevliet se refirió al Guangdong como una de las cuatro provincias (junto a Hunan, Shandong y Zhejiang) «donde hay camaradas que se mantienen en contacto con la población campesina» (Saich, *Origins*, II, p. 656): evidentemente no tenía la menor sospecha de lo que Peng Pai había conseguido.

166. *Nianpu*, I, p. 112. Como resultado de ese esfuerzo, se fundó en septiembre de 1923 la Asociación de Campesinos y Trabajadores de Yuebei, justo cuando el antiguo gobernador provincial, Tan Yankai, dirigía una invasión desde el sur (McDonald, pp. 218-224; Li Rui, pp. 279-281). El comité provincial del Partido Comunista Chino en Hunan era consciente de las acciones, pero en noviembre informó de que era «incapaz de enviar hombres avezados para supervisarlo», porque la guerra había interrumpido el transporte por río y carretera (Saich, *Rise to Power*, p. 89). En su momento álgido, la asociación llegó a contar con más de mil miembros. Hizo campaña en favor de unos precios más bajos para el grano, la reducción de las rentas y el final de los intereses usurarios que los terratenientes locales exigían a los campesinos por las deudas. La presencia de Tan proporcionó una mayor protección ante los escarmientos iniciales de los terratenientes. Pero esa área era parte del distrito natal del gobernador Zhao Hengti, y cuando a finales de noviembre los hombres de Tan cayeron derrotados, las tropas de Zhao quemaron la sede de la asociación campesina y las casas de varios de sus seguidores. Al menos cuatro campesinos fueron asesinados y decenas de ellos arrestados, hasta que el movimiento se derrumbó por completo.

167. Zhang Guotao, I, pp. 308-309. El recuerdo de Zhang (reproducido sin comentarios en *Nianpu*, I, p. 114) puede parecer sospechosamente idóneo. Pero, teniendo en cuenta su mutua enemistad, es difícil entender el motivo de que quisiese atribuir a Mao el mérito de mencionar la cuestión de los campesinos en el congreso, a menos que fuese verdad.

168. Saich, *Origins*, I, p. 184; *Zhonggong zhongyang wenjuan xuanji* [*ZZWX*], I, Pekín, 1992, p 151.

169. G. S. Kara-Murza y Pavel Mif, *Strategiia i taktika Kominterna v Natsionalno-kolonialnoi Revolyutsii na primere Kitaia*, Moscú, 1934, pp. 114-116 y 344.

170. Galbiati, p. 115.

171. *Nianpu*, I, pp. 131-132. La primera asociación campesina de Shaoshan se formó en febrero de 1925 (*Hunan lishi ziliao*, n.° 3, Changsha, 1958, pp. 1-10). Sobre Mao Fuxuan, véase Li Rui, p. 283.

172. Esta descripción del incidente del 30 de mayo se toma de C. Martin Wilbur, «The nationalist revolution: from Canton to Nanking, 1923-1928», en la *Cambridge History of China* [a partir de ahora *CHOC*], vol. XII, Cambridge, pp. 547-549. Véase también McDonald, pp. 209-210.

173. McDonald, pp. 209-210.

174. *Nianpu*, I, pp. 132-135. La sequía fue el acicate fundamental para la implicación campesina (véase Chesneaux, p. 278, y McDonald, pp. 210 y 231).

175. Jin Chongji, *Mao Zedong zhuan*, Zhongyang wenxian chubanshe, Pekín, 1996, p. 123.

176. Snow, p. 186; *Nianpu*, I, p. 132.

177. *Nianpu*, I, p. 135.

178. Schram, II, pp. 225-226. Fue escrito evidentemente después de la llegada de Mao a Changsha, el 29 o 30 de agosto y antes de su partida hacia Cantón, diez días después.

179. Véase Wilbur, *CHOC*, XII, pp. 547-553 y 556-557.

180. *Nianpu*, I, p. 136.

181. *Ibid.*, p. 132.

182. *Ibid.*, pp. 33-35.

183. Schram, II, p. 237 (21 de noviembre de 1925).

184. El Departamento para el Campesinado fue establecido durante el Primer Congreso del partido, en enero de 1924. El Instituto para la Instrucción del Movimiento Campesino lo fue en julio de 1924, con Peng Pai como su primer director.

185. *Nianpu*, I, p. 136.

186. *Ibid.*, p. 137.

187. Snow, p. 186.

188. *Nianpu*, I, p. 137.

189. Wilbur, *CHOC*, XII, pp. 556-559.

190. Schram, II, pp. 263-267 (4 de diciembre de 1925). Esta declaración, redactada por Mao el 27 de noviembre, fue aprobada por el Comité Central Ejecutivo del Guomindang y distribuida a «todos los camaradas del país y de ultramar» como respuesta a la reunión del Grupo de las Colinas del Oeste.

191. *Ibid.*, II, p. 237 (21 de noviembre de 1925) y pp. 321 y 325 (10 de enero de 1926).

192. *Ibid.*, II, p. 295 (20 de diciembre de 1925). Véanse también pp. 290-292 (13 de diciembre de 1925) y pp. 326-327 (10 de enero de 1926).

193. *Ibid.*, II, pp. 249-262 (1 de diciembre de 1925).

194. *Ibid.*, pp. 553-557.

195. *Ibid.*, p. 559.

196. *Ibid.*, pp. 342-344 (16 de enero de 1926).

197. La «Resolución sobre el movimiento campesino» declaraba que la revolución nacional era, «para decirlo francamente, una revolución campesina» (*ibid.*, pp. 358-360, 19 de enero de 1926).

198. El propio Chiang, al igual que Tan Yankai, dio la bienvenida al movimiento campesino como elemento de la revolución nacional, pero nada más (véase Wilbur y How, p. 797). Borodin reconocía en febrero de 1926 que existían tremendas dificultades para persuadir al Guomindang de que apoyase la revolución agraria (es decir, una revolución social en el campo), y que para conseguirlo sería necesario dividir el partido y aislar a los conservadores (*ibid.*, p. 216).

199. *Ibid.*, pp. 248-249 y 250-252.

200. Vera V. Vishnyakova-Akimova, *Dva Goda v Vosstavshem Kitae*, Izdatelstvo Nauka Moscú, 1965, p. 190.

201. *Ibid.*, pp. 237-238; Wilbur y How, pp. 252-257 y 703-705; Zhang Guotao, I, p. 495; Harold Isaacs, *The Tragedy of the Chinese Revolution*, Stanford University Press, 1961, pp. 91-94.

202. Wilbur y How, pp. 254-255.

203. *Nianpu*, I, p. 159. Zhou dijo posteriormente que el golpe les cogió «totalmente desprevenidos» (Zhou Enlai, *Selected Works*, Foreign Languages Press, Pekín, 1981, p. 179). Zhou era entonces uno de los tres dirigentes del comité del Partido Comunista Chino en Cantón, junto a Tan Pingshan y el secretario del partido, Chen Yannian (Zhang Guotao, I, p. 454).

204. Esta sería la misma postura mantenida más tarde por la central del partido en Shanghai (Saich, *Raise to Power*, pp. 232-233).

205. Zhang Guotao, I, p. 498.

206. El 15 de diciembre de 1925, Mao había sido nombrado uno de los siete miembros del consejo del Grupo de Estudios Políticos del Guomindang, cargo que comenzó a desempeñar en febrero, enseñando a los cuadros del partido; el 5 de febrero fue incluido en el Comité del Movimiento Campesino del Guomindang; y el 16 de marzo fue nominado director del Instituto de Enseñanza del Movimiento Obrero (*Nianpu*, I, pp. 146 y 156-159).

207. En mayo de 1924, una resolución del Comité Central del Partido Comunista Chino afimaba: «La responsabilidad del Partido Comunista es obligar al Guomindang a que proclame incesantemente como sus principios el enfrentamiento con el imperialismo y

los señores de la guerra ... Para alcanzar este objetivo, debemos penetrar de hecho en el Departamento de Propaganda del Guomindang» («Resolution concerning the problem of CP work in the GMD», en Saich, *Rise to Power*, p. 120).

208. Ni el *Nianpu* (I, pp. 130-138) ni el biógrafo oficioso de Mao, Jin Chongji (pp. 91-106) mencionan contacto alguno. Técnicamente, no habría existido ninguna razón para ello, en tanto que no formaba parte de la cúpula desde diciembre de 1924.

209. Schram, II, pp. 340-341 (16 de enero de 1926).

210. El protegido de Chen Duxiu, Peng Shuzhi, era el editor. Era conocido por su áspero escolasticismo, y bien pudo ser Peng a quien Mao tenía en mente cuando escribió en enero: «El pensamiento académico ... es una escoria inservible».

211. Snow, pp. 186-187.

212. Zhang Guotao, I, pp. 484-493.

213. *Ibid.*, p. 510. Véase también Evans y Block, pp. 53-54, y *Nianpu*, I, p. 164, ninguno de los cuales hacen referencia a la intervención de Mao en los debates.

214. Véase Wilbur y How, pp. 267-273 y 717-719; Zhang Guotao, pp. 507-519. El pleno también propuso el establecimiento de un Congreso Conjunto, incluyendo cinco dirigentes del Guomindang, tres del Partido Comunista Chino y un representante del Comintern (Borodin), para resolver futuras diferencias entre los partidos. Tan Pingshan, Qu Qiubai y Zhang Guotao fueron los designados por parte de los comunistas, pero nunca se celebró reunión alguna (Zhang Guotao, I, p. 521).

215. Evans y Block, pp. 54-55.

216. *Ibid.*, pp. 53-55. Véase también Zhang Guotao, I, pp. 517-519.

217. Zhang Guotao, I, p. 519; Chen Duxiu, en Evans y Block, p. 601.

218. *Nianpu*, I, pp. 164-165. También abandonó su militancia en el Consejo del Grupo de Estudios Políticos, del Comité de Propaganda del Departamento de Propaganda del Guomindang para el que había sido designado el 27 de abril (*ibid.*, pp. 162 y 165).

219. *Ibid.*, pp. 159, 163 y 165. El *Nianpu* afirma que Mao «y otros miembros del Partido Comunista Chino» fueron destituidos del Comité de Propaganda del Guomindang el 28 de mayo, pero no da referencia alguna de su marcha del Comité del Movimiento Campesino. En marzo de 1927, cuando el comité se restableció en Wuhan, Mao se convirtió en miembro del Comité Permanente (*ibid.*, I, p. 183).

220. Un veterano consejero soviético indicó: «Aquellos miembros del Guomindang que supuestamente pertenecen al centro o incluso a la derecha ... [en algunos casos] meditan profundamente sobre la solución del problema agrario. Si queremos citar un ejemplo, el general Chiang Kai-shek puede servir» (Wilbur y How, p. 797).

221. *Nianpu*, I, pp. 147-148, 157 y 161.

222. Wilbur y How, pp. 216-217.

223. Schram, II, p. 370 (30 de marzo de 1926).

224. Wilbur y How, p. 312.

225. McDonald, pp. 232-236.

226. Wilbur y How, pp. 311-314.

227. *Nianpu*, I, p. 166. Aparte del pleno del Comité Ejecutivo Central del Guomindang que lo había precedido, éste fue el único evento «político» al que asistió Mao durante cuatro meses y medio, del 31 de mayo al 15 de octubre.

228. *Ibid.*, I, pp. 165-169.

229. Angus McDonald ofrece un detallado y equilibrado estudio del apoyo campesino a la Expedición Norte en Hunan y concluye que, aunque fragmentario, confirió a la campaña militar una legitimidad política significativa (pp. 264-279).

230. *Nianpu*, I, p. 167.

231. Schram, II, pp. 287-292 (1 de septiembre de 1926).

232. *Ibid.*, p. 387.

233. *Ibid.*, p. 304 (enero de 1926).

234. De acuerdo con Wilbur y How (p. 216), Borodin escribió que «el principal baluarte del imperialismo en China ... es el sistema latifundista medieval, no los señores de la guerra». La frase de Mao apareció en *Zhongguo nongmin* dos o tres semanas antes.

235. *Ibid.*, pp. 318-329, 344-345 y 771-776; Wilbur, *CHOC*, XII, pp. 581-589.

236. *ZZWX*, II, pp. 373-376.

237. Saich, *Rise to Power*, pp. 210-213. Borodin y otros consejeros rusos compartían la opinión del grupo de Cantón (Wilbur y How, pp. 796-797).

238. Saich, *Rise to Power*, pp. 213-228.

239. Véanse sus posteriores críticas a la debilidad militar de la izquierda del Guomindang (*ibid.*, p. 225). Todos los que trabajaban en Cantón, de Borodin hacia abajo, concluyeron que la izquierda del Guomindang era poco digna de confianza: no hay razón para pensar que Mao fuese una excepción. Además, unas pocas semanas después mostró su postura con su actitud, cuando volvió al cuartel general del Partido Comunista Chino en lugar de acompañar a los izquierdistas del Guomindang hasta Wuhan.

240. Schram, II, pp. 397-401.

241. Saich, *Rise to Power*, pp. 213-219.

242. Que compartía el interés de Mao por las cuestiones campesinas y, en agosto, había dado conferencias en el Instituto del Movimiento Obrero (Bernadette Li [Li Yuning], *A Biography of Chu Chiu-p'ai*, disertación doctoral, Columbia University, Nueva York, 1967, pp. 178-179); había quedado lo suficientemente impresionado por el artículo de Mao como para realizar pesquisas sobre el Departamento de Propaganda del Guomindang (*Nianpu*, I, p. 169). Durante la primavera de 1927, Qu apoyó de nuevo a Mao ante la oposición de Chen por la política campesina (Li Yuning, p. 194).

243. *Nianpu*, I, p. 173.

244. Schram, II, pp. 411-413.

245. *Nianpu*, I, p. 173.

246. Wilbur y How, pp. 359-362 y 375; Zhang Guotao, I, pp. 556-562.

247. Wilbur y How, pp. 362-363, 373-375 y 393-394; *CHOC*, XII, pp. 599-603.

248. Saich, *Rise to Power*, pp. 219-228.

249. Glunin, en «Politika Kominterna v Kitae» (p. 243), basándose en documentos no publicados del Comintern, indica que el Partido Comunista Chino poseía mil quinientos miembros en mayo de 1925, siete mil quinientos en enero de 1926 y once mil en mayo de 1926. De acuerdo con la *Brief History of the CCP* de Samuil Naumov, escrita en noviembre de 1926, en aquel momento los miembros del Partido Comunista Chino habían alcanzado la cifra de «aproximadamente treinta mil» (Wilbur y How, p. 444). En el Quinto Congreso de abril de 1927, el partido afirmaba contar con cincuenta y ocho mil miembros. Véase también Wilbur y How, pp. 810-813.

250. Saich, *Rise to Power*, p. 225. A pesar de que Mao prudentemente atribuyó su comentario a los «camaradas del Guangdong», representaba claramente su propia posición (véase también *Nianpu*, I, p. 174).

251. Wilbur y How, pp. 806-809.

252. Schram, II, pp. 420-422 (20 de diciembre de 1926).

253. *Ibid.*, p. 430 (febrero de 1927).

254. *Ibid.*, p. 425 (16 de febrero de 1927).

255. *Ibid.*, p. 429.

256. *Ibid.*, p. 430. Véase también McDonald, pp. 270-279.

257. Schram, II, pp. 431-455. Existían precedentes recientes en Hunan del tipo de comportamiento campesino que estaba describiendo Mao, a pesar de que en una escala mu-

cho menor. Tras los tumultos de 1910 por la escasez de arroz, el gobernador Chen Chunming informó: «En Xiangtan, Hengshan, Liling y Ningxiang han existido incidentes en los que los pobres han ocupado las casas de las familias ricas, han tomado el grano y han destruido los molinos de arroz» (citado en Esherick, *Reform and Revolution in China*, p. 139).

258. Schram, II, p. 309.

259. *Nianpu*, I, p. 165.

260. Schram, II, p. 426.

261. Zhang Guotao, I, pp. 596-613.

262. En octubre de 1926, Moscú envió un telegrama a los dirigentes del Partido Comunista Chino urgiéndoles a restringir el movimiento campesino al menos hasta que Shanghai fuese tomada por la Expedición Norte, por miedo a enemistarse con los comandantes del Guomindang. El 30 de noviembre de 1927, Stalin atribuyó esta «visión errónea» a «determinadas personas» del Guomindang y el Partido Comunista Chino. En agosto de 1927 admitió finalmente que había sido un error de Moscú (Xenia J. Eudin y Robert C. North, *Soviet Russia and the East 1920-1927: A Documentary Survey*, Standford University Press, 1957, pp. 293 y 353).

263. Las tesis del séptimo pleno del Comintern fueron adoptadas en Moscú el 16 de diciembre de 1926 y publicadas en su semanario, *Inprecorr* (Correspondencia de la Prensa Internacional), el 3 de febrero de 1927 (Eudin y North, *Soviet Russia and the East*, pp. 356-364). No se sabe con exactitud cuando llegó la primera copia a Shanghai. Cai Hesen indica que fue «aproximadamente en enero» («Istoria Opportunizma v Kommunisticheskoi Partii Kitaia», en *Problemy Kitaia*, Moscú, 1929, n.º 1, p. 16), pero de hecho es posible que no fuese así hasta mediados de febrero, cuando M. N. Roy y Tan Pingshan, que habían asistido al pleno, llegaron a Cantón desde Moscú (Zhang Guotao, I, p. 712, n. 17).

264. Según Cai Hesen, las tesis desataron (una vez más) agrias disputas entre él mismo y Qu Qiubai, por un lado, y Chen Duxiu, Peng Shuzhi y Luo Yinong, secretario del Comité del Partido Comunista Chino en Shanghai, por otro (*Problemy Kitaia*, I, pp. 16-18).

265. Mao envió su informe alrededor del 18 de febrero. El periódico del partido en Hunan, *Zhanshi*, comenzó a publicar el 5 de marzo el texto completo por entregas. *Xiangdao* inició la publicación de algunos extractos una semana después, el 12 de marzo (*Nianpu*, I, p. 184). La versión en panfleto con el texto completo, y con el prefacio de Qu Qiubai, apareció en abril. En aquel momento Qu y Peng Shuzhi mantenían un enfrentamiento público (Li Yuning, pp. 183-187 y 194-198); la preocupación más urgente de Chen era sosegar la izquierda del Guomindang para mantener unido el frente conjunto.

266. Snow, p. 188.

267. Isaacs, pp. 132-133.

268. *New York Herald Tribune*, 21 de febrero de 1927. El *North China Herald* encontró un aspecto más brillante: «Con las ejecuciones que ha habido», señalaba, «se ha conseguido, al menos, un efecto pacificador ... Los agitadores han brillado por su ausencia».

269. Wilbur y How, pp. 385-388 y 392-396.

270. *Ibid.*, pp. 396-398.

271. Zhang Guotao, I, p. 576; Eudin y North, *Soviet Russia and the East*, p. 361.

272. *Nianpu*, I, pp. 187-189; Schram, *Mao Tse-tung*, p. 98. Véase también Schram, *Mao's Road*, II, pp. 467-475 (16 de marzo de 1927).

273. *Nianpu*, I, pp. 190-196; Schram, II, pp. 485-503.

274. *Nianpu*, I, p. 181.

275. *Ibid.*, p. 192.

276. Isaacs, p. 165, y Zhang Guotao, I, p. 587.

277. Isaacs, pp. 128 y 163; Chen Duxiu, en Evans y Block, p. 603; Robert C. North y Xenei J. Eudin, *M. N. Roy's Mission to China*, University of California, Berkeley, 1963, p. 54.

278. Por parte de Wang, estos desmentidos fueron poco sinceros, en tanto que Chiang ya le había comunicado claramente, en reuniones privadas mantenidas esa misma semana, que quería destituir a Borodin y expulsar a los comunistas. Por otro lado, Chiang parecía aceptar la contrapropuesta de Wang de tratar esas cuestiones en un pleno del Comité Ejecutivo Central, y el 3 de abril emitió un comunicado conjunto en el que afirmaba explícitamente su obediencia sin reservas al liderazgo de Wang (*CHOC*, XII, pp. 623-624).

279. Robert North, *Moscow and Chinese Communists*, Stanford University Press, 1963, p. 96 (hay trad. cast.: *El comunismo chino*, Ediciones Guadarrama, Barcelona, 1966); North y Eudin, *Roy's Mission to China*, pp. 54-58.

CAPÍTULO 6

1. *The Times*, Londres, 13 de abril de 1927; Isaacs, *Tragedy of the Chinese Revolution*, pp. 175-185. Véase también Nicholas R. Clifford, *Spoilt Children of Empire: Westerners in Shanghai and the Chinese Revolution of the 1920s*, Middlebury College Press, Hannover, 1991, pp. 242-275; y Brian G. Martin, *The Shanghai Green Gang: Politics and Organized Crime, 1919-1937*, University of California Press, Berkeley, 1996, cap. IV, especialmente pp. 100-107.

2. *NCH*, 16 de abril de 1927, p. 103.

3. Quizá durante más tiempo: Harold Isaacs interpretó el error de Bai Zhongxi, que no envió tropas en auxilio de los trabajadores de Shanghai durante la primera insurrección del 19 de febrero, como una artimaña deliberada de Chiang para debilitar el movimiento de los trabajadores en la ciudad (p. 135). El comunista indio M. N. Roy, entonces en Cantón, lo interpretó de manera similar (North y Eudin, *Roy's Mission to China*, p. 157).

4. Si no empezó antes: el jefe comunista del Sindicato Obrero General de Ganzhou (Jiangxi), Chen Zanxian, fue ejecutado el 6 de marzo siguiendo las órdenes de los subordinados de Chiang (*Nianpu*, I, p. 189). Véanse Isaacs, pp. 143-144 y 152-153; Martin, pp. 93-95; Wilbur, *CHOC*, XII, pp. 625-634; Wilbur y How, *Missionaries of Revolution*, pp. 398 y 404-405.

5. George E. Sokolsky, «The Guomindang», en *China Yearbook*, 1928, Tianjin Press, Tianjin, p. 1.349.

6. *The Times*, Londres, 25 de marzo de 1927.

7. Rev. Edgar E. Strother, «A Bolshevized China-The World's Greatest Peril», *North China Daily News* y Herald Press, Shanghai, 1927[11], pp. 4 y 14-15.

8. Sokolsky, p. 1.349.

9. *The Times*, Londres, 25 y 29 de marzo de 1927; Wilbur y How, pp. 400-401.

10. *NCH*, 12 de marzo de 1927, p. 402.

11. *North China Daily News*, 28 de marzo de 1927.

12. Esto no significa que se tratase de una campaña planeada. Las evidencias sugieren que el préstamo chino, la autorización por parte de las potencias del ataque a Pekín, las restricciones al consulado soviético y la decisión del Consejo Municipal de Shanghai de permitir el paso de los «obreros armados» de Du Yuesheng para tomar los puestos de asalto, todo fueron consecuencias por *separado* de la situación surgida a principios de abril de 1927 (véase Clifford, pp. 255-259).

13. Sokolsky, p. 1.360; Isaacs, pp. 151-152.

14. Wilbur y How, pp. 403-404; *The Times*, Londres, 7, 8 y 9 de abril de 1927.

15. Martin, pp. 101-104.

16. Vishnyakova-Akimova, *Dva goda v Kitae*, p. 345. En Shanghai, el Comité de Distrito del Partido Comunista Chino, reunido el 1 de abril, supo que Chiang Kai-shek había

pagado seiscientos mil dólares mexicanos a la Banda Verde para poner en aprietos al movimiento obrero del Jiangxi, y que acciones similares estaban teniendo lugar en la misma ciudad. Pero a pesar de que su secretario, Luo Yinong, habló de un conflicto aún más serio «entre la revolución y la contrarrevolución» con Chiang en el centro, se mostró sin embargo convencido de que éste podía ser detenido a nivel político, sin necesidad de un enfrentamiento armado (Xu Yufang y Bian Xiangying, *Shanghai gongren sanci wuzhuang qiyi yanjiu*, Zhishi chubanshe, Shanghai, 1987, pp. 227-228). Posteriormente el Sindicato Obrero General recibió advertencias de que había gángsters planeando un ataque a los piquetes, pero los enfrentamientos con las bandas no eran inusuales y el sindicato no creyó que formase parte de una campaña de aniquilación (*Dayici guonei geming zhanzheng shiqi di gongren yundong*, Renmin chubanshe, Pekín, pp. 492-493); véase Chesneaux, *Chinese Labour Movement*, pp. 367-371. En Hankou, la principal preocupación de Borodin no eran las intenciones que Chiang albergaba hacia los comunistas, sino la noticia de que planeaba trasladar su cuartel hasta Nanjing. El 7 de abril el Consejo Político del Guomindang se reunió en una sesión urgente y decidió (demasiado tarde para iniciar cualquier acción) que el gobierno de Hankou tenía que instalarse primero allí para anticiparse a él. No se discutió sobre los sucesos de Shanghai (Wilbur, *CHOC*, XII, pp. 632-633). Parece ser que todos miraban hacia el lado equivocado.

17. Martin, pp. 104-105; Clifford, p. 253.

18. Wilbur y How, pp. 806-809. Véase también la ansiedad de Borodin a finales de marzo (*ibid.*, p. 400).

19. *North China Daily News*, 8 de abril de 1927.

20. En Nanjing, por ejemplo, Zhang Shushi, miembro comunista del comité provincial de Jiangsu del Guomindang, no se apercibió de que el mismo Chiang Kai-shek estaba detrás de la represión hasta que fue arrestado el 9 de abril y retenido toda la noche por oficiales de seguridad del Guomindang (Wilbur, *CHOC*, XII, p. 633). De acuerdo con Zhou Enlai, sólo el 14 de abril tuvieron los líderes del partido en Shanghai un primer conocimiento de que Chiang era el responsable de los asesinatos de Jiujiang y Anqing ocurridos el 17 y el 23 de marzo (Zhou Enlai, *SW*, I, pp. 18 y 411, n. 7), aunque es difícil conjugarlo con el hecho de que el comité del Partido Comunista Chino en Shanghai se reunió con la izquierda en Jiangxi el 1 de abril (con la asistencia de Zhou) para discutir sobre el apoyo económico de Chiang a las acciones violentas de la Banda Verde. De manera similar, Roy hablaba a mediados de abril de haber «recibido informes de que Chiang Kai-shek había enviado sus agentes a Sichuan» (North y Eudin, p. 169), donde la despiadada represión había dado comienzo a finales de marzo (Wilbur, pp. 626-627).

21. Pavel Mif, que se convirtió en el representante del Comintern en China en 1930, escribió tiempo después: «Los camaradas de Shanghai quedaron hipnotizados por la vieja política y no podían imaginar un gobierno revolucionario sin la participación de la burguesía» (*Kitaiskiya Revolutsiya*, Moscú, 1932, p. 98). Como apuntó Harold Isaacs, Mif diplomáticamente evitó mencionar que la «vieja política» era obra de Stalin (p. 170).

22. *Nianpu*, I, p. 193.

23. *Ibid.*, p. 192.

24. Thomas C. Kuo, *Ch'en Tu-hsiu (1879-1942) and the Chinese Communist Movement*, Seton Hall University Press, South Orange, 1975, p. 161.

25. Véase North y Eudin, *M. N. Roy's Mission to China*, pp. 160-182. Según esta fuente, Roy, Borodin, Chen Duxiu y «otros» mantuvieron charlas entre el 13 y el 15 de abril, y el 16 el Comité Central aprobó una resolución basada en la intervención de Roy. Fue anulada, sin embargo, el 18 de abril, y el 20 de abril se aprobaba una nueva resolución.

26. No se dispone de ningún texto de la intervención de Borodin, pero su posición se muestra diáfanamente en la réplica de Roy (North y Eudin, especialmente pp. 160-163 y

172). Unos días después Borodin dijo a los líderes del Guomindang que no había «otra elección que asumir temporalmente una retirada estratégica» adormeciendo el movimiento revolucionario, tanto entre los campesinos de Hubei y Hunan como entre los trabajadores de Wuhan (Dun J. Li, *The Road to Communism: China since 1912*, Van Norstrand, Nueva York, 1969, pp. 89-91). Para una visión retrospectiva, véase Louis Fischer, *The Soviets in World Affairs: A History of the Relations between the Soviet Union and the Rest of the World*, Jonathan Cape, Londres, vol. II, pp. 673-677.

27. North y Eudin, pp. 163-172.

28. *History of the CCP, Chronology*, p. 46; Zhou Enlai, *SW*, I, pp. 18-19.

29. North y Eudin, pp. 63 y 170.

30. *Ibid.*, pp. 176-177.

31. Wilbur, *CHOC*, XII, p. 639. El gobierno de Wuhan había decidido el 12 de abril (antes de que llegasen las noticias del golpe de Chiang) presionar para la reasunción de la Expedición Norte. Fue una decisión reiterada públicamente con gran fanfarria el día 19 de abril. Si la datación de Roy de las resoluciones del Comité Central del Partido Comunista Chino es correcta, la cúpula de la izquierda del Guomindang tuvo que confirmarlo el 17 de abril (North y Eudin, p. 75).

32. El *Nianpu* (I, p. 193) afirma que Mao participó en una reunión de tres días del Comité Campesino del Partido Comunista Chino «en la segunda decena de abril», pero no ofrece otras actividades suyas entre el 13 y el 17de abril.

33. Las narraciones de estas importantes, aunque en último término irrelevantes, negociaciones se pueden encontrar en Schram, *Mao Tse-tung*, pp. 99-102; Wilbur, *CHOC*, XII, pp. 648-649; *Nianpu*, I, pp. 191-199. Véase también Schram, *Mao's Road*, II, pp. 487-491 y 494-503. Se celebraron tres reuniones regulares, seis reuniones complementarias y cuatro reuniones de subcomité entre el 2 de abril y el 9 de mayo de 1927.

34. Snow, *Red Star Over China*, p. 188; *Nianpu*, I, pp. 197-198. En su informe al Quinto Congreso, Chen criticó a Mao y Li Lisan citándolos por su nombre (Saich, *Rise to Power*, p. 241). Sobre las circunstancias en que elaboró su borrador de resolución, véase Edward Hallett Carr, *A History of Soviet Russia: Foundations of a Planned Economy, 1926-1929*, vol. III, parte 3, Cambridge University Press, 1978, p. 788 (hay trad. cast.: *Historia de la Rusia soviética. Bases de una economía planificada (1926-1929)*, IV, vol. 1, parte 1, Alianza Editorial, Madrid, 1980).

35. Saich, pp. 243-251.

36. Snow, p. 188.

37. *History of the CCP, Chronology. Zhongguo gongchangdang huyi gaiyao* (Shenyang chubanshe, Shengyang, 1991, pp. 54-60) ofrece unas cifras ligeramente diferentes.

38. *Nianpu*, I, p. 199. Conrad Brandt (*Stalin's Failure in China*, Harvard University Press, 1958, p. 128) identifica a Qu Qiubai como el sucesor de Mao. Peng Pai, que se había unido a Mao en la oposición a la política agraria de Chen Duxiu en el Quinto Congreso, también dejó el comité en esas fechas (*Nianpu, ibid.*, y Galbiati, *Peng Pai and the Hailufeng Soviet*, p. 258).

39. Schram, II, pp. 504-517. Sobre la función de Mao en la Asociación, véase *ibid.*, pp. 485-486.

40. Wilbur, *CHOC*, XII, pp. 630 y 636-638.

41. *The Times*, Londres, 30 de marzo de 1927.

42. Wilbur, *CHOC*, XII, pp. 637 y 640-641; y Kuo, p. 161.

43. *Ibid.*, pp. 641-643.

44. *Ibid.*, pp. 651-652. Las fuerzas de Chiang, bajo el control de Li Zongren y Bai Zhongxi retomaron por separado su Expedición Norte casi al mismo tiempo. Cada una de las partes anunció que no atacaría a la otra mientras durase el conflicto con los norteños.

45. *Ibid.*, pp. 652-653; Zhang Guotao, *Rise of the Chinese Communist Party*, I, pp. 627-632.

46. McDonald, *Urban Origins*, pp. 314-315 (también pp. 290-299 y 304); Wilbur, *CHOC*, XII, pp. 638 y 653-654; Li Rui, *Early Revolutionary Activities*, pp. 313-317.

47. Xu Kexiang, «The Ma-jih [Horse day] Incident», en Dun Li, *Road to Communism*, pp. 91-95.

48. Liu Zhixun, «Ma ri shibian di huiyi» [memorias del incidente del día del caballo], en *Diyici gounei geming zhanzheng shiqi di nongmin yundong*, Renmin chubanshe, Pekín, 1952, pp. 81-84 (traducido parcialmente en Li Rui, pp. 315-316).

49. Xu Kexiang, pp. 93-94. El propio Xi, según Zhang Guotao, apenas tenía mil rifles (I, p. 615).

50. Liu Zhixun afirmó que existía «un plan para el contraataque», pero era demasiado indefinido para poder ponerse en práctica. «Sabíamos que se acercaba el golpe ... [pero] en aquella época el Partido Comunista ... no tenía ninguna experiencia ... De modo que, cuando se produjo el golpe, estábamos desorganizados y confundidos, y todos nuestros planes fallaron» («Ma ri shibian di huiyi», p. 383; véase también Zhonggong Hunan shengwei xuanchuanbu, *Hunan geming lieshi zhuan*, Tongsu duwu chubanshe, Changsha, p. 96).

51. Xu Kexiang, p. 94.

52. *Hunan geming lieshi zhuan*, p. 96 (traducido en McDonald, p. 315).

53. Xu Kexiang, p. 94.

54. McDonald, p. 316. Isaacs informa de veinte mil muertos «en el transcurso de los siguientes meses» (p. 236). Ambas cifras son coherentes con las fuentes primarias disponibles. Mao habla el 13 de junio de «bastantes más de diez mil» muertos en Hubei, Hunan y Jiangxi, existiendo algunas cifras que lo corroboran en determinados distritos (Schram, II, p. 516). Véase también *Minguo ribao*, Hankou, 12 de junio de 1927 (citado por Isaacs, pp. 225-226).

55. Isaacs, pp. 235-236.

56. Liu Zhixun, «Ma ri shibian di huiyi»; Wilbur, pp. 656-657. La orden de anular el ataque fue dada por Li Weihan, quien había sucedido a Mao como secretario del partido en Hunan en abril de 1923 y continuó en el cargo hasta finales de mayo de 1927 (Conrad Brand, Benjamin Schwartz y J. K. Fairbank, *A Documentary History of Chinese Communism*, Harvard University Press, 1952, pp. 112-113). Véase también Zhang Guotao, I, p. 636.

57. Wilbur cita un informe de los archivos del Guomindang que estima que «de cuatro a cinco mil personas fueron asesinadas y muchos pueblos devastados» en Hubei por las tropas de Xia (p. 654, n. 220). Véase también Isaacs, pp. 225-227. En Jiangxi, la cifra de muertos fue menor (Wilbur, pp. 660-661; véase también Schram, II, pp. 514-517).

58. *Ibidem* (13 de junio de 1927).

59. McDonald, p. 316.

60. Zhang Guotao, I, p. 615. El consejero de Wang Jingwei, T'ang Leang-li [Tang Liangli], también consideró el incidente del día del caballo como un episodio que les permitió caer en la cuenta de que «había llegado el momento de que el Guomindang y el Partido Comunista se separasen» (*The Inner History of the Chinese Revolution*, E. P. Dutton, Nueva York, 1930, p. 279).

61. Wilbur, *CHOC*, XII, p. 655; North y Eudin, *Roy's Mission to China*, pp. 100-106 y 293-304; *ZZWX*, III, pp. 136-137.

62. North y Eudin, p. 104; Wilbur, p. 655.

63. North y Eudin, p. 103. Mao era entonces el responsable de redactar la mayor parte de las disposiciones de la asociación. Cómo y a quién envió el mensaje son cuestiones inciertas, puesto que tanto la asociación de campesinos provincial como el sindicato obrero provincial habían sido suprimidos.

64. *Ibid.*, p. 104.

65. *Ibid.*, pp. 314-317 (3 de junio de 1927).

66. *Nianpu*, I, p. 201. El nombramiento de Mao fue anunciado el 7 de junio.

67. *Ibid.*, pp. 201-205.

68. Schram, II, pp. 504-508 (30 de mayo) y pp. 510-513 (7 de junio de 1927).

69. Isaacs, pp. 190-196. Eudin y North, *Soviet Russia and the East*, pp. 301-302. Para la versión de Trotski de las discusiones, véase Evans y Block, *Trotsky on China*, pp. 443-461.

70. *History of the CCP, Chronology*, p. 49.

71. North, *Moscow and Chinese Communists*, pp. 100 y 104-105. La resolución aprobada el 30 de mayo está traducida al inglés en Eudin y North, pp. 369-376.

72. North, pp. 105-106; Eudin y North, pp. 379-380.

73. Zhang Guotao, I, pp. 637-638.

74. Evans y Block, p. 606. Véase también «Gao chuangdang tongzhi shu», Shanghai, 1929.

75. Zhang Guotao, I, p. 638.

76. Evans y Block, p. 601.

77. Schram, II, p. 426; Cai Hesen, *Problemy Kitaia*, I, p. 39.

78. Wilbur, *CHOC*, XII, pp. 661-662; North y Eudin, pp. 110-118; T'ang Leang-li, pp. 280-283; Zhang Guotao, I, pp. 638-646. La actitud de Roy se desprende de su intervención en el Politburó del 15 de junio de 1927: «Debemos poner al Guomindang en una situación tal que se vea obligado a responder. Debemos forzarle a realizar una declaración explícita ante las masas para comprobar si está preparado para liderar la revolución o si pretende traicionarla» (North y Eudin, p. 355).

79. North y Eudin, pp. 338-340.

80. El Comité Central afirmó: «Existe el riesgo de un conflicto armado inmediato con el enemigo. Y esto no es lo más deseable para nuestro partido» (*ZZWX*, III, p. 138).

81. Tras la muerte de Mao se supo que «aunque el Comintern había cometido una serie de errores en sus consejos a los revolucionarios chinos, esta directriz se dirigió certeramente a la cuestión más crucial del momento: cómo salvar la revolución» (Hu Sheng, ed., *A Concise History of the Communist Party of China*, Foreign Languages Press, Pekín, 1994, p. 103).

82. A partir del 7 de junio, cuando Mao fue nombrado por vez primera secretario del comité de Hunan, y hasta el 24 del mismo mes, cuando fue designado por segunda vez, la política del Comité Central sobre «el problema de Hunan» se mantuvo fluctuante (*Nianpu*, I, pp. 203-204). Cai Hesen escribió tiempo después que el Comité Central y los delegados del Comintern (Borodin y Roy) crearon una comisión especial para planear levantamientos campesinos armados en Hunan, y que «un gran número de camaradas armados fue enviado a Hunan» con este propósito (*Problemy Kitaia*, I, p. 44). Mao se dirigió a este grupo en la segunda decena de junio (*Nianpu*, I, pp. 203-204). Zhou Enlai, como director de la Comisión Militar del Comité Central, presentó el 17 de junio al Comité Permanente del Politburó «un plan para actuar ante las [consecuencias] de la masacre de Hunan», y Qu Quibai confirmó tiempo después que el Comité Central tomó aquel mes una «decisión final» sobre llevar a cabo una ofensiva en Hunan (Qu, «The Past and Future of the Chinese Communist Party», en *Chinese Studies in History*, 1971, V, 1, pp. 37-38). Cuando una semana después Mao viajó a Hunan, se encargó de resumir el plan de la comisión a los cuadros del partido allí presentes (*Nianpu, ibid.*). Pero la central del partido le ordenó repentinamente que abandonase la misión y volviese a Wuhan (Snow, p. 189). Al parecer, el 29 de junio Tang Shengzhi había emitido una declaración mostrando su respaldo a Xu Kexiang (North y Eudin, pp. 120-121), lo que significaba que la estrategia de la insurrección contaría con la oposición de las fuerzas militares controladas por la izquierda del Guomindang. Por ello Borodin ordenó el abandono del plan (*Nianpu*, I, p. 203).

83. Wilbur, *CHOC*, XII, p. 668; Vishnyakova-Akimova, p. 632.

84. Wilbur, *CHOC*, XII, pp. 664-665.

85. Cai Hesen, *Problemy Kitaia*, pp. 56-57. Véase también Qu Qiubai, pp. 41-42.

86. North y Eudin, pp. 361-365; Wilbur, *CHOC*, XII, pp. 665-666.

87. North y Eudin, pp. 366-369. Chen Duxiu afirmó tiempo después que él había propuesto en dos ocasiones (aparentemente en junio) que el Partido Comunista Chino abandonase el frente, pero el resto del Politburó, con la excepción del joven líder de la Liga de las Juventudes, Ren Bishi, se mostró contrario (Evans y Block, p. 604). También Zhang Guotao sostuvo que él mismo había propuesto una ruptura a mediados de junio, pero encontró al resto de la cúpula demasiado cautelosa (I, p. 647).

88. Wilbur, *CHOC*, XII, p. 667.

89. *Nianpu*, I, pp. 203-204; Snow, p. 189.

90. *Nianpu*, I, p. 204; Schram, III, pp. 5-12.

91. Wilbur, *CHOC*, XII, p. 667.

92. Schram, III, pp. 8-11.

93. De acuerdo con el *Nianpu*, Mao y Cai discutieron largamente estas cuestiones durante los primeros diez días de julio; acto seguido Cai escribió al Politburó acusando a este organismo de no dedicar la atención debida a la planificación militar (I, p. 205)

94. *Pravda*, 10 de julio de 1927, p. 2; *History of the CCP, Chronology*, p. 50; Wilbur, *CHOC*, XII, pp. 669-671.

95. Wilbur, pp. 669-670; Isaacs, p. 270.

96. *Nianpu*, I, 206; Zhang Guotao, I, pp. 656-659.

97. Wilbur, pp. 671-672.

98. No se sabe exactamente la fecha en que Yang Kaihui abandonó Wuhan, pero probablemente fue a finales de julio. Teniendo en cuenta el nacimiento de Anlong en abril y el caos de Hunan después del 21 de mayo, es improbable que partiese antes de esa fecha. De acuerdo con el *Nianpu* (I, p. 209), Mao se reunió brevemente con ella en agosto en Changsha, cuando estaba organizando la insurrección de la cosecha de otoño; pero los meses en Wuhan fueron los últimos que pudieron vivir juntos como una familia.

CAPÍTULO 7

1. Zhang Guotao, *Rise of the Chinese Communist Party*, I, pp. 669-672. He sustituido la anacrónica expresión «gamberro» que utilizó el traductor inglés de Zhang por la palabra «vividor».

2. El grupo incluía a Meyer, que actuaba como cónsul soviético y representante del Comintern en Changsha, y Heinz Neumann, de veintiséis años, alemán que trabajaba para la Joven Internacional (Marcia R. Ristaino, *China's Art of Revolution: The Mobilization of Discontent, 1927 y 1928*, Duke University Press, Durham, Carolina del Norte, 1987, pp. 41 y 103-104). Ambos compartían las fuertes tendencias izquierdistas de Lominadze.

3. Zhang Guotao, I, pp. 657-660.

4. Schram, *Mao's Road*, III, pp. 13-19.

5. *Nianpu*, I, p. 206. Esto era evidentemente una continuación del frustrado proyecto de sublevación en Hunan en el que Mao había estado involucrado.

6. Véase Zhang Guotao, I, pp. 660-676, y II, pp. 3-16; Hsia Tso-liang, *Chinese Communism in 1927, City vs Countryside*, Chinese University of Hong Kong, 1970, pp. 81-90; Ristaino, pp. 21-38; Jacques Guillermaz, «The Nanchang Uprising», *CQ*, XI (1962), pp. 161-168; y C. Martin Wilbur, «The Ashes of Defeat», *CQ*, XVIII (1964), pp. 3-54. Las primeras discusiones sobre la sublevación de Nanchang, en las que intervi-

nieron Li Lisan en Jiujiang y Zhou Enlai en Wuhan, se habían iniciado ya el 20 de julio (o quizá antes).

7. Citado por Zhang Guotao en Wilbur, *CQ*, XVIII, p. 46.

8. La Comisión del Frente del Partido Comunista Chino era el órgano supremo del partido, proporcionando liderazgo total a las unidades militares bajo su control. Tenía autoridad sobre el Comité Militar, responsable de la estrategia y las tácticas militares, y sobre el comité local del partido (a nivel de condado o distrito especial) en su área de operaciones. Sin embargo, estaba subordinado al comité provincial de la provincia en que operaba. De este modo, en Nanchang, la Comisión del Frente de Zhou estaba (al menos teóricamente) bajo la autoridad del comité del partido de Jiangxi. En Cantón, tenía que responder ante el comité del partido de Cantón.

9. Siete de los diez mariscales del Ejército Popular de Liberación nombrados en 1955 eran veteranos de la fuerza insurrecta de Nanchang. El aniversario de la sublevación es hoy celebrado en China como la fecha de fundación del Ejército Popular de Liberación.

10. Schram, III, p. 25 (1 de agosto de 1927). El *Nianpu* indica que la decisión de convertir a Guangdong en el destino final fue tomada por el Comité Permanente el 24 o 25 de julio (I, p. 206).

11. David S. G. Goodman, *Deng Xiaoping and the Chinese Revolution*, Routledge, 1994, p. X; y Richard Evans, *Deng Xiaoping and the Making of Modern China*, Penguin, Harmondsworth, 1995, p. 44.

12. Saich, *Rise to Power*, p. 308.

13. Ristaino, p. 41. Había presentes dos forasteros: Lominadze y un «representante de la Joven Internacional», que Li Yuning sugiere que era Chitarov (*Biography of Ch'u Ch'iu-p'ai*, p. 227, n. 4).

14. Li Ang, *Hongse wutai*, Chongqing, 1942 [sin número de página]. «Li Ang» (pseudónimo de Zhu Xinfan) era un comunista renegado. No asistió al congreso.

15. Saich, p. 309; *ZZWX*, III, p. 302.

16. Saich, pp. 296-313.

17. *Ibid.*, pp. 306-307.

18. *ZZWX*, III, p. 303.

19. Saich, pp. 296-308.

20. Los mencheviques (literalmente, «facción minoritaria») se separaron de la mayoría bolchevique del movimiento comunista ruso en 1902, a causa de ciertas divergencias sobre la violencia de clases. A partir de entonces, los comunistas soviéticos usaron el término «menchevismo» para denotar cualquier tipo de oposición derechista o defensa de la reconciliación de clases.

21. La resolución censuró, por ejemplo, una directriz (*ibid.*, p. 303) redactada por Mao el 30 de mayo de 1927 para la Asociación Campesina de China (Schram, II, p. 506).

22. Brandt *et al.*, *Documentary History*, p. 119.

23. Schram, III, p. 33 (9 de agosto de 1927).

24. *History of the CCP, Chronology*, pp. 52-53.

25. Se puede inferir de la narración de Zhang Guotao (I, p. 659) que Zhou Enlai era el responsable de la decisión, lo cual es consistente con que Mao posteriormente acusase a Chen Duxiu (Snow, *Red Star Over China*, p. 189). A fin de cuentas, era muy difícil que en 1936 pudiese señalar a Zhou como el culpable. Mao no era nativo de Sichuan ni tenía experiencia en esa provincia (véase también *Nianpu*, I, p. 206). Los motivos de Zhou para verle marginado de tal modo permanecen sin aclarar.

26. Véase el comentario de Qu del 28 de septiembre de 1927: «Hay que contar con Mao ... Si buscáis a alguien con ideas independientes en nuestro partido, ese es Zedong» (*Nianpu*, I, p. 221). Después de la asamblea del 7 de agosto Qu pensó en asignar a Mao un

trabajo en la central de Shanghai. Pero Mao se excusó argumentando caprichosamente que a él no le gustaban los edificios altos y que prefería vivir en el campo junto a «los héroes de los verdes bosques». La idea fue rápidamente abandonada (Saich, p. 209).

27. *Ibid.*, p. 206.

28. Schram, III, pp. 27-28.

29. Saich, pp. 317-319 (3 de agosto de 1927).

30. Véase *ibid.*, pp. 319-321; *Nianpu*, I, pp. 207-209; y Schram, III, pp. 33-34 (9 de agosto de 1927). Según las evidencias fragmentarias de que disponemos, parece que el día 3 de agosto, apenas unas horas después de que el Comité Permanente pusiera en circulación un nuevo «Esbozo ... de la sublevación de la cosecha de otoño», se comunicó a Mao que finalmente no volvería a Hunan sino que se quedaría en Wuhan (probablemente en relación con la posterior sugerencia de Qu de que quedaría asignado a Shanghai). Al parecer, él no intervino en la propuesta revisada elaborada por el comité de Hunan.

31. La franqueza de Mao era realmente llamativa porque, como insinuó Lominadze (Schram, III, p. 33) y más tarde confirmó Peng Gongda (Saich, p. 322), Yi Lirong sería castigado por haber pedido que el Comintern asumiese parte de la culpa por los «errores oportunistas» del pasado.

32. Schram, III, pp. 33-34.

33. Saich, p. 321.

34. *Nianpu*, I, p. 209.

35. Saich, pp. 322-323; *Nianpu*, I, pp. 209-210.

36. Schram, III, pp. 39-40 (20 de agosto de 1927).

37. *Ibidem.*

38. *Ibidem*; y *Nianpu*, I, p. 210. Véanse también los mordaces comentarios de Li Lisan sobre el continuado uso de «la bandera del terror blanco» por parte de los rebeldes de Nanchang (Wilbur, *CQ*, XVIII, p. 23). Qu Qiubai admitió posteriormente que la decisión inicial, en agosto, de mantener la bandera había sido un error (*Chinese Studies in History*, V, 1, p. 53).

39. *ZZWX*, pp. 369-371. Véase también el discurso de Stalin al Comintern del 27 de septiembre (Eudin y North, *Soviet Russia and the East*, p. 307).

40. *ZZWX*, III, pp. 294-297; y Schram, III, p. 32 (7 de agosto de 1927).

41. Schram, III, p. 35 (18 de agosto) y p. 40 (20 de agosto de 1927).

42. Hoybom Pak, ed., *Documents of the Chinese Communist Party*, Union Research Institute, Hong Kong, 1971, pp. 91-95.

43. Schram, III, pp. 30-31 (7 de agosto de 1927).

44. Saich, p. 310. Una semana antes, el Comité Permanente había aprobado la proposición de Mao de que la base del alzamiento en el sur de Hunan fuese un regimiento de las fuerzas regulares (Schram, III, p. 28).

45. Saich, pp. 319-321. Sobre un debate similar acerca del uso de fuerzas militares en los levantamientos de Hubei, véase Roy Hofheinz, «The Autum Harvest Insurrection», *CQ*, 32 (1967), p. 47.

46. Véase Qu Qiubai, pp. 21 y 70.

47. *Nianpu*, I, p. 212.

48. Saich, p. 315.

49. Hofheinz, *CQ*, 32, p. 48.

50. Saich, p. 324.

51. *Ibid.* y Schram, III, p. 36 (18 de agosto de 1927).

52. *Nianpu*, I, p. 212.

53. Schram, III, pp. 37-38 (19 de agosto de 1927).

54. *Zhongyang tongxin*, III, pp. 38-41 (30 de agosto de 1927). Aparecen traducciones distintas en Pak, pp. 91-92, y Hofheinz, p. 65.

55. *Nianpu*, I, p. 213. Véase también Saich, p. 504, n. 90.

56. Hofheinz, pp. 49-57.

57. *Nianpu*, I, p. 213.

58. Schram, III, pp. 41-42 (30 de agosto de 1927).

59. Pak, pp. 99-101.

60. *Ibid.*, pp. 60-66; Hofheinz, pp. 37-87. El texto casi íntegro aparece en *Zhongyang tongxin*, 11 (diciembre de 1927). Se especificaron cuatro centros en Hunan: Changsha, Hengyang y Changde al este, y Baoqing en el suroeste. Hofheinz fecha erróneamente el plan de Qu Qiubai, de principios de agosto, lo que invalida buena parte de su cronología. Véase también Hsiao Tso-ling, pp. 44-80, y Ristaino, pp. 56-74.

61. *Nianpu*, I, p. 213; Saich, p. 504, n. 90.

62. *Nianpu*, I, p. 214.

63. *Ibid.*, p. 215; Hofheinz, pp. 67-70.

64. *Nianpu*, I, p. 216; Hofheinz, pp. 71-72.

65. Snow, p. 193.

66. *Nianpu*, I, pp. 217-218; Hsiao Tso-liang, pp. 67-77; y Hofheinz, pp. 72-79.

67. *Nianpu*, I, pp. 218-219.

68. Schram, III, p. 34 (9 de agosto de 1927).

69. *Nianpu*, I, pp. 219-220. Véase también He Changgong, «The deeds of Jinggang-shan will be remembered for thousands of years», BBC Summary of World Broadcasts, 18 de junio de 1981, FE/6752/BII/1.

70. Hofheinz, pp. 51-60.

71. Wilbur, *CQ*, 18, pp. 33-34; Ristaino, p. 35.

72. Ristaino, pp. 127-129.

73. Saich, pp. 331-341; *ZZWX*, III, pp. 478-484.

74. Véase Zhou Enlai, *SW*, I, p. 194.

75. *ZZWX*, III, pp. 482-484.

76. Ristaino, pp. 97-108; Hsiao Tso-Liang, pp. 135-148; Wilbur, «The Nationalist Revolution», *CHOC*, XII, pp. 692-695; Isaacs, *Tragedy of the Chinese Revolution*, pp. 282-291; y North, *Moscow and Chinese Communists*, p. 120. La *History of the CCP, Chronology* ofrece un listado de unos veinticinco levantamientos, casi todos de corta duración, entre noviembre de 1927 y junio de 1928 (pp. 56-59).

77. *History of the CCP, Chronology*, p. 56.

78. *Ibid.*, pp. 56-59, y Ristaino, pp. 126-139.

79. No ha sobrevivido ningún texto de los discursos o los escritos de Mao entre septiembre de 1927 y abril de 1928. La sección que aquí comienza se basa extensamente, por tanto, en el *Nianpu* (I, pp. 220-244) —que, a su vez, se basa en noticias orales llegadas a la Comisión del Comité Central del Partido Comunista Chino que visitó las zonas base del Jiangxi en 1951 (A. M. Grigoriev, *Revolyutsionnoe Dvizhenie, v Kitae v 1927-1931/gg*, Izdatelstvo Nauka, Moscú, 1980, p. 62)—; en investigaciones llevadas a cabo por los historiadores del partido y en memorias; en mis propias visitas a la zona en 1979-1980 y 1997; y en cuatro monografías destacadas sobre ese período: Gui Yulin, *Jinggangshan geming douzheng shi* (Historia de las luchas revolucionarias de Jinggangshan), Jiefangjun chubanshe, Pekín, 1986; *Jinggangshande wuzhuang geju* (El régimen militar independiente de Jinggangshan), Jiangxi renmin chubanshe, Nanchang, 1979; *Jinggangshan geming genjudi shiliao xuanbian* (Selección de documentos históricos sobre la base revolucionaria de Jinggangshan), Jiangxi Renmin chubanshe, Nanchang, 1986; y *Jinggangshan geming genjudi* (Las bases revolucionarias de Jinggangshan), vols. I y II, Zhonggong dangshi ziliao chubanshe, Pekín, 1987. Uno de los pocos trabajos actuales en inglés aparece en la introducción a *Mao's Road to Power* de Stuart Schram (III, pp. XXIV-XXIX).

80. Schram, III, p. 59. La carta de Mao en que se refería a los comisarios políticos fue escrita probablemente a principios de junio, no en agosto de 1928.

81. *Ibid.*, p. 102 (25 de noviembre de 1928).

82. Schram, III, p. 119 (25 de noviembre de 1928).

83. Qu dijo el 17 de febrero de 1928 a un oficial del partido de Jiangxi que el desarrollo de la revolución en el suroeste de Jiangxi tendría un importante efecto dominó en Hunan, de manera que se cuestionaba: «¿Debería Mao ser el secretario [del partido] en el suroeste de Jiangxi?» (*Nianpu*, I, p. 234). Finalmente la propuesta no tuvo consecuencias, pero desveló las ideas de Qu.

84. Como jefe de la Comisión Militar del Comité Central, Zhou era el responsable de poner en práctica la política militar de la central, y en poco tiempo se forjó una reputación como rigorista de la disciplina del partido. Es tentador interpretar los ataques de Zhou a Mao del invierno de 1927 como una manifestación temprana de su practica, presente a lo largo de toda su vida, de buscar siempre el caballo ganador (en este caso, la línea militar de Qu y Lominadze) y alinearse con él. Pero el hecho de que en junio de 1928 continuase criticando a Mao cuando la línea a seguir había ya cambiado sugiere propósitos más secretos, reflejo quizá de anteriores confrontaciones, fuese en Cantón con el Incidente del Veinte de Mayo de 1926, o en Wuhan, en junio de 1927, cuando trabajaron juntos en el primer y abortado plan de sublevación de Hunan.

85. Carr, *Fundations of a Planned Economy*, III, parte 3, p. 867 (citando *Stenografiches-kii Otchet VI Siezda KPK*, vol. V, Moscú, 1930, pp. 12-13).

86. Schram, III, p. XXVI; *ZZWX*, IV, pp. 56-66.

87. *Nianpu*, I, p. 229 (31 de diciembre de 1927).

88. En enero de 1928, el comité provincial de Hunan había estado sometido a una represión tan severa que dejó virtualmente de existir, de modo que, *faute de mieux*, el comité especial del sur de Hunan (a pesar de que sus miembros eran objeto de críticas por sus «tendencias políticas incorrectas y poco proletarias») actuaba en su lugar. La repetida exterminación física de los comités del Partido Comunista Chino en aquella provincia durante ese período y la escasez de oficiales veteranos cualificados para sustituirles significó que los veteranos del partido, como Mao, a menudo trabajaban a las órdenes de jerarquías superiores sin experiencia o totalmente incompetentes, cuando no ambas cosas. Zhou Lu, a pesar de su grandilocuente título de «jefe del Departamento de Asuntos Militares del comité especial del sur del Hunan», era un don nadie. Los «comités especiales» habían sido fundados en todas las provincias del sur para guiar el trabajo del partido (especialmente el impulso de los levantamientos) en sus áreas geográficas. Estaban subordinados a los respectivos comités provinciales (siempre que existiesen) pero tenían en cierta medida autonomía operativa. En teoría, Hunan tenía, ya a principios de 1928, comités especiales en el sur y el este; Jiangxi en el suroeste, el este y el norte. Algunos existían únicamente sobre el papel y otros operaban esporádicamente. *Ibid.*, *ZZWX*, IV, pp. 71-75; y Grigoriev, *Revolyutsionnoe Dvizhenie*, p. 71.

89. Schram, III, p. 52 (2 de mayo de 1928).

90. *Ibid.*, p. 84.

91. *History of the CCP, Chronology*, p. 58. El relato de Agnes Smedley (*The Great Road*, Monthly Review Press, Nueva York, 1956, pp. 212-225) informa vívidamente de los acontecimientos de la lucha, pero hace parecer los esfuerzos del partido mucho más organizados de lo que en realidad fueron. Los documentos contemporáneos muestran que durante la mayor parte del tiempo los dirigentes del partido en Shanghai no sabían ni siquiera en qué provincia actuaban las fuerzas de Zhu De (Pak, pp. 183-194).

92. Smedley, p. 226.

93. *Ibid.*, p. 2.

94. *Ibid.*, pp. 9-186. Véase también Jin Chongji, *Zhu De zhuan*, Zhongyang wenxian chubanshe, Pekín, 1993.

95. Zhu trajo con él una copia de la resolución del pleno de noviembre (Schram, III, pp. 83-84). Véase también *ibid.*, pp. 52 y 54, y *Nianpu*, I, pp. 236, 238 y 240.

96. He Changgong, FE/6752/BII/1.

97. El texto de la intervención de Mao en el Primer Congreso del Partido de la Zona Fronteriza nunca ha sido publicado (y quizá se ha perdido). Volvió a abordar el mismo tema en otras dos ocasiones, avanzado el año, en ambas con términos muy similares. Este extracto pertenece a la resolución que redactó para el Segundo Congreso del 5 de octubre de 1928 (Schram, III, p. 65).

98. *Nianpu*, I, p. 229. Véase también, Smedley, pp. 232-233.

99. De acuerdo con el *Nianpu*, Mao elaboró a mediados de enero de 1928 un enunciado en doce caracteres: «Cuando el enemigo avanza, retrocedemos; cuando descansa, le hostigamos; cuando el enemigo retrocede, atacamos» (I, p. 232). La versión más completa de dieciséis caracteres apareció en mayo de aquel mismo año. Véase también Schram, III, p. 155.

100. Schram, III, p. 85 (25 de noviembre de 1928).

101. Mao comenzó a formular estas normas en octubre de 1927 (*Nianpu*, I, pp. 222 y 226). La primera versión formal de los «seis puntos» apareció el 25 de enero de 1928 (*ibid.*, p. 233). Se modificaron el 3 de abril (*ibid.*, p. 238), para evitar que se solapasen con las «tres reglas». La interpretación ortodoxa de los «ocho puntos» aparece en *SW*, IV, pp. 155-156.

102. Schram, III, p. 93 (25 de noviembre de 1928).

103. *Nianpu*, I, p. 231. Véase también Schram, III, pp. 104 y 115 (25 de noviembre de 1928).

104. Schram, III, p. 173 (1 de junio de 1929).

105. *Nianpu*, I, p. 236; véase también Schram, III, p. 115 (25 de noviembre de 1928).

106. *Chinese Studies in History*, V, 1, pp. 69-70. A pesar de que el discurso de Qu se realizó en junio, parece que se había elaborado dos meses antes (véase p. 53).

107. *Nianpu*, I, p. 243; Schram, III, p. 59. El comité provincial fue restituido en marzo, y reclamó del comite especial del sur de Hunan la autoridad sobre la línea fronteriza. Lamentablemente, como pronto descubrió Mao, los nuevos jefes eran más jóvenes e inexpertos que los antiguos.

108. Los resúmenes, en inglés, del congreso aparecen en A. M. Grigoriev, «An Important Landmark in the History of the Chinese Communist Party», *Chinese Studies in History*, VIII, 3 (1975), pp. 18-44; Carr, pp. 853-875; y Ristaino, pp. 199-214.

109. Cuando la carta de Mao llegó, Li era el dirigente más veterano en Shanghai del Partido Comunista Chino. Véase *ZZWX*, IV, pp. 71-75 y 239-257; Pak, pp. 371-372; y *Nianpu*, I, p. 244.

110. Grigoriev, *Revolyutsionnoe Dvizheniye*, p. 81; *Zhongguo gongchangdang huiyi gaiyao*, p. 79; Zhang Guotao, II, pp. 68-69.

111. Saich, pp. 341-358. Véanse también pp. 358-386; y *Chinese Studies in History*, IV, n.⁰ˢ 1 (1970), 2-3 y 4 (1971).

112. Richard Thornton, *The Commintern and the Chinese Communists, 1928-1931*, University of Washington, Seattle, 1969, pp. 32-38. A pesar de que fue aprobada en Moscú el 25 de febrero de 1928, la cúpula de Qu Qiubai sólo comenzó a difundirla el 30 de abril, y el periódico del partido, *Buersheweike* (que había sustituido el *Xiangdao* en octubre de 1927) no lo publicó hasta julio (Grigoriev, *Revolyutsionnoe Dvizhenie*, p. 78).

113. Nikolái Bujarin, discurso en el Sexto Congreso, en *Chinese Studies in History*, IV, 1 (1970), pp. 19-22.

114. Saich, pp. 374 y 355-357.

115. Bujarin, discurso, p. 21.

116. *Ibid.*, p. 13: «Son los mismos campesinos los que se están levantando, y son los obreros los que continúan oprimidos y bloqueados, los que todavía no pueden erguir sus espaldas». La cuestión del liderazgo del proletariado, con los campesinos como principal fuerza revolucionaria, es inherente a todas las resoluciones.

117. Mao Zedong, *SW*, I, 1, p. 196 (diciembre de 1936).

118. Las siguientes noticias se basan en Wang Xingjuan, *He Zizhende lu*, Zuojiao chubanshe, 1988, pp. 1-23, 44-45, 60, 67-69, 78-79 y 87-88; y en Liu Xianong, «Mao Zedong dierci hunyin neiqing», *Jizhe xie tianxia*, n.º 21, mayo de 1992, pp. 4-11.

119. Wang Xingjuan, p. 90.

120. *Ibid.*, p. 45.

121. Smedley, pp. 137, 223-224 y 272-273.

122. Según fuentes orales, en 1972 se encontró un escondrijo repleto de documentos en la antigua casa de Changsha de uno de los tíos de Yang Kaihui. Entre ellos había una carta, fechada entre 1928 y 1929, en la que Kaihui explicaba cómo supo de la infidelidad de Mao. Partes de la carta, el original de la cual se conserva en los archivos de la central del partido, están deterioradas por la humedad y los insectos y son ilegibles. Su existencia no ha sido oficialmente confirmada.

123. Schram, III, pp. 50 y 52.

124. La confusión de mensajes contradictorios que llegaron a Jinggangshan en aquel período muestra los esfuerzos de los nuevos, muy jóvenes e igualmente inexpertos dirigentes provinciales en reafirmar su autoridad. El primer enviado, Du Xiujing, llegó a Jinggangshan el 29 de mayo con una directriz; el segundo, Yuan Desheng, a finales de junio, con otra. Du volvió con una tercera y contradictoria directriz, fechada el 19 de junio, y una carta, del 26 de junio, en desacuerdo con las otras tres. El único tema común era la necesidad de que las fuerzas de Mao avanzasen hacia Hunan, pero mientras las primeras instrucciones del comité provincial también remarcaban la necesidad de mantener la base de Jinggangshan, las últimas no lo hacían (véase *Jinggangshan geming genjudi*, I, pp. 133-144; Schram, III, pp. 55 y 117; *Nianpu*, I, pp. 243 y 247-248; y Pak, pp. 369-377).

125. *Nianpu*, I, pp. 247-248; *Jinggangshan geming genjudi*, I, p. 511. Yang Kaiming, que había partido de Changsha con Du, no se unió a Mao hasta algunos días después de la reunión del 30 de junio (*Jinggangshan geming genjudi*, I, p. 425).

126. Schram, III, pp. 55-58 (4 de julio de 1928).

127. *Nianpu*, I, pp. 248-249.

128. *Ibid.*, p. 250. Véase también Schram, III, pp. 68 y 117.

129. *Nianpu*, I, pp. 250-251; Schram, III, pp. 86 y 117.

130. *Nianpu*, I, pp. 252-253; Schram, III, pp. 87-88.

131. *Mao Zedong shici duilian jizhu*, Hunan wenyi chubanshe, 1991, pp. 23-25; véase también Schram, III, p. 61.

132. *Nianpu*, I, pp. 249-250 y 252; Schram, III, pp. 85-86 y 113; y *Jinggangshan geming genjudi*, I, pp. 471-472.

133. Véase Schram, III, p. 178. Inicialmente Zhu se había mostrado reacio a unirse a las fuerzas de Mao (a propuesta del Comité Central de diciembre de 1927, aunque sin efecto hasta abril de 1928); y Mao actuó cautelosamente para no irritar los ánimos posteriores a la reunión de agosto de 1928 (*Nianpu*, I, p. 252).

134. Mao tiempo después se refirió a «una opinión extravagante» defendida por «una minoría de camaradas» que mantenía que había sido un «error establecerse en la región fronteriza» (Schram, III, p. 183).

135. *Jinggangshan geming genjudi*, I, pp. 471-472.

136. *Nianpu*, I, pp. 228 y 254; *Jinggangshan geming genjudi*, I, pp. 472 y 523.

137. *Jinggangshan geming genjudi*, I, p. 472.

138. Schram, III, p. 71 (5 de octubre de 1928).

139. *Nianpu*, I, p. 254.

140. *Ibid.*, p. 256.

141. Schram, III, pp. 80-81 (25 de noviembre de 1928).

142. *Ibid.*, pp. 113-114.

143. *Ibid.*, pp. 80-121. El texto se contradice en diversas ocasiones. Así, en pp. 96-97, Mao se refiere a la escasez de comida y ropa, pero después, en la p. 118, afirma que «la comida y la ropa habían dejado de ser un problema»; en p. 115 dice que hay «apenas algún caso de amotinamiento y deserción» entre las tropas enemigas, pero en p. 119 afirma que «más y más de los suyos desertarán para unirse a nuestro bando». Es posible que escribiese la primera parte antes de las batallas de Ninggang y Yongxin, entre el 9 y 10 de noviembre, y el resto posteriormente.

144. *Ibid.*, pp. 108-109 y 114 (véanse también pp. 70-71 y 75).

145. *Ibid.*, p. 114.

146. *Ibid.*, pp. 111-112; *Nianpu*, I, p. 256.

147. Schram, III, pp. 92-97.

148. *Ibid.*, p. 151 (20 de marzo de 1929).

149. Smedley, p. 235.

150. Schram, III, pp. 104-105; Peng Dehuai, *Memoirs of a Chinese Marshal*, Foreign Languages Press, Pekín, 1984, p. 231.

151. Schram, III, pp. 92-97.

152. *Ibid.*, pp. 96-97; véase también He Changgong, FE/6752/BII/1.

153. Schram, III, p. 139 (13 de febrero de 1929).

154. Mao reconoció la implicación en 1928 y 1929 del Ejército Rojo en la cuestión del opio (*ibid.*, pp. 57 y 173-174). Véase también Peng Dehuai, p. 248.

155. Schram, III, pp. 105 y 119.

156. *Ibid.*, p. 119.

157. Peng Dehuai, pp. 193-229 y 233-234; *Nianpu*, I, pp. 259-261.

158. *Nianpu*, I, pp. 261-262.

159. Smedley, p. 236.

160. *Ibidem*; *Nianpu*, I, p. 263.

161. A mediados de los años sesenta Peng se lamentaba: «Si el Cuarto Ejército [hubiese] maniobrado correctamente, habría destruido o ahuyentado las brigadas enemigas. [Pero en lugar de ello], atacó Dayu ... [y] perdió cualquier contacto con las montañas de Jinggang» (Peng Dehuai, p. 233).

162. *Ibid.*, pp. 234-237.

163. Schram, III, pp. 159 (5 de abril de 1929) y 150.

164. Wang Xingjuan, pp. 118 y 135-136. He Zizhen recordaba que el niño nació en Longyan, en la provincia de Fujian. Las tropas de Mao se detuvieron allí brevemente a finales de mayo de 1929 (*Nianpu*, I, p. 276; Schram, III, p. 166).

165. Smedley, p. 237.

166. *Nianpu*, I, pp. 265-266 y 270; Schram, III, p. 150.

167. Schram, III, p. 119.

168. *Ibid.*, pp. 173-174.

169. *Ibid.*, pp. 151 (20 de marzo), 161 (5 de abril) y 172 (1 de junio de 1929).

170. *Ibid.*, pp. 117 y 120 (25 de noviembre de 1928).

171. *Ibid.*, p. 161 (5 de abril de 1929).

172. *Ibid.*, p. 151 (20 de marzo de 1929).

173. Las elecciones del Sexto Congreso pecaron decididamente de falta de centralismo. En parte porque la reunión no era suficientemente representativa (celebrada en Mos-

cú con la ausencia de algunas de las figuras clave del partido, como Mao, Peng Pai y Li Weihan; y engrosada con estudiantes chinos de las universidades soviéticas para alcanzar un número suficiente de delegados), y en parte porque no existía ningún líder chino capaz de unir al partido bajo su figura. Como resultado, cuando el Comintern elaboró una lista de candidatos para convertirse en miembros del Comité Central, se los eligió correctamente, pero no en el orden deseado. Dentro del nuevo Politburó, Xiang Zhongfa resultó el tercero de las filas del Comité Central, Su Zhaozheng el noveno; Mao el décimo segundo, Zhou Enlai el décimo cuarto, Cai Hesen el décimo sexto, Xiang Ying el décimo séptimo y Zhang Guotao el vigésimo tercero. Li Lisan fue el vigésimo segundo del Comité Central y por muy poco consiguió introducirse en el Politburó como miembro suplente sin derecho a voto; no se convirtió en miembro plenario hasta noviembre de 1928 (*Zhongguo gongchandang huiyi gaiyao*, p. 84). Los procedimientos rusos evidentemente dejaron mucho que desear.

174. Es probable, aunque no se puede probar, que Mao recibiese la nueva lista de los miembros del Comité Central y el Politburó al mismo tiempo que llegó a Jinggangshan el paquete (incompleto) de documentos del Sexto Congreso. Pudo tener consciencia de la forma real de la nueva cúpula cuando un emisario del Comité Central, Liu Angong, llegó en mayo de 1929 al Cuarto Ejército. Sin embargo, el primer comentario escrito (conocido) de Mao sobre los cambios en el liderazgo llegaron a finales de noviembre de 1929, cuando indicó a Li Lisan: «Sólo con la llegada del camarada Chen Yi [dos días antes] supe de tu situación» (*ibid.*, pp. 151-152 y 192; y *Nianpu*, I, pp. 274 y 289-290).

175. *Nianpu*, I, pp. 264-265.

176. Saich, pp. 472-474; *ZZWX*, V, pp. 29-38.

177. Schram, III, p. 100.

178. Saich, pp. 473-474.

179. *Ibid.*, pp. 147-152; *Nianpu*, I, pp. 264-270; Smedley, pp. 237-239 y 248-251.

180. El mensajero del Comité Central llegó el 3 de abril a Ruijin (Schram, III, p. 153).

181. *Ibid.*, pp. 153-161 (5 de abril de 1929), 168 y 172; Peng Dehuai, p. 250.

182. Schram, III, pp. 244-245 (5 de enero de 1930).

183. *ZZWX*, V, p. 30.

184. Schram, III, p. 154.

185. *Ibid.*, p. XLI; Jin Chongji, *Zhou Enlai zhuan, 1898-1949*, Zhongyang wenxian yanjiushi chubanshe, Pekín, 1989, p. 193; *Nianpu*, I, p. 272.

186. Afirmó que la orden de dispersar el Ejército Rojo la había expedido Bujarin (que había caído en desgracia y podía, por tanto, ser acusado con impunidad), «ignorando las condiciones chinas». Véase Saich, p. 395; *Nianpu*, I, p. 278-279.

187. Schram, III, pp. 243-244 (5 de enero de 1930).

188. *Ibid.*, p. 244; *Nianpu*, I, p. 272.

189. *Nianpu*, I, pp. 275-278. Véanse también las cartas de Mao a Lin Biao del 14 de junio de 1925 y el 5 de enero de 1930 (Schram, III, pp. 177-189 y 234-246); y la «Directriz al Comité del Frente del Cuarto Ejército Rojo», sección VIII, «El problema de Zhu y Mao», enviada por el Comité Central, en *ZZWX*, V, pp. 488-489.

190. Véase Schram, II, pp. 178-179, 184 y 187.

191. Wang Xingjuan, p. 139.

192. *Nianpu*, I, p. 277; Schram, III, pp. 81 y 185-187.

193. Schram, III, p. 181.

194. *Ibid.*, p. 171.

195. *Ibid.*, pp. 156, 159 y 171; *Nianpu*, I, pp. 264 y 268-269.

196. *Nianpu*, I, p. 274.

197. *Ibid.*, pp. 276-277; y Schram, III, pp. 180-185.

198. Schram, III, p. 184.

199. *Nianpu*, I, pp. 274 y 276-277; Schram, III, p. XLIV; Jin Chongji, *Zhu De zhuan*, pp. 175-180.

200. *Nianpu*, I, p. 278.

201. Schram, III, p. 182 (14 de junio de 1929).

202. *Nianpu*, I, pp. 280-281; *Zhongguo gongchangdang huiyi gaiyao*, pp. 88-90; Xiao Ke, *Zhu Mao hongjun ceji*, Zhonggong zhongyang dangxiao chubanshe, Pekín, 1993, pp. 88-102.

203. Wang Xingjuan, pp. 135-137.

204. *Ibid.*, pp. 140-142. Casi con total seguridad, padecía de neurastenia.

205. *Nianpu*, I, pp. 281-283.

206. Wang Xingjuan, p. 143.

207. *Ibidem*; *Nianpu* (I, pp. 283-284) ofrece una secuencia de los sucesos algo distinta.

208. Mao escribió a finales de noviembre que había estado «gravemente enfermo durante tres meses» (Schram, III, p. 192). De acuerdo con *Nianpu*, su malaria quedó curada a finales de octubre (I, p. 288). Ambos datos son coherentes con el hecho de que hubiese contraído la enfermedad a principios de agosto (véase también *Nianpu*, I, p. 284).

209. *Nianpu*, I, p. 285.

210. *Ibid.*, pp. 284-285. No se sabe con certeza cómo llegó a Shanghai la carta que mostraba las ideas de Mao (que él había enviado privadamente el 14 de junio a Lin Biao). Presumiblemente, Lin o Mao se encargaron personalmente de incluirla entre las resoluciones del congreso.

211. *Ibid.*, p. 285. Smedley afirmó que Zhu De recordaba a Liu con afección (*Great Road*, p. 266).

212. *Nianpu*, I, p. 286.

213. *Ibid.*, p. 289; *ZZWX*, V, pp. 473-490.

214. *ZZWX*, V, pp. 488-489.

215. *Nianpu*, I, pp. 288-290.

216. *Ibid.*, p. 295.

217. Schram, III, p. 194.

218. *Nianpu*, I, pp. 291-292; véase también *Zhongguo gongchangdang huiyi gaiyao*, pp. 98-102.

219. Schram, III, pp. 195-210 (28 de diciembre 1929).

220. *SW*, II, p. 224 (6 de noviembre de 1938).

221. Schram, III, pp. 207-230.

222. *Ibid.*, pp. 234-246 (5 de enero de 1930).

223. Véanse *Zhou*, *SW*, I, p. 44, y Saich, pp. 388-389.

224. Thornton, pp. 93-96; Carr, III, parte 3, pp. 895-910.

225. Tras la derrota en septiembre de 1927 de las fuerzas de Nanchang , He Long retornó a su hogar en el noroeste de Hunan, donde, en enero de 1928, estableció una zona base y fundó un Ejército Revolucionario de los Campesinos y Obreros (al que, confusamente, también designaba con el nombre de Cuarto Ejército Rojo).

226. Saich, pp. 400-407, especialmente p. 406; el análisis de Thornton (pp. 96-101) está equivocado, como todo su libro, por otro lado muy útil, por la falsa presunción de que las comunicaciones entre Moscú y Shanghai eran virtualmente instantáneas.

227. Saich, pp. 400 y 406.

228. Para una interpretación distinta (partisana), véase Grigoriev, *Revolyutsionne Dvizheniye*, pp. 170-174. La sinología ha dedicado mucha tinta, en China, en Occidente y en Rusia, para intentar determinar el grado de responsabilidad de Moscú en la promoción de las medidas que fueron conocidas como «la línea Li Lisan». La explicación más plausible es que en noviembre se recibió en Shanghai un resumen (aunque probablemente no el

texto íntegro) de la carta del Comintern, que llevó rápidamente a la redacción de la circular del Comité Central que proclamó el advenimiento de la nueva «marea revolucionaria». De todos modos, no hay duda de que Li Lisan deseaba seguir una estrategia más agresiva y centrada en las zonas urbanas, y que las ambigüedades de la posición del Comintern durante el invierno le ofrecieron la oportunidad que estaba esperando.

229. *ZZWX*, V, pp. 561-575 (especialmente la sección 8, pp. 570-571).

230. La «Carta... a los soldados del Ejército del Guomindang» de Mao, publicada en enero, fue sin ninguna duda escrita después de que hubiese recibido la circular del 8 de diciembre (Schram, III, pp. 247-249).

231. *Nianpu*, I, pp. 297-298; *Zhongguo gongchangdang huiyi gaiyao*, pp. 102-104; y Peng Dehuai, p. 265.

232. Schram, III, pp. 268-269 (16 de febrero de 1930).

233. *Ibid.*, p. 263 (14 de febrero de 1930).

234. *Nianpu*, I, pp. 299-300.

235. *Ibid.*, p. 301; Schram, III, pp. 273-279 (18 de marzo) y 280-282 (19 de marzo de 1930).

236. Schram, III, p. 269.

237. *Ibid.*, pp. 204 y 206.

238. *Ibid.*, pp. 192-193 (28 de noviembre de 1929).

239. *ZZWX*, VI, pp. 25-35, especialmente sección 3.

240. *Nianpu*, I, p. 300.

241. *ZZWX*, VI, pp. 57-60.

242. Jin Chongji, *Zhou Enlai zhuan*, pp. 210-213; Grigoriev, p. 186.

243. *Nianpu*, I, pp. 303-308.

244. Véase *ZZWX*, VI, pp. 15-20; *Nianpu*, I, p. 305; Hsiao Tso-liang, *Power Relations within the Chinese Communist Movement, 1930-1934*, University of Washington Press, Seattle, 1961-1967, vol. I, pp. 16-18, y vol. II, pp. 28-29.

245. Schram, III, pp. 420-421 (mayo de 1930).

246. Véase Grigoriev, pp. 181 187, y Thornton, pp. 123-154. Las cuestiones que siguen se toman de *Buersheweike*, abril de 1930; *ZZWX*, VI, pp. 57-60 y 98-110; *Nianpu*, I, pp. 304-306; y Saich, pp. 428-439.

247. *Nianpu*, I, pp. 308-309 (9 de junio); Saich, pp. 428-439 (11 de junio); y *ZZWX*, VI, pp. 137-141.

248. Saich, pp. 429-432.

249. Smedley, p. 276; Peng Dehuai, pp. 286-299.

250. Grigoriev, pp. 201-202; Thornton, pp. 165-166.

251. Jin Chongji, *Zhu De zhuan*, p. 205; *Nianpu*, I, pp. 310-311.

252. El Politburó había decidido el ascenso de Zhu De en abril, pero él no supo nada de la decisión hasta la llegada de Tu Zhennong (*Nianpu*, I, p. 305).

253. *Mao Zedong shici duilian jizhu*, pp. 35-37 (se trata de una traducción adaptada de la que aparece en Schram, III, p. 460). El poema fue escrito según parece en marzo, después de que Mao abandonase Tingzhou y antes de la llegada del ejército a las proximidades de Nanchang. Los editores chinos lo describen como «mostrando oscuramente los difíciles sentimientos [de Mao] en aquel momento».

254. *Nianpu*, I, pp. 311-312.

255. *Ibid.*, pp. 312-313; Schram, III, pp. 482-484 (19 de agosto de 1930).

256. Saich, pp. 439-445. Sobre las cuestiones de periodización, véase Grigoriev, p. 190.

257. Saich, p. 431.

258. Grigoriev, p. 202; Saich, pp. 439-445; *ZZWX*, VI, p. 595.

259. Peng Dehuai, pp. 294-297.

260. Una carta enviada por Mao el 19 de agosto al comité especial del suroeste de Jiangxi indicaba que comenzó a avanzar hacia Hunan *después* de tener conocimiento de la captura de Changsha. Aun así, volvió a pedir refuerzos urgentes para poder tomar ventaja de la «situación de creciente intensidad revolucionaria» (Schram, III, pp. 482-484; Peng Dehuai, p. 299).

261. *Nianpu*, I, p. 314; Peng Dehuai, pp. 300-301.

262. En febrero de 1930, en Pitou, Mao había sido nombrado secretario del Comité General del Frente del Cuarto, Quinto y Sexto Ejércitos (comandados respectivamente por Zhu De, Peng Dehuai y Huang Gonglue). Mantuvo sus cargos después de la reorganización llevada a cabo en verano, pero en la práctica sólo adquirió una autoridad real sobre las tres fuerzas tras la reunión de agosto en Liuyang. De modo similar, el Politburó había nombrado a Zhu comandante en jefe de los tres ejércitos, pero la designación tomó significado real sólo después de la formación del Primer Ejército del Frente.

263. *Nianpu*, I, p. 314; *ZZWX*, VI, pp. 178-180 y 248-249.

264. Schram, III, pp. 488-489 (24 de agosto de 1930).

265. *Ibid.*, pp. 500 y 501 (30 y 31 de agosto de 1930).

266. *Nianpu*, I, p. 315. Véase también Schram, III, pp. 490-502 y 508-521.

267. Schram, III, pp. 526-528 (13 de septiembre de 1930).

268. La documentación se encuentra en el Museo Revolucionario de Jian, que actualmente ocupa la antigua casa donde Mao y Zu De instalaron sus cuarteles mientras estuvieron en esa ciudad.

269. *Nianpu*, I, p. 318; Schram, III, pp. 552-553 (14 de octubre de 1930).

270. Schram, III, p. 574 (26 de octubre de 1930).

271. *Nianpu*, I, p. 326.

272. *Ibid.*, p. 318; Schram, III, pp. 553-554; *Shihua*, II, 9 de diciembre de 1930, pp. 3-4 (algunos fragmentos están citados en Grigoriev, p. 215, y Schram, III, p. LX).

273. Véase Grigoriev, pp. 202-203 y 208.

274. *Ibid.*, pp. 202-203.

275. Este mensaje, enviado el 26 de agosto, marcó un punto de inflexión en la posición de Moscú ante la política de Li. No se ha publicado el texto íntegro, ni en China ni en Rusia, pero aparecen fragmentos en Grigoriev (pp. 206-207).

276. *Ibid.*, p. 206; Jin Chongji, *Zhou Enlai zhuan*, pp. 218-220.

277. *Nianpu*, I, p. 317. Véase también Grigoriev, «The Comintern and the Revolutionary Movement in China», en Ulyanovsky, *Comintern and the East*, p. 372.

278. Saich, pp. 445-457. Véase también Thornton, pp. 187-200; y Grigoriev, pp. 208-214. Durante el pleno ninguno de los representantes —ni siquiera el representante local del Comintern— consideró que los errores de Li fuesen un problema político (véase Saich, p. 470, citando una carta de la oficina de Shanghai del Comintern). Qu, escribiendo en 1935 desde la prisión, justo antes de su ejecución, recordaba no haber visto en aquel momento ninguna «diferencia fundamental» entre la posición de Li y la del Comintern (Dun Li, *Road to Communism*, p. 169). El resultado más paradójico fue que Li y sus seguidores, a pesar de las críticas lanzadas contra él, salieron de la reunión con una presencia aún más fuerte en el Politburó (y el Comité Central) de la que tenían al empezar.

279. Li discutió sobre Manchuria en las reuniones del Politburó del 1 y 3 de agosto (Grigoriev, *Revolyutsionnoe Dvizheniye*, pp. 203-204 y 216), pero sus afirmaciones no pudieron llegar a oídos de Stalin antes del mes de octubre. Aquel mes el Comintern comenzó a redactar su «Carta del dieciséis de noviembre» (así llamada porque ésa fue la fecha en que llegó a Shanghai) que puso fin a «la línea Li Lisan» (Mif, *Kataiskiya Revolutsiya*, pp. 283-290). Casi con toda seguridad Li abandonó Shanghai entre mediados y finales de octubre, pues, según Grigoriev (p. 218), fue interrogado por el Comintern en Moscú durante los úl-

timos días de noviembre. Pavel Mif con toda probabilidad también partió a finales de octubre (*ibid.*, p. 216), ya que llegó a Shanghai poco después de la carta del Comintern.

280. Schram, III, p. 667 (11 de noviembre de 1930); véase también pp. 574 y 579-582 (26 de octubre). Incluso después de que «la línea Li Lisan» fuese públicamente repudiada a finales de 1930, Mao continuó usando su frase, hasta el punto que se convirtió en una salmodia ritual: así, el 19 de abril de 1931, encabezó una orden a las tropas para que se agrupasen después de la batalla con las palabras «la marea de la revolución china se eleva cada día más alto» (Schram, IV, p. 67).

281. *Nianpu*, I, p. 319. Véase también Schram, III, pp. 558 y 577.

282. Tras el abandono del ataque sobre Changsha, Mao intentó constantemente enfocar la atención de sus colegas en la lucha provincial, más que la nacional (véase Schram, III, pp. 552-553, 14 de octubre; p. 558, 19 de octubre; p. 572, 24 de octubre; p. 574, 26 de octubre, etc.).

283. *Selected Military Writings of Mao Zedong*, Foreign Languages Press, Pekín, 1966, p. 117.

284. Schram, III, p. 539 (25 de septiembre de 1930).

285. *Ibid.*, p. 588 (26 de octubre); pp. 283-284 (21 de marzo); pp. 285-290 (29 de marzo de 1930).

286. *Ibid.*, pp. 289-290 (29 de marzo) y p. 291 (abril de 1930).

287. Schram, III, *passim*.

288. *Ibid.*, p. 555 (14 de octubre de 1930). Véase también Schram, IV, pp. 88-89 (31 de mayo de 1931), y *Nianpu*, I, p. 332.

289. Mif, p. 287.

290. *Nianpu*, I, p. 322.

291. Schram, III, p. 656 (1 de noviembre de 1930).

292. *Ibid.*, p. 718 (22 de diciembre de 1930).

293. *Zhongguo gongchangdang huiyi gaiyao*, pp. 120 122; Peng Dehuai, p. 308; *Nianpu*, I, pp. 321-322. Véase también Yu Boliu y Chen Gang, *Mao Zedong zai zhongyang suqu*, Zhongguo Shudian, Pekín, 1993.

294. *Nianpu*, I, pp. 323-330; Schram, III, pp. 699-703 (27 de noviembre y 14 de diciembre de 1930) y pp. 722-732 (25, 26, 28, 29 y 30 de diciembre de 1930).

295. *Nianpu*, I, pp. 330-331; Schram, IV, pp. 5-8 (1 y 2 de enero de 1931).

296. *Nianpu*, I, pp. 332-333; véase también Schram, IV, pp. 88-89 (31 de mayo de 1931).

297. La gente de mayor edad de Donggu todavía en 1997 comentaba con aprobación el destino de Zhang.

298. *Zhongguo gongchangdang huiyi gaiyao*, p. 119. El Comité del Frente discutió las decisiones del Tercer Pleno en una reunión plenaria celebrada en Huangpi durante los diez primeros días de diciembre (*Nianpu*, I, p. 327); véase también Schram, IV, p. 59.

299. *Nianpu*, I, p. 332. El Politburó había decidido fundar el 17 de octubre de 1930 la Oficina Central y ocho días después había nombrado a Mao secretario en funciones, a la espera de la llegada de Xiang Ying (*ibid.*, pp. 319 y 321).

300. *Nianpu*, I, p. 332.

301. *Zhongguo gongchangdang huiyi gaiyao*, pp. 123-127; Grigoriev, *Revolyutsionnoe Dvizheniye*, pp. 227-229; *History of the CCP, Chronology*, pp. 72-73. Véase también Thornton, pp. 213-217.

302. *Nianpu*, I, p. 337. El 20 de marzo, Mao escribió que algunos emisarios, de los que no facilitó el nombre, habían estado «los últimos días» llegando desde Shanghai (Schram, IV, p. 36), presumiblemente para traer los documentos que fueron el objeto de discusión de la reunión plenaria de la Oficina Central, celebrada en Huangpi del 19 al 21 de marzo. Éstos incluían la «carta del 16 de noviembre» del Comintern, que denunciaba a Li Lisan, pero no

los documentos del Cuarto Pleno (véase Hsiao Tso-liang, *Power Relations*, vol. I, pp. 152-153, y vol. II, pp. 352-360).

303. *Nianpu*, I, p. 339.

304. *ZZWX*, VII, pp. 139-142; *Nianpu*, I, p. 337. Antes incluso, Mao había persuadido a Xiang para que crease un Departamento Político General de la Comisión Militar con él mismo como director (Schram, IV, pp. 12-13, 17 de febrero de 1931).

305. El Cuarto Pleno critió duramente la «línea de reconciliación» con Li Lisan adoptada por la cúpula del Tercer Pleno, de la que Xiang había formado parte (véase Saich, pp. 459-461).

306. Hu Sheng, *Concise History of the Communist Party of China*, p. 158; Schram, IV, pp. XXXIV-V.

307. *Nianpu*, I, p. 334; Schram, IV, p. 14 (21 de febrero de 1931).

308. Existía un indicio de esto en la orden expedida por Mao el 20 de marzo, cuando escribió: «La victoria en la segunda campaña sin duda será nuestra, pero sólo si todos nosotros nos mostramos decididos» (Schram, IV, p. 38). Véase también Yu y Chen, *Mao Zedong zai zhongyang suqu*, pp. 246-250; y Ma Qibin *et al.*, *Zhongyang geming genjudi shi*, pp. 285-288.

309. Yu y Chen, pp. 246-250; Ma Qibin *et al.*, pp. 285-288.

310. Schram, IV, pp. 42-43 (23 de marzo de 1931); *Nianpu*, I, p. 337.

311. Saich, pp. 530-535; y Schram, IV, pp. 56-66.

312. *Nianpu*, I, pp. 339-342; Schram, IV, pp. 67-68.

313. *Nianpu*, I, pp. 344-345; Schram, IV, pp. 74-75 (14 de mayo de 1931). Véase también Peng Dehuai, pp. 316-318.

314. *Nianpu*, I, pp. 349-350; Schram, IV, p. XLI.

315. Schram, IV, p. 92 (2 de junio), pp. 98-103 (22 de junio de 1931); *Nianpu*, I, pp. 347-349.

316. Schram, IV, p. 102.

317. *Ibid.*, pp. 107-109 (28 de junio) y pp. 110-112 (30 de junio de 1931).

318. *Ibid.*, pp. 115-117 (4 de julio de 1931).

319. Tomo el relato de la tercera campaña de asedio de las órdenes militares distribuidas por el mismo Mao, que se encuentran en Schram, IV, pp. 118-137 (12 de julio a 17 de agosto) y pp. 142-153 (22 de agosto a 23 de septiembre de 1931), de *ibid.*, pp. XLI-XLII; *Nianpu*, I, pp. 350-355; y de Peng Dehuai, pp. 322-324.

320. *China Weekly Review*, 29 de agosto de 1931, p. 525.

321. *Nianpu*, I, p. 355.

322. Peng Dehuai escribió que su Grupo del Tercer Ejército perdió aproximadamente un tercio de sus quince mil hombres durante las tres campañas de asedio (p. 325). Los informes de enfrentamientos particulares sugieren que fue durante la tercera campaña cuando se produjeron la gran mayoría de bajas (véase, por ejemplo, *Nianpu*, I, p. 355).

323. Dun Li, pp. 159-176.

324. Saich, p. 458.

325. Mif, p. 296. La resolución del Comintern del 26 de agosto de 1931 afirmaba explícitamente que el «objetivo inmediato» al que el partido se debía entregar «con todas sus fuerzas» en las zonas blancas era la promoción de «un poderoso movimiento de masas en defensa de las áreas soviéticas» (*ibid.*, pp. 300-302). Esto, por supuesto, era la posición diametralmente opuesta a su posición inicial (y la del partido) cuatro años antes, que consistía en que la lucha en las zonas urbanas era primordial, y que la revolución rural era simplemente un accesorio.

326. Véase la «carta del 16 de noviembre» del Comintern en Mif, pp. 284-285. Los términos empleados recuerdan las advertencias de Mao a la central del partido, dieciocho

meses antes, indicando que no se sintiese preocupación alguna si el movimiento campesino «dejaba atrás» el movimiento urbano.

CAPÍTULO 8

1. Qu Qiubai, *Chinese Studies in History*, vol. V, I, pp. 58-59 y 69.
2. Schram, *Mao's Road*, III, pp. 172-173.
3. *Ibid.*, p. 74.
4. *Ibid.*, p. 269 (16 de febrero de 1930).
5. Stephen C. Averill, «The Origins of the Fitian Incident», en Tony Saich y Hans Van de Ven, *News Perspectives on the Chinese Communist Revolution*, M. E. Sharpe, Armonk, Nueva York, 1995, pp. 80-83 y 95-99.
6. *Nianpu*, I, p. 298; Schram, III, pp. 270-271.
7. Véase Ch'en, Yung-fa [Chen Yongfa], «The Futian Incident and the Anti-Bolshevik League: The "Terror" in the CCP Revolution», en *Republican China*, vol. XIX, II, abril de 1991, p. 37, n. 30.
8. Dai Xiangqing y Lui Huilan, *AB tuan yu Futian shibian shimo*, Henan renmin chubanshe, 1994, pp. 81-82.
9. Averill, pp. 98-99.
10. Schram, III, pp. 198-199.
11. «On Contradiction», en *SW*, I, pp. 343-345; «On the Correct Handling of Contradictions among People», 27 de febrero de 1957, en Roderik MacFarquhar, Timothy Cheek y Eugene Wu, eds., *The Secret Speeches of Chairman Mao*, Harvard University Press, Cambridge, MA, 1989, pp. 131-189.
12. Schram, *Mao's Road*, IV, p. 105 (junio de 1931).
13. Véase Dai y Luo, pp. 83-89, y Chen Yongfa, pp. 2-6. Stephen Averill argumenta, de modo convincente, según creo, que la AB-*tuan* permanecía en 1930 todavía muy activa en Jiangxi (pp. 88-92 y 109-110). Si realizó intentos serios de desestabilizar al Partido Comunista Chino, y en la escala pretendida por los comunistas, es otra cosa muy distinta.
14. Véase Dai y Luo, p. 167; y *Zhongyang geming genjudi shiliao xuanbian*, Jiangxi renmin chubanshe, Nanchang, 1982, vol. I, pp. 222-263, especialmente p. 248.
15. Averill, pp. 85, 104 y 111, n. 12. En febrero de 1929 Mao designó a su hermano menor, Zetan, para trabajar con Li en Donggu, y un año después rectificó su actitud para elogiar las ideas de Li (*Nianpu* I, pp. 265-266; Schram, III, p. 236). Véase también Dai y Luo, p. 172.
16. El pleno tuvo lugar entre el 5 y el 11 de agosto, coincidiendo con una conferencia obrera celebrada durante los últimos días de julio y el mes de agosto (*Zhongyang geming genjudi shiliao xuanbian*, I, pp. 264-322). Con mucha clarividencia, Mao consideró que esta reunión fue un paso crucial en la transición del partido del suroeste de Jiangxi hacia la oposición abierta a su propio liderazgo (véase Schram, III, pp. 710-712; Dai y Luo, p. 172).
17. Schram, III, pp. 553-554. No existen evidencias de que Mao intentase evitar el nombramiento de Li, y es posible que en aquella época pensase que serían capaces de trabajar en equipo.
18. Dai y Luo, pp. 89 y 92. Véase también *Zhongyang geming genjudi shiliao xuanbian*, pp. 639-651.
19. La referencia a los asesinatos no fue aclarada, pero Mao pudo estar pensando en dos incidentes concretos: las muertes, aquella primavera, de sus viejos aliados de Jinggangshan, Yuan Wencai y Wangzuo, que fueron tiroteados en circunstancias confusas, supuestamente cuando intentaban rebelarse; y el asesinato perpetrado algunos meses atrás de

otro colega, Wan Xixian. En ambos casos, se supuso que los oficiales del partido en Jiangxi estuvieron implicados.

20. Schram, III, pp. 554 (14 de octubre) y p. 560 (19 de octubre de 1930).

21. *Ibid.*, III, pp. 574-589 (26 de octubre de 1930).

22. *Nianpu*, I, p. 322; Chen Yongfa, p. 13; Dai y Luo, p. 94.

23. Las fuentes consultadas para reconstruir estos acontecimientos son principalmente Dai y Luo, pp. 94-96, y Chen Yongfa, pp. 13-14 y 16-17. La mayoría de las fuerzas del Ejército Rojo llegaron a las inmediaciones de Huangpi el 30 de noviembre o el 1 de diciembre (Schram, III, p. 700). A pesar de que una carta enviada por el Comité General del Frente (redactada o, como mínimo, ratificada por Mao) afirmaba, el 3 de diciembre de 1930, que «en el Ejército Rojo, la crisis ha quedado solucionada» (Dai y Luo, p. 98), la «Huangpi sufan» (eliminación de los contrarrevolucionarios en Huangpi), como fue posteriormente conocida esta parte de la purga, se prolongó en realidad hasta mucho tiempo después. La cifra de cuatro mil cuatrocientos fue proporcionada por el mismo Comité del Frente a finales de diciembre (Schram, II, p. 705). El número total de muertos en la purga militar de aquel invierno ascendió probablemente hasta los tres o cinco mil, o aproximadamente un 10 por 100 de la fuerza total del ejército.

24. Véase, por ejemplo, la sección octava de la declaración conjunta del Comité del Frente del 26 de octubre (Schram, III, pp. 586-587), donde los tres términos fueron utilizados indistintamente.

25. La supuesta adhesión de los dirigentes del partido del suroeste de Jiangxi a Li Lisan se convirtió en un elemento clave para acusarles después de los sucesos, aunque en aquel momento no era el elemento principal.

26. Mi relato de los «hechos de Futian» depende principalmente de Dai Xiangqing y Luo Huilan (pp. 98-99 y 103-106), que en realidad han tenido acceso a documentos no publicados de los archivos del partido, especialmente las dos cartas del Comité General del Frente de Mao. Estas cartas, escritas los días 3 y 5 de diciembre, son el «arma de humo» que relaciona a Mao con los arrestos de Futian. La carta del 5 de diciembre, que complementaba las instrucciones originales, se envió a Li Shaojiu mediante un correo militar cuando él se encontraba todavía a medio camino; considero que llegó a sus manos antes de que alcanzase Futian. La mano dura de Li sin duda empeoró las cosas, pero sus actos estaban totalmente de acuerdo con las órdenes del Comité del Frente, que, dada su importancia, sin duda había redactado el mismo Mao o, en cualquier caso, había ratificado. Estoy en deuda con el comité del partido de Futian por permitirme visitar los edificios en que tuvieron lugar los hechos.

27. Esta tortura, según parece, comportaba duros golpes en la parte baja del cuerpo. Tales métodos no sólo eran empleados por los comunistas, sino también se usaban en las zonas dominadas por los nacionalistas hasta bien entrados los años treinta. De hecho, denominaciones más modernas como el «vuelo del aeroplano» (o el «vuelo del reactor», como fue llamada, treinta y cinco años después, durante la Revolución Cultural), que consistía en atarle las manos a una persona por detrás de la espalda y colgarla después por los brazos desde una viga de madera, se referían a torturas que habían sido usadas durante siglos.

28. Carta del 5 de diciembre de 1930, citada en Dai y Luo, p. 99.

29. Chen Yongfa, p. 48; véase también *Zhongyang geming genjudi shiliao xuanbian*, I, pp. 476-489.

30. Dai y Luo, pp. 104-108 y 117-121; Chen Yongfa, pp. 15-16. De acuerdo con Dai y Luo, de los ciento veinte que fueron arrestados en Futian, Li Shaojiu ordenó, antes de su partida hacia Donggu, la ejecución de unos veinticinco. La columna de liberación de Liu Di consiguió poner en libertad a «más de setenta» en la noche del 12 de diciembre.

31. Hsiao Tso-liang, *Power Relations*, II, pp. 259-262.

32. Para el texto, y una carta en su defensa escrita por el Comité de Acción, fechada el 20 de diciembre, véase *ibid.*, I, pp. 102-105, y II, pp. 262-264. Véase también Peng Dehuai, *Memoirs* (pp. 308-316), con su propio relato, respaldado por el hecho de haberlo presenciado, sobre el modo en que llegó esa carta espuria.

33. Schram, II, pp. 704-713.

34. Para una discusión de los efectos del terror, véase Gregor Benton, *Mountain Fires: The Red Army's Three-Year War in South China, 1934-1938*, University of California, Berkeley, 1992, pp. 478 y 506-507.

35. Chen Yongfa, p. 17. A pesar de su crueldad hacia los rebeldes de Futian y en las purgas contra los miembros del Ejército Rojo, Mao no apoyó las matanzas indiscriminadas (véase por ejemplo Schram, III, p. 693).

36. Chen Yongfa, p. 18.

37. *Ibidem*; «Resolution on the Futian Incident, April 16 1931», en Saich, *Rise to Power*, p. 534.

38. «Circular n.º 2», en Hsiao Tso-liang, I, pp. 108-109, y II, pp. 269-273.

39. Véase la carta de la Oficina Central dirigida el 4 de febrero a los rebeldes, así como su «Circular n.º 11» del 19 de febrero de 1931, en *ibid.*, I, pp. 109-113, y II, pp. 274-283.

40. «Circular n.º 2»; véase también Saich, pp. 534-535.

41. Circulares n.ºs 2 y 11.

42. Chen Yongfa, p. 42, n.º 63; véase también la referencia de Mao (de marzo de 1931) a la necesidad de averiguar la identidad de los miembros de la AB-*tuan* «ahora mismo» (Schram, IV, p. 48).

43. Hsiao Tso-liang, I, p. 104, y II, pp. 262-264.

44. Chen Yongfa, p. 18; Dai y Luo, pp. 149 y 188; Yu Boliu y Cheng Gang, *Mao Zedong zai zhongyang suqu*, pp. 201-202. Véase también Hsiao Tso-liang, I, p. 113, y II, p. 358.

45. «Resolution on the Futian Incident»; y Schram, IV, pp. 56-66.

46. «Resolution on the Futian Incident».

47. Chen Yongfa, pp. 21-25; Yu Boliu y Chen Gang, pp. 202-211; Dai y Luo, pp. 189-200.

48. «Resolution on the Futian Incident», sec. 4b, p. 535; Chen Yongfa, p. 23.

49. Para una descripción contemporánea de un típico gobierno soviético de distrito, véase el «Informe Xingguo» de Mao, en Schram, III, pp. 646-649 (octubre de 1930). De los dieciocho miembros, seis vivían de las apuestas y uno era un monje taoísta; menos de la mitad eran capaces de leer.

50. Chen Yongfa, pp. 48-51.

51. Chen Yongfa, pp. 24 y 44, n. 87; Schram, IV, 4, p. XLIII; Averill, p. 106.

52. Agnes Smedley describe el juicio (en *China's Red Army Marches*, Lawrence & Wishart, Londres, 1936, pp. 274-279) basándose en la información de un comunista chino que volvió a Shanghai desde la zona base (véase Braun, *Comintern Agent*, p. 6). Suponiendo que su relato sea correcto, tuvo lugar en Baisha durante la segunda quincena de agosto de 1931 (véase *Nianpu*, I, pp. 353-354).

53. Smedley, p. 279; Chen Yongfa, pp. 25 y 44, n. 87; Dai y Luo, pp. 192 y 206.

54. Schram, IV, pp. 171-174 (13 de diciembre de 1931).

55. A menudo se atribuye a Zhou el haber intentado detener la purga. Pero en realidad no llegó a la zona base del Fujian occidental, en su periplo hacia los cuarteles comunistas de Ruijin, hasta el 15 de diciembre, dos días después de que Mao hubiese aprobado los nuevos procedimientos para tratar a los contrarrevolucionarios. Es cierto, sin embargo, que Mao actuó sólo después de haber sido presionado por la central del partido; y que la preocupación de Zhou por la manera en que se estaba llevando a cabo la purga, expresada con vehemencia en una carta escrita desde Fujian occidental el 18 de diciembre, contribu-

yó a asegurar que las nuevas regulaciones fuesen (hasta cierto punto) puestas en práctica. Véase *Nianpu*, I, pp. 362-363; Dai y Luo, p. 205.

56. *ZZWX*, VIII, pp. 18-28, especialmente 21-22.

57. *Ibidem*; y Schram, IV, p. 171.

58. Chen Yongfa, pp. 29-30; Dai y Luo, pp. 217-218.

59. Benton, *Mountain Fires*.

60. Kong Yongsong, Lin Tianyi y Dai Jinsheng, *Zhongyang geming genjudi shiyao*, Jiangxi renmin chubanshe, Nanchang, 1985, pp. 211-217.

61. Benton, p. 354.

62. Saich, pp. 541-550.

63. Benton, pp. 198 y 239.

64. *Ibid.*, p. 283.

65. Frederic Wakeman, Jr., *Policing Shanghai: 1927-1937*, University of California Press, Berkeley, 1995, pp. 138-139 y 151-160.

66. Snow, *Red Star Over China*, pp. 342-343.

67. *Nianpu*, I, p. 325.

68. Zhong Wenxian, *Mao Zedong: Biography, Assessment, Reminiscences*, pp. 222-224 y 236-237; *Nianpu*, I, p. 192.

69. Benton, pp. 314-322, 327-330 y 357-360; Snow, pp. 341-347.

70. Benton, pp. 67-68 y *passim*.

71. La NKVD fue la inmediata predecesora del KGB ruso (Comité para la Seguridad del Estado). Durante las purgas de Stalin de los años treinta, se asignaron objetivos a las jefaturas regionales de la NKVD sobre el número de «enemigos del pueblo» que debían ser arrestados y ejecutados.

72. McCord, *Power of the Gun*, pp. 196-197.

73. Benton, pp. 316-317 y 337-339.

74. *Ibid.*, pp. 506-507.

75. Véase, por ejemplo, Schram, III, pp. 668-670 (11 de noviembre de 1930).

76. «Resolution on the Futian Incident», p. 533.

CAPÍTULO 9

1. Un congreso de emergencia de la central tenía potestad para cambiar los componentes del Politburó, aunque dependiendo de la ratificación del consiguiente pleno del Comité Central, así como los componentes del Comité Central, dependiendo de la ratificación del siguiente congreso del partido, pero no podía designar un nuevo secretario general.

2. *Nianpu*, I, p. 354; *ZZWX*, VII, pp. 355-375.

3. *Nianpu*, I, pp. 357-358. En la primera mitad de octubre se estableció contacto telegráfico entre Ruijin y Shanghai.

4. *Ibid.*, pp. 359-360; *Zhongguo gongchangdang huiyi gaiyao*, pp. 127-129. Algunos especialistas occidentales afirman que el congreso destituyó a Mao de su cargo como secretario en funciones de la Oficina Central y nombró en su lugar a Xiang Ying (véase, por ejemplo, p. XLVII de la introducción de Stephen Averil a Schram, *Mao's Road*, IV). Pero en *Nianpu* se afirma explícitamente que Mao era todavía el secretario en funciones durante la segunda quincena de diciembre (I, p. 363; véase también p. 361).

5. Hsiao Tso-liang, *Power Relations*, vol. I; Agnes Smedley ofrece una amena descripción en *China's Red Army Marches*, pp. 287-311.

6. Scram, IV, pp. 820-821 (1 de diciembre de 1931).

7. *Nianpu*, I, p.359.

8. *Ibidem*; Peng Dehuai, *Memoirs*, pp. 326-329.

9. Éste era el término que en aquel entonces usaba Lenin en contra de Bujarin y otros miembros del «bloque antipartido». Era, por tanto, una acusación política muy seria que implicaba la oposición sistemática a la política del partido.

10. *Nianpu*, I, pp. 365-366; véase también Jin Chongji, *Mao Zedong zhuan*.

11. Wang Xingjuan, *He Zizhende lu*, pp. 167-168; *Nianpu*, I, p. 366.

12. Wakeman, *Policing Shanghai*, pp. 147-151; Braun, *Comintern Agent*, pp. 2-3; Frederick S. Litten, «The Noulens Affair», *CQ*, 138, pp. 492-512.

13. Wakeman, p. 222.

14. Resolución del Comité Central del 9 de enero de 1932, en Saich, *Rise to Power*, pp. 558-559 y 563.

15. *Ibid.*, pp. 563-564.

16. Wang Xinjuan, pp. 168-169; *Nianpu*, I, p. 367; Peng Dehuai, pp. 328-329.

17. *Nianpu*, I, p. 369.

18. Durante todo este período Mao se dedicó a actuar primero para sólo después procurarse la aprobación. No existen, no obstante, evidencias de que maniobrase conscientemente para mantenerse siempre un paso por delante de Zhou. Stephen Averill escribe que «Zhou Enlai fue ... a Changting [Tingzhou] ... sólo para descubrir que Mao ... ya había abandonado el lugar» (Schram, IV, pp. LII-LIII). Pero, el 2 de abril, Mao había enviado un telegrama a Zhou indicándole que se disponía a partir de Changting el día 7. A pesar de que la ciudad sólo estaba a un día de viaje desde Ruijin, Zhou no llegó hasta el día 10. Véase *ibid.*, p. 203; *Nianpu*, I, p. 370.

19. Schram, IV, pp. 204-205; *Nianpu*, I, pp. 370-372.

20. Schram, IV, pp. 215-216 (22 de abril de 1932).

21. *Ibidem*; *Nianpu*, I, p. 372.

22. *Nianpu*, I, pp. 371-375, citando una directriz de la central del 14 de abril, completada con posteriores artículos de Bo Gu y Zhang Wentian aparecidos en *Hongqi zhoubao* (*Semanario de la Bandera Roja*) aquel mismo mes, y con un telegrama de la central del 20 de mayo.

23. *Ibid.*, p. 375.

24. Schram, IV, pp. 217-218 (3 de mayo de 1932).

25. Véase, por ejemplo, Saich, pp. 558-566.

26. *Nianpu*, I, pp. 376-379.

27. *Ibid.*, p. 379; Schram, IV, p. 244 (25 de julio de 1932).

28. *Nianpu*, I, pp. 379-380.

29. *Ibid.*, pp. 380-381; Schram, IV, pp. 247-248 (15 de agosto de 1932).

30. *Nianpu*, I, pp. 381-384; véase también Schram, IV, pp. 249-253 (28 y 31 de agosto) y la orden del 5 de septiembre (p. 254), centrada en la necesidad de movilización y de «operaciones fulgurantes».

31. Schram, IV, pp. 275-277 (23 de septiembre) y pp. 280-289 (25 y 26 de septiembre de 1932); *Nianpu*, I, pp. 386-388.

32. Una descripción contemporánea de esta crucial reunión aparece en *ZZWX*, VIII, pp. 528-531. Véase también Jin Chongji, *Mao Zedong zhuan*, pp. 296-298; *Nianpu*, I, pp. 389-390; y Schram, IV, pp. LIX-LX.

33. Wang Xingjuan, pp. 163-166; *Nianpu*, I, p. 391.

34. *Nianpu*, I, p. 389; Jin Chongji, pp. 297-298; Schram, IV, p. LX.

35. Jin Chongji, p. 298.

36. *Nianpu*, I, p. 390. Parece ser que existió una corriente constante de apoyo a Mao entre los cuadros militares del frente, ya que una orden del 14 de octubre, dos días después del nombramiento de Mao, fue distribuida firmada por «el comandante en jefe Zhu De, el

comisario político jefe Mao Zedong, y el comisario político jefe en funciones Zhou Enlai», designaciones que violaban flagrantemente las decisiones de la conferencia de Ningdu, tanto las de antes como las de después de la intervención de la central (Schram, IV, pp. 303-307).

37. Wang Xingjuan, p. 170; Fu Liangzhang, *Zai Mao zhuxi jiaodaoxia*, Zuojia chubanshe, Pekín, 1959, pp. 6-9.

38. Zhou fue duramente criticado por los dirigentes de la retaguardia a causa de su apoyo a Mao (véase Ma Qibin *et al.*, *Zhongyang geming genjudi shi*, pp. 367-368). Ello suscitó preocupación en Shanghai por miedo a que la Oficina Central fuese objeto de una escisión irremediable (*Nianpu*, I, p. 391).

39. Wang Xingjuan, pp. 167 y 172.

40. *Ibid.*, p. 171; *Nianpu*, I, pp. 391 y 393-394.

41. Véase Saich, pp. 596-602; *Nianpu*, I, pp. 393-394 y 398-400; Schram, IV, pp. LXI-LXIII; Deng Maomao, *Deng Xiaoping, My Father*, Basic Books, Nueva York, 1995, pp. 211-215.

42. *Nianpu*, I, p. 394.

43. *Ibid.*, p. 398.

44. El «edificio del Comité Central», como era conocido, se ha conservado como parte del enclave histórico de Yeping. Esta descripción de los activos preparativos de 1933 se basa en las recopilaciones y la memoria de los que vivieron y trabajaron allí.

45. Wang Xingjuan, pp. 172-173.

46. *Nianpu*, I, p. 400. Otto Braun recordaba que cuando llegó a Ruijin, en octubre de 1933, la Oficina Central y la Comisión Militar continuaban en Yeping (*Comintern Agent*, p. 33). Véase también Wang Xingjuan, p. 177.

47. Wang Xingjuan, pp. 172-173.

48. *Ibid.*, pp. 114-115.

49. *Ibidem*, Chen Changfeng, *On the Long March with Chairman Mao*, Foreign Languages Press, Pekín, 1972, p. 5.

50. Wang Xingjuan, p. 115.

51. Véase Schram, IV, pp. 783-960.

52. *Ibid.*, por ejemplo, pp. 328-329 (25 de noviembre de 1932), pp. 348-349 (28 de diciembre de 1932) y pp. 382-383 (22 de abril de 1933).

53. *Ibid.*, *passim*. En el «Informe a la Conferencia sobre la construcción económica de los diecisiete distritos del sur» escrito por Mao (pp. 479-490) y en su «Informe ... al Segundo Congreso Nacional» (pp. 656-713, especialmente pp. 688-694 y 705-707) se ofrece una visión general de la economía política de la República Soviética. Véase también Trygve Lotveit, *Chinese Communism, 1931-1934*, Scandinavian Institute of Asian Studies, Londres, 1979, pp. 185-209; y Hsu Kang-yi, *Political Mobilization and Economic Extraction: Chinese Communist Agrarian Policies during the Kiangsi Period*, Garland Publishing, Nueva York, 1980, pp. 279-305.

54. Schram, III, pp. 128-130 (diciembre de 1928).

55. *Ibid.*, p. 128. En el movimiento de reforma de la tierra posterior a 1947 se siguió un sistema similar, hasta que las acciones hacia la colectivización eliminaron por completo la propiedad privada. Cuando, tras la muerte de Mao, la colectivización fue abandonada, el resultado fue un retorno a unos patrones similares a los seguidos en Jinggangshan. Hasta 1999 no hubo en China propiedad libre de tierras, tanto en las ciudades como en el campo; y la cantidad de tierras concedidas a cada familia campesina para su trabajo era una vez más directamente proporcional al número de bocas que alimentar.

56. Para una exposición de las diferentes políticas agrarias comunistas a principios de la década de 1930, véase Hsiao Tso-liang, *The Land Revolution in China, 1930-1934: A*

study of Documents, Universidad de Washington, Seattle, 1969, pp. 3-77; y Schram, III, pp. XLI-XLIII, y IV, pp. XIV-XLVII.

57. Schram, III, pp. 102-106 (25 de noviembre de 1928).

58. Mao dedicó mucho tiempo entre 1930 y 1933 a estudiar estas cuestiones, realizando en el proceso una serie de informes sobre investigaciones rurales, entre los cuales, los más importantes fueron: la investigación de Xunwu, mayo de 1930 (Schram, III, pp. 296-418); la Investigación de Xingguo, octubre de 1930 (pp. 594-655); las investigaciones en Dongtang y Mukou, noviembre de 1930 (pp. 658-666 y 691-693); las investigaciones de Changgang y Caixi, noviembre de 1933 (Schram, IV, pp. 584-640); y la prolongada investigación en los alrededores de Ruijin, durante la primavera y el verano de 1933, que culminó en la «Decisión sobre ciertas cuestiones de la lucha agraria», del 10 de octubre de 1933 (IV, pp. 550-567).

59. Roger R. Thompson, trad., *Mao Zedong: Report from Xunwu* Standford University Press, 1990, pp. 178-181.

60. *Ibid.*, pp. 64-65.

61. Thompson, pp. 45-217.

62. Schram, III, p. 610 (octubre de 1930).

63. *Ibid.*, p. 436 (junio de 1930).

64. Esta fórmula apareció por primera vez en junio de 1930 (*ibid.*, p. 445, n. 17), y fue incluida en la nueva ley de la tierra promulgada en el mes de agosto (pp. 503-507).

65. *ZZWX*, VII, pp. 355-375 y pp. 500-511; y Hsiao, *Land Revolution*, pp. 47-77.

66. La decisión inicial fue anunciada el 8 de febrero de 1932 (Schram, IV, p. LVI), pero no tuvo efecto hasta un año después.

67. *Ibid.*, IV, pp. 546-549 y 550-567 (10 de octubre de 1933).

68. *Ibid.*, p. 437 (junio de 1933).

69. *Ibid.*, pp. 425-426, 434 y 507.

70. *Ibid.*, p. 511.

71. *Ibid.*, p. 368 (15 de marzo de 1933).

72. *Ibid.*, pp. 394-395 (1 de junio de 1933).

73. Braun, p. 31; Benton, *Mountain Fires*, p. 132.

74. «Instruction n.º 7 of the State Political Security Bureau», verano de 1933, en Hsiao, *Land Revolution*, pp. 231-232.

75. Schram, IV, pp. 427-428 y 471.

76. *Ibid.*, pp. 369-370; véase también Hsiao, *Land Revolution*, pp. 233-234.

77. Schram, IV, pp. 368 (15 de marzo) y 378 (15 de abril de 1933).

78. *Ibid.*, IV, pp. 954-957.

79. Derk Bodde, *Law in Imperial China*, Harvard University Press, Cambridge, Mass., pp. 11, 517-533 y 541-542.

80. «Emergency Law for the Supression of Crimes against the Safety of the Republic», del 31 de enero de 1931, en Leang-li Tang, *Supressing Communist-Banditry in China*, China United Press, Shanghai, 1934, pp. 111-113. Allí donde la ley comunista se refiere a los «intentos contrarrevolucionarios», los nacionalistas emplean la fórmula igualmente vaga de «con vistas a subvertir la República».

81. Schram, IV, pp. 474-479 (noviembre de 1931).

82. Las regulaciones extraordinariamente detalladas sobre la formación de los comités de elección, publicadas en diciembre de 1931, no hacían mención a cómo, y por quién, se debían confeccionar las listas de candidatos (*ibid.*, pp. 827-829). En enero de 1934, Mao afirmó que, en la práctica, el trabajo era realizado por los miembros del personal del comité de la delegación del Partido Comunista Chino. La lista, promulgada unos pocos días antes de la votación, debía contener el mismo o mayor número de candidatos que el de diputados a elegir (pp. 591-594 y 626-627).

83. *Ibid.*, p. 533 (6 de septiembre de 1933).

84. *Ibid.*, pp. 469-478 (9 de agosto de 1933).

85. *Ibid.*, p. 533.

86. *Ibid.*, II, p. 454 (febrero de 1927).

87. Existen abundantes evidencias de ello en los escritos de Mao. En su informe desde Xunwu, supuestamente sobre cuestiones económicas, dedicó un espacio nada ordinario a los cambiantes hábitos sexuales, describiendo largamente la manera en que las jóvenes habían llegado a ser «más liberales en su comportamiento», permaneciendo hasta tarde en los montes con el pretexto de cortar leña, mientras «los asuntos entre ellas y sus jóvenes amigos ... aumentan. Las parejas "actúan libremente" entre ellas sin tapujos en las colinas ... En casi todos los municipios había personas casadas que tenían nuevos amantes.» El profesor Thompson traduce esta frase de la siguiente manera: «Las parejas se citan libremente en las colinas» (pp. 216-217). Pero el sentido del original chino es el de parejas «retozando juntas», más que el de simplemente citarse (*Mao Zedong wenji*, Renmin chubanshe, Pekín, 1994, I, p. 241).

88. *Ibid.*, IV, pp. 791-794 (28 de noviembre y 1 de diciembre de 1931).

89. Thompson, pp. 216-217; Schram, IV, p. 616.

90. Schram, IV, p. 715 (27 de enero de 1934). Véase también las «Regulations on Preferential Treatment for the Chinese Workers and Peasants Red Army», noviembre de 1931, artículo 18 (p. 785), y la revisada Ley del Matrimonio, sancionada el 8 de abril de 1934 (pp. 958-960).

91. *Ibid.*, p. 698.

92. Schram, IV, p. 367 (5 de marzo de 1933).

93. *Nianpu*, I, p. 403.

94. Schram, IV, pp. LXXV-XXXIV. Si Mao había estado a favor de la cooperación militar con el Décimo noveno Ejército de Campaña, tal como defendía He Zizhen en sus memorias (véase Wang Xingjuan, pp. 176-177) y como él mismo dijo a Edgar Snow dos años y medio después (*Red Star Over China*, pp. 411-412), ello habría estado en concordancia con su historial, tanto anterior como posterior al incidente de Fujian, de intentar utilizar pragmáticamente las diferencias entre Chiang Kai-shek y los otros señores de la guerra (*Nianpu*, I, p. 426). Pero las ideas de Mao no tenían ningún peso en las juntas del partido. Bo Gu se negó a ofrecer apoyo militar a los rebeldes de Fujian (Saich, pp. 612-613), y fue criticado por ello cuando, un año más tarde, se vio apartado del poder (*ibid.*, p. 642). El resto de líderes estaba dividido. Otto Braun confirma que «en lugar de actuar vigorosamente, discutieron durante casi un mes» (*Comintern Agent*, pp. 61-66). Véase también Frederick S. Litten, «The CCP and the Fujian Rebellion», *Republican China*, XIV, 1 (noviembre de 1988).

95. *Zhongguo Gongchangdang huiyi gaiyao*, pp. 134-137; *Nianpu*, I, p. 420.

96. Mao fue uno de los cinco miembros de la Oficina del Comité Central, tal como fue inicialmente denominado el Politburó, desde junio de 1923 hasta finales de 1924. Retornó a la cúpula como miembro suplente del Comité Central en mayo de 1927, y fue sustituto del Politburó de agosto a noviembre de aquel mismo año. En junio de 1928 fue reelegido miembro plenario del Comité Central, posición que ocupó permanentemente durante los siguientes cuarenta y ocho años. En el Tercer Pleno de septiembre de 1930, volvió al Politburó como miembro suplente. Desde el verano de 1931, después del arresto y la ejecución de Xiang Zhongfa, hasta la convocatoria del Quinto Pleno, el Politburó cesó sus funciones (a pesar de que, causando mucha confusión, sus miembros retuvieron el estatus). Fue sustituido por la central provisional, cuyos líderes, Bo Gu y Zhang Wentian, no eran miembros del Politburó. En la primavera de 1933 ambos asumieron cargos en la Oficina Central de la zona base, que dejó de existir cuando en enero de 1934 el Politburó quedó formalmente reconstituido.

97. Braun, p. 49.

98. Saich, p. 1.168.

99. *Ibid.*, pp. 609-622.

100. William Wei, *Counter-revolution in China*, University of Michigan Press, Ann Arbor, 1985, pp. 104-125.

101. Braun, pp. VII-IX.

102. *Ibid.*, pp. 266-269; y Saich, pp. 627-635.

103. En relación con Zhejiang, en enero de 1934 (Wang Xingjuan, p. 177; y *SW*, I, pp. 247-248); y en relación con Hunan, en julio de 1934 (*Nianpu*, I, p. 432; *SW*, I, p. 248).

104. Manfred Stern, veterano consejero del Comintern en Shanghai, propuso avanzar hacia el noroeste de Jiangxi (Braun, pp. 63-64); Peng Dehuai propuso dirigirse hacia Zhejiang (*Memoirs*, pp. 344-345).

105. Geng Biao, *Reminiscences*, China Today Press, Pekín, 1994, pp. 205-207.

106. Véanse las directrices de Zhang Wentian del 20 de marzo y el 28 de junio de 1934 en Hsiao, *Land Revolution*, pp. 282-290.

107. Benjamin Yang, *From Revolution to Politics*, pp. 81-82; Peng Dehuai, pp. 352-358.

108. La decisión de evacuar la región base fue tomada en mayo por el «Secretariado Central» (*Nianpu*, I, p. 428). Éste estaba formado por Bo Gu (asuntos del partido), Zhang Wentian (cuestiones del gobierno) y Zhou Enlai (operaciones militares). Sin embargo, parece ser que Zhang no tomó parte en las discusiones iniciales (véase Benton, pp. 13-14 y 524, n. 51)

109. Braun, pp. 49 y 70-71; véase también Yang, pp. 93-99.

110. *Nianpu*, I, pp. 426-430.

111. *Ibid.*, p. 432; Wang Xingjuan, pp. 183-184.

112. *Nianpu*, I, p. 432; véase también Chen Changfeng, pp. 19-20.

113. Chen Changfeng, pp. 20-21; Fu Liangzhang, pp. 29-37.

114. Fu Liangzhang, p. 31; Braun, p. 71; *Nianpu*, I, p. 434; fuentes orales.

115. *Nianpu*, I, p. 434.

116. Véase Wang Xingjuan, pp. 194-195.

117. Yang, p. 81.

118. *Nianpu*, I, p. 429.

119. *Ibid.*, p. 435; Chen Changfeng, p. 20.

120. *Nianpu*, I, p. 433.

121. Tan Nianqing, ed., *Changzheng diyidu: Yudu, Neibu chuban*, Yudu, 1996, pp. 31-32.

122. Chen Changfeng, pp. 22-23; Salisbury, *Long March*, p. 15.

123. Wang Xingjuan, pp. 185-189.

CAPÍTULO 10

1. Joachim C. Fest, *Hitler*, Nueva York, 1974, p. 470.

2. Schram, IV, pp. 361-363 (3 de marzo de 1933).

3. *Ibid.*, pp. 206-208 (15 de abril de 1932).

4. *Ibid.*, pp. 355-356 (17 de enero de 1933).

5. *Nianpu*, I, p. 431.

6. Tang Leang-li, *Supressing Communist Banditry*, p. V.

7. *China Weekly Review*, 16 de febrero de 1935, p. 381.

8. *Ibid.*, p. 381, y 4 de mayo de 1935, pp. 307-308.

9. Salisbury, *Long March*, pp. 109, 127 y 150. Véase también Braun, *Comintern Agent*, p. 92.

10. Véase Yang, *From Revolution to Politics*, p. 104; Salisbury, pp. 93-94.

11. Yang, pp. 111-112.

12. Salisbury, pp. 147-150; *Nianpu*, I, p. 445.

13. Según su propio relato, He Zizhen confunde la localización de Mao en el momento del nacimiento del bebé con la de la ocasión en que ella resultó herida, dos meses después. En 1950 volvió a la zona en una infructuosa búsqueda de la niña (Wang Xingjuan, *He Zizhende lu*, pp. 199-200 y 206; Salisbury, pp. 151-153.

14. Salisbury, pp. 154-156; Yang, p. 126.

15. *Mao Zedong shici duilian jizhu*; esta traducción es una adaptación de Mao Tsetung, *Nineteen Poems*, Foreign Languages Press, Pekín, 1958, p. 16.

16. *Nianpu*, I, pp. 450-452.

17. En enero de 1934 había sido rebautizado como el Ejército Rojo Central. La designación de Primer Ejército del Frente se usó oficialmente de nuevo en junio de 1935 (*Nianpu*, I, pp. 423 y 459-461).

18. Salisbury, pp. 160-172 y 178-187. Véase también Braun, pp. 112-116.

19. *Nie Rongzhen huiyi lu*, Pekín, 1983, I, p. 256.

20. *China Weekly Review*, 13 de abril de 1935, p. 220. Después de admitirlo, la *Review* prosiguió prediciendo que Mao, tras un amago hacia el oeste, avanzaría entonces hacia el este. Chiang Kai-shek había llegado a la misma conclusión. Mao, por supuesto, hizo todo lo contrario.

21. Wang Tianxi, citado en Salisbury, p. 165.

22. *China Weekly Review*, 13 de abril, pp. 214-215; 20 de abril, p. 247; 27 de abril, pp. 283-284; 4 de mayo, p. 318; y 18 de mayo de 1935, p. 385.

23. *Nianpu*, I, p. 455; Yang, pp. 127-128; Salisbury, pp. 192-195; Peng Dehuai, *Memoirs*, pp. 366-371; *Nie Rongzhen huiyi lu*, I, p. 13. Según Braun (pp. 116-118), las críticas de Mao incluyeron a Zhang Wentian.

24. Braun, p. 116.

25. *Nianpu*, I, p. 455; Braun, p. 118.

26. Salisbury, pp. 196-200; Braun, pp. 116-117; Snow, *Red Star Over China*, pp. 225-226.

27. *Nianpu*, I, p. 457; Braun, p. 119; Yang Dezhi [Yang Teh-chih], «Forced crossing of the Tatu River», en *Recalling the Long March*, Foreign Languages Press, Pekín, 1978, pp. 79-88.

28. Salisbury, pp. 224-229; para el propio relato de Yang, titulado «Lightning Attack on Luting Bridge», véase *Recalling the Long March*, pp. 88-100.

29. Snow, p. 224.

30. Grace Service, anotado en Salisbury, p. 222.

31. Yang Chengwu, pp. 95-98.

32. Snow, pp. 229-230.

33. Tanto Snow como Otto Braun, quienes escribieron sobre hombres colgando de las cadenas, «mano sobre mano» (p. 119), se basaron en relatos de segunda mano. Yang Chengwu, que estuvo allí, dijo que los hombres «reptaron por las cadenas» (*Recalling the Long March*, p. 98).

34. *Nianpu*, I, p. 457; Salisbury, p. 231.

35. *Nianpu*, I, p. 457.

36. Braun, p. 120.

37. Snow, p. 231.

38. Citado en Smedley, *Great Road*, pp. 235-236.

39. Wang Xingjuan, pp. 204-208; Salisbury, pp. 172-173. Había sido herida a principios de abril de 1935 en Panxian, en la frontera entre Yunnan y Guizhou.

40. *Nianpu*, I, p. 458; Yang, p. 140. Según Otto Braun (p. 120), Mao oyó por vez primera informes sin confirmar sobre la posición del Cuarto Ejército cuando llegó a Tianquan, al pie, en el sur, de Jinjiashan. Zhang Guotao sabía aún menos de las acciones del Primer Ejército (*Rise of Chinese Communist Party*, II, pp. 372-373; Salisbury, pp. 232-233 y 239-240).

41. La descripción que sigue a continuación de la reunión y la posterior separación del Primer y el Cuarto Ejército, abarcando el período que se extiende entre junio y septiembre de 1935, depende principalmente de *Nianpu*, I, pp. 458-474; Zhang Guotao, II, pp. 374-428; Braun, pp. 129-139; *Nie Rongzhen huiyi lu, passim*; Yang, pp. 129-161; Jin Chongji, *Mao Zedong zhuan*; y Salisbury, pp. 240-282. Cuando se realizan referencias específicas, se detallan más abajo.

42. Actualmente, la estimación oficial china es que Mao contaba con unos veinte mil hombres en Dawei; Zhang tenía ochenta mil (véase por ejemplo *Zhongguo gongchandang huiyi gaiyao*, p. 156). Ambas cifras parecen exageradas. El propio Zhang valoró la fuerza del Cuarto Ejército en sólo cuarenta mil hombres, y la del Primer Ejército en sólo diez mil (II, pp. 379 y 382-383). Si Braun estaba en lo cierto al afirmar que el Primer Ejército contaba con unas veinte mil unidades en Huili, dos meses después la cifra debió de ser mucho menor. Lo más probable, teniendo en cuenta toda la información de que disponemos hoy en día, es que la fuerza global de los dos ejércitos en Dawei fuese de alrededor de sesenta mil hombres.

43. *China Weekly Review*, 20 de octubre de 1934, p. 256.

44. Zheng Yuyan, «Liu Changsheng tongzhi huiyilu», *Shanghai wenshi ziliao*, X, pp. 68-69; Yang Yunruo y Yang Guisong, *Gongchanguoji he Zhongguo geming*, Shanghai renmin chubanshe, Shanghai, 1988, p. 367.

45. Yang, p. 141, y Braun, p. 121; véase también Zhang Guotao, II, p. 383.

46. *Nianpu*, I, pp. 458-460; Yang, p. 142.

47. *Nianpu*, I, pp. 460-461; *Zhongguo gongchandang huiyi gaiyao*, pp. 156-159.

48. Los cambios fueron propuestos en una reunión de la Comisión Militar celebrada en Shawo el 3 de agosto, y ratificados por el Politburó en una sesión propia en el mismo lugar entre los días 4 y 6 de agosto (*Nianpu*, I, pp. 464-465; Saich, *Rise to Power*, pp. 677-685; *Zhongguo gongchandang huiyi gaiyao*, pp. 164-167). La columna izquierda estaba formada probablemente por unos cuarenta y cinco mil hombres, la derecha por unos quince mil.

49. *Nianpu*, I, p. 467.

50. *Ibid.*, p. 468; *Zhongguo gongchandang huiyi gaiyao*, pp. 167-170.

51. Mao, entrevistado por Edgar Snow en Pekín en 1960 (*Red Star Over China*, edición revisada, Grove Press, Nueva York, 1969, p. 432).

52. Salisbury, p. 263.

53. Braun, p. 136.

54. Salisbury, pp. 269-270. Los prisioneros chinos, durante los años de hambruna de principios de la década de 1960, comían grano recuperado del estiércol de los caballos (Bao Ruo-wang [Jean Pasqualini] y Rudolf Chelminski, *Prisoner of Mao*, Penguin, Harmondsworth, 1976, pp. 241-242).

55. Zheng Shicai, «Battle for Pao-tso [Baozuo]», en *Recalling the Long March*, pp. 156-172; véase también, Yang, p. 156.

56. Yu Jinan, *Zhang Guotao he «wode huiyi»*, Sichuan renmin chubanshe, Chengdu, 1982, p. 218.

57. *Nianpu*, I, pp. 470-471.

58. *Ibid.*, pp. 471-172; Peng Dehuai, pp. 372-378.

59. Nunca se ha hecho público el texto del segundo telegrama, motivando que algunos historiadores sugiriesen que Mao quizá lo inventase simplemente para persuadir a la

cúpula de seguir avanzando hacia el norte sin tener en cuenta las propuestas de Zhang (Yang, pp. 158-161 y 294, n. 88; Salisbury, pp. 279-280; véase también Braun, pp. 137-138). No obstante, el relato de Peng Dehuai muestra claramente que los dirigentes estaban preocupados ante la posibilidad de un *coup de force* de Zhang antes incluso de la llegada del segundo telegrama, y que el mismo Zhang, con su abandono de los libros de códigos del Primer Ejército, había dado pie a tales sospechas (pp. 374-376). Más aún, al menos un documento del partido casi contemporáneo le acusaba explícitamente de haber «ido tan lejos como para usar sus ejércitos para amenazar a la central del partido» («Politburo Decision Concerning Zhang Guotao's Mistakes», 31 de marzo de 1937, en Saich, p. 755).

60. Snow, *Red Star Over China*, edición revisada, p. 432, y *The Other Side of the River*, Random House, Nueva York, 1962, p. 141.

61. Yang, p. 294, n. 92.

62. Yang, p. 159. A pesar de que los intercambios entre los dos ejércitos continuaron después de que las fuerzas de Mao abandonasen Baxi, este mensaje, enviado el 10 de septiembre, significó el último intento del Politburó de disuadir a Zhang de avanzar hacia el sur.

63. Incluso Zhang Guotao, en sus memorias, reconoció que Zhu se sentía «deprimido» ante la situación en que se encontraba (II, p. 427). Pero más allá de escapar por su cuenta e intentar unirse a Mao (lo que habría sido un suicidio), o incitar a las pequeñas unidades del Primer Ejército destinadas en la columna izquierda para que se sometieran a su liderazgo (lo que habría sido igualmente una locura), Zhu y su jefe de personal, el «Dragón de un Ojo» Liu Bocheng, no tenían otra opción más que aceptar los hechos. Mao evidentemente era consciente de ello. En julio de 1936, el Politburó indicó al Comintern: «Zhu se encuentra bajo la coacción de Guotao y no goza de libertad para mostrar independientemente su propia opinión» (*Nianpu*, I, p. 470).

64. Yang, p. 163.

65. *Nianpu*, I, p. 473.

66. *Ibid.*, p. 458; Braun, p. 121.

67. Salisbury, pp. 282-284; véase también Hu Bingyun, «How we captured Latzukou [Lazikou] Pass», en *Recalling the Long March*, pp. 111-117.

68. *Nianpu*, I, p. 476; Peng Dehuai, p. 381.

69. *Nianpu*, I, p. 477; Yang, pp. 167-169.

70. Salisbury, pp. 288-289.

71. *Nianpu*, I, p. 484; véase también Salisbury, pp. 289-293, y Yang, pp. 176-181.

72. *Nianpu*, I, p. 482. A pesar de que la declaración del Politburó de que la marcha había llegado a su fin no se realizó hasta el día 22, llegaron de hecho a Wuqi tres días antes.

73. De acuerdo con Peng Dehuai (p. 383), el Primer Ejército contaba con siete mil doscientos hombres cuando llegó a Wuqi, pero un tercio de ellos aproximadamente habían sido reclutados por el camino.

74. Las consignas se ilustran en fotografías del Museo de Zunyi; véase también el discurso de Mao en Zunyi del 12 de enero de 1935 (*Nianpu*, I, p. 443).

75. *Ibid.*, pp. 458 y 461; Braun, p. 122.

76. Parks M. Coble, *Facing Japan: Chinese Politics and Japanese Imperialism, 1931-1937*, Harvard University Press, Cambridge, Mass., 1991, pp. 182-225.

77. Yang, p. 167.

78. *Zhongguo gongchandang huiyi gaiyao*, pp. 173-175.

79. *Mao Zedong shici duilian jizhu*, esta traducción es una adaptación de Mao, *Nineteen Poems*, p. 19.

80. Saich, pp. 692-698.

81. *Nianpu*, I, p. 489.

82. *Ibid.*, pp. 483-489; Peng Dehuai, pp. 384-387.

83. Saich, p. 709; véase también *Nianpu*, I, pp. 497-499.

84. Saich, pp. 709-723.

85. Fuentes orales.

86. *SW*, I, pp. 164-168 (27 de diciembre de 1935).

87. Véanse las instrucciones de Mao a Lin Biao del 26 de noviembre reclamándole «métodos positivos y honestos para ganarnos [al ejército del noreste]»; sus acercamientos al aliado de Zhang Xueliang, Yang Hucheng, a principios de diciembre, y sus repetidas órdenes de liberar a los oficiales capturados (*Nianpu*, I, pp. 490-491 y 493; Yang, p. 187).

88. Véanse, por ejemplo, las cartas de Mao a los comandantes del Guomindang en *Nianpu*, I, pp. 490 (26 de noviembre), 494-495 (5 de diciembre de 1935), y 506 (enero de 1936).

89. *Ibid.*, p. 490.

90. *Ibid.*, pp. 483, 502 y 505; Peng Dehuai, pp. 387-389.

91. *Nianpu*, I, pp. 506-508, 512 y 514.

92. *Ibid.*, pp. 516-517 y 519.

93. *Ibid.*, p. 534. Véanse también pp. 522, 527-528 y 532-533; y Saich, pp. 741-742. Las instrucciones oficiales sobre el tratamiento entre el Ejército Rojo y el Ejército del Noreste fueron publicadas el 20 de junio (Saich, pp. 742-748).

94. Saich, p. 705; *Nianpu*, I, p. 493; Peng Dehuai, pp. 385-386 y 389.

95. *Nianpu*, I, pp. 499, 504 y 506; Peng Dehuai, pp. 390-393.

96. *Nianpu*, I, pp. 508-509; Yang, pp. 187-189; Peng Dehuai, pp. 394-397.

97. Yang, pp. 191-193, 195 y 299, n. 10; *Nianpu*, I, p. 495. Véase también Salisbury, pp. 311-312, y Zhang Guotao, II, pp. 424-428.

98. *Nianpu*, I, pp. 472-473; Saich, pp. 685-686; Yang, pp. 160 y 164-165.

99. *Nianpu*, I, pp. 484-485.

100. Saich, p. 741.

101. Yang, pp. 193-198.

102. *Nianpu*, I, pp. 541-542.

103. Yang, pp. 211-218; Salisbury, pp. 319-321; Peng Dehuai, pp. 401-405; *History of the CCP, Chronology*, pp. 108-109.

104. *Nianpu*, I, p. 619.

105. *Ibid.*, p. 467 (19 de agosto de 1935).

106. *Ibid.*, p. 519.

107. Saich, p. 711 (25 de diciembre de 1935). El Partido Comunista Chino continuó calificando a Chiang de traidor hasta bien entrado el verano de 1936 (*ibid.*, p. 742, 20 de junio de 1936; *Nianpu*, I, pp. 527-528).

108. Saich, p. 699 (octubre de 1935).

109. *Nianpu*, I, p. 519.

110. *Ibid.*, pp. 527-528.

111. Véase Coble, cap. 8.

112. Esto ocurrió al margen de las iniciativas de Mao. En enero de 1936 se mantuvieron varias reuniones en Moscú, pero Stalin, a pesar de su interés en una alianza con Nanjing, no estaba convencido de la sinceridad de Chiang y las conversaciones no tuvieron consecuencia alguna (*Chinese Law and Government*, vol. XXX, I, pp. 13-15 y 79-100; *Nianpu*, I, p. 568).

113. *Nianpu*, I, pp. 516, 519, 594, 596 y 607.

114. *Ibid.*, p. 533. Evidentemente la actitud de Mao evolucionó a mayor velocidad que la de Moscú. La Unión Soviética comenzó a tomar seriamente la posibilidad de un frente unido entre el Partido Comunista Chino y el Guomindang sólo a partir de julio de 1936 (*Kommunisticheskii Internatsional i Kitaiskaya Revolutsiya, Dokumenty i Materialy*, Izdatelstvo Nauka, Moscú, 1986, pp. 263-266).

115. *Nianpu*, I, pp. 541 (15 de mayo) y 551 (12 de junio de 1936).

116. *Ibid.*, pp. 552-556. Sin saberlo Snow, Mao llegó a Bao'an el 12 de julio, sólo un día antes que él.

117. Snow, pp. 126-132.

118. *Nianpu*, I, pp. 544 y 553. En telegramas al Partido Comunista Chino del 23 de julio y el 15 de agosto, el Comintern reclamó que se intensificasen los esfuerzos (John W. Garver, «The Soviet Union and the Xi'an incident», *Australian Journal of Chinese Affairs* [*AJCA*], n.º XXVI, pp. 158-159). Véase también *Nianpu*, I, pp. 568-618 *passim*; y Saich, pp. 764-768.

119. Saich, p. 572 (25 de agosto de 1936).

120. Snow, p. 439.

121. *Nianpu*, I, pp. 589 (septiembre) y 608-609 (12 y 13 de noviembre de 1936).

122. *Ibid.*, pp. 607 y 619-620.

123. James Bertram, *First Act in China*, Viking Press, Nueva York, 1938, pp. 110-112.

124. Snow, p. 430; Wu Tien-wei, *The Sian Incident: A Pivotal Point in Modern Chinese History*, University of Michigan Press, Ann Arbor, 1976, pp. 66-71; Coble, p. 343.

125. Bertram, pp. 114-115; Wu, pp. 72-73; Helen Foster Snow (Nym Wales), *The Chinese Communists: Red Dust*, Greenwood Publishing, Westport (1972, pp. 194-196).

126. *Nianpu*, I, pp. 619-620.

127. Wang Fan, *Yu lishi guanjianrenwude duihuao* (*Zhe qing zhe shuo*, vol. II), Zhongguo qingnian chubanshe, Pekín, 1997, pp. 212-213.

128. Braun, pp. 182-183.

129. Bertram, pp. 115-123; Wu, pp. 75-80.

130. *Ibidem*; Warren Kuo, *Analytical History of the Chinese Communist Party*, vol. III, Institute of International Relations, Taipei, 1970, pp. 228-229; Zhang Guotao, II, pp. 480-481.

131. Ye Yonglie, *Mao Zedong yu Jiang Jieshi*, Fengyun shidai chubanshe, Taipei, 1993, vol. I, pp. 168-177; *Nianpu*, I, p. 621. Véase también Zhang Guotao, pp. 480 y 482-483. La principal diferencia de estas versiones se refiere a la posición de Zhang Wentian, del que Zhang Guotao afirma que quería que Chiang fuese ejecutado y Ye indica que quería concederle el perdón. Pero todos están de acuerdo en que Mao deseaba llevarle a juicio.

132. *Nianpu*, p. 621. Las mismas palabras se emplearon en un telegrama del alto mando del Ejército Rojo al gobierno nacional del Guomindang del 15 de diciembre de 1936 (*ZZWX*, XI, pp. 123-125). El 24 de enero de 1937 Mao afirmó en una reunión del Comité Permanente del Politburó que el uso de esta frase había sido «inadecuado» (*Nianpu*, I, pp. 645-646).

133. El *Nianpu* recoge cinco telegramas de Mao a Zhang Xueliang del 12 al 15 de diciembre (I, pp. 621-623).

134. Citado en Bertram, pp. 126-127.

135. *Nianpu*, I, p. 624; véase también Warren Kuo, III, p. 228.

136. A partir del 13 de diciembre, Mao puso el acento en que la disputa del Partido Comunista Chino con Chiang no estaba «en el mismo nivel» que su oposición al Japón (*Nianpu*, I, p. 621). La última referencia comunista a llevar a Chiang a juicio apareció el 15 de diciembre.

137. Edgar Snow, *Random Notes on Red China*, Harvard University Press, Cambridge, 1957, pp. X y 21. Véase también Zhang Guotao, II, p. 484.

138. Yang, pp. 224-225; Garver, *AJCA*, XXVI, pp. 153-154, 157-158 y 164-173. Mao usó el término «acontecimiento revolucionario» en la reunión del Politburó del 13 de diciembre (*Nianpu*, I, p. 621). El telegrama de Dimitrov fue escrito en Moscú el día 16, pero debido a problemas de transmisión y al tiempo necesario para codificarlo y descodificarlo, es improbable que llegase a Bao'an antes de la mañana del día 17, como muy temprano, y

muy probablemente no antes del 18. Ese día el Partido Comunista Chino solicitó que volviese a ser transmitido porque parte del texto estaba mutilado. El día 20 se recibió una versión completa (Yang Yunruo y Yang Guisong, *Gongchanguoji*, p. 392), cuando fue enviado a Zhou Enlai hasta Xi'an (*Nianpu*, I, p. 626).

139. El editorial que apareció en el *Jiefang bao* el 17 de diciembre (y que tuvo que ser redactado por tanto el día 16, antes de que llegase el telegrama de Dimitrov) apuntaba ya hacia una resolución pacífica del conflicto (véase Yang, p. 303, n. 25).

140. Véase el telegrama de Zhou Enlai a Mao del 18 de diciembre de (*Nianpu*, I, p. 624).

141. Bertram, pp. 143-152; Wu, pp. 135-153.

142. Chiang Kai-shek, *General Chiang Kai-shek: The Account of the Fortnight in Siam when the Fate of China Hung in the Balance*, Doubleday, Garden City, 1937, pp. 149-150.

143. Zhou, *SW*, I, p. 88-90 (25 de diciembre de 1936).

144. Mao, *SW*, I, p. 255 (28 de diciembre de 1936).

145. Wu, pp. 155-165; Bertram, pp. 205-206 y 219-220; *Nianpu*, I, p. 639.

146. Wu, pp. 170-172; Coble, pp. 356-358.

147. *Nianpu*, I, pp. 651 (9 de febrero), 657 (1 de marzo), 657-659 (5 y 7 de marzo), 674 (9 de mayo) y 676-677 (25 de mayo); *Nianpu*, II, pp. 9 (4 de agosto), 13 (18 de agosto) y 23 (22 de septiembre de 1937). Véase también la entrevista de Mao con Nym Wales del 13 de agosto de 1936 (Wales, *My Yenan Notebooks*, publicación privada, 1961, pp. 151-153).

148. *Nianpu*, I, p. 633 (28 de diciembre de 1936).

149. Mao dijo en una conferencia del partido del 9 de agosto de 1937 que el cambio de política de Chiang había sido «forzado por los japoneses» (*Nianpu*, II, p. 12).

150. Youli Sun, *China and the Origins of the Pacific War, 1931-1941*, St. Martin's Press, Nueva York, 1993, pp. 87-90.

151. *Ibidem*; Niapu, II, p. 4.

152. *Nianpu*, II, p. 3.

153. Zhou, *SW*, I, pp. 93-95; Yang, p. 241.

154. *Nianpu*, II, p. 6.

155. *Ibid.*, pp. 6 y 16; Youli Sun, pp. 91-92; Yang, pp. 242-244; Wales, *Yenan Notebooks*, pp. 151-153.

156. *Nianpu*, II, p. 23.

CAPÍTULO II

1. La decisión de trasladarse hasta Yan'an fue tomada a finales de diciembre de 1936. Mao llegó el 13 de febrero (*Nianpu*, I, pp. 633 y 641).

2. Véase Claire y William Band, *Two Years with the Chinese Communists*, Yale University Press, New Haven, 1948, pp. 258-259; Violet Cressy-Marcks, *Journey into China*, Dutton, Nueva York, 1942, pp. 157-159; Harrison Forman, *Report from Red China*, Henry Holt, Nueva York, 1945, pp. 46-47; Hanson Haldore, *Human Endeavour*, Farrar & Rinehart, Nueva York, 1939, pp. 292-295; Helen Foster Snow, *The Chinese Communists*, p. XIV, y *My China Years*, William Morrow, Nueva York, 1984, pp. 231-233 y 257-286; Robert Payne, *Journey to Red China*, Heinemann, Londres, 1947, pp. 7-11.

3. Wales, *My Yenan Notebooks*, p. 135.

4. T. A. Bisson, *Yenan in June 1937: Talks with the Communists Leaders*, University of California, Berkeley, 1973, p. 71.

5. Helen Snow, *Chinese Communists*, p. 251.

6. Michael Lindsay, *The Unknown War: North China, 1937-1945*, Bergstrom & Boyle, Londres, 1975, s. n.

7. Gunter Stein, *The Challenge of Red China*, McGraw-Hill, Nueva York, 1945, pp. 88-89.

8. Bisson, pp. 70-71.

9. Tanto Helen Snow como William Band hicieron referencia a la proliferación de guardias armados. Véase también George Fitch, *My Eighty Years in China*, publicación privada, Taipei, 1967, p. 150. Para un testigo ruso hostil, véase Pyotr Y. Vladimirov, *China's Special Area, 1942-1945*, Allied Publishers, Bombay, 1974.

10. *Nianpu*, I, p. 525.

11. Snow, *Red Star Over China*, pp. 504-505.

12. *Ibid.*, p. 547.

13. Entrevistas realizadas en Bao'an, junio de 1997.

14. El texto revisado se encuentra en *SW*, I, pp. 179-249. Algunos extractos de la versión original aparecen en Stuart R. Schram, *Political Thought of Mao Tse-tung*, pp. 202-205.

15. *Liu Shaoqi nianpu*, I, Zhongyang wenxian chubanshe, Pekín, 1996, pp. 173-177; Saich, *Rise to Power*, pp. 773-790.

16. *Nianpu*, I, pp. 677-679.

17. *Ibid.*, I, pp. 615-617.

18. *Mao Zedong zhexue pizhuji*, Zhongyang wenxian chubanshe, Pekín, 1988; Shi Zhongquan, «A New Document for the Study of Mao Zedong's Philosophical Thought», en *Chinese Studies in Philosophy*, vol. XXIII, 3-4, pp. 126-143.

19. Para una discusión detallada del empleo del grupo de textos de Mitin, véase Nick Knight, ed., *Mao Zedong on Dialectical Materialism: Writings on Philosophy, 1937*. M. E. Sharpe, Armonk, 1990.

20. *Nianpu*, I, p. 671; Knight, p. 78, n. 154.

21. Las charlas de Mao se basaron en notas escritas que circularon por primera vez en 1937 como texto de estudio mimeografiado bajo el título «Materialismo dialéctico, esquemas para conferencias» (Gong Yuzhi, «On Practice: Three Historical Problems», en *Chinese Studies in Philosophy*, vol. XXIII, 3-4, p. 145). La sección inicial trataba sobre «Materialismo dialéctico», y con ese título es como se acostumbra a referirlo en Occidente —no así en China. El segundo texto, «Sobre la práctica», de inicia después del final se la sección anterior, y es a su vez seguido por el ensayo de Mao sobre «La ley de la unidad de las contradicciones», referenciado a partir de ahora por su título más conocido «Sobre la contradicción».

22. Knight, p. 126.

23. Mao le dijo a Edgar Snow que «él nunca había escrito un ensayo titulado «Materialismo dialéctico». Pienso que lo recordaría si lo hubiese hecho» (*The Long Revolution*, Hutchinson, Londres, 1970, p. 207).

24. Raymond F. Wylie, *The Emergence of Maoism: Mao Tse-tung, Ch'en Po-ta and the Search for Chinese Theory, 1935-1945*, Stanford University Press, 1980, pp. 55-58.

25. Schram, *Mao's Road*, III, pp. 419-421.

26. Knight, pp. 138-148; edición revisada *SW*, I, pp. 295-308.

27. *Ibid.*, pp. 154-203; edición revisada *SW*, I, pp. 311-346.

28. Schram, I, p. 306.

29. Por ejemplo Zhang Wenru en «Mao Zedong's Critical Continuation of China's Fine Philosophical Inheritance», *Chinese Studies in Philosophy*, vol. XXIII, 3-4, pp. 122-123.

30. Knight, p. 186.

31. *Nianpu*, II, p. 10; Knight, p. 78, n. 154.

32. Joshua A. Fogel, *Ai Ssu-chi's Contribution to the Development of Chinese Marxism*, Harvard University Press, Cambridge, 1987, p. 30.

33. Wylie, p. 13.

34. Gong Yuzhi, pp. 161-162.

35. Incluso la revisión de «Sobre la contradicción» para su publicación en 1951 le llevó a Mao mucho más tiempo del esperado (Schram, *Thought of Mao Tse-tung*, p. 64).

36. *Nianpu*, II, p. 40. Véase también Braun, *Comintern Agent*, pp. 217-218. John Byron y Robert Pack ofrecen una amena descripción del retorno de Wang en *The Claws of the Dragon* (Simon & Schuster, Nueva York, 1992, pp. 135-136).

37. Shum Kui-Kwong, *The Chinese Communists' Road to Power: The Anti-Japanese National United Front, 1935-1945*, Oxford University Press, Oxford, 1988, p. 114.

38. Frederick C. Teiwes, *The Formation of the Maoist Leadership: From the Return of Wang Ming to the Seventh Party Congress*, Contemporary China Institute, Londres, 1994, pp. 5-7. Varios informes tempranos sobre el retorno de Wang, aparentemente basados en fuentes taiwanesas, argumentaron que trajo consigo una directriz de Stalin que ratificaba las aspiraciones de Mao de ser el líder del partido al tiempo que criticaba duramente su ignorancia del marxismo. Pero no existió directiva alguna de este tipo.

39. El Politburó celebró una sesión ampliada en Luochuan, a la que asistieron los principales comandantes militares, del 22 al 25 de agosto de 1937. Estuvo seguida por una reunión del Comité Permanente, en la que Mao también intervino, celebrada el 27 de agosto. Fue vuelto a designar presidente de la comisión militar, con Zhu De (reemplazando a un Zhang Guotao caído en desgracia) y Zhou Enlai como lugartenientes. El mismo encuentro sirvió para nombrar a Zhu comandante en jefe del Octavo Ejército de Campaña. No están disponibles los textos íntegros de los discursos de Mao, pero en *Nianpu* (II, pp. 14-17) aparece un resumen.

40. El 12 de septiembre Mao advirtió a Peng Dehuai, entonces lugarteniente de Zhu De: «Ellos [el Guomindang] quieren forzar a nuestro Ejército Rojo a luchar las batallas más duras» (*ibid.*, p. 20).

41. *Ibid.*, pp. 17 (27 de agosto), 21 (14 de septiembre), 26-27 (30 de septiembre) y 31-32 (13 y 22 de octubre)

42. Saich, pp. 792-794 (21 y 25 de septiembre).

43. *Ibid.*, p. 668; *History of the CCP, Chronology*, pp. 116-117.

44. *Nianpu*, II, pp. 26-27; véase también Benton, *Mountain Fires*.

45. *Nianpu*, II, p. 33 (19 de octubre).

46. *Ibid.*, p. 37 (11 de noviembre).

47. *Ibid.*, p. 31 (13 de octubre).

48. Saich, pp. 795-802; *Nianpu*, II, p. 40; Peng Dehuai, *Memoirs*, pp. 415-419; Shum Kui-Kwong, pp. 115-116.

49. *Nianpu*, II, pp. 40-41.

50. Peng Dehuai, p. 418; Teiwes, pp. 7 y 44-45; *History of the CCP, Chronology*, pp. 120-121. Véase también Saich, p. 667.

51. Teiwes, p. 8.

52. *Ibid.*, pp. 5-8; Saich, pp. 668-670; Fei Yundong y Yu Guihua, «A brief History of the Work of Secretaries in the Chinese Communist Party (1921-1949)», *Chinese Law and Government*, vol. XXX, 3 [mayo-junio de 1997], pp. 13-14.

53. Shum Kui-Kwong, pp. 122-125.

54. *Nianpu*, II, p. 51. Véase también Saich, pp. 802-812.

55. *Nianpu*, II, p. 51; Saich, p. 670. El Politburó se reunió desde el 27 de febrero hasta el 1 de marzo.

56. En «Sobre la guerra prolongada», escrito tres meses antes, Mao recuperó explícitamente esta fórmula, argumentando que se trataba de «la política militar más efectiva para un ejército débil, estratégicamente a la defensiva, que se enfrente a un ejército poderoso» (*SW*, II, p. 172).

57. Mao se estaba refiriendo al *weiqi*, o ajedrez chino, en el que el objetivo es salvaguardar las propias piezas manteniéndolas en los espacios en blanco del tablero en los que

las piezas del adversario no pueden penetrar. Mientras un jugador domina estos espacios en blanco, sus piezas no pueden ser capturadas incluso si se encuentran rodeadas.

58. *Ibid.*, pp. 113-194. Véase también Schram, *Thought of Mao Tse-tung*, pp. 206-209.

59. Resultaron ser palabras proféticas. Seis meses después, en diciembre de 1938, el antiguo jefe de Mao en el Guomindang, Wang Jingwei, rompió relaciones con Chiang Kai-shek y se prestó a formar un gobierno títere de dominio japonés afincado en Nanjing.

60. Saich, p. 670.

61. *Nianpu*, II, p. 51.

62. Las palabras textuales de Wang fueron: «Los camaradas asistentes a la reunión del Politburó albergan las mismas ideas ante la situación actual» (Saich, p. 802). Véase también Shum Kui-Kwong, p. 126.

63. Shum Kui-kwong, p. 126. Véanse también las críticas de Mao a los «fenómenos enfermizos» del Guomindang (*SW*, II, p. 131), y su insistencia durante la reunión de febrero del Politburó (y en otras ocasiones) en que los comunistas «deberíamos depender principalmente de nosotros mismos» (*Nianpu*, II, pp. 48 y 51).

64. *Nianpu*, II, p. 66; *ZZWX*, XI, pp. 514-515 y 518-519; Shum Kui-kwong, p. 134.

65. *Liuda yilai — dangnei mimi wenjian*, Renmin chubanshe, Pekín, 1981, vol. I, pp. 946-964. Véase también John E. Garver, *Chinese Soviet Relations, 1937-1945*, Oxford University Press, Oxford, 1988, pp. 74-75.

66. Saich, p. 671; Shum Kui-kwong, pp. 134-138.

67. Garver (pp. 76-77) ofrece el mejor relato, pero condensa demasiado la cronología. Véase también Teiwes, pp. 28 y 30, n. 90.

68. Teiwes (pp. 29-30) considera que una resolución del Comintern del 11 de julio, que criticaba «la tendencia capitulacionista del oportunismo derechista» (en otras palabras, la política de Wang Ming), determinó el crucial cambio. En julio *Pravda* publicó por vez primera la fotografía de Mao, junto con la de Zhu De.

69. *Ibid.*, p. 29.

70. *Nianpu*, II, p. 90.

71. El día 3 de agosto, Mao ya había recibido, sin duda alguna, noticias sobre la decisión de Moscú, puesto que en aquella fecha el Comité Permanente propuso que el Politburó al completo debía reunirse en sesión plenaria (la primera reunión de la cúpula en su conjunto desde diciembre de 1937). Cuando llegaron más detalles, se decidió celebrar en su lugar un pleno del Comité Central (*ibid.*, p. 84; Saich, p. 671). Wang Ming fue informado de que había llegado una nueva directriz de Moscú, pero no de su contenido (Garver, p. 78; *Renmin ribao*, 27 de diciembre de 1979).

72. *Nianpu*, II, p. 90.

73. *Ibid.*, p. 91.

74. Schram, *Political Thought*, pp. 113-114; *SW*, II, pp. 209-210.

75. Saich, pp. 672; *Nianpu*, II, p. 92.

76. *SW*, II, pp. 213-217 y 219-235 (la cursiva es mía).

77. Teiwes, pp. 8-9; *Nianpu*, II, p. 98.

78. Teiwes, p. 10.

79. *Nianpu*, II, p. 96.

80. *Ibid.*, p. 97. Véase también Ye Yonglie, *Jiang Qing zhuan*, Shidai wenyi chubanshe, Changchun, 1993, pp. 164-165; Wang Fan, *Zhe qing zhe shuo*, II, pp. 217-218.

81. Snow, pp. 107, 124 y 132-133.

82. Wang Xingjuan, *He Zizhen de lu*, pp. 224-226.

83. Helen Foster Snow, *Chinese Communists*, pp. 250-251; Wales, *Yenan Notebooks*, pp. 62-64.

84. Ello suscita la pregunta de si Mao y Lily Wu mantuvieron o no relaciones. Las evidencias sugieren que así fue. En su diario, Nym Wales la describió «inclinándose sobre las rodillas de Mao de un modo muy familiar». Agnes Smedley menciona que Lily le estaba dando a Mao «lecciones de mandarín». He Zizhen, a pesar de que nunca acusó formalmente a Mao de adulterio, culpó a la señorita Wu de «alejarla del afecto de Mao». Véase Wales, *Yenan Notebooks*, p. 63; Snow, *Red Star Over China*, p. 532; Smedley, *Battle Hymn of China*, p. 123.

85. Wang Xingjuan, p. 226.

86. *Ibid.*, p. 227; véase también Ye Yonglie, *Jiang Qing zhuan*, p. 157.

87. Habían pasado dos meses desde la fatídica velada en la cueva de Smedley. Mao según parece creyó que He Zizhen lo habría olvidado, inconsciente de la profunda frustración que le provocaba la manera en que había cambiado la relación entre ambos.

88. Wang Xingjuan, pp. 227-245. Sobre la expulsión de Smedley y Lily Wu, véase Snow, *Red Star Over China*, p. 532. No se conoce con exactitud la fecha exacta de la partida de He Zizhen, pero la esposa de Zhang Guotao, Ye Ziliao, se vio con ella en Xi'an en septiembre (Zhang Guotao, *Rise of the Chinese Communist Party*, II, p. 562); el propio relato de Ye Ziliao sobre aquel encuentro (*Zhang Guotao furen huiyilu*, Hong Kong, 1970, pp. 333-334) es poco fiable. La afirmación de Jiang Qing a Rozane Witke de que He Zizhen cuidaba de sus hijos —como muchos otros acontecimientos de aquellos años por ella narrados— es falsa (Roxane Witke, *Comrade Chiang Ch'ing* [Jiang Qing], Weidenfeld & Nicholson, Londres, 1977, pp. 160-161 [trad. cast.: Roxane Witke, *Camarada Chiang Ching recuerdos de su vida e historia*, Plaza y Janés, Barcelona, 1980]).

89. El secretario de Mao, Ye Zilong ha confirmado la afirmación de Jiang Qing de haber llegado a Luochuan durante la conferencia del Politburó de finales de agosto de 1937, a pesar de que su descripción de los líderes saliendo a recibirla es pura fantasía. La esposa de un veterano comandante de Jinggangshan, Xiao Jingguang, la presentó a Mao en Yan'an unos días después (Wang Fan, pp. 213-215; Witke, p. 146).

90. La mayor parte de los sucesos iniciales de la vida de Jiang Qing, especialmente los referentes a los años en que vivió en Shanghai, han sido deliberadamente oscurecidos. El relato que sigue a continuación se basa principalmente en Ye Yonglie, *Jiang Qing zhuan*; Byron y Pack, *Claws of the Dragon*; Witke, *Comrade Chiang Ch'ing*; y Ross Terrill, *Madame Mao: The White-Boned Demon*, Nueva York, 1992.

91. Jiang Qing dedicó una enorme cantidad de dinero y energías durante la Revolución Cultural a intentar borrar todo vestigio de sus actividades durante los años treinta en Shanghai. Esto, por sí solo, no demuestra las acusaciones de sus enemigos —y, supuestamente, justo antes de su muerte, de Kang Sheng (Byron y Pack, pp. 405-407)— de que ella compró su liberación de la cárcel a cambio de trabajar para el Guomindang. Pero es evidente que estaba preocupada por algunos sucesos desagradables de su pasado que le habrían causado problemas políticos en el caso de que hubiesen salido a la luz.

92. De hecho esto no estaba tan claro. Durante la primavera o a principios de verano de 1938 Mao envió un telegrama a He Zizhen en Moscú pidiéndole, una vez más, que volviese a Yan'an. En su respuesta ella indicó que por vez primera se sentía quizá preparada para volver; pero no antes de que hubiese completado sus estudios, dos años después. Mao no estaba dispuesto a esperar (Wang Xingjuan, p. 234).

93. Helen Foster Snow, *Chinese Communists*, p. 251.

94. Ye Yonglie, pp. 161-165; Wang Fan, pp. 217-218.

95. Ye Yonglie, pp. 162-163.

96. Wang Fan, pp. 217-218.

97. *Ibidem*; Ye Yonglie, pp. 148, 162 y 173. Byron y Pack (pp. 147-149) ofrecen un relato colorista y a menudo exagerado de la intervención de Kang, pero su tesis de que Kang

711

fomentó la causa de Jiang Qing para servir a sus propios intereses es indudablemente correcta. No existe evidencia alguna de que Jiang Qing conociese a Kang antes de su llegada a Yan'an, y menos aún de que ellos tuviesen un *affaire*.

98. Así lo reconoce implícitamente Jiang Qing en el relato que hizo de su vida y que confió a Roxane Witke. Véase también Ye Yonglie, p. 166.

99. *Ibid.*, p. 167.

100. *Ibid.*, pp. 159-161.

101. *Ibid.*, pp. 168-169.

102. *Ibid.*, pp. 165 y 171-173.

103. *Ibid.*, pp. 175-177.

104. Después de la destrucción de la organización del partido en Shanghai, en 1933, Anying, entonces de once años, y su hermano mayor, Anqing, se tuvieron que ganar la vida por sí mismos, viviendo en las calles de su propio ingenio. Mantuvieron sin embargo contacto con el partido y tres años después fueron enviados a Moscú para estudiar. Allí se descubrió que Anqing estaba mentalmente enfermo. Anying volvió a China en diciembre de 1945; su hermano, cuatro años después. Por su parte, Li Min en 1941 había seguido a He Zizhen hasta la Unión Soviética. Fue enviada de nuevo a Yan'an después de que su madre fuese encerrada en un sanatorio en 1945 (Wang Xingjuan, p. 239).

105. Shum Kui-kwong, pp. 149-154.

106. Mao empleó por vez primera esta frase, que se convirtió en la directriz del partido a las fuerzas comunistas en su trato con las unidades militares del Guomindang, en la reunión del Secretariado del 12 de enero de 1939 (*Nianpu*, II, p. 103). No fue hecha pública, no obstante, hasta ocho meses después (*History of the CCP, Chronology*, p. 132).

107. *Nianpu*, II, *passim*; Shum Kui-kwong, pp. 153-154.

108. Véase Shum Kui-Kwong, pp. 184-188; Saich, pp. 860-863; y *History of the CCP, Chronology*, pp. 140-142.

109. *History of the CCP, Chronology*, p. 139; Saich, pp. 859-860; Peng Dehuai, pp. 434-437.

110. Yang, *From Revolution to Politics*, p. 307, n. 3; Saich, pp. 888-890.

111. Saich, pp. 906-912.

112. Saich, pp. 910-912 (4 de octubre de 1939). En aquel momento, llevaba en marcha desde hacía más de un año una campaña para reunir textos históricos como preparación del Séptimo Congreso, en el que se debía realizar un «sumario básico» de la historia del partido a partir de 1928 (Wylie, pp. 74-75).

113. Shum Kui-kwong, pp. 214-215. Véase también Teiwes, p. 10, n. 31.

114. *SW*, II, pp. 441-442.

115. Teiwes, p. 10.

116. Dai Qing, *Wang Shiwei and «Wild Lilies»*, M. E. Sharpe, Armonk, 1994, p. 155.

117. Teiwes, pp. 11-16; *SW*, III, pp. 17-25.

118. *SW*, III, pp. 165-166.

119. *Nianpu*, II, pp. 326-327; *Zhongguo Gongchandang huiyi gaiyao*, pp. 216-217; Saich, *Rise to Power*, pp. 1.008-1.011. Véase también Tony Saich, «Writing or Rewriting History? The Construction of the Maoist Resolution on Party History», en Saich y Van de Ven, *New Perspectives on the Chinese Communist Revolution*, pp. 312-318. Una semana antes de que la reunión comenzase, el periódico del partido en Yan'an, el *Jiefang ribao*, publicó un editorial lamentándose de que los llamamientos de Mao durante los tres años anteriores en favor de la «sinización del marxismo» todavía no habían surtido efecto (Wylie, p. 167).

120. Shum Kui-kwong, p. 218; Saich, *Rise to Power*, p. 972.

121. *Memoirs*, pp. 424-425.

122. «Rectify the Party's Style of Work», 1 de febrero de 1942, y «Oppose stereotyped Party writing», 8 de febrero de 1942, en Boyd Compton, *Mao's China: Party Reform Documents: 1942-1944*, University of Washington Press, Seattle, 1952, pp. 9-53; y *SW*, III, pp. 35-68.

123. *SW*, III, p. 35.

124. *Ibid.*, p. 42, y Compton, p. 21.

125. Compton, pp. 13-14.

126. *Ibid.*, pp. 16-17 (traducción corregida).

127. «How should we study the history of the Chinese Communist Party?», 30 de marzo de 1942, *Dangshi yanjiu*, I, 1980, pp. 2-7, traducido en Stuart R. Schram, *Fundations and Limits of State Power in China*, University of London, Londres, 1987, p. 212.

128. Teiwes, pp. 17-18.

129. Saich, p. 722.

130. Estas cuestiones se discuten en Shum Kui-kwong, pp. 164-173, 189-211 y 224; Wylie, pp. 162-165; y Saich, pp. 855-859 y 974-977. Algunos fragmentos del texto original de «Sobre la nueva democracia» están traducidos en Saich, pp. 912-929; véase también *SW*, II, pp. 339-384, especialmente pp. 353-354 y 358.

131. *Nianpu*, I, p. 489. Véase también *SW*, II, p. 441.

132. Véase Schram, *Political Thought*, p. 113.

133. Compton, p. 11.

134. Stuart R. Schram, *Mao Zedong: A Preliminary Reassesment*, Chinese University Press, Hong Kong, 1983, pp. 39-40.

135. *SW*, III, p. 12 (17 de marzo de 1941).

136. *Ibid.*, p. 119 (1 de junio de 1943).

137. Compton, p. 31.

138. *Ibid.*, p. 24.

139. Saich, p. 1.007 (1 de julio de 1941).

140. Compton, p. 37 (8 de febrero de 1942).

141. El siguiente relato de la persecución de Wang se basa principalmente en el espléndido libro de Dai Qing, *Wang Shiwei and «Wild Lilies»*. Véase también David E. Apter, y Tony Saich, *Revolutionary Discourse in Mao's Republic*, Harvard University Press, Cambridge, 1994, pp. 59-67; Gregor Benton y Alan Hunter, *Wild Lily, Praire Fire*, Princeton University Press, 1995, pp. 7-13; Byron y Pack, *Claws of the Dragon*, pp. 176-183; Fu Zhengyuan, *Autocratic Tradition and Chinese Politics*, Cambridge University Press, 1993, pp. 269-274; Merle Goldman, *Literary Dissent in Communist China*, Harvard University Press, 1967, pp. 23-50; Saich, *Rise to Power*, pp. 982-985; Frederick C. Teiwes, *Politics and Purges in China: Rectification and the Decline of Party Norms, 1950-1965*, M. E. Sharpe, Nueva York, 1979, pp. 74-75; y Wylie, *Emergence of Maoism*, pp. 178-190.

142. Dai Qing, pp. 37 y 39.

143. *SW*, III, pp. 69-98, especialmente pp. 90-93. Para una traducción del texto sin revisar, véase Bonnie S. McDougall, *Mao Zedong's «Talks at the Yan'an Conference on Literature and Art»*, University of Michigan, Ann Arbor, 1980, especialmente pp. 79-83.

144. Byron y Pack, pp. 176-182; Teiwes, *Formation of the Maoist Leadership*, pp. 54-57.

145. Mao, *Nineteen Poems*, p. 22. Algunos chinos consideran que éste es el mejor de los poemas de Mao.

146. Wylie, pp. 41 y 62.

147. *Ibid.*, p. 75.

148. Braun, p. 249.

149. Smedley, *Battle Hymn of China*, p. 123.

150. Sidney Rittenberg, *The Man Who Stayed Behind*, Simon & Schuster, Nueva York, 1993, p. 72.

151. Cressy-Marcks, pp. 162-167.

152. *Ibidem*. Véase también Band, pp. 251-252.

153. Ross Terril, *Mao*, Simon & Schuster, Nueva York, 1993, p. 184.

154. *SW*, III, pp. 103-107.

155. Wylie, pp. 110-113, 155-157 y 190-203.

156. Saich, pp. 1.145-1.152 (6 de julio de 1943).

157. Wylie, pp. 207-218; Theodore H. White y Annalee Jacoby, *Thunder out of China*, William Sloan, Nueva York, 1946, pp. 229-234.

158. Hugh Deane, ed., *Remembering Koji Ariyoshi: An American GI in Yenan*, US-China People's Friendship Association, Los Ángeles, 1978, p. 22.

159. Schram, *Foundations and Limits of State Power in China*, p. 213.

160. He sido incapaz de establecer cuándo se inició exactamente esta práctica, pero a principios de los años cincuenta era una rutina habitual en las guarderías chinas (Liang Heng y Judith Shapiro, *Son of the Revolution*, Random House, Nueva York, 1983, pp. 6-8).

161. Schram, p. 213.

162. Saich, «Writing or Rewriting History?», pp. 302-304 y 317; Wylie, pp. 226-228.

163. Mi relato sobre la campaña de Mao para conseguir la aprobación de su nueva versión de la historia del partido se basa en Saich, «Writing or Rewriting History?», pp. 299-338; Saich, *Rise to Power*, pp. 985-991; Teiwes, *Formation of the Maoist Leadership*, especialmente pp. 19-23 y 34-59; y Wylie, pp. 228-233, 237-238 y 272-274.

164. Evidentemente este episodio motivó a Dimitrov, antiguo jefe del Comintern, a telegrafiar a Mao en diciembre con la súplica de mantener a Zhou (y a Wang Ming) entre los dirigentes. De acuerdo con los historiadores del partido especializados en este período, los textos originales de las críticas de Mao a Zhou se conservan en los Archivos Centrales. Se afirma que Mao los requirió con posterioridad a 1949 en dos ocasiones para su relectura, según parece en momentos en los que consideró la posibilidad de realizar una censura pública de Zhou: en 1956, cuando Zhou le enojó al intentar ralentizar la velocidad del crecimiento económico; y durante la Revolución Cultural.

165. Snow, *Random Notes on Red China*, p. 69.

166. Evans Fordyce Carlson, *Twin Stars of China*, Dodd, Mead & Co., Nueva York, 1940, p. 167.

167. Rittenberg, p. 77.

168. David D. Barrett, *Dixie Mission: The United States Army Observer Group in Yenan, 1944*, University of California Press, Berkeley, 1970, pp. 13-14 y 29-30.

169. Carolle J. Carter, *Mision to Yanan*, University Press of Kentucky, Lexington, 1997, p. 35; véase también la «Directriz del Comité Central sobre las tareas diplomáticas», 18 de agosto de 1944, en Saich, *Rise to Power*, pp. 1.211-1.215.

170. Barrett, pp., 19-28; Odd Arne Westead, *Cold War and Revolution*, Columbia University Press, Nueva York, 1993, pp. 7-30; Carter, pp. 106-116.

171. Barret, pp., 56-57; Deane, 21-23.

172. Barret, pp., 57-76.

173. Saich, p. 1.234. Véase también Lyman Slyke, *The Chinese Communist Movement during the Sino-Japanese War, 1937-1945*, en *CHOC*, XIII, p. 709.

174. Westad, p. 14. Véase también la conversación de Molotov con Hurley, citada en Carter, pp. 107-108.

175. Shum Kui-kwong, pp. 227-229; Garver, pp. 254-255; John Roderick, *Covering China*, Imprint Publications, Chicago, 1993, p. 34.

176. Garver, pp. 257-258.

177. Los tres grandes (Churchill, Roosevelt y Stalin) se encontraron en el balneario de Yalta, en Crimea, en febrero de 1945 para definir la estructura de la Europa de la posgue-

rra y delimitar sus respectivas esferas de influencia en Asia. Desde febrero de 1945 hasta mediados de 1946 la política de Estados Unidos y la Unión Soviética respecto de China experimentó constantes cambios. Las ideas de Mao durante este período confuso y complejo son objeto de una intensa controversia, con los especialistas discutiendo incluso sobre cuestiones tan básicas como si buscaba una solución militar o diplomática a la rivalidad entre el Partido Comunista Chino y el Guomindang. John Garver (especialmente pp. 209-230 y 249-165), Odd Warne Westad y Michael M. Sheng (*Battling Western Imperialism: Mao, Stalin and the United States*, Princeton University Press, 1997) proporcionan descripciones de los hechos cuidadosamente investigadas sobre el período (aunque con interpretaciones divergentes). Mi propia opinión es que Mao simplemente quedó superado por los acontecimientos. Para una discusión más extensa véase Steven M. Goldstein, «The CCP's Foreign Policy in Opposition, 1937-1945», en James C. Hsiung y Steven I. Levine, eds., *China's Bitter Victory*, M. E. Sharpe, Armonk, 1992, pp. 122-129; Michel H. Hunt, *The Genesis of the Communist Chinese Foreign Policy*, Columbia University Press, Nueva York, 1996, pp. 159-171; Niu Jun, «The Origins of Mao Zedong's Thinking on International Affairs», en Michael H. Hunt y Niu Jun, eds., *Towards a History of Chinese Communist Foreign Relations, 1920s-*1960s, Woodrow Wilson Center, Washington, 1997, pp. 10-16; y el pionero, aunque ahora algo anticuado, trabajo de James Reardon-Anderson (*Yenan and the Great Powers*, Columbia University Press, Nueva York, 1980).

178. «On Coalition Government» y «Speech to the Seventh Congress», 24 de abril de 1945, Saich, pp. 1.216-1.243. Véase también Van Slyke, *CHOC*, XIII, p. 717.

179. El 15 de junio de 1945 Mao escribió que era «posible» una nueva guerra civil; el 22 de julio, que el peligro era «inevitable». Véase Shu Guang Zhang y Jian Chen, eds., *Chinese Communist Foreign Policy and the Cold War in Asia*, Imprint Publications, Chicago, 1996, pp. 22-23 y 25-26. El 13 de agosto indicó en una reunión de dirigentes en Yan'an que «aquí tenemos la política» de Chiang Kai-shek; la única posibilidad sería mantener la guerra civil «durante un tiempo ... controlada por lo que se refiere a sus dimensiones y localización» (*SW*, IV, p. 22).

180. Vladímirov, p. 491.

181. Jin Chongji, *Mao Zedong zhuan*, pp. 727-735.

182. Westad, p. 109.

183. *China White Paper*, Departamento de Estado de Washington, 1949, pp. 577-581. Véase también *SW*, IV, pp. 53-63.

184. *Nianpu*, III, p. 49; Jin Chongji, p. 479. Véase también Rittenberg, pp. 106-110.

185. Roderick, p. 32.

186. Shi Zhe, *Zai lishi juren shenbian*, Zhongyang wenxian chubanshe, Pekín, 1991, p. 313.

187. Westad, pp. 118-119.

188. *Nianpu*, III, p. 50.

189. Westad, pp. 143-147.

190. Zhang y Chen, pp. 58-62 (1 de febrero de 1946).

191. Roderick, pp. 32-34.

192. Westad, pp. 150-158; Sheng, pp. 123-133.

193. *Nianpu*, III, pp. 62-63; Sheng, p. 133. Véase también Reardon-Anderson, p. 151.

194. Westad, pp. 159-161.

195. *Ibidem*; Zhang y Chen, pp. 67-68 (15 de mayo de 1946). Este período está bien expuesto en Sheng, pp. 134-144.

196. Zhang y Chen, pp. 68-70 (28 de mayo de 1946). Véase también Reardon-Anderson.

197. Durante su enfermedad, sus compañeros enviaron, presos del pánico, una solicitud a Stalin para que enviase un médico ruso (el dirigente soviético se sintió obligado, y el doctor Andrei Orlov llegó a Yan'an en un vuelo especial). Shi Zhe, p. 313.
198. Westad, pp. 155 y pp. 216, n. 59.
199. *SW*, IV, p. 89 (20 de julio de 1946).
200. Shi Zhe, pp. 337-338.
201. *Nianpu*, III, p. 176.

CAPÍTULO 12

1. Pepper, Suzanne, «The KMT-CCP conflict, 1945-1949», en *CHOC*, XIII, pp. 758-764.
2. *SW*, IV, pp. 103-107 (16 de septiembre de 1946).
3. *Ibid.*, pp. 119-127 (1 de febrero de 1947).
4. *History of the CCP, Chronology*, p. 183.
5. Rittenberg, pp. 118-119.
6. *SW*, IV, pp. 133-134 (15 de abril de 1947).
7. *SW*, IV, p. 114 (1 de octubre de 1946); Pepper, *CHOC*, XIII, pp. 758 y 764.
8. Pepper, *CHOC*, XIII, p. 728; Lloyd E. Eastman, *Seeds of Destruction: Nationalist China in War and Revolution, 1937-1949*, Stanford University Press, 1984, p. 210.
9. Pepper, *CHOC*, XIII, pp. 766-767.
10. *Ibid.*, pp. 764-766 y 770-774; Hu Sheng, *Concise History of the CCP*, pp. 346-351.
11. *SW*, IV, pp. 160 y 162-163 (25 de diciembre de 1947).
12. Pepper, *CHOC*, XIII, pp. 772-774; *History of the CCP, Chronology*, pp. 192 y 194-195.
13. *SW*, IV, pp. 223-225 (20 de marzo de 1948). Véase también Saich, *Rise to Power*, pp. 1.319-1.320 (10 de octubre de 1948).
14. *SW*, IV, p. 288 (14 de noviembre de 1948).
15. El 10 de octubre de 1948 Mao todavía esperaba que le llevaría hasta mediados de 1951 el poder derrocar el gobierno del Guomindang. Sólo tres semanas después, el 31 de octubre, revisó esa estimación hasta situarla en otoño de 1949 (*Nianpu*, III, p. 378). Véanse también sus observaciones a Anastas Mikoyan de febrero de 1949 (Shi Zhe, *Zai lishi juren shenbian*, p. 375).
16. Lo que sigue se basa especialmente en la clásica descripción de Lloyd Eastman de su libro *Seeds of Destruction* (especialmente los caps. 6, 7 y 9). Véase también Pepper, *CHOC*, XIII, pp. 763 (sobre la incapacidad comunista de proteger a la población).
17. Para los informes desoladores de Barret sobre los ejércitos nacionalistas, véase *Dixie Mision*, pp. 60 y 85-87.
18. Deane, *Remembering Koji Ariyoshi*, p. 29.
19. El giro hacia una política más radical sobre la tierra fue señalado en una directriz del Comité Central, redactada por Liu Shaoqi y publicada el 4 de mayo de 1946. En diciembre de 1947 Mao la describió como «la condición más fundamental para derrotar a nuestros enemigos» (*SW*, IV, p. 165). No obstante, al año siguiente se reconoció que era demasiado izquierdista y se realizaron esfuerzos para restringirla (Saich, pp. 1.197-1.201 y 1.280-1.317).
20. Pepper, *CHOC*, XIII, pp. 737-751.
21. *SW*, III, pp. 271-273 (11 de junio de 1945).
22. *Nianpu*, II, pp. 616-617; *SW*, IV, pp. 21-22 (13 de agosto de 1945).
23. *SW*, IV, pp. 100-101 (agosto de 1946).
24. Pepper, *CHOC*, XIII, pp. 774-783; Alan Winnington, *Breakfast with Mao*, Lawrence & Wishart, Londres, 1984, pp. 82-106. Para una reciente versión oficial (¡que pone el énfasis apropiado en el papel de Deng Xiaoping!), véase Hu Sheng, pp. 370-381.

25. *SW*, IV, pp. 261-264 (7 de septiembre de 1948).

26. *Ibid.*, pp. 289-293 (11 de diciembre de 1948).

27. Pepper, *CHOC*, XIII, p. 784; A. Doak Barnett, *China on the Eve of the Communist Takeover*, Praeger, Nueva York, 1963, pp. 304-307.

28. Para la defensa de Mao de los «patanes», véase Saich, p. 1.069 (1 de febrero de 1949).

29. Sheng, *Battling Western Imperialism*, pp. 100 y 102-104.

30. *SW*, IV, p. 144 (1 de septiembre de 1947).

31. Saich, p. 1.321 (10 de octubre de 1947).

32. Véase *SW*, IV, pp. 361-375 (5 de marzo de 1949), y Saich, pp. 1.338-1.346 (13 de marzo de 1949).

33. Barnett, pp. 83-95.

34. «On the People's Democratic Dictatorship», 30 de junio de 1949, en Saich, pp. 1.364-1.374. Existe una versión revisada del texto en *SW*, IV, pp. 411-423.

35. En enero de 1948, cuando Mao intentaba llevar al máximo el apoyo del partido en las zonas rurales, ofreció una nueva visión de esta cuestión, afirmando: «Nuestra tarea... consiste en exterminar a los terratenientes en cuanto a clase, no en cuanto a individuos» (*SW*, IV, p. 186). Los terratenientes y los campesinos adinerados en cuanto a individuos, argumentaba, debían ser «salvados y reeducados».

36. Winnington, p. 103.

37. Derk Bodde, *Peking Diary: A Year of Revolution*, Henry Schuman, Nueva York, 1950, p. 99.

38. Winnington, p. 106.

39. Saich, p. 1.374 (30 de junio de 1949).

40. *SW*, IV, p. 374 (5 de marzo de 1949) [traducción corregida]. Véase también Saich, p. 1.346.

41. Quan Yanchi, *Mao Zedong: Man not God*, pp. 119-123; para una versión divergente, véase Li Zhisui, *Private Life*, pp. 51-52.

42. *SW*, V, pp. 16-17 (21 de septiembre de 1949).

43. *SW*, V, p. 19 (30 de septiembre de 1949).

44. David Kidd, *Peking Story*, Aurum Press, 1988, pp. 64-73.

45. *JYMZW*, Zhongyang wenxian chubanshe, Pekín, 1993, I, pp. 17-18.

46. Michael Y. M. Kau y John K. Leung, eds., *The Writings of Mao Zedong*, M. E. Sharpe, Armonk, 1986, I, pp. 16 y 31.

47. Pepper, *CHOC*, XIII, pp. 783-784; Shu Guang Zhang, *Deterrence and Strategic Culture*, Cornell University Press, Ithaca, Nueva York, pp. 70-71.

48. Shi Zhe, p. 432.

49. La política de Mao de «inclinarse hacia un lado», su actitud en constante evolución respecto de Estados Unidos y su decisión de posponer las relaciones diplomáticas con Occidente, se discuten con detalle en Chen Jian, *China's Road to the Korean War*, Columbia University Press, Nueva York, 1994, pp. 15-23, 33-57 y 64-78; Hunt, *Genesis of Communist Chinese Foreign Policy*, pp. 171-180; Sheng, pp. 158-186; y Zhang, pp. 13-45. Para algunos documentos relevantes, véase también Zhang y Chen, eds., *Chinese Communist Foreign Policy*, pp. 85-126. El período más fundamental abarcó la primera mitad de noviembre de 1948, cuando la captura de Shenyang obligó a Mao por vez primera a enfrentarse a la práctica de tratar con los representantes diplomáticos de Estados Unidos. En aquel momento su énfasis cambió abruptamente desde un dominante deseo de intentar evitar cualquier provocación a Occidente hasta una afirmación agresiva de los derechos de soberanía de la nueva China.

50. Shi Zhe, p. 379.

51. Saich, pp. 1.368-1.369.

52. Esta cuestión sigue siendo tema de discusión. Michael Sheng, entre otros, argumenta que, habiéndose equivocado en 1945, Stalin no habría intentado, cuatro años después, relegar a Mao por segunda vez a un segundo plano (p. 169). Sin embargo, los historiadores del partido chino insisten en que los rusos mantenían serias reservas sobre el avance del Ejército Popular de Liberación hacia el sur de China, por miedo a que no provocase la intervención norteamericana (Salisbury, *New Emperors*, p. 15). El propio Mao, en 1956, explicó al embajador soviético: «Cuando la lucha armada contra las fuerzas de Chiang Kai-shek estaba en su momento culminante, cuando nuestras fuerzas estaban a un paso de la victoria, Stalin insistió en que se debía firmar la paz con Chiang Kai-shek, ya que dudaba de la fuerza de la Revolución China» (*Cold War International History Project Bulletin* [*CWIHP*], n.ºs VI-VII, invierno de 1995, p. 165). Véase también Chen Jian, pp. 67 y 245-246, n. 13, para comentarios posteriores de Mao y Zhou Enlai. La decisión rusa de mantener su embajador en el gobierno nacionalista durante el verano de 1949, a menudo citada como evidencia de la resistencia de Stalin a abandonar sus vínculos con Chiang Kai-shek, no es totalmente relevante. Refleja, por encima de todo, el deseo de Moscú de continuar cumpliendo el tratado de amistad chino-soviético, que fijaba el reconocimiento chino de la independencia de Mongolia Exterior y concedía privilegios especiales a la URSS en Manchuria.

53. Shi Zhe, p. 385.

54. *Ibid.*, pp. 414 y 426; para una versión ligeramente distinta, véase Chen Jian, pp. 72-73.

55. Shi Zhe, p. 433.

56. George Kennan y otros miembros del Departamento de Estado de Estados Unidos argumentaban a finales de los años cuarenta que Mao, al igual que Tito, se resistiría al control de la Unión Soviética, y que todo intento de promover diferencias entre ellos redundaría en beneficio de Estados Unidos. Mao acusó posteriormente a Stalin de haberle considerado en 1949 «un segundo Tito» (Zhang, *Deterrence and Strategic Culture*, p. 36; *CWIHP*, VI-VII, pp. 148-149 y 165).

57. Existen descripciones detalladas y contradictorias de la estancia de Mao, que se pueden encontrar en: Chen Jian, pp. 78-85; Sergei N. Goncharov, John W. Lewis y Xue Litai, *Uncertain Partners: Stalin, Mao and the Korean War*, Stanford University Press, 1993, pp. 76-129; Shi Zhe, pp. 433 ss.; Zhang, p. 29-33. La descripción de la visita compilada por Mao, y su conversación con Pavel Yudin en marzo de 1956, está publicada en *CWIHP*, pp. 165-166, al igual que las actas de las reuniones de Mao con Stalin del 16 de diciembre de 1949 y el 22 de enero de 1950 (*ibid.*, pp. 5-9).

58. Mao comenzó diciéndole al dirigente soviético: «Se me criticó y se me dejó de lado durante un largo período, y no podía exponer mis ideas en ningún sitio...». Probablemente pretendía continuar agradeciéndole el apoyo del Comintern durante los años difíciles (y, de paso, recordarle sutilmente el menosprecio que había tenido que sufrir de manos de los protegidos chinos de Moscú). Pero, en aquel momento, le interrumpió Stalin (Shi Zhe, p. 435).

59. Shi Zhe, pp. 434-435.

60. «Speech to the Chengdu Conference», 10 de marzo de 1958, *Mao Zedong sixiang wansui*, Pekín, 1969, pp. 159-172.

61. Shtykov a Zakharov, 26 de junio de 1950, en *CWIHP*, VI-VII, pp. 38-39.

62. Shtykov a Zakharov, 12 de mayo de 1950, *ibid.*

63. Goncharov, Lewis y Xue, pp. 145-146.

64. *Ibid.*, p. 146. En una reunión con el embajador norcoreano, Li Zhouyuan, a finales de marzo, Mao había abordado la cuestión de la intervención estadounidense en su característico estilo elíptico, afirmando que, por un lado, Estados Unidos «no entraría en una

guerra en el tercer mundo por un territorio tan pequeño [Corea]», pero, por el otro, que si una guerra mundial estallaba, Corea no escaparía de ella y debía, por tanto, comenzar a prepararse (*CWIHP*, VI-VII, pp. 38-39).

65. Roshchin a Stalin, 13 de mayo, y Stalin a Mao, 14 de mayo de 1950, en *CWIHP*, IV, p. 61.

66. Chen Jian, pp. 106-109; Shu Guang Zhang, *Mao's Military Romanticism*, University Press of Kansas, 1995, pp. 44-45.

67. Goncharov, Lewis y Xue, pp. 152-154.

68. Zhang, *Deterrence and Strategic Culture*, pp. 51-73. Mao pretendía invadir Taiwan en verano de 1950, pero los preparativos se prolongaron más de lo esperado y, a principios de junio, se decidió retrasar el ataque hasta mediados de 1951 (Goncharov, Lewis y Xue, pp., 148-149 y 152). El 11 de agosto, la Comisión Central del Comité Central del Partido Comunista Chino decidió que la invasión fuese nuevamente pospuesta, hasta 1952 o más tarde, como consecuencia de los acontecimientos de Corea (Zhang y Chen, *Chinese Communist Foreign Policy*, pp. 155-158; Chen Jian, p. 132). La política estadounidense en Taiwan no se endureció durante la primavera y el comienzo del verano de 1950 (Chen Jian, pp. 116-121). La acción militar en apoyo de los nacionalistas chinos resultaba más difícil de justificar que la defernsa de Corea del Sur.

69. Una gran variedad de evidencias, hechas públicas a partir de 1990, incluyendo documentos de los Archivos Centrales chinos, memorias de los participantes chinos y materiales soviéticos recientemente desclasificados, han arrojado nueva luz sobre las arcanas maniobras entre Stalin, Mao y Kim Il Sung durante el verano y el otoño de 1950 que motivaron la decisión de China de intervenir en Corea. Véase, en particular, Chen Jian, pp. 131-209; Goncharov, Lewis y Xue, pp. 130-199; Hunt, *Genesis of Communist Chinese Foreign Policy*, pp. 183-190; Zhang, *Mao's Military Romanticism*, pp. 55-94, y *Deterrence and Strategic Culture*, pp. 90-100.

70. En 1950, el Secretariado también servía como Comité Permanente del Politburó. Además de Mao, en él figuraban Liu Shaoqi, Zhou Enlai y Zhu De. El quinto miembro, Ren Bishi, sufrió un ataque y murió a finales de aquel otoño, siendo sustituido por Chen Yun.

71. La mañana del 2 de octubre, Mao esbozó un telegrama a Stalin informándole de la decisión de China de intervenir (fuentes orales; Chen y Zhang, pp. 162-163). Cuando, más tarde, aquel mismo día, recibió el mensaje de Stalin, rompió su borrador original (cuya copia manuscrita se conserva en los Archivos Centrales de China), y envió una nueva versión a través de la embajada soviética en Pekín (recibido por Stalin el 3 de octubre, una copia del cual se haya en el Archivo Presidencial ruso). Tiempo después, Zhou confirmó que le presentó a Stalin «dos opciones, y le pedí que decidiese», aunque años después Mao sólo recordaba que China le había amenazado con no enviar tropas (en las conversaciones con Kim Il Sung de 1970, citadas en Chen Jian, p. 199). Para los telegramas de Stalin a Mao del 1 de octubre, a Kim del 8 de octubre, y la segunda versión del de Mao a Stalin del 2 de octubre, véase *CWIHP*, VI-VII, pp. 114-117 y 106-107, n. 30.

72. El mejor y más completo estudio sobre la estrategia y las tácticas militares chinas en Corea, y del preeminente papel de Mao en su definición, aparece en Shu Guang Zhang, *Mao's Military Romanticism*, pp. 95-244.

73. Véase Jurgen Domes, *Peng Dehuai: The Man and the Image*, Hurst, Londres, 1985, pp. 65-70.

74. *SW*, V, pp. 115-120 (12 de septiembre de 1953).

75. Chen Jian, p. 104; Zhang, *Military Romanticism*, pp. 253-254.

76. Años después Mao sostenía que Stalin no comenzó a confiar en los comunistas chinos hasta después de la guerra de Corea (*CWIHP*, VI-VII, pp. 148-149 y 156). Por otro

lado, Xu Xiangqian, que en 1951 estaba en Moscú negociando suministros de armas para la guerra, concluyó que los rusos estaban reteniendo la ayuda militar porque no querían que China fuese demasiado fuerte (Zhang, *Military Romanticism*, p. 222). Ambas versiones no se excluyen mutuamente. Véase también Goncharov, Lewis y Xue, pp. 217-225 y 348, n. 9.

77. Zhang, *Military Romanticism*, p. 247.

78. *Ibid.*, pp. 193-194; Liu Jiecheng, *Mao Zedong yu Sidalin*, Zhonggong zhongyang dangxiao chubanshe, Pekín, 1996, pp. 645-647. Quan Yanchi, citando al guardaespaldas de Mao, Li Yinqiao, indica que Jiang Qing y Ye Zilong ocultaron la noticia a Mao (*Mao Zedong: Man not God*, pp. 43 y 172). Véase también Kau y Leung, I, pp. 147-148.

79. Quan Yanchi, pp. 168-172.

80. Frederic C. Teiwes, «Establishment and Consolidation of the New Regime», *CHOC*, XIV, p. 84.

81. Kau y Leung, I, pp. 97-103 (6 de junio de 1950). La insistencia de Mao, a mediados de 1950, en la indulgencia con los contrarrevolucionarios no fue tan marcada como se acostumbra a describir. Su afirmación de que «[no debemos] ejecutar un solo agente secreto ni arrestar a la mayoría de ellos», generalmente fechada el 27 de septiembre de 1950, fue de hecho pronunciada siete años antes. Aun así, quería que la campaña se desarrollase dentro de unos límites.

82. Chen Jian, pp. 139-140 y 193-194; y Frederic C. Teiwes, *Elite Discipline in China: Coercive and Persuasive Approaches to Rectification, 1950-1953*, Australian National University, Canberra, p. 54.

83. Theodore H. E. Chen, *Thought Reform of the Chinese Intellectuals*, Hong Kong University Press, 1960, pp. 24-27.

84. Peter Lum, *Peking*, Robert Hale, 1958, p. 60.

85. Zhang, *Military Romanticism*, pp. 201-202.

86. Lum, pp. 33-39, 67-74 y 83-92.

87. Zhang, *Military Romanticism*, pp. 181-186; Lum, pp. 177-184.

88. Chen Jian, p. 194. Véase también Teiwes, *Elite Discipline*, p. 55, y *CHOC*, XIV, pp. 88-92.

89. Kau y Leung, I, pp. 162-163 (17 de enero); *SW*, V, pp. 54-56 (30 de marzo, 8 de mayo y 15 de junio de 1951).

90. Teiwes, *CHOC*, XIV, pp. 83-88.

91. *SW*, V, p. 72 (1 de enero de 1952).

92. Sobre los «tres antis» y los «cinco antis», véase *ibid.*, pp. 88-92; Teiwes, *Elite discipline*, pp. 17-48 y 115-148; y Chen, *Thought Reform*, pp. 51-53.

93. *SW*, V, p. 77 (6 de junio de 1952).

94. Chen, *Thought Reform*, pp. 54-71.

95. Chen Jian, pp. 215 y 220-223.

96. Ésta es una cifra muy moderada. Unos ciento cincuenta mil murieron en Corea; en mayo de 1951 habían sido ejecutados setecientos cincuenta mil contrarrevolucionarios (en una campaña que se alargó hasta 1953); por lo menos habían muerto un millón de terratenientes y miembros de sus familias; y «varios centenares de miles» de ciudadanos perecieron en las campañas de los «antis».

97. Bo Yibo, *Ruogan zhongda juece yu shijiande huigu*, Zonggong zhongyang dangxiao chubanshe, Pekín, 1993, I, p. 155.

CAPÍTULO 13

1. «Soy un intruso en el mundo de la economía», les dijo a algunos hombres de negocios en diciembre de 1956 (Kau y Leung, *Writings of Mao*, II, p. 200).

2. Thompson, *Mao Zedong: Report from Xunwu*, p. 64.

3. Saich, *Rise to Power*, pp. 976-977.

4. *SW*, V, pp. 73-76 (6 de abril de 1952).

5. Chen Jian, *China's Road to Korean War*, pp. 77 y 84; Goncharov, Lewis y Xue, *Stalin, Mao and the Korean War*, p. 95.

6. Saich, p. 1.374 (30 de junio de 1949).

7. Teiwes, *CHOC*, XIV, pp. 92 y 96-97.

8. Discurso en la Conferencia de Chengdu, 10 de marzo de 1958, en Stuart R. Schram, *Mao Tse-tung Unrehearsed*, Penguin, Harmondsworth, 1974, p. 98.

9. Kau y Leung, I, p. 318 (7 de febrero de 1953).

10. Edward Friedman, Paul G. Pickowicz y Mark Selden, *Chinese Village; Socialist State*, Yale University Press, New Haven, 1991, pp. 112-184; Teiwes, *CHOC*, XIV, pp. 110-111. Sobre el posterior reconocimiento de Mao de que China no siguió a los soviéticos en lo referente a agricultura, véase Schram, *Unrehearsed*, p. 98.

11. *SW*, V, pp. 93-94 (15 de junio) y 102 (agosto de 1953).

12. *Ibid.*, pp. 93, 101 (9 de julio) y 110 (12 de agosto de 1953).

13. Frederick C. Teiwes y Warren Sun, eds., *The Politics of Agricultural Cooperativization in China*, M. E. Sharpe, Armonk, 1993, p. 49.

14. *Ibid.*, pp. 28-32 y 53-54; Teiwes, Frederick C., *Politics at Mao's Court: Gao Gang and Party Factionalism in the Early 1950*, M. E. Sharpe, Armonk, 1990, pp. 42-43, 62-71 y 187-212; Teiwes, *CHOC*, XIV, pp. 99-101. Las críticas de Mao a Bo se pueden encontrar en *SW*, V, 103-111 (12 de agosto de 1953).

15. El estudio definitivo sobre la cuestión de Gao Gang es el de Frederick Teiwes, *Politics at Mao's Court*, que llega a la conclusión de que Mao no tenía intención de reemplazar a Liu y Zhou, pero deja abierta la cuestión de por qué Mao había continuado alimentando las ambiciones de Gao. Fuentes orales, conocedoras de la historia del período, insisten en que Mao dirigió a Gao y que el suicidio del segundo fue una protesta silenciosa ante su traición.

16. *SW*, V, p. 92 (19 de mayo de 1953). Liu Shaoqi fue criticado implícitamente a causa de que él estaba al cargo del funcionamiento diario del Secretariado.

17. *Ibid.*, p. 162 (21 de marzo de 1955).

18. A mediados de los años ochenta, Hu Yaobang, entonces secretario general del Partido Comunista Chino, propuso a Deng Xiaoping reabrir el caso de Gao Gang y Rao Shushi (fuentes orales). Según parece, Deng se enojó y prohibió posteriores discusiones. Algunos documentos clave, incluyendo las actas de la reunión del Politburó del 24 de diciembre, continúan selladas, y los estudios publicados en China mantienen silencio sobre el papel de Mao en el asunto. No está muy claro si la negativa de Deng a reexaminar el caso fue el resultado de la decisión de la cúpula posmaoísta de considerar los años anteriores a 1957 como un período en el que Mao no cometió errores graves; o si se debió a la luz que podía arrojar sobre la propia conducta de Deng durante la purga de Gao.

19. Quan Yanchi, *Mao Zedong: Man not God*, pp. 152-155.

20. Esta sección se apoya en los documentos que aparecen en Teiwes y Sun, especialmente pp. 82-154; y Teiwes, *CHOC*, XIV, pp. 110-119.

21. Teiwes y Sun, p. 42 (9 de mayo de 1955).

22. *Ibid.*, p. 107 (11 de julio de 1955).

23. *Ibid.*, p. 136 (11 de julio de 1955).

24. *SW*, V, p. 184 [traducción corregida] (31 de julio de 1955).

25. Teiwes y Sun, pp. 47-48 y 107-118.

26. *SW*, V, pp. 249-250 (diciembre de 1955).

27. Teiwes, *CHOC*, XIV, p. 113.

28. *SW*, V, p. 214 (11 de octubre de 1955).

29. Roderick MacFarquhar merece el reconocimiento de haber descubierto esta breve y reveladora fábula, que aparece en *The Red Mandarins* de Karl Eskelund (Alvin Redman, Londres, 1959, pp. 150-151). Véase MacFarquhar, *Origins of the Cultural Revolution*, vol. I, Oxford University Press, 1974, p. 327, n. 51.

30. Robert Loh y Humphrey Evans, *Escape from Red China*, Michael Joseph, Londres, 1963, p. 136; Teiwes, *CHOC*, XIV, p. 120.

31. MacFarquhar, I, pp. 22-25; *History of the CCP, Chronology*, p. 254.

32. MacFarquhar, I, p. 27; *SW*, V, p. 240 (27 de diciembre de 1955).

33. Kau y Leung, II, p. 13 (20 de enero de 1956).

34. MacFarquhar, I, pp. 27-29.

35. Teiwes y Sun, p. 49.

36. MacFarquhar, I, pp. 30-31.

37. Tesis doctoral de Michael Schoenhals (Universidad de Estocolmo, 1987).

38. Philip Short, *The Dragon and the Bear*, Hodder & Stoughton, Londres, 1982, pp. 265-276. El Departamento de Estado de Estados Unidos publicó el 4 de junio de 1956 una copia del Discurso Secreto.

39. MacFarquhar, I, pp. 43.

40. Conversación con la delegación comunista yugoslava, septiembre de 1956, *CWIHP*, VI-VII, p. 151.

41. Conversación con Pavel Yudin, 31 de marzo de 1956, en *ibid.*, pp. 164-167.

42. Robert Bowie y J. K. Fairbank, eds., *Communist China 1955-1959: Policy Documents with Analysis*, Harvard University Press, 1962, pp. 144-151 (5 de abril de 1956).

43. MacFarquhar, *Origins*, II, p. 194.

44. Mao describió las relaciones chino-soviéticas de septiembre de 1956 como «más o menos ... fraternales, pero la sombra de una relación paternal no se ha disuelto» (*CWIHP*, VI-VII, p. 151). Dos años después, esa sombra lo cubría todo, cuando Mao se enfureció ante el embajador soviético por el paternalismo y el menosprecio de Moscú de las habilidades chinas (*ibid.*, pp. 155-159).

45. Donald S. Zagoria, *The Sino-Soviet Conflict, 1956-1961*, Princeton University Press, 1962, p. 44.

46. *CWIHP*, X, pp. 152-155; MacFarquhar, *Origins*, I, pp. 169-171.

47. «More on the Historical Experience of the Dictatorship of the Proletariat», en Bowie y Fairbank, pp. 261 y 270 (29 de diciembre de 1956). Véase también «Zhou Enlai a Mao Zedong», *CWIHP*, X, p. 153.

48. *SW*, V, pp. 341-342 (15 de noviembre de 1956). Mao había usado previamente la analogía de la «espada» en un encuentro con el embajador soviético, Pavel Yudin, celebrado el 23 de octubre (*CWIHP*, X, p. 154).

49. Bowie y Fairbank, pp. 257-272 (29 de diciembre de 1956).

50. *CWIHP*, X, p. 154.

51. Kau y Leung, II, p. 114 (30 de agosto de 1956). La misma fórmula aparece en una versión del discurso de Mao «Sobre las diez principales relaciones» (25 de abril de 1956), publicado en *SW*, V (p. 304), aunque parece ser un añadido posterior.

52. Bowie y Fairbank, pp. 257-259 (29 de diciembre de 1956).

53. Después de la victoria comunista de 1949, el régimen de Chiang Kai-shek en Taiwan, con el respaldo de Estados Unidos, continuó ocupando el asiento de China en las Naciones Unidas. Siguiendo las órdenes de Stalin, la Unión Soviética boicoteó, entre enero y

octubre de 1950, las reuniones del Consejo de Seguridad, ostensiblemente como protesta por la presencia de los nacionalistas. La consecuencia fue, de hecho, la perpetuación de la exclusión de la República Popular, satisfaciendo el propósito de Stalin de maximizar la dependencia y el sometimiento chino a Moscú. Después de la entrada de China en la guerra de Corea, la exclusión de Pekín fue ratificada en las votaciones anuales de la Asamblea General hasta 1971, cuando Taiwan, a su vez, quedó excluido.

54. *Ibid.*, p. 258 (29 de diciembre de 1956).

55. MacFarquhar, I, p. 176.

56. *CWIHP*, X, pp. 153-154.

57. Kau y Leung, II, p. 71 (abril de 1956); véase también p. 114 (30 de agosto de 1956).

58. Chen, *Thought Reform*, pp. 37-50 y 80-85; véase también Kau y Leung, I, pp. 481-484 (16 de octubre de 1954), sobre Yu Pingbo, y 506-508 (diciembre de 1954), sobre Hu Shi.

59. Kau y Leung, I, pp. 72 (marzo de 1950) y 496 (octubre de 1954).

60. *Ibid.*, pp. 196-201 (20 de mayo de 1951).

61. *SW*, V, pp. 121-130 (16-18 de septiembre de 1953). Véase también Zhou Hongwen, *Fengbao shinian*, Shidai piping chubanshe, 1962, pp. 434-437.

62. Merle Goldman, *Literary Dissent*, pp. 129-157; Chen, *Thought Reform*, pp. 85-90.

63. El primer uso conocido de Mao del eslogan completo de las «cien flores» data de una reunión ampliada del Politburó del mes de abril (Kau y Leung, II, p. 70). Volvió a repetirlo el 2 de mayo, en una intervención en la Conferencia del Estado Supremo, y fue difundido hasta una audiencia más amplia por el jefe del Departamento de Propaganda, Lu Dingyi, el 26 de mayo (MacFarquhar, I, pp. 51-56; Bowie y Fairbank, pp. 151-163).

64. MacFarquhar, I, p. 84.

65. Kau y Leung, II, pp. 66-75 (abril de 1956).

66. *Ibid.*, p. 255 (27 de enero de 1957).

67. MacFarquhar, I, pp. 33-35; Chen, *Thought Reform*, pp. 104-116; Goldman, pp. 158-160.

68. *Guangming ribao*, 7 de mayo de 1986; MacFarquhar, Cheek y Wu, eds., *Secret Speeches of Chairman Mao*, p. 43.

69. MacFarquhar, *Origins*, I, pp. 37-38 y 75-77.

70. *Ibid.*, p. 47. El *Diario del Pueblo* afirmó específicamente que «los líderes juegan un gran papel en la historia» y decir lo contrario era «totalmente erróneo» (Bowie y Fairbank, p. 147). Véase también *CWIHP*, VI-VII, p. 149).

71. Liu Shaoqi, en quien Mao había delegado la responsabilidad de organizar el Congreso, le envió el texto enmendado de la constitución para su aprobación. Sin embargo, lo recibió en las primeras horas de la madrugada —después de que tomase su somnífero de cada noche— y parece ser que no detectó la supresión. Cuando descubrió su significado, el texto ya había sido aprobado. Esto se convirtió en una de las principales acusaciones a Liu durante la Revolución Cultural (fuentes orales, Pekín, 1997). Puede parecer difícil de creer que, en un partido tan centralizado y disciplinado como el Partido Comunista Chino de 1956, una cuestión tan crucial pudiese decidirse de un modo tan azaroso. Sin embargo, parece ser que así fue como ocurrió. En China, como en todas partes, las confusiones son, más a menudo que la conspiración, una explicación válida en política.

72. Kau y Leung, II, p. 19 (26 de enero de 1956).

73. MacFarquhar, I, pp. 99-109 y 149-151; véase también Terril, *Mao*, pp. 272-273.

74. Véase *ibid.*, pp. 203 y 233 (8 de diciembre de 1956 y 18 de enero de 1957).

75. Kau y Leung, II, p. 205, 8 de diciembre de 1956.

76. *Ibid.*, pp. 158-195 (15 de noviembre de 1956). Como la mayoría de los discursos de Mao en los últimos años, éste es un texto retórico y vago, aún más teniendo en cuenta

que sólo disponemos de dos versiones (significativamente diferentes, pero superpuestas) de los guardias rojos.

77. Kau y Leung, II, p. 205 (8 de diciembre de 1956); MacFarquhar, I, pp. 178-179; Goldman, pp. 165-182; Teiwes, *Politics and Purges*, pp. 232-234.

78. Kau y Leung, II, pp. 223-224 (12 de enero de 1957).

79. *Ibid.*, p. 243 (18 de enero de 1957); véase también MacFarquhar, Cheek y Wu, pp. 168-169.

80. Kau y Leung, II, p. 279 (Chiang Kai-shek); pp. 255 y 280-281 (Cankao Xiaoxi) [27 de enero de 1957]. Posteriormente se retractó de lo dicho sobre las obras de Chiang Kai-shek, indicando que debían ser publicadas en una edición restringida (*ibid.*, p. 356, 1 de marzo de 1957).

81. *Ibid.*, pp. 260-261 y 290 (27 de enero de 1957).

82. *Ibid.*, p. 256 (27 de enero de 1957).

83. *Ibid.*, p. 253 (27 de enero de 1957).

84. *Ibid.*, pp. 258-259 y 289 (27 de enero de 1957).

85. MacFarquhar, Cheek y Wu, p. 121 (16 de febrero).

86. MacFarquhar, Cheek y Wu, p. 241 (8 de marzo de 1957).

87. Kau y Leung, II, p. 303 (16 de febrero de 1957).

88. *Ibid.*, p. 258 (27 de enero de 1957).

89. *Ibid.*, pp. 253 y 292 (27 de enero). Véase también la versión revisada del discurso de Mao del 27 de febrero (*ibid.*, p. 317).

90. Este mensaje aparece correctamente escrito, aunque de un modo algo desarticulado, en los dos discursos de Mao del 16 de febrero (MacFarquhar, Cheek y Wu, p. 17; Kau y Leung, II, pp. 302-305). Véase también p. 260: «Debemos permitir a los representantes democráticos que se mantengan en su función de oposición a nosotros, y dejarles que avancen y nos critiquen» (27 de enero de 1957); y *SW*, V, pp. 313-314 (30 de agosto de 1956).

91. MacFarquhar, *Origins*, I, p. 184.

92. MacFarquhar, Cheek y Wu, pp. 113-189 (27 de febrero de 1957).

93. Roderick MacFarquhar, *The Hundred Flowers Campaign and the Chinese Intellectuals*, Praeger, Nueva York, 1960, p. 19.

94. Loh y Evans, p. 222.

95. MacFarquhar, *Hundred Flowers*, pp. 24-25.

96. *Ibid.*, p. 27-28.

97. MacFarquhar, Cheek y Wu, p. 156 (27 de febrero).

98. Kau y Leung, II, pp. 229-230 (18 de enero).

99. Macquhar, Cheek y Wu, p. 144 (27 de febrero).

100. *Ibid.*, p. 257 (27 de enero).

101. *Ibid.*, p. 173 (27 de enero).

102. Kau y Leung, II, p. 234 (18 de enero).

103. MacFarquhar, Cheek y Wu, p. 144 (18 de febrero).

104. *Ibid.*, pp. 175-176 (27 de febrero).

105. Kau y Leung, II, p. 233 (18 de enero).

106. *Ibid.*, p. 256 (27 de enero de 1957).

107. André Malraux, *Anti-mémoires*, París, 1968.

108. Roderick MacFarquhar expone extensamente las significativas divergencias existentes entre los diversos dirigentes sobre la campaña de las cien flores (*Origins*, I, caps. XIII-XVI), y muchos autores han seguido esta línea. Algunos datos recientes ponen en duda sus conclusiones: no sólo no existió escisión entre los dirigentes de máximo nivel en 1957, sino que Mao nunca estuvo significativamente presionado por sus compañeros. A pesar de que es plausible (y así lo creo personalmente) que Liu y Peng Zhen fuesen menos en-

tusiastas ante las «cien flores» que Deng y Zhou, no está plenamente probado. La mayoría de evidencias aducidas por los análisis del Kremlin de los informes públicos chinos (cuando, en 1974, fue publicado el libro de MacFarquhar eran virtualmente las únicas fuentes disponibles) han resultado erróneas, en una saludable advertencia de las limitaciones de este método.

109. MacFarquhar, Cheek y Wu, p. 321 (19 de marzo).

110. *Ibid.*, p. 359 (20 de marzo).

111. *Ibid.*, pp. 300 y 329-330 (18 y 19 de marzo).

112. *Ibid.*, pp. 292-294 (17 de marzo).

113. *Ibid.*, p. 305 (18 de marzo).

114. *Ibid.*, p. 303 (18 de marzo).

115. Kau y Leung, II, p. 517 (principios de abril).

116. MacFarquhar, Cheek y Wu, pp. 366-367 (30 de abril). Véase también p. 229 (8 de marzo), y Kau y Leung, II, p. 522 (principios de abril).

117. MacFarquhar, Cheek y Wu, pp. 351-362 (20 de marzo).

118. *Ibid.*, pp. 201 y 210 (6 de marzo); Kau y Leung, II, p. 517 (principios de abril).

119. MacFarquhar, Cheek y Wu, pp. 210, 240, 336 y 357 (6, 8, 19 y 20 de marzo).

120. *Ibid.*, pp. 50-52; Kau y Leung, II, p. 515; y entrevistas con Wang Ruoshi, Pekín, junio de 1997.

121. *Liu Shaoqi nianpu*, II, p. 398; *JYMZW*, VI, pp. 423-424.

122. MacFarquhar, Cheek y Wu, p. 366 (30 de abril).

123. Wu Ningkun, *A Single Tear*, Hodder & Stoughton, Londres, 1993, pp. 50-51.

124. Kau y Leung, II, p. 519 (principios de abril).

125. *JYMZW*, VI, pp. 417-418 (27 de abril).

126. Wu, p. 54.

127. Liang y Shapiro, *Son of the Revolution*, pp. 8-9.

128. Se trata de mi suegro, Gu Zhen.

129. MacFarquhar, *Hundred Flowers*, pp. 44-109, especialmente pp. 51-53.

130. *Ibid.*, pp. 87-89.

131. *Ibid.*, p. 65.

132. *Ibid.*, p. 68.

133. *JYMZW*, VI, pp. 455-456.

134. *Ibid.*, pp. 469-476; véase también *SW*, V, pp. 440-446.

135. Kau y Leung, II, p. 524.

136. MacFarquhar, *Hundred Flowers*, pp. 130-173.

137. *SW*, V, p. 447 (25 de mayo).

138. MacFarquhar, *Hundred Flowers*, pp. 108-109.

139. *Ibid.*, pp. 94-95.

140. *Ibid.*, pp. 145-161.

141. Kau y Leung, II, pp. 566-567.

142. *Ibid.*, pp. 562-564.

143. *SW*, V, p. 412.

144. Kau y Leung, II, pp. 592-596.

145. *Ibid.*, p. 596.

146. MacFarquhar, Cheek y Wu, pp. 203 y 247 (6 y 8 de marzo).

147. Las declaraciones pronunciadas por Mao durante los seis meses posteriores estaban preñadas de contradicciones. En el editorial del 1 de julio, por ejemplo, acusó a los derechistas de intentar «destronar al Partido Comunista y pretender suplantarlo», pero más adelante insistía: «Podemos ser permisivos y no aplicar castigos ... Deberíamos permitirles sostener sus propias opiniones. Se les concederá todavía libertad de declaración» (Kau y

Leung, II, pp. 593 y 595). Unos días después, escribió sobre una «contradicción irreconciliable de vida y muerte» con los derechistas, pero afirmaba en cambio que «algunos de ellos», quizá la mayoría, sería capaz de reformarse (pp. 654 y 659). En octubre continuaba con sus ambivalencias, declarando que «existen problemas preocupantes. La revolución es problemática» (p. 472).

148. McFarquhar, Cheek y Wu, p. 204 (6 de marzo). Mao dijo: «Se trata ahora de una batalla ideológica, distinta ... No deberíamos sobrevalorar al enemigo, ni deberíamos infravalorarnos a nosotros mismos».

149. Kau y Leung, II, pp. 510 (30 de abril), 524 (abril) y 631 (9 de julio).

150. La pretensión de Mao de que «habíamos anticipado estos acontecimientos» era una falacia (*ibid.*, p. 602).

151. La evidencia más clara de ello es el editorial de Mao del 1 de julio, donde escribió que el nuevo envite de la lucha entre el proletariado y la burguesía era «independiente de la voluntad del pueblo. Esto es lo mismo que decir que [era] inevitable. Incluso si el pueblo hubiese pretendido esquivarlo, no habría podido. Lo único que se podía hacer era seguir los dictámenes de la situación y obtener la victoria» (*ibid.*, pp. 594-595). Véase también su insistencia, avanzado aquel mismo mes, en que «el florecimiento y la competición» no debían ser completamente abandonados (p. 640).

152. Kau y Leung, II, p. 639 (17 de julio).

153. MacFarquhar, *Hundred Flowers*, pp. 167-170 (6 y 7 de junio).

154. Kau y Leung, II, pp. 654-655 y 662 (julio).

155. En octubre, Mao realizó una explícita comparación con campañas anteriores, declarando: «No vamos a tratarlos como hicimos en el pasado con los terratenientes y contrarrevolucionarios» (*ibid.*, p. 732).

156. Teiwes, *Politics and Purges*, pp. 300-320.

157. Wu, pp. 92-173.

158. Liang y Shapiro, pp. 9-15.

159. Kau y Leung, II, p. 596 (1 de julio).

160. *Ibid.*, p. 655 (julio).

161. Li Zhisui, *Private Life*, pp. 76-80. El doctor Li, que todavía no se había convertido en el médico de Mao, indica que el presidente se trasladó a Zhongnanhai a su vuelta de Moscú, en febrero de 1950 (p. 52). Fuentes orales bien informadas fechan la mudanza en noviembre de 1949.

162. Esto era menos caprichoso de lo que podía parecer. En 1955, un avión comercial que debía llevar a Zhou Enlai hasta Indonesia explotó en pleno vuelo como consecuencia de una bomba instalada a bordo en Hong Kong por un agente nacionalista. Zhou cambió sus planes de vuelo después de que los servicios secretos chinos tuvieran noticias sobre la posibilidad del complot. Varios de los miembros de la delegación china, a los que se permitió continuar con el viaje, perdieron sus vidas en el accidente.

163. *Ibidem*; véase también p. 60; Quan Yanchi, pp. 84-89.

164. Li Zhisui, pp. 56-58.

165. *Ibid.*, pp. 140-145, 187-188 y 190; Witke, *Comrade Chiang Ch'ing*, pp. 254-262.

166. Li Zhisui, p. 85.

167. Quan Yanchi, pp. 107 y 134-141.

168. Ye Yongle, *Jiang Qing zhuan*, pp. 239-242

169. Mao, *Nineteen Poems*, p. 30 [la siguiente traducción está corregida]. Véase también la versión de Terril, *Mao*, pp. 276-277.

170. Pocas semanas después de escribir «Los Inmortales», Mao invitó a Chen Yuying, la doncella que había servido a Kaihui y a él mismo en Changsha, para que le visitase en Pekín. Conversaron durante dos horas, y antes de que partiese, le dijo: «Viéndote hoy, pa-

rece como si hubiese visto nuevamente a Kauihui». Véase *Peking Review*, 14 de octubre de 1977.

171. Van Gulik, *Erotic Colour Prints of the Ming Period*, publicación privada, Tokio, 1951 [reimpreso en Taiwan], p. 39.

172. Fuentes orales; véase también Li Zhisui, pp. 355-364, y Salisbury, *New Emperors*, pp. 134, 217-219 y 221. Algunos de los que trabajaron con Mao durante los años cincuenta y sesenta, incluyendo a Wang Dongxing y Lin Ke, han insistido públicamente en poner en duda la versión del doctor Li, aduciendo que es exagerada y, en ocasiones, inexacta. Dejando de lado los detalles menores, no obstante su versión ha sido confirmada, bajo el anonimato, por varias de las antiguas compañeras del presidente. Su veracidad esencial no se pone en duda.

173. Li Zhisui, p. 363.

174. Quan Yanchi, p. 137.

175. *Ibid.*, p. 12.

176. *Ibid.*, pp. 153-155.

177. *Ibid.*, p. 88.

178. MacFarquhar, *Hundred Flowers*, p. 306.

179. Kau y Leung, II, pp. 255 y 262 (27 de enero de 1957).

180. MacFarquhar, *Origins*, I, pp. 59-61, 86-91 y 126-129.

181. Kau y Leung, II, pp. 159 y 179-180 (15 de noviembre de 1956).

182. MacFarquhar, I, pp. 293-294; y II, pp. 2-4.

183. Kau y Leung, II, pp. 660 (julio) y 702 (9 de octubre de 1957). A pesar de que a partir del verano de 1957 Mao comenzó poniendo énfasis en la necesidad de un cuerpo de intelectuales proletarios, no abandonó completamente la posibilidad de servirse de la formación de la burguesía, y esta idea retornó a la superficie de manera periódica a finales de los años cincuenta (MacFarquhar, *Origins*, II, pp. 40 y 179-180).

184. MacFarquhar, II, p. 19.

185. MacFarquhar, Cheek y Wu, pp. 280, 285, 288, 301, 310, 352 y, especialmente, 371. Liu Shaoqi sería tiempo después acusado de ser el autor de esta idea en su informe al Octavo Congreso (MacFarquhar, *Origins*, I, pp. 119-121 y 160-164). Sin embargo, Mao no puso reparos *en aquel momento* ni al informe de Liu ni a la resolución del Congreso. El 15 de noviembre de 1956, dijo al Segundo Pleno del Octavo Congreso del Comité Central: «En la China actual, la contradicción de clases ya ha sido básicamente resuelta, y la principal contradicción doméstica es la existente entre un sistema social avanzado y unas fuerzas de producción atrasadas» (Kau y Leung, II, p. 184). Esto se corresponde con precisión a la sección incriminada de la resolución que redactó Liu. Mao remarcó desde el inicio que «básicamente» significaba «todavía no completa» (*ibid.*, p. 197, 4 de diciembre de 1956), pero esto mismo se afirmaba en el informe de Liu, que afirmaba que la lucha de clases continuaría hasta que la transformación socialista se hubiese completado (véase el texto de Bowie y Fairbank, p. 188). Sólo a partir de la primavera de 1957, cuando Mao comenzó a revisar sus ideas sobre la lucha entre el proletariado y la burguesía, se puso en cuestión la posición adoptada en el Octavo Congreso.

186. *SW*, V, p. 395 (19 de junio). Para las formulaciones intermedias pronunciadas a medida que emergía la nueva política, véase Kau y Leung, II, pp. 566-567 (8 de junio) y p. 578 (11 de junio de 1957).

187. Kau y Leung, II, pp. 809-812 (sin fecha, aunque probablemente de septiembre de 1957).

188. *Ibid.*, pp. 696-713. La visión que Mao albergaba le llevó a imaginarse un futuro en el que los campesinos podrían alimentarse con «algunos *fen* de tierra» (p. 700); un *fen* equivale aproximadamente a seis metros cuadrados.

189. Mikhail A. Klochko, *Soviet Scientist in Red China*, International Publishers, Montreal, 1964, p. 68.

190. MacFarquhar, *Origins*, II, p. 23.

191. No puedo pretender haber inventado este magnífico neologismo; el término es de Roderick MacFarquhar, pero merece un uso más extendido, excusa que me ha impulsado a usarlo aquí.

192. *Ibid.*, p. 10; Kau y Leung, II, p. 720 (9 de octubre de 1957).

193. MacFarquhar, II, p. 16.

194. Kau y Leung, II, p. 702 (9 de octubre de 1957).

195. MacFarquhar, II, p. 16.

196. Kau y Leung, II, p. 787 (18 de noviembre de 1957).

197. *Ibid.*, pp. 783 y 786.

198. MacFarquhar, II, pp. 17-19.

199. MacFarquhar, Cheek y Wu, pp. 377-391 (3-4 de enero de 1958).

200. *Miscellany of Mao Zedong Thought*, I, pp. 80-84 (13 de enero de 1958).

201. Bo Yibo, *Ruogan zhongda juece yu shijiande hugu*, II, p. 639.

202. MacFarquhar, II, pp. 36-41.

203. *Miscellany*, I, p. 89 (6 de abril de 1958).

204. MacFarquhar, II, p. 34. El objetivo inicial era el de irrigar un millón cuatrocientas mil hectáreas en doce meses.

205. *Miscellany*, I, pp. 95-96 (8 de mayo de 1958).

206. MacFarquhar, II, p. 43.

207. *Miscellany*, I, p. 105 (17 de mayo de 1958).

208. *Ibid.*, pp. 33, 82, 85 y 90; *Miscellany*, I, p. 123 (18 de mayo de 1958). Antes del Gran Salto, Mao había predicho que serían necesarios cincuenta años para que China llegase a los niveles de Estados Unidos.

209. *Ibid.*, p. 115 (23 de mayo de 1958). Véase también MacFarquhar, Cheek y Wu, p. 409 (19 de agosto de 1958).

210. MacFarquhar, Cheek y Wu, p. 432 (30 de agosto de 1958).

211. MacFarquhar, *Origins*, II, p. 84.

212. MacFarquhar, Cheek y Wu, p. 430 (21 de agosto de 1958).

213. Kau y Leung, II, p. 740 (13 de octubre de 1957).

214. MacFarquhar, *Origins*, II, p. 85.

213. Kau y Leung, II, p. 720 (9 de octubre de 1957).

216. Véase, por ejemplo, *Miscellany*, I, p. 113 (20 de mayo de 1958).

217. *Ibid.*, p. 96 (8 de mayo de 1958); Kau y Leung, II, p. 720 (9 de octubre de 1957).

218. *JYMZW*, VI, pp. 457-458; MacFarquhar, II, pp. 173-180.

219. *Miscellany*, I, pp. 120-121 (18 de mayo de 1958).

220. MacFarquhar, II, p. 77.

221. *Ibid.*, pp. 78-80.

222. Schram, *Mao's Road*, II, pp. 365-368 (18 de marzo de 1926).

223. MacFarquhar, II, p. 81; *History of the CCP, Chronology*, p. 273.

224. *History of the CCP, Chronology*, p. 274.

225. MacFarquhar, II, p. 103.

226. MacFarquhar, Cheek y Wu, p. 414 (21 de agosto de 1958).

227. *Ibid.*, p. 419. Véase también MacFarquhar, *Origins*, II, p. 104.

228. Kau y Leung, II, p. 812 (septiembre de 1957). Véase también MacFarquhar, II, pp. 130-131.

229. MacFarquhar, Cheek y Wu, p. 419 (21 de agosto de 1958).

230. MacFarquhar, *Origins*, II, pp. 103-108, 115-116, 119-120, 137-138 y 148-149.

231. Véase los discursos de Mao en Beidaihe (MacFarquhar, Cheek y Wu, especialmente pp. 434-435).

232. MacFarquhar, *Origins*, II, pp. 75-76.

233. *Ibid.*, pp. 67-68.

234. *Ibid.*, pp. 100-102.

235. Rittenberg, *Man Who Stayed Behind*, p. 231.

236. Karnow, Stanley, *Mao and China: A Legacy of Turmoil*, Penguin, Hardmondworth, 1990 (3.ª edición revisada), p. 93.

237. MacFarquhar, II, p. 115.

238. *Ibid.*, p. 114.

239. *Ibid.*, pp. 86 y 119-127.

240. MacFarquhar, Cheek y Wu, p. 403 (17 de agosto de 1958).

241. *Ibid.*, pp. 484-486 (21 de noviembre) y 502-505 (23 de noviembre de 1958); MacFarquhar, *Origins*, II, pp. 121-122 y 128-130; *Miscellany*, pp. 141, 144-145 y 147 (19 de diciembre de 1958).

242. MacFarquhar, Cheek y Wu, pp. 449-450 (6 de noviembre de 1958).

243. *Ibid.*, pp. 474-475 (10 de noviembre de 1958).

244. Kau y Leung, II, pp. 788-789 (18 de noviembre de 1958).

245. Schram, *Political Thought*, p. 253 (15 de abril de 1958).

246. MacFarquhar, II, pp. 7-15.

247. Kau y Leung, II, pp. 788-789 (18 de noviembre de 1957).

248. *SW*, V, p. 152 (28 de enero de 1955).

249. *CWIHP*, VI-VII, pp. 155-159 (22 de julio de 1958).

250. Strobe Talbott, ed., *Khrushchev Remembers*, Little Brown, Boston, 1974, p. 290.

251. *Ibid.*, p. 259.

252. Los hechos anteriores se basan principalmente en Zhang Shu Guang, *Deterrence and Strategic Culture*, pp. 235-237 y 250-265; y en MacFarquhar, II, pp. 92-100.

253. MacFarquhar, II, pp. 132-135; Zagoria, pp. 99 y 126.

254. MacFarquhar, II, pp. 136-180 y 201.

255. *Miscellany*, p. 157 (2 de febrero de 1959).

256. MacFarquhar, II, p. 153.

257. Véase *Miscellany*, I, pp. 130-131 y 138 (noviembre de 1958).

258. MacFarquhar, II, pp. 187-192.

259. La descripción que sigue sobre la conferencia de Lushan se basa en: Li Rui, *Lushan huiyi shilu*, Henan renmin chubanshe, 1995; Domes, *Peng Dehuai; The case of Peng Dehuai, 1959-1968*, Union Research Institute, Hong Kong, 1968; Teiwes, *Politics and Purges*, pp. 384 440; MacFarquhar, II, pp. 187-251.

260. MacFarquhar, II, pp. 328-329

261. *Miscellany*, I, p. 176 (abril de 1959). Mao había usado por primera vez esta fórmula en la segunda sesión del Octavo Congreso del partido, celebrado un año antes, cuando criticó la intervención de uno de sus aduladores más acérrimos (Ke Qingshi, primer secretario de Shanghai), que había requerido al partido que se adhiriese incondicionalmente a sus ideas. «Seguimos al que posee la verdad», le dijo Mao. «Incluso si fuese un transportista de estiércol o un barrendero de las calles, siempre que tenga la verdad en sus manos, deberíamos seguirle ... Allí donde esté la verdad, hacia allí debemos encaminarnos. No sigamos a ningún individuo en particular ... Cada uno debe tener su propio pensamiento» (*ibid.*, p. 107, 17 de mayo de 1958).

262. *Case of Peng Dehuai*, p. 12.

263. Li Rui, p. 177.

264. MacFarquhar, II, pp. 225-228.

265. *Ibid.*, pp. 222 y 228-233.

266. Li Rui, pp. 192-207.

267. Mao replicaba aquí una observación previa de Peng, en la que el mariscal se había referido a las críticas de las que había sido objeto en 1945 (al parecer, en relación con la campaña de los cien regimientos), antes de celebrarse el Séptimo Congreso. «Tú estuviste dándome por el culo durante cuarenta días en Yan'an», había dicho Peng. «¡Yo, en cambio, he estado en Lushan dándote por el culo tan sólo durante dieciocho días y tú ya has decidido detenerme!»

268. *Case of Peng Dehuai*, pp. 31-38.

269. *Ibid.*, pp. 39-44.

270. *Ibid.*, p. 30.

271. *Chinese Law and Government*, vol. XXIX, n.° 4, p. 58.

272. Li Rui, pp. 73 y 181.

273. *Chinese Law and Government*, vol. XXIX, n.° 4, p. 58.

274. MacFarquhar, *Origins*, III, p. 61.

275. Teiwes, *Politics and Purges*, pp. 428-436.

276. MacFarquhar, *Origins*, II, p. 298.

277. *Ibid.*, II, pp. 328-329.

278. En Guangxi, en 1955, el primer secretario provincial había sido destituido por ser incapaz de prevenir la inanición generalizada. En Anhui, unas quinientas personas murieron de hambre en un solo distrito incluso durante la próspera cosecha de 1958 (*ibid.*, III, p. 210).

279. *Ibid.*, II, pp. 255-292.

280. *Ibid.*, II, pp. 322-325 y 329. Para un estudio detallado de los horrores de la hambruna que siguió al Gran Salto, véase Jasper Becker, *Hungry Ghosts*, John Murray, Londres, 1996.

281. MacFarquhar, *Origins*, III, pp. 1-8.

282. En 1980, Hu Yaobang, el primer líder chino en reconocer la existencia de hambrunas, estimó en veinte millones el número total de muertos. La cifra estaba basada en documentos contemporáneos recopilados por el Comité Permanente. Posteriormente, algunos escritores occidentales y chinos han sugerido una estimación de cuarenta e incluso sesenta millones. Estas estimaciones, sin embargo, son fruto de la práctica de tomar las cifras de las regiones más afectadas y extrapolarlas al conjunto del país, y ponerlas inadecuadamente en correlación con las tendencias demográficas del período. En ausencia de pruebas concluyentes que muestren lo contrario, una cifra de entre veinte y treinta millones de muertos sigue siendo la más fidedigna. Y, de hecho, es suficiente.

CAPÍTULO 14

1. MacFarquhar, *Origins of the Cultural Revolution*, III, p. 11.

2. Teiwes, *Politics and Purges*, pp. 443 y 678, n. 4.

3. *Ibid.*, pp. 455-457; MacFarquhar, III, pp. 60-61.

4. Cong Jin, *Quzhe fazhande suiye (1949-1989 niande Zhongguo)*, vol. II, Henan renmin chubanshe, Zhengzhou, 1989, p. 382.

5. MacFarquhar, III, pp. 23-29 y 32-36.

6. *Ibid.*, pp. 43-44.

7. *Ibid.*, pp. 45-48.

8. *JYMZW*, IX, pp. 467-470.

9. MacFarquhar, III, pp. 49-55 y 66.

10. Bao y Chelminski, *Prisoner of Mao*, p. 269.

11. MacFarquhar, III, pp. 63-65 y 74-75.

12. *Ibid.*, pp. 69-71; Dong Bian, *Mao Zedong he tade mishu Tian Jiaying*, Zhongyang wenxian chubanshe, 1996, pp. 59-60 y 68-69; *JYMZW*, IX, pp. 565-573 y 580-583.

13. Zhou Enlai, *SW*, II, p. 345.

14. MacFarquhar, III, pp. 62-63; *Liu Shaoqi xuanji*, II, Renmin chubanshe, Pekín, 1985, p. 337.

15. MacFarquhar, III, pp. 209-226.

16. *Ibid.*, p. 65.

17. *Liu Shaoqi xuanji*, II, p. 355.

18. MacFarquhar, III, pp. 156-158.

19. Schram, *Unrehearsed*, pp. 167 y 186.

20. MacFarquhar, III, pp. 172-178.

21. Li Zhisui, *Private Life*, pp. 386-387.

22. MacFarquhar, III, pp. 163-164.

23. *Liu Shaoqi xuanji*, II, p. 420.

24. Schram, *Unrehearsed*, pp. 167; véase también Li Zhisui, p. 386.

25. Dong Bian, p. 62.

26. *Ibid.*, pp. 63-68; MacFarquhar, III, pp. 226-233 y 263-268.

27. Bo Yibo, *Ruogan zhongda juece yu shijiande huigu*, II, p. 1.078. Tian Jiaying estimó que eran el 30 por 100, cifra que Mao citó (MacFarquhar, III, pp. 226-227 y 275).

28. MacFarquhar, III, pp. 281-283.

29. *Ibid.*, p. 276.

30. *Ibid.*, pp. 276.

31. *Ibid.*, pp. 269-281.

32. Schram, pp. 189-190.

33. *Ibid.*, p. 194.

34. *Ibid.*, p. 192-193.

35. Cong Jin, p. 519.

36. MacFarquhar, III, pp. 298-318.

37. *Ibid.*, pp. 318-323.

38. *Ibid.*, pp. 349-362, 334-348 y 399-415; Fredcrick C. Teiwes, *Ssu-Ch'ing: The Socialist Education Movement of 1962-1966*, University of California Press, Berkeley, 1968.

39. Citado en Mary Sheridan, «The Emulation of Heroes», *CQ*, XXXIII, 1969, pp. 52-53.

40. Baum y Teiwes, p. 70.

41. Helen F. Siu, *Agents and Victims in South China: Accomplices in Rural Revolution*, Yale University Press, New Haven, 1989, pp. 201-202.

42. *Current Background*, n.° 891, US Consulate General, Hong Kong, pp. 71 y 75.

43. *Sunday Times*, 15 de octubre de 1961.

44. MacFarquhar, III, pp. 262-263.

45. MacFarquhar, III, cap. 17.

46. Extracto de las pruebas del juicio de Jiang Qing, noviembre de 1980-enero de 1981.

47. MacFarquhar, III, pp. 289-296; Byron y Pack, *Claws of the Dragon*.

48. MacFarquhar, III, pp. 435-437.

49. *Ibid.*, III, p. 436.

50. *Ibid.*, II, p. 320.

51. Huang Zheng, *Liu Shaoqi yi sheng*, Zhongyang wenxian chubanshe, Pekín, 1995, p. 374.

52. Evans, *Deng Xiaoping*, p. x.

53. No existe certeza alguna, como es evidente, sobre los pensamientos íntimos de Mao durante la primavera y principios de verano. Lo que sigue es un intento de apuntar a algunos de los factores que pudieron influirle para llegar a las conclusiones que plasmó en la carta de julio del Partido Comunista Chino a los rusos.

54. Citado por Wang Ruoshi, *Mao Zedong weishenme ya fadong wenge*, de uso privado, Pekín, octubre de 1996, pp. 12-14.

55. *Ibid.*, p. 10.

56. *The polemic on the General Line of the International Communist Movement*, Foreign Languages Press, Pekín, 1965, pp. 477-478.

57. MacFarquhar, Cheek y Wu, *Secret Speeches*, pp. 270-271 (10 de marzo de 1957).

58. Cong Jin, p. 602.

59. *JYMZW*, XI, pp. 265-269.

60. *Miscellany*, II, pp. 408-426.

61. *Ibid.*, pp. 429-432; MacFarquhar, *Origins*, III, pp. 419-428.

62. Snow, *Long Revolution*, p. 17.

CAPÍTULO 15

1. MacFarquhar, *Origins of the Cultural Revolution*, III, p. 440.

2. *Ibid.*, II, pp. 207-212, y III, pp. 252-253.

3. Barbara Barnouin y Yu Changgen, *Ten Years of Turbulence: The Chinese Cultural Revolution*, Kegan Paul, Londres, 1993, p. 52.

4. MacFarquhar, III, p. 645, n. 67.

5. *Ibid.*, p. 441; Yan Jiaqi y Gao Gao, *Turbulent Decade: A History of the Cultural Revolution*, University of Hawaii Press, Honolulu, 1996, p. 27.

6. *Miscellany of the Mao Zedong Thought*, II, p. 383 (28 de abril de 1966). Véase también Cong Jin, *Quzhe fazhande suiye*, p. 611; y David y Nancy Milton, y Franz Schurmann, eds., *People's China*, Random House, Nueva York, 1974, p. 262.

7. Shuai Dongbing, «Peng Zhen zai baofengyu qianye», en *Mingren zhuanyi*, n.ᵒˢ XI-XII, 1988, p. 11. Véase también Zheng Derong, ed., *Xin Zhongguo lishi (1949-1984)*, Changchun, 1986, p. 381.

8. Liao Gailong, ed., *Xin Zhongguo niannianshi (1949-1989)*, Renmin chubanshe Pekín, 1989, p. 267; Ma Qibin, ed., *Zhongguo gongchandang zhizheng sishinian*, Zhonggong dangshi ziliao chubanshe, Pekín, 1989, p. 264.

9. Cong Jin, pp. 631-634; Ma Qibin, p. 265; Frederick C. Teiwes y Warren Sun, *The Tragedy of Lin Biao*, University of Havaii Press, Honolulu, 1996, pp. 24-32; Li Zhisui, *Private Life*, pp. 435-436.

10. Ye Yonglie, *Chen Boda qiren*, Shidai wenyi chubanshe, Changchun, 1990, pp. 222-223.

11. Cong Jin, p. 613; Hao Mengbi y Duan Haoran, eds., *Zhongguo gongchandang liushi nian*, Jiefangjun chubanshe, Pekín, 1984, p. 561. Véase también Ye Yonglie, pp. 228-230.

12. MacFarquhar, III, pp. 451 y 453.

13. *Ibid.*, p. 388.

14. Warren Kuo, ed., *Classified Chinese Communist Documents*, National Chengchi University, Taipei, 1978, pp. 225-229.

15. Cong Jin, p. 616; Wu Lengxi, *Yi Mao zhixi: Wo qinshen jinlide ruogan zhongda lishi shijian pianduan*, Xinhua chubanshe, Pekín, 1995, pp. 150-151.

16. MacFarquhar, III, p. 456.

17. Li Ping, *Kaiguo zongli Zhou Enlai*, Zhonggong zhongyang dangxiao chubanshe, 1994, p. 436.

18. *Peking Review*, 2 de junio de 1967.

19. Cong Jin, p. 625; *History of the CCP, Chronology*, pp. 320-321.

20. Cong Jin, pp. 623-625.

21. Wang Nianyi, *Da dongluande niandai*, Henan renmin chubanshe, Zhengzhou, 1988, pp. 9-11.

22. MacFarquhar, III, pp. 459-460.

23. Kuo, *Classified Chinese Documents*, pp. 646-660.

24. *Ibid.*, pp. 230-236; *Renmin Ribao*, 17 de mayo de 1966.

25. Kuo, *Classified Chinese Documents*, p. 230; Yan y Gao, p. 38; Michael Schoenhals, *The CCP Central Case Examination Group (1966-1979)*, Centre for Pacific Asia Studies, Universidad de Estocolmo, 1995.

26. Wang Nianyi, pp. 18-19.

27. *Renmin ribao*, 11 de mayo de 1966. Las acusaciones de Yao contra Deng Tuo se exponen ampliamente en MacFarquhar (III, pp. 249-258). Mis propias conversaciones con eminentes intelectuales chinos, incluyendo algunos de los compañeros de Deng, confirmaron que nadie pensó en aquel momento que sus escritos pudiesen estar dirigidos a Mao (sobre todo porque su prestigio era tal que era impensable que pudiese ser el blanco de los mismos. Para una opinión divergente, véase Merle Goldman, *China's Intelectuals: Advise and Dissent*, Harvard University Press, 1981, pp. 27-38.

28. Yan y Gao, p. 40; Wang Nianyi, p. 28; MacFarquhar, III, p. 652, n. 1.

29. *Renmin ribao*, 2 de junio de 1966.

30. Jin Chunming, *Wenge shiqi guaishi guaiyu*, Qiushi chubanshe, Pekín, 1989, p. 155.

31. *Zhongguo Qingnian*, X, 1986.

32. Kuo, *Classified Chinese Documents*, pp. 658 y 661.

33. Yan y Gao, pp. 60-61.

34. Cong Jin, pp. 633-634.

35. Lin Zhijian, ed., *Xin Zhongguo yaoshi shuping*, Zhonggong dangshi chubanshe, 1994, p. 307.

36. *Ibidem.*

37. Ma Qibin, pp. 272-273.

38. *History of the CCP, Chronology*, p. 326.

39. Jin Chunming, p. 135; Liu Guokai, *A Brief Analysis of the Cultural Revolution*, M. E. Sharpe, Armonk, 1987, p. 18.

40. Yan y Gao, pp. 46-47.

41. *Renmin ribao*, 25 de julio de 1966.

42. Yan y Gao, pp. 49-52; *History of the CCP, Chronology*, pp. 327-328.

43. Lowell Dittmer, *Liu Shao'chi and the Chinese Cultural Revolution: The Politics of Mass Criticism*, Universidad de California, Berkeley, 1974, pp. 89-90.

44. *History of the CCP, Chronology*, pp. 328-329; Barnouin y Yu, pp. 78-81.

45. Barnouin y Yu, p. 80.

46. *Peking Review*, 11 de agosto de 1967 (traducción corregida).

47. Teiwes y Sun, pp. 63-64.

48. Milton *et al.*, pp. 272-283.

49. Yan y Gao, p. 59.

50. *Ibid.*, pp. 62-63; Rittenberg, *Man Who Stayed Behind*, pp. 317-319.

51. Michael Schoenhals, *China's Cultural Revolution, 1966-1969: Not a Dinner Party*, M. E. Sharpe, Armonk, 1996, pp. 148-149.

52. *Ibid.*, p. 150.

53. Yan y Gao, p. 68-69 (existe traducción española de la primera de estas obras: *El tirador de Ricksha*, Pekín, Ediciones en Lenguas Extranjeras, 1990).

54. *Ibid.*, pp. 76-77.

55. Véase Milton *et al.*, p. 265, donde se cita a Mao explicando a una delegación albanesa de [mayo] de 1967: «Algunos dicen que el pueblo chino ama profundamente la paz. Yo no creo que amen tanto la paz. Pienso que el pueblo chino es belicoso».

56. Los «dieciséis puntos» citaban el «Informe del movimiento campesino de hunan» que Mao escribió en 1927 con referencia al hecho de que la revolución no puede ser «refinada, placentera y amable, "benigna, justa, cortés, moderada y complaciente"». A pesar de no citar la siguiente frase, que define la revolución como «un acto de violencia», los guardias rojos —tal como, sin duda alguna, pretendía Mao— tomaron esta referencia para legitimar la violencia (véase, por ejemplo, Ling, Ken, *The Revenge of Heaven*, G. P. Putnam, Nueva York, 1972, p. 19).

57. *Peking Review*, n.º 35, 1966.

58. Yan y Gao, p. 76.

59. *SW*, IV, p. 418 (30 de junio de 1949).

60. Ling, pp. 20-22.

61. Jing Lin, *The Red Guards' Path to Violence*, Praeger, Nueva York, 1991, p. 23.

62. Milton *et al.*, p. 239 (21 de diciembre de 1939). Apareció citado en el *Diario del Pueblo* el 24 de agosto de 1966.

63. Yan y Gao, p. 77.

64. Gao Yuan, *Born Red: a Chronocicle of the Cultural Revolution*, Standford University Press, 1987, pp. 289-290 y 307-310.

65. Schoenhals, pp. 166-169.

66. Yan y Gao, cap. V.

67. Varios millones aprovecharon la ventaja del transporte gratuito para dedicarse al turismo, viajando a escenarios como las Tres Gargantas, o a Xinjiang y Mongolia Interior. Mao lo comprendió así. Él también había hecho lo mismo, mientras había viajado de Pekín hasta Shanghai durante la primavera de 1919, y posteriormente describió la experiencia como una de las empresas más provechosas de su vida.

68. *Ibid.*, cap. IV; Ling, pp. 42-59; Gao Yuan, pp. 85-94; Gordon A. Bennett y Ronald N. Montaperto, *Red Guard: the Political Biography of Dai Hsiao-Ai*, Doubleday, Nueva York, 1971, pp. 77-83.

69. En su «Informe del movimiento campesino en Hunan» escribió: «Son los campesinos los que erigieron los ídolos, y cuando llegue la hora ellos mismos los echarán abajo con sus propias manos; no hay ninguna necesidad de que otro lo haga prematuramente por ellos» (Schram, *Mao's Road*, II, p. 455). Qu Qiubai, en el Sexto Congreso celebrado en 1928, maldijo a «esos revolucionarios pequeñoburgueses y románticos que, en lugar de concentrarse en cómo alcanzar el poder político ... recurren a medios violentos para destruir las tablas ancestrales de las familias campesinas, cortar las coletas de las mujeres ancianas y deshacer los vendajes de los pies de las mujeres; ¡menudos valientes y completos revolucionarios culturales están hechos! ... Marx dijo que en una revolución no escasean las locuras» (*Chinese Studies in History*, V, I, p. 21 [otoño de 1971]). Desafortunadamente, en 1966, estas censuras habían quedado olvidadas.

70. Fuentes orales; véase también Yan y Gao, pp. 76-81.

71. Schram, *Mao's Road*, I, p. 139 (23 de septiembre de 1917).

72. Ling, pp. 52-53.

73. Yan y Gao, p. 74.

74. *Ibid.*, pp. 248-251; Short, *Dragon and Bear*, pp. 148-149; George Urban, ed., *The Miracles of Chairman Mao*, Nash Publishing, Los Ángeles, 1971, *passim*; fuentes orales.

75. Schoenhals, p. 3, n. 1. Wang Li ofrece una versión diferente en «An Insider's Account of the Cultural Revolution», *Chinese Law and Government*, vol. XXVII, n.° VI (noviembre-diciembre de 1994), p. 32.

76. Schoenhals, p. 27.

77. Milton *et al.*, p. 270.

78. Dittmer, pp. 97-99; Kuo, *Classified Chinese Documents*, pp. 237-244.

79. Rittenberg, *Man Who Stayed Behind*, p. 239.

80. Schram, *Preliminary Reassessment*, p. 67.

81. Schram, *Unrehearsed*, pp. 270-274.

82. *Ibid.*, pp. 264-269.

83. *Renmin ribao*, 1 de enero de 1967; Yan y Gao, pp. 101-111. Véase Barnouin y Yu, pp. 97-106.

84. Yan y Gao, cap. VIII.

85. *Ibid.*, p. 218.

86. *Ibid.*, pp. 100 y 133-136.

87. *Ibid.*, pp. 379-384; Barnouin y Yu, pp. 106-112.

88. Schram, *Unrehearsed*, pp. 275-276.

89. Milton *et al.*, pp. 298-299; *History of the CCP, Chronology*, p. 335.

90. Wang Li, pp. 38-39.

91. Milton *et al.*, p. 279.

92. MacFarquhar, Cheek y Wu, *Secret Speeches*, p. 419.

93. Schram, *Unrehearshed*, pp. 277-279.

94. *Miscellany*, II, pp. 451-455.

95. *Ibid.*, p. 460.

96. Kau y Leung, *Writtings of Mao Zedong*, II, p. 639.

97. Kuo, *Classified Chinese Documents*, pp. 54-57.

98. Véase, por ejemplo, el largo ensayo titulado «Whither China?», en *ibid.*, pp. 274-299.

99. Wang Nianyi, p. 187.

100. *Ibid.*, pp. 150-151; Yan y Gao, p. 202.

101. Yan y Gao, pp. 123-124; Barnouin y Yu, pp. 131-137.

102. Liu Guokai, p. 61; Wang Nianyi, pp. 202-204; Peng Cheng, ed., *Zhongguo zhengju beiwanglu*, Jiefangjun chubanshe, Pekín, 1989, pp. 3-4; Barnouin y Yu, pp. 138-141.

103. Yan y Gao, pp. 125-126; Barnouin y Yu, pp. 116-119.

104. Wang Li, pp. 41-42.

105. Zhou Ming, *Lishi zai zheli chensi*, Huaxia chubanshe, Pekín, vol. II, pp. 66-77; Yan y Gao, p. 127.

106. Citado por Yan y Gao, p. 129.

107. Wang Nianyi, «Guanyu eryue niliude yixie ziliao», en *Dangshi yanjiu ziliao*, I, 1990, p. 4.

108. *Ibidem.*

109. *History of the CCP, Chronology*, p. 336.

110. *Ibidem*; Wang Li, pp. 52-54; Barnouin y Yu, pp. 119-120.

111. Wang Nianyi, «Guanyu eryue niliude yixie ziliao», p. 6.

112. Wang Li, p. 54.

113. Wang Nianyi, *Da dongluande niandai*, p. 218.

114. Liang y Shapiro, *Son of the Revolution*, pp. 133-137.

115. El siguiente relato se basa en Wang Nianyi, *Da dongluande niandai*; Peng Chen, *Zhongguo zhengju beiwanglu*; Barnouin y Yu, especialmente pp. 144-146; y en Yan y Gao, pp. 235-237.

116. Wang Li, pp. 65-66.

117. Yan y Gao, pp. 237-239.

118. *Renmin ribao*, 22 de julio de 1967.

119. Wang Li, p. 75.

120. *History of the CCP, Chronology*, p. 338.

121. Wang Li, p. 75.

122. *Hongqi*, n.º 12, 1967.

123. Wang Li, p. 76; Yan and Gao, p. 239.

124. Wang Li, p. 81; Dong Baocun, *Yang Yu Fu shijian zhenxiang*, Jiefangjun chubanshe, Pekín, 1988, pp. 74-75.

125. Wang Li, p. 82; Barnouin y Yu, pp. 192-198; Yan y Gao, pp. 252-256.

126. *Renmin ribao*, 8 de septiembre de 1967; Barnouin y Yu, pp. 194-195.

127. Jurgen Domes, James T. Myers y Erik von Groeling, *Cultural Revolution in China: Documents and analysis*, s. l., s. f., p. 307.

128. *Ibid.*, pp. 308-315.

129. Véase Goldman, *China's Intellectuals*, pp. 146-147.

130. Barnouin y Yu, p. 91; Yan y Gao, p. 138.

131. Schoenhals, pp. 101-116.

132. Yan y Gao, p. 139.

133. Zhou Ming, I, pp. 27-30; Yan y Gao, pp. 153-157; Li zhisui, *Private Life*, pp. 489-490.

134. Barnouin y Yu, p. 185.

135. Kuo, *Classified Chinese Documents*, pp. 20-24.

136. Jin Chunming, p. 78.

137. Schoenhals, pp. 122-135.

138. Yan y Gao, p. 211.

139. *Ibid.*, pp. 223, 252 y 266; Barnouin y Yu, pp. 187-189.

140. *Renmin ribao*, 22 de diciembre de 1967; véase también Milton *et al.*, pp. 356-360.

141. Wang Nianyi, *Da dongluande niandai*, p. 271.

142. Wang Li, p. 82.

143. Barnouin y Yu, p. 198.

144. *Ibid.*, pp. 181-184.

145. *Ibid.*, pp. 164-165.

146. Zhang Yunsheng, *Maojiawan jishi*, Chunqiu chubanshe, Pekín, 1988, pp. 113-123; fuentes orales.

147. Barnouin y Yu, pp. 165-171. Para un resumen más detallado, véase Dong Baocun, *Yang Yu Fu shijian zhenxiang*.

148. Jin Chunming, pp. 243-244.

149. Liu Guokai, p. 118; Yan y Gao, p. 393.

150. Zheng Yi, *Scarlet Memorial: Tales of Cannibalism in Modern China*, Westview Press, Boulder, Colorado, 1996.

151. Fernando Galbiati, «Peng Pai: The Leader of the First Soviet» (tesis doctoral), Oxford, junio de 1981, pp. 829-831.

152. Ocurrieron incidentes similares en Camboya bajo el patrocinio de los Khmers Rojos a mediados de los años setenta. En cada caso, pare ser que los motivos fueron idénticos: obtener de los participantes una prueba física de su lealtad que fuese más allá de toda contención convencional.

153. William Hinton, *Hundred Day War: The Cultural Revolution at Tsinghua University*, Monthly Review Press, Nueva York, 1972, pp. 226-227; Li Zhisui, pp. 502-503.

154. Jonathan Unger, *Education under Mao*, Columbia University Press, Nueva York, 1982, pp. 38-45 y 134.

155. Yan y Gao, pp. 393-394.

156. *CHOC*, XV, p. 189, n. 120; véase también Unger, p. 162.

157. Yan y Gao, pp. 270-276.

158. Véase el discurso de Mao en el Primer Pleno del Noveno Comité Central, en Schram, *Unrehearsed*, p. 288.

159. Teiwes y Sun, p. 128, n. 47.

160. Barnouin y Yu, p. 160.

161. *Peking Review*, n.º 37, 13 de septiembre de 1968.

162. Yan y Gao, pp. 356-362.

163. Kuo, *Classified Chinese Documents*, p. 40.

164. *CHOC*, XV, p. 195.

165. Wang Nianyi, *Da dongluande niandai*, pp. 311-315; Yang y Gao, pp. 159-160; Barnouin y Yu, pp. 171-175; *History of the CCP, Chronology*, pp. 344-345.

166. Barnouin y Yu, pp. 175-178.

167. Para una discusión sobre las cifras, véase *CHOC*, XV, pp. 213-214. Hu Yaobang, en 1980, fijó en un millón la cifra total de muertos de la Revolución Cultural y los movimientos relacionados con ésta.

168. El relato que sigue es deudor principalmente de Zhang Yunsheng, *Maojiawan jishi*.

169. *CHOC*, XV, p. 198.

170. Milton *et al.*, p. 264.

171. Kuo, *Classified Chinese Documents*, p. 54.

172. Schram, *Unrehearsed*, p. 283.

173. Teiwes y Sun, p. 18.

174. O. Edmund Clubb, *China and Russia: The Great Game*, Columbia University Press, Nueva York, 1971, p. 488.

175. *CHOC*, XV, pp. 257-261; John W. Garver, *China's Decision for Rapprochement with the United Estates, 1968-1971*, Westview Press, Boulder, Colorado, 1982, pp. 54-56; Henry Kissinger, *The White House Years*, Little, Brown & Co., Nueva York, 1979, pp. 171

172. Las fuentes chinas todavía mantienen que los rusos lanzaron un ataque sin que les hubieran provocado (véase, por ejemplo, *History of the CCP, Chronology*, pp. 345-346).

176. Véase *CHOC*, XV, pp. 261-275, y Clubb, cap. XXXVI. La centralidad de la importancia de Estados Unidos —reconocida ahora (en privado) por los especialistas en política internacional en Pekín— era tan asombrosamente obvia que fue ignorada tanto por los norteamericanos como por los rusos, no sólo en aquel momento sino desde entonces.

177. *History of the CCP, Chronology*, p. 348; Yan y Gao, p. 162.

178. Goodman, *Deng Xiaoping*, pp. 78-79.

179. Yan y Gao, pp. 162-164.

CAPÍTULO 16

1. Li Zhisui, *Private Life*, p. 517.

2. Ji Dengkui, citado por Teiwes y Sun, *Tragedy of Lin Biao*, p. 21.

3. *Ibid.*, pp. 13 y 109; fuentes orales; Li Zhismi, p. 510. En los años ochenta, Deng Yinchao solicitó a Hu Yaobang, entonces secretario general del Partido Comunista Chino, que autorizase la destrucción de la ofensiva nota, que había sido conservada entre los documentos personales de Zhou de la sección secreta de los Archivos Centrales. Hu cedió, y el original fue destruido. Pero, sin saberlo, se guardó una copia. Deng Xiaoping era conocedor de la conducta de Zhou, pero en 1979 le exoneró a causa de que de otro modo éste

habría sido destituido, lo que habría hecho aún más difícil la situación. Ésta ha sido desde entonces la versión oficial. Fuentes orales; véase también la entrevista de Deng con Oriana Fallaci, *Selecte Works of Deng Xiaoping, 1981-1982*, Foreign Languages Press, Pekín, 1990, pp. 329-330.

4. Yan y Gao, *Turbulent Decade*, cap. XXIII.

5. Wang Li, «Insider's Account of the Cultural Revolution», p. 44.

6. Wang Nianyi, *Da dongluande niandai*, pp. 384-388; Zhang Yunsheng, *Maojiawan jishi*, pp. 163-165 y 222-224.

7. Roderick MacFarquhar, ed., *The Politics of China: The Eras of Mao and Deng*, Cambridge University Press, 1997[2], pp. 256-257; Barnouin y Yu, *Ten Years of Turbulence*, pp. 215-216; Lin Qingshan, *Lin Biao zhuan*, Pekín, 1988, pp. 686-688.

8. Éste es uno de los episodios menos comprendidos de toda la larga trayectoria de Mao. Hay dos principales interpretaciones de los especialistas: la resumida por MacFarquhar en *The Politics of China* (pp. 256-262), que indica que Lin fue víctima de sus propias ambiciones; y la visión «revisionista», expuesta por Teiwes y Sun en *The Tragedy of Lin Biao* (pp. 134-151), y por la hija de Wu Faxian, Jin Qiu, en una tesis doctoral inédita, que argumenta que Lin fue una víctima de la paranoia de Mao. Ninguna de las versiones es satisfactoria. Los hechos tienen más sentido si se asume que Mao se implicó en los hechos en una etapa muy anterior a lo que se ha creído hasta ahora. Más aún, esto estaría de acuerdo con el personaje: hoy en día sabemos que Mao engañó a Gao Gang, Peng Dehuai y Peng Zhen en las campañas que causaron sus respectivas caídas. Ya había puesto a prueba a Lin en una ocasión, en el Noveno Congreso (del mismo modo que había puesto a prueba a Liu Shaoqi en la conferencia de trabajo del Comité Central de 1964), al proponer que el ministro de Defensa, y no él, debía asumir la presidencia del Congreso —un señuelo que Lin rechazó sabiamente. El manejo de Mao de la cuestión de la presidencia del Estado con el tiempo le llevó a una prueba similar, pero en esta ocasión la intuición de Lin le traicionó.

9. Teiwes y Sun, pp. 1 y 11.

10. Li Zhisui, p. 518.

11. Ye Yonglie, *Chen Boda zhuan*, p. 493.

12. Véase Li Zhisui, p. 511, para una descripción de la ansiedad de Zhou Enlai durante este período por miedo a que Mao sospechase que él había formado una alianza con Wang Dongxing.

13. Normalmente, cuando Mao hablaba, se acababa toda discusión. Su repudia de la campaña para aniquilar a los «seguidores del camino capitalista» del Ejército Popular de Liberación en agosto de 1967 es un ejemplo prototípico; en el momento en que parecía mostrar un cambio de ideas, sus subordinados se dispersaban presas del pánico. En esta ocasión, Mao expresó su desacuerdo en cuatro distintas ocasiones sin que se reparase en sus palabras. La única explicación lógica es que evitase la cuestión. Esto se corresponde con el hecho de que la Oficina General del Comité Central, que recibía órdenes de Mao, puso en circulación dos versiones del borrador de la constitución, uno con y uno sin un jefe del Estado (Teiwes y Sun, p. 139).

14. *Ibid.*, p. 140; Wang Nianyi, pp. 392-396.

15. Teiwes y Sun, p. 141.

16. *Ibid.*, p. 241; Hao y Duan, *Zhongguo gongchandang lishi nian*, p. 614.

17. Teiwes y Sun, p. 144.

18. *Ibid.*, pp. 145-147; Barnouin y Yu, pp. 217-219.

19. Teiwes y Sun, p. 151.

20. *Ibid.*, p. 148.

21. Kuo, *Classified Chinese Documents*, pp. 162-163.

22. Wang Nianyi, pp. 406-409.

23. MacFarquhar, p. 266.

24. Schram, *Unrehearsed*, p. 294.

25. Teiwes y Sun, p. 153; Lin Qingshan, p. 716; Barnouin y Yu, p. 222; Yan y Gao, p. 313.

26. Barnouin y Yu, p. 223; Hao y Duan, p. 618.

27. Wang Nianyi, p. 415.

28. Hao y Duan, p. 618; Schram, *Unrehearsed*, p. 295.

29. Li Zhisui, p. 530.

30. Teiwes y Sun, p. 155.

31. Kuo, *Classified Chinese Documents*, p. 180.

32. *Ibid.*, pp. 181-185.

33. Wang Nianyi, pp. 411 y 415.

34. Barnouin y Yu, p. 225.

35. Teiwes y Sun, p. 157.

36. Barnouin y Yu, p. 226.

37. Schram, *Unrehearsed*, pp. 290-299.

38. La acusación de Mao de que Lin quería convertirse en jefe de Estado se convirtió en un tema clave en la consiguiente campaña en su contra. La única evidencia conocida es una confesión de Wu Faxian, obtenida bajo presión, partes de la cual se han demostrado falsas y que, incluso si fuese verdadera, estaba basada en rumores oídos a Ye Qun. Es posible que, como insiste la versión oficial china, Lin desease el cargo y hubiese insistido a Mao que lo ocupase para enmascarar sus propias ambiciones. Pero, dada la aversión de Li al ceremonial, parece muy poco probable. Es también posible que, incluso si Lin no lo hubiese deseado, Mao sospechase de que era así. En resumen, pues, la explicación más razonable es que Mao consideró que la acusación de intentar usurpar el poder resonaría con mayor fuerza entre su audiencia que una retorcida alegación de que Lin había estado intentando arrinconarle en una inactividad honorífica. Para una discusión más detallada de la cuestión, véase Barnouin y Yu, pp. 216-217.

39. Yan y Gao, pp. 321-322; Barnouin y Yu, p. 235.

40. El siguiente relato lo tomo de Yan y Gao, pp. 322-333; Barnouin y Yu, pp. 235-242; MacFarquhar, pp. 271-275; Li Zhisui, pp. 534-541; Teiwes y Sun, p. 160; y de fuentes orales. Se pueden encontrar detalles adicionales en Wang Nianyi; y en Zhang Yunsheng, *Maojiawan jishi*.

41. Esto permitió posteriormente a Mao, como parte de una campaña de deshonra del ministro de Defensa, asegurar que Lin se había opuesto a la mejora de relaciones con Estados Unidos. No se ha aportado nunca prueba alguna que apoye esta acusación. Las escasas declaraciones públicas de Lin sobre la cuestión se circunscribieron a la política china estándar. Carecía virtualmente de intereses por la política exterior, territorio exclusivo de Mao y Zhou Enlai. Las ideas de Lin sobre el acercamiento hacia Estados Unidos se discuten en Barnouin y Yu, pp. 228-229. A pesar de que la posibilidad de volar hacia la frontera rusa había sido discutida unos días antes por Lin Liguo y Ye Qun, parece que la decisión no se tomó hasta el último momento. Lin Biao no fue consciente probablemente de la opción rusa hasta la última noche. Según su secretario, en su trayecto en coche hacia el aeropuerto preguntó cuánto tiempo les llevaría llegar a Irkutsk, lo que significa, en último término, que no había participado en la elaboración de los planes (Yan y Gao, p. 331; fuentes orales).

42. Fuentes orales.

43. Li Zhisui, p. 536.

44. *Ibid.*, pp. 542-551.

45. Fuentes orales; véase también Schram, *Unrehearsed*, p. 294.

46. *History of the CCP, Chronology*, p. 354; Kuo, *Classified Chinese Documents*, pp. 165-185; Wang Nianyi, p. 437.

47. Li Zhisui, pp. 551-552.

48. El relato que sigue está basado en Kissinger, *White House Years*, pp. 163-194, 220-222, 684-787 y 1.029-1.087; Li Zhisui, pp., 514-516; Garver, *China's Decision, passim*; Holbridge John H., *Crossing the Divide*, Rowman & Littlefield, Lanham, Maryland, 1997; Rosemary Foot, *The Practice of Power: US Relations with China since 1949*, Clarendon Press, Oxford, 1995. Los relatos norteamericanos conceden el mérito de haber iniciado un giro político de ciento ochenta grados a Nixon, más que a Mao. En realidad, ambos decidieron de manera independiente la conveniencia de un cambio, pero fue Mao, provocando los conflictos fronterizos, quien hizo posible el proceso.

49. Kissinger, *White House Years*, pp. 702-703. Nixon, en sus memorias, pretende que él supo de la entrevista de Snow «a los pocos días», pero parece que en esta ocasión su memoria le jugó una mala pasada (*The Memoirs of Richard Nixon*, Grosset & Dunlap, Nueva York, 1978, p. 547).

50. Li Zhisui, p. 558.

51. Barnouin y Yu, p. 226.

52. Li Zhisui, pp. 557-563; Salisbury, *New Emperors*, pp. 306-310; Zhang Yufeng, «Mao Zedong yu Zhou Enlai yixie wannian qushi», *Guangming ribao*, 26 de diciembre de 1988 a 6 de enero de 1989.

53. Kissinger, *White House Years*, p. 164.

54. *Ibid.*, pp. 1.062-1.063; Nixon, p. 563.

55. Schram, *Unrehearsed*, p. 299.

56. *History of the CCP, Chronology*, p. 354; Yan y Gao, p. 407.

57. Li Zhisui, pp. 572-573; Yan y Gao, p. 412.

58. *Renmin ribao*, 24 de abril de 1972.

59. *History of the CCP, Chronology*, p. 356.

60. Yan y Gao, pp. 410-411.

61. *Ibid.*, p. 410; Barnouin y Yu, p. 253.

62. *Renmin ribao*, 14 de octubre de 1972; Yan y Gao, pp. 412-416; Barnouin y Yu, pp. 253-255.

63. *Renmin ribao*, 1 de enero de 1973.

64. Ye Yonglie, *Wang Hongwen xinghuailu*, Changchun, 1989, *passim*.

65. Barnouin y Yu, p. 249.

66. *Ibidem*.

67. John Gardner, *Chinese Politics and the Succession to Mao*, Macmillan, 1982, p. 62; Short, *Dragon and Bear*, p. 196; Evans, *Deng Xiaoping*, pp. 189-190; *History of the CCP, Chronology*, p. 359.

68. MacFarquhar, p. 279, n. 114; Jia Sinan, ed., *Mao Zedong renji jiaowang shilu*, Jiangsu, 1989, p. 319; Yang y Gao, p. 454.

69. Barnouin y Yu, pp. 249-251.

70. Evans, p. 197.

71. Peng Cheng, *Zhongguo zhengju beiwanglu*, p. 47.

72. *Ibid.*, p. 198; *History of the CCP, Chronology*, pp. 361-362; Hao y Duan, p. 632; Yan y Gao, p. 455.

73. *History of the CCP, Chronology*, p. 363; Evans, pp. 199-200.

74. Yan y Gao, p. 422; Barnouin y Yu, pp. 255-256.

75. Henry Kissinger, *Years of Upheaval*, Little, Brown, Boston, 1982, pp. 687-688 y 692-693.

76. Fuentes orales.

77. Barnouin y Yu, pp. 263-264; Wang Nianyi, p. 471.

78. Wang Nianyi, p. 471.

79. Evans, p. 198.

80. Yan y Gao, pp. 430-432; Barnouin y Yu, p. 258.

81. Yan y Gao, pp. 416-420 y 432-442; Barnouin y Yu, pp. 264-265 y 267-268.

82. Hao y Duan, pp. 636-637.

83. Li Zhisui, pp. 578-579.

84. *Ibid.*, pp. 569-570, 573-574 y 576-577.

85. Kissinger, *White House Years*, p. 1.059.

86. Li Zhisui, pp. 580 y 604-605.

87. *Ibidem*; entrevista con Zhang Yufeng, junio de 1997; fuentes orales.

88. Peng Cheng, pp. 42-43; *History of the CCP, Chronology*, p. 364.

89. Li Zhisui. pp. 580-586.

90. *History of the CCP, Chronology*, p. 364.

91. *Ibid.*, pp. 365; Yan y Gao, pp. 445-448 y 455-459; *Guangming ribao*, 12 de noviembre de 1976; Ye Yonglie, pp. 413-415; Hao y Duan, p. 638.

92. *History of the CCP, Chronology*, p. 366.

93. Hubo dos excepciones: un encuentro del Politburó del 15 de febrero de 1975, convocado para tratar sobre la salud de Mao, presidido por Zhou (Li Zhisui, pp. 597-599); y una reunión celebrada el 3 de mayo de 1975, la última presidida por Mao (Barnouin y Yu, pp. 282-283 y 286). Li Zhisui (p. 600) pone en duda la presencia de Mao en esta segunda ocasión, pero sus fuentes de información son indirectas y parecen estar equivocadas.

94. Yan y Gao, p. 458.

95. Kissinger, *Years of Upheaval*, p. 68.

96. Yan y Gao citan a Mao afirmando de su mujer a principios de 1975: «Tarde o temprano romperá con todo el mundo ... Después de que yo muera, provocará muchos disturbios» (p. 460).

97. MacFarquhar, p. 291.

98. Con la única excepción de la jefatura del Estado, que, según la nueva constitución, había sido abolida. En su lugar, las funciones del jefe de Estado recayeron en la presidencia del Congreso Nacional del Pueblo, que desde enero de 1975 y hasta su muerte, dieciocho meses después, estuvo ocupada por Zhu De.

99. *History of the CCP, Chronology*, p. 365.

100. *Ibid.*, p. 366.

101. Barnouin y Yu, p. 281.

102. *Ibid.*, p. 282; Gardner, p. 106.

103. Barnouin y Yu, pp. 282-283; Peng Cheng, pp. 50-51 y 56.

104. Yan y Gao, p. 471. Véase también la pancarta sobre un muro ilustrada en Witke, *Camarada Chiang Ch'ing*.

105. Byron y Pack, *Claws of the Dragon*, pp. 405-407. Kang sin duda supo que su mensaje no le había llegado, ya que en octubre de 1975, pocas semanas antes de su muerte, cuando su enfermedad le concedió una momentánea recuperación, se reunió por última vez con Mao, a pesar de que no quiso mencionar su «descubrimiento»: la posición política de Jiang en aquel momento había mejorado. En abril de 1976, el ministro de Asuntos Exteriores, Qiao Guanhua, indicó a Mao, según parece, que Kang había «difamado» a Jiang Qing y Zhang Chunqiao, pero no dio detalles.

106. Barnouin y Yu, pp. 283-285.

107. Peng Cheng, p. 57.

108. *Ibidem*.

109. Barnouin y Yu, pp. 279-280; Evans, pp. 206-207.

110. Jia Sinan, pp. 376-378; Hao y Duan, pp. 648-649; MacFarquhar, p. 296.

111. Barnouin y Yu, p. 280.

112. Li Zhisui, p. 605.
113. Yan y Gao, p. 480.
114. *Ibid.*, p. 479. Véase también Wang Nianyi, p. 560.
115. Hao y Duan, p. 560.
116. Yan y Gao, pp. 471-472; Barnouin y Yu, pp. 285-286.
117. Barnouin y Yu, p. 286.
118. *Renmin ribao*, 4 de diciembre de 1975.
119. Barnouin y Yu, p. 286.
120. Yan y Gao, pp. 482-485; Li Zhisui, p. 609-610.
121. Yan y Gao, pp. 485-486.
122. Richard Nixon, *In the Arena: A Memoir of Victory, Defeat and Renewal*, Simon & Schuster, Nueva York, 1990, p. 362.
123. Zhang Yufeng, «Mao Zedong Zhou Enlai wannian ersanshi», *Yanhuang zisun*, n.° 1, 1989.
124. *Ibidem.*
125. Evans, pp. 207-208.
126. Fuentes orales; Roger Garside, *Coming Alive: China after Mao*, Nueva York, 1981, pp. 115-136; Yan y Gao, pp. 489-503; y MacFarquhar, pp. 301-305.
127. Yan y Gao, p. 502.
128. Evans, pp. 212-213.
129. MacFarquhar, p. 305.
130. Li Zhisui, pp. 614-623; Yan y Gao, pp. 510-515.
131. Wang Nianyi, p. 601.
132. Yan y Gao, pp. 487 y 516.
133. MacFarquhar, p. 300.
134. *Ibid.*, pp. 306-307; Li Zhisui, p. 621; Evans, pp. 214-215; Wang Nianyi, p. 591.
135. Li Zhisui, pp. 624-625; Yan y Gao, pp. 516-519.
136. Xiu Ru, *1976 nian dashi neimu*, Pekín, 1989, pp. 403-404.

EPÍLOGO

1. Liu Wusheng, ed., *Zhongnanhai dangshi fengyunlu*, Renmin chubanshe, Pekín, pp. 439-440.
2. Schram, *Unrehearsed*, p. 190.
3. Kuo, *Classified Chinese Documents*, p. 57.
4. *Resolution on CPC History (1949-1981)*, Pergamon Press, Oxford, 1981.
5. Fuentes orales; Cheng realizó este comentario en una conferencia de trabajo del Comité Central celebrada en noviembre de 1978, p. 34. Véase también *Mingbao*, Hong Kong, 15 de enero de 1979.
6. Geremie R. Barme, *Shades of Mao*, M. E. Sharpe, Armonk, 1996, p. 34.
7. Edouard Chavannes, *Les Mémoires Historiques de Se-ma Ts'ien*, Adiren-Maisonneuve, París, 1967, vol. II, pp. 144-145.
8. *Miscellany of Mao Tse-tung Thought*, I, p. 98.
9. La implicación directa de Mao en la caza y ejecución de supuestos oponentes se limitó al período que se extiende entre 1930 y 1931, en el área base de Jiangxi. En la «campaña de rectificación» de Yan'an, dio instrucciones para que «no muera ningún cuadro», pero, a nivel práctico, permitió a Kang Sheng que indujese a los disidentes del partido al suicidio. Este modo de proceder se mantuvo vigente a lo largo de todo su liderazgo de la República Popular.

10. Si se considera que el número total de muertos durante el Gran Salto Adelante es de veinte millones (la cifra oficial aportada por Hu Yaobang), y se estima que un millón más murió durante la reforma de la tierra; otro millón en los movimientos políticos de principios de los años cincuenta; y un millón durante la Revolución Cultural —todas ellas cifras a la baja—, el número total de personas muertas en China como consecuencia de las políticas de Mao es como mínimo de veintitrés millones (aunque bien pudieron ser, en realidad, entre treinta y treinta y cinco millones). Comparativamente, la cifra total de muertos en la segunda guerra mundial se estima en cincuenta y cinco millones; en la rebelión de los Taiping, veinte millones; y en la primera guerra mundial, ocho millones. Ninguno de estos acontecimientos, sin embargo, puede atribuirse a la voluntad de un único hombre.

11. Fuentes orales. He sido incapaz de descubrir ninguna referencia documental, pero Mao expresó este mismo pensamiento en una reunión del Comité Central del 20 de diciembre de 1964 (*Miscellany*, II, p. 426).

12. Fuentes orales; Barme, p. 52.

13. Barme, *passim*.

Mapas

Ilustraciones

Las fotografías son cortesía de Xinhua (Agencia de Noticias de la Nueva China), a excepción de las detalladas a continuación.

SECCIÓN I

Corte de coletas – *Harlingue-Violet*, Paris
Ejecución lenta – Joshua B. Powers Collection, Hoover Institution, Stanford University
Hogar familiar de los Mao – Marc Riboud, *Mágnum Photo Agency*
He Zizhen, tercera esposa de Mao – Cortesía del Museo Revolucionario de Maoping, Jiangxi
El Generalísimo Chiang Kai-shek – *Sygma*, París
Mao y Zhou Enlai – Peabody Museum of Archeology and Ethnology, Harvard University (Owen Lattimore Foundation)

SECCIÓN 2

Yan'an – Edgar Snow's China, por Lois Wheeler Snow, reimpresa con la autorización de Random House
Wang Shiwei – Cortesía de China Youth Press
Mao y Khruschev – Cortesía de Du Xiuxian, Pekín
Zhang Guotao – *United Press International Photos*, Nueva York

SECCIÓN 3

Talismán mágico – Paolo Koch, *Rapho Agency*

Índice alfabético

con Tan Yankai, 154; ordena la ejecución de Mao, 165

Zhao Wuzhen, 110-111

Zhejiang, provincia de, 76, 158, 245

Zhen Zhang, poeta, 101

Zheng Guanying, 44-45

Zhengzhi zhoubao (*Semanario Político*), periódico del partido, 168

Zhili, señores de la guerra de, 87, 90, 113, 139

Zhongnanhai, 34

Zhou Enlai, 203, 208, 243, 247, 259, 264, 270, 295, 308, 318, 374, 641; en Tongdao y Liping, 15; en Zunyi, 24, 26-27; y la fundación de Juewu shi (Sociedad del despertar), 91; a cargo de los asuntos militares del Partido Comunista de China, 171, 201; en Shanghai durante la toma nacionalista, 189, 194; y el levantamiento de Nanchang, 207, 219; y Mao, 23, 27-28, 209, 225, 243-246, 249, 255, 270, 299-306, 323, 327-328; y Zhu De, 228, 249, 255; como director de la Oficina Central, 264, 287, 293-296; uso de la violencia política, 287-290; personalidad, 299-300; diferencias con Zhang Guotao, 340; y el Frente Unido con el Guomindang, 347, 351, 354, 357, 367; apoyo a Wang Ming, 367, 371; crítica de Kang Sheng, 393; repara las relaciones con Mao, 396, 399; y la misión Dixie, 401; y los nacionalistas, 408; hacia Moscú, 429; encuentro con Stalin sobre Corea, 434; como primer ministro de Mao, 448, 501, 510, 512, 516, 523; diferencias chino-soviéticas, 458, 585; y las cien flores, 467; sobre la política económica, 480,

483, 486-490; ataque a Peng Dehuai, 502; y la Revolución Cultural, 531, 544, 553, 569, 579, 581, 588; como presidente del Grupo para la Revolución Cultural, 564; como presidente del Grupo de Examen, 571; ataques contra Deng Xiaoping, 588; y Lin Biao, 597, 607; Mao le propone la sucesión, 600; negociaciones con Estados Unidos, 601-605; esfuerzos por reconstruir China, 606-607, 615-616; enfermo de cáncer, 606, 611; y las maniobras para la sucesión, 608; muerte de, 619; duelo popular, 621-622

Zhou Fuhai, estudiante de Hunan, 134

Zhou Lu, 226, 232

Zhu De, 25, 27, 207, 219, 222, 225, 226, 228, 235-236, 239, 243, 259, 327, 329, 335, 337, 359, 455, 641; comandante del Cuarto Ejército, 229, 240; y Mao, 238, 247-250, 257, 301-302, 396, 510; campañas de asedio, 262, 266-269, 319; como presidente de la comisión Militar Revolucionaria, 294; oposición al ataque de Ganzhou, 295; con Zhang Guotao, 341; detención de Chiang Kai-shek, 354; como miembro del Secretariado del PCC, 400; guerra contra Japón, 405, 420; defensa de Peng Dehuai, 501, 505; y las comunas, 512; y la Revolución Cultural, 544, 555, 563, 580; muerte de, 623

Zhu Peide, gobernador, 195

Zhu Xi, neoconfuciano, 116

Zhuangzi, pensador taoísta, 39

Zilliacus, Connie, parlamentaria laborista, 425

Zunyi, 23-28, 30; Ejército Rojo en, 327-328, 383

Índice

AUSTRAL

www.australeditorial.com

www.planetadelibros.com